中国矿物药集纂

尚志钧 集纂
尚元胜 尚元藕 整理

北京科学技术出版社

本草古籍辑注丛书·第一辑

尚志钧/辑注
尚元胜 尚云飞
尚元藕 任 何/整理

2018年度国家古籍整理出版专项经费资助项目

尚志钧百年诞辰典藏

尚志钧本草文献全集

图书在版编目（CIP）数据

本草古籍辑注丛书．第一辑．中国矿物药集纂／尚志钧集纂；尚元藕，尚元胜整理．—北京：北京科学技术出版社，2019.1
ISBN 978－7－5304－9979－5

Ⅰ．①本…　Ⅱ．①尚…　②尚…　③尚…　Ⅲ．①本草－中医典籍－注释②矿物药－中国　Ⅳ．①R281.3

中国版本图书馆CIP数据核字（2018）第268707号

本草古籍辑注丛书·第一辑．中国矿物药集纂

集　　纂：尚志钧
整　　理：尚元藕　尚元胜
策划编辑：侍　伟　白世敬
责任编辑：杨朝晖　张　洁　董桂红　白世敬　朱会兰　吴　丹
责任印制：张　良
责任校对：贾　荣
出 版 人：曾庆宇
出版发行：北京科学技术出版社
社　　址：北京西直门南大街16号
邮政编码：100035
电话传真：0086－10－66135495（总编室）
0086－10－66113227（发行部）
0086－10－66161952（发行部传真）
电子信箱：bjkjpress@163.com
网　　址：www.bkydw.cn
经　　销：新华书店
印　　刷：北京七彩京通数码快印有限公司
开　　本：787mm×1092mm　1/16
字　　数：768千字
印　　张：43
版　　次：2019年1月第1版
印　　次：2019年1月第1次印刷
ISBN 978－7－5304－9979－5/R·2534

定　　价：**1150.00元**

王 序

老树春深更着花

皖南医学院尚志钧教授是我国著名的本草文献学家，先生60年来坐拥书城，索隐钩沉，捞经药海，著作等身，开一代学风，是我非常敬重的老一辈学者之一。我一直想亲自到芜湖去拜访先生，但由于常常事务缠身，而未能实现，甚为遗憾。

清代朴学，亦称“汉学”或“考据学”，因其盛行于清代乾隆、嘉庆两朝，故又称“乾嘉学派”。乾嘉学派重视考据、训诂，学风平实、严谨。其内部派别的划分，历来有吴派、皖派之说，多数学者都承认此一分野划自国学大师章炳麟。徽派朴学又称皖派经学，先驱者为黄生，奠基者为江永，集大成者为戴震，后有段玉裁、王念孙等大师将徽派朴学的学术研究推向鼎盛。而徽派学者形成的以求证、求实、求真为特色的创新学派，成为清代学术的突出代表。60年来，尚志钧教授在运用清代乾嘉学派考据学方法的基础上，借鉴清人做学问的方法，创立“本草三重证据法”，在本草文献界默默耕耘，在本草文献研究领域进行整理辑复、辨伪校勘、校点翻印。先生倾一生精力，为本草文献的继承、传播作出了卓越的贡献，成就斐然，被学术界称为“尚派”。

2007年11月，我拜读了总结先生一生学问、经历和成就的《本草人生》一书，对先生其人和本草文献学的了解更进了一层。正在此时，出版社的编辑又告诉我先生的另外一部学术著作《中国矿物药集纂》也将出版，并把大部分的电子稿给我发过来，希望我能为先生的这部书稿写个序言，从而我有机会比别人更早一步知晓这部书稿的整体情况。

在历代文献中，关于矿物药名字的记载很多。其中，有些矿物药，由于文献成书年代离我们的时代近，比较容易理解，故至今还在应用。但大多数矿物药，由于文献成书年代太过遥远，不容易理解，现今已较少应用。随着岁月的变迁，有些品种就慢慢消失了。

而先生的这本书从文献角度出发，凡本草文献记载作医疗使用的矿物药，上自先秦，下迄清末，均予以收录。让从事这方面研究的人一书在手，心中有数。在所录矿物药中，有一些究竟基原是何物，一时难以弄清者，则注明存疑待考，体现了先生科学严谨的治学态度。

该书收罗资料全面丰富，近70万字，堪为先生漫漫学术征程中的又一巨大成就，对研究药学史、医学史以及中医临床、教学、科研等诸多方面都有很好的参考价值。

《中国矿物药集纂》一书是先生对本草进行分类研究的重要尝试。同时，通过本草学的研究将散布于历代本草文献中的有关学科知识加以系统整理，使之便于查考，对丰富本草学以外的相关学科建设也多有裨益。

风雨晨昏人不晓，个中甘苦寸心知。据我所知，先生有一桩未了的心愿，那就是，在喧嚣烦扰的现代社会里，醉心于本草文献研究的人越来越少，本草文献研究后继乏人，青黄不接；他希望通过凝聚着自己心血和汗水的一部部相关专著的出版，吸引更多的有志青年投身到对“故纸堆”的默默坚守中来，让源远流长的中国本草学在新的世纪里获得新的生命。

这也是我提笔为此书作序的另一个重要原因。

王键

于少默轩

2008年2月

郑 序

老骥伏枥，志在千里

当我看完尚志钧教授的新作《中国矿物药集纂》电子文稿以后，最想说的一句话是："老骥伏枥，志在千里！"今年尚老师已年届九十高龄，还能将旧日集纂的中国矿物药资料整理成书，以惠后学，真令人钦佩！

一般人只知道尚老师是本草文献大家，以为他只擅长钻故纸堆。其实不然。1940年他就在重庆国立药学专科学校接受过正规的药学教育，熟谙药用动、植、矿物。他还曾利用自己熟悉医药文献的优势，为人看病，在当地颇有医名。所以，尚老师并非是只知道书本来、书本去的学究，而是具有丰富医药实践经验的药学家与医家。当出版社的编辑将尚老师的大作传给我，让我为他的书作序时，我对他有矿物类的本草专著丝毫不感到意外。

矿物药是中医药宝库中不可或缺的一部分。历代本草书中有很多这方面的知识。但近现代以来，中医的矿物药用得越来越少，有关的著作也寥若晨星。同类著作中只有1957年王嘉荫的《本草纲目的矿物史料》一书，而且内容很简单。以至于有些人对中医的矿物药产生误解，认为它们大概都是炼丹用的原料，唯恐有毒，不敢尝试。其实不然。

当代医药科技的发展，使我们知道微量元素对人体的健康是何等的重要。古人虽然不了解微量元素，但他们在实践中摸索出了一些行之有效的、利用矿物药补充微量元素的经验。例如患钩虫病，长期慢性失血会引起缺铁性贫血，中医治疗时经常加上绛矾、针砂等含铁离子的药物。著名的张三丰《仙传方》伐木丸，治黄肿如土色，就使用绛矾一斤、苍术二斤、神曲四两，共为细末，醋糊为丸服用。《医学正传》绿矾丸则同时使用了绛矾、针砂治黄肿病。这样的黄肿，大抵都是由于失血引起的虚肿，并非黄疸，用矿物药治疗效果很好。

当代人对矿泉水司空见惯。古人虽然不知道矿泉水的具体成分，但却知道中国数百处泉水的水质优劣，记载了它们的不同治疗作用或不良反应。古人还根据温泉所含矿物质的不同，将之分为硫黄泉、朱砂泉、礜石泉等，然后指导患者入泉洗浴，治疗疥癣风疾、杨梅疮等病。至于中医外科所用的各种丹药、膏药，其中所用的矿物药就更多了。所以，我国古代有关矿物药的知识和运用经验是非常丰富的，值得深入发掘，并利用现代科技条件加以提高。

尚老师为《中国矿物药集纂》所做的工作，就是将古代中医鉴别、运用矿物药的知识汇集起来，分门别类予以归纳。但该书又不仅限于文献汇集。该书上篇的总论，介绍矿物药理化性状、药效性质，以及相关的采收、加工炮制等知识。这对不是很熟悉矿物药的读者而言，有很好的入门作用。尚老师将现代矿物药的知识与古代矿物药文献记载熔于一炉，成为专书，是一种创新之举。

该书的资料收罗广泛，时间跨度超过了2000多年；所收资料不仅来自医药书，还包括从文史书中摘录出的相关材料。尚老师对古代医药相关文献极为熟悉，因此才能几乎毫无遗漏地搜罗出千余种矿物药资料。我相信，此书对有志于矿物药研究、有兴趣了解并运用中医矿物药知识的读者，一定大有裨益，故乐为之序。

郑金生

2008年3月20日

胡　序

矿物药，应当也属本草的范围。广义的本草包括植物类、动物类、矿物类乃至日常生活中的水火。据尚老统计，与大自然中大量存在的植物类、动物类药物相比，从先秦《本草经》至清代《本草纲目拾遗》，总共记载的矿物类药物仅 417 种，可用的有 200 种左右，但现代仍常用的不过几十种。临床中，用于内科疾病的矿物药不多，被临床中医师所熟知的也仅有芒硝配大黄可增强泻下作用、石膏配知母可增强解热作用、滑石配甘草可增强利水渗湿作用等数种。用于外科、皮肤科的矿物药较多，如白降丹、红升丹、炉甘石洗剂、枯痔散（《疡医大全》）、三品一条枪（《外科正宗》）等，及复方扑粉、脚癣粉、硫黄软膏、白降汞软膏、冻疮膏、柳汞软膏等，这些常用药的主要成分都是矿物。使用矿物药的民间单、验方相对难以统计。

正因为矿物药数量少，且有些矿物药毒性大，用之不当会出问题，故临床用得不多。在中医院校、中医院的教学、临床、科研中也往往被人们冷落。实际上矿物药用之得当，疗效是不错的。从本书尚老搜罗的矿物药来看，矿物药的内容是极其丰富的，学术价值与临床价值都相当高，古人对矿物药也是十分重视的。相当一部分矿物药在古本草著作中被列在“上品”中，并赋予“服之能使神仙不老”的作用，可见在当时医家心目中的地位是很高的。《神农本草经》的 365 味药中，有 160 味提及“神仙不老”，其中矿物药占相当一部分。例如：云母“久服轻身延年神仙”；玉泉“久服不老神仙”；朴硝“炼饵服之，轻身神仙”；石胆“久服增寿神仙”；太一禹粮“久服轻身神仙”；水银“久服神仙不死”，等等，不一而足。

长生不老是人类永远的梦想，历代帝王富甲四海、拥有天下，更是梦想江山永久、唯我独享。秦始皇对不老之药梦寐以求，派徐福率童男童女赴海外求仙药。汉武帝时代，求仙求药之举比之秦始皇更胜一筹，他们不仅重用方士、到处寻觅不死之仙药，而且兴师动众，直接动手炼丹、炼金，企图找到长生不老之灵丹妙药，但服丹不死者未见，中毒致死的例子在历史文献中却比比皆是。如魏道武帝服寒食散而死（《魏书·本纪》）；唐宪宗、唐穆宗服食金丹而亡，唐武宗服方士之药以致喜怒失常而毙（《唐书·本纪》）；明朝自朱元璋以降，诸帝几乎都崇尚方士，服丹成癖。统治者的好恶影响了整个社会的价值取向。自汉武帝始，统治者倚重方术。方士进宫主持方药，为效忠皇上，邀功争宠，大肆炼丹、炼金，炼丹、炼金因而成为此辈工作重心。这些思想必然反映到本草著作中来，所谓仙经与本草合糅也。方士之谬说，有的被沿袭，记载在之后的各种本草典籍中，更多的则被明智的后代医家摒弃了。李时珍就多次斥责此类荒诞之说。

尚老的这本《中国矿物药集纂》如实地搜集了这方面的内容，搜集这些内容有什么意义呢？我想，这是非常必要的，也是非常有意义的。这是历史记录，是存真，存历史之真，存矿物药发展史之真。其未必一无是处，后人大可去伪存真、为我所用。况且在追求真理的过程中，不可能不经历谬误；即使在经历谬误时，可能也会有新的发现和发明。

大自然中存在大量原生态的矿物药，但更多的矿物药可能就是在炼丹的过程中发现的。葛洪《抱朴子》记述了硝石、雄黄合炼，其升华物“白如冰”；《本草别说》则记述：“砒石烧烟飞作白霜。”此即砒霜（氧化砷）。这类药物就不是原生态的矿物药了。

中国科技史学者李约瑟的学生罗伯特·坦普尔（Robert. G. Temple）博士在其著作《中国：发现与发明的国度》中，就说到中国人关于“硝石、硫黄、木炭、汞、银、雄黄和砷的发明”。他提到的银，在《新修本草》中即“银屑”，有安神镇惊作用；他提到的砷，即砒石，首载于《开宝本草》，为治疟、催吐、疗疮药，有大毒。此外，现在最常用的炉甘石，是菱锌矿、水锌矿的煅淬品，主含碳酸锌，《本草品汇精要》中即有记载，至今仍被皮肤科作为收敛、杀菌、止痒的常用药。而作为财富标志的金，自古以来就作为安神、强壮之药。

客观地说，炼制矿物药也大大促进了我国古代药物化学的发展。诸如：冶金与金属化学药物的发现，炼丹与无机合成化学药物的发现，升华法制备药物的发现，汞齐合金技术与本草化学药物制备的发现，本草药物有关理化鉴别方法的发现等。

譬如秋石，被尚老收集到该书中的资料就相当丰富。它是从人尿中提取的一种有机化合物。可以说，秋石的炼制技术是11世纪我国科技史上的一项伟大发明。"秋石"二字最早见于东汉道学家魏伯阳《周易参同契》。此书谓"淮南（王）炼秋石"。有注家认为"秋"即"西"，即"金"，"秋石"即"金丹"。汉唐以前秋石炼制有两派：一派是正统炼丹术，是用矿物药炼制的一种金丹；另一派在当时被看作旁门邪术，是用小便炼制秋石。

宋代沈括的《苏沈良方》记述了用小便炼制秋石的工艺流程，详细描述了阳炼法、阴炼法两种方法。其方法从现代科学意义上来看也是很了不起的。如"阳炼法"中用皂角汁的清汁（皂苷）作为沉淀剂，沉淀出人尿中的一种特殊物质（甾体激素）。古人能够聪明地选择这种特异性的反应，不经过无数次的实践，要取得成功是不可能的。沈括本人也曾服用过秋石，其曰"时守宣城，亦大病逾年，族子急以书，劝予服此丹，云实再生人也"。可以推测秋石的主要功效是补益久病虚劳之症。

明代统治者崇尚道教房中术。有记载：诸佞幸进方最多……用秋石，取童男小遗去头尾，炼之，如解盐以进……士人亦多用之。

可见，当时秋石是作为壮阳补益药使用的，不但王公贵族用，一般知识阶层也用。这是医家炒作的结果，与当今媒体热炒某些保健品相仿佛。

清代，秋石应用更广泛，被作为跌打损伤、劳伤、厌食、儿童营养不良、妇科病的常用药。

秋石中含有激素，当无疑问。直至今日，仍有人广泛收集小便（并不限于童男子），从中提取药物。本书中收录的古人炼制秋石的方法，对如何获取道地药材应当是有启发的。

中医的辨证施治是一个体系。其处方用药绝不是各种单味药物理作用、化学作用的叠加。因此，研究每味药物的成分、作用是一个问题，而药物的临床配伍运用是另一个问题。古人对矿物药的认识，也可能为我们提供一些临床用药的思路。

如果说本草学是一个内涵巨大的宝藏，那么，矿物药则是其中一个道道地地的富矿，只是过去被我们大大地忽略了！有心人必可从中开掘到有益的宝贝。

尚老的《中国矿物药集纂》堪称集大成之作，几乎搜罗了先秦到清末的所有矿物药。其资料不仅来源于现存的所有本草文献，还从其他经史子集、山经地志、笔记杂说、方志类书，如《秋灯丛话》《粤志》《延绥镇志》《烟诫》《物理小议》《天宝遗事》《山海经》《笔谈》《闻见杂志》《夷坚志》等资料中广泛搜剔、搜集。编撰者下的苦工夫是可想而知的。

更可贵的是编撰者不是将材料简单地排比罗列，而是融会贯通，以上篇总论宏观地综述矿物药的发展概况、分类、化学成分、性状、药性、毒性、宜忌、炮制；下篇各论，按类分述各药的内容。全书纲举目张，有合有分，条分缕析，检索便捷，甚得吾心也。

尚老治学严谨务实，对暂不可考之药物，不作妄解，录之待考。

拜读尚老大作，不由感慨：老先生这一辈子太不容易了，90 年的生命历程中，有挫折，有烦恼，沟沟坎坎，何其难也！幸天道酬勤，尚老坚持学术研究，竟然做了我等几辈子也做不了的事！透过全书，我们可以发现尚老的学术生命力竟如此之旺盛！可以想见，其于斗室之中，青灯黄卷，搜剔爬梳，笔走龙蛇，焚膏继晷一甲子的艰苦奋斗！他的坚韧，他的执着，他的矢志不移，令人肃然起敬！尚老潜心学术，无分日夜，更无娱乐，家事生计百事不问，幸得师母贤德，儿孙至孝，女儿元藕在侧殷殷襄助，单位领导关爱有加，始得这么多成果，今又完成此填补空白之篇章，此乃本草文献学之大幸，中医学术界之大幸，我等后学者之大幸也！当今之世，倘多有几个尚先生，何愁中医学术不彰显光大也！

胡世杰

于合肥琥珀山庄

2008 年阳春

陈　序

学做本草传人

——写在《中国矿物药集纂》出版之际

我和尚志钧先生从未谋面，但我一直将他视为我的老师，因为先生辑复的一部部本草文献著作和一篇篇有关本草研究的学术论文，伴随我走过了20多年的本草研究历程，使我在这个领域中不断进取，并有所收获。

说先生是我本草文献研究生涯中的一位非常重要的老师一点也不为过。记得1985年大学毕业后，我在以从事本草文献研究、编纂中药工具书见长的南京中医药大学中医药文献研究所工作，每天的工作就是抄卡片、撰写药物条目。那时候没有中医药文献数据库，所有资料来源都是古代本草著作，有一函函透着古韵的线装书，也有一本本散发出墨香的现代书。但在我们所的书架上，非常醒目的是有一排纸质薄脆、钢版刻字而成的油印本，它们是《吴普本草》《名医别录》《本草拾遗》《海药本草》《嘉祐本草》《本草图经》等书，有数十本之多，这些本草著作原书均佚，辑复者都是先生。这些油印本，是那时候我经常要翻阅和摘抄的书籍，也成了我从事本草研究的敲门砖。

历代本草文献的发展，是一个不断累积的过程。对于一个初学本草文献的后生来说，阅读历代本草文献是一件困难的事，特别是药物各论部分，一味药的内容来源于前代不同的本草文献及医家论述。如《证类本草》几乎囊括了北宋以前的所有本草文献内容的精华，初涉本草文献的人，会以为其中内容都是唐慎微所作，其实书中大部分内容来源于不同的文献。而这些原始本草著作很多已散佚，在没有先生的一系列辑复本之前，查找原始资料非常困难，往往会有遗漏，甚至张冠李戴。先生的辑复本给我们提供了非常大的便利。并且，先生在辑复这些古本草过程中，查阅了很多的文献资料，往往超出本草文献的范围，因此资料更加全面，更能显示古本草的原貌。所以，先生的这些书籍成了我每天参考的书籍，通过一次次的翻阅，我对本草文献越来越熟悉，对本草的认识也越来越深刻。

从参加《中华本草》的编纂到《中药大辞典》第2版修订，抑或注释《本草品汇精要》《本草汇言》，除了向身边的前辈老师及时请教外，遇到问题时我会向先生的辑本请教，从他的本草辑本中寻找答案。可以说，是先生引领我走向本草文献知识的深处，让我领略本草文献的真谛！可喜的是，现在我们资料室书架上被我们翻得已十分破旧的油印本旁边，又增添了一本本这些辑本的正式出版物，翻阅、查找起来更加方便。

如果说先生的这些辑复本是还古本草文献以原貌，那么今天呈现在我们面前的《中国矿物药集纂》则是一部突出实用的专题性本草辑本。本书将清代以前文献中的有关矿物药的论述，以药物为纲辑在一起，为学习和研究矿物药提供了一本更加实用的本草文献。

先生研究本草文献，充分遵循“广泛收罗，去粗存精”“辨章学术，考镜源流”的原则和思想，这本《中国矿物药集纂》也不例外。该书参阅了大量的文献资料，收罗内容囊括上自先秦，下至清末的本草、方书、文史书籍，以药物为纲，采录有实用价值的内容，每味药均有文献出处，药物下内容按出处文献的成书年代排列，从中可以了解历代对某种矿物药的认识沿革。本书既有本草论述，也有实用验方，是一本不可多得的专题性本草著作。

由于历史的变迁和环境的改变，矿物药名称变化较大，特别是本草书中的一些年代久远的矿物药，现已不知其为何物。对于这一类矿物药，本书原文照录，以备考证，为本草考证提供依据，体现文献学价值。本书内容“全”且“精”，是目前最为全面、最为细致的一部矿物药本草文献著作。它不仅为本草文献的进一步研究提供了重要文献，而且为矿物药的研究开发和临床应用提供了可靠资料。

先生在本草文献的领域里孜孜不倦，硕果累累，谱写了一曲优美的“本草人生”乐章。作为本草研究的后辈，先生是我学习的榜样，也是我永远的老师。比之先生，无论是做学问还是做人，我们都欠缺得太多。先生身上传达出这样的讯息：只要耕耘，总有收获！所以，向先生学习，是研究本草、学做本草传人的起点。

谨以此文恭贺先生又一部力作——《中国矿物药集纂》出版！

陈仁寿

于南京清凉门杏聚村

2008 年 4 月 12 日

前　言

矿物，是指由于地质作用所形成的天然单质或化合物，其具有相对固定的化学成分和性质，呈结晶体，具有特定内部结构，它们在一定地质条件下相对稳定，但当外界环境改变到一定程度，它们就会发生变化。它们是构成岩石及矿石的基本单元。来自陨石的矿物称宇宙矿物，由人工合成者称合成矿物。

目前已知的矿物有3000多种，可用的不到200种，现代中医常用的矿物药仅数10种。

中国本草的名称，因以草药为主而得名。其实在本草书中，也含有动物药和矿物药。以《本草纲目》为例，《本草纲目》全书52卷，其中总论4卷，余下48卷是专论药物的。在48卷中，论植物药27卷，论动物药14卷，论矿物药7卷。按百分比计算，植物药占56%，动物药占29%，矿物药占15%。在《本草纲目》全书中，植物药最多，矿物药最少。

所有的矿物中，凡能供医疗使用的，都是矿物药。

历代所用的矿物药，都在不断地变更。在每一个时期，总有些毒性小、疗效高的矿物药被发现，那些毒性大、疗效低的矿物药则被淘汰，这就导致矿物药随着时代迁移，不断更新。

历代文献中记载的矿物药名字很多，其中有些矿物药，由于文献成书年代离我们的时代近，比较容易理解，故至今还在应用。但有些矿物药，由于文献成书年代太过遥远，不容易理解，现今已较少应用。还有一些矿物药，现今仅知其名，具体矿物是何物，实难以弄清，因为这些矿物药，古代虽然用过，但由于毒性大、疗效低，被淘汰了，历代医家不用，药店不收，药工对此等药不制，就慢慢地失传了。

本书从文献角度出发，凡文献记载作医疗用过的矿物药，上自先秦，下至清末，均予以收录。在所录矿物药中，其基原是何物一时难以弄清者，暂存疑待考。

本书分上、下两篇，上篇为总论，下篇为各论。

上篇总论，讨论矿物药发展概况、分类、化学成分、化学成分与药效关系、物理性状、中药药性、毒性、配伍宜忌、炮制加工和煎煮。

下篇各论，按金石类、玉石类、盐类、土类、水类论述各个矿物药的内容。

金石类：按矿物药所含元素归类，如金、银、铜、铁、锡、铅、汞、砷、硫、碳。

玉石类：包含各种玉和各种石。

盐类：按阴离子酸根与阳离子形成的盐分类，如盐酸盐、硼酸盐、硝酸盐、硫酸盐、碳酸盐、硅酸盐。

土类：包含各种泥土、灰、砂。

水类：各种水。

本书编撰时，承蒙山西省中医药研究院中医基础理论研究所赵怀舟，山西省图书馆信息咨询部赵玉秋、李莉、蔡艳青等同志帮忙电脑录入，本人在此一并表示衷心感谢！

尚志钧

于皖南医学院弋矶山医院

2007 年 12 月

集纂说明

本书收录矿物药，上自先秦，下至清末。

凡文献记载过的医疗用矿物药皆录，未记载作医疗用的矿物不录。如《石药尔雅》仅记有药名，未言药用，即不录。

凡年代久远的矿物，历代医家不用，药房不备，药工不采，文献虽记载过医疗应用，但其基原不明，具体是何物，难以弄清，即存疑待考。如《山海经》记有“育沛，佩之无瘕疾”“器酸食之已疠”“天婴，状如龙骨，可以已痤”，此等育沛、器酸、天婴已不知是何物，姑且录之，存疑待考。

同一矿物药的条文，见于诸家本草书所记内容不同，皆予以转录。

有一些常用矿物药，历代本草书皆有论述，本书皆原文转录，并按年代先后次序编排，又在转录诸家论述文之后，加“按”，以补充该矿物药在矿物学和临床应用上的一些内容。

本书对所录的矿物，按化学成分进行分类，分为金石类、玉石类、盐类、土类、水类。各类矿物药按所含化学成分编排。

本书所录药名皆注明出处，以目前最早收载该矿物药的文献作为原始出处，并将文献名称标在药名之后，以括号括之。如丹砂最早见录于《神农本草经》，在丹砂后标以“（《本经》）”字样。银屑最早见录于《名医别录》，在银屑后标以“（《别录》）”字样。

本书是笔者过去读书的笔记，所记如有遗漏或讹误，请读者指正。

编校说明

（一）本书为尚志钧先生辑注的本草古籍。本次整理以尚志钧先生已出版的图书《中国矿物药集纂》为基础书稿。

（二）尚志钧先生原书有简化字，也有繁体字，本次统一使用简化字编排。对书稿进行编辑加工时，主要依据国家语言文字工作委员会文字规范文件（《简化字总表》《异体字整理表》等）的规定以及《汉语大字典》的相关释义，在不影响原义的情况下，将书稿中的繁体字、异体字、通假字等改为现行规范字。但对以下情况做变通或特别处理。

1. 简化字可能使字义淆错或不明晰的，不予简化。如中医病名“癥瘕”之“癥”不简化为“症”，“禹餘粮”之“餘”只简化为“馀”而不作“余”，等。

2.《异体字整理表》等归并不当或关系有歧见的异体字，不做简单归并。如《异体字整理表》将“剉”并入“锉”，但中草药切制古只作“剉”，与“锉”使用的工具、加工的方式与结果都不相同，故不予归并，等。

3. 古书中的特有、习惯表达，不改为现代用字。如中医濡脉，“濡”同“软”，但“濡”字习用，故不改“软”。他如“华”不改“花”，“文”不改“纹”，“合”不改“盒”，等。

4. 同一物名，若古今用字不同，不予改动。如“马脑”不改为“玛瑙”。尚志钧先生摘录古籍药名时尊重古籍文字原貌，所写药名与现代规范药名不同者，也不作改动，如“芒消”“朴消”等。但在非属引古籍条文部分，仍用现行规范名称表述。

（三）对于书稿中的明显的错别字以及常识性错误，编加时直接予以改正，不予出注。

（四）本书涉及诸多古籍，为方便阅读，对部分本草古籍使用简称。为方便阅读，正文中药物条文标题中多次出现的本草著作只写简称，如：

《神农本草经》简称《本经》，

《名医别录》简称《别录》，

《说文解字》简称《说文》，

《肘后备急方》简称《肘后方》，

《雷公炮炙论》简称《炮炙论》，

《唐本草》简称《唐本》，

《本草拾遗》简称《拾遗》，

《海药本草》简称《海药》，

《蜀本草》简称《蜀本》，

《日华子本草》简称《日华子》，

《开宝本草》简称《开宝》，

《嘉祐本草》简称《嘉祐》，

《本草图经》简称《图经》，

《证类本草》简称《证类》，

《太平惠民和剂局方》简称《和剂局方》，

《本草衍义》简称《衍义》，

《食物本草》简称《食物》，

《本草蒙筌》简称《蒙筌》，

《本草纲目》简称《纲目》，

《本草经疏》简称《经疏》，

《本草纲目拾遗》简称为“赵学敏”，等。

部分药物条文后附的书名仍用全称。如：《五十二病方》《山海经》《药性论》《千金方》《药谱》《太平圣惠方》《集韵》《圣济总录》《绍兴本草》《沈氏尊生书》《医宗金鉴》《疡科心得集》。

另，《集简方》疑应为《濒湖集简方》的简称，《唐本余》应为《蜀本草》，为尊重尚志钧先生文字原貌，未予改动。

（五）为方便查找及统计，尊重并保留原书对古籍药物条文添加的编号。

（六）书中古籍原文中提到的书一律加了书名。现仅就“本经”进行解释。

“《本经》”特指《神农本草经》一书，部分古籍原文中的“本经”指的是早期的本草书籍，此部分“本经”未加书名号。

（七）文中“84 绿矾（皂矾）”与“267 绿矾”、“87 玄黄石”与“208 玄黄石”、“90 蛇黄”与“371 蛇黄”、“317 水花”与“463 水花”来源一致，语句相似，语义重复，尊原书，予以保留。

（八）有关本书各药物中历代本草著作排序的问题，尚志钧先生在集纂说明中说是“按年代先后次序编排”，但在编加书稿时发现，有些本草著作的排序并非按照年代先后顺序排列，可能尚志钧先生有独特的学术用意。对此类情况，尊原书，未予改动。

（九）在水类矿物药后，“附《食物本草》收载的井水、泉水”部分，“井水”下“83. 泉水”“84. 澧泉水”“85. 山岩泉水”“86. 玉泉”并非出自《食物本草》，且非井水，未知尚志钧先生此举有何深意，故尊原书，未予改动，暂留相关学者进一步考证。

在本书的编辑整理过程中，得到了尚志钧先生弟子郑金生研究员以及国内多位中医文献学者、古籍出版专家的悉心指教。由于本书体量巨大，且出版时间紧促，编辑水平有限，疏漏谬误，恐所难免，欢迎广大读者批评指正，以期再版更正。

目　录

上篇　总　论

下篇　各　论

上篇　总论

第一章　历代主要矿物药发展概况

我国现存最早的本草著作是汉代《神农本草经》（以下简称《本草经》）。《本草经》载药365种，分上、中、下三品。上品药无毒，多服、久服不伤人，并能轻身益气，延年不老；中品药毒性不大，或无毒，既能治病，又能补虚羸；下品药有毒，除寒热，破积聚，专用于治病，中病即止，不可多服、久服。

《本草经》中矿物药也是按上、中、下三品来分类。

上品药有18种。即：玉泉、丹砂、水银、空青、曾青、白青、扁青、石胆、云母、朴消、消石、矾石、滑石、紫石英、白石英、五色石脂、太一禹馀粮、禹馀粮。

中品药有16种。即：雄黄、雌黄、石钟乳、殷孽、孔公孽、石硫黄、磁石、凝水石、石膏、阳起石、理石、长石、铁、铁精、铁落、铅丹。

下品药有12种。即：青琅玕、肤青、礜石、代赭、卤咸、大盐、戎盐、白垩、粉锡、锡铜镜鼻、石灰、冬灰。

矿物药总计46种，约占全书药物种类的12.6%。

南北朝陶弘景作《本草经集注》时，仍将矿物药按上、中、下三品进行分类。陶氏除保留《本草经》原有矿物药外，又增加《名医别录》中的矿物药45种。所增矿物药，其中上品药有玉屑、绿青、芒硝3种；中品药有食盐、金屑、银屑、石脑、玄石、生铁、钢铁7种；下品药有特生礜石、方解石、苍石、土殷孽、铜弩牙、金牙、锻灶灰、伏龙肝、东壁土9种。此外，在有名无用类中，收录《名医别录》中矿物药26种，即：青玉、白玉髓、玉英、璧玉、合玉、紫石华、白石华、黑石华、黄石华、厉石华、石肺、石肝、石脾、石肾、封石、陵石、碧石、遂石、白矾石、龙石膏、五羽石、石硫青、石硫赤、石耆、紫加石、终石。所以，到南北朝时，矿物药总计已达91种。

到唐代初期显庆年间（656—660），苏敬修纂中国第一部药典——《新修本草》（又称《唐本草》时，沿袭陶弘景《本草经集注》旧例，对矿物药亦有所增加。《唐本草》除保留陶氏书中矿物药外，又增加上品矿物药1种，即：石中黄子；增加中品矿物药9种，即：光明盐、绿盐、密陀僧、紫矿、骐驎竭、桃花石、珊瑚、石花、石床（其中骐驎竭并不是矿物药，当时被误作矿物药用）；增加下品矿物药10种，即：握雪礜石、硇砂、胡桐泪、姜石、赤铜屑、铜矿石、白瓷瓦屑、乌古瓦、石燕、梁上尘（其中胡桐泪并非是矿物药，当时被误作矿物药用）。

《唐本草》初期新增矿物药20种，连同《本草经集注》矿物药91种，即唐代初期矿物药已达111种。

到唐代中期开元年间（713—741），陈藏器作《本草拾遗》，将唐代民间用的矿物药，全部收入书中，并分为金石、土、水三类。

计金石药35种。即：金浆、古镜、劳铁、神丹、铁锈、布针、铜盆、钉棺下斧声、枷上铁及钉、黄银、石黄、石脾（与《名医别录》石脾同名异物）、生金、水中石子、石漆、烧石、石药、研朱石槌、晕石、流黄香、白师子、玄黄石、石栏杆、玻璃、石髓、霹雳针、大石镇宅、金石、玉膏、温石、印纸、烟药、特蓬杀、阿婆赵荣二药、六月河中诸热砂。

土类药物40种。即：天子藉田三推犁下土、社坛四角土、土地、市门土、自然灰、铸钟黄土、户垠下土、铸铧钽孔中黄土、瓷瓯里白灰、弹丸土、执日取天星上土、大甑中蒸土、鼢鼠壤堆上土、冢上土及砖石、桑根下土、春牛角上土、土蜂窠上细土、载盐车牛角上土、驴溺泥土、故鞋底下土、鼠壤土、屋内墉下虫尘土、鬼屎、床头尘土、床四脚下土、瓦甑、甘土、二月上壬日取土、柱下土、胡燕窠内土、道中热尘土、正月十五日灯盏、仰天皮、蚁穴中出土、古砖、富家中庭土、百舌鸟窠中土、猪槽上垢及土、故茅屋上尘、诸土有毒。

水类药物35种。即：玉井水、碧海水、千里水及东流水、秋露水、甘露水、繁露水、六天气、梅雨水、醴泉、甘露蜜、冬霜、雹、温汤、夏冰、方诸水、乳穴中水、水花、赤龙浴水、粮罂中水、甑气水、好井水及土石间新出泉水、正月雨水、生熟汤、屋漏水、三家洗碗水、蟹膏投漆中化为水、猪槽中水、市门众人溺坑中水、盐胆水、水气、塚井中水、阴地流泉、铜器盖食器上汗、炊汤、诸水有毒。

陈藏器《本草拾遗》所录的矿物药，都是来自民间，由于历史条件限制，部分所收药品难免带有迷信色彩，当以批判态度对待之。这也反映了当时劳动人民与疾病作斗争所经历的过程。但这些药均为后世本草著作所引用，如《证类本草》《本草纲目》等书均转录之。

到五代后蜀时期，李珣作《海药本草》新增矿物药3种：车渠、金线矾、波斯矾。连同唐代流传矿物药221种，矿物药已达224种。

到北宋开宝年间（968—975），马志等所编的国家药典性本草著作——《开宝本草》，新增矿物药19种。即：无名异、婆娑石、生消、生银、秤锤、铁华粉、铁粉、石蟹、马衔、太阴玄精、车辖、砒霜、铛墨、自然铜、车脂、缸中膏、淋石、石蚕、不灰木。连同前代矿物药，到《开宝本草》时，矿物药已增到243种。

到北宋嘉祐年间（1056—1063），掌禹锡等作《嘉祐本草》时，新增矿物药22种。即：菩萨石、绿矾、柳絮矾、玄明粉、马牙硝、水银粉、砺石、马脑、铅、浆水、井华水、菊花水、腊雪、泉水、热汤、金星石、礞石、花乳石、石脑油、硼砂、铅霜、古文钱。

在《嘉祐本草》修纂的同时，苏颂编修了《本草图经》。该书新增矿物药3种。即：石蛇、黑羊石、白羊石。至此矿物药总数累计有268种。

到宋代元祐年间（1086—1093），四川名医唐慎微作《经史证类备急本草》（以下简称《证类本草》）时，除转录历代本草著作所收的矿物药外，又新增矿物药两种。即：灵砂、井底砂。这使矿物药总数达270种。

到明代万历年间（1573—1619），李时珍著《本草纲目》，除转录《证类本草》全部药物外，又新增374种药品，其中矿物药新增71种，按水、火、土、金石分类。

水部新增药品11种。即：潦水、神水、节气水、阿井水、车辙中水、齑水、铜壶滴漏水、磨刀水、浸蓝水、洗手足水、洗儿汤。

火部新增药品12种。即：阴火、阳火、燧火、桑柴火、炭火、芦火竹火、艾火、神针火、火针、灯花、灯火、烛烬。

土部新增药品21种。即：赤土、太阳土、千步峰、烧尸场上土、白蚁泥、蚯蚓泥、螺蛳泥、白鳝泥、犬尿泥、尿坑泥、粪坑底泥、檐溜下泥、田中泥、乌爹泥（孩儿茶）、土墼（石灰窑渣）、坩埚、砂锅、烟胶、百草霜、门臼土、香炉灰。

金石部新增药品27种。即：锡吝脂、诸铜器、诸铁器、宝石、粉霜、银朱、炉甘石、蜜栗子、石炭、石面、石芝、土黄、金刚石、砭石、杓上砂、石鳖、雷墨、黄矾、汤瓶内硷、马肝石、火药、猪牙石、碧霞石、龙涎石、铅光石、太阳石、朵梯牙。

在《本草纲目》新增矿物药中，火部的药物，只能说是燃烧的现象，不能算是实质性的药物，也够不上称为矿物药。只有水部、土部、金石部新增药，可以算是矿物药，此三者共有59种，再加上前代本草著作中的矿物药270种，合计有329种。所以到明代时，矿物药已发展为329种。

到清代乾隆年间（1736—1795），赵学敏著《本草纲目拾遗》10卷，其卷1、2为矿物药，按水、土、金、石分类。

水部药物24种。即：春水、天孙水、荷叶上露、糯稻露、白云、卤水、竹精、古刺水、强水、刀创水、鼻冲水、丹砂水、曾青水、白凤浆、天萝水、黄茄水、梅子水、樱桃水、各种药露、御沟金水、起蛟水、混堂水、鸡神水、日精油。

土部药物18种。即：杨妃粉、丹灶泥、洗手土、观音粉、乌龙粉、白朱砂、铸铜罐、白蜡尘、檀香泥、席下尘、回燕膏、鞋底泥、鼠穴泥、椅足泥、狗溺硝、鸡脚胶、乌金砖、蛆钻泥。

金部药物11种，附5种，共16种。即：铁线粉、开元钱、万历龙凤钱、菜花铜、风磨铜、白铜矿、白铜、紫铜矿、金花矿、银矿、钱花、马口铁、金顶、乌银、子母悬、银铕。

石部药物27种，附2种，共29种。即：吸毒石、天生磺、倭硫黄、石脑油、神火、天龙骨、玉田沙、瑶池沙、木心石、樟岩、仙人骨、禹穴石、桃花盐、瘤卵石、松花石、云核、瀚海石窍沙、岩香、龙窝石、石髓、红毛石皮、金精石、雄胆、雉窠黄、石螺蛳、猫睛石、辟惊石、奇功石、保心石。

将《本草纲目拾遗》新增矿物的水、土、金、石加起来，即为87种，再加明代累积的矿物药329种，总计有416种。

以上仅就历代主流本草著作所收矿物药统计累积的数字。其他支流本草著作所录矿物药不包括在内。

例如，战国时期《山海经》记载能治病的矿物药有：礜石，可以毒鼠；帝台之棋，服之不蛊；流赭，涂马牛无病；帝台之浆，食之者不心痛。此4种矿物药，除礜石见录于《神农本草经》外，其他3味矿物药均不见于历代本草著作。

《黄帝内经·异法方宜论》云："其治宜砭石。"砭石见录于《本草纲目》金石部。

1973年长沙马王堆出土的《五十二病方》，记载矿物药20种。除部分矿物药名见录于历代本草著作外，还有些矿物药名均不见于历代本草著作。如：恒石、澡石、□殖土、灶末灰、井上罋㽅处土、井土泥、久溺中泥、冻土、金铪、湮汲水等。

近年安徽阜阳出土“阜阳汉简《万物》”，记载矿物药，有理石、黄土、圂土、盐、鼠壤。其中，理石见录于《神农本草经》，盐见录于《名医别录》，黄土、鼠壤见录于陈藏器《本草拾遗》，但圂土历代本草著作都未收录。

从先秦《山海经》《五十二病方》《万物》到清末《本草纲目拾遗》，历代文献所记载的矿物药，除去重复者，至少有420余种。其中，固态药物多于液态药物，化合物类多于单纯元素类，玉石类多于金属类。这与历史条件有关，由于科学水平所限，人们只能认识地面浅表的一些矿物，埋藏在地下的矿物认识不多。又由于冶炼技术不发达，人们只能炼得少数常见的金属矿物。

在秦汉时代，炼丹术很发达。我国最早的图书目录《汉书·艺文志·方技略》收载神仙书10家250卷，由此可见，秦汉时代神仙思想是很浓厚的。这些神仙思想同时也渗透到我国最早的药物书——《神农本草经》中。

例如，《神农本草经》中“水银”条云：“水银杀皮肤中虱，杀金银铜锡毒，溶化还复为丹，久服神仙不死。”在此文中，第一句反映劳动人民对水银灭虱的医药认识；第二句就是讲水银能与多种金属作用，这只有通过炼丹实践，才能有此认识；最后两句是讲水银能炼丹，久服神仙不死。这就是古代方士思想渗入本草内的证明。正因为如此，古代本草书，将药物能否久服成仙作为分类的标准，把它们分为上、中、下三品。例如，水银等矿物药，根本不能久服成仙，但是方士们认为矿物药经得起火炼，可以久存，故久服使人能成仙；而动植物药经不起火炼，不能久存，故方士认为动植物药久服不能成仙。因此，在药物排列位置上，矿物药被列在首位，而动植物药被列在矿物药之后。

方士思想对中国本草分类的影响持续时间很久，从汉代《神农本草经》到宋代《证类本草》，千余年来，都是以矿物药玉石类为首，按上、中、下三品来分类的。到明代《本草纲目》对矿物药才以物质形态来分类，由液态、气态到固态，计分：水部（天水、地水）；火部（实际上是燃烧的一种现象）；土部；金石部（金类、玉类、石类、卤石类）。

由此可见，李时珍对矿物药分类有化学分析的思想。所归属金类矿物药，是一些金属单体物质、合金和一部分金属矿石；玉类绝大多数是硅酸盐类的化合物；石及卤石类包括了一些非金属的单质及其化合物。每一类中，大体上是以相同元素的化合物顺序排列。所以，《本草纲目》中矿物药分类，基本上摆脱了方士思想的影响。《本草纲目》中矿物药分类方法，与今日药物化学中无机药物分类的基本精神是一致的。

李时珍不仅在矿物药分类上摆脱了方士思想的影响，而且在某些具体药物中，指出方士思想的危害性。古代方士的成仙得道之术和寻求长生不死之药的行为，贻害甚大。直到明朝世宗朱厚熜，仍迷信炼丹服石，将水银、丹砂等炼成丹药服食。李时珍对此予以驳斥道："此皆方士幻诞之谈，不足信也。"并指出水银的毒害，谓"六朝以下，因服食，致成废笃等而丧厥躯，不知若干人矣。方士固不足信，本草岂可妄言哉。"

到了清代赵学敏著《本草纲目拾遗》，对矿物药分类，基本上沿用了《本草纲目》矿物药分类的方法。

作药用的矿物，大多数是有毒性的，除少数无毒性矿物药作内服外，在医疗上多作外用。特别是有毒性的砷、汞、铅等化合物，外用时也要特别注意，以防急慢性中毒。

第二章　矿物药的分类

地质所形成的矿物，有3000多种，除陨石（从地球以外飞来的矿石）、动物化石、贝壳等以外，其余的矿物都是来自天然的矿石，极少数丹药为人工制造。

在全部矿物中，凡能供医疗用的，皆属于矿物药。

关于矿物药分类，有下列几类。

一、按药物三品分类

三品分类始于《神农本草经》，唐、宋本草著作皆沿袭之，三品即上、中、下三品。

上品药无毒，久服能延年益寿；中品药有毒、无毒不定，常服能保健强身；下品药有毒，逐邪，攻毒，疗病，中病即止。

二、按自然属性分类

《本草纲目》将矿物按自然属性分为水、火、土、金石四部，其中金石部又分为金、玉、石、卤石四类。

三、按化学元素分类

按化学元素常分为重金属元素、轻金属元素、两性元素、非金属元素四类，兹举例如下。

1. 重金属元素类

（1）金：金屑、金箔。

（2）银：银屑、银箔、银膏。

（3）铜：铜青、铜绿、绿盐、绿青、曾青、扁青、石胆、古镜、古文钱。

（4）铁：钢铁、铁落、铁粉、铁华粉、针砂、磁石、代赭石、禹馀粮、铁锈、铁浆。

（5）铅：铅丹、铅粉、铅霜、密陀僧、黑锡丹。

（6）汞：水银、丹砂、银朱、轻粉、红升丹、三仙丹、白降丹。

2. 轻金属元素类

（1）钾：火硝。

（2）钠：食盐、戎盐、光明盐、芒硝、玄明粉、硼砂。

（3）钙：大理石、方解石、石灰、钟乳石、殷孽、孔公孽、石蛇、石蚕、石燕、花蕊石、白垩、石膏、紫石英（含氟化钙）。

（4）镁：凝水石（寒水石）。

（5）铝：白矾、枯矾、白石脂、赤石脂、灶心土、白陶土。

（6）锰：无名异。

（7）锌：炉甘石。

3. 两性元素类

（1）砷：砒石、砒霜、礜石、握雪礜石、特生礜石、苍石、雄黄、雌黄。

（2）硅：水晶、玻璃、琉璃、云母、金礞石、青礞石、滑石、不灰木、阳起石、海浮石。

4. 非金属元素类

（1）硫：石硫黄、石亭脂、升华硫黄、倭硫黄、石硫赤。

（2）碳：煤、石墨、墨、釜脐墨、金刚石、百草霜、血馀炭、石油、石脑油。

5. 由元素化合形成的化合物

（1）水类：雨水、井水、泉水。

（2）土类：甘土、黄土、东壁土。

（3）灰类：冬灰、梁上尘。

（4）其他：卤咸、硇砂。

四、按化学组成分类

1. 单质类

（1）金属元素：金、银、铜、铁、铅、汞等。

（2）非金属元素：砷、硫、炭。

2. 化合物类

（1）由两种元素组成的化合物。

1）氧化物：氧化铁、氧化铜、氧化汞。

2）硫化物：硫化铁、硫化汞、硫化砷。

3）氯化物：氯化钠（食盐）、氯化铜、氯化铁。

（2）由两种以上元素组成的化合物，如各种盐类。

1）硝酸盐：硝酸钾、硝酸钠。

2）硫酸盐：硫酸钠（芒硝）、硫酸钙（石膏）、硫酸钾铝（明矾）、硫酸铜（胆矾）、硫酸铁。

3）碳酸盐：碳酸钙（石灰石）、碳酸锌（炉甘石）。

4）磷酸盐：磷酸钙。

5）硼酸盐：硼砂。

6）硅酸盐：硅酸镁（滑石）、硅酸钙镁（阳起石）、硅酸铝（白石脂、白陶土）。

各种盐类矿物药，并非纯粹是盐类，往往杂有少量元素，少量其他化合物，或杂有黏土、泥、砂等。

五、按中药作用分类

（1）涌吐药：胆矾、扁青、绿青、食盐。

（2）清热泻火药：石膏、寒水石、方解石。

（3）止呃止吐药：伏龙肝、代赭石。

（4）安神定志药：琥珀、珍珠、龙齿、丹砂、磁石。

（5）平肝息风药：铁落。

（6）泻下药：朴硝、芒硝、玄明粉。

（7）利水药：滑石。

（8）活血药：自然铜。

（9）消积药：硇砂。

（10）化痰药：青礞石、金礞石。

（11）助阳药：钟乳石、阳起石、石硫黄。

（12）补血药：绛矾、针砂。

（13）止泻止带下药：赤石脂、禹馀粮。

（14）止血药：花蕊石、灶心土、墨。

（15）外用腐蚀药：砒石、砒霜、红升丹、三仙丹、白降丹、硇砂、铜绿。

（16）外用收疮口药：煅石膏、炉甘石、煅龙骨、煅牡蛎。

六、本书对矿物药的分类

本书对矿物药按自然属性和化学成分相结合分类。先将矿物药按自然属性分为金石类、玉石类、盐类、土类、水类。对前三类，再按化学成分进行分类。兹分述如下。

1. 金石类

按元素分有下列一些矿物。

（1）含金的矿物药：金屑、金箔、金顶。

（2）含银的矿物药：银屑、银箔、银膏。

（3）含铜的矿物药：赤铜屑、紫铜矿、古文钱、古镜、白青、曾青、扁青、绿青、铜绿、石胆。

（4）含铁矿物药：铁锈、铁粉、铁落、磁石、代赭石。

（5）含锡矿物药：锡、锡铜镜鼻。

（6）含铅矿物药：铅、铅丹、铅粉、铅霜、密陀僧。

（7）含汞矿物药：水银、丹砂、银朱、轻粉、红升丹、三仙丹、白降丹。

(8) 含砷矿物药：砒石、砒霜、雄黄、雌黄、礜石。

(9) 含硫矿物药：石硫黄、石亭脂、倭硫黄。

(10) 含碳矿物药：墨、釜脐墨、百草霜、金刚石。

2. 玉石类

本类包含各种玉和各种石，它们由各种化合物组成，如二氧化硅（SiO_2）及其他化合物。

(1) 各种玉：青玉、白玉髓、璧玉、水晶、白石英、紫石英、玛瑙。

(2) 各种石：砺石（磨刀石）、金星石、银精石、石髓。

3. 盐类

由各种酸的阴离子与金属阳离子结合成的化合物统称为盐类。

(1) 含盐酸根（Cl^-氯离子）的盐类：食盐、戎盐、光明盐、硇砂（NH_4Cl）、卤咸（氯化镁 $MgCl_2$）。

(2) 含硝酸根（NO_3^-）的盐类：火硝（KNO_3）。

(3) 含硫酸根（SO_4^{2-}）的盐类：朴硝、芒硝、石膏、胆矾、明矾。

(4) 含碳酸根（CO_3^{2-}）的盐类：大理石、方解石、石蚕、石燕、炉甘石、钟乳石、盐精石、凝水石、龙骨、牡蛎、珍珠、石决明、瓦楞子。

(5) 含硅酸根（SiO_3^{2-}）的盐类：阳起石、礞石、云母、滑石、不灰木、海浮石、白石脂、赤石脂。

(6) 含硼酸根（BO_3^{3-}）的盐类：硼砂。

(7) 含磷酸根（PO_4^{3-}）的盐类：龙骨、龙齿。

4. 土类

本类包括各种泥土、灰、砂：东壁土、甘土、红土、黄土、蚯蚓泥、井底泥砂。

5. 水类

本类包括各种水：雨水、井水、泉水。

第三章　矿物药化学成分概述

矿物药化学成分，是由化学分析所得的成分。因矿物产地不同、分析方法不同，各书所记成分往往微有差异，今将各矿物药主要成分摘录如下。

一、金石类矿物药

1. 含金矿物药

金箔，用黄金锤成薄膜。

金顶，官帽上装饰品，用黄金镀的。

2. 含银矿物药

银箔，用白银锤成薄膜。

朱砂银，用铅、银、朱砂炼成化合物。

银膏，由银粉与汞制成。

3. 含铜矿物药

赤铜屑、紫铜矿含纯金属铜（Cu）。

菜花铜，由赤铜合炉甘石炼成黄铜，色如菜花。

钱花，铸钱炉中飞起的黄花珠。

古文钱，含铜，杂有铅、锡、锑、锌。

古镜，含铜杂有锡（Sn）。

空青，球形，腹中空，含碱式碳酸铜［$CuCO_3 \cdot Cu(OH)_2$］，属碳酸盐类蓝铜矿。

曾青，含碱式碳酸铜［$CuCO_3 \cdot Cu(OH)_2$］。

扁青，含碱式碳酸铜［$CuCO_3 \cdot Cu(OH)_2$］，杂有原硅酸铝钠（$NaAlSiO_4$）。

白青，含碱式碳酸铜［$CuCO_3 \cdot Cu(OH)_2$］，杂有硅酸铝［$Al_2(SiO_3)_3$］、硅酸钠（Na_2SiO_3）。

铜青，含氧化铜及醋酸铜（$CuO \cdot CuAc_2$蓝色）（$CuO \cdot 2CuAc_2$绿色）。

绿青，属孔雀石矿石，含碱式碳酸铜［$CuCO_3 \cdot Cu(OH)_2$］。

绿盐，含水二氯化铜（$CuCl_2 \cdot 2H_2O$）。

自然铜，含硫化铜（CuS）、硫化铁（FeS），火煅醋淬含氧化铜（CuO）、氧化亚铁（FeO）及少量醋酸铜（$CuAc_2$）。

铜矿石，有赤铜矿含氧化铜（CuO），黄铜矿含硫化铜（CuS）、硫化铁（FeS），斑铜矿含铜、硫化铜（CuS）、硫化铁（FeS）。

石胆，含水硫酸铜（$CuSO_4 \cdot 7H_2O$）。

铜化物有腐蚀性，内服少许刺激胃引起呕吐。

4. 含铁矿物药

铁，由赤铁矿、褐铁矿、磁铁矿冶炼而成，初炼出为生铁，含碳在1.7%以上，经过反复炼，即成熟铁，含碳在0.2%以下。铁锈，含氧化亚铁（FeO）及氧化铁（Fe_2O_3）。

蜜栗子，为铁矿床渣子。

铁粉，炼钢铁时飞出的粉末。

铁化粉，铁浸醋生锈，呈赤褐色粉。

铁落，煅铁时，锤落下细薄片，含铁、氧化铁。

铁精，煅铁炉中的灰烬。

铁浆，生铁浸在水中生锈后所成的水溶液。

皂矾，含硫酸亚铁（$FeSO_4 \cdot 7H_2O$），火煅变赤色名绛矾。

代赭石，含氧化铁（Fe_2O_3）及硅酸铝［$Al_2(SiO_3)_3$］，属赤铁矿。

蛇黄（蛇含），属褐铁矿，含硫及硫化铁。

金牙，含硫及硫化铁。

紫精丹，含硫化铁。

禹馀粮、太一馀粮，含氧化铁（$2Fe_2O_3 \cdot 3H_2O$）及硅酸铝［$Al_2(SiO_3)_3$］、磷酸铝（$AlPO_4$）。

无名异，含二氧化锰（MnO_2），属软锰矿，杂有铁。

5. 含铅矿物药

铅丹，含氧化铅（PbO）、过氧化铅（PbO_2）、四氧化三铅（Pb_3O_4）。

粉锡（铅粉），含碱式碳酸铅［$PbCO_3 \cdot Pb(OH)_2$］。

密陀僧，含氧化铅（PbO）。

黑锡丹，由铅、硫烧结而成。

铅霜，含醋酸铅（$PbAc \cdot 3H_2O$）。

6. 含汞矿物药

水银（汞）（Hg）。

丹砂、灵砂、银朱，含硫化汞（HgS）。

红粉、三仙丹，含氧化汞（HgO）。

白降汞，含二氯化汞（$HgCl_2$）。

轻粉、粉霜，含氯化亚汞（Hg_2Cl_2）。

7. 含砷矿物药

砒石、砒霜，含三氧化二砷（As_2O_3）。

礜石、握雪礜石、特生礜石，含硫砷铁（FeAsS）。

雄黄、雌黄，含硫化砷。

8. 含硫矿物药

硫黄、倭硫黄、石亭脂（石硫赤）。

9. 含碳矿物药

墨、釜脐墨、石炭、金刚石。

二、玉石类矿物药

本类包括各种玉、石英及各种石，玉和石英主要成分为二氧化硅（SiO_2），并混入其他各种化合物。

玉屑，含原硅酸钙、原硅酸镁铝，混入物质不同，其色各异。混入氧化铁，多呈红色，混入氢氧化铁呈黄色，混入锰、炭呈黑色。

白石英、水晶，含纯二氧化硅（SiO_2）。

紫石英，含氟化钙，为卤化物矿中莹石。

秋石，含石膏（$CaSO_4$）。

人中白，含尿酸、磷酸钙。

玛瑙，由二氧化硅溶胶沉积，经晶化转变为隐晶质纤维状石英微晶块体。

砺石（磨石），含二氧化硅（SiO_2）及少量长石（$CaSO_4$）。

金星石，含硅酸钾、硅酸镁［$KMg_2(SiO_3)_2$］。

石鳖，为石鳖科动物石鳖化石。李时珍曰："石鳖形状大小如䗪虫，生海边，䗪虫一名土鳖虫。"

石脑，陶弘景云："亦钟乳之类。"含碳酸钙（$CaCO_3$），杂有镁、铁、锰等物质。

霹雳针，《本草纲目》作霹雳砧。砧是基石，置物于其上，供锤击用。

三、盐类矿物药

盐类由金属阳离子和酸根阴离子结合而成。按阴离子分，盐酸盐、硝酸盐、硫酸盐、碳酸盐、磷酸盐、硼酸盐、硅酸盐。有的矿物药含一种盐，有的矿物药含多种盐。如胆矾含硫酸铜一种盐，明矾含硫酸钾（K_2SO_4）、硫酸铝［$Al_2(SO_4)_3$］两种盐。兹分述如下。

1. 盐酸盐

食盐，含氯化钠（$NaCl$），又大盐、戎盐、光明盐、咸秋石均含氯化钠（$NaCl$）。

卤咸，熬盐剩下的卤水，其结晶体为卤咸，含氯化镁（$MgCl_2$），杂有氯化钠（$NaCl$）。

硇砂，白色含氯化铵（NH_4Cl），紫色含氯化铵（NH_4Cl）杂有铁、镁、硫等化合物。

2. 硼酸盐

硼砂，含水硼酸钠（$Na_2B_4O_7 \cdot 10H_2O$）。

3. 硝酸盐

硝石（火硝），含硝酸钾（KNO_3），杂有少量硝酸钠（$NaNO_3$）、氯化钠

（NaCl）。

4. 硫酸盐

朴硝，含硫酸钠（Na_2SO_4），杂有其他化合物，如硫酸钾（K_2SO_4）、硫酸钙（$CaSO_4$）、氯化钠（NaCl）。

芒硝、玄明粉、风化硝、马牙硝，含纯硫酸钠（Na_2SO_4）。

石膏，含水硫酸钙（$CaSO_4 \cdot 2H_2O$），加热，失去结晶水，名煅石膏（$CaSO_4$）。

理石，含硫酸钙（$CaSO_4$），杂氧化铝（Al_2O_3）。

长石，正长石含硅酸铝钾[$KAl(SiO_3)_2$]，斜长石含硅酸铝钙钠[$NaCaAl(SiO_3)_3$]。

凝水石，含硫酸镁（$MgSO_4$）、硫酸钾（K_2SO_4）。

凝水石，一名寒水石。在唐宋时，北方以红石膏为寒水石，南方以方解石为寒水石。凝水石在唐以前指的是盐精石。

太阴玄精，钙芒硝［$CaNa_2(SO_4)_2$］。

盐精石，含硅酸镁钾（K_2MgSiO_4）。

石矾，含水硫酸铝钾［$A1_2(SO_4)_3 \cdot K_2SO_4 \cdot 24H_2O$］，加热脱水名枯矾。

绿矾，含水硫酸亚铁（$FeSO_4 \cdot 7H_2O$），火煅呈赤色名绛矾。

金线矾，含水硫酸铁、硫酸钾（$K_2SO_4 \cdot FeSO_4 \cdot 12H_2O$）。

5. 碳酸盐

石钟乳、石床、孔公孽、殷孽、土殷孽，均含碳酸钙（$CaCO_3$）。

花蕊石，含碳酸钙（$CaCO_3$）、碳酸镁（$MgCO_3$）。

桃花石，含碳酸钙（$CaCO_3$）及氧化亚铁（FeO）。

方解石，含碳酸钙（$CaCO_3$），杂有镁、铝、铁等化合物。纯者白色，不纯者或灰，或红，或绿。

龙骨、龙齿，含碳酸钙（$CaCO_3$）、磷酸钙［$Ca_3(PO_4)_2$］。

石蛇、石蟹、石蚕、石燕、珍珠，均含碳酸钙（$CaCO_3$）。

石决明、瓦楞子、珊瑚、青琅玕、白垩，均含碳酸钙（$CaCO_3$）。

炉甘石，含碳酸锌。

6. 硅酸盐类

玻璃，含硅酸铝钙钠［$NaCaAl(SiO_3)_3$］。

琉璃，含硅酸铝钙钠［$NaCaAl(SiO_3)_3$］及硫化钠（Na_2S）。

云母，含原硅酸铝钾［$H_2KAl_3(SiO_4)_3$］。

阳起石，含硅酸钙镁［$CaMg(SiO_3)_2$］，杂微量铝、铬、铁、锰等化合物。

礞石，含硅酸铝［$Al_2(SiO_3)_3$］及矾土。

青礞，含硅酸镁铝［$Al_2(SiO_3)_3MgSiO_3H_2SiO_3$］，杂有微量低价铁。

金礞石，为白云母、黑云母混合物。

滑石，含硅酸（H_2SiO_3）及硅酸镁（$MgSiO_3$），杂有黏土、石灰石、铁化物。

不灰木，含硅酸（H_2SiO_3）、硅酸镁（$MgSiO_3$），杂有钙、铁、钠等化合物。

海浮石，含硅酸（H_2SiO_3）及钙、镁、铁等化合物。

五色石脂（白石脂、赤石脂、青石脂、黄石脂、黑石脂），五色石脂基本成分为含水硅酸铝，因混入钙、镁、铁、锰等化合物种类及量的不同，显示各种不同颜色的石脂。其中，白石脂混入异物极少，表现白色，赤石脂混入氧化铁呈赤色，黑石脂混有机物炭呈黑色。

四、土类矿物药

土类矿物药包括各种土。土的成分很复杂，主要含硅酸铝［$Al_2(SiO_3)_3$］及少量钙、镁、铁等化合物。

土的种类，按粒子粗细分为砂土、壤土、黏土。砂土粒子最粗，壤土粒子较细，黏土粒子极细如面。

土的颜色，因混杂其他化合物种类及量的不同，显示各种不同颜色。如杂入其他化合物极少，多呈白色，称为白土，如白陶土（高岭土）；混入少量氢氧化铁，多呈黄色，称为黄土；混入少量氧化铁，多呈赤色，称为红土；混入炭及腐烂有机物，多呈黑色，称为黑土。

灶心土（伏龙肝），含硅酸铝［$Al_2(SiO_3)_3$］及少量氧化铁。

甘土，含水化硅酸铝、钙。

赤土，含硅酸铝［$Al_2(SiO_3)_3$］及氧化亚铁（FeO）、四氧化三铁（Fe_3O_4）。

黄土，含硅酸铝钙［$Al_2(SiO_3)_3 \cdot Ca_2SiO_3$］及氢氧化铁［$Fe(OH)_3$］。

东壁土，含硅酸铝［$A1_2(SiO_3)_3$］及其他化合物。

冬灰，含碳酸钾（K_2CO_3）、碳酸钙（$CaCO_3$）、碳酸镁（$MgCO_3$）及少量硅酸盐、磷酸盐。

井底砂，含氧化铝（Al_2O_3）、氧化硅（SiO_2），有机物腐烂后染成黑泥。

五、水类矿物药

水的成分为氧化氢（H_2O），纯水极少，多溶解或混悬各种异物。《本草纲目》将水分为天水类、地水类。

1. 天水类

（1）雨水：梅雨水，沾衣及物生黑霉；潦水，大雨如注为潦。

（2）结晶水：夏冰、冬冰、雹、冬霜、腊雪。

（3）露水：甘露水、秋露水、繁露水。

2. 地水类

（1）地面水：流水、东流水、逆流水、千里水、甘烂水、碧海水。

（2）地下水：井水、泉水。

第四章　矿物药化学成分与药效关系

地质所形成的各种矿物有三千多种。其化学成分有单质类和化合物类。兹分述如下。

一、单质类

单质类是由单一元素构成。如金、银、铜、铁、锰、锌、铅、汞、砷、硫、碳。

单质类化学成分容易弄清。

二、化合物类

化合物类由两种或多种元素化合而成。

1. 由两种元素化合而成

各种氧化物，如氧化铜、氧化铁、氧化汞、氧化砷。

各种硫化物，如硫化铁、硫化汞、硫化砷。

由两种元素化合而成的矿物，其化学成分也容易查清。

2. 由多种元素化合而成

如各种盐类、土类。

（1）在化学成分上，简单的盐类，有卤盐（如食盐）、硫酸盐（如芒硝）、碳酸盐（如大理石）、硼酸盐（如硼砂）、磷酸盐（如龙骨含有磷酸盐），其化学成分容易弄清。

（2）对那些复杂的盐类，如各种硅酸盐类矿物及各种泥土类，其化学成分难以弄清。

这些复杂的盐类矿物，其成分在文献上，有各家所分析的成分，但未必能代表原矿物固有的化学成分。

三、矿物药含复杂化学成分所存在的问题

（1）矿物药在出产处，受当地环境影响。

环境不同，受各种异物掺杂渗透，使矿物药有效成分多发生变异。各种矿物药，被掺杂的异物，在种类上及数量上各不相同，这就使矿物药化学成分复杂化。

（2）构成矿物药的化学成分，很少是一种化合物，往往是多种化合物的混合物，这也会使矿物药化学成分复杂化。

四、矿物药原来固有的成分，与化学分析所得的成分不一致

矿物药化学成分与化学家分析所得的成分，往往不一致。很多矿物药，由化学分析所得化学成分相同，但药物功效并不相同，这就提示矿物药原有化学成分，与化学分析所得的成分并不一致。例如磁石、代赭石、禹馀粮，由化学分析，都是含铁的氧化物，但它们的药物功效和临床应用都不相同。磁石能安神定志，治心神不宁、耳聋耳鸣、血虚；代赭石有镇降作用，能止呃逆、喘促、呕吐；禹馀粮有收涩作用，能止泻、止带下、止血。这就提示，它们除含氧化铁外，可能还含有其他未被分析出的化合物。例如阳起石、不灰木、青礞石等，用化学分析都含有硅酸铝、硅酸镁、硅酸钾、硅酸钙。但它们的作用各不相同。阳起石有壮阳作用；青礞石有除痰作用；不灰木既无壮阳作用，又无除痰作用。这也提示，在此等矿物内，一定有些化学成分尚未被分析出。又如方解石、花蕊石、钟乳石等，其化学分析成分均是碳酸钙。但它们的药物作用各不相同。方解石有清热镇静作用；花蕊石有止血作用；钟乳石有壮阳作用。这也提示，此等矿物药，除含有碳酸盐外，必有其他成分

尚未被分析出。

由此可见，用化学分析所得矿物药化学成分，很难代表矿物药原来固有的成分。

五、化学分析的成分与矿物原来固有的成分不一致的原因

化学分析所得的成分，不能代表矿物药原来固有的成分，其原因可能有下列两种。

1. 在化学分析过程中，加热会破坏矿物原有成分

在化学分析过程中，要加热处理，加热时会对那些不耐热的矿物药的原有成分，进行不同程度破坏，使矿物药化学成分发生变异。举例如下。

有些矿物受热则分解。如甘汞（Hg_2Cl_2），受热分解成汞和升汞（$HgCl_2$），其毒性大增。例如，白矾加热至120℃即熔化、开始脱水，加热到260℃则结晶水全部失掉，变成枯矾，枯矾作用与白矾不同，枯矾吸湿性很强，白矾无吸湿作用。将枯矾加热到300℃则开始分解，再加热到750℃全分解，产生K_2SO_4、Al_2O_3、S_2O_3，导致白矾失效。

含结晶水矿物药，如硫酸钠、硫酸铜、石膏等，加热至熔化时，持续热之，则失去结晶水。

含结晶水的矿物，如生石膏有清热作用，而失去结晶水的煅石膏，无清热作用，但有收敛作用。生石膏遇水不凝结，煅石膏遇水凝固。

如砒石遇强热，则生白烟，该白烟即砒霜升华物。

炉甘石，强热则分解，成为二氧化碳和氧化锌。

石蛇、石蟹、石蚕、姜石、大理石、石灰岩、石燕等均含碳酸钙。强热状态时分解放出二氧化碳和氧化钙。氧化钙有吸水和腐蚀作用，碳酸钙无吸水性，亦无腐蚀作用。

所以，加热能改变矿物药的化学成分。

2. 加药剂处理，使矿物原有成分发生变化

在化学分析过程中，加药剂处理，能使矿物原有成分发生变化，如阳起石、不灰木、石棉等，能耐高温。此等矿物药，在分析过程中，不受加热的影响。但如果

加其他药剂处理，则会使矿物药成分发生变异。

此等矿物药经化学分析，均含硅酸盐，如硅酸铝、硅酸镁等。它们的化学成分虽相同，但它们的药物作用不同，如阳起石有壮阳作用，而不灰木、石棉无壮阳作用，说明化学分析所得的成分并不能代表矿物药原有成分，这可能在分析时，与加药剂处理有关。

第五章　矿物药的物理性状

矿物药的物理性状，包括矿物学和中药学性状。矿物学性状有矿产的形成、化学组成、物理性状、化学性状。中药学性状，有四气五味、升降浮沉、归经、有毒、无毒、配伍宜忌。这里先介绍矿物学方面性状。在矿物药性状中，主要介绍物理性状和化学性状。兹分述如下。

一、物理性状

如整体形态、晶体状况、外观颜色、光泽、透明度、重量（比重）、硬度、解理、断面、延展性。

1. 形态

在形态上，除水银、水为液体外，一般在常温下，都呈固态。

2. 晶体

组成物质的质点，作有规则的排列，为晶体。反之，为非晶体。晶体共有七系。兹举例如下。

（1）等轴晶系。如食盐、磁石、自然铜。

（2）单斜晶系。如白矾、石膏、雄黄、阳起石、金精石。

（3）三斜晶系。如胆矾。

（4）斜方晶系。如硫黄、硝石、长石、禹馀粮。

（5）三方晶系。如砒石、方解石、花乳石。

（6）四方晶系。如云母。

（7）六方晶系。如紫石英、炉甘石、代赭石、丹砂。

等轴晶系的结晶体为立方形，或近圆形。其余六种晶系的结晶体，或柱状，或板状，或片状，或针状。

晶体除单质晶体外，多数由若干单体聚在一起，呈集合体，其形状有粒状、簇状、放射状、结核状等。

3. 颜色

矿物的颜色是由其化学成分和结构决定的。每种矿物都有固定的颜色，称为自色（本色、原色）。

自色受日光或空气的影响，使颜色加深或变化，称为变色。

有些矿物颜色被其他颜色污染，变成其他颜色，称为他色（假色）。

颜色是物体对光反射的情况，对光全反射呈白色，对光全不反射（全部吸收）呈黑色。

矿物颜色以新鲜表面颜色为准。有些矿物颜色不稳定，日久受阳光照射或空气中氧、二氧化碳、水气等作用，颜色多发生变化。如银化物遇光变黑，紫色纯铜受空气中氧作用显暗褐色。矿物颜色稳定的，如纯朱砂，始终保持朱红色。

叙述矿物颜色，将假色列在前，自色在后，前者作形容词，后者作名词。

4. 光泽

指矿物药物体外表对光反射的情况。

物体外表对光反射程度大，则光泽亮度高，反之，则亮度低。

有些矿物药的光泽比较明亮。如石膏有丝绢样光泽，云母有珍珠样光泽，胆矾有玻璃样光泽，丹砂有金刚石样光泽，自然铜有金属样光泽。

有些矿物药的光泽不太明亮。如磁石微有金属样光泽，蛇纹石有蜡样光泽，石英有油脂样光泽，琥珀有松香样光泽。

某些集合体矿物药，对光反射呈散射状，或相互干扰。

5. 透明度

矿物药物体能透光的为透明体。如云母片盖在其他物体上，能看见其他物体的清晰轮廓，则云母片有透明度。

矿物药物体能半透光的为半透明体。如纯丹砂、纯雄黄盖在其他物体上，只能见到其他物体的模糊阴影，则丹砂、雄黄为半透明体。

矿物药物体不能透光的为不透明体。如磁石、代赭石为不透明体。

6. 比重

比重是物体的重量与在4℃时同体积水的重量之比。比重分轻、中、重三级。比重大于4为重，比重在2.5~4之间为中等重，比重小于2.5为轻。绝大多数的矿物具有中等的比重。

在矿物药中，质重的有水银13.6、铅11.34、朱砂8~8.2、铁7.86、锡7.3、砒石5.63~5.75、代赭石4.9~5.8、炉甘石4.3~4.5、自然铜4.1~4.3。

质中等重的有绿青3.9~4.03、扁青3.7~3.9、禹馀粮3.6~4、阳起石2.9~3.1、方解石2.716、云母2.76~3.1、太阴玄精石2.7~2.85、白石英2.65、白矾2.6~2.8。

质轻的有金精石2.4~2.7、石膏2.2~2.4、硫2.2~2.8、硼砂1.69~1.72、琥珀1.05~1.09。

7. 硬度

硬度为固体矿物对外来压力（压入、研磨、刻划）承受的能力。硬度最大的为金刚石，能刻划一切矿物，硬度最小的为滑石，能被各种矿物刻划。

通常所讲的硬度，是指摩氏硬度。测定硬度，将测试样品同标准矿物，相互刻划。如某一矿物能被方解石刻划，其本身又能刻划石膏。方解石硬度为3，石膏硬度为2，则某物硬度介于2~3之间，平均硬度约为2.5。

常用矿物药硬度：滑石、金精石1~1.5，硫黄1.3~2.5，石膏、芒硝1.5~2，云母、朱砂2~3，太阴玄精石2.5~3，硝石2，硼砂、琥珀2~2.5，方解石3，长石3~3.5，砒石3.5，扁青、绿青、自然铜、白矾3.5~4，紫石英（莹石）4，炉甘石5.3，禹馀粮5~5.5，代赭石5.5~5.6，正长石6，无名异6~6.5，白石英7，黄玉8，丹砂8~8.2，刚玉9，金刚石10。

如白石英，质重坚硬而脆，砸碎，其断尖能刻划玻璃。

8. 解理

晶体或晶状矿物劈开时，依一定方向分裂称为解理。有些矿物解理面很明显，有些矿物解理面不明显，如阳起石、不灰木受外力被击破后，分裂成细片，解理面有细长纤维排列。

银精石受外力被击破后，也分裂成薄片，解理面光滑完整。

方解石被击破后，分裂成块，解理面平滑。

有些矿物药，被击破后，解理面不太平，或不明显。如白石英，受外力被击破后，分裂的解理面不明显。

矿物药加热到一定程度，解理即崩溃，使质地疏松。中药炮制利用这种方法，使矿物药易于加工粉碎，易于煎出有效成分。

9. 断面

矿物药受外力被砸破后，其破片的断面，随矿物品种不同而异。

一般矿物药被砸破后，其断面平坦或接近平坦。如滑石被砸破后，其断面平坦。

但有些矿物药被砸破后，断面呈特定的形状。如代赭石，被砸破后断面呈层叠，每层依钉头呈波状弯曲。如青礞石，断面粗糙，参差不齐；自然铜断面呈锯齿状；石花断面有很多细孔；绿青、白矾等断面呈介壳状；胆矾断面，具有同心圆纹，呈规则曲面，状如蚌壳的壳面，称为贝状断面。

10. 延展性

重金属矿物，富于延展性，能被锤薄，强热后能拉成丝。如黄金、白银能锤成薄纸样薄片，成为金箔、银箔。中成药丸剂，常用金箔或银箔作丸衣。

二、化学性质

化学性质分化学组成与化学稳定性。

1. 化学组成

分天然单质与天然化合物。

（1）天然单质矿物多属元素类，如金、银、铜、铁、锡、铅、汞、砷、硫、炭。

（2）天然化合物的矿物，由两种或两种以上元素化合而成。

由两种元素化合而成的如各种氧化物、硫化物、卤化物。氧化物如氧化汞、氧化铅、氧化铁等；硫化物如硫化汞（丹砂）、硫化铁（自然铜）等；卤化物如氯化钠（食盐）、氯化镁（卤碱）、氯化铜（绿盐）等。

由两种以上元素化合而成的矿物药，如各种盐类，计有硝酸盐（$NaNO_3$、

KNO_3)、硫酸盐（$CaSO_4$、$MgSO_4$)、碳酸盐（$CaCO_3$、$ZnCO_3$)、硼酸盐($Na_2B_4O_7$)、硅酸盐［$Al(SiO_3)_3$、$MgSiO_3$］。

2. 化学稳定性

一般矿物化学性质比较稳定，不受光线，空气中氧、二氧化碳、水气（潮湿），温度及其他化学物品的作用。如黄金、石英、水晶、石棉等矿物能耐酸、耐碱。

有些矿物药化学性质不太稳定，易受光线、空气影响。如银化物、汞化物，遇光变色，时间短，颜色变深，时间长，颜色变黑。凡畏光的矿物药，在保存时，应避光密封贮存。

有些矿物药易被氧化，如紫铜、黄铜暴露在空气中日久，表面被氧化变暗、变灰黑。铁置空气中极易生锈，镀铅后难生锈。

有些矿物药易受空气中二氧化碳和潮湿水气的作用。如生石灰（CaO）吸收空气中潮湿水气，即变熟石灰［$Ca(OH)_2$］，熟石灰吸收空气中二氧化碳，又变成碳酸钙（$CaCO_3$）。又如氧化锌（ZnO）吸收空气中二氧化碳，变成炉甘石($ZnCO_3$)。

第六章　矿物药有关中药的药性

中药所讲的药性，实即中药的性能。其内容有四气、五味、有毒、无毒、升降浮沉、补泻、归经。这些名称，也是中药作用分类的名词。兹分述如下。

一、四气

四气指寒、热、温、凉四种不同的药性。

1. 寒

凡能治热证的药，其性寒。如石膏、寒水石能清热，则石膏、寒水石性寒。

2. 热

凡能治寒证的药，其性热。如硫黄能泻寒证大便闭结，则硫黄性热。

3. 温

比热性小的称为温。如钟乳石能助阳温肾，则钟乳石性温。

4. 凉

比寒性小的称为凉。如芒硝能泻下通便，清胃肠热，则芒硝性凉。

二、五味

五味即辛、甘、苦、酸、咸。五味原是口尝之味，因与作用有关，五味即成药物五种作用的概念。

1. 辛味

凡辛味药有发散作用，则辛代表发散作用。有些药口尝并无辛味，但有散的作用，则该药以味辛名之。如石膏，口尝无味，但能散热，则称石膏味辛。

2. 甘味

凡甘味药有补益作用，则甘代表补的作用。有些药口尝无味，但有补益作用，则该药以味甘名之。如丹砂能安神定志，有补的作用，则称丹砂味甘。

3. 苦味

凡苦味药有降的作用，诸苦皆降。有些药口尝并无苦味，但有降的作用，则该药以苦味名之。如代赭石，口尝并不苦，但有降的作用，能镇降呃逆、喘咳，则称代赭石味苦。

4. 酸味

凡酸味药有收涩作用，则酸味代表收敛固涩作用。有些药口尝并无酸味，但有收敛固涩作用，则该药以酸味名之。如赤石脂，口尝并无酸味，但有收涩作用，能止泻止带下，则称赤石脂味酸。

5. 咸味

凡咸味药有软坚润下作用。有些药口尝并不咸，但有软坚作用，称其味为咸。如牡蛎、海浮石，口尝并不咸，但有软坚作用，则牡蛎、海浮石以味咸名之。

6. 淡味

凡淡味有渗水利湿作用。淡味归于甘。如滑石味淡，并无甘味，但滑石有利尿作用，即称滑石味甘。

三、有毒、无毒

矿物药，多数是有毒，无毒的很少。

有些元素矿物，如铅、汞、砷、锑毒性很大，它们的化合物也有毒，其毒性与其溶于水的程度有关。例如汞有毒，汞化合物也有毒。氯化汞（$HgCl_2$）极易溶于水，其毒性极大；氯化亚汞（Hg_2Cl_2）难溶于水，其毒性小些；硫化汞，很难溶于水，其毒性很小；氧化汞虽不易溶于水，但易溶于胃酸，其毒性也很大。

又如砷有毒，砷的化合物也有毒。硫化砷难溶于水，其毒性小；氧化砷易溶于胃酸，其毒性极大。

一般有毒的矿物药，其腐蚀性和刺激性亦强，并能引起疼痛。外用时，都用无毒的矿物药如石膏粉来稀释，能缓和其腐蚀性、刺激性，以减弱其疼痛感。

有毒的矿物药，往往能使病人产生过敏反应，如汞化物，有过敏反应的病人，应立即停止使用。

四、升降浮沉

升降浮沉，是指药物作用的趋向。凡药物作用有向上向外的趋势，称为升浮；凡药物作用有向下向内的趋势，称为沉降。升浮药有升阳、发表、散寒等作用。沉降药有潜阳、降逆、收敛、清热、泻火、泻下、利水、渗湿等作用。

矿物药质重，多数偏于沉降作用，丹砂、磁石、龙骨、牡蛎能潜降肝阳上亢，治头晕、头痛、心神不宁。

微量砒霜（3 毫克）能散寒，表现升浮作用。

五、补泻

补泻，是针对病证虚实而言。药物的扶助正气、改善患者衰弱状态的作用，称为补；药物的祛除病邪、平抑亢盛症状的作用，称为泻。

矿物药毒性大，一般都偏于泻的作用，补的作用很少。除铁及其化合物能补血外，一般都表现为泻的作用。所用的药，中病即止，不可多服久服，以免中毒。

六、归经

归经，指药物对某些脏或某些腑有选择性作用，称为归经。例如，代赭石能镇咳平喘，止呃逆，称它归肺经；丹砂、磁石能安神定志，止心悸，称它归心经；阳起石能壮阳，增强性功能，称它归肾经；芒硝能通大肠闭结，称它归大肠经。

七、有关药物作用强度、速度及作用范围等概念

药物作用强度大、速度快、药力猛烈，称为“刚毅”“雄壮”；作用强度小、速度慢、药力缓和，称为“柔和”“和平”。有些药物作用表现为流窜，称为“走窜”。

第七章　有毒矿物药毒性

一、有毒矿物药，其毒性与该药在水中或胃酸中溶解有关

1. 凡能溶于水，或易溶于胃酸的有毒矿物药，其毒性大

如升汞（$HgCl_2$）、白降丹易溶于水，剧毒。氯化钡易溶于水，剧毒。红升丹（HgO）、三仙丹（HgO）、铅丹（Pb_3O_4）、密陀僧（PbO）、铅粉、碳酸钡、氧化砷（As_2O_3）、礜石等易溶于胃酸中，剧毒。其中碳酸钡、礜石常用来毒鼠。

2. 凡难溶于水，或难溶于胃酸的有毒矿物药，其毒性小

如甘汞（Hg_2Cl_2）、丹砂（HgS）、雄黄（As_2S_3）、硫酸钡等均难溶于水，亦难溶于胃酸，其毒性小。其中硫酸钡常用作钡餐透视。

二、有毒矿物药内服应注意剂量

有些矿物药内服，有一定的疗效。但它们的治疗量和中毒量极相近，很不安全。例如，砒霜内服能平喘、截疟，砒霜用量在5毫克左右，最大用量限于9毫克，用到10毫克即中毒。

有毒矿物药不入煎剂，多入丸剂。如朱砂、雄黄多入丸，不入煎剂。其中朱砂染在灯心草，或染在茯苓表面上，亦可入煎剂。

有毒矿物药内服，中病即止，不可久服，或大量服。久服极易产生积蓄中毒。如砷、汞、铅及其化合物，人体吸收后，极难排泻，达到一定浓度即中毒，和一次服用大剂量后中毒相同。

剧毒矿物药受国家法规管制。如砒霜、砒石、水银、红升丹、三仙丹、白降丹、雄黄等要有专人、专柜、专账管理。

三、有毒矿物药外用，应注意调配浓度

有毒矿物药，有很强的腐蚀性，刺激性亦大，能产生剧痛。特别是易溶于水或弱酸的有毒矿物药，其腐蚀性、刺激性更强烈。

有腐蚀性的矿物药，如升汞（$HgCl_2$）、红升丹（HgO）、三仙丹（HgO）、白降丹、砒霜等，除脓疡不出头时，用以溃破脓头外，一般不能直接用于溃疡疮面。多用煅石膏末调配稀释浓度应用。

《医宗金鉴》九一丹，煅石膏九钱、升丹一钱，为末，撒于患处。能提毒去病，治各种溃疡流脓未尽者。

《验方》八二丹，煅石膏八钱、升丹二钱，制成药线，插入疮中，治溃疡深，流脓不畅。

《验方》七三丹，煅石膏七钱、升丹三钱，为末，制成药线，插入疮中，治瘰疬、恶疮溃后，腐肉不脱，脓水不净者。

第八章 矿物药配伍宜忌

矿物药相互配伍，能改变其原有功效。《本草钩玄》云："水银得铅则凝，得硫则结，并枣肉入唾研则散。"

在矿物药配伍中，有的配伍使药效增强；有的配伍使药效减弱；有的相畏，不能配。兹分述如下。

一、相互配伍加强药效

1. 内服药相互配伍

内服矿物药配伍，有矿物药与矿物药相配，也有矿物药与非矿物药相配，兹举例如下：赤石脂配禹馀粮能增强收涩作用，适用于久泻、久痢、带下、脱肛；芒硝配大黄，能增强泻下作用；石膏配知母，能增强清热泻火作用；滑石配甘草，能增强利水湿作用。

2. 外用药相互配伍

外用矿物药，有的是有毒，有腐蚀性、刺激性致痛感；有的是无毒，无腐蚀性。根据临床应用需要，可作不同的配伍。

(1) 作为腐蚀剂应用进行配伍。

腐蚀药的作用，与用量有关，当腐蚀药用极小量，并无腐蚀作用，如果把几种腐蚀药，各用小量相配，合起来，即表现腐蚀作用，但各药的毒副作用，因用量小，都表现不出。中医外科常用这种方法制成各种腐蚀剂。

例如《疡医大全》枯痔散，用白砒、枯矾各五分，轻粉、朱砂各三钱，共研细末，津调涂痔核突出，即自然干枯发黑脱落。此方亦可涂赘瘤、息肉，点在痣上。在此方中，有些药单独用，毒性虽小，但是都不能达到腐蚀作用。它们合起来用，即表现腐蚀作用，毒性并不增大。

《外科正宗》三品一条枪，白砒、枯矾五分，煅乳香一钱二分，雄黄二钱四分，共研细末，加适量糊，搓成细条，阴干。凡痔瘘、瘰疬溃后，脓疡久不愈，有孔道，将药条插入，则管道自然脱落。在此方中，各药单独用，都达不到腐蚀作用，合起来应用，即表现腐蚀作用。这就说明配伍后腐蚀力增强，而毒性并不加大。或将几种腐蚀药配伍后，制成药线，扎结痔核，扎结小蒂的赘瘤，使腐蚀作用局限在小范围，降低毒副作用。

《验方》药线用白砒、白矾、藤黄、闹羊花各一钱，轻粉、朱砂各五分，煎取浓汁，将丝线浸汁中晒干备用。用此药线扎结痔核，数日后，其核自然干枯发黑，脱落。对赘瘤体大蒂小，用此药线扎结，使赘瘤自然脱落。

（2）作为提脓拔毒去腐生肌收口应用。

有腐蚀性的矿物药，用无毒药稀释，稀释后腐蚀作用逐渐减小，稀释到最后，即无腐蚀作用，但有收敛作用。可用于疮疡久不收口，湿疹湿疮流黄水。

《验方》治恶疮、臁疮久不收口，用银朱一钱，陈石灰五分，松香五钱，共研细末，香油一两调匀，摊纸上，贴患处，能去腐生肌，收敛疮口。在此方中，各药总重十六钱五分，银朱一钱，按百分比，银朱占6%。银朱在此浓度时，无腐蚀作用，但有收敛作用。

《验方》治溃疡腐脓不尽，新肉不生。以轻粉配血竭、当归、甘草、紫草、白芷、麻油熬膏，熬时，除轻粉、血竭外，先将余药入麻油熬枯，去渣，入轻粉、血竭调成油膏，涂患处，能提脓拔毒，去腐生肌收口。在此方中，轻粉被诸药稀释后，无腐蚀作用，但有收敛作用。

二、相互配伍减弱作用

有些矿物药相互配伍，使作用消失，形成相畏。如水银畏砒霜；官桂畏石脂；硫黄畏硝石；雄黄畏火；牙硝畏三棱。

有些矿物药有用药禁忌。如有腐蚀性者，忌用于乳头、脐中、女阴、男子外生殖器、四肢关节及眼的附近，亦忌用于幼儿。

第九章　矿物药炮制加工和煎煮

一、火煅

矿物药多数是质重而坚硬，很难粉碎，不利于加工制造和煎煮，对某些沉重而坚硬的矿物药，必须火煅，将矿物药置无烟炉内或坩埚内加热，烧赤，醋淬，使矿物药质地疏松，易于粉碎，易于煎出有效成分，同时通过火煅，除掉一些异物，减少矿物药的不良反应，提高疗效。《名医别录》云："石钟乳，不炼服之，令人淋。"兹举例如下。

（1）磁石、紫石英，质坚硬，难粉碎，经火煅醋淬，使质地疏松，易于捣碎研细，便于加工制造，也便于煎出有效成分。花乳石密闭煅赤，使松脆，易于研细。

（2）有些矿物药，经火煅后，能改变其药物作用。石膏煅后，有收敛生肌的功效。白矾煅枯后，成枯矾，能增强其吸湿作用。自然铜火煅醋淬，能增强其活血化瘀的作用，适用于骨折，心气刺痛。

二、加药料制

矿物药加药料制能增强药物的作用。如：龙齿用远志汁制，能增强解心烦作用；阳起石酒渍三日，能增强壮阳作用；皂矾用童便制，熬熟，能破血积。

有些矿物药加药料制，能降低其毒副作用。如：硇砂用醋制，能降低其毒性；寒水石用姜汁制，可降低其寒凉性；芒硝加萝卜制，能缓和其泻下作用，同时能消除其泻下时引起腹痛的不良反应；炉甘石用黄连水制，能增强治眼病的疗效。

三、细研

矿物药的作用及其溶于水的情况，与矿物药粉末粗细有很大关系。矿物药粉末越粗，溶于水越少，吸收少，其作用亦小，粉末越细，溶于水越多，作用亦大。

《本草蒙筌》云："滑石细研，水飞，服下方可滑通。琥珀研末极细，冲服，方能活血化瘀。"

矿物药外用，更要细研，用于眼、鼻腔、口腔黏膜、阴道黏膜等处，研得越细越好。

外用于皮肤及疮口等处的矿物药，必须细研。例如硫黄灭疥，研得极细，制成膏外擦，方能灭疥；丹药（红粉、三仙丹、白降丹）腐蚀性、刺激性都很强，必须研得极细，加石膏粉稀释，方可外掺，撒布疮面上，起到防腐消毒作用，而且不伤好肉，也不致痛。如果丹药研得不细，虽用石膏粉稀释，撒布疮面后，也会既伤好肉，又致痛。

四、水飞

矿物药在乳钵内研磨，总有一些粗粉未研细，将研磨粉末倾入清水中搅，则极细末悬浮水中，粗粉则沉于水底。将上层含悬浮细末水液倾出，静置，则悬浮末即沉淀下，取出烘干备用为水飞。

矿物药经过水飞，便于冲服、外用。如丹砂经过水飞，适合冲服。

五、炒

矿物药需要炒的极少。个别药为了除去水分才炒。例如铅丹用于制硬黑膏药，或外用，要除去水分，宜炒变色；火硝用于炼丹，亦须炒去水分。

六、加工制造

有些矿物药经过加工制成制剂应用。

绛矾，由绿矾（皂矾）加醋烧成绛色，名绛矾。研末制成绛矾丸，治血虚证。

石膏加童便、秋露水制成淡秋石。又人中白煅后，加白及浆拌和，亦制成淡秋石。由石膏制成秋石，能清虚热、退骨蒸、止劳咳、利尿、明目。由人中白制成秋石，能治疳热、口疮等症。

三品一条枪治痔核。其方由白砒、雄黄、明矾炼制而成。用于痔核，促使痔核凝固、坏死、脱落。有人将此方加没药制成药扦，塞宫颈内渗透，能腐蚀宫颈癌，使局部癌组织凝固、坏死、自溶、脱落。

《验方》治小儿五迟，足软不能行，以龙骨、牡蛎加龟板、狗骨粉，研成细粉。

七、煎煮

难溶于水的矿物药，如磁石、代赭石、石膏等宜捣碎先煎。对一些粉末矿物药，如滑石，宜包煎。

易溶于水的矿物药，如芒硝、朴硝，宜煎好药汁后溶化服。

有些极细的粉状药如研细的朱砂、琥珀，以药汁冲服。

下篇　各论

第十章 金石类矿物药

一、含金及其化合物的矿物药

1 金屑（《别录》）

《名医别录》 金屑，味辛，平，有毒。主镇精神，坚骨髓，通利五脏，除邪毒气，服之神仙。生益州。采无时。

《本草经集注》 金之所生，处处皆有，梁、益、宁三州多有，出水沙中，作屑，谓之生金。辟恶而有毒，不炼服之杀人。建平、晋安亦有金砂，出石中，烧熔鼓铸为锅，虽被火亦未熟，犹须更炼。高丽、扶南及西域外国成器皆炼熟，可服。《仙经》以醯、蜜及猪肪、牡荆、酒辈，炼饵柔软，服之神仙。亦以合水银作丹砂外，医方都无用者，当是虑其有毒故也。《仙方》名金为太真。

《药性论》 黄金屑，金薄亦同。主小儿惊，伤五脏，风痫，失志，镇心，安魂魄。

《本草拾遗》 生金是毒蛇屎，此有毒。常见人取金，掘地深丈余，至纷子石，石皆一头黑焦，石下有金，大者如指，小者犹麻豆，色如桑黄，咬时极软，即是真金。夫匠窃而吞者，不见有毒。其麸金出水沙中，毡上淘取，或鹅、鸭腹中得之。今注以陈说为非是。然今饶、信、南、剑、登州出金处，采得金亦多端，或有若山石状者，或有若米豆粒者，若此类未经火，皆可为生金。其银在矿中，则与铜相杂，土人采得之，必以铅再三煎炼方成，故不得为生银也。故下别有“生银”条云：出饶州、乐平诸坑生银矿中，状如硬锡，文理粗错自然者真。今坑中所得，乃在土石中，渗溜成条，若丝发状，土人谓之老翁须，似此者极难得。方书用生银，必得此乃真耳。金屑，古方不见用者，银屑，惟葛洪治痈肿五石汤用之。今人弥不用，惟作金银薄入药甚便。又金石凌、红雪、紫雪辈，皆取金银取汁，此亦通用经炼者耳。

《删繁本草》 百炼者堪，生者杀人，水饮合膏，饮之即不炼。

《海药本草》 按《广州记》云：出大食国，彼方出金最多，凡是货易并使金。金性多寒，生者有毒，熟者无毒。主癫痫，风热上气，咳嗽，伤寒，肺损吐血，肌蒸，劳极渴，主利五脏邪气，补心，并入薄于丸散服。《异志》云：金生丽水。《山海经》说：诸山出金极多，不能备录。蔡州出瓜子金，云南山出颗块金，在山石间采之。黔南、遂府、吉州水中并产麸金。又《岭表录异》云：广州含洭县有金池，彼中居人忽有养鹅、鸭，常于屎中见麸金片，遂多养收屎淘之，日得一两或半两，因而至富矣。

《日华子本草》 金，平，无毒。畏水银，镇心，益五脏，添精补髓，调利血脉。

《开宝本草》 医家所用皆炼熟，金薄及以水煎金器取汁用之，固无毒。按陈藏器《拾遗》云，岭南人云，生金是毒蛇屎，此有毒。常见人取金，掘地深丈余，至纷子石，石皆一头黑焦，石下有金，大者如指，小者犹麻豆，色如桑黄，咬时极软，即是真金。夫匠窃而吞者，不见有毒。其麸金出水沙中，毡上淘取，或鹅、鸭腹中得之，取便打成器物，亦不重炼。煎取金汁，便堪镇心。此乃藏器传闻之言全非。按据皇朝收复岭表询其事于彼人，殊无蛇屎之事，入药当必用熟金，恐后人览藏器之言惑之，故此明辨。

《本草图经》 金屑，生益州。银屑，生永昌。陶隐居注云：金之所生，处处皆有，梁、益、宁三州多有，出水沙中，作屑，谓之生金。而银所出处，亦与金同，但皆生石中耳。苏恭以为银之与金，生不同外。金又出水中。

《淮南子》 阳燧见日，然而为火。高诱注云：阳燧金也。取金杯无缘者，熟磨令热，日中时日下以艾承之，则然得火也。《太清服炼灵砂法》金所禀于中宫阴已之魂，性本刚，服之伤损肌。《宝藏论》凡金有二十件：雄黄金、雌黄金、曾青金、硫黄金、土中金、生铁金、熟铁金、生铜金、鍮石金、砂子金、土碌砂子金、金母砂子金、白锡金、黑铅金、朱砂金，以上十五件，惟只有还丹金、水中金、瓜子金、青麸金、草砂金等五件是真金，余外并皆是假。《丹房镜源》楚金出汉江五溪，或如瓜子形，杂众金，带青色。若天生牙，亦曰黄牙。若制水银，朱砂成器为利术，不堪食，内有金气毒也。青霞子《金液还丹论》金未增年，又黄金破冷除风。

《本草衍义》 金屑，不曰金，而更加屑字者，是已经磨屑可用之义，如玉浆之义同。本经不解屑为未尽，盖须烹炼，煅屑为薄，方可研屑入药。陶隐居云：凡用银屑，以水银和成泥，若非煅屑成薄，焉能以水银和成泥也？独不言金屑，亦其阙也。生金有毒，至于杀人，仍为难解。有中其毒者，惟鹧鸪肉可解，若不经煅屑，则不可用。颗块金即穴山，或至百十尺，见伴金石，其石褐色，一头如火烧黑之状，此定见金也。其金色深赤黄。麸金即在江沙水中，淘汰而得，其色浅黄。此等皆是生金也，得之皆当销炼。麸金耗折少，块金耗折多。入药当用块金，色既深，则金气足，余更防罨制成及点化者；如此，焉得更有造化之气也。若本朝张永德，字抱一，并州人，五代为潞帅，淳化二年改并州。初寓睢阳，有书生邻居卧病，永德疗之获愈。生一日就永德求汞五两，即置鼎中，煮成中金。永德恳求药法，生曰：君当贵，吾不吝此，虑损君福。煅工毕升言：祥符年，尝在禁中为方士王捷煅金，以铁为金，凡百余两为一饼，辐解为八段，谓之鸦嘴金。初自治中出，色尚黑。由是言之，如此之类，乃是水银及铁，用药制成，非造化所成，功治焉得不差殊？如惠民局合紫雪用金，盖假其自然金气尔。然恶锡。又东南方金色深，西南方金色淡，亦土地所宜也，入药故不如色深者。然得余甘子则体柔，亦相感尔。

《绍兴本草》 金屑，生于附石水沙中。性味、主治已载本经，然称有毒，盖谓未经锻炼，生用而尚带石气。今方家多取经炼熟金作薄，及水煮金器取汁用之，当为无毒是也。论屠者以谓作细碎尔，其熟亦可作之。

《本草纲目》 ［发明］［时珍曰］金乃西方之行，性能制木，故疗惊痫风热肝胆之病，而古方罕用，惟服食家言之。淮南三十六水法，亦化为浆服饵。葛洪《抱朴子》言：饵黄金不亚于金液。其法用豕负革肪、苦酒炼之百遍即柔，或以樗皮治之，或以牡荆酒、磁石消之为水，或以雄黄、雌黄合饵，皆能地仙。又言丹砂化为圣金，服之升仙。《别录》、陈藏器亦言久服神仙。其说盖自秦皇、汉武时方士传流而来，岂知血肉之躯，水谷为赖，可能堪此金石重坠之物久在肠胃乎？求生而丧生，可谓愚也矣。故《太清法》云：金禀中宫阴己之气，性本刚，服之伤损肌肉。又《东观秘记》云：亡人以黄金塞九窍，则尸不朽。此虽近于理，然亦诲盗矣，曷若速化归虚之为愈也哉。

2 金浆（《拾遗》）

《本草拾遗》 金浆，味辛，平，无毒。主长生神仙。久服肠中尽为金色。

3 金石（《拾遗》）

《本草拾遗》 金石，味甘，无毒。主久羸瘦，不能食，无颜色。补腰脚冷，令人健壮，益阳，有暴热脱发，飞炼服之。生五台山清凉寺。石中金屑，作赤褐色。

4 诸金（《拾遗》）

《本草拾遗》 诸金，有毒。生金有大毒。药人至死。生岭南夷獠洞穴山中。如赤黑碎石，金铁屎之类。南人云：毒蛇齿脱在石中。又云：蛇著石上。又鸩屎著石上皆碎，取毒处为生金，以此为雌黄，有毒；雄黄亦有毒。生金皆同此类。人中金药毒者，用蛇解之。其候法在“金蛇”条中。本经云：黄金有毒，误甚也。生金与彼金全别。

5 金牙（《别录》）

《名医别录》 金牙，味咸，无毒。主鬼疰，毒蛊，诸疰。生蜀郡，如金色者良。

《本草经集注》 今出蜀汉，似粗金，大如棋子而方。又有铜牙亦相似，但外色黑，内色小浅，不入药用。金牙惟合酒、散及五疰丸，余方不甚须此。

《药性论》 金牙石，君。治一切风，筋骨挛急，腰脚不遂。烧浸服之良。

《唐本草》注 金牙，离本处入土水中，久皆色黑，不可谓之铜牙也。此出汉中金牙湍，湍两岸入石间打出者，内即金色，岸摧入水，久者皆黑。近南山溪谷、茂州、雍州亦有，胜于汉中者。

《日华子本草》 金牙石，味甘，平。治一切冷风气，暖腰膝，补水脏，惊悸，小儿惊痫。入药并烧淬去粗汁乃用。

《本草图经》 金牙，生蜀郡，今雍州亦有之。本经以如金色者良，而此物出于溪谷，在蜀汉江岸石间打出者，内即金色，岸摧入水，年久者多黑。葛洪治风毒厥，有大小金牙酒，但浸其汁而饮之。古方亦有烧淬去毒入药者。孙思邈治风毒及鬼疰，南方瘴气，传尸等，各有大小金牙散之类是也。又有铜牙，亦相似而外黑色，方书少见用者。小金牙酒，主风疰百病，虚劳，湿冷缓不仁，不能行步，近人用之多效，故著其法云：金牙、细辛、地肤子、莽草、干地黄、蒴藋根、防风、附子、茵芋、续断、蜀椒各四两，独活一斤，十二物，金牙捣末，别盛练囊，余皆薄切，并金牙共内大绢囊，以清酒四斗渍之，密泥器口，四宿酒成，温服二合，日三，渐增之。

《本草衍义》　金牙，今方家绝可用。以此故，商客无利不贩卖，医者由是委而不用，兼所惟蜀郡有之，盖亦不广也。余如《经》。

《绍兴本草》　金牙者石之类也。出产、性味、主治已载本经。但取其色类粗金，大小方如牙状是也。非金色不堪入药。舌方治八风五痹。用金牙酒皆碎如米粒，渍酒饮之。其入圆散亦当淬而用之。当作味咸、平，无毒者是矣。

《本草纲目》　［释名］金牙，一名金牙石、黄牙石，取其象形。［集解］［时珍曰］崔昉本草云：金牙石，阳石也。生川、陕山中，似蜜栗子，有金点形者妙。圣济经治疠风大方中，用金牙石、银牙石。银牙恐即金牙石之白色者尔，方书并无言及者，姑阙。

6　金铅、铅末（《五十二病方》）

《五十二病方》　242 行云：治牡痔方，……即取薮（铅）末、菽酱之宰（滓）半，并舂，以傅痔空（孔）。345 行云：治加（痂）方，……以金镓（铅）冶末皆等，以彘膏餢而傅。

《说文解字》　铅，可以句鼎耳及铲炭。一曰铜屑。段玉裁注：句，读如钩，钩鼎耳，举之。钩铲炭，出之之器也。《食货志》：民盗摩钱以取铅。

《集韵》　钩铅，取炭器。

7　金顶（赵学敏）

《本草纲目拾遗》　《品级考》：顶制以铜外镀以金，七品以下皆纯镀金，七品以上则嵌珍石不同。入药取纯铜镀金色旧难用者良。先以甘草煎汤，乘热洗用。

治头风及口眼㖞斜　《传信方》记载，袁良臣云：煎汤煮药有效。旧雀顶更妙。

绝邪疟　余机云：取年久色旧纯金顶一枚，以红绢囊盛之，藏卧席下，勿令病人知，自愈。按：顶制加于冠首，日受阳气熏浃，又得风日之气，年久者得气愈厚。凡金之属，皆能克木，风属巽，巽为木，故能治风邪、绝邪疟者，亦取正气以定之耳。

8　金箔（《蒙筌》）

金箔之名始见于《本草蒙筌》。

金箔是用黄金锤成极薄的纸状膜片，粘贴丸剂表面，成金黄色丸衣，随丸吞服。金箔丸衣起到黄金的作用。

金箔，味辛、苦，性平，能镇心安神，适用于惊痫、高热抽风。金箔很少单独用，多作丸药挂衣用。

《沈氏尊生书》中有金箔镇心丸，治一切痰火所致癫狂、风痫、心悸、怔忡。其方为：牛黄4克，天竺黄15克，雄黄4克，朱砂、琥珀各15克，珍珠4克，麝香1克，共研细末，炼蜜制100丸，用金箔挂衣。薄荷汤送服1丸。

金箔用于实邪惊悸、风痫，虚证忌用，如怔忡因心气虚者不宜用；阳虚气陷、清寒滑泄等，也不宜用。

二、含银及其化合物的矿物药

9　银屑（《别录》）

《名医别录》　银屑，味辛，平，有毒。主安五脏，定心神，止惊悸，除邪气，久服轻身长年。生永昌。采无时。

《本草经集注》　银之所出处，亦与金同，但皆是生石中。炼饵法亦相似。今医方合镇心丸用之，不可，正服尔。为屑，当以水银研令消也。永昌本属益州，今属宁州，《仙经》又有服炼法，此当无正主疗，故不为本草所载。古者名金为黄金，银为白金，铜为赤金。今铜有生熟，炼熟者柔赤，而本草并无用，今铜青及大钱皆入方用，并是生铜，应在下品之例也。

《药性论》　银屑，君。银薄同。主定志，去惊痫，小儿癫疾狂走之病。

《唐本草》注　银之与金，生不同处，金又兼出水中。方家用银屑，当取见成银薄，以水银消之为泥。合消石及盐研为粉，烧出水银，淘去盐石，为粉极细，用之乃佳。不得已磨取屑尔，且银所在皆有，而以虢州者为胜，此外多锡秽为劣，高丽作帖者云：非银矿出，然色青不如虢州者，又有黄银，本经不载，俗云为器辟恶，乃为瑞物。

《海药本草》 谨按《南越志》云：出波斯国，有天生药银，波斯国用为试药、指环。大寒，无毒，主坚筋骨，镇心，明目，风热，癫疾等，并入薄于丸散服之，又烧朱粉瓮下，多年沉积有银，号杯铅银，光软甚好，与波斯银功力相似，只是难得。今时烧炼家，每一斤生铅，只煎得一二铢。《山海经》云：东北乐平郡党少山出银甚多。黔中生银，体骨硬，不堪入药。又按《唐贞观政要》云，十年，有理书御史权万纪奏曰：宣、饶二州诸山，极有银坑，采之甚是利益。太宗曰：朕贵为天子，无所乏少，何假取乎？是知彼处出银也。

《本草图经》 文具“金屑”条下。

《子母秘录》 妊娠卒腰背痛如折，银一两，水三升，煎取二升，饮之。《太上八帝玄变经》银屑益寿。青霞子《金液还丹论》银破冷除风。

《本草衍义》 银屑，“金”条中已解屑义，银本出于矿，须煎炼而成，故名熟银，所以于后别立“生银”条也。其用与熟银大同。世有术士，能以朱砂而成者，有铅、汞而成者，有焦铜而成者，不复更有造化之气，岂可更入药？既有此类，不可不区别。其生银，即是不自矿中出，而特然自生者，又谓之老翁须，亦取像而言之耳。然银屑《经》言有毒，生银《经》言无毒，释者漏略不言。盖生银已生发于外，无蕴郁之气，故无毒。矿银尚蕴蓄于石中，郁结之气，全未敷畅，故言有毒，亦恶锡。

《绍兴本草》 银屑，又附石而生。味、主治已载本经。言其有毒者，盖亦谓未经锻炼而生用矣。今医方多取见成银薄及水煮银取汁入药，当为无毒，然银屑，其熟银亦作之矣。

《本草纲目》 [释名] [时珍曰] 尔雅：白金谓之银，其美者曰镠。《说文》云：鋈，白金也。梵书谓之阿路巴。[修治] [时珍曰] 入药只用银箔易细，若用水银盐消制者，反有毒矣。龙木论谓之银液。又有锡箔可伪，宜辨之。

10 生银（《开宝》）

《开宝本草》 生银，寒，无毒。主热狂惊悸，发痫恍惚，夜卧不安，谵语，邪气鬼祟。服之明目，镇心，安神定志。小儿诸热丹毒，并以水磨服，功胜紫雪。出饶州、乐平诸坑生银矿中，状如硬锡，文理粗错，自然者真。

《本草拾遗》 生银，味辛。

《日华子本草》 冷，微毒，畏石亭脂、磁石。治小儿中恶，热毒烦闷，并水磨服，忌生血。又云朱砂银，冷，无毒。畏石亭脂、磁石、铁。延年益色，镇心安神，止惊悸，辟邪。治中恶蛊毒，心热煎烦，忧忘虚劣，忌一切血。

《本草图经》 文具"金屑"条下。

《雷公炮炙论》 金、银、铜、铁气，凡使，在药中用时，即浑安置于药中，借气生药力而已，勿误入药中用，消人脂也。《千金翼》治身有赤疵，常以银揩令热，不久渐渐消。《抱朴子》银但不及金玉，可以地仙也。服之法：麦浆化之，亦可以朱草酒饵之，亦可以龙膏饵炼之，然日三服，服辄大如弹丸，然非清贫道士所能得也。《太清服炼灵砂法》银禀西方辛阴之神，结精而为质，性戾，服之伤肝。《宝藏论》云：夫银有一十七件：真水银银、白锡银、曾青银、土碌银、丹阳银、生铁银、生铜银、硫黄银、砒霜银、雄黄银、雌黄银、鍮石银，惟有至药银、山泽银、草砂银、母砂银、黑铅银五件是真，外余则假。银坑内石缝间有生银迸出如布线，土人曰老翁须，是正生银也。《丹房镜源》银生洛平卢氏县，褐色石打破，内即白。生于铅坑中，形如笋子。此有变化之道，亦曰自然牙，亦曰生铅，又曰自然铅，可为利术，不堪食，铅内银性有毒，可用结砂子。

《本草衍义》 文具"银屑"条下。

《绍兴本草》 生银，显非经火炼熟矣。然所产不一，共有渗溜土石间，成条状若老翁须者，亦有在矿中文理错杂如硬锡者，俱名生银也。性味、主治已载本经注。今详生银既未经锻炼，须带杂石气，当从《日华子》云微毒是矣。然在方家亦稀用生者。

《本草纲目》 ［集解］［时珍曰］闽、浙、荆、湖、饶、信、广、滇、贵州、交趾诸处，山中皆产银，有矿中炼出者，有沙土中炼出者。其生银，俗称银笋、银牙者也，亦曰出山银。独孤滔《丹房镜源》所谓铅坑中出褐色石，形如笋，打破即白，名曰自然牙，曰自然铅，亦曰生铅，此有变化之道，不堪服食者，是也。《管子》云：上有铅，下有银。《地镜图》云：山有葱，下有银。银之气入夜正白，流散在地，其精变为白雄鸡。《宝藏论》云：银有十七种。又外国四种。天生牙，生银坑内石缝中，状如乱丝，色红者上，入火紫白如草根者次之，衔黑石者最奇，生乐平、鄱阳产铅之山，一名龙牙，一名龙须，是正生银无毒，为至药根本也。生银生石矿中，成片块，大小不定，状如硬锡。母砂银，生五溪丹砂穴中，色理红光。黑铅银，得子母之气。此四种为真银。有水银银、草砂银、曾青银、石绿银、雄黄银、雌黄银、硫黄银、胆矾银、灵草银，皆是以药制成者；丹阳银、铜银、铁银、白锡银，皆以药点化者，十三种皆假银也。外有四种：新罗银、波斯银、林邑银、云南银，并精好。［气味］［时珍曰］荷叶、蕈灰能粉银。羚羊角、乌贼鱼骨、鼠尾、龟壳、生姜、地黄、磁石，俱能瘦银。羊脂、紫苏子油，皆能柔银。［主治］［时珍曰］银煮水入葱白、粳米作粥食，治胎动不安，漏血。［发明］［时珍曰］生银初煎出如缦理，乃其天真，故无毒。熔者投以少铜，则成丝文金花，铜多则反败银，去铜则复还银，而初入少铜终不能出，作伪者又制以药石铅锡。且古法用水银煎消，制银箔成泥入药，所以银屑有毒。银本无毒，其毒则诸物之毒也。今人用银器饮食，遇毒则变黑；中毒死者，亦以银物探试之，则银之无毒可征矣。其入药，亦是平肝镇怯之义。故《太清服炼书》言，银禀西方辛阴之神，结精为质，性刚戾，服之能伤肝，是也。《抱朴子》言银化水服，可成地仙者，亦方士谬言也，不足信。

11　黄银（《拾遗》）

《本草拾遗》　黄银，银注中苏云：作器辟恶，瑞物也。按，瑞物黄银载于《图经》。银瓮丹甑，非人所为，既堪为器，明非瑞物。

《本草纲目》　银［附录］黄银［时珍曰］按《方勺泊宅编》云：黄银出蜀中，色与金无异。但上石则白色。熊太古《冀越集》云：黄银绝少，道家言鬼神畏之。《六帖》载唐太宗赐房玄龄带云：世传黄银鬼神畏之。《春秋运斗枢》云：人君秉金德而生，则黄银见世。人以输石为黄银，非也。输石，即药成黄铜也。

12　乌银（《拾遗》）

《本草拾遗》　今乌银辟恶，煮之，工人以为器物，养生者为器，以煮药。兼于庭中，高一丈，夜承得醴，投别器中，饮长年。今人作乌银，以硫黄熏之再宿，泻之出，即其银黑矣。此是假，非真也。

《本草纲目》　银［附录］乌银［藏器曰］今人用硫黄熏银，再宿泻之，则色黑矣。工人用为器。养生者以器煮药，兼于庭中高一二丈处，夜承露醴饮之，长年辟恶。

《本草纲目拾遗》　《纲目》银下附乌银，言用硫黄熏银则色黑，成乌银。养生家制为器，盛露饮之，长年辟恶，只载其服食功用，而不言有治病之用，故从《行箧检秘》方得其法以补之。

治翻胃如神：用纹银一钱二分，硫黄一斤，将硫黄分作一百二十包，取大倾银罐一个，将银放入罐内，炭火上煅，将硫黄逐包投入罐内，黄尽为度。取银为末，初次服三分，二次服二分，三次服一分，再加丁香、茴香、藿香、沉香各三分，麝香一分，分为三服。每服用银粉二分，水一钟，煎药至半钟，将银粉空心送下，作三日服完，即愈。

13 朱砂银（《日华子》）

《日华子本草》 朱砂银，冷，无毒。畏石亭脂、磁石、铁。延年益色，镇心安神，止惊悸，辟邪。治中恶蛊毒，心热煎烦，忧忘虚劣。忌一切血。

《本草纲目》 ［集解］［时珍曰］此乃方士用诸药合朱砂炼制而成者。《鹤顶新书》云：丹砂受青阳之气，始生矿石，二百年成丹砂而青女孕，三百年而成铅，又二百年而成银，又二百年复得太和之气化而为金。又曰：金公以丹砂为子，是阴中之阳，阳死阴凝，乃成至宝。［气味］冷，无毒。［大明曰］畏石亭脂、磁石、铁，忌一切血。［主治］［日华子云］延年益色，镇心安神，止惊悸，辟邪，治中恶蛊毒，心热煎烦，忧忘虚劣。

14 银锈（一作釉）（赵学敏）

《本草纲目拾遗》 此乃倾银铺熔银脚也。凡熔银入罐，必多用硝及硼砂、黄砂以去铅铜杂脚，则成十足成色为纹银。其罐底所余黑色滓渣，名曰锈。有毒，不可误食，食能坠人肠，此物无入药用者，故《纲目》银下附乌银。虽无主治，尚列其名。而锈未及焉者，或以其毒而弃诸，人有误食者，急用黄泥水服二茶盏可解。或每日用饴糖四两作小丸，不时以芝麻油吞下，俱可泻其毒出，须服至百日外无患。《经验广集》：服银锈水者，乌梅汤灌之即解。杨春涯《验方》：误食银釉，带皮绿柿连吃数十枚，冬日吃柿饼慈姑汁可解，神妙。

治癣 《救世青囊》：凡顽癣，用银锈不拘多少，盛瓷盘内，安放露天，将盘微侧，使锈沾露，有水流出，抓破搽之。

内府万应膏 慈溪陈水东得来，用银锈一斤，黑芝麻油二斤，先将锈入油内浸十日，敲碎，同油煎至四五分熟，用绢袋滤去锈，入炒过飞净东丹一斤，熬成膏，治一切无名肿毒，癣疮痔漏，发背疔疮，一贴即愈。

五云膏 《不药良方》：治马刀瘰疬，又鼠疮已溃者，用银黝子四两，捶碎，黄丹八两，飞净，香油二十两，用砂锅一个，盛香油火温，候油热，将黝子投入油，以桃、柳、桑、槐、枣五枝搅之，候起珍珠花，捞去渣，用布滤净，复将油下锅，慢慢将黄丹筛入油内，仍用五枝不住手搅之，以滴水成珠为度。取出收贮，用时勿见火，以重汤炖化，红缎摊贴。

15 银箔（《圣济总录》）

《圣济总录》中有镇心丸，治心气虚惊悸、神志不宁、多忧虑。其方为：茯神、龙齿、炙甘草各一两，升麻、枳壳各七钱，麦冬一两三钱，共研细末，炼蜜制丸如梧子大，以银箔200张挂衣。早、晚食后各服15～20丸。

《本草蒙筌》　银箔，除谵语恍惚不寐，止热狂惊悸发痫，养神定志，明目，安五脏，并用之。功胜紫雪丹。

尚志钧按　银箔，用纯白银锤成极薄的纸状薄膜。其味甘，性微寒，能镇心安神，适用于惊痫癫狂、神志恍惚、心悸、怔忡等。

16 银膏（《唐本余》）

《唐本余》　银膏，味辛，大寒，主热风，心虚惊痫，恍惚，狂走，膈上热，头面热风冲心上下，安神定志，镇心明目，利水道，治人心风、健忘。其法以白锡和银薄及水银合成之。亦甚补牙齿缺落，又当凝硬如银，合炼有法。

《绍兴本草》　银膏，然本经虽以水银、白锡、银薄三物合和而成，亦不见制造之法。又况水银不得近牙齿，发肿，善脱齿。复云补牙齿缺落者，乃见此一种无可执据之药，况方家亦不闻用之。本经味辛，大寒，不云有无毒。窃详以水银、白锡合和，即当以有毒是矣。

《本草纲目》　［集解］［时珍曰］今方士家有银脆，恐即此物也。

17 锡蔺脂（《绍兴本草》）

《绍兴本草》　锡蔺脂，味甘、微咸，有小毒。镇坠风痰邪实，通利经络，消散癖结，诸方中颇用之。其形块大小不定，重紫黑色。表亦犹如涂金，破之者有墙壁，产铅锡处皆有之，乃锡之矿也。入药当煅淬为用。本草不载，今宜添入。绍兴新添。

《本草纲目》　锡吝脂（纲目）［集解］［时珍曰］此乃波斯国银矿也。一作悉蔺脂。[主治][时珍曰]目生翳膜，用火烧铜针轻点，乃傅之，不痛。又主一切风气，及三焦消渴饮水，并入丸药用。

尚志钧按 《本草纲目》中“锡吝脂”条虽注出《纲目》，但本条《绍兴本草》早有记载，并非始于《本草纲目》。

三、含铜及其化合物的矿物药

18 赤铜屑（《唐本》）

《唐本草》 赤铜屑，以酢和如麦饭，袋盛，先刺腋下脉，去血，封之，攻腋臭神效。又熬使极热，投酒中，服五合，日三，主贼风反折。又烧赤铜五斤，内酒二斗中百遍，服同前，主贼风甚验。

《本草拾遗》 赤铜屑，主折伤，能焊人骨及六畜有损者。取细研酒中温服之，直入骨损处，六畜死后，取骨视之，犹有焊痕。赤铜为佳，熟铜不堪。

《日华子本草》 铜屑，味苦，平，微毒。明目，治风眼，接骨焊齿，疗女人血气及心痛，又云铜器，平。治霍乱转筋，肾堂及脐下疰痛，并衣被衬后，贮火熨之。

《外台秘要》 治狐臭。《崔氏方》：先用清水净洗，又用清酢浆净洗讫，微揩使破，取铜屑和酢熟揩。又方赤铜屑，以酢和银器中，炒极热，以布裹，熨腋下，冷复易，差止，甚验。《太清服炼灵砂法》云：铜禀东方乙阴之气，结而成魄。性利，服之伤肾。《朝野佥载》云：定州人崔务，坠马折足。医者令取铜末，和酒服之，遂痊平，及亡后十余年改葬，视其胫骨折处，有铜束之。《丹房镜源》云：武昌铜若作丹，打之不裂拆。

《绍兴本草》 赤铜屑，乃经火去矿之铜，即非熟炼之物。盖取色赤而作屑。本经虽有主治，然但不云性味有无毒。《日华子》云：苦，平，微毒。今详凡火煅以酒淬服之，则为无毒，若不煅淬服之，则为有毒。经注接骨补伤，疗心痛等疾，当作味苦、微温是也。

《本草纲目》 [释名][时珍曰]铜与金同，故字从金、同也。[集解][时珍曰]铜有赤铜、白铜、青铜。赤铜出川、广、云、贵诸处山中，土人穴山采矿炼取之。白铜出云南，青铜出南番，惟赤铜为用最多，且可入药。人以炉甘石炼为黄铜，其色如金。砒石炼为白铜，杂锡炼为响铜。《山海经》言出铜之山四百六十七，今则不知其几也。《宝藏论》云：赤金一十种，丹阳铜、武昌白慢铜、一生铜、生银铜，皆不由陶冶而生者，无毒，宜作鼎器。波斯青铜，可为镜。新罗铜，可作钟。石绿、石青、白、青等铜，并是药制成。铁铜以苦胆水浸至生赤，煤熬炼成而黑坚。锡坑铜大软，可点化。自然铜见本条。《鹤顶新书》云：铜与金银同一根源也，得紫阳之气而生绿，绿二百年而生石，铜始生于中，其气禀阳，故质刚戾。《管子》云：上有陵石，下有赤铜。《地镜图》云：山有磁石，下有金若铜。草茎黄秀，下有铜器。铜器之精，为马为僮。《抱朴子》云：铜有牝牡。在火中尚赤时，令童男、童女以水灌之，铜自分为两段，凸起者牡也，凹下者牝也。以牝为雌剑，牡为雄剑，带之入江湖，则蛟龙水神皆畏避也。赤铜屑［修治］［时珍曰］即打铜落下屑也。或以红铜火煅水淬，亦自落下。以水淘净，用好酒入砂锅内炒见火星，取研末用。［气味］苦，平，微毒。［时珍曰］苍术粉铜，巴豆、牛脂软铜，慈姑、乳香哑铜，物性然也。［主治］［时珍曰］同五倍子，能染须发。［发明］［时珍曰］太清服炼法云：铜禀东方乙阴之气结成，性利，服之伤肾。既云伤肾而又能接骨，何哉？

19　紫铜矿（赵学敏）

《本草纲目拾遗》　《药性考》：产云南，入药镇心利肺，降气坠痰。火煅末用，可罨续筋骨折伤。

20　金花矿（赵学敏）

《本草纲目拾遗》　《药性考》：与紫铜矿相类，主治亦同。

21　白铜（赵学敏）

《本草纲目拾遗》　《药性考》：白铜，味辛凉，镇气不足，益肺下痰，伐肝明目。

22　白铜矿（赵学敏）

《本草纲目拾遗》　此乃矿中白铜，质脆，今时用白铜，以赤铜、砒石炼成。有毒，不堪用。辛温，治风散毒，敷牛马疮，亦续筋骨。

23　菜花铜（赵学敏）

《本草纲目拾遗》　《药性考》：此天生者，今之黄铜，乃赤铜合炉甘石炼成。味辛，宜制刀切药，性味不改，打箔用，入损伤剂，能敛金疮伤口，强脾益肺，除一切风痹。

24　风磨铜（赵学敏）

《本草纲目拾遗》　生西蕃，置风露中，色灿如金。佩之，除一切风疾。

25　诸铜器（《纲目》）

《本草纲目》　诸铜器，有毒。[气味][时珍曰]铜器盛饮食茶酒，经夜有毒，煎汤饮，损人声。

26　铜盆（《拾遗》）

《本草拾遗》　铜盆，主熨霍乱。可盛灰厚二寸许，以炭火安其上，令微热，下以衣藉患者腹，渐渐熨之。腹中通热差。

27　古铜器（《纲目》）

《本草纲目》　古铜器畜之，辟邪祟。赵希鹄《洞天录》云：山精水魅多历年代，故能为邪祟。三代钟鼎彝器，历年又过之，所以能辟祟也。

28　铜钴鉧（《纲目》）

《本草纲目》　铜钴鉧一作钴鉧，熨斗也。治折伤接骨，捣末研飞，和少酒服，不过二方寸匕。又盛灰火，熨脐腹冷痛。

29　铜匙柄（《纲目》）

《本草纲目》　铜匙柄，治风眼赤烂，及风热赤眼翳膜，烧热烙之，频用妙。

30　钱花（赵学敏）

《本草纲目拾遗》　《药性考》：此乃铸钱炉中飞起黄珠，轻松者佳。主敷瘰马迎鞍疮。

31 开元钱（赵学敏）

《本草纲目拾遗》 《无颜录》：唐开元钱烧之有水银出，可入药，以有杨妃手掐痕者佳。以火煅红淬醋中六七次用，入目者磨用。入散者同胡桃研成粉用，明目，醋煅入眼科。治小儿急慢惊风。杨仁斋《直指》有孔方兄饮，治慢脾惊风利痰奇效。用开元钱背后上下有两月痕者，其色淡黑，颇小，以一个放铁匙上，炭火烧，四围上下，各出珠子，取出待冷，倾入盏中，作一服。以南木香汤送下，或人参汤亦可。钱虽利痰，非胃家所好，须以木香佐之。

噤口痢 《张氏必效方》开元古钱一个，火煅醋淬，以钱化为度，研细末，拌粥内食之。如十分沉重，并粥不能食者，以温开水调下，一二时辰，即思饮食矣。然后用薄粥渐渐开导，再用调理脾气，自愈。

折伤接骨 《槐西杂志》交河黄俊生言：折伤接骨者，以开元通宝钱烧而醋淬，研为末，以酒服下，则铜末自结而为圈，周束折处，曾以折足鸡试之，果接续如故。及烹此鸡验其骨，铜束宛然。此钱唐初所铸，欧阳询所书，其旁微有一偃月形，乃进样时文德皇后误掐一痕，因而未改也。其字当迴环读之，俗以为开元钱则误矣。《周氏方》治跌打损伤，用开元钱一个，醋煅和酒服，至重者用两个，立愈。《古方选注》云：唐时开元钱亦可入药，功专腐蚀坏肉。陈藏器曰：能直入损处，焊入断骨。

《广志》云：自河头至高廉二郡，皆用唐宋钱。开元钱以平头元为上，尖头元次之。有万历钱，则以跂历为上，以历字左撇直下也。古钱皆可治病，如汉之五铢，秦之半两，其质薄，多青绿剥蚀痕，醋煅，入眼科。《纲目》已载之，世亦多有知者。《秋灯丛话》载：顺治初，湖南孝感县民多病疟，或于古钱中检开元通宝钱一文，持之即愈。远近喧传，每文价值制钱一缗，若是则又不止开元钱可用也。然准古酌今，入药惟开元钱为当。故特为拈出，以广其用。王楙《野客丛书》：唐之钱见于今者有二，开元通宝与夫乾元重宝。按：《食货志》开元通宝，高祖时铸，径八分，得轻重小大之中，其文以八分篆隶三体，洛并幽益桂等州皆置监，赐秦王齐王三炉，右仆射裴寂一炉，高宗复行开元通宝钱，天下皆铸之。元宗亦铸此钱。京师藏皆遍天下，而乾元重宝钱，肃宗命第五琦铸钱，钱径一寸，每缗重十斤，与开元通宝参用，以一当十，琦为相后，命绛州铸此钱，径一寸二分，每缗重二十斤，与开元通宝并行，以一当十。乾元钱惟肃宗朝铸，而开元钱铸于累朝，所以至今尚多。按：开元通宝钱有二种：一种有手掐痕，俨如月眉，轮廓微仄，铜色颇古，即世所称杨妃手痕者。阅《谭宾录》载：钱文如甲迹者，因文德皇后也。武德中废五铢钱，行开元通宝钱。此四字乃欧阳询所书，初进样，后掐一甲痕，因铸之。始如今所传乃开通钱也。存以备考。

32 万历龙凤钱（赵学敏）

《本草纲目拾遗》 妇人临产，置钱一枚手掌内，可催生。朱文藻附记。

33 古文钱（《嘉祐》）

《嘉祐本草》 古文钱，平。治翳障，明目，疗风赤眼，盐卤浸用。妇人横逆产，心腹痛，月隔，五淋，烧以醋淬用。

《本草拾遗》 大钱，银注中陶云不入用。按，青钱者是大钱，煮汁服，主五淋。磨入目，主盲瘴肤赤。和薏苡根煮服，主心腹痛。煮比轮钱，以新汲水服之，又主时气。含青钱，又主口内热疮。以二十文烧令赤，投酒中服之，立差。又主妇人患横产。

《本草图经》 文具“铅”条下。

《本草衍义》 古文钱，古铜焦赤有毒，治目中瘴瘀，腐蚀坏肉。妇人横逆产，五淋多用，非特为有锡也，此说非是。今但取景王时大泉五十及宝货，秦半两，汉荚钱，大小五铢，吴大泉五百，大泉当千，宋四铢、二铢，及梁四柱，北齐常平五铢。尔后，其品尚多，如此之类方可用。少时常自患暴赤目肿痛，数日不能开。客有教以生姜一块，洗净去皮，以古青铜钱刮取姜汁，就钱棱上点。初甚苦热，泪蔑面，然终无损。后有患者，教如此点，往往疑惑。信士点之，无不获验，一点遂愈，更不可再作。有疮者不可用。

《绍兴本草》 古文钱，乃熟铜也。本经虽有主疗，而不载味及有无毒。窃详古文钱又铜锡相杂而成，据经注所载，皆借气为用，当作味辛、无毒是也。

《本草纲目》 ［集解］［时珍曰］古文钱但得五百年之外者即可用，而唐高祖所铸开元通宝，得轻重大小之中，尤为古今所重。綦母氏《钱神论》云：黄金为父，白银为母，铅为长男，锡为适妇，其性坚刚，须汞终始，体圆应天，孔方效地，此乃铸钱之法也。三伏铸钱，其汁不清，俗名炉冻，盖火克金也。唐人端午于江心铸镜，亦此意也。［发明］［时珍曰］以胡桃同嚼食二三枚，能消便毒。便毒属肝，金伐木也。

34 古镜（《拾遗》）

《本草拾遗》 古镜，味辛，无毒。主惊痫邪气，小儿诸恶。煮取汁和诸药煮服之。文字弥古者佳尔。

《本草纲目》 ［释名］一名鉴、照子。［时珍曰］镜者景也，有光景也。鉴者监也，监于前也。《轩辕内传》言：帝会王母，铸镜十二，随日用之。此镜之始也。或云始于尧臣尹寿。［主治］［大明曰］古镜，辟一切邪魅，女人鬼交，飞尸蛊毒，催生，及治暴心痛，并火烧淬酒服。百虫入耳鼻中，将镜就敲之，即出。［时珍曰］小儿疝气肿硬，煮汁服。［发明］［时珍曰］镜乃金水之精，内明外暗。古镜如古剑，若有神明，故能辟邪魅忤恶。凡人家宜悬大镜，可辟邪魅。《刘根传》云：人思形状，可以长生。用九寸明镜照面，熟视令自识已身形，久则身神不散，疾患不入。葛洪《抱朴子》云：万物之老者，其精悉能托人形惑人，唯不能易镜中真形。故道士入山，以明镜径九寸以上者背之，则邪魅不敢近，自见其形，必反却走。转镜对之，视有踵者山神，无踵者老魅也。群书所载，古镜灵异，往往可证，谩撮于左方。《龙江录》云：汉宣帝有宝镜，如八铢钱，能见妖魅，帝常佩之。《异闻记》云：隋时王度有一镜，岁疫令持镜诣里中，有疾者照之即愈。《樵牧闲谈》云：孟昶时张敌得一古镜，径尺余，光照寝室如烛，举家无疾，号无疾镜。《西京杂记》云：汉高祖得始皇方镜，广四尺，高五尺，表里有明，照之则影倒见；以手捧心，可见肠胃五脏；人疾病照之，则知病之所在；女子有邪心，则胆张心动。《酉阳杂俎》云：无劳县舞溪石窟方镜，径丈，照人五脏，云是始皇照骨镜。《松窗录》云：叶法善有一铁镜，照物如水。人有疾病，照见脏腑。《宋史》云：秦宁县耕夫得镜，厚三寸，径尺二，照见水底，与日争辉。病热者照之，心骨生寒。《云仙录》云：京师王氏有镜六鼻，常有云烟，照之则左右前三方事皆见。黄巢将至，照之，兵甲如在目前。《笔谈》云：吴僧一镜，照之知未来吉凶出处。又有火镜取火，水镜取水，皆镜之异者也。

35 铜弩牙（《别录》）

《名医别录》 铜弩牙，主妇人产难，血闭，月水不通，阴阳隔塞。

《本草经集注》 即今人所用射者尔，取烧赤内酒中，饮汁，得古者弥胜。

《日华子本草》 平，微毒。

《太平圣惠方》 治小儿吞珠珰钱而哽方：烧铜弩牙赤内水中，冷饮其汁，立出。《千金方》令易产。铜弩牙烧令赤，投醋三合服，良久顿服，立产。

《绍兴本草》 铜弩牙，亦经火炼之铜也。主治之意，取其快利为用。在方皆烧淬饮汁，盖不可末服之也。本经不载性味，有无毒。《日华子》云：平，微毒。今既淬汁服之，当作无毒是也。

《本草纲目》 ［释名］［时珍曰］黄帝始作弩。刘熙释名云：弩，怒也，有怒势也。其柄曰臂，似人臂也。钩弦者曰牙，似人牙也。牙外曰郭。下曰悬刀。合名之曰机。［颂曰］药用铜弩牙，以其有锡也。［发明］［刘完素曰］弩牙速产，以机发而不括，因其用而为使也。

36 空青（《本经》）

《神农本草经》 空青，寒。主青盲，耳聋，明目，利九窍，通血脉，养精神，久服轻身，延年不老，能化铜、铁、铅、锡作金。

《名医别录》 空青，味甘、酸，大寒，无毒，益肝气，疗目赤痛，去肤翳止泪出，利水道，下乳汁，通关节，破坚积，久服令人不忘，志高神仙。生益州山谷及越嶲山有铜处。铜精熏则生空青，其腹中空。三月中旬采，亦无时。

《范子计然》 空青出巴郡。白青、曾青出新淦。青色者善。

《本草经集注》 越嶲属益州。今出铜官者，色最鲜深，出始兴者弗如，益州诸郡无复有，恐久不采之故也。凉州西平郡有空青山，亦甚多。今空青但圆实如铁珠，无空腹者，皆凿土石中取之。又以合丹成，则化铅为金矣，诸石药中，惟此最贵，医方乃稀用之，而多充画色，殊为可惜。

《药性论》 空青，君，畏菟丝子。能治头风，镇肝，瞳人破者，再得见物。

《四声本草》 腹中空，如杨梅者胜。

《唐本草》注 此物出铜处有，乃兼诸青，但空青为难得。今出蔚州、兰州、宣州、梓州，宣州者最好，块段细，时有腹中空者。蔚州、兰州者，片块大，色极深，无空腹者。

《日华子本草》 空青大者如鸡子，小者如相思子，其青厚如荔枝壳，内有浆酸甜，能点多年青盲内障翳膜，养精气，其壳又可摩翳也。

《开宝本草》今注 今出饶、信等州者亦好。

《本草图经》 空青，生益州山谷及越嶲山有铜处，铜精熏则生空青，今信州亦时有之。状若杨梅，故别名杨梅青。其腹中空，破之有浆者绝难得。亦有大者如鸡子，小者如豆子，三月中旬采，亦无时，古方虽稀用，而今治眼翳障，为最要之物。又曾青所出与此同山，疗体颇相似，而色理亦无异，但其形累累如连珠相缀，今极难得。又有白青，出豫章山谷，亦似空青，圆如铁珠，色白而腹不空，亦谓之碧青，以其研之色碧也，亦谓之鱼目青，以其形似鱼目也。无空青时，亦可用，今不复见之。

《千金方》 治眼𥆧𥆧不明，以空青少许，渍露一宿，以水点之。又方治口㖞不正。取空青一豆许，含之即效。《肘后方》治卒中风，手臂不仁，口㖞僻。取空青末一豆许，著口中渐入咽即愈。

《本草衍义》 空青，功长于治眼。仁庙朝，尝诏御药院，须中空有水者，将赐近戚，久而方得。其杨梅青，治翳极有功。中亦或有水者，其用与空青同，弟有优劣耳。今信州穴山而取，世谓之杨梅青，极难得。

《绍兴本草》 空青谓其色青，而中空，故名空青也。形如杨梅，色青翠可爱。疗诸目疾甚验。虽云其中有水，能愈目盲，然亦未闻见有水者，其无水者亦少得之。此物即非大寒，今当作味甘酸、寒、无毒是也。若其色带白而中实者，即非空青矣。

《本草纲目》 ［释名］空青一名杨梅青。［时珍曰］空言质，青言色，杨梅言似也。［集解］［时珍曰］张果玉洞要诀云：空青似杨梅，受赤金之精，甲乙阴灵之气，近泉而生，久而含润。新从坎中出，钻破中有水，久即干如珠，金星灿灿。《庚辛玉册》云：空青，阴石也。产上饶，似钟乳者佳，大片含紫色有光彩。次出蜀严道及北代山，生金坎中，生生不已，故青为之丹。有如拳大及卵形者，中空有水如油，治盲立效。出铜坑者亦佳，堪画。又有杨梅青、石青，皆是一体，而气有精粗。点化以曾青为上，空青次之，杨梅青又次之。《造化指南》云：铜得紫阳之气而生绿，绿二百年而生石绿，铜始生其中焉。曾、空二青，则石绿之得道者，均谓之矿。又二百年得青阳之气，化为鍮石。观此诸说，则空青有金坑、铜坑二种。或大如拳卵，小如豆粒，或成片块，或若杨梅，虽有精粗之异，皆以有浆为上，不空无浆者为下也。方家以药涂铜物生青，刮下伪作空青者，终是铜青，非石绿之得道者也。［主治］［时珍曰］治中风口㖞不正，以豆许含咽，甚效。出范汪方。［发明］［时珍曰］东方甲乙，是生肝胆，其气之清者为肝血，其精英为胆汁。开窍于目，血五脏之英，皆因而注之为神。胆汁充则目明，汁减则目昏。铜亦青阳之气所生，其气之清者为绿，犹肝血也；其精英为空青之浆，犹胆汁也。其为治目神药，盖亦以类相感应耳。石中空者，埋土中三五日，自有浆水。

37 青（《五十二病方》）

《五十二病方》 96行云：蚖，青傅之。

《说文》 青，东方色也，木生火，从生丹，丹青之信，言必然。古书言青，多指空青。

《周礼·职金》 掌凡金、玉、锡、石、丹、青之戒令。注云：青，空青也。

《山海经·本山经》 皇人之山，其下多青。郭璞注云：空青，曾青之属。

《子虚赋》 其土则丹青赭垩。注云：青，雘青空青也。

《吴普本草》 空青，神农，甘；一经，酸。久服有神仙玉女来侍，使人志高。

《肘后方》 若口㖞僻者，取空青末，著口中久咽即愈。

《千金要方》 卷25云：众蛇毒，铜青傅疮上。

尚志钧按 空青是天然的碱式碳酸铜矿，铜青是碱式醋酸铜，《本草图经》谓空青状若杨梅，故别名杨梅青，为治眼翳障要药。《千金方》谓铜青治毒蛇咬伤。研末敷患处，与《五十二病方》治蚖咬伤，以青傅之义合。

38 曾青（《本经》）

《神农本草经》 曾青，味酸，小寒，主目痛，止泪出，风痹，利关节，通九窍，破癥坚积聚，久服轻身不老。能化金、铜。

《名医别录》 曾青，无毒。养肝胆，除寒热，杀白虫，疗头风脑中寒，止烦渴，补不足，盛阴气，生蜀中山谷及越巂，采无时。畏菟丝子。

《本草经集注》 此说与空青同山，疗体亦相似，今铜官更无曾青，惟出始兴。形累累如黄连相缀，色理小类空青，甚难得而贵。《仙经》少用之，化金之法，事同空青。

《雷公炮炙论》 凡使，勿用夹石及铜青，若修事一两，要紫背天葵、甘草、青芝草三件，干、湿各一镒，并细剉，放于一瓷埚内，将曾青于中，以东流水二镒并诸药等，缓缓煮之，五昼夜，勿令水火失时，足取出，以东流水浴过，却入乳钵中，研如粉用。

《唐本草》注 曾青出蔚州、鄂州，蔚州者好，其次鄂州，余州并不任用。

《本草图经》 文具“空青”条下。

《丹房镜源》 曾青结汞制丹砂，金气之所生。《宝藏论》曾青若住火成膏者，可立制汞成银，转得八石。青霞子言爽神气。

《绍兴本草》 曾青所出与空青同，但中实而不空，累相缀然。二青在治目方中用之皆验。今空青世罕有，唯曾青疗目疾多用之。当从本经味酸、小寒、无毒是矣。

《本草纲目》 ［释名］［时珍曰］曾青：曾音层。其青层层而生，故名。或云其生从实至空，从空至层，故曰曾青也。［集解］［时珍曰］但出铜处，年古即生。形如黄连相缀，又如蚯蚓屎，方棱，色深如波斯青黛，层层而生，打之如金声者为真。《造化指南》云：层青生铜矿中，乃石绿之得道者。肌肤得东方正色，可以合炼大丹，点化与三黄齐驱。《衡山记》云：山有层青冈，出层青，可合仙药。［发明］［时珍曰］曾青治目，义同空青。古方辟邪太乙神精丹用之，扁鹊治积聚留饮有层青丸，并见古今录验方，药多不录。

39 肤青（《本经》）

《神农本草经》 肤青，味辛。主蛊毒及蛇、菜、肉诸毒，恶疮。一名推青。

《名医别录》 肤青，味咸，平，无毒。不可久服，令人瘦，一名推石。生益州川谷。

《本草经集注》 肤青，俗方及《仙经》并无用此者，亦相与不复识。

《绍兴本草》 肤青亦石类也。本经虽有性味、主治及云无毒，然世以罕识，方家亦无见用矣。

尚志钧按 《本草纲目》在“白青”条后有［附录］作“绿肤青”。所引［别录曰］文，与本条“肤青”同。

40 扁青（《本经》）

《神农本草经》 扁青，味甘，平。主目痛，明目，折跌，痈肿，金疮不瘳，破积聚，解毒气，利精神，久服轻身，不老。

《吴普本草》 扁青，神农、雷公：小寒，无毒，生蜀郡。治丈夫内绝，令人有子。

《名医别录》 扁青，无毒。去寒热风痹，及丈夫茎中百病，益精。生朱崖山谷、武都、朱提。采无时。

《本草经集注》 《仙经》俗方都无用者，朱崖郡先属交州，在南海中，晋代省之。朱提郡今属宁州。

《唐本草》注 此即前条陶谓绿青是也。朱崖、巴南及林邑、扶南舶上来者，形块大如拳，其色又青，腹中亦时有空者。武昌者，片小而色更佳。简州、梓州者，形扁作片，而色浅也。

《本草图经》 文具“绿青”条下。

《绍兴本草》 扁青与诸青皆石之类也。其出产、主治具载本经。然比之绿青、白青，即无取吐之说。当从本经味甘、平、无毒为正。若《唐注》直指为绿青者，未见的据。今方家亦罕用之。

《本草纲目》 扁青，一名石膏，扁以形名。吐风痰癫痫，平肝。[集解][时珍曰]苏恭言即绿青者非也，今之石青是矣。绘画家用之，其色青翠不渝，俗呼为大青，楚、蜀诸处亦有之。而今货石青者，有天青、大青、西夷回回青、佛头青，种种不同，而回青尤贵。本草所载扁青、层青、碧青、白青，皆其类耳。

41 白青（《本经》）

《神农本草经》 白青，味甘，平，主明目，利九窍，耳聋，心下邪气，令人吐，杀诸毒三虫。久服通神明，轻身，延年不老。

《名医别录》 白青，味酸、咸，无毒。可消为铜剑，辟五兵。生豫章。采无时。

《本草经集注》 此医方不复用，市人亦无卖者，惟《仙经》三十六水方中时有须处。铜剑之法，具在《九元子术》中。

《唐本草》注 陶所云，今空青，圆如铁珠，色白而腹不空者是也。研之色白如碧，亦谓之碧青，不入画用。无空青时，亦用之，名鱼目青，以形似鱼目故也。今出简州、梓州者好。

《绍兴本草》 白青，以空青、曾青较之，色青带白，其腹不空者为是，形块大小不定也。本经主疗亦同空青，明目。又以取吐为用，当以味甘酸咸、小毒为定，但古今方中稀用之。

《本草纲目》 [集解][时珍曰]此即石青之属，色深者为石青，淡者为碧青也。今绘彩家亦用。《范子计然》云：白青出弘农、豫章、新淦，青色者善。《淮南万毕术》云：白青得铁，即化为铜也。

42 铜青（铜绿）（《嘉祐》）

《嘉祐本草》 铜青，平，微毒。治妇人血气心痛，合金疮，止血，明目，去肤赤息肉。生铜皆有青，青则铜之精华，铜器上绿色是，北庭詈者最佳。治目时淘洗用。

《本草拾遗》 陶云青铜不入方用。按：青铜明目，去肤赤，合金疮，止血，入水不烂，令疮青黑。生熟铜皆有青，即是铜之精华，大者即空绿，以次空青也。铜青独在铜器上绿色者是。

《经验方》 治痰涎潮盛，卒中不语，备急大效。碧琳丹：生碌二两净洗，于乳钵内研细，以水化去石澄清，同碌粉慢火熬令干，是取辰日辰时于辰位上修合，再研匀入麝香一分同研，以糯米糊和丸如弹子大，阴干。如卒中者，每丸作二服，用薄荷酒研下。瘫缓一切风，用朱砂酒研化下，候吐涎出，沫青碧色，泻下恶物。又方治小儿绿云丹：不计分两，研细如粉，用醋面糊和丸如鸡头大。每有中者，才觉便用薄荷酒磨下一丸，须臾便吐，其涎如胶，令人以手拔之候吐罢，神效。

《绍兴本草》 铜青者，今称铜绿是矣。诸铜皆可作之。若在服饵者取吐，然用之亦稀。当从本经性平、微毒是也。

《本草纲目》 铜青一名铜绿。近时人以醋制铜生绿，收取晒干货之。［发明］［时珍曰］铜青乃铜之液气所结，酸而有小毒，能入肝胆，故吐利风痰，明目杀疳，皆肝胆之病也。《抱朴子》云：铜青涂木，入水不腐。

尚志钧按 铜青即铜绿。铜绿为铜器表面的铜锈衣。铜屑久放潮湿处，或铜器上喷上醋，经二氧化碳或醋酸作用，生绿色锈衣，刮下，干燥备用。为应用方便，将铜绿入熟石膏，加水和匀，压扁，切成片，喷上高粱酒，晾干备用。铜绿为翠绿色粉末，质松，无臭，味微涩，燃烧时显绿色火焰。主要成分为氧化铜、碱式碳酸铜混合物。铜绿味酸、涩，性平，有毒，刺激性很强，有腐蚀作用。少量内服能使人吐风痰。外用能腐蚀死肌恶肉，小量能敛疮，退翳，杀虫，止血。适用于恶疮、顽癣、赘瘤、疣痣、口鼻疳疮、眼睑赤热肿痛、金疮出血、咽喉肿痛。《圣济总录》中铜青丸，治目生肤翳垂珠管，用铜青一两、细墨五钱，共研细末，和醋为丸，如白豆大，以乳汁、冷开水各少许浸化点患处。《卫生易简方》治烂弦风眼，取铜青水调涂碗底，以艾火薰干，刮下，涂患处。《笔峰杂兴》治臁疮顽癣，铜绿七分，研，黄蜡一两加热熔化，入铜绿搅匀，以厚纸拖过，表里别以纸隔，贴之，出水，妙。《验方》治口鼻疳疮，铜青、枯矾各等分，研敷之。《成药四圣散》治黄水疮，铜绿、松香、枯矾、铅丹，共研细末，撒于患处。本品又能除目翳，去腐敛疮、杀虫止痒，适用于目中翳膜，疮疡腐肉不脱，溃疡内胬肉、恶肉、死肌与瘘管、息肉、狐臭，以及久不愈的臁疮、顽癣。治臁疮、顽癣，用10倍黄蜡熬化，以绵纸拖过贴之。治走马牙疳，配杏仁、滑石等分研末，外掺之。治头上生虱，配白矾为末掺之。治烂眼边（睑缘炎），以铜绿极细而涂烂处。治蛇咬、虫螫毒，以铜绿细末敷之。并作砒霜、降丹等峻蚀药的辅助剂，临床多研末作掺药，油调作敷药，或配入油蜡膏、铅丹膏、松香膏、胶膏及其他膏剂中，亦可水煎为洗剂。

43　绿青（《别录》）

《名医别录》　绿青，味酸，寒，无毒。主益气，疗鼽鼻，止泄痢。生山之阴穴中，色青白。

《本草经集注》　此即用画绿色青，亦出空青中，相带挟，今画工呼为碧青，而呼空青作绿青，正反矣。

《唐本草》注　绿青即扁青也，画工呼为石绿，其碧青即白青也，不入画用。

《本草图经》　绿青，今谓之石绿，旧不著所出州土，但云生山之阴穴中。本经次“空青”条上云：生益州山谷及越巂山有铜处，此物当是生其山之阴耳。今出韶州、信州。其色青白，即画工用画绿色者，极有大块，其中青白花文可爱，信州人用琢为腰带环及妇人服饰。其入药者，当用颗块如乳香不挟石者佳。今医家多用吐风痰。其法，拣取上色精好者，先捣下筛，更用水飞过至细，乃再研治之。如风痰眩闷，取二三钱匕。同生龙脑三四豆许研匀，以生薄荷汁合酒温调服，使偃卧须臾，涎自口角流出，乃愈。不呕吐，其功速于他药，今人用之，比比皆效，故以其法附之云。又下条云：扁青生朱崖山谷及武都朱提。苏恭云：即绿青是也，海南来者，形块大如拳，其色又青，腹中亦时有空者，今未见此色。武昌、简州、梓州亦有，今亦不用。

《本草衍义》　绿青，即石碌是也。其石黑绿色者佳，大者刻为物形，或作器用，又同硇砂，作吐风涎药，验则验矣，亦损心肺。

《绍兴本草》　绿青，其色带绿，故亦名石绿也。俗用绘画则其色可爱。古方分吐之药亦用之。味酸、性寒。既能取吐者，宜当有小毒矣。

《本草纲目》　［释名］绿青，又名石绿（《唐本》）、大绿（《纲目》）。［集解］［时珍曰］石绿，阴石也。生铜坑中，乃铜之祖气也。铜得紫阳之气而生绿，绿久则成石，谓之石绿，而铜生于中，与空青、曾青同一根源也。今人呼为大绿。

范成大《桂海志》云：石绿，铜之苗也，出广西古江有铜处。生石中，质如石者，名石绿。一种脆烂如碎土者，名泥绿，品最下。《大明会典》云：青绿石矿，淘净绿一十一两四钱。暗色绿每矿一斤，淘净绿一十两八钱。硇砂一斤，烧造硇砂绿一十五两五钱。［气味］［时珍曰］绿青有小毒。［发明］［时珍曰］痰在上宜吐之，在下宜利之，亦须观人之虚实强弱而察其脉，乃可投之。初虞世有金虎、碧霞之戒，正此意也。金虎丹治风痰，用天雄、腻粉诸药者。

44 绿盐（《唐本》）

《唐本草》 绿盐，味咸、苦、辛，平，无毒。主目赤泪出，肤翳眵暗。

《唐本草》注 以光明盐、硇砂、赤铜屑，酿之为块，绿色。真者出焉耆国，水中石下取之，状若扁青、空青，为眼药之要。

《海药本草》 谨按《古今录》云：波斯国在石上生。味咸、涩。主明目消翳，点眼及小儿无辜疳气。方家少见用也。按舶上将来，为之石绿，装色久而不变。中国以铜、醋造者，不堪入药，色亦不久。

《本草图经》 文具“食盐”条下。

［李孝伯曰］赤盐、臭盐、马齿盐、驳盐，并非食盐。胡盐治目痛。以上自《唐本》注比，并是绿盐说。

《绍兴本草》 绿盐，但色绿，亦诸盐中一种矣。有出产外国，自然生者，有取光明盐合铜屑、硼砂而造之者，诸注无辨别之说。在主疗乃外用治目疾之药。虽云呕，咸、苦、辛，平，无毒。然用硇砂、铜屑合和而造作者，亦当有小毒矣。

《本草纲目》 ［释名］［时珍曰］绿盐，一名盐绿、石绿。［集解］［时珍曰］方家言波斯绿盐色青，阴雨中干而不湿者为真。又造盐绿法：用熟铜器盛取浆水一升，投青盐一两在内，浸七日取出，即绿色。以物刮末，入浆水再浸七日或二七取出。此非真绿盐也。

45 自然铜（《开宝》）

《开宝本草》 自然铜，味辛，平，无毒。疗折伤，散血止痛，破积聚。生邕州山岩中出铜处，于坑中及石间采得，方圆不定，其色青黄如铜，不从矿炼，故号自然铜。

《雷公炮炙论》 石髓铅即自然铜也。凡使，勿用方金牙，其方金牙真似石髓铅，若误饵，吐煞人。其石髓铅，色似干银泥，味微甘。如采得，先捶碎，同甘草汤煮一伏时，至明漉出，摊令干，入臼中捣了，重筛过，以醋浸一宿，至明，用六一泥瓷合子，约盛得二升已来，于文武火中养三日夜，才干便用盖盖了，泥用火煅两伏时，去土抉盖，研如粉用。若修事五两，以醋两镒为度。

《药谱》 自然铜，一名金山力士。

《日华子本草》 自然铜，凉。排脓消瘀血，续筋骨，治产后血邪，安心，止惊悸，以酒摩服。

《本草图经》 自然铜，生邕州山岩中出铜处，今信州、火山军皆有之。于铜坑中及石间采之，方圆不定，其色青黄如铜，不从矿炼，故号自然铜。今信州出一种，如乱铜丝状，云在铜矿中，山气熏蒸，自然流出，亦若生银，如老翁须之类，入药最好。火山军者，颗块如铜，而坚重如石，医家谓之𬭁石，用之力薄。采无时。今南方医者说，自然铜有两三体：一体大如麻黍，或多方解，累累相缀，至如斗大者，色煌煌明烂如黄金,鍮石，最上；一体成块，大小不定，亦光明而赤；一体如姜、铁矢之类。又有如不冶而成者，形大小不定，皆出铜坑中，击之易碎，有黄赤，有青黑者，炼之乃成铜也。据如此说，虽分析颇精，而未见似乱丝者耳。又云：今市人多以𬭁石为自然铜，烧之皆成青焰如硫黄者是也。此亦有二三种：一种有壳如禹馀粮，击破其中光明如鉴，色黄类鍮石也；一种青黄而有墙壁，或文如束针；一种碎理如团砂者，皆光明如铜，色多青白而赤少者，烧之皆成烟焰，顷刻都尽。今药家多误以此为自然铜，市中所货往往是此。自然铜用多须煅，此乃畏火，不必形色，只此可辨也。

《丹房镜源》 可食之自然铜，出信州铅山县银场铜坑中，深处有铜矿，多年矿气结成，似马屭勃，色紫重，食之若涩，是真自然铜。今人只以大碗石为铜，误也。

《本草别说》 谨按：今辰州川泽中出一种形圆似蛇含，大者如胡桃，小者如栗，外青皮黑色光润，破之与𬭁石无别，但比𬭁石不作臭气尔，入药用殊验。

《本草衍义》 自然铜，有人饲折翅雁，后遂飞去。今人打仆损，研极细，水飞过，同当归、没药各半钱，以酒调，频服，仍以手摩痛处。

《绍兴本草》 自然铜亦石类也。性味、主治已载本经。虽出产土地不一，取铜色明净者佳，色青者不堪。凡入方，须当火煅醋淬，研令极细用之。味辛，平，无毒是也。又《雷公》说：石髓铅即自然铜也，与方金牙真相似，若误饵之，吐煞人。窃详本草金牙与自然铜形色全不相类，然金牙本经味咸，无毒，亦不见有吐人之说。雷公之论似无考据。

《本草蒙筌》 自然铜，谟按：丹溪云，世以自然铜为接骨妙药，殊不知跌损之方，贵在补气、补血、补胃。俗工不明此理，惟图速效取钱。倘遇老弱之人，若服此新出火者，其火毒金相扇，又挟香热药之毒，虽有接伤之功，然燥散之祸，甚于刀剑。戒之！戒之！

《本草纲目》 ［集解］［时珍曰］按《宝藏论》云：自然铜生曾青、石绿穴中，状如寒林草根，色红腻，亦有墙壁，又一类似丹砂，光明坚硬有棱，中含铜脉，尤佳。又一种似木根，不红腻，随手碎为粉，至为精明，近铜之山则有之。今俗中所用自然铜，皆非也。［修治］［时珍曰］今人只以火煅醋淬七次，研细水飞过用。［发明］［震亨曰］自然铜，世以为接骨之药，然此等方尽多，大抵宜补气、补血、补胃。俗工惟在速效，迎合病人之意，而铜非煅不可用，若新出火者，其火毒、金毒相扇，挟香药热毒，虽有接骨之功，燥散之祸甚于刀剑，戒之。［时珍曰］自然铜接骨之功，与铜屑同，不可诬也。但接骨之后，不可常服，即便理气活血可尔。

《本草原始》 自然铜，生邕州山岩间出铜处，于坑中及石间采得。形方色青黄如铜，不从矿炼，故名自然铜。味辛，平，无毒。主折伤，消血止痛，破积聚，消瘀血，排脓，续伤骨，治产后血邪，止惊悸，以酒磨服，火煅醋淬，七次细研，水飞用。

《炮炙大法》 自然铜，生出铜处，方圆不定，色青黄如铜。凡使用甘草汤煮一伏时，至明漉出，摊令干，入臼中捣了，重筛过，以醋浸一宿，至明用六一混泥瓷盒子盛二升，文武火养三日夜，才干，用盖盖了火。煅两伏时，去土，研如粉用。凡修事五两，以醋两镒为度，今人只以火煅醋淬七次，研细水飞过用。一云：制后半年方可入药，否则杀人。

《珍珠囊补遗药性赋》 自然铜，折伤排脓，火煅醋淬自然铜。（自然铜味辛，平，无毒。出铜处有之，形方而大小不等，似铜，实石也。不从矿炼，自然而生，故曰自然铜也。）

《雷公炮制药性解》 自然铜，味辛，平，无毒。主破积聚，疗折伤，续筋骨，散血排脓，止痛定惊，亦主产后血邪。凡使，须捶碎，以甘草水煮过，又用醋浸一宿，以泥包裹之，火煅，研细用。按：自然铜实铜坑中所产之石也，其色青黄如铜，不从矿炼，故名。丹溪曰：自然铜，世以为接骨要药，不知接骨在补气，补血，补胃，补肾，俗医惟冀速效，以罔利而用之，亦未稔其燥散之祸耳。

《本草经疏》 自然铜，辛，平，无毒。入血行血，续筋接骨之神药。凡折伤则血瘀而作痛，辛能散瘀滞之血，破积聚之气，则痛止而伤自和也。大明主消瘀血，排脓，续筋骨，治产后血邪，安心，止惊悸，以酒磨服者，可谓悉其用矣。寇宗奭云，有人以自然铜饲折翅胡雁后遂飞去。今人打仆损伤，研细，水飞过，同当归、没药各半钱，以酒调服，仍以手摩痛处，即时见效。［主治参互］同乳香、没药、䗪虫、五铢古钱、麻皮灰、血竭、胎骨作丸，煎当归、地黄、续断、牛膝、牡丹皮、红花浓汤送下，治跌仆损伤或金刃伤骨断筋皆效。［简误］雷公云：石髓铅即自然铜也。凡使，勿用方金牙，其方金牙真似石髓铅。若误饵，吐杀人。石髓铅，色似干银泥，味微甘。凡使，中病乃已，不可过服，以其有火金之毒，走散太甚。

《本草正》 自然铜，辛，凉，主折伤，散瘀血，续筋骨，排脓，止疼痛，亦镇心神，安惊悸。宜研细水飞用或以酒磨服。然性多燥烈，虽其接骨之功不可泯，而绝无滋补之益，故用不可多，亦不可专任也。

《本草通元》 自然铜，辛，平。消瘀血，续筋骨，止痛排脓，不可多服。

《医宗说约》 自然铜，辛，主破积聚，疗伤续筋，止痛最易。火煅醋淬九次。

《本草述》 自然铜，非火煅不可。丹溪虑其为毒不浅者，盖谓诸损药必热，能生气血，以接骨也。更用此金火相煽者，其燥热愈甚耳，且不止此也，先哲云：凡刀釜跌磕闪肭脱臼者，初然不可便用自然铜，久后方可用之，骨折者宜便用之，若不折骨、不碎骨，则不可用。修合诸损药，皆要去之。又云：凡损伤妙在补气血，不宜求速效，多用自然铜，致成瘤疾。若然，是兹物能续筋骨，乃其所长，若非骨折骨碎，尚不须此，即宜用而辄早，犹以贻患，则焉能不致慎哉。余见痛风证，古方时用之，讵知非骨之折且碎也，奚为用之。况有内风，是则燥热甚矣。至于多伪鲜真，不如不用之为愈也。何以曰脱臼？盖上下骨之相合处，有臼有杵，脱臼者，离其窠臼也。自然铜能续骨，如投之早，所脱臼之骨，未归其窠，而先续之，则终身不能屈伸如意，故曰成瘤疾也。

《本草择要纲目》 自然铜，味辛，入足厥阴经。功专治折伤，续筋骨，去瘀止痛。得折伤必有瘀血凝滞经络，须审其虚实，佐以养血补气温经之品，产铜坑中，火煅醋淬七次，细研，甘草水飞用。

《本草备要》 自然铜，辛，平。主折伤，续筋骨，散瘀止痛。折伤必有死血瘀滞经络，然须审虚实佐以养血补气温经之药。铜非煅不可用，火毒金毒相煽，复挟香药，热毒内攻，虽有接骨之功，然多燥散之祸，用者慎之。产铜坑中，火煅醋淬七次，细研，甘草水飞用，昔有饲折雁翅者雁飞去，故治折伤。

《本经逢原》 自然铜，辛，平，有小毒。火煅醋淬七次，置地七日出火毒，水飞用，铜非煅不可入药，新煅者火毒燥烈，慎勿用之。［发明］自然铜出铜坑中，性禀坚刚，散火止痛。功专接骨，骨接之后，即宜理气活血，庶无悍烈伤中走散真气之患。

《本草诗笺》 自然铜，宜水飞火煅，醋频溅；辛平味具含微毒，悍烈生成禀至坚；火气升腾恒赖散，骨骱脱落可资联；跌筋上药无逾此，伤损从教取次痊。

《玉楸药解》 自然铜，味辛，气平。入足少阴肾、足厥阴肝经。补伤续绝，行瘀消肿。自然铜燥湿行瘀，止痛续折。治跌打损伤，癥瘕积聚，破血消瘿，宁心定悸，疗风湿瘫痪之属。自然铜收湿之力与无名异同。火煅醋淬，研细水飞。

《本草从新》 自然铜，重，续筋骨。辛平，主折伤，续筋骨，散瘀止痛。（折伤必有死血瘀滞经络，然须审虚实，佐以养血补气温经之药。）铜非煅不可用。然火毒金毒相煽，复挟香药，热毒内攻。虽有接骨神功，颇多燥烈之损，大宜慎用。产铜坑中。火煅醋淬七次，细研，甘草水飞。

《得配本草》 自然铜，一名髓铅，辛，平，散血，定痛，续筋接骨。火煅醋淬七次，研末，甘草水飞过用。

《本草求真》 ［批］散血瘀，接骨止痛。自然铜（专入骨），因何能用接骨，盖缘骨被折伤，则血瘀而作痛，得此辛以散瘀破气，则痛止而伤自和也，而骨安有不接乎。且性秉坚刚，于骨颇类，故能入骨而接。是以有合乳香、没药、䗪虫、五铢古钱、麻皮灰、血竭、胎骨作丸，煎当归、地黄、续断、牛膝、丹皮、红花浓汤送下，以治跌仆损伤最效。但中病即已，不可过服，以致真气走泄耳。（震亨曰：自然铜世以为接骨之药，然此等方尽多，大抵宜补气、补血、补胃。俗工惟在速效，迎合病人之意，而铜非煅不可用。）若产后血虚者忌服。产铜坑中，火煅醋淬七次，细研。（新出火者，其火毒、金毒相煽，挟香药热毒，虽有接骨之功，燥散之祸，甚于刀剑。）甘草水飞用。

《罗氏会约医镜》 自然铜（味辛，平），辛能散瘀滞之血，破积聚之气。治跌打折伤，接骨续筋，称为神药（同当归、没药酒调服）。宜细研水飞用，或以酒磨服。然性燥烈，火煅醋淬七次，或用甘草水研。不可多用专任。

《本草便读》 自然铜，续筋接骨，破滞消瘀，味辛，平，小毒。（自然铜出铜矿中，矿气凝结而成。内有铜脉，虽经火炼难为器皿者，故入药一经火煅醋淬，即可研细，便能续筋接骨，消瘀和伤，不特自然铜有功，即一切铜屑皆可。或研细外敷，每见铜匠偶遇前证用之即愈。）

尚志钧按 自然铜，一名接骨丹、石髓铅，为正方（等轴）晶系，黄铜矿矿石，多呈方块形或细粒状。表面有金属黄赤光辉，硬度3.5～4。密度因矿源不同各异，有的为4.1～4.3，有的为4.9～5.2。自然铜置空气中，久则变色，由黄赤→黄棕→黄褐→黑色。火煅时有硫燃烧现蓝色火焰，煅后变成青色。主要成分为CuS、FeS，火煅醋淬后成FeO、CuO，及少量$CuAc_2$。自然铜，味辛，性平，散瘀止痛，续筋接骨。对闪腰岔气腰痛，配䗪虫为散酒服。对跌仆骨折，本品火煅后，配当归、羌活、乳香、没药为散酒服。自然铜与血竭，均能散瘀止痛，皆为伤科要药。自然铜以续筋骨治骨折为主。血竭以止金疮出血和敛疮疡为主。

46 铜矿石（《唐本》）

《唐本草》 铜矿石，味酸，寒，有小毒。主疗肿恶疮，驴马脊疮，臭腋，石上水磨取汁涂之。其疗肿，末之，傅疮上，良。

《开宝本草》 按别本注云：状如姜石而有铜星，熔取铜也。

《绍兴本草》 铜矿石，未经锻炼，带石气之生铜也。其本经主疗皆外用之，既不可服饵，当从味酸，寒，有小毒为正。

《本草纲目》 ［释名］［时珍曰］矿，粗恶也。五金皆有粗石衔之，故名。麦之粗者曰𪌉，犬之恶者亦曰犷。

47 石胆（胆矾）（《本经》）

《神农本草经》 石胆，味酸寒。主明目、目痛、金疮、诸痫痉。女子阴蚀痛，石淋寒热，崩中，下血，诸邪毒气。令人有子。炼饵服之，不老。久服增寿神仙。能化铁为铜，成金银。一名毕石。生山谷。

《吴普本草》 石胆，一名黑石，一名铜勒，神农：酸，小寒。李氏：大寒。桐君：辛，有毒。扁鹊：苦，无毒。生羌道或句青山。二月庚子、辛丑采。

《名医别录》 石胆，味辛，有毒。散癥积，咳逆上气，及鼠瘘、恶疮。一名墨石，一名碁石，一名铜勒。生羌道、羌里句青山。二月庚子、辛丑日采。

《雷公药对》 石胆，寒，主肝脏中热，臣。水英为之使。畏牡桂、菌桂、芫花、辛夷、白薇。

《本草经集注》 《仙经》有用此处，俗方甚少，此药殆绝。今人时有采者，其色青绿，状如琉璃而有白文，易破折。梁州、信都无复有，俗用乃以青色矾石当之，铢无仿佛。《仙经》一名立制石。

《药性论》 石胆，君，有大毒。破热毒，陆英为使。

《唐本草》注 石胆，此物出铜处有，形似曾青，兼绿相间，味极酸、苦，磨铁作铜色，此是真者。陶云色似琉璃，此乃绛矾。比来亦用绛矾为石胆，又以醋揉青矾为之，并伪矣。真者出蒲州虞乡县东亭谷窟及薛集窟中，有块如鸡卵者为真。

《唐本余》 石胆，主下血赤白，面黄，女子脏寒。

《日华子本草》 石胆，味涩无毒，治蚛牙，鼻内息肉。通透清亮，蒲州者为上也。

《本草图经》 石胆，生羌道山谷羌里句青山，今惟信州铅山县有之。生于铜坑中，采得煎炼而成。又有自然生者，尤为珍贵，并深碧色。入吐风痰药用最快，二月庚子、辛丑日采。苏恭云：真者，出蒲州虞乡县东亭谷窟及薛集窟中，有块如鸡卵者为真。今南方医人多使之。又著其说云：石胆最上出蒲州，大者如拳，小者如桃、栗，击之纵横解皆成叠文，色青，见风久则绿，击破其中亦青也，其次出上饶曲江铜坑间者，粒细有廉棱，如钗股米粒。本草注言，伪者以醋揉青矾为之。今不然，但取粗恶石胆合消石销溜而成。今块大色浅，浑浑无脉理，击之则碎无廉棱者，是也。亦有挟石者，乃削取石胆床，溜造时投消汁中，及凝则相著也。

《外台秘要》 疗齿痛及落尽，细研石胆，以人乳汁和如膏，擦所痛齿上或孔中，日三四度。止痛，复生齿，百日后复故齿，每日以新汲水漱令净。《梅师方》治甲疽，以石胆一两，于火上烧令烟尽，碎研末，傅疮上。不过四五度立差。《胜金方》治一切毒，以胆子矾为末，用糯米糊丸如鸡头实大，以朱砂衣，常以朱砂养之，冷水化一丸，立差。又方治口疮众疗不效，胆矾半两，入银埚子内，火煅通赤，置于地上，出火毒一夜，细研。每取少许傅疮上，吐浆水清涎，甚者，一两上便差。《谭氏小儿方》治初中风瘫缓。一日内，细研胆矾如面，每使一字许，用温醋汤下，立吐出涎，渐轻。《太清伏炼灵砂法》石胆所出嵩岳蒲州，禀灵石异气，形如瑟瑟。沈存中《笔谈》信州铅山有苦泉，流以为涧，挹其水熬之，则成胆矾，烹胆矾即成铜，熬胆矾铁釜久之亦化为铜。

《绍兴本草》 石胆，主治、出产已载本经。然未经制炼者乃名石胆，已经制炼而成者即名胆矾。此一种之物，但分精粗。然方家所用，多以称胆矾用之。其味极烈，亦可作分吐之药。当从本经味酸、辛，寒，有毒是矣。

《本草蒙筌》 石胆（即翠胆矾），味酸、苦、辛，气寒。无毒。真者出蒲州虞乡（属山西）。成块如鸡卵圆大。颜色青碧，不忝琉璃。击之纵横，解皆成叠。有铜坑内方有，亦可采煎炼成。（虽可煎炼，不胜自生者，尤珍贵。）今市多以醋揉青矾假充，不可不细认尔。须研细末，才入医方。畏辛夷、白薇，及芫花、菌桂。水英为使。化铁成铜。（亦成金银。）治鼠瘘恶疮并喉鹅毒，疗崩中下血及阴蚀疼。吐风痰除痫，杀虫𪘨坚齿。

《本草纲目》 ［释名］［时珍曰］石胆，胆以色味命名，俗因其似矾，呼为胆矾。［集解］［时珍曰］石胆出蒲州山穴中，鸭嘴色者为上，俗呼胆矾；出羌里者，色少黑次之；信州者又次之。此物乃生于石，其经煎炼者，即多伪也。但以火烧之成汁者，必伪也。涂于铁及铜上烧之红者，真也。又以铜器盛水，投少许入中，及不青碧，数日不异者，真也。《玉洞要诀》云：石胆，阳石也。出嵩岳及蒲州中条山，禀灵石异气，形如瑟瑟，其性流通，精感入石，能化五金，变化无穷。沈括《笔谈》载：铅山有苦泉，流为涧，挹水熬之，则成胆矾。所热之釜，久亦化为铜也。此乃煎熬作伪，非真石胆也，不可入药。［发明］［时珍曰］石胆气寒，味酸而辛，入少阳胆经，其性收敛上行，能涌风热痰涎，发散风木相火，又能杀虫，故治咽喉口齿疮毒有奇功也。周密《齐东野语》云：密过南浦，有老医授治喉痹极速垂死方，用真鸭嘴胆矾末，醋调灌之，大吐胶痰数升，即瘥。临汀一老兵妻苦此，绝水粒三日矣，如法用之即瘥。屡用无不直验，神方也。又周必大《阴德录》云：治蛊胀及水肿秘方，有用蒲州、信州胆矾明亮如翠琉璃似鸭嘴者，米醋煮以君臣之药，服之胜于铁砂、铁蛾。盖胆矾乃铜之精液，味辛酸，入肝胆制脾鬼故也。安城魏清臣肿科黑丸子，消肿甚妙，不传，即用此者。

《本草原始》 石胆，即胆矾，生秦地羌道大石间。成块如鸡卵圆大，颜色青绿，状如玻璃，击之纵横，解者成叠。有铜坑内方有。胆以色味命名，俗因其似矾，呼为胆矾，味酸、辛，寒，有毒。主明目、目痛，金疮，诸痫瘵，女子阴蚀痛，石淋寒热，崩中下血，诸邪毒气，令人有子，饵炼吃之，即可延年。散痰积，咳逆上气及鼠瘘恶疮，治虫牙，鼻内息肉，带下赤白，面黄，女子脏急。入吐风痰药最快。制细研。白胆矾，治同上。周密《齐东野语》云：密过南海，有老医授治喉痹极速垂死方，有用真胆矾末，醋调灌之，大吐胶痰数升，即愈，神方也。

《珍珠囊补遗药性赋》 胆矾，味酸、辛，寒，有毒。信州有之，生于铜坑中，采得煎炼而成。消热毒，疗诸风瘫痪，可吐风痰。

《雷公炮制药性解》 胆矾，味酸、苦、辛，性寒，有毒。不载经络。主消热，杀虫，止惊痫，吐风痰。鲜明者佳。

《本草通元》 胆矾，酸涩，辛寒，敛，能上升，吐风热痰涎，治喉痹崩淋，能杀虫，治阴蚀。产铜坑中，磨铁如铜者真。

《本草述》 石胆，本草谓其酸辛寒，在后学亦多以为寒矣。至味则有或言酸，或言辛者，然不如《日华子》之专言酸涩也。细味之，唯有酸涩，而涩味犹较胜也。据其气味，乃是阴不得阳以畅，阳即不得阴以和，总未离于出地之初气耳，故以此对待相火之上逆而化为风之淫者。观其色青，而其味酸涩，似独全乎出地风木之气化，而还以收降其风邪者也。第风木之用，以升出为其能，达阴于阳，而酸收，乃其体之根于最初者耳，有收敛于阴，乃能宣散于阳。方书用兹味如治胀满黄疸，及去齿风缠喉风等证，似皆由收敛以致宣散之功。不然，则是无体而求达用，岂不难哉。第详本经所主治，明目，目痛及诸痫痉，女子阴蚀痛，并崩中下血等证，是皆治风木之为病，一一的对者也。乃时珍说不及此，而止以喉痹为言，即方书于本经所言诸证，并不用及兹味，即用于风痰之治，亦鲜见者，何哉！然即喉痹一证，用之亦宜审处。在娄全善有云喉痹恶寒者，皆是寒折热，寒闭于外，热郁于内，切忌胆矾酸寒等剂点喉，反使其阳郁不伸，为患反剧。若然，则此味宜于喉闭及缠喉风者，乃治阴不能蓄阳之痹，是为风淫，属不恶寒之喉痹也。其不宜者，乃不治阳不能达阴之痹，是为风虚，正属恶寒之喉痹，正全善所谓切忌者也。盖此味在时珍云，入手少阳，能散风木相火，故其治上壅之风痰，及喉痹鼠漏。皆少阳相火之为患也。如恶寒之喉痹，原因郁热，非属相火，宜消阴伸阳，不宜收阳助阴，即时珍论治斯证，亦未精恶至此也。投剂者可得卤莽乎哉。

《本草崇原》 石胆，酸、辛，寒，有小毒，主明目，治目痛，金疮诸痫痉，女子阴蚀痛，石淋寒热，崩中下血，诸邪毒气，令人有子。炼饵服之，不老。久服增寿神仙。石胆本经名黑石，俗呼胆矾，始出秦川羌道山谷大石间，或羌里句青山，今信州铅山、嵩岳及蒲州皆有之。生于铜坑中，采得煎炼而成。又有自然铜者，尤为珍贵。大者如拳，如鸡卵，小者如桃栗，击之纵横分解，但以火烧之成汁者，必伪也。涂于铁上及铜上烧之红者，真也。胆矾气味酸辛而寒。酸，木也。辛，金也。寒，水也。禀金水木相生之气化。禀水气，故主明目，治目痛，禀金气，故治金疮诸痫痉，谓金疮受风，变为痫痉也。禀木气，故治女子阴蚀痛，谓土湿溃烂，女子阴户如虫啮伤而痛也。金生水，而水生木，故治石淋寒热，崩中下血，诸邪毒气，令人有子。夫治石淋寒热，崩中下血，金生水也，治诸邪毒气，令人有子，水生木也。炼饵服之不老，久服寿神仙，得石中之精也。

《本草备要》 胆矾（一名石胆），酸、涩、辛，寒，入少阳胆经。其性敛而能上行，涌吐风热痰涎，发散风木相火。治喉痹（醋调咽，吐痰涎立效）咳逆，痉痫崩淋，能杀虫。治牙虫疮毒，阴蚀。产铜坑中，乃铜之精液（故能入肝胆治风木）。磨铁作铜色者真，形似空青，鸭嘴色为上（市人多以醋揉青矾伪之）。畏桂、芫花、辛夷、白薇。

《本草逢原》 石胆，酸辛寒有毒。产秦州嵩岳。及蒲州中条山。出铜处有之。能化五金，以之制汞，则与金无异。本经主目痛金疮诸痫痉，女子阴蚀痛，石淋寒热，崩中下血，诸邪毒气。［发明］石胆酸辛气寒，入少阳胆经，性寒收敛，味辛上行。能涌风热痰涎，发散风木相火，又能杀虫。本经主目痛金疮痫痉，取酸辛以散风热痰垢也。治阴蚀崩淋寒热，取酸寒以涤湿热淫火也。又为咽齿喉痹乳蛾诸邪毒气要药，涌吐风痰最快。方用米醋煮真鸭嘴胆矾末，醋调，探吐胶痰即瘥。又治紫白癜风，胆矾牡蛎粉生研醋调摩之。风犬咬伤，胆矾末水服探吐，蜜调傅之立愈。胃脘虫痛，茶清调胆矾末吐之。走马牙疳，红枣去核，入胆矾煅赤，研末傅之，追出痰涎即愈。百虫入耳，胆矾和醋灌之即出。

《本草诗笺》 石胆，产秦州嵩岳及蒲州中条山。寒毒酸辛入胆粘，不拘红袖与青衫；取酸寒以涤湿热淫火也，热风随散蛾能扑，解喉痹乳蛾诸邪毒。淫火从消虫自歼；又能杀虫发泄上行痰毕涌，敛收下降血旋缄；治崩中下血，多般取用功无量，各有成方治最严。胃脘虫痛，清茶调胆矾末服吐之立愈，百虫入耳，胆矾和醋灌之即出。

《玉楸药解》 胆矾，味酸，性寒。入手太阴肺经。降逆止嗽，消肿化积，胆矾酸涩燥收，能克化癥结，消散肿毒。治齿痛牙疳，喉痹牙虫，鼻肉阴蚀，脚疽痔瘘，杨梅金疮白癜，一切肿痛，疗带下崩中。治上气，眼疼弦烂，疯狗咬伤，百虫入耳，腋下狐臭，吐风痰最捷。

《本草从新》 石胆（一名胆矾，宣吐风痰，涩敛咳逆），酸涩辛寒，有小毒。入少阳胆经。性敛而能上行，涌吐风热痰涎，发散风木相火。治喉痹，醋调咽，吐痰涎立效。咳逆，痉痫崩淋。能杀虫，治牙虫疮毒阴蚀。产铜坑中，乃铜之精液（故能入肝胆治风木）。磨铁作铜色者真。形似空青，鸭嘴色为上（市人多以醋揉青矾伪之）。畏桂、白薇、辛夷、芫花。（小儿鼻疳蚀烂，胆矾烧烟尽，研末掺之，效。）

《得配本草》 胆矾，水英为使，畏桂、芫花、辛夷、白微。辛、酸，寒，有毒。入足少阳经。涌吐风热痰涎，发散风木相火，杀虫消痈，疗咽喉口齿疮，得醋，灌百虫入耳。漱喉吐痰涎喉痹立效，得蜜调，敷诸痔肿痛。配龙胆草，煅烟尽红透，出火气，研细末，搽走马牙疳臭烂极急者，神效。配炒白僵蚕研，吹喉痹喉气。入黑枣内，煅研，敷牙疳。涂铜铁上烧之，红者为真，明亮如翠琉璃，似鸭嘴色者为上。

《本草求真》 胆矾，吐风痰涎在膈，入肝胆，兼入肺、脾，又名石胆。产于铜坑之中，得铜精气而成。味酸而辛，气寒而涩，功专入胆，涌吐风热痰涎，使之上出。盖五味惟辛为散，惟酸为收，五性惟寒胜热，风热盛于少阳，结为痰垢，汗之气横而不解，下之沉寒而益甚。凡因湿热淫火（提出病要）。见为阴蚀崩淋；寒热风痰毒气，结聚牢固，见为咽齿喉痹乳蛾；风热痰垢结聚，见为咳逆痫痓，目痛难忍，及金疮不愈，诸毒内闭胶结，见为虫痛牙疳，种种等证，服此为能涌吐上出，去其胶痰，化其结聚，则诸证有悉除。故古人之治喉痹、乳蛾，用米醋煮真鸭嘴胆矾为末，醋调探吐胶痰即瘥。又治紫白癜风，同牡蛎生研，醋调摩之即愈。又治胃脘虫痛，以茶清调胆矾末，吐之即除。又治马牙疳，红枣去核，入胆矾煅赤，研末敷之，追出痰涎即效，百虫入耳，用胆矾和醋灌即出。诸证皆因风热在膈，按此功专涌吐，何书又言，酸寒能收，不知书言收敛，乃是取辛，收其热毒，上涌而出，非以收其入内，而不宣散出表之意也（以散为收）。凡书所论药性，每有以收为散，以散作补，不为剖析明白，多有意义难明，以致用之者之误耳。磨铁作铜色者真。形似空青鸭色为上（市人每以醋操青矾伪之）。畏桂、芫花、辛夷、白薇。（凡用吐法，宜先少服，不涌渐加之，仍以鸡羽撩之，不出，以齑投之，不吐再投，且投且探，无不吐者，吐至瞑眩，慎勿惊疑，但饮冷水、新水立解。强者可一吐而安，弱者作三次吐之，吐之次日顿快，其邪已尽。不快，则邪之引之未尽也。吐后忌饱食酸咸、硬物、干物、肥油之物，并忌房室悲忧。）

《罗氏会约医镜》 胆矾（味酸涩辛寒，入胆经），性敛上行，涌吐风热痰涎。发散风木相火。治喉痹（醋调，噙咽吐痰立效）。牙虫、疮毒、阴蚀（虫生风湿）。产铜坑中，乃铜之精液。磨铁作铜色者真（人以醋揉青矾伪之）。

《本草便读》 胆矾，质本酸寒，涌吐风痰燥湿浊。功归肝胆，点擦牙眼杀虫疳。（胆矾生铜矿中，石类也，磨于铁上即成铜色，得火煅则色红而无汁出者真也。味酸苦寒，有小毒。专入肝胆。涌吐膈上之风痰，颇为猛痰，其余诸治，不过旁及而已，故医者意也。若能格物之性，以意参之，自有药到病除之效。）

尚志钧按 石胆，一名胆矾，为三斜晶系硫酸铜矿石，该矿石多由硫铜矿氧化分解而成，常存于干燥区域氧化带中。本品为深蓝色棱柱状结晶，有玻璃样光泽，微透明，质坚而脆，置干燥空气中易风化，或加热至200℃失去结晶水，成白色粉末。结晶体硫酸铜含五个结晶水（$CuSO_4 \cdot 5H_2O$），若在表面涂一层甘油，即不易风化。人工制造的硫酸铜，含有结晶水，呈深蓝色，微透明，是有玻璃样光泽的结晶块。质硬而脆，易溶于水，置空气中即风化，或加热至200℃时即失去结晶水而成白色粉末，入药生用或煅用。本品味酸、辛、涩，微寒，有毒，有腐蚀性。用微量即能散风、收湿、清热、杀虫、化癥结、消散肿毒，治齿痛、牙疳、喉痛、眼疼烂弦。结晶硫酸铜可制成棒状，外擦沙眼。本品有腐蚀性，对成熟的脓疡不出头，用本品制成开疮头腐蚀剂，亦能去死肌，如《证治准绳》中的青金锭，其配方为：铜绿10克，青矾、胆矾、轻粉、砒霜、白丁香、苦葶苈各3克，脑子（即冰片）少许，麝香1克，先将葶苈研细，次下各药同研极细，打稠糊为锭，如麻黄粗细，看疮口深浅插入。开疮头砒霜生用，去死肉砒霜煅用，生好肉去砒霜加枯矾。又如《小儿药证直诀》敷齿立效散，治走马牙疳，其配方为：胆矾3克，煅红，研，麝香少许，研匀，每用少许。民间治指甲内溃烂久不愈，用胆矾研细末，入麝香少许，研为细面，先以葱盐汤洗净患处，拭干，取少许药面敷上。《仁斋直指方》治痔疮热痛，以煅胆矾细末，蜜调涂之，能消肿止痛。《明目经验方》治眼弦赤烂，将胆矾溶于沸水中，配成0.5%～1%的溶液，日洗之。此方亦适用于口舌生疮含漱。《本草求真》治紫白癜风，以胆矾、煅牡蛎等分研细末，醋调摩之。此方亦可治狐臭。《医宗金鉴》离宫锭，治皮肉不变，漫肿无头，其配方为：胆矾10克，血竭10克，朱砂6克，京墨30克，蟾酥10克，麝香4.5克，以上6味各为末，和匀。凉水调成锭。凉水磨浓汁外涂。本品高浓度有腐蚀作用。古方多作主药用，后世则多用作辅助药，常配峻烈蚀药用于痈疽、疔毒、瘰疬等已成脓时作代针药。又用于慢性窦道瘘管或息肉等疾患，用于溃疡创面能去腐肉、胬肉。《普济方》治喉痹喉风，以胆矾7.5克，白僵蚕（炒）15克，共研细末，每少许吹之，取吐痰涎。治食物中毒，单用本品化水服取吐。治癫痫发作，以本品一分研末，温开水化后灌服，取吐痰涎。

四、含铁及其化合物的矿物药

48　铁（《说文》）

《说文解字》　铁，黑金也。九江谓铁曰锴。

《山海经·西山经》 太冒之山多铁，符禺之山多铁，英山、竹山、龙首之山多铁。

《五十二病方》 75行云：毒乌豙（喙）者，煮铁，饮之。

《肘后方》 若被打瘀血在骨节，及胁外不去，以铁一斤，酒三升，煮取一升服之。

《千金方》 治耳聋，烧铁令赤，投酒中饮之，仍以磁石塞耳。

《本草经》 铁，主坚肌耐痛。

《开宝本草》 铁，作熟铁。解在“铁精”条。

《日华子本草》 铁，味辛，平，有毒。畏磁石、灰、炭等，能制石亭脂毒。

《本草图经》 铁，本经云：铁落出牧羊平泽及祊城或析城，诸铁不著所出州郡，亦当同处耳。今江南、西蜀有炉冶处皆有之。铁落者，煅家烧铁赤沸，砧上打落细皮屑，俗呼为铁花是也。初炼去矿，用以铸泻器物者，为生铁。再三销拍，可以作鍱者，为鑐铁，亦谓之熟铁。以生柔相杂和，用以作刀剑锋刃者，为钢铁。煅灶中飞出如尘，紫色而轻虚，可以莹磨铜者，为铁精。作针家磨鑢细末，谓之针砂。取诸铁于器中，水浸之，经久色青沫出，可以染皂者为铁浆。以铁拍作段片，置醋糟中，积久衣生刮取之，为铁华粉。入火飞炼者，为铁粉。作铁华粉自有法，文多不载。诸铁无正入丸散者，惟煮汁用之，华粉则研治极细，合和诸药。又马衔、秤锤、车辖及杵、锯等，皆烧以淬酒用之，刀斧刃磨水作药使，并俗用有效，故载之。

《本草别说》 谨按：铁浆即是以生铁渍水服饵者，日取饮，旋添新水。日久铁上生黄膏，则力愈胜，令人肌体轻健。唐太妃所服者，乃此也。若以染皂者为浆，其酸苦臭涩安可近，况为服食也。

《绍兴本草》 铁之种类多矣，生铁自有一种。今单言铁者，乃熟铁也，显经锻炼之物。况在方止淬渍为用，即无末服之法。当作味辛、无毒为定。《日华子》云有毒者，非也。

《本草纲目》 ［校正］并入《别录》生铁，《拾遗》劳铁。［释名］铁一名黑金（《说文》）。一名乌金。［时珍曰］铁，截也，刚可截物也。于五金属水，故曰黑金。［集解］［时珍曰］铁皆取矿土炒成。秦、晋、淮、楚、湖南、闽、广诸山中皆产铁，以广铁为良。甘肃土锭铁，色黑性坚，宜作刀剑。西番出宾铁尤胜。《宝藏论》云：铁有五种，荆铁出当阳，色紫而坚利；上饶铁次之；宾铁出波斯，坚利可切金玉；太原、蜀山之铁顽滞；刚铁生西南瘴海中山石上，状如紫石英，水火不能坏，穿珠切玉如土也。《土宿本草》云：铁受太阳之气。始生之初，卤石产焉。一百五十年而成磁石，二百年孕而成铁，又二百年不经采炼而成铜，铜复化为白金，白金化为黄金，是铁与金银同一根源也。今取磁石碎之，内有铁片，可验矣。铁禀太阳之气，而阴气不交，故燥而不洁。性与锡相得。《管子》云：上有赭，下有铁。［气味］［时珍曰］铁畏皂荚、猪犬脂、乳香、朴消、硇砂、盐卤、荔枝。貘食铁而蛟龙畏铁。凡诸草木药皆忌铁器，而补肾药尤忌之，否则反消肝肾，上肝伤气母气愈虚矣。［发明］［时珍曰］铁于五金，色黑配水，而其性则制木，故痫疾宜之。素问治阳气太盛，病狂善怒者，用生铁落，正取伐木之义。《日华子》言其镇心安五脏，岂其然哉？本草载太清食法，言服铁伤肺者，乃肝字之误。

49　生铁（《别录》）

《名医别录》　生铁，微寒，主疗下部及脱肛。

《日华子本草》　生铁锈煅后，飞，淘去粗赤汁，烘干用。治痫疾，镇心，安五脏，能黑鬓发。治癣及恶疮疥，蜘蛛咬，蒜摩，生油傅，并得。

《本草图经》　文具“铁”条下。

《千金方》　治耳聋。烧铁令赤，投酒中饮之，仍以磁石塞耳。《肘后方》治熊、虎所伤毒痛。煮生铁令有味，以洗之。又方若被打，瘀血在骨节及胁外不去。以铁一斤，酒三升，煮取一升，服之。《集验方》治脱肛，历年不愈，以生铁三斤，水一斗，煮取五升，出铁，以汁洗，日再。《子母秘录》治小儿得熛疮，一名烂疮。烧铁淬水中二七遍，以浴儿三二遍，起作熛疮浆。

《绍兴本草》　生铁，及铁作器用之物，及铁初出矿者，俱名生铁。主治已载本经，而不云有无毒。今生铁在方，多以酒淬取汁为用，不正入圆散。比之秤锤，不经火锻炼，当作微寒、无毒是矣。注说：生铁锈亦有主治，与上卷陈藏器余铁锈主治颇同。

《本草纲目》　［主治］［时珍曰］生铁散瘀血，消丹毒。

50　钢铁（《别录》）

《名医别录》　钢铁，味甘，无毒。主金疮，烦满热中，胸膈气塞，食不化。一名跳铁。

《本草图经》 文具“铁精”条。

《绍兴本草》 钢铁，诸有锋刃而坚者，通名钢铁。《图经》以谓取生，相杂而成之，在方多以水磨取汁为用。性味、主治已载本经，其无毒是矣。

《本草纲目》 ［校正］并入《开宝》铁粉，《拾遗》针砂。［释名］钢铁一名跳（音条）铁。［集解］［时珍曰］钢铁有三种：有生铁夹熟铁炼成者，有精铁百炼出钢者，有西南海山中生成状如紫石英者。凡刀剑斧凿诸刃，皆是钢铁。其针砂、铁粉、铁精，亦皆用钢铁者。按沈括《笔谈》云：世用钢铁，以柔铁包生铁泥封，炼令相入，谓之团钢，亦曰灌钢，此乃伪钢也。真钢是精铁百炼，至斤两不耗者，纯钢也。此乃铁之精纯，其色明莹，磨之黯然青且黑，与常铁异。亦有炼尽无钢者，地产不同也。又有地溲，淬柔铁二三次，即成钢铁。又钢可切玉，见石脑油下。凡铁内有硬处不可打者，名铁核，以香油涂烧之即散。

51 马口铁（赵学敏）

《本草纲目拾遗》 一名马衔铁，乃马口中嚼环是也。其性愈久愈软，市人以之打簪镯戒指，伪充银器，俨如真者，或以作包金地子，皆好。年久者质软，更得马之精液，入药良。味辛，煎汤治小儿惊风。

52 马衔（《开宝》）

《开宝本草》 马衔，无毒。主难产，小儿痫。产妇临产时手持之，亦煮汁服一盏，此马勒口铁也。本经“马”条注中，已略言之。

《本经·难产通用药》 马衔，平。

《日华子本草》 古旧铤者好，或作医士针也。

《嘉祐本草》 今据本经“马”条注中都无说马衔之事，不知此经所言何谓？今姑存云。

《本草图经》 文具“铁”条下。

《太平圣惠方》 治马喉痹，喉中深肿连颊，壮热吐气数者。用马衔一具，水三大盏，煎取一盏半，分为三服。

《绍兴本草》 马衔，熟铁也。主治已载本经，盖取其滑利之意。在方多淬渍用之，余稀见入药。当从经注性平、无毒是矣。

《本草纲目》 马衔即马勒口铁也。［主治］［时珍曰］马衔，治马喉痹，肿连

颊，壮热，吐血，气数，煎水服之。(《太平圣惠方》)

53　车辖（《开宝》）

《开宝本草》　车辖，无毒。主喉痹及喉中热塞。烧令赤投酒中，及热饮之。

《本草图经》　文具“铁”条下。

《太平圣惠方》　治妊娠咳嗽。以车釭一枚，烧令赤投酒中，候冷饮之。《外台秘要》治小儿大便失血，车釭一枚，烧令赤内水中，服之。

《绍兴本草》　车辖，乃辖车轮铁也。据本经治喉痹及喉中热塞，酒淬饮汁，盖通利之意。在喉痹热塞，用酒治之，似乎非宜。今当以烧赤，内水中饮之，庶使主治无相违，其无毒者是矣，然方家亦稀用之。

《本草纲目》　车辖即车轴铁辖头，一名车缸。[主治] 小儿大便下血，烧赤，淬水服。(《外台》)

54　布针（《拾遗》）

《本草拾遗》　布针，主妇人横产。烧令赤，内酒中，七遍，服之，可取二七布针，一时火烧。粗者用缝布大针是也。

55　枷上铁及钉（《拾遗》）

《本草拾遗》　枷上铁及钉，有犯罪者，忽遇恩得免枷了，取叶钉等，后遇有人官累，带之除得灾。

56　铁锈（《拾遗》）

《本草拾遗》去：铁锈，主恶疮疥癣，和油涂之。蜘蛛虫等咬，和蒜磨傅之。此铁上衣也。锈生铁上者堪用。

《本草纲目》　[主治] [时珍曰] 平肝坠热，消疮肿、口舌疮。醋磨，涂蜈蚣咬。[发明] [时珍曰] 按陶华云：铁锈水和药服，性沉重，最能坠热开结有神也。

57　劳铁（《拾遗》）

《本草拾遗》　劳铁，主贼风。烧赤投酒中，热服之。劳铁经用辛劳者，铁是也。

58　钉棺下斧声（《拾遗》）

《本草拾遗》　钉棺下斧声之时，主人身瘤肉。可候有时，专听其声，声发之时，便下手速捺二七遍，已后自得消平也。产妇勿用。

59　诸铁器（《纲目》）

《本草纲目》　［集解］［时珍曰］旧本“铁器”条繁，今撮为一。大抵皆是借其气，平木解毒重坠，无他义也。

60　铁锁（《纲目》）

《本草纲目》　［主治］［时珍曰］齆鼻不闻香臭，磨石上取末，和猪脂绵裹塞之，经日肉出，瘥。（《普济》）

61　铁钉（《纲目》）

《本草纲目》　［主治］［时珍曰］酒醉齿漏出血不止，烧赤注孔中即止。

62　铁铧（即锸也）（《纲目》）

《本草纲目》　［主治］［时珍曰］心虚风邪，精神恍惚健忘，以久使者四斤，烧赤投醋中七次，打成块，水二斗，浸二七日，每食后服一小盏。

63　大铁刀及环（《纲目》）

《本草纲目》　［主治］［时珍曰］治产难数日不出，烧赤淬酒一杯，顿服。

64　剪刀股（《纲目》）

《本草纲目》　［主治］［时珍曰］小儿惊风。钱氏有剪刀股丸，用剪刀环头研破，煎汤服药。

65　铁镞（《纲目》）

《本草纲目》　［主治］［时珍曰］治胃热呃逆，用七十二个，煎汤啜之。

66 铁甲（《纲目》）

《本草纲目》 ［主治］［时珍曰］忧郁结滞，善怒狂易，入药煎服。

67 铁铳（《纲目》）

《本草纲目》 ［主治］［时珍曰］催生，烧赤，淋酒入内，孔中流出，乘热饮之，即产。旧铳尤良。

68 铁斧（《纲目》）

《本草纲目》 ［主治］［时珍曰］妇产难横逆，胞衣不出，烧赤淬酒服。亦治产后血瘕，腰腹痛。［发明］［时珍曰］古人转女为男法：怀妊三月，名曰始胎，血脉未流，象形而变，是时宜服药，用斧置床底，系刃向下，勿令本妇知。恐不信，以鸡试之，则一窠皆雄也。盖胎化之法，亦理之自然。故食牡鸡，取阳精之全于天产者；佩雄黄，取阳精之全于地产者；操弓矢，藉斧斤，取刚物之见于人事者。气类潜感，造化密移，物理所必有。故妊妇见神像异物，多生鬼怪，即其征矣。象牙、犀角，纹逐象生；山药、鸡冠，形随人变。以鸡卵告灶而抱雏，以苕箒扫猫而成孕。物且有感，况于人乎？

69 马镫（《纲目》）

《本草纲目》 ［主治］［时珍曰］田野磷火，人血所化，或出或没，来逼夺人精气，但以马镫相戛作声即灭。故张华云：金叶一振，游光敛色。

70 蜜栗子（《纲目》）

《本草纲目》 ［集解］［时珍曰］蜜栗子生川、广、江、浙金坑中，状如蛇黄而有刺，上有金线缠之，色紫褐，亦无名异之类也。丹炉家采作五金匮药，制三黄。［主治］［时珍曰］金疮折伤，有效。

71 铁杵（《拾遗》）

《本草拾遗》 铁杵，无毒。主妇人横产，无杵用斧，并烧令赤，投酒中饮之，自然顺生。杵，捣药者是也。

又云故锯，无毒。主误吞竹木入喉咽，出入不得者。烧令赤渍酒中，及热饮并得。

《日华子本草》 钥匙治妇人血噤失音冲恶，以生姜、醋、小便煎服。弱房人煎汤服亦得。

72 铁石（《山海经》）

《山海经》 东山经，高氏之山多铁石。郭璞注：可以为砭针。

73 针砂（《纲目》）

《本草纲目》 ［主治］［时珍曰］针砂，消积聚肿满，黄疸，平肝气，散瘿。

74 秤锤（《开宝》）

《开宝本草》 秤锤，主贼风，止产后血瘕腹痛及喉痹热塞。并烧令赤，投酒中，及热饮之。时人呼血瘕为儿枕，产后即起，痛不可忍，无锤用斧。

《本草拾遗》 秤锤，味辛，温，无毒。

《日华子本草》 铜秤锤，平。治难产并横逆产。酒淬服。

《本草图经》 文具“铁”条下。

《太平圣惠方》 治妇人血瘕痛。用古秤锤或大斧，或铁杵，以炭火烧赤，内酒中五升已来，稍稍饮之。《外台秘要》疗妊娠卒下血。烧秤锤令赤内酒中，沸定出，饮之。《千金方》妊娠腹胀及产后下血。烧令赤，投酒中，服。《产宝》治胎衣不出。烧铁杵、铁钱令赤投酒，饮之。

《绍兴本草》 秤锤主治已载本经，并不云性味、有无毒。今用之酒淬饮汁者，止假其铁之气味尔。但不正入圆散，亦非起疾之物。当从陈藏器味辛，温，无毒者是矣。

《本草纲目》 铁秤锤［主治］［时珍曰］治男子疝痛，女子心腹妊娠胀满，漏胎，卒下血。

75 铁粉（《开宝》）

《开宝本草》 铁粉，味咸，平，无毒。主安心神，坚骨髓，除百病，变白，润肌肤，令人不老体健能食，久服令人身重肥黑，合诸药各有所主。其造作粉，飞炼有法，文多不载。人多取杂铁作屑飞之，令体重，真钢则不尔。其针砂，市人错鍒铁为屑，和砂飞为粉卖之，飞炼家亦莫辨也。（取钢铁为粉胜之。）

《本草图经》 文具“铁”条下。

《绍兴本草》 铁粉，本经说飞炼已成，而不载造作之法。今人多以杂铁或铁为屑，和针砂为之，即不及钢铁飞炼成者。主治已载本经，味咸，平，无毒是矣，然亦不可久服之。

76 铁华粉（《开宝》）

《开宝本草》 铁华粉，味咸，平，无毒。主安心神，坚骨髓，强志力，除风邪，养血气，延年变白，去百病，随体所冷热，合和诸药，用枣膏为丸。作铁华粉法：取钢锻作叶，如笏、或团，平面磨错令光净，以盐水洒之，于醋瓮中，阴处埋之一百日，铁上衣生铁华成矣。刮取，更细捣筛，入乳钵研如面，和合诸药为丸散。此铁之精华，功用强于铁粉也。

《日华子本草》 铁胤粉，止惊悸，虚痫，镇五脏，去邪气，强志，壮筋骨，治健忘，冷气，心痛，痃癖癥结，脱肛痔瘘，宿食等，及傅竹木刺。其所造之法，与华粉同，惟悬于酱瓿上，就润地及刮取霜时研，淘去粗汁咸味，烘干。

《本草图经》 文具“铁”条下。

《经验后方》 治心虚风邪，精神恍惚，健忘。以经使铧铁四斤，于炭火内烧令通赤，投于醋中，如此七遍，即堪打碎如棋子大，以水二斗浸经二七日，每于食后服小盏。

《绍兴本草》 铁华粉，主疗、造作、制用已载本经，既安心神，养血气，当从味咸，平，无毒是矣。

《本草纲目》 ［时珍曰］铁华粉，文见“铁落”条。

77 铁落（《本经》）

《神农本草经》 铁落，味辛，平。主风热，恶疮疡疽，疮痂疥，气在皮肤中。

《名医别录》 铁落，味甘，无毒。除胸膈中热气，食不下，止烦，去黑子。一名铁液。可以染皂。生牧羊平泽及祊城或析城。采无时。

《日华子本草》 铁液，治心惊邪，一切毒蛇虫及蚕、漆咬疮，肠风痔瘘，脱肛，时疾热狂，并染鬓发。

《开宝本草》 铁落，解在“铁精”条。

《本草图经》 文具“铁”条下。

《绍兴本草》 铁落，《图经》云：乃烧铁赤沸，砧上打落细皮，俗亦呼为铁华。性味、主治已载本经，在方止是渍水为用，其毒者是也。

《本草纲目》 ［释名］［时珍曰］生铁打铸，皆有花出，如兰如蛾，故俗谓之铁蛾，今烟火家用之。铁末浸醋书字于纸，背后涂墨，如碑字也。［主治］［时珍曰］平肝去怯，治善怒发狂。［发明］［时珍曰］按《素问·病态论》云，帝曰：有病怒狂者，此病安生？岐伯曰：生于阳也。阳气者，暴折而不决，故善怒，病名阳厥。曰：何以知之？曰：阳明者常动，巨阳、少阳不动而动大疾，此其候也。治之当夺其食即已。夫食入于阴，长气于阳，故夺其食即已。以生铁落为饮。夫生铁落者，下气疾也。此素问本文也。愚尝释之云：阳气怫郁而不得疏越，少阳胆木，挟三焦少阳相火、巨阳阴火上行，故使人易怒如狂，其巨阳、少阳之动脉，可诊之也。夺其食，不使胃火复助其邪也。饮以生铁落，金以制木也。木平则火降，故曰下气疾速，气即火也。又李仲南《永类方》云：肿药用铁蛾及针砂入丸子者，一生须断盐。盖盐性濡润，肿若再作，不可为矣。制法：用上等醋煮半日，去铁蛾，取醋和蒸饼为丸。每姜汤服三四十丸，以效为度。亦只借铁气尔，故《日华子》云煎汁服之。不留滞于脏腑，借铁虎之气以制肝木，使不能克脾土，土不受邪，则水自消矣。铁精、铁粉、铁华粉、针砂、铁浆入药，皆同此意。

尚志钧按 铁落，味辛，性凉，能安定神志，适用于风狂、惊痫、惊悸、善怒，睡眠不宁。治暴怒风狂，配甘草合用；治伤寒阳毒，狂言妄语，配龙胆草合用。

78 铁精（《本经》）

《神农本草经》 铁精，平，微温。主明目，化铜。

《名医别录》 铁精，疗惊悸，定心气，小儿风痫，阴㿗，脱肛。

《本草经集注》 铁落是染皂铁浆。生铁是不被镉铪釜之类。钢铁是杂炼生鍒，作刀镰者，铁精出煅灶中，如尘，紫色轻者为佳，亦以摩莹铜器用之。

《唐本草》注 单言铁者，鍒铁也。铁落是煅家烧铁赤沸、砧上煅之，皮甲落者也。甲乙子卷阳厥条言之，夫诸铁疗病，并不入丸散，皆煮取浆用之。若以浆为铁落，钢生之汁，复谓何等？落是铁皮滋液，黑于余铁。陶谓可以染皂，云是铁浆，误矣。又铁屑炒使极热，用投酒中饮酒，疗贼风痉。又裹以熨腋，疗狐臭有验。

《本草拾遗》 铁浆，取诸铁于器中，以水浸之，经久色青沫出，即堪染帛成皂，兼解诸物毒入腹，服之亦镇心，明目。主癫痫发热，急黄狂走，六畜癫狂。人为蛇、犬、虎、狼、毒刺、恶虫等啮，服之，毒不入内也。又云铁爇，主恶疮蚀𪐴，金疮，毒物伤皮肉，止风水不入，入水不烂，手足皲坼，疮根结筋，瘰疬，毒肿。染髭发令永黑。并及热未凝涂之，少当干硬，以竹木爇火于刀斧刃上，烧之津出，如漆者是也。一名刀烟，江东人多用之防水。项边疬子，以桃核烧熏。又云杀虫立效。又云淬铁水，味辛，无毒。主小儿丹毒，饮一合。此打铁器时，坚铁槽中水。又云针砂，性平，无毒。堪染白为皂，及和没食子染须至黑。飞为粉，功用如铁粉，炼铁粉中亦别须之。针是其真钢砂堪用，人多以杂和之，谬也。又云煅锻下铁屑，味辛，平，无毒。主鬼打，鬼注，邪气。水渍搅令沫出，澄清去滓，及暖饮一二盏。又云刀刃，味辛，平，无毒。主蛇咬毒入腹者，取两刀于水中相磨，饮其汁。又两刀于耳门上相磨敲作声，主百虫入耳，闻刀声即自出也。

《日华子本草》 铁屑，治惊邪癫痫，小儿客忤，消食及冷气，并煎汁煎服之。又云犁镵尖浸水，名为铁精，可制朱砂、石亭脂、水银毒。

《开宝本草》 今按陈藏器本草云：凡言铁疗病，不入丸散，皆煮浆用之。按今针砂、铁精，俱堪染皂，铁并入丸散。

《本草图经》 文具“铁”条下。

《太平圣惠方》 阴脱。铁精、羊脂二味，搅令稠，布裹炙热，熨推内之差。又方食中有蛊毒，令人腹内坚痛，面目青黄，淋露骨立，病变无常。用铁精细研，捣鸡肝和为丸如梧桐子大。食前后酒下五丸。《百一方》产后阴下脱，铁精粉推纳之。又方地骨刺人毒痛。以铁精粉如大豆，以管吹疮内。《子母秘录》疗阴肿，铁精粉傅上。姚和众治小儿因痢肛门脱，以铁精粉傅之。《太清服炼灵砂法》云：铁，性坚，服之伤肺。

《绍兴本草》 铁精，方家名为铁精粉也。乃锻铁灶中飞出如尘，紫色轻虚者即是。《日华子》云：犁镵头浸水名为铁粉，其说显误。在本经说定心止悸，当以性平，无毒是矣。

《本草纲目》 铁精，文见“铁落”条。

79　铁浆（《嘉祐》）

《嘉祐本草》　铁浆，铁注中陶为铁落是铁浆，苏云非也。按铁浆，取诸铁于器中，以水浸之，经久色青沫出，即堪染皂，兼解诸毒入腹，服之亦镇心。主癫痫发热，急黄狂走，六畜癫狂。人为蛇、犬、虎、狼、毒刺、恶虫等啮，服之毒不入内。

《本草图经》　文具“铁”条下。

《外台秘要》　疗漆疮，以铁浆洗之，随手差，频为之妙。《梅师方》治时气病，骨中热，生疱疮、豌豆疮，饮铁浆差。

《绍兴本草》　铁浆，以诸铁渍水浆，所渍者为用。主疗已载本经，然不说性味有无。既可解毒，当以性平、无毒是也。

《本草纲目》　文见“铁落”条。

80　磁石（《本经》）

《神农本草经》　磁石，味辛，寒。治周痹、风湿、肢节中痛、不可持物、洗洗酸痟，除大热，烦满及耳聋。一名玄石。生山谷。

《吴普本草》　磁石，一名磁君。

《名医别录》　磁石，味咸，无毒。主养肾脏，强骨气，益精，除烦，通关节，消痈肿，鼠瘘，颈核，喉痛，小儿惊痫，练水饮之。亦令人有子。一名处石。生太山及慈山山阴，有铁者则生其阳，采无时。

《雷公药对》　磁石，虚而身弱，腰中不利加磁石。柴胡为之使，恶牡丹、莽草，畏黄石脂。杀铁毒，消金。

《本草经集注》　磁石，今南方亦有，其好者，能悬吸针，虚连三、四、五为佳，杀铁物毒，消金。《仙经》《丹方》《黄白术》中多用也。

《雷公炮炙论》　磁石，凡使勿误用玄中石并中麻石。此石之二真相似磁石，只是吸铁不得。中麻石心有赤皮粗，是铁山石也。误服之，令人恶疮，不可疗。夫欲验者，一斤磁石，四面只吸铁一斤者，此名延年沙；四面只吸得铁八两者，号曰续未石；四面只吸得五两已来者，号曰磁石。若夫修事一斤，用五花皮一镒，地榆一镒，故绵十五两，三件并细剉，以棰于石上，碎作二三十块了。将磁石于瓷瓶子中，下草药，以东流水煮三日夜，然后漉出，拭干，以布裹之，向大石上再捶，令细了，却入乳钵中研细如尘，以水沉飞过了，又研如粉用之。

《药性论》 磁石，臣，味咸，有小毒。能补男子肾虚风虚，身强，腰中不利，加而用之。

《蜀本草》 磁石，凡痹，随血脉上下，不能左右去者为周痹。吸铁虚连十数针，乃至一二斤刀器，回转不落。

《日华子本草》 磁石，味甘、涩，平。治眼昏，筋骨羸弱，补五劳七伤，除烦躁，消肿毒。小儿误吞针、铁等，即研细末，筋肉莫令断，与磁石同。

《本草图经》 磁石，生泰山山谷及慈山山阴有铁处，则生其阳。今磁州、徐州及南海傍山中皆有之。慈州者岁贡最佳，能吸铁虚连十数针，或一二斤刀器，回转不落者尤真。采无时。其石中有孔，孔中黄赤色，其上有细毛，性温，功用更胜。谨按：《南州异物志》云：涨海崎头水浅而多磁石，徼外大舟以铁叶锢之者，至此多不得过，以此言之，海南所出尤多也。按磁石一名玄石，而此下自有"玄石"条，云生泰山之阳，山阴有铜，铜者雌，铁者雄。主疗颇亦相近，而寒温铜铁畏恶乃别。苏恭以为铁液也。是磁石，中无孔，光泽纯黑者，其功劣于磁石。又不能悬针。今北蕃以磁石作礼物，其块多光泽，又吸针无力，疑是此石，医方罕用。

《本草衍义》 磁石，色轻紫，石上皲涩，可吸连针铁，俗谓之吸铁石。养益肾气，补填精髓，肾虚耳聋目昏皆用之。入药，须烧赤醋淬。其元（犯圣祖讳）石，即磁石之黑色者也。多滑净。其治体大同小异，不可分而为二也。磨针锋则能指南，然常偏东不全南也。其法取新纩中独缕，以半芥子许蜡，缀于针腰，无风处垂之，则针常指南。以针横贯灯心，浮水上，亦指南，然常偏丙位。盖丙为大火，庚辛金受其制，故如是，物理相感尔。

《绍兴本草》 磁石，本经主治有炼水饮之者，当从性寒，无毒。若经火煅错者，即为性温，无毒。然皆益阴强骨，当从经而用之。其味辛、咸，但吸铁有力者佳。

《本草蒙筌》 磁石，味苦、咸，无毒。一云：平，甘温，涩，小毒。乃铁之母，惟有铁处则生；虽多海南，仅磁州属河南者进贡。能吸铁针铁物，若母见子相连。凡用拯疴，须依法制。火煅醋淬七次，罗细水飞数遭。务如灰尘，才可服饵。专杀铁毒，惟使柴胡，恶莽草、牡丹、石脂，为重而去怯之剂。除大热烦满，去周痹酸疼（周痹，谓痹随血脉上下，不能左右去者是也）。绵裹治耳聋（裹豆大塞耳中，口含生铁少许，觉内有风雨声即效）。药和点目瞀（音茂）。强骨气，益肾脏，通关节，消痈疽。逐惊痫风邪，驱颈核喉痛。炼水旋饮，令人有娠。若误吞针入喉，急取系线服下。引上牵出，实亦妙方。又磁石毛更功力胜。生石细孔上轻紫，研入醇酒内调吞。扫疮瘘以长肌肤，补绝伤而益阳道。止小便频数，开老眼光明。肾虚耳聋，每每取功。玄石亦磁石一种，纯黑无孔者为然。力劣不能吸针，治体大同小异。

《本草纲目》 ［释名］［时珍曰］石之不磁者，不能引铁，谓之玄石，而别录复出玄石于后。［集解］［土宿真君曰］铁受太阳之气，始生之初，石产焉。一百五十年而成磁石，又二百年孕而成铁。［主治］［时珍曰］明目聪耳，止金疮血。［发明］［时珍曰］磁石法水，色黑而入肾，故治肾家诸病而通耳明目。一士子频病目，渐觉昏暗生翳。时珍用东垣羌活胜风汤加减法与服，而以磁朱丸佐之。两月遂如故。盖磁石入肾，镇养真精，使神水不外移；朱砂入心，镇养心血，使邪火不上侵；而佐以神曲，消化滞气，生熟并用，温养脾胃发生之气，乃道家黄婆媒合婴姹之理，制方者宜窥造化之奥乎？方见孙真人千金石神曲丸，但云明目，百岁可读细书，而未发出药微义也，孰谓古方不可治今病耶？独孤滔云：磁石乃坚顽之物，无融化之气，止可假其而服食，不可久服渣滓，必有大患。夫药以治病，中病则止，砒硇犹可饵服，何独磁石不可服耶？磁石既炼末，亦匪坚顽之物，惟在用者能得病情而中的尔。淮南万毕术云：磁石悬井，亡人自归。注云：以亡人衣裹磁石悬于井中，逃人自反也。

《药性歌括四百味》 磁石，味咸，专杀铁毒，若误吞针，系线即出。（即吸铁石。）

《本草原始》 磁石［批］其色紫黑，铁末培养，入药以吸针者为佳，火烧醋淬，研末水飞。磁石，生太山川谷及慈山山阳。（味辛，寒，无毒。主固痹、风湿、肢节中痛、不可持物。治呕酸消，除大热烦满及耳沉。养肾脏，强骨气，益精除烦，通关节，消痈肿，鼠瘘，颈核，喉痛，小儿惊病。炼水吃之令人有子。治筋骨虚弱，补五劳七伤，眼昏。小儿误吞针铁，急取枣核大磁石一块，贯一孔，线穿，吞下引出。）

《炮炙大法》 磁石，欲验者，一斤磁石，四面只吸铁一斤者，此名延年沙；四面只吸得铁八两者，号曰续末石；四面只吸得五两已来者，号曰磁石。修事一斤，用五花皮一镒、地榆一镒、故绵十五两，三件并细剉，以槌于石上碎作二三十块子。将磁石于瓷瓶中，下草药，以东流水煮三日夜，然后漉出拭干，以布裹之，向大石上再槌令细了，却入乳钵中研细如尘，以水沉飞过了，又研如粉用之。柴胡为之使，杀铁毒，消金，恶牡丹、莽草，畏黄石脂，伏丹砂，养录，去锅晕。

《珍珠囊补遗药性赋》 磁石，治肾衰。煅磁石而强阳道。（磁石味辛、咸，寒，无毒。有铁处则生。恶牡丹，畏黄石脂，能吸铁。）

《雷公炮制药性解》 磁石主肾衰，何也？盖以性能引铁，取其引肺金之气入肾，使子母相生尔，水得金而清，则相火不攻自去，故主治如上。然久服、多服，必有大患，勿喜其功而忽其害也。

《本草经疏》 《本经》味辛，寒，无毒。《别录》、甄权：咸有小毒。《大明》：甘、涩，平。藏器：咸，温。今详其用应是辛、咸，微温之药，而甘寒非也。气味俱厚，沉而降，阳中阴也。入足少阴兼入足厥阴经。其主周痹、风湿、肢节中痛、不可持物，洗洗酸者，皆风寒湿三气所致，而风气尤胜也。风淫末疾发于四肢，故肢节痛，不能持物，风湿相搏，久则从火化而骨节皮肤中洗洗酸也。辛能散风寒，温能通关节，故主之也。咸为水化，能润下软坚。辛能散毒。微温能通行除热。故主大热烦满及消痈肿、鼠瘘、颈核、喉痛者。足少阳、少阴虚火上攻所致。咸以入肾，其性镇坠而下吸，则火归元而痛自止也。夫肾为水脏，磁石色黑而法水，故能入肾，养肾脏。肾主骨，故能强骨。肾藏精，故能益精。肾开窍于耳，故能疗耳聋。肾主施泄，久秘固而精气盈益，故能令人有子。小儿惊痫，心气怯，痰热盛也。咸能润下，重可去怯，是以主之。甄权云：补男子肾虚，风虚身强，腰中不利加而用之。宗奭云：养肾气，填精髓，肾虚耳聋目昏者皆用之。[主治参互]《直指方》耳聋闭，吸铁石半钱，入病耳内，铁砂末入不病耳内，自然通透。《千金方》阳事不起，磁石五斤，研清酒渍二七日，每服三合，日二夜一。倪微德《原机启微集》眼昏内障，神光宽大渐散，昏如雾露中行，渐睹空花物成二体，久则光不收及内障。磁朱丸：真磁石（火煅醋淬七次）二两，朱砂一两，神曲（生用）三两，为末，更以神曲末一两，煮糊加蜜丸梧子大。每服二十丸，空心饭汤下。《千金方》金疮血出，磁石末傅之，止痛断血。诸药石皆有毒，且不宜久服，独磁石性禀冲和无猛悍之气，更有补肾益精之功，故不著简误，大都渍酒优于丸散，石性体重故尔。

《本草乘雅半偈》 磁石，始生之初，卤石产焉，久之孕而成铁。慈母，铁子也。慈之熻铁，互为嘘吸，无情之情，气相感召，故周痹风湿，及湿流肢节，致肢节中痛，洗洗酸消也，不能持物，此手不熻物；不能听声，此耳不熻声；并可治目不熻色，鼻不熻香，舌不熻味，与痈肿鼠瘘，颈核喉痛之身不熻痛，皆以类推。总属假借，大热是因，烦满是证，慈属八石水而位于坎，对待治之，寒热温凉则逆也。

《本草通元》 磁石，色黑入肾，益精明目，聪耳镇惊。

《医宗说约》 磁石，咸寒，主湿痹，目昏耳聋，肿毒亦医。（吸铁者佳，火煅，醋淬七次，研细末用。）

《本草述》 磁石为铁之母，孕二百年而后成铁，则其生化之气所毕萃者金也。《别录》谓其养肾脏，强骨气。甄权云补男子肾虚、风虚，且补肾虚劳诸方，率多用之。盖取肾之母气所独钟，而感召有异者，大能益肾之气以疗虚也。方书消瘅中，肾气虚损者有肾沥散，以磁石为君，而麦冬、芎䓖为臣。其他药益气血之味，不过为佐，则可以思此石本坚贞之气，故为铁之母。其益肾气，固有迥异于他味之补肾气者矣。虚劳证方中有磁石丸，治肾瘘。是当于气分为切，即其上通于耳目之窍而益聪明，则其用可思矣，乃方书贸贸，谓功在重可去怯。不知《本经》首言治周痹、风湿、肢节中痛、不可持物，洗洗酸消者，于重之去怯者何当也。盖惟其能益肾气，故可主治上证，以肾气固阴中之阳也，更合于甄权疗风虚者，其义益明。盖肾乃肝之化原，肾气虚而肝亦因之。风属阳也，肝之气虚，故曰风虚。先哲张鸡峰有云，臂细无力，不能任重者，此乃肝肾气虚，风邪客滞于营卫之间，使气血不能周养四肢，故有此证。肝主项背与臂膊，肾主腰胯与脚膝，如此证者，乃肝气偏虚，宜专补肝补肾。鸡峰此说，不正与《本经》所指诸证，可相发明欤。在甄权更曰：身强、腰中不利，加而用之。不又与鸡峰所说相发明欤。（《别录》又云：消痈肿、鼠瘘、颈核。然此皆通关节之所及，而其本由于补肾虚、风虚也。如止补肾虚而不补风虚，则亦不能通关节以疗诸证矣。盖肝以肾为体，肾又以肝为用也。）余年七十有三，于丁酉夏秋，手臂腰足屈伸不便，且微有痛。先分上下之经以治，而手臂不应，后如鸡峰疗治，乃得痊愈。始信先哲之有确见，而余于磁石主治，以肾气为切者，亦不谬矣。虽方书用此以治周痹等证，不可概见，然《本经》与甄权所主，实根至理，岂可不表而明之乎。盖先圣后贤所取诸此者，的取其于肾中母气，确有感召之精，能通于气血之中也。如止取其重可去怯，泛然同于诸石之用也。岂不愦愦之甚哉？

《本草崇原》 磁石，味辛，寒，无毒。主治周痹，风湿，肢节中痛，不可持物，洗洗酸消，除大热烦满，及耳聋。（磁石出太山山谷及慈山山阴。今慈州、徐州及南海旁山中皆有之。《南州异物志》云：涨海崎头水浅而多磁石，大舟以铁叶固之者，至此皆不得过。以此言之，南海所出尤多也。慈州者，岁贡最佳，能吸铁，虚连数十铁，或一二斤刀器，回转不落者，尤良。其石中有孔，孔中有黄赤色，其上有细毛，功用更胜。土宿真君曰：铁受太阳之气，始生之初，卤石产焉，百五十年而成磁石，二百年孕而成铁，是磁石乃铁之母精也。）磁石色黑味辛性寒，盖禀金水之精气所生。周痹者，在于血脉之中，真气不能周也。磁石能启金水之精，通调血脉，故能治之。风湿肢节中痛，不可持物，洗洗酸消者，风湿之邪伤于肢节而痛，致手不能持物，足洗洗酸消不能行。酸消，犹酸削也。磁石禀阳明、太阳金水之气，散其风湿，故能治之。除大热烦满及耳聋者，乃水济其火，阴交于阳，亦磁石引针，下而升上之义。

《本草备要》 磁石辛、咸，色黑属水，能引肺金之气入肾，补肾益精，除烦祛热，通耳明目（耳为肾窍，肾水足则目明），治羸弱周痹，骨节疼痛（肾主骨），惊痫（重镇怯），肿核（咸软坚），误吞针铁（末服），止金疮血。（十剂曰：重可祛怯，磁石、铁粉之属是也。《经疏》云：石药皆有毒，独磁石中和，无悍猛之气，又能补肾益精。然质重渍酒，优于丸散。李时珍曰：一士病目，渐生翳。珍以羌活胜湿汤加减，而以磁朱丸佐之，两月而愈。盖磁石入肾，镇养真阴，使神水不外移；朱砂入心，镇养心血，使邪火不上侵；佐以神曲，消化滞气，温养脾胃生发之气，乃道家黄婆媒合婴姹之理。方见孙真人《千金方》，但云明目，而未发出用药微义也。）色黑能吸铁者真。火煅醋淬碾末，水飞或醋煮三日夜用。柴胡为使，杀铁消金，恶牡丹。

《本经逢原》 磁石为铁之母，肾与命门药也。惟其磁，故能引铁。千金磁朱丸，治阴虚龙火上炎，耳鸣嘈嘈，肾虚瞳神散大。盖磁石入肾，镇养真精，使神水不外移，朱砂入心，镇养心血，使邪火不上侵，耳目皆受荫矣。本经主周痹风湿。肢节中痛，洗洗酸消，取辛以通痹而祛散之，重以去怯而镇固之，则阴邪退听，而肢节安和，耳目精明，大热烦满自除矣。济生方治肾虚耳聋，以磁石豆大一块，同煅穿山甲末，绵裹塞耳中，口含生铁一块，觉耳中如风雨声，即通。

《本草经解》 磁石，禀冬寒水气，入足少阴肾经。味辛无毒，得西方之金味，入手太阴肺经。气味降多于升，阴也。其主周痹、风湿、肢节中痛、不可持物，洗洗酸者，盖湿流关节，痛而不可持物，湿胜筋软也。湿而兼风，风属木，木曰曲直，曲直作酸，洗洗酸痛，所以为风湿周痹也。磁石味辛入肺，金能平木，可以治风。肺司水道，可以行湿也。肾水脏也，水不制火，池气上逆，则大热烦满。磁石入肾，气寒壮水，质重降浊，所以主之。肾开窍于耳，肾火上升则聋，磁石气寒可以镇火，所以主耳聋也。

《神农本草经百种录》 磁石，辛，寒。主周痹风湿，肢节中痛，不可持物，洗洗酸消（味辛则散风，石性燥则除湿，其治酸痛等疾者，以其能坚筋骨中之正气，则邪气自不能侵也）。除大热（寒除热），烦满（重降逆），及耳聋（肾火炎上则耳聋，此能降火归肾。凡五行之中，各有五行，所谓物物一太极也，如金一行也。银色白属肺，金色赤属心，铜色黄属脾，铅色青属肝，铁色黑属肾。石也者，金土之杂气，而得金之体为多，何以验之。天文家言，星者金之散气，而星陨即化为石，则石之属金无疑，而石之中亦分五金焉。磁石乃石中铁之精也，故与铁同气而能相吸。铁属肾，故磁石亦补肾。肾主骨，故磁石坚筋壮骨。肾属冬令主收藏，故磁石能收敛正气以拒邪气。知此理，则凡药皆可类推矣）。

《本草诗笺》 磁石（一名吸铁石。煅过七次，醋淬研细，水飞用），辛咸无毒带微寒，引铁能教似弄丸（《千金方》磁朱丸）；大散瞳神收复聚，上炎龙火降重安；耳根可息嘈嘈响，肢节堪消洗洗酸；镇养真精功最巨，肾虚要药胜金丹。

《玉楸药解》 吸铁石，辛，微寒。入肾经，手太阴肺经。补肾益精。吸铁石收敛肺、肾。治耳聋，目昏，喉痛，颈核，筋羸骨弱，阳痿脱肛，金疮肿毒，咽铁吞针，敛汗止血。种种功效悉载本草，庸工用之，殊非善品也。火煅醋淬，研细，水飞。

《得配本草》 磁石（一名吸铁石，一名玄石），柴胡为之使，畏黄石脂，恶牡丹、莽草，伏丹砂，养水银，去铜晕，杀铁毒，消金。辛、咸，平。入足少阴经，坠炎上之火以定志，引肺金之气以入肾（水得金而自清，火不攻而自伏）。除烦闷，逐惊痫，聪耳明目。得朱砂、神曲，交心肾，治目昏内障（磁石使精水不外遗，朱砂使邪火不上侵）。配人参，治阳事不起。佐熟地、萸肉，治耳聋（相火不上则气清而聪）。和面糊，调涂囟上，治大肠脱肛（入后洗去）。地榆汁煮，火煅醋淬用。入肠恐致后患。纱包入药煎，但取其气为妥。诸石有毒，不宜久用，独磁石性禀冲和，常服亦可。

《本草求真》 ［批］补肾水，镇怯。磁石（专入肾）。即俗熁石，磁为铁母（磁石二百年孕而成铁）。故见铁即能以引，是以有磁之说也。磁石味辛而咸，微寒无毒，得冲和之气，能入肾镇阴，使阴气龙火不得上升。故《千金》磁朱丸用此以治耳鸣嘈嘈（耳属肾窍）。肾虚瞳神散大（瞳仁属肾）。谓有磁以镇养真精，使神水不得外移。朱砂入心，镇养心血，使邪火不得上侵耳目，肾受荫矣。且磁入肾，肾主骨。磁味辛，辛主散。磁味咸，咸软坚。磁质重，重镇怯。故凡周痹风湿而见肢体酸痛，惊痫肿核，误吞针铁，金疮血出者，亦何莫不用此以为调治（吞针系线服下，引上即出）。昔徐之才《十剂》篇云：重可去怯，磁石、铁粉之属是也。故怯则气浮，宜重剂以镇之，然亦不可与铁同用。色黑能吸铁者真。火煅醋淬碾末，水飞用。柴胡为使，杀铁消金。恶牡丹、莽草。畏黄石脂。

《罗氏会约医镜》 磁石（味辛、咸，入肾经。柴胡为使，恶丹皮，畏石脂。火煅，醋淬，水飞），性禀中和（诸石药皆有毒），无猛悍之气。补肾益精（色黑味咸），镇心，除惊痫（重镇怯）。明耳目（耳为肾窍，肾足则瞳仁不散大），骨节劲，腰膝健（俱主肾）。误吞铁物（服末）。生于有铁之处，得金水之气，色黑能吸铁者真。其体重。若渍洒，优于丸散。

《本经续疏》 治周痹，风湿不尽为周痹，特肢节中痛，周痹有之，风湿亦有之。若云风湿周痹，则嫌于但由风湿之周痹，而无与于未成周痹，但因风湿之肢节中痛矣。周痹者，在血脉之中，随脉以上，随脉以下，遍身皆可及也。而曰肢节中痛，得毋无与于身欤，肢节中痛，则四末皆可及也。而曰不可持物，得毋无与于足欤，肢节中痛，不可持物，则暴病、宿病皆可有也。而曰洗洗酸削，得毋无与于新病欤，夫《灵枢·周痹篇》之言可稽也。曰风寒湿气客于外分肉之间，迫切而为沫，沫得寒则聚，聚则排分肉而分裂也。今不得寒则不聚，不聚则不外排分肉，而内入骨节矣。曰分裂则痛，痛则神归之，神归之则热，热则痛解，痛解则厥，厥则他痹发。今不分裂而内向，则不热不厥，而但洗洗酸削矣。曰此内不在脏，外未发于皮，此周痹风湿所共也。曰独居分肉之间，则与风湿不同矣，所以然者，磁石所主，既能于真气不周之证使之周，即未至于真气不周者亦治之。盖磁石者以质而论，则取其有毛之石，石中有孔，为重坠下降，自肺及肾也。以色而论，则取其石色黑孔中黄赤而独无青，为有降无升也。自肺及肾，倘肾家不空，如石中无孔，则虽降亦无所归，此所以不能治躯体之痛矣。有降无升，倘痛在足膝，如石已至地，则于何更坠，此所以止能治肘腕中痛矣。然重坠者，仅得直行，肘腕者，理须旁及，在旁之病，从直道治之，能有济耶，不知臂有六经，其在内廉则太阴为之长，在外廉则阳明最居前，太阴、阳明，表里也，太阴病，则阳明为之开其去路，阳明病，则太阴为之浚其来源，总欲使其得至胸中，则自能遂其降矣。何况肘腕之病之根，何必不在胸中，胸中通则肘腕何必不自舒耶。曰刺周痹者必先循其下之六经，视其虚实，及大络之血结而不通，及虚而脉陷空者而调之，熨而通之，其瘛坚转引而行之，而磁石则治虚之法备矣。然又谓除大热烦满及耳聋，何也？夫曰及则不得作一线观，亦不得作两截观。盖凡耳聋之大热烦满者治之，大热烦满而不耳聋者亦治之。内以别于肾气竭绝之耳聋，外以别于风热暑湿之大热烦满也。听之为义，如水影物，无水而物无影，此原难复之候。有水而物无影，则由水浊，有影而并无物，则由风狂。磁石之所主，盖治水浊之病。何者？水所以浊，或由湿蒸土浮，或由郁热水泛，而大热烦满，则由肺动而肾随之，且过中不惧所主之脾，抵上不凌所畏之心。此病似实而非实，似虚而非虚，是《经脉篇》所谓所生病者也。母病本轻，缘子救而转盛，子原无病，因救母而生灾，是以手太阴之烦与心胸满，足少阴之口热舌干，遂相凑为大热烦满矣。得此以石吸金，自肺及肾之物，焉能不水静其波而归其壑，金遂其重而下溉耶。于是知《别录》所称强骨气除烦通关节，皆即本经之所主。其养肾气益精，乃自肾吸肺，凭恃母气之功。小儿惊痫，则金水相安火自不炝之效。消痈肿、鼠瘘、颈核、喉痛，又水不上泛，火遂清静之功，况炼之为水，则朝肺之百脉，皆随之顺流而下溉，以养肾而荣精，能不令人有子哉。

《医家四要·药赋新编》 吸铁石，定怔忡，更补肾虚。

《本草撮要》 磁石，入肾经。功专温肾镇怯。得熟地、山萸肉治耳聋，得朱砂、神曲能交心肾。色黑能吸铁者为真。火煅醋淬，研末水飞。或醋煮三日夜。柴胡为使，恶牡丹，一名吸铁石。

《本草便读》 磁石，引肺气下行，纳气平喘，镇肾虚之恐怯。耳聪翳退，性味咸寒。（磁石，生于有铁处，为铁之母，中有铁纹，善吸铁，有子母相粘之象。一云年久则仍化为铁，想铁之未成者。火煅、醋淬，善拔疔疮。其功入肾，能养肾气、镇肾虚。又能引金气下行，故肾虚浊泛，而为内障耳鸣等证，皆可治之。）

尚志钧按 磁石即吸铁石，一名玄石，是磁铁矿的矿石，为等轴晶系，通常呈八面体结晶，晶面有黑色条纹，质重而脆。磁石磁性强，能吸铁、钴、镍，火煅醋淬，或久放受潮生锈，则磁性消失。磁石主要成分为四氧化三铁（Fe_3O_4），或氧化铁（Fe_2O_3）与氧化亚铁（FeO）的混合物。火煅醋淬后，成氧化铁（Fe_2O_3）与醋酸铁（$FeAc_2$）。磁石味咸，性寒，能潜阳纳气、镇惊安神、明目，适用于头目眩晕、目昏生翳、耳鸣耳聋、心悸怔忡、上气喘逆。治头目眩晕、心悸怔忡，与朱砂、石决明、白芍、龟板合用。治老年肾虚喘促及目昏生翳，与山药、山萸肉、熟地、麦冬、五味子合用。治上气喘逆，与代赭石、胡桃肉、五味子、枇杷叶合用。治耳鸣耳聋，配朱砂、神曲为丸服之。

81　磁石毛（《拾遗》）

《本草拾遗》 磁石毛，味咸，温，无毒。主补绝伤，益阳道，止小便白数，治腰脚，去疮瘘，长肌肤，令人有子，宜入酒。出相州北山。磁石毛，铁之母也。取铁如母之招子焉。《本经》有磁石，不言毛。毛、石功状殊也。又言磁石寒，此弥误也。

82　玄石（《别录》）

《名医别录》　玄石，味咸，温，无毒。主大人、小儿惊痫，女子绝孕，小腹冷痛，少精身重，服之令人有子。一名玄水石，一名处石。生太山之阳。山阴有铜，铜者雌，黑者雄。（恶松脂、柏、菌桂。）

《本草经集注》　《本经》磁石，一名玄石。《别录》各一种。今案其一名处石，名既同，疗体又相似，而寒温铜铁及畏恶有异。俗中既不复用之，亦无识其形者，不知与磁石相类否？

《唐本草》注　此物铁液也，但不能拾针，疗体如《经方》，劣于磁石。磁石中有细孔，孔中黄赤色，初破好者，能连十针，一斤铁刀亦被回转。其无孔，光泽纯黑者，玄石也，不能悬针也。

《本草图经》　文具“磁石”条下。

《绍兴本草》　玄石与磁石，主治一也，但色黑而不能吸铁为异尔。本经云：味咸，温，无毒是矣。然方家亦稀用之。

《本草纲目》　［释名］玄石，一名处石。［时珍曰］玄以色名。［集解］［时珍曰］磁石生山之阴有铁处，玄石生山之阳有铜处，虽形相似，性则不同，故玄石不能吸铁。

83　玄石紫粉丹（《太平圣惠方》）

《太平圣惠方》　玄石紫粉丹，用好磁石三斤，火煅，投一斗米醋中淬之，以醋尽为度。更烧投一斗酒中淬之，以酒尽为度。将煅铁与淬裂破片一同研细，水飞后，待干，入瓶中，火煅令通赤，待冷，入盐花三两，同研令匀。于地上铺纸匀摊，以盆覆盖三日，出火毒。用蒸饼和丸如梧桐子大，每服五至七丸。

本品味辛，微寒，无毒，功同磁石，安神定志，补益气血。适用于血虚萎黄，心神不宁，惊悸，头目眩晕，关节疼痛，目翳内障。

84　绿矾（皂矾）（《日华子》）

《日华子本草》　绿矾，凉。治喉痹，蚛牙，口疮及恶疮疥癣，釀鲫鱼烧灰和服，疗肠风泻血。

《本草蒙筌》　绿矾，亦主疮疡。

《本草纲目》 ［释名］［时珍曰］绿矾可以染皂色，故谓之皂矾。又黑矾亦名皂矾，不堪服食，惟疮家用之。煅赤者俗名矾红，以别朱红。［集解］［时珍曰］绿矾晋地、河内、西安、沙州皆出之，状如焰消。其中拣出深青莹净者，即为青矾；煅过变赤，则为绛矾。入污墁及漆匠家多用之，然货者亦杂以纱土为块。昔人往往以青矾为石胆，误矣。［主治］［时珍曰］消积滞，燥脾湿，化痰涎，除胀满黄肿疟利，风眼口齿诸病。［发明］［时珍曰］绿矾酸涌涩收，燥湿解毒化涎之功与白矾同，而力差缓。按《张三丰仙传》方载伐木丸云：此方乃上清金蓬头祖师所传。治脾土衰弱，肝木气盛，木来克土，病心腹中满，或黄肿如土色，服此能助土益元。用苍术二斤，米泔水浸二宿，同黄酒面曲四两炒赤色，皂矾一斤，醋拌晒干，入瓶火煅，为末，醋糊丸梧子大。每服三四十丸，好酒、米汤任下，日二三服。时珍尝以此方加平胃散，治一贱役中满腹胀，果有效验。盖此矾色绿味酸，烧之则赤，既能入血分伐木，又能燥湿化涎，利小便，消食积，故胀满黄肿疟痢疳疾方往往用之，其源则自张仲景用矾石消石治女劳黄疸方中变化而来。

《本草原始》 绿矾出池州铜陵县并煎矾处生焉。初生皆石也，煎炼乃成，其形似朴硝而绿色，可以染皂，故俗呼皂矾。（味酸，凉，无毒。主诸疮喉痹，虫牙口疮，恶疥癣。釀酸鱼烧灰吃，治肠风泻血，积滞消燥脾湿，化痰涎，除胀满黄肿，疟疾痢，风眼口齿病。置铁板上炭火烧之，矾流出色赤如金汁者真。）

《炮炙大法》 绿矾，火煅通红，淬入米醋中，烘干，研如飞粉。畏醋。

《本草经疏》 绿矾，性似白矾，其酸涩收燥湿，解毒化涎之功亦与白矾相似，而力差缓。本草经主喉痹者，酸涌化涎之功也。蚛牙口疮，恶疮疥癣者，燥湿除热解毒之功也。肠风泻血者，消散湿热之后，复有收涩之功也。然而诸治之外，又善消积滞，凡腹中坚，肉积，诸药不能化者，以矾红同健脾消食药为丸，投之辄消。［主治参互］得红曲、山楂、肉豆蔻，消肉积；加麦芽、橘皮、草果、槟榔、三棱、蓬莪，消一切肉积及米面食坚积。脾病黄肿用绿矾四两，煅成赤珠子，当归四两，酒浸七日，焙百草霜三两，为末，以浸药酒打糊，丸梧子大，每服五丸至七丸，温水下。一月后黄去立效。杨真人《济急方》酒黄水肿，黄肿积痛，青矾半斤，醋一大碗，和匀，瓦盆内煅干为度，平胃散、乌药顺气散各半两，为末，醋煮糊丸梧子大，姜汤下二三十丸。《救急方》食劳黄病，身目俱黄，青矾，锅内安炭煅赤，米醋拌，为末，枣肉和丸梧子大，每服二三十丸，食后姜汤下。《太平圣惠方》腹中食积，绿矾二两研，米醋一大盏，瓷器煎之，柳条搅成膏，人赤脚乌一两，研丸，绿豆大，每空心温酒下五丸。谈野翁《试效方》走马疳疮，绿矾煅红，以醋拌匀，如此三次，为末，入麝香少许，温浆水漱净掺之，应和龙脑、雄黄、硼砂、芒硝。［简误］绿矾、矾红，虽能消肉食坚积，然能令作泻，胃弱人不宜多用。服此者终身忌食荞麦，犯之立毙。

《本经逢原》 绿矾，酸寒无毒，一名皂矾。皂矾，专除垢腻，同苍术、酒曲醋丸，治心腹中满，或黄肿如土色，甚效。盖矾色绿、味酸，烧之则赤，用以破血分之瘀积，其效最速。《金匮》治女劳黑疸，消石矾石丸专取皂矾以破瘀积之血，缘其未经注明，尝有误用白矾涩收，殊昧此理。又妇人白沃经水不利，子脏坚癖，中有干血，下白物，用矾石杏仁蜜丸纳阴中，日一易之。

《本草诗笺》 绿矾，一名皂矾。皂、绿名殊，功用一般。血分积瘀恒主破，腹中烦满每教宽；炼烧色变消黄肿，制就丸方疗黑疸；垢腻专除由本性，毒无尚未免寒酸。

《得配本草》 绿矾，一名青矾（煅赤者名矾红）。畏醋。酸、凉，消积滞，燥脾湿，治喉痹口疳，虫牙，恶疮疥癣。得增胃散，治黄疸。得红曲、山楂，消肉积。得大寒，去核，入矾烧研，搽小儿甜疮，及耳生烂疮。醋拌入瓷瓶，煅过用。服此终身忌荞麦。昔人往往以青矾为胆矾，误矣。

《本草求真》 皂矾，收痰，除湿，去毒，杀虫，破血分积垢。皂矾（专入脾，兼入肝，即绿矾）等于白矾，味亦酸咸而涩。有收痰除湿，去蛊杀虫之功，但力差于白矾而稍缓耳；且此色绿味酸，烧之则赤，用以破血分之积垢，其效甚速。如《金匮》之治女劳、黑疸硝石矾石丸，专取皂矾以破积瘀之血；且治喉痹，用此以取酸涌化涎之力（同米醋研食之，咽汁立瘥）；恶疮疥癣，用以收燥湿解毒之功；肠风泻血，用此以收消散湿热之后，又有收涩之功也。然而诸治之外，又善消积滞，凡腹中坚积，诸药不能化者，以红矾同健脾消食药为丸，投之辄消。（按《张三丰仙传》云：治脾土衰弱，肝木气盛，木来克土，心腹中满，或黄肿如土色，宜伐木丸。方用苍术二斤，米泔水浸，同黄酒面曲四两，炒赤色，皂矾一斤，醋拌晒干，火煅为末，醋糊丸。每服三四十丸。好酒、米汤下，日三服。时珍常以此如平胃散，治贱役中腹满，果验。）但胃弱人不宜多用，服此者终身忌食荞麦，犯之立毙。青莹净者良。煅赤用。畏醋。

《罗氏会约医镜》 燥湿化痰。皂矾（一名青矾，味酸性涩），酸涌涩收，燥湿化痰。解毒、收涎、杀虫之功，亦与白矾相似，而力差缓。散喉痹（醋调咽汁，酸涌化痰）。治疮癣（燥湿解毒），肠风（湿热既散后宜收涩），消肿胀（方载肿门）。食积（同健脾消食药为丸）。煅赤用（名绛矾，入血分。伐肝、燥湿、消肿胀，须醋淬）。胃弱者不宜多用。忌荞麦。

《本草害利》 绿矾一名皂矾。绿矾、矾红，虽能消食肉坚积，然能令人作泻，胃弱人不宜多用。服此者，终身忌食荞麦，犯之立毙。[利] 酸涌，凉散，涩收，燥湿化痰，解毒杀虫，利便，消食积，散喉痹。主治同白矾。煅赤名绛矾，能入血分，伐肝木，燥脾湿。同苍术、酒曲、醋和为丸，酒下，治木来克土，心腹中满，或黄肿如土色者，名伐木丸，乃上清金蓬头祖师传方。[修治] 皂矾，以其可染皂色故名，深青莹洁者良。

《本草撮要》 绿矾，味酸凉。入肺、胃二经。功专燥湿化痰，解毒杀虫，利小便，消食积。醋调咽汁散喉痹，苍术二觔米泔浸，黄酒面曲四两，炒绛矾一觔，醋拌，晒干入瓶，火煅为末，醋和丸酒下。治木克土，心腹中满，或黄肿如土色，名伐木丸。煅赤名绛矾，未煅者亦名皂矾，不可轻服。

《本草便读》 皂矾，燥湿化痰，消食积，除肿胀，杀虫润下治疮疳，酸凉并效。(皂矾一名绿矾，烧之则色红，故又名绛矾。其出产性味主治，皆与白矾相同。惟此矾似出斥卤之地，以其置阴湿处，即还潮。其色青绿，而烧之则红，故能入肝家血分。平肝伐木，化积润下之功，与白矾稍异。)

尚志钧按 皂矾，类矾石，色淡绿或淡青，故称绿矾或青矾，因能染皂色，故称之皂矾。本品系天然矿石，常与石膏及其他硫酸盐共存。皂矾为半透明结晶体，有玻璃样光泽，质酥脆，无臭，易溶于水，易风化，在潮湿空气中则氧化，生棕黄色锈衣。其成分为硫酸亚铁。入外治药生用或煅用。皂矾味酸、涩，凉，无毒，能燥湿、除热、解毒、杀虫。煅用兼能去腐。《谈埜翁试用方》治走马疳，其配制为：绿矾，入锅内炭火煅红，以醋拌匀，如此3次，为末，入麝香少许，温浆水漱净，掺患处。《医宗金鉴》解毒紫金膏治臁疮日久，疮色紫黑及杨梅结毒，用明净松香（研）、皂矾（煅赤，研）各等分，共研极细末，香油调稠，先用葱艾甘草汤洗净患处，再搽此药。以纱布包扎，3日1换。《医方摘要》治甲疽方，对趾甲肉生疮，恶肉突出久不愈，用皂矾风化者煎汤浸洗，仍以皂矾末30克，加雄黄6克，硫黄3克，乳香3克，没药3克，各研细，和匀，搽之。《摘玄方》治耳内溃疡流脓久不愈，用大枣去核，包皂矾煅，待冷研细末，香油调涂。《仁斋直指方》治腋下狐臭方，绿矾半生半煅为末，入轻粉少许和匀，清洗局部后，用生姜沾药末擦之，若局部灼热感甚剧时，洗去。《疡医大全》治目赤肿痛方，川黄连、皂矾各3克，水200毫升，浸一时，洗目数次，肿痛自消。《疡医大全》治癣方，以炒皂矾研细末，掺胆汁调膏，擦之。《疡医大全》治痔疮肿痛方，用蒲公英二两、马鞭草四两、荔枝草四两，煎汤，去渣，取液，以皂矾一两溶于汤液中熏洗患处。民间验方单用皂矾化水洗痔疮肿痛，其效亦佳。《摘玄方》记载，蛆遇皂矾则化，则皂矾可以灭蛆。总之，本品可用于皮肤与黏膜部位赤肿、湿烂，可清热、燥湿、去风而敛疮，性能杀虫又可用于治疥癣。皂矾可研为散剂作掺药，或油调为涂敷药，或制为药捻，又可水溶之作漱药。炼制丹药时亦常用之为辅助药。

85　代赭（《本经》）

《神农本草经》　代赭，味苦，寒。治鬼疰、贼风、蛊毒，杀精物恶鬼，腹中毒邪气，女子赤沃漏下。一名须丸，生山谷。

《名医别录》　代赭，味甘，无毒。主带下百病，产难，胞衣不出，堕胎，养血气，除五脏血脉中热，血痹血瘀，大人小儿惊气入腹，及阴痿不起。一名血师。生齐国，赤红青色，如鸡冠有泽，染不甲不渝者良，采无时。

《雷公药对》　代赭石，畏天雄、附子。干姜为之使。

《本草经集注》　代赭，旧说云是代郡城门下土。江东久绝，顷魏国所献，犹是彼间赤土耳，非复真物。此于俗用乃疏，而为丹方之要，并与戎盐、卤咸皆是急须。

《雷公炮炙论》　代赭，凡使，不计多少，用蜡水细研尽，重重飞过，水面上有赤色，如薄云者去之。然后用细茶脚汤煮之，一伏时了，取出又研一万匝，方入用。净铁铛一口，著火得铛热底赤，即下白蜡一两，于铛底逡巡间，便投新汲水冲之，于中沸一二千度了，如此放冷，取出使之。

《药性论》　代赭，使，雁门城土。干姜为使，味甘，平。主治女子崩中，淋沥不止，疗生子不落，末，温服之，辟鬼魅。

《唐本草》注　代赭，多从代州来，云山中采得，非城门下土，又言生齐代山谷。今齐州亭山出赤石，其色有赤红青者。其赤者，亦如鸡冠，且润泽，土人唯采以丹楹柱，而紫色且暗，此物与代州出者相似，古来用之。今灵州鸣沙县界河北，平地掘深四五尺得者，皮上赤滑，中紫如鸡肝，大胜齐、代所出者。

《日华子本草》　代赭，畏附子。止吐血鼻衄，肠风痔瘘，月经不止，小儿惊痫、疳疾，反胃，止泄痢，脱精，尿血，遗溺，金疮长肉，安胎，健脾，又治夜多小便。

《本草图经》　代赭，生齐国山谷，今河东、京东山中亦有之。以赤红青色如鸡冠有泽，染爪甲不渝者良。古方紫丸治小儿用代赭，云无真者，以左顾牡蛎代使，乃知真者难得。今医家所用，多择取大块，其上文头有如浮沤丁者为胜，谓之丁头代赭，采无时。次条又有白垩，生邯郸山谷，即画家所用者，多而且贱，一名白善土。胡居士云：始兴小桂县晋阳乡有白善，俗方稀用，今处处皆有，人家往往用以浣衣。《山海经·西山经》石鄃之山，其阴灌水出焉，而流于愚水，其中有流赭，以涂牛马无病。郭璞注云：赭，赤土也。今人以朱涂牛角，云以辟恶。又云：大次之山，其阳多垩。又北山经天池之山，其中多黄垩。又中山经葱聋之山，其中有大谷，多白黑青黄垩。注云：言有杂色之垩也，然则赭以西土者为真，垩有五色，入药惟白者耳。

《本草别说》 代赭，谨按：今处州岁贡，数不啻万斤，其色亦丹鲜。

《本草衍义》 代赭，方士炉火中多用，丁头、光泽、坚实、赤紫色者佳。白垩，即白善土，京师谓之白土子。方寸许切成段，鬻于市，人得以浣衣。今人合王瓜，等分为末，汤点二钱服，治头痛。赤土，今公府用以饰椽柱者。水调细末一二钱服，以治风疹。

《绍兴本草》 代赭，石类也，出产、形色、主疗，本经具载，取色如铁色朱砂，形紧实而有浮沤下者佳。故俗谓之丁头代赭。方家入药多煅淬用之。本经云：苦、甘，寒，无毒也。其有方用赤土者，与代赭自是两种尔。

《汤液本草》 代赭入肾、肝经，怯则气浮，重所以镇之。代赭之重，以镇虚逆。故张仲景治伤寒汗下后心下痞硬噫气不除者，旋覆代赭汤主之。用旋覆花三两，代赭石一两，人参二两，生姜五两，甘草三两，半夏半斤，大枣十二枚，水一斗，煮六升去滓，再煎三升，温服一升，日三服。一名须丸。出姑幕者为须丸，出代郡者名代赭。入手少阴经、足厥阴经。《本草》云：主鬼疰，贼风蛊毒，杀精物恶鬼，腹中毒邪气，女子赤沃漏下。带下百病，产难，胞衣不出，堕胎。养血，除五脏，血脉中热，血痹，血瘀，大人小儿惊气入腹，及阴痿不起。《圣济经》云：怯则气浮，重则所以镇之。怯者亦惊也。

《本草蒙筌》 代赭石，味苦、甘，气寒。一云：甘，气平。无毒。惟出代州（属山西）。多生山谷（一说：是代都城门下赤土）。色赤如鸡冠有泽，佳者染爪甲不渝，或难得真，牡蛎可代，火煅醋淬七次，方研极细水飞，惟作散调，勿煎汤服。畏雄、附（天雄、附子）。使干姜。入少阳三焦，及厥阴肝脏。治女人赤沃崩漏带下，暨难产胎衣不来。疗小儿疳疾泄痢惊痫，并尿血遗溺不禁。却贼风蛊毒，杀鬼疰魅精，阴痿不起能扶，惊气入腹可愈。《圣济经》曰：怯者惊也。怯则气浮，重剂以镇之。代赭之重，以镇虚逆也。孕妇忌服，恐堕胎元。

《本草纲目》 ［释名］［时珍曰］代赭，赭，赤色也。代，即雁门也，今俗呼为土朱、铁朱。《管子》云：山上有赭，其下有铁。铁朱之名或缘此，不独因其形色也。［集解］［时珍曰］赭石处处山中有之，以西北出者为良。宋时虔州岁贡万斤。崔昉《外丹本草》云：代赭，阳石也。与太一馀粮并生山峡中，研之作朱色，可点书，又可罨金益色赤。张华以赤土拭宝剑，倍益精明，即此也。［修治］［时珍曰］今人惟煅赤以醋淬三次或七次，研，水飞过用，取其相制，并为肝经血分引用也。《相感志》云：代赭以酒醋煮之，插铁钉于内，扇之成汁。［发明］［时珍曰］代赭乃肝与包络二经血分药也，故所主治皆二经血分之病。昔有小儿泻后眼上，三日不乳，目黄如金，气将绝，有名医曰：此慢惊风也，宜治肝。用水飞代赭石末，每服半钱，冬瓜仁煎汤调下，果愈。

《药性歌括四百味》 代赭，寒，下胎，止崩带，儿疳泄痢，惊痫鬼怪（火煅用）。

《本草原始》 赭，赤石也。其石赤如鸡冠润泽，故名代赭石。味寒苦，无毒。主鬼疰，贼风，蛊毒，杀精物恶鬼，腹中毒邪气，女子赤沃漏下。带下百病，产难，胞不出，堕胎，养血气，除五脏，血脉中热，血痹血瘀，大人小儿惊气，入腹及阴痿不起，安胎，健脾土，反胃，吐血，鼻衄，月经不止，泄痢，脱精，遗溺，肠风痔病。制法：火煅，醋淬七次，细研，水飞过用。

《珍珠囊补遗药性赋》 代赭，堕胎，攻崩漏。代赭石用火煅，醋淬七遍，研，水飞。味甘，寒，无毒。出代州，其色赤，故名代赭石，养血气，强精辟邪，畏天雄、附子。

《本草经疏》 代赭石禀土中之阴气以生，《本经》味苦，气寒。《别录》加甘，无毒。气薄味厚，阴也，降也。入手少阴、足厥阴经，少阴为君主之官，虚则气怯而百邪易入，或鬼疰邪气，或精物恶鬼，或惊气入腹，所自来矣。得镇重之性，则心君泰定而幽暗破邪无从著矣。其主五脏血脉中热，血痹血瘀，贼风及女子赤沃漏下带下百病，皆肝、心二经血热所致。甘寒能凉血，故主如上诸证也。甘寒又能解毒，故主蛊毒，腹中毒也。经曰：壮火食气，少火生气。火气太盛则阴痿反不能起，苦寒泄有余之火所以能起阴痿也。重而下坠，故又主产难，胞不出及堕胎也。［主治参互］仲景旋覆代赭汤：治伤寒汗吐下后心下痞硬噫气不除者，代赭一两，旋覆花三两，人参二两，生姜五两，大枣十二枚，半夏半升，甘草三两，水一斗，煮取六升，去滓，再煮取三升，温服一升，日三。《直指方》急、慢惊风，吊眼撮口，搐搦不定，代赭石火烧醋淬七次，细研，水飞，日干。每服一钱或半钱，煎真金汤调下，连进三服。儿脚胫上有赤斑即是惊气已出，病当安也，无者不治。如慢惊用冬瓜仁煎汤调亦妙。《普济方》妇人血崩，代赭石煅为末，白汤服二钱。［简误］下部虚寒者，不宜用。阳虚阴痿者忌之。

《本草正》 代赭，味酸甘，性凉而降。血分药也能下气降痰，清火，除胸腹邪毒，杀鬼物精气，止反胃，吐血衄血，血痹血痢，血中邪热，大人小儿惊痫狂热入脏，肠风痔漏，脱精遗尿及妇人赤白带下，难产，胞衣不出，月经不止，俱可为散调服，亦治金疮，生肌长肉。

《本草乘雅半偈》 代赭，帅气卫外，左右二十有四，而营队居中，设无血师，谁主司命乎。［参］曰：《灵枢》称卫气为帅气。隐居称大赭为血师，则大赭当为营气之司命矣。经云：命曰营气，以奉生身，莫贵乎此。先人云：鬼疰三证，大为生气之害，然必伏匿阴血中，乃肆毒恶。赭色丹青，承宣君相火，为血师任，仍令就规矩，会尺寸，以合五十营，奉身生气如尝，营血安堵如故矣。

《本草通元》 代赭，止反胃吐血、衄血，月水不止，肠风泄痢，脱精遗溺，小儿惊疳，女人崩漏。按代赭入肝与心胞，专主二经血分之病。仲景治汗吐下后心下痞噫气，用旋覆代赭汤，取其重以镇虚逆，赤以养阴血也。煅红，醋淬，捣，水飞。

《本草述》 代赭之用，先哲概以为重可去怯，在《圣济经》曰：怯则气浮，重剂所以镇之，怯者亦惊也。若然，是盖本于元气之虚，故仲景治伤寒，或汗吐下后，心下硬痞噫气不除证，主以旋覆赭石汤也。未审何以怯亦云惊，而后来治小儿惊痫者，又何以用此味乃责之肝，如时珍所云哉。曰：肝由阴而升阳者也，升而不能合于天气之阳，则病于风，故本经主治，首言鬼疰贼风，所云鬼疰又精物恶鬼等语，皆元所虚怯之幻象耳。所以仲景处方，于补益中而入此味，令佐补益以镇虚怯，则肝之惊风自平，固先责于肝也，然亦何以能如是乎？曰《管子》有云，同上有赭，其下有铁，故一名铁朱，是则赭石，乃金气之化也。金属天气，而色化赤则从火，是金火合德，以畅卫而达营，即木之所以得媾于金而风平者，不仅仅如铁锈之以金制木也。若然，是固气分之剂矣，又何以能效血分之功欤？曰：阳中之太阳，心也。而生血却即在此，心肺合而气盛，气盛而血生，俾清中之浊入胃至脾，而肝乃得司其藏血之职，安得谓能清镇气化者，而不能为血化之地欤。故病见于气者，本于益气以及血，若病见于血，则亦未有不因于气化者也。如女子崩漏之镇宫丸、带下之卷柏丸，入兹味于群剂中，岂无谓哉，其义可类推也。或曰：小儿惊痫，固知病及风木矣。而女子崩带，亦专属风木之病欤？曰：风木之脏，即是血脏，血之不获宁谧者，多本脏风木摇之耳。此味以镇浮而平风，则血不溢，是固然之化机也。但此味先气而及血，故方书于疗血证者用之亦鲜，唯女子崩漏时及之，以女子之血有余，而气之病于不足以为血患者多也。明于此，则知所以用赫石矣。抑时珍辈胥专以为血分药，今不知何所取证而谓先气及血也。曰：不观之养气丹，前用五石，后入诸药，而赭石与焉。其所云主治者曰阴虚百损，真阳不固，上实下虚，气不升降，或喘或促，一切体弱气虚之人。如所云，是非气分药乎，且又曰：并妇人血海冷惫诸证，是非由气而及血之证欤，况《外丹本草》所说，固以谓为阳石矣。

《本草崇原》 代赭味苦寒，无毒。主治鬼疰，贼风，蛊毒，杀精恶鬼，腹中毒邪气，女子赤沃漏下。（代赭石《本经》名须丸，《别录》名血师，研之作朱色，可以点书，故俗名土朱，又名铁朱。《管子》曰：山上有赭，其下有铁。《北山经》曰：少阳之山多美赭。《西山经》曰：石脆之山灌水出焉，中有流赭皆谓此石。《别录》曰：代赭生齐国山谷，赤红青色，如鸡冠有泽，染爪甲不渝者良。今代州、河东、江东处处山中有之，以西北者为良。）赭石，铁之精也，其色青赤，气味苦寒，禀水石之精，而得木火之化。主治鬼疰贼风蛊毒者，色赤属火，得少阳火热之气，则鬼疰自消也。石性镇重，色青属木，木得厥阴风木之气，故治贼风蛊毒也。杀精物恶鬼，所以治鬼疰也。腹中毒，所以治蛊毒也。邪气，所以治贼风也。赭石，一名血师，能治冲任之血，故治女子赤沃漏下。

《本草择要纲目》 代赭苦寒无毒，乃肝与包络二经血分药也。［主治］女子赤沃漏下带下百病，产难，胞不出，堕胎，养血气，除五脏血脉中热，血痹血瘀，大人小儿惊气入腹，及阴痿不起，安胎健脾，止反胃、吐血衄血，月经不止，肠风痔瘘，泄痢脱精，夜多遗溺，小儿惊痫疳疾，金疮长肉，辟鬼魅。故仲景治伤寒汗吐下后，心下痞硬，噫气不除者，旋覆代赭汤主之。盖怯则气浮，唯重可以镇之，代赭之重，以镇虚逆也。

《本草备要》 代赭石，苦寒，养血气，平血热。入肝与心包，专治二经血分之病，吐衄崩带，胎动产难，小儿慢惊（赭石半钱，冬瓜仁汤调服）。金疮长肉。（仲景治伤寒，汗吐下后，心下痞硬噫气，用代赭旋覆汤。取其重以镇虚逆，赤以养阴血也。今人用治膈噎甚效。）煅红醋淬，水飞用，干姜为使，畏雄附。

《本经逢原》 代赭石（《本经》名须丸），苦、甘，平，无毒。击碎有乳形者真。火煅醋淬三次，研细水飞用。《本经》主鬼疰贼风蛊毒，腹中毒邪气，女子赤沃漏下。［发明］赭石之重以镇逆气，入肝与心包络二经血分。《本经》治贼风蛊毒，赤沃漏下，取其能收敛血气也。仲景治伤寒吐下后，心下痞硬，噫气不除，旋覆代赭汤，取重以降逆气涤痰涎也。观《本经》所治皆属实邪，即赤沃漏下，亦是肝心二经瘀滞之患。其治难产胞衣不下，及大人小儿惊气入腹，取重以镇之也。阳虚阴痿，下部虚寒忌之，以其沉降而乏生发之功也。

《本草经解》 代赭石，寒，肾主二便，心主血，血热则赤沃漏下，苦寒清心，心肾相交，所以主女子赤沃漏下也。

《本草诗笺》 代赭，无毒甘平苦主沉，发生功少忌虚阴；敛收血气行胞络，驱逐惊惶向腹心（《本经》所治皆属实邪，忌虚寒证）；沃漏两般何自入，痰涎一概莫能侵；胞衣不下兼难产，总赖须丸用力深。

《长沙药解》 代赭石，味苦，气平。入足阳明胃经，降戊土而除哕噫，镇辛金而除烦热。伤寒旋覆花代赭汤（方在旋覆花），用之治伤寒汗吐下后，心下痞硬，噫气不除者，以其降胃而下浊气也。滑石代赭汤（方在滑石），用之治百合病下之后者，以其降肺而清郁火者也。代赭重坠之性，驱浊下冲降摄肺胃之逆气，除哕噫而泄郁烦，止反胃呕吐，疗惊悸哮喘，兼治崩漏吐衄，痔瘘泄利之病。煅红醋淬，研细，绵裹入药煎。松软者佳，坚硬者无用。肝脾下陷者忌之。

《得配本草》 代赭石，干姜为之使，畏天雄、附子。苦寒，入手足厥阴经血分。镇包络之气，除血脉之热，杀鬼魅，疗崩带，止反胃，吐衄，治惊痫疳疾。得生地汁，治吐血、衄血、下血。得冬瓜仁汤调下，治慢惊风。（泻后不乳，目黄如金。）佐半夏，蠲痰饮。火煅醋淬七次，研，水飞过用。气不足，津液燥者，禁用。

《本草求真》 代赭，入心、肝二经，凉血解毒，镇惊。代赭石（专入心、肝），味苦而甘，气寒无毒。凡因血分属热，崩带泄痢，胎动产难，噎膈痞硬，惊痫金疮等症，治之即能有效。（仲景治伤寒汗吐下后，心痞硬，噫气不除者，旋覆代赭汤主之。用旋覆花三两，代赫石一两，人参三两，生姜五两，甘草三两，半夏半升，大枣十二枚。水一斗，煮六升，去渣再煎三升，温服一升，日三服，噎膈病亦用此。）以其体有镇怯之能，甘有和血之力，寒有胜热之义，专入心肝二经血分，凉血解热，镇怯祛毒（色赤入血）。但小儿慢惊（虚证甚多），及阳虚阴痿，下部虚寒者忌之，以其沉降而乏生发之功耳。书载能治慢惊，其说似非。（实证不得谓慢，虚证当从温理，不可不辨。）击碎有乳孔者真，火煅醋淬三次，研细水飞用。干姜为使，畏雄、附。

《罗氏会约医镜》 代赭，养血凉血，其味苦、甘，气寒（入肝、心包二经），下气降火，专治二经血分之病。疗吐衄崩带、肠风痔漏（悉血有邪热），月经不止、胎动产难（凉血活血），小儿慢惊（用末五分、东冬仁汤调服），煅红醋淬，水飞用，干姜为使，恶雄、附。以上诸症，俱可为散（或水、或酒、或童便酌量调服）。

《本草经读》 代赭，味苦无毒入心，肾为坎水，代赭气寒益肾，则肾水中一阳上升；心为离火，代赭味苦益心，则心火中一阴下降。水升火降，阴阳互藏其宅而天地位矣，故鬼疰贼风，精魅恶鬼以及蛊毒，腹中邪毒皆可主之。肾主二便，心主血，血热则赤沃漏下。苦寒清心，心肾相交，所以主女子赤沃漏下。仲景代赭旋覆花汤用之极少，后人昧其理而重用之，且赖之镇纳诸气，皆荒经之过也。

《本经疏证》 代赭质坚重色赤，确是金从火化。金从火化，非血而谁。僧赞宁曰：代赭石煮以酒醋，插铁钉于内，扇之能成汁，此其证矣。夫血者流行经络，卧则归肝，于以分布五脏，洒陈六腑，而中焦金火之交媾，则其化源也，设金火交媾之际，乃有热焉。斯受气不清，迨归肝而日遗其热，积铢累寸，不至为腹中毒邪气不止。在女子则因是冲任不固，恶露绵绵，如沃泉之悬出而下漏。代赭石之质之色正帖切其化源，而味苦气寒，能去其热，源清则流自洁，斯其所以为主治欤。夫肝为风木之脏而藏魂，其病发惊骇，其经入毛际，绕少腹，环阴器，贼风者肝热盛而生，鬼疰精物恶鬼则肝热而魂不安，幻为种种形象耳。即《别录》所谓带下百病，产难胞衣不出，阴痿不起诸候，莫不在肝部分。血痹血瘀，又莫非肝之运量不灵，而其最要是除五脏血脉中热一语。是一语者，实代赭石彻始彻终功能也。仲景用代赭石二方，其一旋覆花代赭石汤，是邪在未入血脉前；其一滑石代赭汤，是邪入血脉已久。盖同为下后痞硬于心下，则热虽在化血之所而未入脉，若入脉则其气散漫不能上为噫矣。惟其不见聚热之所而辗转不适焉。其所以为百脉一宗悉致其病也。

《医家四要》 代赭平肝，吐衄噎膈胃反当用。煅红醋淬水飞，同旋覆、参、夏、姜、枣，治伤寒汗吐下后，心下痞硬噫气，同金器煎服，治小儿惊证。

《本草撮要》 代赭，苦寒，入肝经。功专入血镇逆。得冬瓜仁治慢惊风，得旋覆治心下痞硬噫气，煅红醋淬水飞。干姜为使，畏雄、附。

《本草便读》 代赭除噫痞，镇虚邪，心肝并入，堪清血分苦而寒。（代赭石出代郡山谷间，一云山上有赭，山下有铁，故此石有铁形。其主治不过重以镇虚，寒能除热，色赤入营，为手足厥阴之药耳。）

尚志钧按 代赭石为六方晶系，黑褐色赤铁矿矿石，坚实有层纹，质沉重。其主要成分为氧化铁（Fe_2O_3），约占55%，余下为黏土及少量钙盐（$CaCO_3$）。代赭石味苦，寒，能平肝降逆、凉血止血，适用于咳喘、呃逆、肝阳上亢性的头痛头晕。《伤寒论》旋覆代赭汤治心下痞硬，噫气不除，噎膈反胃，代旋覆花、代赭石、生姜、半夏、人参、甘草各三钱，大枣三枚，水煎服。《普济方》治妇人血崩，代赭石火煅醋淬七次，为末，白汤服二钱。《圣济总录》治堕胎下血不止，代赭石末一钱，生地黄汁半盏调，日三五服，以瘥为度。《朱氏集验方》治一切疮疖，用土朱、虢丹、牛皮胶等分为末，好酒一碗冲之，澄清服，以渣敷之，干再上。《伤寒蕴要》治百合病发，已汗下复发者，百合七个擘破，泉水浸一宿，代赭石一两，滑石三两，泉水二钟，煎一钟，入百合汁，再煎一钟，温服。

86 流赭（《山海经》）

《山海经》 西山经，禺水之中有流赭，以涂牛马无病。

87 玄黄石（《拾遗》）

《本草拾遗》 玄黄石，味甘，平，温，无毒。主惊恐，身热邪气，镇心。久服令人眼明，令人悦泽。出淄川北海山谷土石中，如赤土代赭之类。又有一名零陵，极细，研服之，如代赭，土人用以当朱，呼为赤石，恐是代赭之类也，人未用之。

《本草纲目》 ［时珍曰］此亦他方代赭耳，故其功效不甚相远也。

88 赤石（《纲目》）

《本草纲目》 代赭石［附录］［藏器曰］出淄川北海山谷土石中，如赤土代赭之类，土人以当朱，呼为赤石……［时珍曰］此亦他方代赭耳，故其功效不甚相远也。

尚志钧按 此条原系《本草纲目》代赭石［附录·玄黄石］中分出者，与上条相重。

89 石中黄子（《唐本》）

《唐本草》 石中黄子，味甘，平，无毒。久服轻身，延年，不老。此禹馀粮壳中未成馀粮黄浊水也。出馀粮处有之，陶云：芝品中有石中黄子非也。

《日华子本草》 功同上，去壳研用即是，壳内未干凝者。

《本草图经》 石中黄子，本经不载所生州土，云出禹馀粮处有之，今惟出河中府中条山谷内。旧说是馀粮壳中未成馀粮黄浊水。今云其石形如面剂，紫黑色，石皮内黄色者，谓之中黄，两说小异。谨按：葛洪《抱朴子》云：石中黄子所在有之，近水之山尤多，在大石中，其石常润湿不燥，打石，石有数十重，见之赤黄溶溶，如鸡子之在壳，得者即当饮之，不尔，便坚凝成石，不中服也。破一石中，多者有一升，少者数合，法当正及未坚时饮之，即坚凝，亦可末服也。若然旧说，是初破取者。今所用，是久而坚凝者耳，采无时。

《本草衍义》 石中黄子，此又字误也。子当作水，况当条自言未成馀粮黄浊水，焉得却名之子也？若言未干者，亦不得谓之子也，子字乃水字无疑。又曰：太一馀粮者，则是兼石言之者也。今医家用石中黄，只石中者及细末者，即便是。若用禹馀粮石，即用其壳，故本条言一名石脑，须火烧醋淬。如此即是石中黄水为一等，石中黄为一等，太一馀粮为一等，断无疑焉。

《绍兴本草》 河中府石中黄子与禹馀粮大同而小异，本经云禹馀粮黄浊水也。旧说以初破时取而饮之，今所用即是久而坚凝者尔，其中有水者罕得之矣。本经并无疗疾之说。当从禹馀粮主疗，其味甘，平，无毒是也。

《本草纲目》 ［集解］［时珍曰］馀粮乃石中已凝细粉也，石中黄则坚凝如石者也，石中黄水则未凝者也。故雷敩云：用馀粮勿用石中黄，是矣。

90 蛇黄（《唐本》）

《唐本草》 蛇黄，主心痛，疰忤，石淋产难，小儿惊痫，以水煮研服汁。出岭南，蛇腹中得之，圆重如锡，黄黑青杂色。

《日华子本草》 冷，无毒。镇心，如入药烧赤三四次醋淬，飞研用之。

《开宝本草》 蛇黄色多赤色，有吐出者，野人或得之。

《本草图经》 蛇黄，出岭南，今越州、信州亦有之。本经云：是蛇腹中得之，圆重如锡，黄黑青杂色。注云多赤色，有吐出者，野人或得之。今医家用者，大如弹丸，坚如石，外黄内黑色，二月采，云是蛇冬蛰时所含土，到春发蛰，吐之而去，与旧说不同，未知孰是？

《本草纲目》 ［集解］［时珍曰］蛇黄生腹中，正如牛黄之意。世人因其难得，遂以蛇含石代之，以其同出于蛇故尔。广西平南县有蛇黄冈，土人九月掘下七八尺，始得蛇黄，大者如鸡子，小者如弹丸，其色紫。《庚辛玉册》云：蛇含自是一种石，云蛇入蛰时，含土一块，起蛰时化作黄石，不稽之言也。有人掘蛇窟寻之，并无此说。[主治][时珍曰]蛇黄磨汁，涂肿毒。《危氏得效方》：治暗风痫疾忽然仆地，不知人事，良久方醒。蛇黄，火煅醋淬七次，为末。每调酒服二钱，数服愈。年深者亦效。《活幼全书》治小儿项软因风虚者。蛇含石一块，煅七次，醋淬七次研，郁金等分，为末，入麝香少许，白米饭丸龙眼大。每服一丸，薄荷汤化服，一日一服。《普济方》治血痢不止，蛇含石二枚，火煅醋淬，研末。每服三钱，米饮下。治肠风下血脱肛，蛇黄二颗，火煅醋淬七次，为末。每服三钱，陈米饮下。

尚志钧按 蛇黄，一名蛇含石，为褐铁矿的核块粒，黄棕色或深棕色。质坚，难砸碎，断面中央呈黄白色，边暗棕色，火煅，醋淬，研末用。能安神止血，适用于心悸惊痫、肠风血痢、血虚筋骨痛。

91 紫精丹（《太平圣惠方》）

《太平圣惠方》 紫精丹。用炼成的紫精丹，水飞，烘干研细末，米糊丸如绿豆大，每日空心服五丸。

尚志钧按 紫精丹由硫黄和针砂（铁粉）混合加热炼制而成，色黑，质重，难溶于水，易溶于酸，生硫化氢及亚铁盐。露置空气中加热氧化成硫酸亚铁。若强热之则分解成氧化铁和二氧化硫。本品味甘，微温，对胃有轻度刺激性，大量服能引起呕吐。能补血温中散寒，适用于血虚、虚寒积滞、胃脘冷痛。

92 无名异（《开宝》）

《开宝本草》 无名异，味甘，平。主金疮折伤内损，止痛，生肌肉。出大食国。生于石上。状如黑石炭，蕃人以油炼如黳石，嚼之如饧。

《日华子本草》 无名异，无毒。

《本草图经》 无名异，出大食国，生于石上。今广州山石中，及宜州南八里龙济山中亦有之，黑褐色，大者如弹丸，小者如墨石子，采无时。本经云：味甘，平，主金疮折伤内损，生肌肉。今云味咸，寒，消肿毒痈疣，与本经所说不同，疑别是一种。又岭南人云：有石无名异，绝难得。有草无名异，彼人不甚贵重。岂本经说者为石，而今所有者为草乎？用时以醋磨涂傅所苦处。又有婆娑石，生南海，解一切毒。其石绿色，无斑点，有金星，磨之成乳汁者为上，胡人尤珍贵之，以金装饰作指弧带之。每欲食及食罢，辄含吮数四，以防毒，今人有得指面许块，则价值百金。人莫能辨，但水磨涓滴，点鸡冠热血，当化成水，乃真也。俗谓之摩娑石。

《本草衍义》 无名异，今《图经》曰：本经云，味甘，平，治金疮折伤，生肌肉。今云味咸，寒，消肿毒痈肿，与本经所说不同，疑别是一种。今详上文三十六字，未审今云字下，即不知是何处云也。

《绍兴本草》 无名异，石类也。所产大食国及广南山中，形块大小不定，其色黑褐，性味、主疗具于本经，乃无毒之药尔。或云无名异有草石二种，以其形可验，明非草者矣。

《本草纲目》 ［释名］［时珍曰］无名异，庾词也。［集解］［时珍曰］生川、广深山中，而桂林极多，一包数百枚，小黑石子也，似蛇黄而色黑，近处山中亦时有之。用以煮蟹，杀腥气；煎炼桐油，收水气；涂剪剪灯，则灯自断也。［主治］［时珍曰］收湿气。［发明］［时珍曰］按雷敩《炮炙论·序》云：无名止楚，截指而似去甲毛。崔昉《外丹本草》云：无名异，阳石也。昔人见山鸡被网损其足，脱去，衔一石摩其损处，遂愈而去；乃取其石理伤折大效，人因传之。

尚志钧按 无名异为锰铁矿一类矿石，多与软锰矿、硬锰矿、褐铁矿共存，产于锰矿藏的表面，或池沼底处。本品主要成分为二氧化锰（MnO_2），呈黑褐色，不透明，为圆球状石块，大者如弹丸，小者如粟粒，质坚，硬度为6～6.5，打碎后，断面呈茶褐色，条纹黄褐色。

93 婆娑石（《开宝》）

《开宝本草》 婆娑石，主解一切药毒，瘴疫热闷头痛。生南海。胡人采得之，无斑点，有金星，磨成乳汁者为上。又有豆斑石，虽亦解毒，功力不及。复有鄂绿，有文理，磨铁成铜色。人多以此为之，非真也。凡欲验真者，以水磨点鸡冠热血，当化成水是也。(此即俗谓之摩娑石也。)

《本草图经》 文具“无名异”条下。

《本草衍义》 婆娑石，今则转为磨娑石，如淡色石绿间微有金星者佳，磨之如淡乳汁，其味淡。又有豆斑石，亦如此石，但于石上有黑斑点，无金星。

《绍兴本草》 婆娑石生南海，辨验真伪，已载本经。既能解一切药毒，当作性平、无毒是也。

《本草纲目》 ［释名］婆娑石一名摩挲石。［时珍曰］姚宽《西溪丛话》云：舶船过产石山下，爱其石，以手扪之，故曰摩挲。不知然否？［集解］［时珍曰］庚辛玉册云：摩挲石阳石也。出三佛齐。海南有山，五色耸峙，其石有光焰。其水下滚录箭，船过其下，人以刀斧击取。烧之作硫黄气。以形如黄龙齿而坚重者为佳。匮五金，伏三黄，制铅汞。

94　禹馀粮（《本经》）

《神农本草经》　禹馀粮，味甘，寒，主咳逆，寒热，烦满，下赤白，血闭，癥瘕，炼饵服之，不饥，轻身延年。

《名医别录》　禹馀粮，平，无毒。主大热，疗小腹痛结烦疼。一名白馀粮。生东海池泽及山岛中，或池泽中。

《本草经集注》　今多出东阳，形如鹅卵，外有壳重叠，中有黄细末如蒲黄，无砂者为佳。近年茅山凿地大得之，极精好，乃有紫华靡靡。《仙经》服食用之。南人又呼平泽中有一种藤，叶如菝葜，根作块有节，似菝葜而色赤，根形似薯蓣，谓为禹馀粮。言昔禹行山乏食，采此以充粮，而弃其余，此云白馀粮也。生池泽复有仿佛。或疑今石者，即是太一也。张华云：地多蓼者，必有馀粮，今庐江间便是也。适有人于铜官采空青于石坎，大得黄赤色石，极似今之馀粮，而色过赤好，疑此是太一也。彼人呼为雌黄，试涂物，正如雄黄色尔。

《药性论》　禹馀粮，君，味咸。主治崩中。

《四声本草》　牡丹为使。

《唐本草》注　陶云黄赤色石，疑是太一。既无壳裹，未是馀粮，疑谓太一，殊非的称。

《日华子本草》　治邪气及骨节疼，四肢不仁，痔瘘等疾。久服耐寒暑，又名太一馀粮。

《本草图经》　禹馀粮，生东海池泽及山岛中，或池泽中，今惟泽、潞州有之。旧说形如鹅、鸭卵，外有壳重叠，中有黄，细末如蒲黄。今图上者，全是山石之形，都不作卵状，与旧说小异。采无时。《本经》又有太一馀粮。谨按：陶隐居《登真隐诀》载长生四镇丸云：太一禹馀粮，定六腑，镇五脏。注云：按本草有太一馀粮、禹馀粮两种。治体犹同。而今世惟有禹馀粮，不复识太一。此方所用，遂合其二名，莫辨何者的是。而后小镇直云：禹馀粮，便当用之耳。馀粮多出东阳山岸间，茅山甚有，好者状如牛黄，重重甲错，其佳处乃紫色，泯泯如面，啮之无复碜。虽然用之，宜细研，以水洮取汁澄之，勿令有沙土也。而苏恭亦云：太一馀粮与禹馀粮本一物，而以精粗为别，故一名太一禹馀粮，其壳若瓷，初在壳中，未凝结者，犹是黄水，久凝乃有数色，或青、或白、或赤、或黄，年多渐变紫色，自赤及紫，俱名太一，其诸色通谓之馀粮也。今医家但用馀粮，亦不能如此细分别耳。张仲景治伤寒下痢不止，心下痞硬，利在下焦者，赤石脂禹馀粮汤主之。赤石脂、禹馀粮各一斤，并碎之，以水六升，煮取二升，去滓，分再服。又按张华《博物志》曰：扶海洲上，有草焉，名曰筛草，其实食之，如大麦，从七月稔熟，民敛至冬乃讫，名自然谷，亦曰禹馀粮。今药中有禹馀粮者，世传昔禹治水，弃其所余食于江中，而为药也。然则，筛草与此异物而同名也。其云弃之江中而为药，乃与生海池泽者同种乎？

《经验方》 治产后烦躁，禹馀粮一枚，状如酸慊者，入地埋一半，四面紧筑，用炭一秤，发顶火一斤煅，去火三分耗二为度，用湿砂土罨一宿方取，打去外面一重，只使里内细研水淘澄五七度，将纸衬干再研数千遍。患者用甘草煎汤调二钱匕，只一服立效。《胜金方》治妇人带下，白下：即禹馀粮一两，干姜等分；赤下：禹馀粮一两，干姜半两，右件禹馀粮用醋淬，捣研细为末，空心温酒调下二钱匕。

《本草别说》 谨案：越州会稽山中，见出一种甚良。彼人云：昔大禹会稽于此地馀粮者，本为此尔。

《绍兴本草》 禹馀粮，石类也，故本经列之石部中。或云是草类者，非此禹馀粮也。女人断下药多用之。其状壳生重叠，中有黄末，若生用之，即当从本经，其性寒。今诸方所用，多以烧煅醋淬，然后入药。当作性平，俱味甘，无毒是矣。

［成无已曰］重可去怯，禹馀粮之重，为镇固之剂。

《汤液本草》 禹馀粮，甘，寒，无毒。《本草》云：禹行水乏食，采以充粮而弃其余，故名禹馀粮。（味甘，寒，无毒。主咳逆寒热烦满，下赤白，血闭，癥瘕大热，炼饵吃之治小肚痛结烦疼，主崩中，治脚气及骨节疼；四肢不仁，痔瘘等疾。久吃耐老，固肠胃。制火煅，醋淬。）

《珍珠囊补遗药性赋》 禹馀粮（火煅，醋淬七次，捣细，水飞。味甘，寒；无毒。出潞州，形如鹅、鸭卵，外有壳重叠者是，其中有黄细末如蒲黄者，谓之石中黄），止漏下，破癥结，用禹馀粮。

《雷公炮制药性解》 禹馀粮，按：禹馀粮因禹行山中乏食，采此充粮，故以名之，则其无毒可知矣。太乙馀粮本是一种，今诸家往往分别，惟陈藏器所言者近是。

《本草乘雅半偈》 禹馀粮，绩平水土，有如神禹，故曰禹。然亦水土之精气所钟。土劣水势，偏得水气之专精者也。曰馀粮者，炼饵服之，不饥延年故也。气味甘寒，对待火热，及水土浊邪，聚为寒热，为咳逆，为烦满，为血闭，为癥瘕，或肾形无坚固性，致洪水泛滥者，当捷如影响。（神农尝百草，别五味五气，有毒无毒，及方域形色，功能优劣，以名药物。若禹馀粮，绩平水土，诠名曰禹，都逆知后世之有神禹乎。余读《本经》文，似出周人手笔，况太乙两字，又出自老氏口角。）

《本草述》 按太一馀粮暨禹馀粮，如之颐所云，咸钟水土精气，融结成形者，其说固中肯也。第太一馀粮，在陶隐居时，已云今世不复识此种矣，毋怪乎方书用者之不获一见也。唯是禹馀粮，据《本经》谓其甘，寒，而《别录》曰平，甄权曰咸。又据《本经》及《别录》、甄权主治，皆不外于甘、寒、平、咸之所对待，则之颐所谓偏得水气之专精者良，不谬也。第水土原合德以立地，斯味虽得水之精气，故亦不得离于土以成形。观其于外有壳重叠，其中又有黄色细末，则其相合以凝者，非块然一物，实本于在地之阴，而具水流土止，生化离合之精气，有不等于草木臭味者，然亦何以明之？曰：如甘寒除大热，即草木类得奏功，惟是水之精，假合于土，以全地道之生化，就所治诸证，如血闭癥瘕及小腹痛结。又如下赤白及女子崩中，并能使行止得宜者，谓非土成乎水，水润乎土，乃能咸宜如斯欤。故方书中有同诸味而借之为补者，如气证之养气丹、遗精之八仙丹、鹿茸益精丸、泄泻之震灵丹，皆是也。又试观胀满之禹馀粮丸，补而兼行血痢之蒲黄散，行而有补；癫证之五邪汤，行胜于补。并皆此味同之，虽分两多少之不齐，然要其遂队以妙于用者，亦可思也。盖因其具足水流土止，生化离合之精气，应能如是，非草木所得侪者也。知此义，则可以能用此味，不致漫用之为镇固剂，如成无已所说矣。在李知先诗曰：下焦有病人难会，须用馀粮、赤石脂。此二语者，盖为禹粮得水气之专精，而赤脂亦入下焦，益精补髓。禹粮甘寒，而赤脂甘温，且兼酸辛，故谓其能收，然亦具有能化之妙，唯固脱而与禹粮同用，二者相助为理，的的为下焦固阴之药也。以是借名之曰镇固，犹未足以尽赤脂，矧可以此二字目单行之禹粮乎。（禹粮能除下焦阴中之邪，赤脂能收下焦阴中之气，故得相合以为镇固耳。）夫禹粮能益阴虚，而除其烦热痛结，《本经》《别录》所说甚明。如女子产后烦躁投之，是一的证也。奈何濒湖止袭其陋说而不一寻绎乎。况方书各证之用，其窾会又何不一探讨耶？医之为道，固如是其莽耶！

《本草崇原》 禹馀粮，甘，寒，无毒。主治咳逆，寒热烦满，下赤白，血闭，癥瘕大热，炼饵服之，不饥，轻身延年。（禹馀粮始出东海池泽及山岛中，今多出东阳泽州、潞州，石中有细粉如面，故曰馀粮。李时珍曰：禹馀粮乃石中黄粉，生于池泽，其生于山谷者，为太一馀粮也。）仲祖《伤寒论》云：汗家重发汗，必恍惚心乱，小便已阴痛，宜禹馀粮丸，全方失传，世亦罕用。

《本草择要纲目》 禹馀粮（石中有细粉如面，故曰馀粮。凡用，研水取汁澄之，勿令有沙土）。［气味］甘，寒，无毒。入手足阳明血分重剂也。［主治］咳逆寒热烦满，下赤白，血闭癥瘕大热。炼饵服之不饥，轻身延年。疗小腹痛急烦疼，主崩中，治邪气及骨节四肢不仁、痔瘘等疾。久服耐寒暑。催生，固大肠。夫重可去怯，禹馀粮之重为镇固之剂。其性涩，又主下焦前后诸病。

《本草备要》 馀粮，甘，平，性涩。手足阳明（大肠、胃）血分重剂。治咳下痢，血闭（癥瘕）血崩，能固下（李先知云：下焦有病人难会，须用馀粮赤石脂）。又能催生。石中黄粉，生于池泽，无砂者良。牡蛎为使。

《本经逢原》 禹馀粮，重可以去怯，禹馀粮之重，为镇固之剂，手足阳明血分药。其味甘，故治咳逆寒热烦满之病。其性涩，故主赤白带下前病后诸病。仲景治伤寒下利不止，心下痞硬，利在下焦，赤石脂禹馀粮丸主之。取重以镇痞逆，涩以固脱泄也。《抱朴子》云：禹馀粮丸日再服，三日后令人多气力，负担远行，身轻不饥。即《本经》轻身延年之谓。

《神农本草百种录》 禹馀粮，甘，寒，主咳逆（补中降气，不使上逆），寒热（除脾胃气虚，及有湿滞之寒热），烦满（补脾之功），下赤白（质燥性寒，故能除湿热之疾），血闭癥瘕（消湿热所滞之瘀积），大热（热在阳明者必甚，此能除之）。炼饵服之不饥（其质类谷粉，而补脾土，所以谓之粮而能充饥也）。轻身延年（补养后天之效。禹馀粮色黄质腻味甘，乃得土气之精以生者也，故补益脾胃，除热燥湿之功为多。凡一病各有所因，治病者必审其因而治之，所谓求其本也。如同一寒热也，有外感之寒热，有内伤寒热，有杂病之寒热。若禹馀粮之所治乃脾胃湿滞之寒热也，后人见本草有治寒热之语，遂以治凡病之寒热，则非惟不效，而且有害，自宋以来往往蹈此病，皆本草不讲之故耳）。

《本草诗笺》 禹馀粮（经名白禹粮，与太乙馀粮功用皆同。细研，水淘，去砂土。其性固涩）。重能去怯禹馀粮，手足阳明血分将；性涩每令脱泄固，味甘恒使热寒亡；痞硬莫患无从治，力弱何愁不自强；带下并除赤白症，癥瘕兼扫润容光。

《长沙药解》 禹馀粮，味甘，微寒。入足太阴脾、足少阴肾、足厥阴肝、手阳明大肠经。止小便之痛涩，收大肠之滑泄。伤寒禹馀粮丸（原方失载），治汗家重发汗恍惚心乱，小便已，阴痛者。以发汗太多，阳亡神败，湿动木郁，水道不利，便后滞气，梗涩尿孔作痛。禹馀粮甘寒收涩，秘精敛神，心火归根，坎阳续复，则乙木发达，滞开而痛止矣。赤石脂禹馀粮汤（方在石脂），用之治大肠滑脱，利在下焦者。以其收湿而敛肠也。禹馀粮敛肠止泄，功同石脂，长于泄湿，达水郁而通水郁而通经脉，止少腹骨节之痛。治血崩闭经之恙，收痔瘘失血，断赤白带下。煎汤，生研作丸散，煅红醋淬，研细用。

《得配本草》 禹馀粮，牡丹为之使，制五金、三黄。甘，寒，重，涩，入手足阳明经血分。固下焦，治烦满，癥瘕肠泄，下痢，四肢不仁，骨节疼痛，久远痔瘘。配赤石脂，治大肠咳嗽（嗽即遗矢）。配赤石脂、牡蛎粉、乌贼骨、伏龙肝，治崩中漏下，丹皮同煮，日干用，或火煅醋淬用。

《本草求真》 禹馀粮［批］体重镇怯固脱。禹馀粮（专入大肠，兼入心、肾），甘平，性涩质重。(时珍曰：生于池泽者为禹馀粮，生于山谷者为太乙馀粮，其中水黄浊者为石中黄水，其凝结如粉者为馀粮，凝干如石者为石中黄，性味功用皆同，但入药有精粗之等耳。故服食家以黄水为上，太乙次之，融馀粮义次之，但禹馀粮乃石中黄粉。）既能涩下固脱，复能重以祛怯。仲景治伤寒下利不止，心下痞硬，利在下焦，赤石脂禹馀粮丸主之，取重以镇痞硬，涩以固脱泄也。(时珍曰：禹馀粮手足阳明血分重剂也。其性涩，故主下焦前后诸病。）功与石脂相同，而禹余之质重于石脂，石脂之温过于馀粮，不可不辨。取无砂者良。牡丹为使。细研淘取汁澄用。

《罗氏会约医镜》 禹馀粮［批］固下。禹馀粮（味甘，平，性涩，入胃、大肠二经）。二经血分重剂。治血闭癥瘕，崩中带漏（涩能固下）。又能催生。石中黄粉，生于池泽，无砂者良。

《本草经读》 禹馀粮，甘，寒，无毒。主咳逆（补中降气，不使上逆），寒热（除脾胃湿滞之寒热，非谓可以通治寒热），烦满（性寒除热，即可以止烦；质重降逆，即可以泄满），下利赤白（除湿热之功），血闭癥瘕（消湿热所滞之瘀积），大热（热在阳明者，热必甚，此能除之）。炼饵服之不饥（其质类谷粉，而补脾土，所以谓之粮，而能充饥也）。轻身延年（补养后天之效）。［按］李时珍曰：生池泽者为禹馀粮，生山谷者为太一馀粮。本经虽分两种而治体则同。

《本经疏证》 禹馀粮，流行坎止，水之性也，然必各当其可，斯为至顺。若流行仍复坎止，坎止不废流行，即为至逆。人身之水至于不顺而逆，将胥一身之气悉引之使逆矣，尚得折之以冀其平哉。夫人身除气以外，凡若血若津若液，以及脑髓精唾涕泗泪溺，无非水也。设止一件逆而难驯，犹非大患，苟日引一件，渐渐诸件俱逆，必至正气反不足以主持，是人尚得食息起居耶。治此者惟使生气竟与病连衡，随于其中挽病气为生气，其理较之逆折为深，其势较之逆折则顺，此本经禹馀粮之主治也。咳逆寒热者，涕唾痰涎之逆也；烦满下赤白者，津液之逆也；血闭癥瘕大热者，血之逆也。涕唾痰涎之逆既已上出，仍复横溢；津液之逆，既已下漏，仍复中阻；血之逆，既已内结，仍复外发。不似水之不废流行，乃犹坎之耶。治水之道，防土为先，渗泄为要，而诸证者，中阻内结，土气并未崩溃，下赤白，外大热，上咳逆，渗泄未尝无路，又何从防，何从渗？而谁知有生于水中，得成为土之禹馀粮，能深入水中，化水气为土气者耶！夫禹馀粮系水中之石，石中有水，久则干成黄粉，居于水而不流，生于水而不濡。味甘恰合土德，气寒能平暴化，其得治因血阻结而转为热，津液阻而更渗漏，痰涎逆而复横出，亦何疑哉。或曰，赤石脂治一源二歧之病，今禹馀粮亦复似之，则赤石脂禹馀粮汤者，以其性相同而迭用之耶。曰此盖不然，夫赤石脂缀两气之违，禹馀粮化一气之盛，其病原心下痞硬，下利不止，已饮汤药，继服泻心，因复攻下，更与理中，并非杂药乱投，实亦循规蹈矩，而痞硬如故，泄利难除，则非因痞而利，乃因利而痞，前此纷纷治法，皆因痞而利之剂，故不效也，盖肺主气而下络大肠，大肠主津而上承肺，肺以津而后能降，大肠以气而后能固。今大肠之津尽下泄无以上供，则肺气壅于中，无以下固，其病不在大肠而何在？故曰利在下焦也。赤石脂者，黏肺与大肠之不相顾。禹馀粮者，钟土气于水中，水中有土，津自上承，津得上承，气自下固，气既下固，痞硬自通。利有仍不止者，则上下之气已联，特下溜之津或有不受化者，必使从小便去。而小便不利已久，不能以气机转而乍通，故须复利小便，斯彻上彻下，无一处隔碍也，可曰以功相似而叠用之耶！然则小便已阴疼者，犹是水之逆耶，而得用禹馀粮丸何也。夫汗者非他，肾之液也，肾之液入于心乃为汗，汗家而重发汗，心气既非能固，肾亦重遭迫劫，恍惚心乱者，心病。小便已阴疼者，肾病。心肾俱病，讵非津液上引，遂成熟路，寻常就下之道，反不顺耶，不谓水气逆而谁谓矣。然则阴疼不于小便前，乃于小便后，何也？夫阴疼于小便前，则为淋证，是溺已至，膀胱道涩而不得出，犹系顺中有阻，不为逆也，惟其津液习于上行，偶得下顺，旋即掣曳而上，此所以为痛，此所以为逆耳。其用禹馀粮于水中生土以镇之，犹是既下而复上之意，并不他歧也，故独用焉。且以为丸，并其质服之，精之至，专之至，正以表是物之能也。

《医家四要》 禹馀粮，止痢治崩援产难，速用禹馀粮。（［石部］研细水飞，入肠胃。同赤石脂末，人参汤下，治下焦虚脱。同干姜末，治赤白带下。）

《本草撮要》 禹馀粮，味甘，平，性淫，入手足阳明经，功专镇固下焦，得赤石脂治伤寒下利；得干姜治赤白带下；得牡蛎、乌鲗骨、桂心治崩中带下，是药既能固下，亦能催生。

《本草便读》 禹馀粮，入阳明血分有功，治利镇虚，崩带并疗能固下。秉太乙土精无毒。色黄质重，甘平兼涩性中和。（禹馀粮出山谷池泽间，乃石中黄粉或出土之未成石者。其质重，其色黄，其味甘涩，其性微寒，为手足阳明血分镇固之药也。）

尚志钧按 禹馀粮为斜方晶系褐铁矿的矿石，其主要成分为含水氧化铁（$2Fe_2O_3 \cdot 3H_2O$），混杂少量铝锰硅酸盐、磷酸盐及黏土，质重微硬易击碎成粉。通常为含铁矿处在潮湿空气中，经碳酸或有机酸，渐行分解，其铁质沉淀物，流于小溪或池沼底处，采出为黄褐色土块，质脆，敲碎，内有赤褐色细粉嚼之无砂粉感。禹馀粮味甘而涩，微寒，能涩肠固下、止泻、止带下、止血，并能补血，适用于血虚萎黄、胃肠出血、崩漏带下、久泻脱肛。仲景方治伤寒下痢不止，心下痞硬，利在下焦者，用赤石脂禹馀粮汤，赤石脂、禹馀粮各一斤，并碎之，水六升，煮取二升，去滓，分再服。《张文仲备急方》治崩中漏下青黄赤白，使人无子，用禹馀粮煅研，赤石脂煅研，牡蛎煅研，乌贼骨、伏龙肝炒，桂心，等分为末，温酒服方寸匕，日 2 服，忌葱、蒜。《证治准绳》中有禹馀粮丸，治血虚烦热，月水不调，崩漏，赤白带下，用禹馀粮火煅醋淬，附子炮去皮脐，鳖甲去裙醋炙，白石脂、当归、白术、厚朴、桑寄生、柏叶、炮姜各一两，白芍、狗脊各七钱五分，吴茱萸五钱，研末，炼蜜为丸如梧子大，每服 30 丸。成药震灵丹治妇女崩漏、带下不止，用禹馀粮、赤石脂、代赭石、紫石英、朱砂、乳香、没药等研末为丸，每 60 丸重一钱，每日 2 次，每次服 20 丸。

95 太一馀粮（《本经》）

《神农本草经》 太一馀粮，味甘，平。主咳逆上气，癥瘕，血闭，漏下，除邪气。久服耐寒暑，不饥，轻身，飞行千里，神仙，一名石脑。

《吴普本草》 太一禹馀粮，一名禹哀。神农、岐伯、雷公：甘，平。季氏：小寒。扁鹊：甘，无毒。生太山上，有甲，甲中有白，白中有黄，如鸡子黄色，九月采，或无时。

《名医别录》 太一馀粮主肢节不利，大饱绝力身重。生太山山谷，九月采。杜仲为之使，畏贝母、菖蒲、铁落。

《本草经集注》 今人惟总呼为太一禹馀粮，自专是禹馀粮尔，无复识太一者，然疗体亦相似，《仙经》多用之，四镇丸亦总名太一禹馀粮。

《雷公炮炙论》 凡使，勿误用石中黄并卵石黄，此二名石，真似禹馀粮也。其石中黄，向里赤、黑、黄，味淡微跙。卵石黄，味酸，个个如卵，内有子一块，不堪用也。若误饵之，令人肠干。太一禹馀粮，看即如石，轻敲便碎，可如粉也。兼重重如叶子雌黄，此能益脾，安脏气。凡修事四两，先用黑豆五合，黄精五合，水二斗，煮取五升，置于瓷埚中，下禹馀粮，著火煮，旋添，汁尽为度。其药气自然香如新米，捣了又研一万杵方用。

《唐本草》注 太一馀粮及禹馀粮，一物而以精、粗为名尔，其壳若瓷，方圆不定，初在壳中未凝结者，犹是黄水，名石中黄子，久凝乃有数色，或青、或白、或赤、或黄。年多变赤，因赤渐紫。自赤及紫，俱名太一。其诸色通谓馀粮。今太山不见采得者，会稽、王屋、泽、潞州诸山皆有之。

《本草拾遗》 苏云：禹馀粮及太一禹馀粮，皆以精粗为名。馀粮中黄子，年多变赤，从赤入紫，俱名太一馀粮，杂色者即禹馀粮。案苏恭此谈，直以紫色为名，都无按据，且太一者，道之宗源，太者大也，一者道也，大道之师，即禹之理化。神君，禹之师也。师常服之，故有太一之名，兼服混然。张司空云：还魂石中黄子，鬼物禽兽守之，不可妄得，即其神物也。会稽有地名蓼，出馀粮，土人掘之，以物请买，所请有数，依数必得，不可妄求，此犹有神，岂非太一也。

《本草图经》 文已具“禹馀粮”条下。

《绍兴本草》 太一馀粮与禹馀粮本一物也，特以形色为别尔。主疗之文本经具载。入药亦当煅淬用之。按《唐本》注云：或青或白，或赤或黄，年多变赤，因赤渐紫，白赤及紫，俱名太一。其诸色通谓之馀粮。今定太乙馀粮，赤紫者为是。味甘平，无毒。其名太一之说，虽具陈藏器，然唐注其明。

《本草纲目》 ［集解］［时珍曰］按《别录》言，禹馀粮生东海池泽及山岛，太一馀粮生太山山谷，石中黄出馀粮处有之，乃壳中未成馀粮黄浊水也。据此则三者一物也。生于池泽者为禹馀粮，生于山谷者为太一馀粮，其中水黄浊者为石中黄水，其凝结如粉者为馀粮，凝干如石者为石中黄。其说本明，而注者臆度，反致义晦。晋宋以来，不分山谷、池泽所产，故通呼为太一禹馀粮。而苏恭复以紫赤色者为太一，诸色为禹馀粮。皆由未加详究本文也。寇宗奭及医方乃用石壳为禹馀粮，殊不察未成馀粮黄浊水之文也。其壳粗顽不入药。《庚辛玉册》云：太一禹馀粮，阴石也，所在有之。片片层叠，深紫色。中有黄土，名曰石黄。其性最热，冬月有馀粮处，其雪先消。《云林石谱》云：鼎州祈阁山出石，石中有黄土，目之为太一馀粮。色紫黑，礌块大小圆扁，外多粘缀碎石，涤去黄土，即空虚可贮水为砚。《滴丹方鉴》云：五色馀粮及石中黄，皆可干末，出金色。［发明］［时珍曰］禹馀粮、太一馀粮、石中黄水，性味功用皆同，但入药有精粗之等尔。故服食家以黄水为上，太一次之，禹馀粮又次之。《列仙传》言巴戎赤斧上华山，饵禹馀粮，即此。

五、含锡及其化合物的矿物药

96　锡（《纲目》）

《本草纲目》　［释名］［时珍曰］《尔雅》：锡谓之钖。郭璞注云：白镴也。方术家谓之贺，盖锡以临贺出者为美也。［集解］［时珍曰］锡出云南、衡州。许慎《说文》云：锡者，银铅之间也。《土宿本草》云：锡受太阴之气而生，二百年不动成砒，砒二百年而锡始生。锡禀阴气，故其质柔。二百年不动，遇太阳之气乃成银。今人置酒于新锡器内，浸渍日久或杀人者，以砒能化锡，岁月尚近，便被采取，其中蕴毒故也。又曰：砒乃锡根。银色而铅质，五金之中独锡易制，失其药则为五金之贼，得其药则为五金之媒。《星槎胜览》言：满剌加国，于山溪中淘沙取锡，不假煎炼成块，名曰斗锡也。［正误］［时珍曰］苏恭不识铅锡，以锡为铅，以铅为锡。其谓黄丹、胡粉为炒锡，皆由不识之故也。今正之。［发明］［时珍曰］洪迈《夷坚志》云：汝人多病瘿，地饶风沙，沙入井中，饮其水则生瘿。故金、房间人家，以锡为井阑，皆夹锡钱镇之，或沉锡井中，乃免此患。

97　锡铜镜鼻（《本经》）

《神农本草经》　锡铜镜鼻，主女子血闭，癥瘕，伏肠，绝孕。

《名医别录》　锡铜镜鼻，主伏尸邪气，生桂阳山谷。

《本经·月闭通用药》　锡铜境鼻，平。

《本草经集注》　此物与胡粉异类，而今共条，当以其非止成一药，故以附见锡品中也。古无纯铜作镜者，皆用锡杂之，《别录》用铜镜鼻，即是今破古铜镜鼻尔。用之当烧令赤内酒中饮之。若置醯中出入百过，亦可捣也。铅与锡，《本经》云生桂阳，今则乃出临贺，犹是分桂阳所置。铅与锡相似，而入用大异。

《药诀》 镜鼻，味酸，冷，无毒。

《药性论》 铜镜鼻，微寒。主治产后馀疹刺痛三十六候，取七枚投醋中，熬过呷之。亦可入当归、芍药煎服之。

《唐本草》注 临贺出者名铅，一名白镴，唯此一处资天下用，其锡出银处皆有之。虽相似，而入用大异也。

《日华子本草》 古鉴，平，微毒。辟一切邪魅，女人鬼交，飞尸蛊毒，小儿惊痫，百虫入人耳鼻中，将镜就敲之，其虫即出。又催生，及治暴心痛，并烧酒淬服之。

《开宝本草》 今按别本注云：凡铸镜皆用锡和，不尔即不明白，故言锡铜镜鼻，今广陵者为胜。

《本草图经》 文具“铅”“锡”条下。

《太平圣惠方》 治小儿卒中客忤，用铜照子鼻烧令赤，著少许酒中淬过，少少与儿服之。

《绍兴本草》 锡铜镜鼻，主疗本经具载，而不云性味、有无毒。《药诀》云味酸。但此物以锡铜合成之，其服饵之家凡用之，多以淬而借气，当云无毒，末服之即有毒矣。既疗癥瘕等疾，明非性冷之药。今当作味酸，性温为定，诸注云性寒与冷者非矣。

《本草纲目》 ［释名］［时珍曰］锡铜相和，得水浇之极硬，故铸镜用之。《考工记》云，金锡相半，谓之鉴燧之剂，是也。

98 锡矿（赵学敏）

《本草纲目拾遗》 《药性考》：有毒，磨涂疗肿。

六、含铅及其化合物的矿物药

99 铅（《嘉祐》）

《嘉祐本草》 铅，味甘，无毒。镇心安神，治伤寒毒气，反胃呕哕，蛇蝎所咬，炙熨之。见日华子。

《本草拾遗》 锡、铅及琅玕、铜镜鼻铜，陶云琅玕杀锡毒，按锡有黑有白，黑锡，寒，小毒。主瘿瘤，鬼气疰忤，错为末，和青木香，傅风疮肿恶毒。《本经》虽有条，皆以成丹及粉，非专为铅、锡生文也。锡为粉，化铅为丹。《本经》云铅丹、锡粉是也。苏云铅为丹，锡为粉，深误。

《本草图经》 铅，生蜀郡平泽；锡，生桂阳山谷。今有银坑处皆有之。而临贺出锡尤盛，亦谓之白镴。铅丹，黄丹也，粉锡，胡粉也。二物并是化铅所作，故附于铅。镜虽铜而皆用锡杂之，乃能明白，故镜鼻附于锡。谨按：《字书》：为锡，为镴，铅为青金，虽相似而入用殊别也。又有铅霜，亦出于铅。其法以铅杂水银十五分之一，合炼作片，置醋瓮中密封，经久成霜，亦谓之铅白霜。性极冷，入治风痰及婴孺惊滞药。今医家用之尤多，凡铸铜之物，多和以锡。《考工记》：攻金之工。金有六齐是也。凡药用铜弩牙、古文钱之类，皆以有锡，故其用亦近之。又铅灰治瘰疬，刘禹锡著其法云：取铅三两，铁器中熬之，久当有脚如黑灰和脂涂疬子上，仍以旧帛贴之，数数去帛，拭恶汁又贴，如此半月许，亦不痛、不破、不作疮，但内消之为水，差。虽流过项亦差。

《经验方》 治发背及诸般痈毒疮。黑铅一斤，甘草三两，微炙剉，用酒一斗，著空瓶在旁，先以甘草置在酒瓶内，然后熔铅投在酒瓶中，却出酒，在空瓶内取出铅，依前熔后投，如此者九度，并甘草去之，只留酒，令病者饮，醉寝即愈。《胜金方》乌髭鬓，明目，牢齿牙。黑铅半斤，大锅内熔成汁，旋入桑条灰，柳木搅令成沙，上以熟绢罗为末。每日早晨如常揩齿牙后，用温水漱在盂子内，取用其水洗眼，治诸般眼疾，髭黄白者，用之皆变黑也。又方治金石药毒。用黑铅一斤，以坩锅中熔成汁，投酒一升，如此十数回，候酒至半升，去铅，顿服。青霞子《宝藏论》云：黑铅草伏得成宝，可点铜为银，并铸作鼎，养朱砂住得火，养水银住火，断粉霜住火。《太清服炼灵砂法》锡、铅俱禀北方壬癸阴极之精也，性濡滑，服之而多阴毒，伤人心胃。《丹房镜源》铅，咸。铅者不出银，熟铅是也。嘉州陇阤利州出铅精之叶，深有变形之状，文曰紫背铅，铅能碎金刚砧。草节铅出嘉州，打着碎，如烧之有硫黄臭烟者。信州铅、卢氏铅，此粗恶，用时直须滤过，阴平铅出剑州，是铁之苗，铅黄花投汞中，以文武火养，自浮面上，掠刮取炒作黄丹色。钓脚铅出雅州山洞溪砂中，形如皂子，又如蝌蚪子，黑色。炒铅丹法：铅一斤，土硫黄一两，消石一两，右先熔铅成汁，下醋点之，滚沸时下土硫黄一小块，并续更下消石少许，沸定再点醋，依前下少许消、黄，已消，沸尽黄亦尽，炒为末成丹。

《绍兴本草》 铅，所产土地不一，以蜀郡平泽者佳。经方虽载主疗渍服之法，若生用之即为有毒，若渍服之，当从本经味甘、无毒是矣。然但近世诸方亦稀用之。

《本草纲目》　［释名］铅，一名青金（《说文》）、黑锡、金公（《纲目》）、水中金。［时珍曰］铅易沿流，故谓之铅。锡为白锡，故此为黑锡。而神仙家拆其字国金公，隐其名为水中金。［集解］［时珍曰］铅生山穴石间，人挟油灯，入至数里，随矿脉上下曲折斫取之。其气毒人，若连月不出，则皮肤萎黄，腹胀不能食，多致疾而死。《地镜图》云：草青茎赤，其下多铅。铅锡之精为老妇。独孤滔云：嘉州、利州出草节铅，生铅未锻者也。打破脆，烧之气如硫黄。紫背铅，即熟铅，铅之精华也，有变化，能碎金刚砧。雅州出钓脚铅，形如皂子大，又如蝌蚪子，黑色，生山涧沙中，可干汞。卢氏铅粗恶力劣，信州铅杂铜气，阴平铅出剑州，是铜铁之苗，并不可用。《宝藏论》云：铅有数种，波斯铅，坚白为天下第一；草节铅，出犍为，银之精也；衔银铅，银坑中之铅也，内含五色。并妙。上饶乐平铅，次于波斯、草节。负版铅，铁苗也，不可用。倭铅，可勾金。《土宿真君本草》云：铅乃五金之祖，故有五金狴犴、追魂使者之称，言其能伏五金而死八石也。雌黄乃金之苗，而中有铅气，是黄金之祖矣。银坑有铅，是白金之祖矣。信铅杂铜，是赤金之祖矣。与锡同气，是青金之祖矣。朱砂伏于铅而死于硫，硫恋于铅而伏于硇，铁恋于磁而死于铅，雄恋于铅而死于五加。故金公变化最多，一变而成胡粉，再变而成黄丹，三变而成密陀僧，四变而为白霜。雷氏《炮炙论》云：令铅住火，须仗修天；如要形坚，岂忘紫背。注云：修天，补天石也。紫背，天葵也。［修治］［时珍曰］凡用以铁铫熔化泻瓦上，滤去渣脚，如此数次收用。其黑锡灰，则以铅沙取黑灰。白锡灰，不入药。［主治］［时珍曰］消瘰疬痈肿，明目固牙，乌须发，治实女，杀虫坠痰，治噎膈消渴风痫，解金石药毒。［发明］［时珍曰］铅禀北方癸水之气，阴极之精，其体重实，其性濡滑，其色黑，内通于肾，故局方黑锡丹、宣明补真丹皆用之。得汞交感，即能治一切阴阳混淆，上盛下虚，气升不降，发为呕吐眩晕、噎膈反胃危笃诸疾，所谓镇坠之剂，有反正之功。但性带阴毒，不可多服，恐伤人心胃耳。铅性又能入肉，故女子以铅珠纴耳，即自穿孔；实女无窍者，以铅作铤，逐日纴之，久久自开，此皆昔人所未知者也。铅变化为胡粉、黄丹、密陀僧、铅白霜，其功皆与铅同。但胡粉入气分，黄丹入血分，密陀僧镇坠下行，铅白霜专治上焦胸膈，此为异耳，方士又铸为梳，梳须发令光黑，或用药煮之，尤佳。

100 黑锡丹（《和剂局方》）

《太平惠民和剂局方》 吴直阁增黑锡丹，其配方为：黑锡、硫黄各二两，肉桂半两，附子、肉豆蔻、葫芦巴、阳起石、破故纸、木香、茴香、沉香、金铃子各一两。

先将黑锡、硫黄如常法结成砂，地上出火毒，研极细末，余药并杵罗为细末，和匀入研，以黑光色为度，酒糊丸如梧子大，每服30丸。

本品能温肾阳，散阴寒，镇逆气，定虚喘。治下元虚冷，肾不纳气，上气喘促，胸中痰壅，四肢不温，头出冷汗，脉沉细，舌淡，苔白等，属于下虚上实见症。

二味黑锡丹，由黑锡（铅）和硫黄制成，先将黑锡置铁锅内加热至300℃熔化后，徐徐入硫黄粉，同时用铁锅铲搅，硫黄粉少量加，不停地搅拌，使硫、铅在高温时化合成黑色硫化铅。制作应在室外操作。在加硫过程中，有一些硫因高温燃烧，生青蓝色火焰及强烈刺激性二氧化硫。

初炼出黑锡丹，呈砂状块，捏之即碎。呈灰黑色，质重，无臭，纯品毒性小，不纯品夹有铅，久服易中铅毒。

二味黑锡丹能温下焦，凡下焦虚寒，所致肾不纳气虚喘，带下、遗精等，均可治。多制成丸剂内服。丸如梧子大，每服30丸。二味黑锡丹，一名医门黑锡丹。有些地区药店所售，大都是本方。

101 粉锡（铅粉）（《本经》）

《神农本草经》 粉锡，味辛，寒，主伏尸毒螫，杀三虫。一名解锡。

《名医别录》 粉锡，无毒。去鳖瘕，疗恶疮，堕胎，止小便利。

《本草经集注》 即今化铅所作胡粉也。其有金色者，疗尸虫弥良，而谓之粉锡，事与经乖。

《药性论》 胡粉，使，又名定粉，味甘、辛，无毒。能治积聚不消，焦炒，止小儿疳痢。

《唐本草》注 铅丹，胡粉，实用锡造。陶今言化铅作之，《经》云粉锡，亦为误矣。

《本草拾遗》 胡粉，本功外，主久痢成疳。和水及鸡子白服，以粪黑为度，为其杀虫而止痢也。

《日华子本草》 光粉，凉，无毒。治痈肿瘘烂，呕逆，疗癥瘕，小儿疳气。

《开宝本草》 按《本经》呼为粉锡，然其实铅粉也。故英公序云：铅、锡莫辨者，盖谓此也。

《本草图经》 文具“铅”条下。

《外台秘要》 误吞钱并金银物，以胡粉一两，捣调之，分再服食水银金如泥，吞金银物在腹中，服之令消洋出之。《千金方》治疮中水。胡粉、炭灰白等分，脂和涂孔上，水即止。又方治诸腋臭，胡粉三合，以牛脂和，煎令可丸，涂之。《肘后方》治笃病新起早劳，食饮多致复欲死方，水服胡粉少许。《伤寒类要》同。又方治卒从高落下，瘀血抢心，面青短气欲死方：胡粉一钱匕，和水服之，即差。《孙真人食忌》治火烧疮。以胡粉、羊髓和涂上，封之。《食医心镜》治小儿舌上疮，取胡粉末并猪骸骨中髓傅之，日三度。张文仲治干湿癣等及阴下常湿且臭，或作疮。但以胡粉一物粉之，除即差止，常用大验。《肘后方》同。又方治寸白虫。熬胡粉令速燥，平旦作肉臛，以药方寸匕内臛中，服之有大效。又方小儿疳疮。胡粉熬八分，猪脂和涂之，差为度，油亦得。《子母秘录》小儿夜啼。胡粉服水调三豆大，日三服。又方治小儿腹胀。胡粉盐熬色变，以摩腹上，兼治腹皮青，若不理，须臾死。又方治小儿无辜痢赤白兼成疳。胡粉熟蒸，熬令色变，以饮服之。又方治小儿耳后月蚀疮，胡粉和土涂上。《丹房镜源》云：胡粉可制硫黄，亦可作外柜。

《本草衍义》 粉锡，胡粉也，又名定粉。止泄痢，积聚及久痢。

《绍兴本草》 粉锡，诸方称胡粉者是也。盖取铅烧之为粉，色白而光者佳。正名称粉锡者，但恐锡之误矣。本经虽有主治，然近世治痢诸方用之多验，及外疗疮疡，时亦为用。既因铅锻而成，当作味辛、寒，有小毒为定。

《本草纲目》 ［释名］［时珍曰］铅、锡一类也，古人名铅为黑锡，故名粉锡。释名曰：胡者糊也，和脂以糊面也。定、瓦言其形，光、白言其色。俗呼吴越者为官粉，韶州者为韶粉，辰州者为辰粉。［正误］［震亨曰］胡粉是锡粉，非铅粉也。古人以锡为粉，妇人用以附面者，其色类肌肉，不可入药。［时珍曰］锡炒则成黑灰，岂有白粉。苏恭已误，而朱震亨复踵其误，何哉？［集解］［时珍曰］按墨子云：禹造粉。张华《博物志》云：纣烧铅锡作粉。则粉之来亦远矣。今金陵、杭州、韶州、辰州皆造之，而辰粉尤真，其色带青。彼人言造法：每铅百斤，熔化，削成薄片，卷作筒，安木甑内，甑下、甑中各安醋一瓶，外以盐泥固济，纸封甑缝。风炉安火四两，养一七，便扫入水缸内，依旧封养，次次如此，铅尽为度。不尽者，留炒作黄丹。每粉一斤，入豆粉二两，蛤粉四两，水内搅匀，澄去清水。用细灰按成沟，纸隔数层，置粉于上，将干，截成瓦定形，待干收起。而范成大《虞衡志》言：桂林所作铅粉最有名，谓之桂粉，以黑铅着糟瓮中罨化之。何孟春《余冬录》云：嵩阳产铅，居民多造胡粉。其法：铅块悬酒缸内，封闭四十九日，开之则化为粉矣。化不白者，炒为黄丹。黄丹滓为密陀僧。三物收利甚博。其铅气有毒，工人必食肥猪犬肉、饮酒及铁浆以厌之。枵腹中其毒，辄病至死。长幼为毒熏蒸，多痿黄瘫挛而毙。其法略皆不同，盖巧者时出新意，以速化为利故尔。又可见昔人炒锡之谬。《相感志》云：韶粉蒸之不白，以萝卜瓮子蒸之则白。［气味］［时珍曰］胡粉能制硫黄。又雌黄得胡粉而失色，胡粉得雌黄而色黑，盖相恶也。又入酒中去酸味，收蟹不沙。［主治］［时珍曰］胡粉治食复劳复，坠痰消胀，治疥癣狐臭，黑须发。［发明］［时珍曰］胡粉，即铅之变黑为白者也。其体用虽与铅及黄丹同，而无消盐火烧之性，内有豆粉、蛤粉杂之，止能入气分，不能入血分，此为稍异。人服食之，则大便色黑者，此乃还其本质，所谓色坏还为铅也。亦可入膏药代黄丹用。

尚志钧按 粉锡，一名铅粉、胡粉、定粉、官粉、宫粉、水粉、光粉、白粉、铅华、杭粉。用铅薄皮卷起，置锅上，加醋，加热蒸熏成醋酸铅，再经二氧化碳作用而成铅粉。铅粉置木炭上燃烧，则生铅粒。本品为白色细腻而沉重之粉末或结块。其成分为碱式碳酸铅。但过去用作化妆品的定粉，多含其他香料等。铅粉味辛，性寒，有小毒，敛疮，止血，杀虫，适用于黄水疮、臁疮、外伤出血、鼻衄、蛔虫腹痛。治黄水疮，本品配铅丹、枯矾、煅松香（3:1:2:3）研细末，以香油20克调膏外贴。治臁疮，以铅粉炒焦，用桐油调，作隔纸贴之。治外伤出血、鼻衄，以铅粉炒焦，水调外敷。治蛔虫、腹痛，配甘草、蜂蜜合用。由于本品有毒，不宜内服，多作外用。治腋下狐臭，可用铅粉扑之。治面上雀斑、鼾黑，配白附子、花粉，和杏仁捣为泥外搽。治漆疮，以本品一两、轻粉三钱、石膏五钱、冰片三分，共研细末，以韭菜汁调涂。《太平圣惠方》治反花恶疮，铅粉、胭脂等分为细末，盐汤洗净患处，掺之，每日3～5次。《证治准绳》治发背痈疽溃后拔脓，其方为：铅粉30克，轻粉、银朱、雄黄、乳香（去油）、没药（去油）各0.8克，各研细末，和匀，先煎好浓茶，将疮洗净，软帛擦干，割开猪腰子一枚，用药1～1.5克掺于上，敷患处，待猪腰子上发热如蒸，良久取之，自此拔毒气、减痛苦、定疮口、出脓秽，不可手挤，第2日换药同前。《证治准绳》治一切癣疮搔痒甚者，胡粉（研）、雄黄（研）、硫黄（研）各一钱半，生草乌三钱，斑蝥三个，砒石（研）三分，全蝎三钱，麝香三分，研细末，先用羊蹄根蘸醋擦，次用药少许擦于患处。注意：此药剧毒，皮肤抓破处忌用，亦不可大面积用，黏膜处忌用，防止吸收中毒。《外科正宗》护肌药膏，用麻油一斤，火上熬至滴水成珠，入铅粉七两，搅成膏，倾入水内片刻，取出摊贴用，当溃疡面掺药粉，以此油膏摊贴之。《疡医大全》称此膏名清凉拔毒膏。《疡医大全》治天疮红肿发热，急胀疼痛，用杭粉一两，煅石膏、蛤蜊粉、轻粉各三钱，共研极细，先以针挑破，擦干，用此掺之，或用丝瓜叶捣汁调搽。

102　铅丹（《本经》）

《神农本草经》　铅丹，味辛，微寒。治咳逆，胃反，惊痫，癫疾，除热，下气。炼化还成九光，久服通神明。生平泽。

《名医别录》　铅丹，止小便利，除毒热脐挛，金疮溢血。生蜀郡。一名铅华，生于铅。

《本草经集注》　铅丹，熬铅所作黄丹画用者，俗方亦希用，唯《仙经》涂丹釜所须此。云化成九光者，当谓九光丹以为釜耳，无别变炼法。

《药性论》　铅丹，君。主治惊悸狂走，呕逆，消渴。煎膏用，止痛生肌。

《唐本草》注　丹、白二粉，俱炒锡作，今经称铅丹，陶云熬铅，俱误也。

《日华子本草》　黄丹，凉无毒。镇心安神，疗反胃，止吐血及傅金疮长肉及汤火疮，染须发。可煎膏。

《开宝本草》　铅丹，即今黄丹也，与粉锡二物，俱是化铅为之。按李含光《音义》云：黄丹、胡粉皆化铅，未闻用锡者，故《参同契》云：若胡粉投炭中，色坏为铅。《抱朴子·内篇》云：愚人乃不信黄丹及胡粉是化铅所作。今唐注以三物俱炒锡，大误矣。

《本草衍义》　铅丹，本草谓之黄丹，化铅而成，别有法。《唐本》注：炒锡作。然经称铅丹，则炒锡之说误矣。亦不为难辨，盖锡则色黯暗，铅则明白，以此为异。治疟及积皆用。

《绍兴本草》　铅丹，俗名黄丹也。以铅为之。唐注称炒锡作之者，诚为误矣。又本经虽具主疗，而云微寒，未见有无毒，但近世处用者多。窃详铅丹，本硫黄、消石炒铅而成，当从微寒而有小毒。若复制熬而用之者，当作性平而无毒矣。

《汤液本草》 铅丹，微寒，辛。黄丹也。《本草》云：主吐逆反胃，惊痫癫疾，除热下气。止小便利，除毒热筋挛，金疮溢血。又云：镇心安神，止吐血。《本经》涩可去脱而固气。成无已云：铅丹收敛神气，以镇惊也。《药性论》云：君。治消渴，煎膏止痛生肌。

《本草衍义补遗》 铅丹，属金，而有土与水火，丹出于铅而曰无毒，又曰凉。予观窃有疑焉。曾见中年一妇人，因多子，于月内服铅丹二两，四肢冰冷强直，食不入口，时正仲冬，急服理中汤加附子数帖而安，谓之凉而无毒可乎？铅丹本谓之黄丹，化铅而成，别有法。《唐本》注炒锡作，然经称铅丹则炒锡之说，误矣。亦不为难辨，盖锡则色黯暗，铅则明白，以此为异尔。

《本草蒙筌》 铅丹，制炒有法（其法：铅一斤，土硫黄一两，硝石一两，先熔铅成汁，下醋点沸，时下小硫黄一块，续下硝石少许。沸定再点醋。依前下黄、硝少许，待硝沸尽，黄亦尽，炒为末成丹）。考其气味辛寒。一名黄丹，外科多用。先入水飞净砂土，后驾火炒变褐黄。煎膏敷金疮，生长肌肉住痛；入药治痫疾，收敛神气镇惊。除毒热脐挛，止翻胃吐逆。经云：涩可去脱。铅丹固气，而……处有铜所，形方圆不定，色青黄类铜，不从矿炼而成，故曰自然铜也。制宜火煅醋淬，研末绝细水飞。治跌损接骨续筋，疗折伤散血止痛，热酒调服，立建奇功，若非煅成，切勿误服。谟按：丹溪云：世以自然铜为接骨妙药，殊不知跌损之方，贵在补气、补血、补胃。俗工不明此理，惟图速效取钱。倘遇老弱之人，若服此新出火者，其火毒金毒相扇，又挟香热药之毒，虽有接伤之功，然燥散之祸，甚于刀剑，戒之！戒之！

《本草纲目》 ［集解］［时珍曰］按独孤滔《丹房镜源》云：炒铅丹法：用铅一斤，土硫黄十两，消石一两。熔铅成汁，下醋点之，滚沸时下硫一块，少顷下消少许，沸定再点醋，依前下少许消、黄，待为末，则成丹矣。今人以作铅粉不尽者，用消石、矾石炒成丹。若转丹为铅，只用连须葱白汁拌丹慢煎，煅成金汁倾出，即还铅矣。货者多以盐消砂石杂之。凡用以水漂去消盐，飞去砂石，澄干，微火炒紫色，地上去火毒，入药。《会典》云：黑铅一斤，烧丹一斤五钱三分也。［气味］［时珍曰］铅丹本无甚毒，此妇（指《本草衍义补遗》之月内服铅丹二两之中年妇人）产后冬月服之过剂，其病宜矣。［主治］坠痰杀虫，去怯除忤恶，止痢明目。［发明］［时珍曰］铅丹体重而性沉，味兼盐、矾，走血分，能坠痰去怯，故治惊痫癫狂、吐逆反胃有奇功。能消积杀虫，故治疳疾下痢疟疾有实绩。能解热拔毒，长肉去瘀，故治恶疮肿毒，及入膏药，为外科必用之物也。

《本草原始》 铅丹出蜀郡平泽。即今熬铅所作黄丹也。味辛，微寒，无毒。主吐逆胃反，惊痫癫疾，除热下气，炼化还成九光，久服通神。止小便，除毒热脐挛，金疮血溢。惊悸狂走，消渴，煎膏，止痛生肌。镇心安神，止吐血及嗽，敷疮长肉，及汤火疮，染须。治疟及积。坠痰，杀虫，去怯，除忤恶，止痢，明目。

《炮炙大法》 铅丹，即黄丹，生铅一味，火煅研成细末，水飞过用。今货者多以盐、消、砂石杂之。凡用以水漂去消盐，飞去砂石，澄干，微火炒紫色，地上去火毒，入药。

《珍珠囊补遗药性赋》 黄丹，熬铅作之。生肌止痛。（黄丹，《图经》作铅丹，又名虢丹。用时，炒令赤色，研细。味辛，微温，无毒。止吐逆，疗癫痫，敷金疮良。）

《雷公炮制药性解》 黄丹乃熬铅所作，铅本水中之金，最能制火，吐狂等证，何者非火？而有不瘳者乎。

《本草正》 黄丹，味辛，微咸，微涩，性重而收，大能燥湿，故能镇心安神，坠痰降火，治霍乱吐逆，咳嗽吐血，镇惊痫癫狂，客忤除热下气，止疟，止痢，禁小便，解热毒，杀诸虫毒，治金疮火疮湿烂，诸疮血溢，止痛生肌长肉，收阴汗，有解狐臭，亦去翳障，明目。

《本草乘雅半偈》 铅秉重玄，五金水也。点烹成丹，碎大块作太末，转丹还铅，会太末，归太玄，下而上，外而内，元始含璧，动定九光，丹体备已。故主吐逆反胃，惊走狂癫，下而上者，上而下矣。痫疾下气，忤恶聚积，外而内者，内而外矣。水济火则热除，火济水则通神，丹成敌应，莫捷于铅。

《本草通元》 黄丹，体重性沉，味兼咸。能坠痰去怯，治惊痫癫狂吐逆，能消积杀虫，治疳疾疟痢，能解热拔毒，长肉去腐，治恶疮肿毒。

《医宗说约》 黄丹，味辛，镇癫狂，止痛生肌，截疟神方。（熬铅所作，山东者佳，入血分。）

《本草述》 黄丹，按就铅霜而言，先哲谓其一气之交感，其义悉于前矣。即取轻粉毒（轻粉即水银升炼者，一名水银粉，又见石部）。其法用黑锡作壶，煮土茯苓酒服之，是交感之一证也。就铅丹而言，土宿真君曰：硫恋于铅。又方书曰：硫能死铅，铅得硫则化，即治溲闭一案可验矣。（治溲闭案，见“硫黄”条，时珍论中。）然解硫毒者，还用黑锡煎汤解之，是何一水一火，其交感又如是耶？盖天一生水，地二生火，在人身水火同宫，即天地间阴阳二气并二气所凝者，与人身无异也。故硫与铅交感而交化，至阳者恋乎阴而得所归，至阴者合于阳而行其化，阳得所归则火降，阴行其化则水升，水火之气和，而气血亦和。此铅丹之所以能除热下气，治吐逆反胃，及痫癫惊狂烦渴诸疾，而外傅疮疡更效也。又按方书，于铅丹主治，有数证，可以参其微义，如治齿衄，先哲谓此证所因不一。其属肾虚者，为火乘水虚而上，服凉剂反甚，宜盐汤下安肾丸，间黑锡丹。盖谓肾水枯而心火炎，或兼痰气壅塞，用黑锡与硫黄结砂子为主剂，而和以温补肾气者也。又治痔证下血下止，于神效方中而入铅丹。方中用白矾者，是收阴于亢阳之中，以散阳邪而救真阴也。又绿矾用火煅赤，俾其理脾阴，和脾气，转为血脏地耳。更用伏龙肝，欲用阳以化阴，俾湿化行而血乃化，且又不属燥剂也。至用猬皮如是物固疗痔证为专矣。统诸味而绎之，则铅丹固相助为理者也。又治头痛证，有治八般头风，如草乌尖、细辛，而此味入少许以和血，盖风脏即血脏也。又消瘅证有乌金散，止铅丹、细墨二味合治，以疗心中热渴欲饮者也。更滞下圣饼子之治，此味同于定粉、陀僧、硫黄、轻粉，同为相感相交之气味，以疗脐腹撮痛之久痢，而化其积者也。以上特举内治之数证，以为例推耳，至于外傅所治尤多。兹亦止录咽喉一方，追风散治咽喉肿痛，用黄丹、朴硝、猪牙皂角煅、炒仁壳煅灰各五钱为细末，每用少许，以鹅毛蘸药入口中，傅舌上下及肿处，然后以温水灌嗽。（以上本《证治准绳》。）

《本草崇原》 铅有毒，炼铅成丹，则无毒，铅丹下品，不堪久服，炼铅丹而成九光，则可久服，学者所当意会者也。

《本草备要》 铅丹，用黑铅加硝黄、盐矾炼成。咸寒沉重，味兼盐矾。内用坠痰去怯，消积杀虫，治惊疳疟痢，外用解热拔毒，去瘀长肉，熬膏必用之药。（用水漂去盐硝砂石，微火炒紫色，摊地上，去火毒用。）

《本经逢原》 铅丹体重性沉，味兼盐矾而走血分，能坠痰止疟。《本经》言止吐逆胃反，治惊痫癫疾，除热下气，取其性重以镇逆满也。仲景柴胡龙骨牡蛎汤用之，取其入胆以祛痰积也。但内无积滞，误服不能无伤胃夺食之患。傅疮长肉，坠痰杀虫，皆铅之本性耳。目暴赤痛，铅丹蜜调贴太阳穴立效。

《本草诗笺》 （铅丹，治吐逆反胃。目暴赤痛，蜜调贴太阳穴立效。）铅丹体重主于沉，无毒微寒味带辛；功在坠痰能降逆，效兼主疟足安身；祛虫（杀虫）入胆人如旧（取其入胆以弃疟积），长肉除疮肌若新；目痛陡然来发赤，蜜调敷处治尤神。

《得配本草》 黄丹，伏砒，制硇硫。辛，微寒，味兼盐矾，走血分。内用，坠痰去怯，治惊痫癫狂，吐逆，消积杀虫，治疳疾，下痢，疟疾。外用，解热拔毒，长肉去腐，治恶疮肿毒，及入膏药。为外科之要药。得鲤鱼胆汁，点眼生珠管。配黄连炒丸，治赤白痢，配建茶末酒服，治疟疾。和蜜水服，治小儿瘴疟。水漂，澄干，微火炒紫色用。

《本草求真》 黄丹，系用黑铅、硝黄、盐、矾煅炼而成，故味兼咸而走血，其性亦能杀虫解热，坠痰祛积，且更拔毒去瘀，长肉生肌，膏药每取为用。目暴赤痛，铅丹调贴太阳，立效。

《罗氏会约医镜》 黄丹，镇心解毒。（以黑铅加硝黄、盐、矾炼成。味咸寒。）镇心安神，坠痰降火，内用治惊痫癫狂，消积杀虫，止痢除疟。外用解热拔毒，去瘀长肉。熬膏必用之药。收阴汗，消狐臭。

《本经疏证》 铅丹，镇吐逆胃反，惊痫癫疾，阳劫阴乱也。其证迥异，其源同乎，是盖有同焉者矣。夫火之气胜则能消水，水之力厚则能灭火。假使火虽盛而水力不衰，水虽旺而火能驱迫，其相激荡相追逐，而彼此不相下，不致两败不已矣。吐逆胃反者，火虽能激水于中而下之，阳既已无主。惊痫癫疾者，阳虽能搅阴于外，而中之阳亦已散乱。病有在中在下之不同，其源于两不相下则一也。铅丹之物，其妙在质，本色黑属水之铅，以硫消幻变成丹，则改属火，比之水为火激，而升阴为阳搅而乱无异也。但水本润下，以火迫故，遂喜升而不就下。阴本凝定，为阳搅故，遂拂乱而不向安。此其始固由于火与阳之驱迫，及其继不能不责水与阴之乐从。惟是物虽被硫消威胁熔炼成丹，然终能不失重镇下坠之性，一加煎沸，还复为铅，定静坚凝，依然故物，施之于水火阴阳之相搏，其有不阳敛而阴复其位，火归而水遂其润乎！除热下气，总言其功能之所竟也。然惟阴阳水火虽争，而两皆不亏，两皆未败者宜之。若施之于乏极而动，及一胜一负者，正亦祸不旋踵，故仲景用之，惟杂柴胡承气之间乃为当耳。

《本草撮要》 铅丹，味咸，寒，沉重。入手足太阴、少阴经，功专坠痰止惊。单用涂黄水疮神效。得龙骨、牡蛎，治心脏神惊。一名黄丹。

尚志钧按 铅丹，用铅炼制而成。先将黑铅、白矾烧结成块（约烧 8～10 小时），将块捣为末，用水反复淘洗，晒干，再烧结（烧 24 小时），再捣为细末，入铁罐内封固，烧 4 日，即成黄红色铅丹，色鲜艳，光滑腻粉末状，质重，不透明。铅丹主要成分为四氧化三铅（Pb_3O_4），或氧化铅（PbO）、过氧化铅（$PbO_2 \cdot 2PbO$）。过氧化铅是炼烧时，由氧化铅再氧化而成，炒成紫红色名老黄丹。本品味辛，微寒，有毒，解毒生肌，镇心坠痰，适用于痈疽肿毒、溃疡、癫痫惊狂。治疗痈疮肿毒，将本品与植物油熬成膏药基质，配制硬膏外贴。治疗痈疽溃后，将本品配腐蚀药，可去腐敛脓。配入生肌药中能生肌敛疮，但不能久用。如用后疮口变黑，或呈猪肝色，表示过用铅丹所致。小儿及疮口面积大者忌用。治癫痫惊狂，与龙骨、牡蛎、柴胡、黄芩合用。治疟疾，配青蒿研末服。

《证治准绳》敛创内消方，对痈疽初起，能清热内消；对痈疽脓已成时能拔毒束毒。其方配制如下：黄明胶3克，水50毫升，消溶，入黄丹6克，再煮三五沸，放温冷。以鸡毛扫疮上。如未成脓，涂肿处自消。本方对疮口不宜反复使用。凡初起疮口经用药后呈猪肝色，或发黑，多是过用铅丹所致。

治溃疡红肿而硬（余毒未尽），用广丹一两，煨石膏四两，轻粉五钱，梅片一钱，研成细末，撒布局部。

治溃疡毒尽不敛，麻油一两熬热透，入黄蜡五钱烊化，另取广丹一钱，白及二钱，共研细末加入拌匀，外敷发背疮面大者。

一方，广丹一钱，白及二钱，共研细末，入凡士林一两五钱调成软膏，外敷发背疮面较大者。

铅丹性涩而收，对黄水湿疮，及溃疡久不收口，配煅石膏研末外掺。

《经验方》治痈疽疮溃后脓水淋漓，其方配制如下：煅石膏60克，轻粉30克，桃丹15克，冰片0.15克，研极细末，和匀，掺于疮口，外用膏贴。

又方，黄丹9克，炉甘石（煅赤）（水黄连，荆芥水溶）6克，龙骨（竹叶包定，水湿，火煅）、乳香（去油）、没药（去油）各6克，各研细末，和匀，掺患处，盖膏。

《陆氏积德堂方》治血风臁疮，其方配制为：黄丹30克，黄蜡30克，香油60毫升，先将香油加热，入黄蜡融化，将黄丹筛入搅匀成膏，先以葱汤洗疮净，油纸摊膏贴。

《医宗金鉴》治旋耳疮，其方为：穿山甲（炙）、轻粉（研）、铅粉、黄丹（水飞过）等分，各研极细末，和匀，香油调敷。此方亦治渗出糜烂皮肤溃疡及脚趾缝湿烂。

《钱乙方》治小儿湿疮、癣疳，其方为：黄丹（水飞）30克，黄柏、黄连各15克，轻粉3克，麝香0.75克，各为细末，和匀，先以温泔水洗，后贴之。

《经验方》治鹅掌风，其方配制及用法如下：飞铅丹2克，明矾22克，研细末，入热滚米醋500毫升，搅匀离火，待温浸泡患处，醋冷再加热，泡50分钟，浸毕待其自干，不可洗涤。每日3次。次日换药再擦浸。一般连续治疗4天后，第5天即可用热水洗手，患处厚皮逐渐脱落。6~7天后即可恢复正常。如年久顽固者，可再进行4~8天。治疗时忌酒和发物。经期、孕期忌用。

《经验方》治鸡眼，胼胝，用铅丹2克，水杨酸70克，研极细末，用甘油调成硬膏，量鸡眼或胼胝大小，取硬膏少许压成薄片，贴在患处，患处外周贴上胶布，防止硬膏侵及健康皮肤，然后包扎好。每周换药1次，连用2～3次，可蚀去鸡眼或胼胝。

《经验方》治口腔糜烂，用铅丹、朱砂、枯矾等分，研为细末，吹患处。此方对其他处黏膜溃疡，如女阴溃疡，用药粉掺患处，亦效。

铅化物有毒，凡含铅制剂，不宜久用或大面积应用。但铅丹（黄丹）同植物油，经过煎熬，形成黑膏药，毒性大减，这种黑膏药形成一种基质，添加不同的药料，外贴可治相应病证。刚出锅的黑膏药，有火毒，不可用，须置清水中泡，去火毒后方可用。

103　密陀僧（《唐本》）

《唐本草》　密陀僧，味咸，辛，平，有小毒。主久痢，五痔，金疮，面上瘢䵟，面膏药用之。

《唐本草》注　形似黄龙齿而坚重，亦有白色者，作理石文，出波斯国。一名没多僧，并胡言也。

《药谱》　密陀僧，一名甜面淳于。

《蜀本草》注　五痔：谓牡痔、酒痔、肠痔、血痔、气痔。

《日华子本草》　味甘，平，无毒。镇心，补五脏，治惊痫，嗽呕及吐痰等。

《本草图经》　密陀僧，本经不载所出州土。注云出波斯国。今岭南、闽中银铜冶处亦有之，是银铅脚。其初采矿时，银、铜相杂，先以铅同煎炼，银随铅出。又采山木叶烧灰，开地作炉，填灰其中，谓之灰池。置银、铅于灰上，更加火大煅，铅渗灰下，银住灰上，罢火候冷出银。其灰池感铅、银气，置之积久成此物。今之用者，往往是此，未必胡中来也。形似黄龙齿而坚重者佳。

《雷公炮炙论》　时呼密陀僧，凡使，捣令细，于瓷埚中安置了，用重纸袋盛柳蚛末，焙密陀僧埚中，次下东流水浸令满，著火煮一伏时足，去柳末、纸袋，取密陀僧用。《太平圣惠方》治䵟䵳斑点方：用密陀僧二两，细研，以人乳调涂面，每夜用之。又方治赤白痢，所下不多，遍数不减，用密陀僧三两，烧令黄色，研如粉，每服醋、茶调下一钱匕，日三服。《外台秘要》治面生光方：以密陀僧用乳煎，涂面佳，兼治皻鼻疱。《谭氏小儿方》疗豆疮瘢，面黡。以密陀僧细研，水调，夜涂之，明旦洗去，平复矣。

《本草别说》 今考市中所货，乃是用小瓷瓶实铅丹煅成者，块大者，尚有小瓶形状。银冶所出最良，而罕有货者，外国者未尝见之。通治口疮最验。

《本草衍义》 密陀僧坚重，椎破如金色者佳。

《绍兴本草》 密陀僧，性味主疗已载本经。《图经》云：是银铅脚，今人多取铅丹火煅所成。其银铅脚者，多自闽越中来也，或云自波斯国来者，亦须自银铅而成。当从本经有小毒。《日华子》云无毒者，非也。

《本草纲目》 ［集解］［时珍曰］密陀僧原取银冶者，今既难得，乃取煎销银铺炉底用之。造黄丹者，以脚滓炼成密陀僧，其似瓶形者是也。［气味］［时珍曰］制狼毒。［主治］［时珍曰］疗反胃消渴，疟疾下痢。止血，杀虫，消积。治诸疮，消肿毒，除狐臭，染髭发。［发明］［时珍曰］密陀僧感铅银之气，其性重坠下沉，直走下焦，故能坠痰、止吐、消积，定惊痫，治疟痢，止消渴，疗疮肿。洪迈《夷坚志》云：惊气入心络，瘖不能言语者，用密陀僧末一匕，茶调服，即愈。昔有人伐薪，为狼所逐而得是疾，或授此方而愈。又一军校采藤逢恶蛇病此，亦用之而愈。此乃惊则气乱，密陀僧之重以去怯而平肝也。其动力与铅丹同，故膏药中用代铅丹云。

尚志钧按 密陀僧，一名没多僧、炉底。用黄丹（$PbO_2 \cdot 2PbO$）加热至400℃，使其中过氧化铅（PbO_2）分解，放出氧得氧化铅（PbO），呈扁状结块，色黄，表面光滑，有蜡样光泽，质重而松脆，断面较粗，显灰绿色，有银白色金属闪光。在潮湿空气中，吸收水与二氧化碳，成白色碱式碳酸铅［$PbCO_3Pb(OH)_2$］，名铅粉。密陀僧味辛、咸，性平，有小毒，除湿敛疮，去狐臭，消皯及雀斑。治口疮，以煅密陀僧末掺之；治臁疮，本品研细末，香油调，摊油纸贴之；治疮久不敛，配香油、松香、肥皂熬膏，摊油纸贴；治狐臭，以密陀僧细粉扑之；治面雀斑、皯黑、粉刺，配白附子、白芷、冰片、花粉和杏仁泥捣为膏外擦。成药汗斑散：以本品一钱配轻粉五分，雄黄、硫黄、蛇床子各二钱，冰片一分，共研细面，以醋调外擦汗斑、面痣、雀斑、粉刺、紫癜风、白癜风。或用黄瓜蒂蘸药擦之，每日3～4次。擦面部时，不可误入眼内。《普济方》陀僧散，治口舌生疮，密陀僧、黄柏、甘草各七钱，蒲黄、黄药子各三钱，共研细末，掺患处。

104 铅霜（《嘉祐》）

《嘉祐本草》 铅霜，冷，无毒，消痰，止惊悸，解酒毒，疗胸膈烦闷、中风痰实，止渴。

《本草图经》 文具“铅”条下。

《简要济众》 治室女月露滞涩，心烦恍惚。铅白霜细研为散，每服一钱，温地黄汁一合调下。

《十全博救》 治鼻衄方：铅白霜为末，取新汲水调服一字。

《本草衍义》 铅霜，《图经》已著其法，治上膈热涎塞。涂木瓜失酸味，金克木也。

《绍兴本草》 铅霜，以铅造作之，其法备载《图经》。以其色白，故又名铅白霜也。详本经主疗，当从性冷、无毒是矣。

《本草纲目》 ［修治］［时珍曰］铅霜一名铅白霜，以铅打成钱，穿成串，瓦盆盛生醋，以串横盆中，离醋三寸，仍以瓦盆覆之，置阴处，候生霜刷下，仍合住。［主治］治吐逆，镇惊去怯，黑须发。［发明］［时珍曰］铅霜乃铅汞之气交感英华所结，道家谓之神符白雪，其坠痰去热，定惊止泻，盖有奇效，但非久服常用之物尔。病在上焦者，宜此清镇。

105 子母悬（赵学敏）

《本草纲目拾遗》 翟箌川（掌记）：子母悬出贵州铅矿中，乃铅之精气所结。得其大者成块，有数十斤，生凿为洗盆，沐头面发，至老不白，明目，去瘢痣，泽容润肌，凡人面有紫黑瘢记，久沐尽去。

解毒：去疣赘息肉，乌须发，明目。

尚志钧按 铅及其化合物铅丹、铅粉、密陀僧都有毒，功用相近，能治疮口久不敛，以及骨疽、狐臭、面皯、粉刺等。同香油共熬成黑膏药基质，可以调配各种外贴的膏药。铅化物与铜化物，对胃刺激性很大，入胃则漾漾欲吐。

七、含汞及其化合物的矿物药

106 水银（汞）（《本经》）

《神农本草经》 水银，味辛，寒。治疥瘙、痂疡、白秃，杀皮肤中虫虱，堕胎，除热。杀金、银、铜、锡毒，熔化还复为丹。久服神仙不死。生平土。

《名医别录》 水银，有毒。以傅男子阴，阴消无气。一名汞。生符陵，出于丹砂。

《雷公炮炙论》 水银，凡使勿用草中取者，并旧朱漆中者，勿用经别药制过者，勿用在尸过者，半生半死者。其水银若在朱砂中产出者，其水银色微红，收得后，用葫芦收之，免遗失。若先以紫背天葵并夜交藤自然汁二味，同煮一伏时，其毒自退。若修十两，用前二味汁各七镒，和合煮足为度。

《本草经集注》 水银有生熟，此云生符陵平土者，是出朱砂腹中，亦别出沙地，皆青白色，最胜。出于丹砂者，是今烧粗末朱砂所得，色小白浊，不及生者。甚能消金银，使成泥，人以镀物是也。还复为丹，事出《仙经》。酒和日曝，服之长生。烧时飞著釜上灰，名汞粉，俗呼为水银灰，最能去虱。

《药性论》 水银，君。杀金铜毒，姹女也，有大毒。朱砂中液也，此还丹之元母，神仙不死之药。伏银五金为泥，生能堕胎，主疗病疥等，缘杀虫。

《唐本草》 水银，出于朱砂，皆因热气，未闻朱砂腹中自出之者。火烧飞取，人皆解法。南人又蒸取之，得水银少于火烧，而朱砂不损，但色少变黑耳。

《本草拾遗》 水银，利水道去热毒。入耳能食脑至尽，入肉令百节挛缩，倒阴绝阳，人患疮疥多以水银涂之，性滑重，直入肉，宜慎之。昔北齐徐王疗挛躄病，以金物火炙熨之。水银得金当出蚀金，候金色白者是也，如此数度并差。

《日华子本草》 水银，无毒。治天行热疾，催生，下死胎，治恶疮，除风，安神，镇心。镀金烧粉人多患风，或大段使作须饮酒，并肥猪肉及服铁浆，可御其毒。

《嘉祐本草》 按《广雅》云：水银谓之澒。

《本草图经》 水银，生符陵平土，今出秦州、商州、道州、邵武军，而秦州乃来自西羌界。《经》云：出于丹砂者，乃是山石中采粗次朱砂，作炉置砂于中，下承以水，上覆以盎，器外加火煅养，则烟飞于上，水银溜于下，其色小白浊。陶隐居云：符陵平土者，是出朱砂腹中，亦别出沙地，皆青白色。今不闻有此。至于西羌来者，彼人亦云如此烧煅。但其山中所生极多，至于一山自拆裂，人采得砂石，皆大块如升斗，碎之乃可烧煅，故西来水银极多于南方者。谨案《广雅》水银谓之澒，丹灶家乃名汞，盖字亦通用耳。其炉盖上灰，亦名澒粉是也。又飞炼水银为轻粉，医家下膈最为要药。服者忌血，以其本出于丹砂故也。

《本草衍义》 水银，入药虽各有法，极须审谨，有毒故也。妇人多服绝娠。今人治小儿惊热涎潮，往往多用。《经》中无一字及此，亦宜详谛。得铅则凝，得硫黄则结，并枣肉研之则散。别法煅为腻粉、粉霜，唾研毙虱。铜得之则明，灌尸则令尸不腐。以金银铜铁置其上则浮，得紫河车则伏。唐·韩愈云：太学博士李干，遇信安人方士柳贲，能烧水银为不死药。以铅满一鼎，按中为空，实以水银，盖封四际，烧为丹砂，服之下血。比四年病益急，乃死。余不知服食说自何世起，杀人不可计，而世慕尚之益至。此其惑也。在文书所记，及耳闻传者不说。今直取目见，亲与之游，药败者六七公，以为世诫。工部尚书归登自说：既服水银得病，若有烧铁杖，自颠贯其下，摧而为火，射窍节以出，狂痛号呼，乞绝。其茵席得水银，发且止，唾血，十数年以毙。殿中御史李虚中，疽发其背死。刑部尚书李逊谓余曰：我为药误。遂死。刑部侍郎李建，一旦无病死。工部尚书孟简邀我于万州，屏人曰：我得秘药，不可独不死。今遗子一器，可用枣肉为丸服之。别一年而病。后有人至，讯之。曰：前所服药误，方且下之，下则平矣。病二岁卒。东川节度御史大夫卢坦，溺血，肉痛不可忍，乞死。金吾将军李道古，以柳贲得罪，食贲药，五十死海上。此可为诫者也。蕲不死，乃速得死，谓之智，可不可也？五谷三牲，盐醯果蔬，人所常御，人相厚勉，必曰强食。今惑者皆曰五谷令人夭，当务减节，临死乃悔。呜呼，哀也已！今有水银烧成丹砂，医人不晓，研为药衣，或入药中，岂不违误，可不谨哉！

《绍兴本草》 水银所产，出自丹砂。其造作之法，备载《图经》，而但有精粗矣。乃至阴之物，其味辛，寒者是也。然主疗备于本经，以性为至毒，不可妄用，其伤人甚速。《日华子》云：无毒者，明乃无字之误。方皆以他药制炼用之，当从《药性论》有大毒是矣。

《本草纲目》 ［时珍曰］水银，其状如水似银，故名水银。澒者，流动貌。方术家以水银和牛、羊、豕三脂杵成膏，以通草为炷，照于有金宝处，即知金银铜铁铅玉龟蛇妖怪，故谓之灵液。［集解］［时珍曰］汞出于砂为真汞，雷敩言有草汞。陶弘景言有沙地汞。《淮南子》言弱土之气生白礜石，礜石生白澒。苏颂言陶说者不闻有之。按陈霆墨谈云：拂林国当日没之处，地有水银海，周围四五十里。国人取之，近海十里许，掘坑井数十，乃使健夫骏马，皆贴金箔，行近海边。日照金光晃耀，则水银滚沸如潮而来，其势若粘裹。其人即回马疾驰，水银随赶。若行缓，则人马俱扑灭也。人马行速，则水银势远力微，遇坑堑而溜积于中。然后取之，用香草同煎，则成花银，此与中国所产不同。按此说似与陶氏沙地所出相合；又与陈藏器言人服水银病拘挛，但炙金物熨之，则水银必出蚀金之说相符。盖外番多丹砂，其液自流为水银，不独炼砂取出，信矣。胡演丹药秘诀云：取砂汞法：用瓷瓶盛朱砂，不拘多少，以纸封口，香汤煮一伏时，取入水火鼎内，炭塞口，铁盘盖定。凿地一孔，放碗一个盛水，连盘覆瓶鼎于碗上，盐泥固缝，周围加火煅之，待冷取出，汞自流入碗矣。邕州溪峒烧取极易，以百两为一铫，铫之制似猪脬，外糊厚纸数重，贮之即不走漏。若撒失在地，但以川椒末或茶末收之，或以真金及鍮石引之即上。[主治][时珍曰]镇坠痰逆，呕吐反胃。[发明][时珍曰]水银乃至阴之精，禀沉着之性。得凡火煅炼，则飞腾灵变；得人气熏蒸，则入骨钻筋，绝阳蚀脑。阴毒之物无似之者。而大明言其无毒，《本经》言其久服神仙，甄权言其还丹元母，《抱朴子》以为长生之药。六朝以下贪生者服食，致成废笃而丧厥躯，不知若干人矣。方士固不足道，本草其可妄言哉？水银但不可服食尔，而其治病之功，不可掩也。同黑铅结砂，则镇坠痰涎；同硫黄结砂，则拯救危病。此乃应变之兵，在用者能得肯綮而执其枢机焉。余见铅白霜及灵砂下。

《本草蒙筌》 以瓷罐取汞，又名水银。（用瓷罐二个。掘地成坎，深阔量可容二罐。先埋一罐于坎，四围用土筑稳实，内盛水满。仍一罐，入朱砂半满，上加敲碎瓦粒，剪铁线髻如月圆样一块，闭塞罐口，倒覆下罐之上，条令两口相对，弦缝盐泥封固。以熟炭火先文、后武，煅炼一炷香久，其砂尽出，水银流于下罐水内。复起上罐，检出皮壳，入新朱砂，固济再煅。每好砂一两常煅出七八钱，低者仅五六钱而已。）盛以葫芦，免其走失。杀五金大毒，恶磁石同前。得铅则凝，得硫则结，得紫河车则伏，置金银铜铁于上则浮。并枣核研则散扬，并津唾研则毙虱。尸体灌之不朽，铜锡搓之则明。和大枫子研末，则杀疮虫，佐黄芩为丸，则绝胎孕（方名断孕丸）。匪专医药，亦入丹炉。皮壳名曰天硫，仙方谓之已土。倘修炼得法，可点铜成银。

《本草原始》 水银。生符阳平土，出于丹砂，乃是山中采粗次朱砂，作炉置砂于中，下承以水，上覆以盆，外加火煅养，则烟飞于上，水银溜于下，其状似水如银，故名。（味辛，寒，有毒。主小儿惊痰，急惊坠痰，女人胎动，难产断产，胎死肚中。解金银毒，一切恶疮，虫癣瘙痒，头上虱虫。水银装于葫芦中，免其走失，置金银钢铁于其上则浮，并枣合研则散，唾研之毙虱，铜搓之则明，尸灌之不朽。）

《药性歌括四百味》 水银性寒，治疥杀虫，断绝胎孕，催生立通。

《炮炙大法》 草中取者并旧朱漆中者、轻别药制过者、在尸过者、半生半死者，俱勿用。在朱砂中产出者，其色微红，收得后用葫芦收，免遗失。先以紫背天葵并夜交藤自然汁二味同煮一伏时，其毒自退。若修十两，用前两味汁各七镒，和合，煮足为度。畏磁石、砒石、黑铅、硫黄、大枣、蜀椒、紫河车、松脂、松叶、荷叶、谷精草、金星草、萱草、夏枯草、莨菪子、雁来红、马蹄香、独脚莲、水慈姑、瓦松、忍冬。

《珍珠囊补遗药性赋》 水银除疥虱与疮疡。（水银即朱砂液，能消化金银使成泥。味辛，寒，有毒。一名汞。畏磁石。难产可用催生。）

《雷公炮制药性解》 疗虫疹等证，良由其毒也，又杀五金毒者，盖以其性阴柔，能消五金为泥耳。入耳能蚀脑至尽，入肉令百节挛缩，倒阴绝阳，性滑重，极易入肉，最宜谨之。能下死胎，可灌尸骸。《内传》极言其炼服之功，然后世食之者，往往丧生，可为妄信者戒。

《本草经疏》 水银从石中迸出为石汞。从丹砂中出者为朱里汞，即丹砂中液也。禀至阴之气而有汞，故其味辛，其气寒而有毒，善能杀虫。其性下走无停歇，故《本经》以之主疥瘘痂疡，白秃，杀皮肤中虱，及堕胎除热也。至阴之精能消阳气，故不利男子阴也。神仙不死之说，必得铅华相合，乃能收摄真气。凝结为丹即道家所谓太阳流珠，常欲去人卒得金华转而相因之旨也。伏炼五金为泥，以其性能杀金银铜锡毒也。熔化还复为丹，亦出仙家烹炼耳。［主治参互］得矾石、丹砂、芒硝、雄黄、黑铅，入阳城罐内，如法升炼，名红粉霜。能止痛生肌，少加冰片研匀，擦广疮有效，制法具矾、轻粉。同大风子、蛇床子、樟脑、轻粉、枯矾、雄黄、胡桃油治疥癣虫疮。《肘后方》一切恶疮，水银、黄连、胡粉熬黄各一两，研匀，傅之，干则以唾调。［简误］陈藏器曰：水银入耳，能食人脑至尽；入肉令百节挛缩，倒阴绝阳。人患疮疥多以水银涂之，性滑重，直入肉，宜谨之。头疮切不可用，恐入经络，必缓筋骨。寇宗奭云：水银入药，虽各有法，极须审谨，有毒故也。历举学士、大夫惑于方士之说，服煅炼水银而暴卒者，不可胜数，妇人误服多致绝孕。其为毒害昭昭矣。惟宜外敷，不宜内服，入口为厉，可不戒哉！

《本草正》 水银辛，寒，有大毒。能利水道，去热毒。同黑铅结砂，则镇坠痰涎；同硫黄结砂，则疗劫危疾。极善堕胎、杀诸虫及疥癣癞疮。凡有虫者皆宜之，亦善走经络，透骨髓，逐杨梅风毒。其他内证不宜轻用，头疮亦不可用，恐入经络，必缓筋骨，百药不治也。李时珍曰：水银乃至阴之精，禀沉着之性。得凡火煅炼，则飞腾灵变；得人气熏蒸，则入骨钻筋，绝阳蚀脑。阴毒之物无似之者，而大明言其无毒，本经言其久服神仙，甄权言其还丹元母，《抱朴子》以为长生之药。六朝以下贪生者服食，致成废笃而丧厥躯，不知若干人矣。方士固不足道，本草其可妄言哉？水银但不可服食尔，而其治病之功不可掩也。

《本草乘雅半偈》 龙从火里得，金向水中求，不需他方寻觅矣。［参］曰：水银，似水如银也。原名澒，澒从水项声，音为水银澒，俗作水银汞者谬矣。澒者，天地鸿洞，未分之象也。故澒含水而流，含风而动，含火而熔，含地而坚，显诸木而色华青，显诸火而还丹赤，显诸土而峭粉黄，显诸金而凝霜白，显诸水而结砂玄。随合仍分，随分仍合，遍周四大，拈簇五行，神仙不死药也。顾注留九窍，死且不朽，况饵服者乎。故对待生欲速朽者，为疹瘘，为痂疡白秃，杀皮肤中虱，其功特著。有言气寒为阴金之属者，恐失体用相荡之为性矣。

《本草通元》 水银辛，寒，有毒，镇坠痰气上逆，呕吐反胃，杀虫堕胎，下死胎。水银，乃至阴之精，禀沉着之性，得凡火煅炼，则飞腾灵便，得人气熏蒸则入骨钻筋，近巅顶蚀脑而百节挛废，近阴蒸则阴消而痿败不兴。同黑铅结砂则镇坠痰涎，同硫黄结砂拯救危病，在用之者，合宜尔。

《医宗说约》 水银辛寒，杀虫除疥，堕胎绝孕，升丹功大。

《本草述》 愚按水银，谓其能镇坠痰逆，然在铅固曰坠痰，而铅霜尤云的剂，其所主果属何味也？盖痰为液所化，肾主五液，铅禀北方癸水之气，阴极之精，能摄液而归肾，宜其镇坠痰逆也。水银为离中之坎，与铅气交感，自同气相求以归于下，若然是铅为气之先矣。但痰之原在肾，而液之化为痰也，则在上，痰之由热化者，以心火为主。丹砂为主心火，汞蕴于其内，是水在火中也。得火中之水以祛热，而痰之上逆者，乃得顺下而坠之。观陈藏器谓其利水道，去热毒。寇宗奭云：主小儿惊热痰涎，则可以思其用矣。或曰：《日华子本草》言铅霜主胸膈烦闷中风痰实，固取铅汞交感之义。而戴原礼治中风痰壅甚者，间投养正丹，较铅霜更有硫、砂二味，得毋阳交补欤？曰：不也。盖铅归于肾以宅阴，而硫恋于铅以同归，汞固感乎同气之铅，在砂亦趋乎同气之硫。（人生结胎之始，先生命门，天一生水，壬为阳水，配丁之阴火而生丙，然后生心。即此则砂亦趋于同气之硫，其义可思，更参石硫黄论，乃为得之。）此丹正治上实下虚，上焦痰热甚者，固属下之阴虚甚也。然又非纯阴之剂所能坠，并借阳之所归，因而导之，仿佛于从治之法，俾能奏功于危笃耳。但本方四味各等分，如虚阴而阳盛以为病也，硫、砂止宜居其少半，即阴阳两虚，硫、砂亦宜如其半而止，防其虚阳愈僭，而上逆愈甚也。（灵砂分两，汞八两，硫止二两。此法可仿也。）又按水银之毒，陈嘉谟以为朱砂伏火而成，气味纯阳为毒。殊不知时珍所云，阴毒之物无似之者之议为确也。盖水银乃砂中之汞，取汞离砂，则为纯阴矣。观取者用水承下以招之，使烟飞于上，汞满于水，则其义可知。天地间宁独纯阳之性为毒，而纯阴之性其毒等也。故其入骨蚀脑者，骨为肾之余，脑为髓之充，髓为骨之精，皆以其同气致害也。若人死而入水银，犹能不即腐者，以血肉之躯属阴，而此纯阴之气能全之也。知此，则偏胜之阴，犹不可轻饵，况乎脱砂之汞，复烧炼以求长生，不知其何所取而冀补益，只用自伐其生也。

《本草崇原》 水银辛寒，有毒。主治疹瘘痂疡白秃，杀皮肤中虱，堕胎，除热，伏金银铜锡毒，熔化还复为丹。久服神仙不死。（水银一名汞，一名灵液，又名姹女。古时出符陵平土，产于丹砂中，亦有别出沙地者。今秦州、商州、道州、邵武军、西羌、南海诸番，岭外州郡皆有。《陈霆墨谈》云：拂林国当日没之处，地有水银海，周围四五十里，国人取之近海十里许，掘坑井数十，乃使健夫骏马，皆贴金箔，行近海边，日照金光晃耀，则水银滚沸如潮而来，其势若粘裹，其人即回马疾驰，水银随赶。若行缓，则人马俱扑灭也，人马行速，则水银势远力微，遇坑堑而溜积于中，然后取之。又，马齿苋干之十斤，可得水银八两，名曰草汞。）水银气味辛寒，禀金水之真精，为修炼之丹汞，烧朱则鲜红不渝，烧粉则莹白可爱，犹人身中焦之汁化血则赤，化乳则白，此天地所生之精汁也。主治疹瘘痂疡白秃者，禀水精之气，能清热而养血也。杀皮肤中虱，堕胎者，禀金精之气，能肃杀而攻伐也，性寒故能除热，汞乃五金之精，故能杀金银铜锡毒。水银出于丹砂之中，而为阳中之阴。若熔化，则还复为丹，而为阴中之阳。一名灵液，又名姹女，乃天地所生之精汁，故久服神仙不死。（凡人误食水银则死。《本经》乃谓：久服神仙不死者，盖以古之神仙，取铅汞二物，用文武火候炼养久久，而成还丹，服之得以延年不老，指此言耳，非谓水银可以久服也。然其法久已失传，方士窃取其说以惑人，苟有服者，势在必死，载于典籍不一而足，不可以《本经》有是文而误试之。然谓《本经》六字竟是后之方士增加者，恐又不然也。）

《本草择要纲目》 水银辛寒，有毒。[主治] 疮瘘疡白秃，杀皮肤中虱，堕胎，除热，杀金银铜锡毒。熔化还复为丹。以傅男子阴，阴消无气，利水道，去热毒，主天行热疾，除风安神镇心，治恶疮瘑疥杀虫，催生下死胎。（丹砂烧之成水银，积变又还成丹砂，其去凡草木远矣。金汞在九窍则死人为之不朽。水银入耳能食人脑至尽，入肉令百节挛缩，倒阴绝阳，人患疮疥，多以水银涂之，性滑重直入肉宜谨之。头疮切不可用，恐入经络，必缓筋骨，百药不治也。）

《本草备要》 水银辛寒，阴毒。功专杀虫。治疮疥虮虱。（性滑重，直入肉，头疮切不可用，恐入经络，令人筋骨拘挛。）解金银铁铜锡（能杀五金）。堕胎绝孕。从丹砂烧煅而出。畏磁石、砒霜。得铅则凝，得硫则结，人唾研则碎，散失在地者，以花椒、茶末收之。

《本经逢原》 辛寒有毒。水银阴毒重著，不可入人腹。古法治误食水银，令其人卧于椒上，则椒内皆含水银。今有误食水银，腹中重坠，用猪脂二觔，切作小块焙熟，入生蜜拌食得下，亦一法也。《本经》主疥瘘、痂疡、白秃，杀皮肤中虱，堕胎除热，杀金银铜锡毒，熔化还复为丹。[发明] 水银乃至阴之精，质重著而性流利。得盐矾为轻粉，加硫黄为银朱，阳城罐同硫黄打火升炼，则为灵砂，同硝皂等，则为升降灵药，性之飞腾灵变，无似之者，此应变之兵，在用者得其肯綮而执其枢要焉。《本经》主疥疡、白秃、皮肤中虱，及堕胎除热，傅男子阴，则阴消无气，以至阴之精，能消阳气，故不利男子阴气也。《和剂局方》之灵砂丹，专取硫黄以制汞。养正丹兼取伏火丹砂以制铅，深得交通阴阳，既济水火之妙用，非寻常草要可以例推也。《千金》治白癞风痒。《外台》治虫癣疥痒。《梅师》治痔疮作痒。《肘后》治一切恶疮。藏器有云，水银入耳，能蚀人脑，令人百节挛缩，但以金银著耳边即出。头疮切不可用，恐入经络，必缓筋骨，百药不治。

《神农本草经百种录》 水银，味辛，寒。主疥瘘、痂疡、白秃，杀皮肤中虱（解皮毛中湿热之毒，虱亦湿热所生也），堕胎（至重能堕胎。又胎气始生，肝气养之，金克木则伤肝而胎堕也），除热，杀金银铜锡毒（得五金之精气，故能除其毒也）。熔化还复为丹（水银出于丹砂中者为多，故亦可炼成丹石。金精得火，变化不测，铅汞皆如此）。久服神仙不死（以其不朽而能变化也）。

（水银五金之精也，得五金之精气而未成质，炼之亦能为金银等物，其所治皆皮肤热毒之疾。盖肺属金而主皮毛，亦以气相感也。丹家炉鼎之术，以水银与铅为龙虎，合炼成丹，服之则能长生。久视飞升羽化，自《参同契》以后，其说纷纷，高明之士为所误者，不一而足。夫水银乃五金之精，而未成金体者也。凡金无不畏火，惟水银则百炼如故，以其未成金质，中含水精，故火不得而伤之。其能点化为黄白者，亦因药物所炼，变其外貌，非能真作金银也。今乃以其质之不朽，欲借其气以固形体，真属支离。盖人与万物本为异体，借物之气，以攻六邪，理之所有。借物之质，以永性命，理之所无。术士好作聪明，谈天谈易，似属可听，实则伏羲画卦、列圣系辞，何尝有长生二字，此乃假托大言，以愚小智，其人已死，诡云尚在。试其术者，破家丧身，未死则不悟，既死则又不知。历世以来，昧者接踵，总由畏死贪生之念迫于中，而反以自速其死耳，悲夫。）

《本草诗笺》 水银实禀至阴精，有毒辛寒莫与京；除疥杀虫稍有益，堕胎蚀脑最无情；晶莹荡漾饶沉重，活泼流行善变更；阴器误遭常不举，任他阳盛总教倾。

《玉楸药解》 水银辛寒。入手少阴心、足少阴肾经。杀虫去虱，止痛拔毒。

水银，大寒至毒。治疥癣痔瘘，杨梅恶疮，灭白粉皰。但可涂搽，不可服饵，服之痿阳绝产，筋挛骨痛。古人服方士烧炼水银，以为不死神丹，殒命夭年不可胜数，帝王卿相多被其毒。古来服食求神仙，多为药所误，其由来远矣。勿入疮口。

《得配本草》 水银（一名汞），畏磁石、砒石、黑铅、硫黄、大枣、蜀椒、紫河车、松脂、松叶、荷叶、谷精草、金星草、萱草、夏枯草、莨菪子、雁来红、马蹄香、独脚莲、水慈姑、瓦松、忍冬。辛寒，有毒。解五金毒，杀疮疥虫，堕胎绝孕。紫背天葵，并夜交藤自然汁同煮，以去其毒。得铅则凝，得硫则结，并枣肉、人唾研则碎，散失在地者，得川椒、茶叶则收。头疮禁用（恐入经络，致筋骨拘挛，百药不治也）。

《本草求真》 ［批］杀诸虫疮疥。水银（走而不守），从石中迸出者为石汞，从丹砂中出者为朱里汞，究皆丹砂液也。性禀至阴，辛寒有毒，质重着而流利。得盐、矾为轻粉；加硫黄为银朱；阳成罐同硫黄打火升炼，则为灵砂；同皂矾则为升降灵丹。药之飞腾灵变，无有过是，故以之杀诸虫疥疮也。然至阴之性，近于男子阴器则必消痿无气；入耳能蚀人脑至尽（头疮切不可用）；入肉令百节挛缩。外敷尚防其毒之害，内服为害，不待言而可知矣（今人有水银烧成丹砂，医人不晓误用，不可不谨）。得枣肉入唾同研则散，得铅则凝，得硫黄则结。（时珍曰：水银阴毒之物无似之者。而《大明》言其无毒，《本经》言其久服成仙。甄权言其还丹元母，《抱朴子》以为长生药。六朝以下贪生者服食，致成废笃而丧厥躯，不知若干人矣。方士固不足道，本草其可妄言哉？水银但不可服食耳，而治病之功，不可掩也。同黑铅结砂，则镇坠，又铅同硫黄结砂，则拯救危病。此乃应变之兵，在用者能得肯綮而执其枢要耳。）得紫河车则伏，得川椒则收（水银失在地者，以花椒、茶末收之）。

《罗氏会约医镜》 水银外用杀虫（辛寒有大毒）。阴毒之性专杀诸虫。治疥癣癞疮（同大枫子用。头疮不用，恐入经络）。除虱堕胎（死胎可下）。永绝胎孕（佐黄芩丸服）。止可外用，不可内服。枣肉、人唾、麻油同研则碎。

《本草撮要》 水银辛寒，阴毒。入手足太阴经。功专杀虫。治疮疥虮虱，解金银铜锡毒，堕胎绝孕。从丹砂烧煅而出，得铅则凝，得硫则结。并枣肉、人唾研则碎。散失在地者，以花椒末、茶末收之。畏磁石、砒霜。

《本草便读》 水银，性极阴寒。其治则虫蚀成疮，毒偏重坠，还元返本，当知锻炼之得宜。拯逆扶危，须识配合之有法。（水银用朱砂烧炼而出，沉寒大毒。得凡火煅炼，则飞腾灵变。得人气熏蒸，则入骨钻筋，绝阳蚀脑，莫此为甚。其得铅则凝，得硫则结，铜得之则明，尸得之不腐。然古方拯逆救危，每每与铅、硫并用，取其镇坠痰涎，还元返本，其功不可尽掩也。外治之法，尤甚效验。）

《五十二病方》 408行云：治干骚（瘙）方：以雄黄二两，水银两少半，头脂一升……傅之。治痂361行云：以水银、谷汁和而傅之。又345行云：善洒，靡（磨）之血，以水银傅。治般（瘢）318行云：以水银二，男子恶四，丹一……傅之。治痈374行云：取水银靡（磨）掌中，以和药，傅。

《说文解字》 澒，丹砂所化为水银也。

《淮南子》 白礜，九百岁生白澒，白澒九百岁生白金。高诱注云：白澒，水银也。

《广雅·释器》 水银谓之澒。

《抱朴子》 丹砂烧之成水银，积变又还成丹砂。

《本草经》 水银，味辛，寒。主疥瘘、痂疡、白秃，杀皮肤中虱，堕胎，除热。杀金银铜锡毒。熔化还复为丹，久服神仙不死。

《小品方》 治瘑癣疥恶疮方，水银、矾石、蛇床子、黄连各二两，四物捣筛，以腊月猪膏七合，并下水银搅万度，不见水银，膏成，傅疮。

《肘后方》 治恶疮方，水银、黄连、胡粉熬令黄，各二两，下筛，粉疮。

尚志钧按 水银简称为汞，在常温下，是唯一的液态金属。单质产出多作银白色液体小球，散布于岩石缝隙间，但数量很少，大部分与硫化合成丹砂，多由人工提炼而成。多量水银装在容器内，呈银白色，微有亮光，比重为13.6，极易流动，少量倒在平盘内，极易分裂成多数小球，流过处不留污痕。如冷却至零下40℃即呈固体，成八面形结晶，晶体坚硬如铁。加热至356℃则沸腾并挥发有毒的汞蒸气。与10倍脂肪油共研磨，即成灰白色油膏，与硫黄研磨，则成灰黑色粉末。汞能溶解金、银、铜、锡等金属而生成汞齐，所以汞是极好的重金属溶剂。在山西长治的战国墓中，曾出土镀金的车马饰物。当时人们就用金汞齐来镀金。将金汞齐涂在铜器表面，再经烘烤，汞蒸发后，金就留在器物表面，成为镀金，这种方法名鎏金技术，此技术在春秋战国时已被人们掌握了。1968年，河北满城西汉刘胜之妻窦绾墓中出土的长信宫灯，至今仍闪着金光，就是用了鎏金技术。水银味辛，性寒，有大毒，能杀虫，适用于顽癣疥癞、恶疮、梅毒、痔漏、狐臭、白癜风。治杨梅结毒破溃不收口方，朱砂、雄黄、银朱各9克，水银4.5克，先以黑铅3克溶化，入水银于内，共研匀，用红枣20个，和药末捣匀作饼。分用10饼，每日一饼，放在小口罐内烧烟，对患处熏之，周围遮盖勿令泄气，3日用3饼。治臁疮，配水银、银朱、黄丹、无名异、百草霜，各等分，先将水银与银朱同研，后3味各研末，再和匀，用桐油调成膏。用油纸摊，作隔纸膏贴之。油纸须先以黄连、黄柏煎汤刷数遍，阴干。然后摊贴。治疥疮、皮癣，以水银一分，胡桃仁、大枫子仁各五分，共捣成泥为丸，每丸重6克，每晚用一丸擦胸前剑突下，连用5晚，可治疥疮。亦可以纱布包扎，擦皮肤癣、恶疮肿毒、梅毒。由于水银毒性大，今已不直接配成制剂应用。多用升丹原料，制成各种汞化物的方剂，如：红升丹、白绛丹、轻粉、红粉等丹剂，对疮疡有提脓生肌的作用。可根据不同病情需要，用熟石膏的极细粉末制成各种不同浓度粉剂，掺敷患处，同时起到提脓生肌的功效。

107 丹砂（《本经》）

《神农本草经》 丹砂，味甘，微寒。治身体五脏百病，养精神，安魂魄，益气明目，杀精魅邪恶鬼。久服通明不老。能化为汞。生山谷。

《吴普本草》 丹砂，神农：甘。黄帝、岐伯：苦，有毒。扁鹊：苦。李氏：大寒。或生武陵。采无时。能化朱成水银。畏磁石，恶咸水。

《名医别录》 丹砂，无毒。主通血脉，止烦满、消渴，益精神，悦泽人面，除中恶、腹痛、毒气、疥瘘、诸疮。久服轻身神仙。作末名真朱，光色如云母，可析者良。生符陵，采无时。

《雷公药对》 丹砂，微寒。主目肤翳。恶磁石，畏咸水，忌一切血。

《雷公炮炙论》 丹砂，凡使，宜须细认，取诸般尚有百等，不可一一论之。有妙硫砂，如拳许大，或重一镒，有十四面，面如镜，若遇阴沉天雨，即镜面上有红浆汁出。有梅柏砂，如梅子许大，夜有光生，照见一室。有白庭砂，如帝珠子许大，面上有小星现。有神座砂，又有金座砂、玉座砂，不经丹灶，服之而自延寿命。次有白金砂、澄水砂、阴成砂、辰锦砂、芙蓉砂、镜面砂、箭镞砂、曹末砂、土砂、金星砂、平面砂、神末砂，已上不可一一细述也。夫修事朱砂，先于一静室内焚香斋沐，然后取砂，以香水浴过了，拭干，即碎捣之，后向钵中，更研三伏时竟，取一瓷锅子，着研了砂于内，用甘草、紫背天葵、五方草，各剉之，著砂上下，以东流水煮，亦三伏时，勿令水火阙失，时候满，去三件草，又以东流水淘令净，干晒，又研如粉，用小瓷瓶子盛，又入青芝草、山须草半两，盖之，下十斤火煅，从巳至子时方歇，候冷，再研似粉。如要服，则入熬蜜，丸如细麻子许大，空腹服一丸。如要入药中用，则依此法。凡煅，自然住火，五两朱砂，用甘草二两，紫背天葵一镒，五方草自然汁一镒，若东流水，取足。

《本草经集注》 丹砂，按此化为汞及名真朱者，即是今朱砂也。俗医皆别取武都仇池雄黄夹雌黄者，名为丹砂。方家亦往往俱用，此为谬矣。符陵是涪州，接巴郡南，今无复采者。乃出武陵、西川诸蛮夷中，皆通属巴地，故谓之巴砂。《仙经》亦用越砂，即出广州临漳者，此二处并好，惟须光明莹澈为佳。如云母片者，谓云母砂。如樗蒲子，紫石英形者，谓马齿砂，亦好。如大小豆及大块圆滑者，谓豆砂。细末碎者，谓末砂。此二种粗，不入药用，但可画用尔。采砂皆凿坎入数丈许。虽同出一郡县，亦有好恶。地有水井，胜火井也。炼饵之法，备载《仙方》，最为长生之宝。

《唐本草》 丹砂，大略二种，有土砂、石砂。其土砂，复有块砂、末砂，体并重而色黄黑，不任画用，疗疮疥亦好，但不入心腹之药尔，然可烧之，出水银乃多。其石砂便有十数种，最上者光明砂，云一颗别生一石龛内，大者如鸡卵，小者如枣栗，形似芙蓉，破之如云母，光明照澈，在龛中石台上生，得之者，带之辟恶为上，其次或出石中，或出水内，形块大者如拇指，小者如杏仁，光明无杂，名马牙砂。一名无重砂，入药及画俱善，俗间亦少有之。其有磨嵯、新井、别井、水井、火井、芙蓉、石末、石堆、豆末等砂，形类颇相似。入药及画，当择去其杂土石，便可用矣。别有越砂，大者如拳，小者如鸡鹅卵，形虽大，其杂土石不如细明净者。经言末之名真朱，谬矣。岂有一物而以全、末为殊名者也。

《药性论》 丹砂，君，有大毒。镇心，主尸疰，抽风。

《日华子本草》 丹砂，凉，微毒。润心肺，治疮疥痂息肉。服并涂用。

《开宝本草》 丹砂，今出辰州、锦州者，药用最良，余皆次焉。陶云出西川，非也。蛮夷中或当有之。

《本草图经》 丹砂，生符陵山谷，今出辰州、宜州、阶州，而辰州者最胜，谓之辰砂，生深山石崖间，土人采之，穴地数十尺，始见其苗乃白石耳，谓之朱砂床。砂生石上，其块大者如鸡子，小者如石榴子，状若芙蓉头，箭镞，连床者紫黯若铁色，而光明莹澈，碎之崭岩作墙壁，又似云母片可析者，真辰砂也，无石者弥佳。过此皆淘土石中得之，非生于石床者。陶隐居注：谓出武陵西川诸蛮中，今辰州乃武陵故地，虽号辰砂，而本州境所出殊少，往往在蛮界中溪溆、锦州得之，此地盖陶所谓武陵西川者是也。而后注谓出西川为非，是不晓武陵之西川耳。宜砂绝有大块者，碎之亦作墙壁，但罕有类物状，而色亦深赤，为不及辰砂，盖出土石间，非白石床所生也。然宜州近地春州、融州皆有砂，故其水尽赤，每烟雾郁蒸之气，亦赤黄色，土人谓之朱砂气，尤能作瘴疠，深为人患也。阶砂又次，都不堪入药，惟可画色耳。凡砂之绝好者，为光明砂，其次谓之颗块，其次谓之鹿蔌，其下谓之末砂，而医方家惟用光明砂，余并不用，采无时。谨按：郑康成注《周礼》，以丹砂、石胆、雄黄、礜石、磁石为五毒，古人惟以攻创疡，而《本经》以丹砂为无毒，故人多炼治服食，鲜有不为药患者。岂五毒之说胜乎？服饵者，当以为戒。

《本草衍义》 丹砂，今人谓之朱砂。辰州朱砂，多出蛮峒。锦州界猎獠峒老鸦井，其井深广数十丈，先聚薪于井，满则纵火焚之。其青石壁迸裂处，即有小龛，龛中自有白石床。其石如玉，床上乃生丹砂。小者如箭镞，大者如芙蓉，其光明可鉴，研之鲜红。砂洎床，大者重七八两，至十两者，晃州亦有。形如箭镞带石者，得自土中，非此之比也。此物镇养心神，但宜生使。炼服，少有不作疾者，亦不减硫黄辈。又一医流服伏火者数粒，一旦大热，数夕而毙。李善胜尝炼朱砂为丹，经岁余，沐浴再入鼎，误遗下一块，其徒丸服之，遂发懵冒，一夕而毙。其生朱砂，初生儿便可服，因火力所变，遂能杀人，可不谨也。

《本草别说》 丹砂，谨按：金、商州亦见出一种，作土气色，微黄。陕西、河东、河北、京东、京西等路并入药，及画家亦用。长安、蜀中研以代水银朱作漆器。又信州近年出一种极有大者，光芒墙壁，略类宜州所产。然皆有砒气，破之多作生砒色，入药用，见火恐杀人。今浙中市肆所货往往多是，用者宜审谛之。

《绍兴本草》 丹砂，即朱砂是也，以其色名之。主治已载本经，唯产辰州光明铁色者佳。本经味甘，微寒，无毒。而注说或称有毒。按古方小儿初生有服朱蜜法，即知无毒明矣。在方生用之，即微寒无毒。若经火煅炼之，即性变大热而有毒矣。又《别说》云：信州近年出一种极有大者，光芒墙壁，略类宜州所产，然皆有砒气，破之作土砒色。其伤人之说不可不疑之。今详生砒形色然亦有色红者，但比之丹砂，殊难杂矣。

《汤液本草》 丹砂，心热者非此不能除。《局方本草》云：丹砂味甘，微寒，无毒。养精神，安魂魄，益气明目，通血脉。《药性论》云：君。有大毒。镇心，主抽风。《日华子》云：凉，微毒，润心肺，恶磁石，畏咸水。

《本草蒙筌》 丹砂，味甘，气微寒。生饵无毒，炼服杀人。出辰州（属湖广）峦峒井中（本境所出朱砂，多在猎獠峒老鸦井得之）。在井围青石壁内。土人欲觅，多聚干柴，纵火满井焚之，致壁迸裂，始见有石床如玉洁白。生砂块，似血鲜红，大类芙蓉头（有四五两至十两一块者）。小若羽箭镞（俗呼箭头砂）。其甚小者，豆砂米砂。作墙壁明澈为优，成颗粒鹿簌略次。米砂下品，铁屑常多。磁石引除，染画充用。一云：火井者，不如水井力胜（水井有砂者，其水尽赤，每有烟霞郁蒸之气）；新井者，难及旧井色深。凡治病邪，惟取优等。磁钵擂细，清水淘匀。服饵无忧，效验自应，恶磁石，畏咸水。经云：丹砂象火，色赤主心。故能镇养心神，通调血脉，杀鬼祟精魅，扫疥瘘疮疡。止渴除烦，安魂定魄。方士甚重，常多买求。谓能点化飞升，每每烧炼不绝。谟按：汪石山曰：经云朱砂微寒，生饵无毒。伏火者，大毒杀人。水银乃火煅朱砂而成，何谓无毒？其性滑动，走而不守。气味俱阳，从可知矣。阳属热火。

《本草纲目》 ［释名］［时珍曰］丹砂，丹乃石名，其字从井中一点，象丹在井中之形，义出许慎《说文》。后人以丹为朱色之名，故呼朱砂。［集解］［时珍曰］丹砂以辰、锦者为最。麻阳即古锦州地。佳者为箭镞砂，结不实者为肺砂，细者为末砂。色紫不染纸者为旧坑砂，为上品；色鲜染纸者为新坑砂，次之。苏颂、陈承所谓阶州、金、商州砂者，乃陶弘景所谓武都雄黄，非凡砂也。范成大《桂海志》云：本草以辰砂为上，宜砂次之。然宜州出砂处，与湖北大牙山相连。此为辰砂，南为宜砂，地脉不殊，无甚分别，老者亦出白石床上。苏颂乃云，宜砂出土石间，非石床所生，是未识此也。别有一种色红质嫩者，名土坑砂，乃土石间者，不甚耐火。邕州亦有砂，大者数十百两，作块黑暗，少墙壁，不堪入药，惟以烧取水银。颂云融州亦有，今融州无砂，乃邕州之讹也。臞仙《庚辛玉册》云：丹砂石以五溪山峒中产者，得正南之气为上。麻阳诸山与五溪相接者，次之。云南、波斯、西湖砂，并光洁可用。柳州一种砂，全似辰砂，惟块圆如皂角子，不入药用。商州、黔州土丹砂，宣州、信州砂，皆内含毒气及金银铜铅气，不可服。张果《丹砂要诀》云：丹砂者，万灵之主，居之南方。或赤龙以建号，或朱鸟以为名。上品生于辰、锦二州石穴，中品生于交、桂，下品生于衡、邵。名有数种，清浊体异，真伪不同。辰、锦上品砂，生白石床之上，十二枚为一座，色如未开莲花，光明耀日。亦有九枚为一座。七枚、五枚者次之。每座中有大者为主，四围小者为臣朝护，四面杂砂一二斗抱之。中有芙蓉头成颗者，亦入上品。又有如马牙光明者，为上品；白光若云母，为中品。又有紫灵砂，圆长似笋而红紫，为上品；石片棱角生青光，为下品。交、桂所出，但是座上及打石得，形似芙蓉头面光明者，亦入上品；颗粒而通明者，为中品；片段不明澈者，为下品。衡、邵所出，虽是紫砂，得之砂石中者，亦下品也。有溪砂，生溪州砂石之中；土砂，生土穴之中，土石相杂，故不入上品，不可服饵。唐·李德裕《黄冶论》云：光明砂者，天地自然之宝，在石室之间，生雪床之上。如初生芙蓉，红芭未拆。细者环拱，大者处中，有辰居之象，有君臣之位。光明外澈，采之者，寻石脉而求，此造化之所铸也。[修治][时珍曰]今法惟取好砂研末，以流水飞三次用。其末砂多杂石末、铁屑，不堪入药。又法：以绢袋盛砂，用荞麦灰淋汁，煮三伏时取出，流水浸洗过，研粉飞晒用。又丹砂以石丹、消石和埋土中，可化为水。[气味][时珍曰]丹砂，《别录》云无毒，岐伯、甄权言有毒，似相矛盾。按何孟春《余冬录》云：丹砂性寒而无毒，入火则热而有毒，能杀人，物性逐火而变，此说是也。丹砂之畏磁石、碱水者，水克火也。[主治][时珍曰]治惊痫，解胎毒痘毒，驱邪疟，能发汗。[发明][时珍曰]丹砂生于炎方，禀离火之气而成，体阳而性阴，故外显丹色而内含真汞。其气不热而寒，离中有阴也。其味不苦而甘，火中有土也。是以同远志、龙骨之类，则养心气；同当归、丹参之类，则养心血；同枸杞、地黄之类，则养肾；同厚朴、川椒之类，则养脾；同南星、川乌之类，则祛风。可以明目，可以安胎，可以解毒，可以发汗，随佐使而见功，无所往而不可。夏子益《奇疾方》云：凡人自觉本形作两人，并行并卧，不辨真假者，离魂病也。用辰砂、人参、茯苓，浓煎日饮，则真者气爽，假者化也。《类编》云：钱丕少卿夜多噩梦，通宵不寐，自虑非吉。遇邓州推官胡用之曰：昔常如此。有道士教戴辰砂如箭镞者，涉旬即验，四五年不复有梦。因解髻中一绛囊遗之。即夕无梦，神魂安静。道书谓丹砂辟恶安魂，观此二事可征矣。[时珍曰]叶石林避暑录载：林彦振、谢任伯皆服伏火丹砂，俱病脑疽死。张杲《医说》载：张悫服食丹砂，病中消数年，发鬓疽而死。皆可为服丹之戒。而《周密野语》载：临川周推官平生孱弱，多服丹砂、乌、附药，晚年发背疽。医悉归罪丹石，服解毒药不效。疡医老祝诊脉曰：此乃极阴证，正当多服伏火凡砂及三建汤。乃用小剂试之，复作大剂，三日后用膏敷贴，半月而疮平，凡服三建汤一百五十服。此又与前诸说异。盖人之脏腑禀受万殊，在智者辨其阴阳脉证，不以先人为主。非妙入精微者，不能企此。

《药性歌括四百味》　丹砂镇心养神，祛邪杀鬼，定魄安魂。（生饵无害，炼服杀人。）

《药鉴》　辰砂，寒，味甘，无毒。其色赤，赤象心，心主血，故能镇养心神，通调血脉。除中恶腹痛，扫疥瘘疮疡。止渴除烦，安魂定魄。和大枫子研末，则杀疮虫，佐条黄苦为丸，则绝胎孕。

《本草原始》　（制丹砂，用瓷钵细擂，以流水飞三次，晒干，任用。）丹砂出辰州蛮峒井中，在井围青石壁内。土人欲觅，多聚干柴，纵火满井焚之，致壁迸裂，始见有石床，洁白如玉，砂块生于其上，大块类芙蓉头，小块类箭镞，其甚小者豆砂、米砂，作墙壁明澈者为优，成类粒鹿簌者次之，米砂为下，铁屑最低。火井不如水井者力胜，新井不如旧井者色深，凡治病邪惟取优等。丹乃石名，其字从井中一点，象丹在井中之形，义出许慎《说文》，后人以丹为朱色，故呼朱砂。(味甘，微寒，无毒。主身体五脏百病，养精神，安魂魄，益气明目，杀精魅邪恶鬼，久吃通神。通血脉，止烦满消渴，益精神，悦泽人面，除中恶腹痛，毒气，疥瘘诸疮，轻身，润心肺。治疮痂息肉，并涂之。治惊痫，解胎毒、痘毒，驱邪疟，能发汗。凡用砂以有神色者为德。)

《炮炙大法》 丹砂即朱砂，有数种。硫砂如拳许大，或重一镒，有十四面，面如镜，若遇阴沉天雨，即镜面上有红浆汁出；有梅柏砂，如梅子许大，夜有光生，照见一室；有白庭砂，如帝珠子许大，面上有小星现；有神座砂，又有金座砂、玉座砂，不经丹灶，服之而自延寿命；次有辰锦砂、芙蓉砂、箭镞砂，以上九种，皆可入药用。丹砂入药，只宜生用，慎勿升炼，一经火炼饵之杀人。研须万遍，要若轻尘，以磁石吸去铁气。恶磁石，畏盐水、车前、石韦、皂荚、决明、瞿麦、南星、乌头、地榆、桑葚、紫河车、地丁、马鞭草、地骨皮、阴地蕨、白附子，忌诸血。

《珍珠囊补遗药性赋》 丹砂，金屑、玉屑、辰砂、石床，能驱邪而逼鬼祟，可定魄而制癫狂；止渴除烦，安镇灵台；明耳目补精益气，依经炼服寿延长。(丹砂一名朱砂，味甘，微寒，无毒，惟辰州者最胜，故谓之辰砂。生深山石崖间，穴地数十尺，始见其苗，乃白石耳，谓之朱砂床，即石床也，砂生石床上，亦有淘土石中得之，非生于石者。)

《雷公炮制药性解》 按丹砂之色，属丙丁火，心脏之所由归也，质性沉滞，勿宜多用。青霞子云，入石见火，悉成灰烬，丹砂伏火，化为黄银，能重能轻，能神能灵，能黑能白，能暗能明；太清云，外包八石，内含金精，先禀气于甲，受气于丙，出胎见壬，结魄成庚，增光归戊，阴阳升降，各本其原。考兹二说，则服食成仙之说信矣。自唐世太平日久，膏粱之家，弗得其理，惑于方士，都致殒身，习俗成风，至今未已，斯民何辜，蒙此惨祸，其理渊奥，察之实难，吾愿好事者慎之。

《本草经疏》 丹砂本禀地二之火气以生，而兼得乎天七之气以成。色赤，法火中，含水液，为龙，为汞。亦曰阴精，七为阳火之少，故味甘微寒而无毒，盖指生砂而言也。药性论云：丹砂，君，为清镇少阴君火之上药，辟除鬼魅百邪之神物。安定神明，则精气自固；火不妄炎，则金木得平，而魂魄自定，气力自倍；五脏皆安，则精华上发，故明目。心主血脉，心火宁谧，则阴分无热，而血脉自通，烦满自止，消渴自除矣。杀精魅邪恶鬼，除中恶，腹痛者，阳明神物，故应辟除不祥，消散阴恶杀厉之气也。久服通神明不老者，古之真人，飞丹炼石，引纳清和，配以金铅，按之法象，自能合丹道而成变化也。青霞子及《太清服炼灵砂法》云：能重能轻，能暗能明，能黑能白，能神能灵。一斛入擎，力难举升，万斤遇火，轻速上腾，鬼神寻求，莫知所在，先禀气于甲，受气于丙，出胎见壬，结魄成庚，增光归戊，阴阳升降，各本其原，非虚语矣。[主治参互] 丹砂研飞极细，令状如飞尘。以甘草、生地黄浓煎，调分许，与儿初生时服之，能止胎惊，解胎毒。同珍珠、琥珀、金箔、牛黄、生犀角、天竺黄、滑石末，治小儿急惊有神。入六一散，治暑气伏于心经，神昏口渴及泄泻如火热。入补心丹，镇心神，定魂魄。入乳香托里散，散痈疽热毒，发热疼痛及毒气攻心，发谵语。[简误] 丹砂为八石之主，故列石部之首。体中含汞，汞味本辛，故能杀虫，杀精魅宜乎。《药性论》谓其有大毒，若经伏火及一切烹炼，则毒等砒硇，服之必毙。自唐以来，上而人主，下而搢绅，曾饵斯药鲜克免者，戒之，戒之。

《本草正》 丹砂，微甘，寒，有毒。通禀五行之气，其色属火也，其液属水也，其体属土也，其入属金也，故能通五脏。其入心可以安神而走血脉，入肺可以降气而走皮毛，入脾可逐痰涎而走肌肉，入肝可行血滞而走筋膜，入肾可逐水邪而走骨髓，或上或下无处不到，故可以镇心逐痰，祛邪降火，治惊痫，杀虫毒，祛蛊毒，鬼魅中恶及疮疡疥癣之属。但其体重性急善走善降，变化莫测。用治有余，乃其所长。用补不足及长生久视之说则皆谬，安不可信也。若同参、芪、归、术兼朱砂，以治小儿亦可取效。此必其虚中挟实者，乃宜之，否则不可概用。

《食物本草》 朱砂，味甘，微寒，有小毒。治身体五脏百病，养精神，安魂魄，益气明目，杀精魅邪恶鬼。通血脉，止烦渴，悦泽人面，镇心，主尸疰抽风。解胎毒痘毒，驱邪疟。久服通神明不老，轻身神仙。能化为汞。青霞子曰：丹砂外包八石，内含金精，禀气于甲，受气于丙，出胎见壬，结块成庚，增光归戊，阴阳升降，各本其原，自然不死。若以气衰血败，体竭骨枯，八石之功，稍能添益。若欲长生久视，保命安神，须饵丹砂。丹砂之灵，能重能轻，能神能灵，能暗能明。人擎一斛，力难升举；万斤遇火，轻速上腾。鬼神寻求，莫知所在。《抱朴子》曰：临沅县廖氏，世世寿考。后徙去，子孙多夭折。他人居其故宅，复多寿考。疑其井水赤，乃掘之，得古人埋丹砂数十斛也。饮此水而得寿，况炼服者乎！夏子益《奇疾方》云：凡人自觉本形作两人，并行并卧，不辨真假者，离魂病也。用人参、辰砂、茯苓，浓煎日饮，真者气爽，假者自化。《类编》云：钱丕少卿夜多噩梦，通宵不寐，自虑非吉。遇邓州推官胡用之曰：昔常如此。有道士教戴辰砂如箭镞者，涉旬即验，四五年不复有梦，因解髻中绛囊遗之。即夕无梦，神魂安静。道书谓丹砂辟恶安魂，观此二事可征矣。[附方] 服食丹砂：三皇真人炼丹方，丹砂一斤，研末重筛，以醇酒沃之如泥状。盛以铜盘，置高阁上，勿令妇人见。燥则复以酒沃令如泥，阴雨疾风则藏之。尽酒三斗，乃暴之，三百日当紫色。斋戒沐浴七日，静室饭丸麻子大，常以平旦向日吞三丸。一月三虫出，半年诸病瘥，一年须发黑，三年神人至。预解痘毒：初发时或未出时，以朱砂末半钱，蜜水调服。多者可少，少者可无，重者可轻也。辟禳瘟疫：丹砂一两研细，蜜丸麻子大，常以太岁日平旦（太岁日，如甲子年，不拘何月，凡遇甲子日是也）。一家大小，勿食诸物，向东各吞三七丸，勿令近齿，永无瘟疫。治产后舌出不收：丹砂傅之，暗掷盆盎作堕地声惊之，即自收也。治子死腹中不出：朱砂一两，水煮数沸，为末，酒服。治产后癫狂：丹砂二钱，研细飞过，乳汁调，分四服，无灰酒下。

《本草乘雅半偈》 丹砂治虚无太极，动而生阳，静而生阴，分成两物，男女相为饮食，彼此各阙一半故尔。丹家修炼戊己，互交金木，干坎填离，复还圆相，惟丹砂色味性情，靡不吻合。色赤，离也；气寒，坎也；伏汞，水也；固质，金也；甘平性味，土也；盖水中有金，火中有木，方堪拈簇，所谓龙从火里得，金向水中求。假此外丹，滋培四大，而四大之内，中黄为戊己，精神即坎离，魂魄作金木，内外合成丹，婴儿方养育。（博议重言精神，而概言魂魄意志，参语单拈太极，统具精神魂魄意志，一属先天，一属后天法也。）

《医宗说约》 丹砂明目镇心，除烦止渴，益气安神。（研末，水飞用，升炼服之杀人。）

《本草述》 丹砂，愚按青霞子曰：丹砂外包八石，内含金精禀气于甲，受气于丙，出胎见壬，结块成庚，增光归戊，阴阳升降，各本其原，斯言也。信而有征，谓非造化之所铸欤。夫人与万物，尽造化于水火二气，而水火同宫，所谓坎离是也。唯丹砂之受铸最完，见象最灵，何以言之，其外显丹色，所谓受气于丙也。土宿真君言丹砂受青之气，是非禀气于甲乎，内蕴真汞所谓出胎见壬也。青霞子言内金精，是非结块成庚乎。本风升之木，可使水腾于火中，本燥降之金，可使火范于水外，水火自有升降，而金木又升降乎水火，皆不离中土以为升降，是非各归其原乎，斯所谓受铸最完也。其外显丹色，中蕴真汞即坎离见象，水火同宫，如斯其最灵也。若然，则本经所谓养精神，安魂魄者，语语实诣矣，然亦何以明之。经曰：两神相搏，合而成形，常先身生，是谓精。此言生身之始。由于阴阳二气相交而形成，然精在成形之先，此由神以化精者也。又曰：两精相搏谓之神，夫阴阳相交乃成形，先有精，是精无两也。成形以后，则水火各司其官，各有其精。经所谓水之精为志，火之精为神也。第火中有水，水中有火，虽曰两精，而实相交，此由精以化神者也。请再悉之，夫阴阳原从混沌一气而分，分者亦未尝不合也，故曰两神相搏，就其分而合之处，即有精矣。此是相搏谓之精，而曰常先身生者，固指先天而言，《内经》所谓化生精也。既成形以后，落于后天，清浊分而动静殊矣。不名为阴阳，名为水火矣。经曰：水火者，阴阳之征兆，言其落于形气也，故曰两精。第先哲有云：心为离火，内阴而外阳，肾为坎水，内阳而外阴，内者是神是主，外者是气是用。故心以神为主，阳为用。肾以志为主，阴为用。阳则气也，火也。阴则精也，水也。夫水火之奠于上下者，此一经而分为两也。此动静根于清浊之分者也。然水火之主于在中者，此两精而搏为一也，此升降妙于动静之中者也。《内经》所谓归化也。若使火中无水以为神，则动无静以为君，将有升无降。水中无火以为神，则静无动以为用，将有降无升，是升降废而气化息矣。惟其两精相搏，而升降不息如，是乃谓之神耳，（动无静以为主，静无动以为用，二语方说得神字出。经曰：出入废则神机化灭，夫有升降则出入不废，有出入则升降不息，出入固形中之气，升降则气中之神也。）一则曰两神相搏，合而成形，常先身生，谓之精。一则曰水之精为志，火之精为神，两精相搏谓之神，是则由神合气，神气合而化精，复由精归气，精气合而归神。所谓天地之有造有化，原始要终，总归之神而已，而人身中之有造有化者，亦同之天地而已矣。天地之神归之虚空，人身之神，归之虚灵。故《内经》曰：心藏神。又曰：心者，生之本，神之变也。盖其虚而能灵，动以静居者，彷佛乎老子之所谓虚而不诎动而愈出者也。如砂之内蕴真汞，外显丹象，由内所蕴之水以归火，而火应水以下藏，由外所显之火以召水，而水应火以上际，是非水火既济乎。神合于气而精生，气合于神而精化，是本经所谓养精神也。（以水而归火，火即应水以下藏。由火而召水，水即应火以上际，是谓养神而盖心，即以养精而益肾矣。）又云安魂魄者。经曰：随神往来谓之魂，并精而出入者谓之魄，是魂魄即不外于精神矣。而丹书日乌月兔说云：日者阳也。阳内含阴象，砂中有汞也。阳无阴则不能自耀其魂，故名雌火，乃阳中含阴也，是谓日中乌。月者，阴也。阴内含阳象，铅中有银也。阴无阳则不能自荧其魄，故名曰雄金，乃阴中含阳也，是谓月中有兔。即耀魂荧魄二语，则知安魂魄，不外于养精神矣。更以龙从火里出，虎向水中生参之。盖肝木乘至阴而升于阳，得合于心包络以媾肺者，因离中之阴，俾木复乘阴精以变化，是谓龙从火里出也。肺金乘至阳而降于阴，得合三焦以媾肝者，因坎中之阳，俾金复乘阳精以鼓荡，是谓虎向水中生也。若然，是则水火交而金木自并，金木并而水火之愈固，总不越于水火既济，而水火既济，总不越于一心。如丹砂之受铸于造化者极异，固亦最切于心哉。《内经》曰：血气已合，荣卫已通，五脏已成，神气舍心，魂魄毕具，乃成为人。即此数语，则由心而收精神魂魄之益，及身体五脏百病之胥治者，本经固非妄语也。卢之颐曰：四大之内，中黄为戊己，精神即坎离，魂魄作金木，内外合成丹，婴儿方养育，斯义是矣，抑气为精之先试更畅之。经云：肾者，受五脏六腑之精而藏之。又云：肾者精之处，是肾固藏精。其所以能化精者，原本于肾之气，是肾气又本于金，故道家曰铅中有银也，离中有水也，亦以金而水得宅于火中也。汞本于金精，故其色白，所以人身之精亦犹是耳。砂中有汞，乃是真精之化原。心包络之血，下归于冲而仍由气以化精者，以肺气还归于肾元，金精由火以归水，故由赤而白也。若然，举精气神合一之征，皆在斯矣。欲立后天之命者，可不留意乎哉。愚按丹砂之用，为离中有阴，且内含金精，使坎能交离也，服饵正宜生用。先哲多谓升炼即杀人，是矣。盖离中有阴，经火煅炼，则纯阳无阴，不独燥烈可畏，亦何取于枯阳而用之乎。此缪仲淳所云，自唐以来上而人主，下而缙绅，曾饵斯药，无一克免者也。先哲谆谆致戒，不能备录。

《本草崇原》 （丹砂又名朱砂，始出涪州山谷，今辰州者为胜，故又名辰砂，大者如芙蓉花，小者如箭镞，碎之作墙壁光明可鉴，成层可拆研之，鲜红斯为上品，细小者为米砂，淘土石中得者为土砂，又名阴砂，皆为下品。苏恭曰：形虽大而杂土石，又不若细而明净者佳。）水银出于丹砂之中，精气内藏，水之精也。色赤体坚，象合离明，火之精也。气味甘寒，生于土石之中，乃资中土，而得水火之精。主治身体五脏百病者，五脏之气，出于身体，则百病咸除。养精神者，养肾脏之精，心脏之神，而上下水火相交矣。安魂魄者，安肝脏之魄，而内外气血调交，则精魅之怪，邪恶之鬼自消杀矣。久服则灵气充盛，故神明不老，内丹可成，故能化为汞。

《本草择要纲目》 丹砂，甘，微寒，无毒，镇心，安魂魄，通神明，主尸疰抽风，解惊痫、胎毒、痘毒。盖朱砂生于炎方，秉离火之气而成，体阳而性阴，故外显丹色，内含真汞。其气不热而寒，离中有阴也。其味不苦而甘，火中有土也。故可以养心，可以明目，可以安胎，可以解毒，可以发汗，随佐使而见功，无所往而不可。若有人自觉本形忽若为二，并行并卧不辨真假者，魂离魄也。用辰砂为君，人参、茯苓为佐，浓煎日饮，则真者气爽，假者自化。又或夜多噩梦，通宵不寐，佩之以箭镞辰砂，神魂安静，此皆辟恶安魂之验也，但宜生使，若炼服，恐窜入经络骨髓，流而为痈瘤疽毒也。又小儿初生，以朱砂、轻粉、白蜜、黄连之属，欲下胎毒。不知轻粉下痰损心，朱砂下涎损神，儿实者服之软弱，弱者服之易伤变生诸病也。

《本草备要》 丹砂，体阳性阴，内含阴汞，味甘而凉，色赤属火（性反凉者，离中虚有阴也；味不苦而甘者，火中有土也）。泻心经邪热（心经血分主药）。镇心清肝，明目发汗（汗为心液），定惊祛风，辟邪（胡玉卿少多噩梦，遇推官胡用之。胡曰：昔常患此，有道士教戴灵砂而验。遂解髻中绛囊授之，即夕无梦。解毒，胎毒痘毒宜之），止渴安胎。（《博救方》：水煮一两，研，酒服，能下死胎。李时珍曰：同远志、龙骨之类养心气；同丹参、当归之类养心血；同地黄、枸杞之类养肾；同厚朴、川椒之类养脾；同南星、川乌之类祛风，多服反令痴呆。）辰产，明如箭镞者良（名箭头砂）。细研，水飞三次用。（生用无毒，服饵常杀人。）恶磁石，畏盐水，忌一切血。（郑康成注《周礼》，以丹砂、雄黄、石胆、矾石、磁石为五毒，古人用以攻疡。）

《本经逢原》 丹砂体阳性阴，外显丹色，内含真汞，不热而寒，离中有坎也，不苦而甘，火中有土也。婴儿姹女，交会于中，镇心安神，是其本性。用则水飞，以免镇堕，不宜见火，恐性飞腾。本经治身体五脏百病。安定神明，则精气自固；火不妄炎，则金木得平，而魂魄自定，五脏皆安，精华上发，而气益目明，阳明神物，故应辟除不祥，消散阴恶杀厉之气。仲淳缪子经疏之言也。同远志、龙骨则养心气；同当归、丹参则养心血；以人参、茯神浓煎，调入丹砂，治离魂病；以丹砂末一钱，和生鸡子黄三枚，搅匀顿服，治妊娠胎动不安，胎动即出，未死即安。又以丹砂一两为末，取飞净三钱，于一时顷分三次酒服，治子死腹中立出。慎勿经火，若经伏火及一切烹炼，则毒等于砒硇。惟养正丹则同铅、汞、硫黄煅之，以汞善走，而火毒不致蕴发也。

《本草经解》 丹砂，甘，微寒，无毒。主身体五脏百病，养精神，安魂魄，益气明目，杀精魅邪恶鬼。久服通神明不老。（水飞。丹砂，气微寒，禀天初冬寒水之气，入足少阴肾经。味甘，无毒。得地中正之土味，入足太阴脾经。色赤而生水银，入手少阴心经，盖心乃火脏而藏阴者也。气味降多于升，质重味薄，阴也。心肾者，人身之水火也，天地之用在于水火，水火安则人身天地位矣。丹砂，色赤质重可以镇心火，气寒可以益肾水，水升火降，心肾相交，身体五脏之病皆愈也。

心者生之本，神之居也。肾者气之源，精之处也。心肾交，则精神交相养矣。随神往来者谓之魂，并精出入者谓之魄，精神交养，则魂魄自安。味甘益脾，脾为后天，气者得于天，充于谷，后天纳谷，所以益气。心病多舍于肝，心火不炎，则肝血上奉，故又明目也。色赤具南方阳明之色，阳明能辟阴幽，所以杀精魅邪恶鬼也。久服通神明不老者，心之所藏者神明，久服丹砂，则心火清，火清则血充，故虚灵不昧，光彩华面也。）

《神农本草经百种录》 丹砂，味甘，微寒。（甘言味，寒言性，何以不言色与气。盖入口则知其味，入腹则知其性，若色与气则在下文主治中，可推而知之也。）主身体五脏百病（百病者，凡病皆可用，无所禁忌，非谓能治天下之病也。凡和平之药皆如此），养精神（凡精气所结之物，皆足以养精神。人与天地同此精气，以类相益也），安魂魄（赤入心，重镇怯）。益气（气降则藏，藏则益）。明目（凡石药皆能明目，石者金气所凝，目之能鉴物，亦金气所成也。又五脏之精，皆上注于目，目大小眦属心，丹砂益目中心脏之精）。杀精魅邪恶鬼（大赤为天地纯阳之色，故足以辟阴邪）。久服通神明不老。能化为汞。（石属金，汞亦金之精也。凡上品之药，皆得天地五行之精以成其质。人身不外阴阳五行，采其精气以补真元，则神灵通而形质固矣。但物性皆偏，太过不及，翻足为害，苟非通乎造化之微者，未有试而不毙者也。）

（此因其色与质以知其效者。丹砂正赤为纯阳之色，心属火色赤，故能入心而统治心经之证，其质重，故又有镇坠气血之能也。凡药之用，或取其气，或取其味，或取其色，或取其形，或取其质，或取其性情，或取其所生之时，或取其所成之地，各以其所偏胜，而即资之疗疾，故能补偏救弊，调和脏腑，深求其理，可自得之。）

《本草诗笺》 （丹砂研细，水飞用。）内含真汞是丹砂，外显光明血色华；苦尽甘生土并集，热消寒至水交加；神明安定功难量，精气坚强效不赊；去死安生皆可用（用飞净丹砂末一钱，鸡子黄三枚，搅和顿服，治妊妇胎动不安，胎死即出，未死即安）。只愁犯火害无涯。（伏火烹炼则毒等于砒硇。）

《长沙药解》 朱砂，甘，微寒，入心经。善安神魂，能止惊悸。金匮赤丸（茯苓四两，半夏四两，乌头二两，细辛一两，研末，炼蜜丸，朱砂为衣，麻子大，酒下三丸）。治寒气厥逆。以火虚土败，不能温水，寒水上凌，直犯心君。茯苓、乌头泄水而逐寒邪，半夏、细辛降逆而驱浊阴，朱砂镇心君而护宫城也。朱砂降摄心神，镇安浮荡，善医惊悸之证。赤丸用之，取其保护君主，以胜阴邪也。

《得配本草》 丹砂（一名朱砂）畏咸水、车前、石韦、皂荚、决明、瞿麦、南星、乌头、地榆、桑葚、紫河车、地丁、马鞭草、地骨皮、阴地蕨、白附子。恶磁石。忌诸血。甘微寒，入手少阴经血分。纳浮溜之火，降心肺之热。安神明，除烦满，是其降火之功。辟邪祟，下死胎，乃其镇重之力。去目翳，疗疮毒。（心为火脏，不受辛热之品，宜用此治之。）得蜜水调服五分，预解痘毒。（多者可少，重者可轻。）得南星、虎掌，去风痰。配枯矾末，治心痛。配蛤粉，治吐血。配当归、丹参，养心血。佐枣仁、龙骨，养心气。（抑阴火以养元气。）得人参、茯苓，治离魂。（自觉本形作两人，并行并卧，不辨真假者，离魂病也。）和鸡子白服一钱，治妊妇胎动。（胎死即出，未死即安。）入六一散，治暑气内伏。入托里散，治毒气攻心。同生地、杞子，养肾阴。纳猪心蒸食，治遗浊。研敷产后舌出不收。（暗掷盆益作堕地声惊之即自收。）紫背天葵、粉甘草同煮，研末，水飞用。荞麦梗灰，淋汁煮，研末，水飞亦可。若火炼则有毒杀人。

《本草求真》 ［批］清心热，镇惊，安神。辰砂（专入心），即书所云丹砂、朱砂者是也。因砂出于辰州，故以辰名。体阳性阴，外显丹色，内含真汞。不热而寒，离中有坎也。不苦而甘，水中有土也。婴儿姹女，交会于中，故能入心解热，而神安魄定。（杲曰：丹砂纯阴，纳浮游之火而安神明，凡心热者非此不能除。）是以同滑石、甘草，则清暑；同远志、龙骨，则养心气；同丹参则养心血；同地黄、枸杞则养肾；同厚朴、川椒则养脾；同南星、川乌之类，则祛风；且以人参、茯神浓煎，调入丹砂，则治离魂病。（夏子益《奇疾方》云：凡人自觉本形作两人，并行并卧，不辨真假者，离魂病也。《类编》云：钱丕少卿夜多恶梦，通宵不寐，自虑非吉，遇邓州推官胡用之曰：昔常如此。有道士教戴辰砂箭镞者，涉旬即验，四五年不复有梦。因解髻中一绛囊遗之。即夕无梦，神魂安静。）以丹砂末一钱，和生鸡子黄三枚，搅匀顿服，则妊娠胎动即安，胎死即出。慎勿经火，及一切烹炼，则毒等于砒硇，况此纯阴重滞，即未烹炼，久服呆闷，以其虚灵之气被其镇坠也。辰砂明如箭镞者良。恶磁石，畏盐水，忌一切血。（颂曰：郑康成注《周礼》，以丹砂、石胆、雄黄、矾石、磁石为五毒。古人惟以攻疮疡，而《本经》以丹砂为无毒，故多炼治服食，鲜有不为药患者，岂五毒之说胜乎，当以为戒。）

《罗氏会约医镜》 朱砂镇心（味甘寒，入心经）。生者微有毒（火煅者有大毒，杀人。畏咸水，忌一切血。水飞用）。色赤应离，为心经主药。治癫狂（既补心血，又泻心经邪热）。镇心（治怔忡）。定惊（心血足）。辟邪明目（点眼药用之）。解毒（痘毒、胎毒）。安胎（解热）。独用多用，令人呆闷，辰产、明如箭镞者良。

陈修园 丹砂气微寒入肾，味甘无毒入脾，色赤入心。主身体五脏百病者，言和平之药。凡身体五脏百病，皆可用而无顾忌也。心者生之本，神之居也。肾者气之源，精之处也。心肾交则精神交养，随神往来者，谓之魂，并精出入者，谓之魄，精神交养则魂魄自安。气者得之先天，全赖后天之谷气而昌。丹砂味甘补脾，所以益气。明目者以石药凝金之气，金能鉴物。赤色得火之象，火能烛物也。杀精魅邪恶鬼者，具天地纯阳之正色。阳能胜阴，正能胜邪也。久服通神明不老者，明其水升降之效也。

《本经疏证》 凡用药取其禀赋之偏，以救人阴阳之偏胜也。是故药物之性无有不偏者。徐洄溪曰：药之用，或取其气，或取其味，或取其色，或取其质，或取其性情，或取其所生之时，或取其所成之地。愚谓丹砂则取其质与气与色为用者也。质之则是阳，内含汞则阴，气之寒是阴，色纯赤则阳。故其义为阳抱阴，阴承阳。禀自先天，不假作为，人之有生以前，两精相搏即有神，神依于精乃有气，有气而后有生，有生而后知识具，以成其魂，鉴别昭以成其魄。故凡精神失所养，则魂魄遂不安。欲养之安之，则舍阴阳紧相抱持，密相承接之丹砂而谁取矣。然谓主身体五脏百病，养精神，安魂魄，益气明目，何也？夫固以气寒，非温煦生生之具，故仅能于身体五脏百病中，养精神，安魂魄，益气明目耳。若身体五脏百病，其不必养精神，安魂魄，益气明目者，则不得用丹砂。即精神当养，魂魄当安，气当益，目当明，而身体五脏百病者，用丹砂亦无益也。血脉不通者，水中之火不继续也。烦满消渴者，火中之水失滋泽也。中恶腹痛，阴阳不相保抱，邪得乘间以入。毒气疥瘘诸疮，阳不蓄阴而反灼阴，惟得药之阳抱阴、阴涵阳者治之。斯阳不为阴贼，阴不为阳累，诸疾均可已矣，是丹砂主治之义也。

丹砂之品甚尊，丹砂之用极博，乃仲景仅于寒气厥逆赤丸中用之，但得《别录》中恶腹痛一端耳。举凡身体五脏百病，养精神，安魂魄，益气明目，诸大用尽遗之，何也？是固古今医家分合所系，不可不知者也。考班氏《艺文志》方技之别有四：一曰医经；二曰经方；三曰房中；四曰神仙。太古之医，有岐伯、俞跗，中世有扁鹊、秦和，汉兴有仓公，咸能尽通其旨。迨汉中叶，学重师承，遂判而为四，自是各执一端，鲜能相通。即天纵仲景，于医几圣，其所深慨，亦止在不求经旨，斯须处方，是明明融洽医经、经方合为一贯。故于六淫之进退出人，阴阳之盛衰错互，皆辨析黍铢，于房中、神仙则咸阙焉。《本经》则太古相承，师师口授，该四而一焉者也，故仲景非特于精神魂魄等义，不备细研究以示人。即所谓轻身益寿，不老神仙者，岂复一言述及耶。仅于《五脏风寒积聚篇》曰：邪入（《金匮》本是哭字据注家改正）使魂魄不安者，血气少也。血气少者属于心，心气虚者其人则畏，目合欲眠，梦远行，而精神离散，魂魄妄行，是归结其旨于气血，但使气血充盈，精神魂魄自然安贴耳。仲景焉有不知精神魂魄之理哉。其轻身益寿，不老神仙等义，皆不敢强解，遵仲景之志也。

《本草撮要》 丹砂，甘，凉，入手少阴经。功专镇心安魄，辟邪解毒，止渴下胎。得远志、龙骨养心气；得丹参、当归养心血；得生地、枸杞养肾阴；得厚朴、川椒养脾；得南星、川乌祛风。独用多服，令人呆闷。辰产名箭镞砂最良。畏盐米，恶磁石，忌一切血。

《本草利害》 丹砂，镇养心神，但宜生使，若经伏火，及一切烹炼，则毒等砒硇，服之必毙，戒之。独用多用，令人呆闷。畏盐水，恶磁石，忌一切血。若火炼，则有毒，服饵常杀人。须细水飞三次。［利］甘，凉，体阳性阴，泻心经热邪，镇心定惊，辟邪，清肝明目，祛风，解毒。胎毒、痘毒宜之，色赤属火，性反凉者，离中虚有阴也。味甘者，火中有土也。［修治］辰产明如箭镞者良，研末。

《本草便读》 丹砂，甘，寒。镇坠有功邪热去。外丹内汞，癫狂无患痫痰除。能辟鬼以安神，可护心而解毒。（朱砂出湖南辰州山谷间，禀离火以生，外阳内阴，中含真汞，得坤土纯粹精灵之气，故无毒而能解毒。凡物之禀乎正者，皆可胜邪，石类亦然，忌火煅。专入心经血分，其主治不离甘寒重镇四字，朱砂之功足以尽之。）

《伪药条辨》 丹砂始出涪州山谷，今辰州、锦州及云南、波斯蛮獠洞中，石穴内皆有，而以辰州为胜，故又名辰砂。大者如芙蓉花，小者如箭镞，研之明净鲜红，斯为上品。近今市肆有以铅丹搀入朱砂，又用代赭搀入辰砂，贻害多矣。［炳章按］朱砂体质极重，鲜红朱红色至褐红色之粒块。亦有成细小透明之斜方结晶体者，或为红色粉末，有时含有机物，则颜色殆黑不明亮，俗为阴沙。实内含有锑质，或铁质，铜及各种硫化物相伴，不堪入药。周去非云，据本草金石部，以湖南辰州所产为佳，虽今世亦贵之。今辰砂乃出沅州，其色与广西宜州所产相类，色鲜红微紫，与邕州砂之深紫微黑者大异，功效亦相悬绝。盖宜山即辰山之阳故也。虽然，宜辰朱砂虽良，要非仙药。尝闻邕州石江溪峒，归德州大秀墟，有金缠砂，大如箭镞，而上有金线缕文，乃真仙药。得其道者，可用以变化形质，试取以炼水银，乃见其异。乃邕州烧水银，当朱砂十二三斤，可烧成十斤，其良者十斤真得十斤，惟金缠砂八斤可得十斤。不知此砂一经火力，形质乃重，何也？取毫末而齿之，色如鲜血，诚非辰宜可及，惜乎出产不丰，不能分销全国耳。今所通行者，皆湖南辰州及云南贵州出者。苟能片大而薄如镜面光亮，色紫红鲜艳明透者为镜面砂，亦佳。如整粒者为豆砂，能起镜面光艳，亦佳。细如粉屑者为米砂，略次。如呆色紫暗不明亮者，即阴砂，内含锑质或铁质，为更次，不宜入药用。

《五十二病方》 130行云：白毋奏（腠），取丹砂与鳣鱼血，若以鸡血，皆可。318行云：般（瘢）者，以水银二。男子恶四，丹一，并和……傅之。454行云：疕，治以丹……

尚志钧按 丹砂，《山海经》名丹粟，《淮南子》名赤丹，俗名朱砂。李时珍曰："后人以丹为朱色，故名朱砂。"又氧化铅亦呈橙赤色，故名铅丹。苏颂《本草图经》云："辰州者最胜，谓之辰砂。"因辰州在古代为出产地，故名。丹砂为六方晶系，汞矿类矿石，其矿床常分布于各时代的水成岩中，呈绯红色透明晶体，有金刚石样光泽，质重而脆，硬度为2～3，密度为8～8.2，加热有黑色升华物飞出，强热火烧则析出有毒的金属汞。《史记·孝武本纪》言："丹砂可化为黄金。"丹砂古生符陵（四川彭水），今出湖南新晃、贵州铜仁、四川、云南等地。安徽铜陵、贵池亦产，量少，不纯，和黄铜矿、磁铁矿伴生。丹砂有小毒，但极纯品丹砂（HgS）难溶于水，小量用，毒性不大。不纯品丹砂夹有氧化汞，或因见火产生氧化汞，能溶于胃酸，吸收中毒。丹砂味甘，性凉，有小毒，能镇心安神、明目解毒，治心悸、失眠、疮疡肿毒。治心悸怔忡、夜卧不宁，与黄连、夜交藤、枣仁、当归、生地、甘草合用。治疮疡肿毒，与蚯蚓、冰片、雄黄共捣烂外敷。丹砂，清火解毒，治痈疡疮漏，去腐敛疮，亦用于热毒疮疡。配续随子、山慈姑、雄黄、麝香、冰片为末，外涂痈疖肿毒。配冰片、硼砂、僵蚕、西瓜霜（玉钥匙）外吹，治口舌生疮、咽喉肿痛。在疡科外治用丹砂，取其解毒，又能清镇少阴之火之功。《黄帝内经》谓："诸痛痒疮，皆属于心。"故丹砂可治疗痈疽疮毒疡、金创、杖疮以及各种皮肤病。然丹砂除用于治疗黏膜部位之溃疡外，大都作为辅助药用。临床宜研为散剂用作掺敷药，或制为药锭及配入油蜡膏中用。治溃疡面红肿痛，以本品三钱、生石膏一两、硼砂二钱、冰片六分，共研细末，撒布疮面，有消肿止痛之功。丹砂有小毒，不作处方用，多入丸剂；入汤多飞为末，染在茯神或灯心草上作煎剂。注意：丹砂应生用，忌火煅，内服用量宜轻，只可暂时用，不可久服，过量或久用令人痴呆。

108 灵砂（《证类》）

《证类本草》 灵砂，味甘，性温，无毒。主五脏百病，养神安魂魄，益气，明目，通血脉，止烦满，益精神，杀精魅恶鬼气。久服通神明，不老轻身神仙，令人心灵。一名二气砂。水银一两，硫黄六铢细研，先炒作青砂头，后入水火既济炉，抽之如束针纹者，成熟也。恶磁石、畏咸水。

《野人闲话》 杨子度饵猢狲灵砂，辄会人语，然后可教之。好事者知之，多以灵砂饲猢狲、鹦鹉、犬、鼠等教之。

青霞子 灵砂若草伏得住火成汁不折，可疗风冷。用作母砂子匮为银，若把五金折不成汁，不堪。

《绍兴本草》 灵砂，以水银、硫黄二物煅成。本经云甘温，无毒，窃详水银、硫黄俱是有毒之物，虽经锻炼，今当以性温，有毒为定。详正文主疗之外，而近世用之，其升降阴阳，止逆定吐，最为要药也。

《本草纲目》 ［释名］［时珍曰］此以至阳钩至阴，脱阴反阳，故曰灵砂。［修治］［时珍曰］按胡演《丹药秘诀》云：升灵砂法：用新锅安逍遥炉上，蜜揩锅底，文火下烧，入硫黄二两熔化，投水银半斤，以铁匙急搅，作青砂头。如有焰起，喷醋解之。待汞不见星，取出细研，盛入水火鼎内，盐泥固济，下以自然火升之，干水十二盏为度，取出如束针纹者，成矣。《庚辛玉册》云：灵砂者，至神之物也。硫汞制而成形，谓之丹基。夺天地造化之功，窃阴阳不测之妙。可以变化五行，炼成九还。其未升鼎者，谓之青金丹头；已升鼎者，乃曰灵砂。灵砂有三：以一伏时周天火而成者，谓之金鼎灵砂；以九度抽添用周天火而成者，谓之九转灵砂；以地数三十日炒炼而成者，谓之医家老火灵砂。并宜桑灰淋醋煮伏过用，乃良。［主治］［时珍曰］主上盛下虚，痰涎壅盛，头旋吐逆，霍乱反胃，心腹冷痛，升降阴阳，既济水火，调和五脏，辅助元气。研末，糯糊为丸，枣汤服，最能镇坠，神丹也。［发明］［时珍曰］硫黄，阳精也；水银，阴精也。以之相配夫妇之道，纯阴纯阳二体合璧。故能夺造化之妙，而升降阴阳，既济水火，为扶危拯急之神丹，但不可久服尔。苏东坡言：此药治久患反胃，及一切吐逆，小儿惊吐，其效如神，有配合阴阳之妙故也。时珍常以阴阳水送之，尤妙。

尚志钧按 灵砂由人工炼制而成，用水银4份、硫黄1份炼成，先将硫黄入铁锅内，加热使熔，再入水银，用铁铲不停地搅拌，使其混和黏结，如锅中有焰起，喷醋灭之，搅至不见水银星为止，取出，研细入砂罐内，用瓷碗平放罐口上，罐口周围裂缝，用黏泥封固，瓷碗内装冷水，再置火炉上烧炼。当碗内水干，再注入冷水，炼至水干12次为度，待冷后揭开，将碗底凝结物刮下，研末备用。灵砂为鲜红色针状结晶块，或粉末，质重，有金属光泽，遇热则变色，强热则挥散燃烧发蓝色火焰。灵砂主要成分为硫化汞，其性味主治功用，与丹砂基本相同。

109　银朱（《纲目》）

《本草纲目》　［释名］银朱一名猩红、紫粉霜。［时珍曰］昔人谓水银出于丹砂，熔化还复为朱者，即此也。名亦由此。［集解］［时珍曰］胡演《丹药秘诀》云：升炼银朱，用石亭脂二斤，新锅内熔化，次下水银一斤，炒作青砂头，炒不见星。研末罐盛，石板盖住，铁线缚定，盐泥固济，大火煅之。待冷取出，贴罐者为银朱，贴口者为丹妙。今人多以黄丹及矾红杂之，其色黄黯，宜辨之。真者谓之水华朱。每水银一斤，烧朱一十四两八分，次朱三两五钱。［气味］辛，温，有毒。［主治］［时珍曰］破积滞，劫痰涎，散结胸，疗疥癣恶疮，杀虫及虱，功同粉霜。［发明］［时珍曰］银朱乃硫黄同汞升炼而成，其性燥烈，亦能烂龈挛筋，其功过与轻粉同也。今厨人往往以之染色供馔，宜去之。

尚志钧按　银朱和灵砂都是由汞和硫黄炼制而成。但昔日制银朱用石亭脂为原料。石亭脂即石硫赤，含硫黄不纯，制出银朱毒性大。现代改用升华硫黄制，得出银朱，又经过处理，使毒性减小。其制法有：①干式法，取水银5份，升华硫1份，置乳钵内研细，按常法加热升炼，初得黑色升华物，剔取中心暗赤色部分，与稀氢氧化钾溶共煮，得鲜红色银朱，取出于70～80℃的温度下烘干备用；②湿式法，取水银30份，升华硫11.5份，置乳钵中研和，加15%氢氧化钾溶40份，再加热至45℃，持续数小时，至色鲜红时，转入冷水中，滤去水，烘干备用。银朱为结晶粉末，质重，有金属光泽，无臭，遇温度高则变色，强热则挥散并燃烧蓝色焰。银朱味辛，性温，与轻粉略同，用于痈疽溃后、湿烂创面以及疥癣，有燥湿、杀虫、敛疮之效。其性偏温，燥烈升发之性过于轻粉。用其解毒、拔毒，能消痈肿、化坚核，研为散剂作掺药或以酒、醋、麻油、蛋清等调敷，或捣在松香硬膏及油蜡膏中，亦作烟熏药。治恶疮，臁疮久不敛，以本品一钱、陈石灰五分、松香五钱，共研细末，香油一两，调匀，摊纸上，贴患处。治麻风，以银朱五分，配朱砂三钱，水银、铅片各一钱，槐花二钱，共研至水银不见星，制作熏药条，每日熏脐2次，饱肚熏，口含清水，频频吐换，以愈为度。银朱、灵砂、丹砂，都是硫化汞，由于它们来源不同，故其作用、用途与毒性各异。丹砂是天然矿的硫化汞，经过提炼得纯硫化汞，不仅能外用，也可内服，安神定志。灵砂用升化硫和汞烧结成硫化汞，比较纯，功用、用途同丹砂。银朱用石亭脂和汞烧结而成，品质不纯，毒性大，只可外用，不宜内服。现代改用升华硫制造，经氢氧化钾溶液煮沸，去其杂质，其毒性大减。

110 红升丹（《医宗金鉴》）

红升丹，一名红粉，是剧腐蚀剂，能腐烂一切组织。

本品制法如下。用水银、硝石、白矾、雄黄等炼制而成。（各家处方各不相同）。炼制时胎结在下，丹结于上，其色鲜红，故名红升丹。炼制时将硝、矾同炒，再与余药同研，以不见水银星为度，入羊城罐中，上以铁盏盖严，用湿纸条密封，并以盐泥或煅石膏以水调封固。然后用炭火烧炼，先用底火煅一炷香（约一小时），再用半罐火煅一炷香，最后用平罐火煅一炷香，去火。煅时应频用冷水拂拭覆盖罐口之铁盏（作冷凝用）。俟冷开罐，附着于铁盏下红色结块即是红升丹。罐下残余物为灵药渣，一称红粉底。近时大量制造时已改用平底铁锅代替羊城罐，用煤火代炭火。

红粉底配用治癣药，能杀虫止痒收湿，一般用于牲畜外伤感染。有市售成药利马锥，即常用于牲畜皮肤溃烂，流脓血，久不生肌敛疮，有化腐生肌、解毒敛疮之功。其处方为：红粉底80克、生赤石脂50克、海螵蛸（去壳）50克，煅龙骨20克，共研细末，掺于患处。

红升丹为鲜红结块，兼有朱红或深红色，质重，无臭，不溶于水，能溶于稀盐酸及稀硝酸中。其主要成分为氧化汞。并杂有二硫化砷等。不纯品则呈黑、黄、青、白等杂色，或结为针形。质量不纯，皆因火候不当所致。

红升丹炼制，因原料不同、各种原料用量不同、炼制方法不同、火候不同等，所得红升丹产品在颜色上、质地上、药效上、腐蚀强度、刺激性大小上互有差异。

红升丹所用的原料及其用量，各书所记不一，兹列表如下。

文献出处	水银	硝石	白矾	皂矾	朱砂	雄黄	铅
《外科真诠》	10	20	20	6	5	5	
《外科证治全书》	10	30	20		4	3	9
《外科十三方考》	10	40	15		5	5	

续表

文献出处	水银	硝石	白矾	皂矾	朱砂	雄黄	铅
《疡医大全》	10	40	20	6	5	5	
《疡科心得集》	20	20	20	10	10		
《医宗金鉴》	10	40	10	6	5	5	
《医宗说约》	10	40	10		5	5	
《串雅内编》	5	8	5		2.5	2.5	

红升丹主要成分为红色氧化汞（HgO），初炼出为橙红色粉状或片状结晶，片状一面光滑，略有光泽，另一面较粗糙。粉状呈橙红色，质硬而脆。见光则颜色变深，见光过久则变黑，毒性和刺激性大增。所以本品贮存必须密封避光。

昔日谓红升丹须用陈久者可以无痛。《医门补要》曾谓：新者性燥，用于提脓拔毒，则有焮痛蚀肉之虞。用于长肉方中则无毒尽新生之效。然张山雷氏则谓：此说殊不尽然。颐尝以新炼之丹试用亦未作痛。但研末必极细，用时止用新棉花蘸，此药末轻轻掸上薄贴，止见薄薄深黄色已足。如多用之则大痛矣。据此则使用升丹之疼痛，与药之新久无关，而与药粉粗细及用量多少有关。但张氏又谓：火候不佳，药力不及，功用必有所不逮。则疼痛反应又似与丹药炼制之火候有关。但药末粗细与用量多寡也是致痛主要原因。如研不细，用量过大，虽陈久升丹用之必痛。

红升丹宜用瓷瓶密贮。如受潮或见光，则变质，用于创面即有刺激性且能引起皮肤炎症反应。若用深棕色玻璃贮藏，密封不严，久放亦能使升丹末变黑。新成品刺激性强，能致剧痛。

红升丹味辛，热，燥，有大毒，能拔毒提脓、去腐生肌、燥湿杀虫。

本品能腐烂赘疣死肌，适用于疮面小者，疮面大及对汞过敏者不宜用。

治溃疡腐肉，以红升丹、血竭各一钱，乌贼骨一两，雄黄五分，共研细末，撒布腐肉处，能拔毒去腐。对汞过敏者忌用。此方红升丹占 8.5% 。

又方：红升丹一钱，乳香、没药各三钱，全蝎三只，蜈蚣十条，共研细末，撒布局部，能去腐拔毒，治溃疡腐肉不脱。此方红升丹占 10% 。

又方：红升丹一钱，人中白三钱，煅石膏七钱，研细末，撒布小疮面，余毒未尽，拔毒收口。此方红升丹占 10% 。

又方：红升丹二钱，煅龙骨、煅寒水石各钱半，煅石膏五钱，研末，外掺。此方红升丹浓度比上方大一倍，药力亦强，用于腐肉渐去，新肉不生。用后生肌收口。此方红升丹占20%。

治虚证疮疡将敛：红升丹一钱，制乳香、制没药各五钱，冰片一分，研细敷局部。此方红升丹占10%。

又方：红升丹、制乳香、制没药等分，研末，脓腔大而深，掺至筋拔毒，提脓，促进生肌。此方红升丹占33%。

清《外科真诠》云：端治一切疮毒，溃后拔毒生肌。《谦益斋外科医案》谓：升者春生之气。既可去腐，又可生新。总之，红升丹功用有四：①腐蚀；②生肌；③燥湿；④杀虫。

红升丹用于溃疡创面时能伤好肉，且单独使用有刺激致痛。用于去腐肉，化瘘管时用量稍重些，用于紫黯污秽之创面及脓水清稀之疮使其化阴回阳时，药量即应递减。此外，在口眼附近、乳头、脐中以及阴唇、外生殖器与关节部位均不宜用。

111　三仙丹（《疡科心得集》）

升丹分大、小两种，红升丹为大升丹，三仙丹为小升丹。小升丹药力弱，色鲜红或嫩黄，由水银、白矾、火硝等分升炼而成，炼成久放，越陈效愈佳。新品能致痛。

三仙丹由水银、硝石、白矾三药炼制而成。其法如下。先将火硝、白矾研细，再入水银研至不见星为度，倾入锅内，盖以瓷碗，其缝隙用湿纸封好，再用盐水调黄土封固，碗底放一棉团，以测火候。先用小火烧，待黄土变干，改用大火烧，烧一至二小时，碗底棉团变成黄褐色时即成。待冷，揭开瓷碗，附在碗内一层橙黄色结块，即是三仙丹，刮下密贮，避光防湿。其锅底残渣称升药底。

本品主要成分与红粉相同，都是氧化汞（HgO），由于所用原料不同、火候强弱不同、烧炼时间长短不同，故炼出的成品也不同。三仙丹纯度不及红粉纯度高。

三仙丹为浅橙黄色结块，或无晶形细粉，质重，见光，其色逐渐变深，加热至200℃逐渐为红色，加热至600℃即分解成汞和氧。在铁片上烧呈黑褐色，冷后复呈红色。溶于稀酸中，通以硫化氢生黑色沉淀，加碘化钾溶液生红色沉淀。

本品成分虽然为氧化汞（HgO），但杂有少量硝酸汞［$Hg(NO_3)_2$］及微量硫化砷，毒性很大。

三仙丹味辛而燥，剧毒，有腐蚀性，能杀虫。低浓度三仙丹能去腐生肌，适用于梅毒、疥癣、秃疮、死肌、瘘管等。

清《疡科心得集》云：三仙丹，治一切疮疡，溃后拔毒去腐，生肌长肉敛口。外科必用之药。《疡医大全》云：三仙丹小升力单，只能施于疮疖。若痈疽大证非大升丹不能应手。《疡科纲要》云：一切溃疡皆可通用。拔毒拔脓最为应验。凡寻常之证得此已足。但湿疮有水无脓及顽疮恶腐不脱，或腐黑黏韧久溃败疡，则别有应用药末，非此可愈。

《验方》治梅毒，三仙丹四分、轻粉二分、玄明粉二分、天麻一分、僵蚕一分五厘、珍珠三厘、麝香三厘、冰片三厘，共研末，和枣肉捣烂为丸，分三日服完，一日一次，用土茯苓、甘草煎汤送服。

《验方》治梅毒下疳，三仙丹五分、炉甘石五钱、黄丹一钱、煅石膏三钱、冰片三分，共研极细末，和凡士林、黄蜡等调成软膏贴之。

《验方》治疥疮、湿疹顽痒，三仙丹三分、硫黄五钱、蛇床子三钱、白芷二钱、樟脑五分，共研极细末，涂擦患处。

112　白降丹（《医宗金鉴》）

白降丹是峻腐蚀剂，能腐烂一切组织，刺激性强，能致剧痛。用一二厘水调点疮头上，初起则发疮消散，成脓即溃。

白降丹由水银一两，白矾、火硝、皂矾、食盐各一两五钱，硼砂五钱，朱砂、雄黄各二钱炼成。须久放，新品用后剧痛难忍，越陈越好。白降丹能蚀死肉，退瘘管。治痈肿溃破，仍肿而痛甚，白降丹、生半夏等分，研末，点敷疮口，能拔毒去腐止痛。

方中，硝石、食盐用量多，易生成氯化汞（$HgCl_2$）。若硝石、食盐用量少，易成氯化亚汞（Hg_2Cl_2）。

本品为白色长针形结晶体，或块状物。有的呈微黄色。其块状物一面平滑而光亮，微带淡玫瑰微紫色，另一面与折断面呈针状结晶，微有光泽，不透明，质重，易砸碎，比重为5.4，有持久性金属味，置闭口管内加热，至277℃，即熔化成无色液体，加热至300℃即升华。

本品味辛辣，有剧毒，腐蚀性很强。高浓度能腐蚀赘瘤息肉瘘管，顽疮腐肉，但刺激性大，易致痛。

本品用少量（稀浓度）能提脓拔毒，防腐，去恶肉，杀虫，燥湿。为缓和其刺激性，常配石膏粉末稀释使用。稀释浓度大小，应根据病情决定，纯品不能直接用于疮疡。

纯品用于脓疡已成脓但难溃破，此时可用本品溃烂脓头，一般须在痈疽脓成之时，且须皮壳不厚卷。用水调一二厘涂于正顶上，以膏贴之。一伏时脓自泄，不需刀针。为了避溃破口过大，可用棉纸一块，量疮大小剪一孔。以水润贴疮上。然后调降药点放纸孔内。揭去纸，以膏贴之。则所溃之头不致过大。

用本品蚀去溃疡内腐肉时，宜用新毛笔（剪去尖），捻松散后，蘸少许白降丹极细粉末，用食指轻弹笔管，使药末徐徐撒落在腐肉上。慎勿伤及好肉。掺药用量不可多，且须均匀。否则易伤好肉，且能引起疼痛，甚至引起局部肿胀以至出血，故应慎重控制用药剂量。

白降丹毒性及腐蚀性似砒霜，性猛烈，不可轻用。少壮者可少用。若幼孩、老人及体虚者用之生变。但痛甚则浮火上攻，口舌与牙龈根糜烂。凡口中、眼边、耳中、鼻内及心窝、腰眼、玉茎、红筋聚处，绝对禁用。

113　水银粉（《拾遗》）

《本草拾遗》　水银粉，味辛，冷，无毒。畏磁石、石黄。通大肠，转小儿疳并瘰疬。杀疮疥癣虫及鼻上酒齄，风疮瘙痒。又名汞粉、轻粉、峭粉，忌一切血。

《药谱》　轻粉，一名水银腊。

《本草衍义》　水银粉，下涎药，并小儿涎潮、瘈疭多用。然不可常服及过多，多则其损兼行。若兼惊，则尤须审谨。盖惊为心气不足，不可下，下之里虚，惊气入心不可治。若其人本虚，便须禁此一物，谨之至也。

《绍兴本草》　水银粉，飞炼水银而为轻粉，今称腻粉是也。主治已载本经，其云无毒，但恐无字之误。既自水银而成，当以味辛，冷，有毒为定。服饵之家，动伤牙齿者众矣。

［刘完素曰］银粉能伤牙齿。盖上下齿龈属手足阳明之经，毒气感于肠胃，而精神气血水谷既不胜其毒，则毒即循经上行，而齿龈嫩薄之分为害也。

《本草纲目》　［释名］水银粉一名腻粉。［时珍曰］轻言其质，峭言其状，腻言其性。昔箫史与秦穆公炼飞云丹，第一转乃轻粉，即此。［修治］［时珍曰］升炼轻粉法：用水银一两，白矾二两，食盐一两，同研不见星，铺于铁器内，以小乌盆覆之。筛灶灰，盐水和，封固盆口。以炭打二炷香取开，则粉升于盆上矣。其白如雪，轻盈可爱。一两汞，可升粉八钱。又法：水银一两，皂矾七钱，白盐五钱，同研，如上升炼。又法：先以皂矾四两，盐一两，焰消五钱，共炒黄为曲。水银一两，又曲二两，白矾二钱，研匀，如上升炼。海客论云：诸矾不与水银相合，而绿矾和盐能制水银成粉，何也？盖水银者金之魂魄，绿矾者铁之精华，二气同根，是以暂制成粉。无盐则色不白。［气味］［时珍曰］温燥有毒，升也，浮也。黄连、土茯苓、陈酱、黑铅、铁浆，可制其毒。［主治］［时珍曰］治痰涎积滞，水肿鼓胀，毒疮。［发明］［时珍曰］水银乃至阴毒物，因火煅丹砂而出，加以盐、矾炼而为轻粉，加以硫黄升而为银朱，轻飞灵变，化纯阴为燥烈。其性走而不守，善劫痰涎，消积滞。故水肿风痰湿热毒疮被劫，涎从齿龈而出，邪郁为之暂开，而疾因之亦愈。若服之过剂，或不得法，则毒气被蒸，窜入经络筋骨，莫之能出。痰涎既去，血液耗亡，筋失所养，营卫不从，变为筋挛骨痛，发为痈肿疳漏，或足皲裂，虫癣顽痹，经年累月，遂成废痼，其害无穷。观丹客升炼水银轻粉，鼎器稍失固济，铁石撼透，况人之筋骨皮肉乎？陈文中言轻粉下痰而损心气，小儿不可轻用，伤脾败阳，必变他证，初生尤宜慎之；而演山氏谓小儿在胎，受母饮食热毒之气，蓄在胸膈，故生下个个发惊，宜三日之内与黄连去热，腻粉散毒，又与人参朱砂蜜汤解清心肺，积毒既化，儿可免此患。二说不同，各有所见：一谓无胎毒者，不可轻服；一谓有胎毒者，宜预解之。用者宜审。

《本草原始》 轻粉，一名腻粉。其炼法：用水银一两，白矾二两，食盐一两，同研不见星，铺于铁器内，以小乌盆覆之。筛灶灰，盐水和封固盆口，以炭打二炷香取开，则粉升于盆上。其白如雪，轻盈可爱。一两水银，可升粉八钱。又法：水银一两，皂矾七钱，白盐五钱，同研，如上升炼。其质轻、其状如粉，故名。(味辛，冷，无毒。主通大肠，疗小儿疳瘰，杀虫疥癣虫及鼻上酒皶，风疮瘙痒，治涎痰积滞，水肿鼓胀，毒疮。真水银粉，体轻，色白如雪片，可爱，撮些须放铜铁器内，置火上化无痕。假者多和石膏，焚之有滓，亦有和朴硝者。买者宜细辨之。)

《药性歌括四百味》 轻粉性燥，外科要药，杨梅诸疮，杀虫可托。

《炮炙大法》 水银粉，凡水银一斤，明矾、焰硝、皂矾、食盐各二两，同一处研，以不见汞星为度，用乌瓷盆两个，以药铺盆内，上用一个盆合定，以盐泥、石膏、蜜醋调封盆口，勿令泄气，下盆底用铁钉三脚支住四五寸高，用炭火先文后武蒸半日，次日冷定，轻轻取起上盆，则轻粉尽腾其上，以鹅翎扫下听用。此乃真正轻粉，生肌立效。市肆多掺寒水石、银母石、石膏，焉得有用乎？黄连、土茯苓、陈酱、黑铅、铁浆，可制其毒。

《珍珠囊补遗药性赋》 水银飞炼成轻粉，杀诸疥癣，善治儿疳。(轻粉即水银粉，味辛，冷，无毒。畏磁石，忌一切血。)

《南公炮制药性解》 轻粉即水银所升者，本草言其无毒，误也。外科须为要药，但勿轻用服食，今见瘐疭方中多用之，必能损人肠胃，不可不戒。其值颇贵，市中多烧凝水石及石膏为粉以乱真，须细辨之。

《本草经疏》 水银粉，升炼水银而成。其味本辛，性冷，无毒。疗体与水银相似，第其性稍轻浮尔。大肠热燥则不通，小儿疳痹因多食甘肥，肠胃结滞所致。辛冷总除肠胃积滞热结，故主之也。其主瘰疬、疮疥癣虫及鼻上酒皶、风疮瘙痒者，皆从外治，无非取其除热杀虫之功耳。升炼轻粉法：用水银一两，白矾二两，食盐一两，同研不见星，铺于铁器内，以小乌盆覆之，盐泥封固盆口，以炭火打三炷香取开，则粉升于盆上矣。[主治参互]《活幼口议》小儿哯乳不止，服此立效。腻粉一钱，盐豉七粒，去皮研匀，丸麻子大，每服三丸，藿香汤下。《经验方》小儿吃泥及馕肚，用腻粉一分，砂糖和丸麻子大，空心米饮下一丸，良久泄出泥土瘥。《太平圣惠方》大小便闭胀闷欲死二三日，则杀人，腻粉一钱，生麻油一合，相和空心服。《万表积善堂方》下疳阴蚀疮，轻粉末，干掺之即结靥而愈。《永类钤方》臁疮不合，葱汁调轻粉傅之。又秘法升丹灵药方：治痈疽恶疮、杨梅诸疮，拔毒长肉神验。水银一两，黑铅七钱，朱砂、雄黄各三钱，白矾、火硝各二两半。其法：先用铅化开，投水银凝成饼，入朱砂、雄黄，研匀，然后将硝矾熔化，投前四味末入内，离火急搅令匀，用阳城罐盛之，铁盏盖口，上架铁梁，铁线扎紧，盐泥固济，神仙炉内文武火升炼，盏中时时以水擦之，火渐加，以三分为率，每焚官香一炷，则加一分，如是炼三炷官香为度，候冷取开，于盏底刮取，研如飞面，甘草汤飞过三次，入龙脑香少许，点广疮上数数以指蘸药按之，三日自脱。神方也。[简误] 水银粉，下膈涎，消积滞，并小儿涎潮瘐疭药多用，然而其性有毒，走而不守。若服之过剂或不得当，则毒气熏蒸窜入经络筋骨，莫之能出，痰涎既去，血液随亡，筋失所养，营卫不从，变为筋挛骨痛，或结肿块漏疮，或手足皲裂，顽痹等证，遂成痼疾，贻害无穷。盖此物本成于汞，则汞之毒尚存，又得火煅，则火之毒气未出。《本经》言其无毒，误也。凡闭结由于虚血不能润泽，小儿疳病，脾胃两虚，小儿慢惊，痰涎壅上，杨梅结毒。发于气虚久病之人，咸不宜服。宗奭有云：病属于惊尤须审慎。盖惊为心气不足，不可下。下之里虚，惊气入心，不可治。其人本虚便须禁此，慎之至也。

《本草正》 轻粉，微辛，性温燥，有大毒。升也，阳也。治痰涎积聚，消水肿鼓胀，直达病所。尤治瘰疬诸毒疮，去腐肉生新肉，杀疮癣疥虫及鼻上酒齄，风疮瘙痒。然轻粉乃水银加盐、矾升炼而成，其以金火之性，燥烈流走，直达骨髓，故善损齿牙。虽善劫痰涎，水湿疮毒，涎从齿缝而出，邪得劫而暂开，病亦随愈。然用不得法，则金毒窜入经络，留而不出，而伤筋败骨，以致筋骨痛，痈疮疳漏，遂成废痼，其害无穷。尝见丹家升炼者，若稍失固济，则虽以铁石为鼎亦必爆裂，而矧以人之脏腑血气乎？陈文中曰，轻粉下痰而损心气，小儿不可轻用，伤脾败阳必变他证，初生者尤宜慎之。

《本草通元》 轻粉，辛，温，有毒。治痰涎积滞，鼓胀毒疮，杀虫搜风。按轻粉乃盐矾炼水银而成。其气燥烈，其性走窜，善劫痰涎，消积滞，故水肿风痰，湿热杨梅疮毒，服之则涎从齿龈而出，邪郁暂开而愈。若服之过剂及用之失宜，则毒气被逼，窜入经络筋骨，莫之能出，变为筋挛骨痛，发为痈肿疳漏，经年累月遂成发痼，因夭枉者不少也。

《医宗说约》 轻粉，辛，寒，疮疡拔毒。虫癣疥癞，疳积亦服。（即水银所升者。）

《本草述》 按水银在砂中，丹砂伏火，则溜汞于下，乃同他药炼之，则结粉于上，其义固可参也。方书曰：矾石同焰硝，可炼水银成粉。历稽升汞粉者多不能离此二味。盖其收痰涎摄水，又同于焰硝得火性之升举者，故本属润下，转成炎上，以结于极顶。此李濒湖所谓化纯阴为燥烈者也。然取其能下膈涎，如小儿急惊用之。盖痰涎乃水液所结，汞固砂中之金精而为水母，原与铅交感，故铅汞合而最能下坠，假矾石火硝煅炼，使阴滞之质，化于阳浮之气，能直就膈上而下其痰涎者此耳。更先哲云：银粉乃是下膈通大肠之要剂。即如治疠风一证，投遇仙散，必用银粉为使，所以用其驱诸药入阳明经，开其风热怫郁痞膈，遂出恶风臭恶之毒，杀所生之虫。循经上行，至牙齿软薄之分，而出其臭毒之涎水也，即此可以类推矣。又按寇氏谓惊为心气不足，切宜禁此。不知惟慢惊乃属火土虚者也，若急惊则因于热盛生痰，痰盛生惊。先哲谓治惊先于豁痰，焉得禁此。但其燥烈未可独任，故急惊有轻下法。如比金丸：轻粉、滑石、南星、青黛。又利惊丸：轻粉、青黛、牵牛末、天竺黄。多同辛凉用之，乃为适宜。

《本草备要》 轻粉，辛，冷（李时珍曰：燥有毒）。杀虫治疮，劫痰消积。（能消涎积。十枣汤加大黄、牵牛、轻粉，名三化神祐散。）善入经络，瘈疭药多用之。不可过服常用。（李时珍曰：水银阴毒，用火煅丹砂而出，再加盐、矾炼为轻粉，轻扬燥烈，走而不守。今人用治杨梅毒疮。虽能劫风痰湿热，从牙龈出，邪郁暂解，然毒气窜入经络，筋骨血液耗心，筋失所养，变为筋挛骨痛，痈肿疳漏，遂成废痼，贻害无穷。上下齿龈，属手足阳明胃经。毒气循经上气，至齿龈薄嫩之处而出。）土茯苓、黄连、黑铅、铁浆、陈酱能制其毒。

《本经逢原》 轻粉一名腻粉，辛燥有毒。［发明］水银加盐、矾炼为轻粉。化纯阴为燥烈，而阴毒之性犹存，故能通大肠，傅小儿疳疽瘰疬，杀疮疥癣虫，风瘙疮瘘。但以阴性暴悍，善劫淫秽梅疮。食之，窜入筋骨，莫之能出，久久发为结毒，致成废人。然必仍用水银升炼，入三白丹，引拔毒之药，同气相求，以搜逐之。疠风醉仙丹、通天再造散，用以搜涤毒邪，从齿缝出。钱氏利惊丸、白饼子皆用之，取痰积从大便出，真瞑眩之首推也。

《本草诗笺》 燥辛轻粉性何如，暴悍还看阴未除；致用却能消瘰疬，奏功尤足治疳疽；通肠行止虽堪信。入骨依回终可虞；三白醉仙施妙法（三白丹、醉仙丹用以搜涤毒邪），引搜邪毒不留余。

《玉楸药解》 轻粉，辛，寒，入足少阴肾、足厥阴肝经。搽疥癣，涂杨梅。轻粉辛冷毒烈，服之筋骨拘挛，齿牙脱落，庸工用其多治杨梅恶疮，多被其毒，不可入汤丸也。本草谓其治痰涎积滞，鼓胀水肿。良药自多，何为用其？轻粉即水银、盐、矾升炼而成者，其性燥烈，能耗血亡津，伤筋损骨。

《得配本草》 轻粉（一名汞粉，一名腻粉），畏石黄、磁石，忌一切血。辛，温燥，有大毒。劫痰涎，除水湿，治疮杀虫，不可轻服。得生姜自然汁调搽，搔破面皮无痕迹。配砂糖，丸如麻子大，空心米饮下一丸，治小儿吃泥。配黄丹为末，治痘目生翳（左目患吹右耳，右目患吹左耳，即退）。即水银和白矾、食盐，升炼成粉。用不得法，毒气入骨而莫出。

《本草求真》 ［批］杀虫治疥，劫痰消积。轻粉（专入筋骨），系水银加盐、矾升炼而成。（水银一两，白矾二两，食盐一两，入铁器内，盆覆封固升炼。又法：水银一两，皂矾七钱，白盐五钱，同上升法。一两汞可升粉八钱。按：水银金之魂魄，绿矾铁之精华，二气同根，是以炼制成粉。无盐则色不白。）虽是化纯阴而为辛燥，然阴毒之性犹存，故能杀虫治疮，劫痰消积。毒烈之性，走而不守。今人用治杨梅疮毒，虽能劫风痰湿热，从牙龈而出，暂得宽解。（刘完素曰：银粉能伤牙齿。盖上下齿龈属手足阳明之经，毒气感于肠胃，而精神气血水谷既不胜其毒，则毒即循经上行，而至齿龈嫩薄之分。）然毒气窜入筋骨，血液耗损，久久发为结毒，遂成废人。仍须用水银升炼，入三白丹引拔毒之药，同气搜逐疠风。醉仙丹、通天再造散，用以搜剔毒邪，仍从齿缝而出，再以钱氏利惊丸、白饼子并用，取痰积从大便而出矣。（时珍曰：黄连、土茯苓、陈酱、黑铅，可制其毒。）畏磁石、石黄。忌一切血。（本出于丹砂故也。闺阁事宜作女人面脂，用轻粉、滑石、杏仁去皮尖等分，为末，蒸过。入脑、麝少许，以鸡子清调匀，名太真红玉膏，洗面毕敷之。旬日色如红玉。）

《罗氏会约医镜》 （外用杀虫生肌。）轻粉（辛燥，有毒），惟入外科。去风杀虫，追毒生肌。敷疳痹瘰疬，治疮癣疥癞，又消涎积、鼓胀、梅疮。直达病所，可以劫毒。然邪郁暂解，但恐毒气透于筋骨，迨后毒发关窍，重者丧生，轻者废败，可不慎诸！（轻粉乃水银加盐矾升炼而成，其性燥烈，勿轻用。）

《本草撮要》 轻粉，辛，冷燥有毒。入手足太阴经，切专杀虫治疮，劫痰消积。善入经络，瘈疭药有用之者，不可轻服。土茯苓、黄连、黑铅、铁浆、陈酱能制其毒。

《本草便读》 轻粉，辛寒劫内伏之痰涎。能燥而提脓，毒烈杀外疮之虫积。（轻粉用水银、食盐、明矾，升炼而成。其燥烈升散之性，与升药相同，善劫痰涎。每见下疳等疮毒，服此则牙根腐蚀，或有冷涎从牙缝中出，下疳虽愈，毒留筋骨，致成败证者多矣。然生肌燥湿，外治之功，不可掩也。）

尚志钧按 轻粉味辛，性寒，有毒，杀虫止痒、燥湿、利水，适用于湿疹脓疱瘰疬、皮肤瘙痒、水肿、大小便秘结、梅毒、疥癞顽癣、黄水疮，或疮口有胬肉。治湿疹脓疮，以本品二钱，配青黛三钱，黄柏五钱，蛤粉一两，煅石膏二两，研为细末，干掺或用油调涂。治秃疮湿痒，以轻粉八钱，枯矾八钱，黄芩、黄柏、山栀各一钱，香油一两六钱，黄蜡四钱，先将黄芩、黄柏、山栀入油熬枯，去滓，入黄蜡熔化后，再以轻粉、枯矾研细末加入，搅匀，涂发癣处。治下疳，轻粉、黄柏等分，研细末，撒布疮面。治烫伤新肉已满，不能生皮，以轻粉一两，珍珠一钱，青缸花五分，共研细末，掺用。治痔核干枯，使之脱落，以炉甘石一钱，轻粉、冰片各一分，乳香、没药、血竭各二分，儿茶五分，共研细末，用凡士林调成20%软膏，涂布痔核，以助脱落。治痔疮、痔瘘管溃破，取炉甘石一两，轻粉一钱，血竭钱半，冰片二分，共研细末，吹敷患处。治疮面有胬肉，轻粉五分，乌梅炭二钱，冰片少许，研细末，掺患处。治疥癣虫痒，取轻粉细末，配成5%凡士林油膏外搽。治瘰疬溃后不敛，煅石膏二钱，炙鸡内金钱半，凤凰衣一钱，轻粉、珍珠粉、梅片各五分，研细末，掺局部。治溃疡腐烂不尽，新肉不生，当归二两，甘草一两二钱，白芷五钱，紫草二钱，用麻油一斤熬枯去滓，入白蜡二两烊化，下轻粉、血竭各四钱细末，搅透备用，敷溃后各阶段，有毒能拔，无毒则生肌。

114 粉霜（《纲目》）

《本草纲目》 ［释名］粉霜一名水银霜、白雪（纲目）、白灵砂。［时珍曰］以汞粉转升成霜，故曰粉霜。《抱朴子》云：白雪，粉霜也。以海卤为匮，盖以土鼎。勿泄精华，七日乃成。要足阳气，不为阴侵。惟姜、藕、地丁、河车可以炼之点化。在仙为玄壶，在人为精原，在丹为木精，在造化为白雪，在天为甘露。［修治］［时珍曰］升炼法：用真汞粉一两，入瓦罐内令匀，以灯盏仰盖罐口，盐泥涂缝。先以小炭火铺罐底四围，以水湿纸不住手在灯盏内擦，勿令间断。逐渐加火，至罐颈住火。冷定取出，即成霜如白蜡。按《外台秘要》载古方崔氏造水银霜法云：用水银十两，石硫黄十两，各以一铛熬之。良入银热黄消，急倾入一铛，少缓即不相入，仍急搅之。良久硫成灰，银不见，乃下伏龙肝末十两，盐末一两，搅之。别以盐末铺铛底一分，入药在上，又以盐末盖面一分，以瓦盆覆之，盐土和泥涂缝，炭火煅一伏时，先文后武，开盆刷下，凡一转。后分旧土为四分，以一分和霜，入盐末二两，如前法飞之讫。又以土一分，盐末二两，和飞如前，凡四转。土尽更用新土，如此七转，乃成霜用之。此法后人罕知，故附于云此云。［气味］［时珍曰］畏荞麦秆灰、硫黄。［主治］［时珍曰］下痰涎，消积滞，利水，与轻粉同功。［发明］［元素曰］粉霜、轻粉，亦能洁净腑，去膀胱中垢腻，既毒而损齿，宜少用之。［时珍曰］其功过与轻粉同。

八、含砷及其化合物的矿物药

115 砒霜（《开宝》）

《开宝本草》 砒霜，味苦、酸，有毒。主诸疟，风痰在胸膈。可作吐药，不可久服，能伤人。飞炼砒黄而成，造作别有法。

《雷公炮炙论》 砒霜，凡使，用小瓷瓶子盛，后入紫背天葵、石龙芮二味，三件便下火煅，从巳至申，便用甘草水浸，从申至子，出，拭干，却入瓶盛，于火中煅，别研三万下用之。《雷公炮炙论·序》云：留砒住鼎，全赖宗心。

《日华子本草》 砒霜，暖。治妇人血气冲心痛，落胎。又砒黄，暖，亦有毒。畏绿豆、冷水、醋。治疟疾肾气，带辟蚤虱。入药以醋煮杀毒，乃用。

《本草图经》 砒霜，旧不著所出郡县，今近铜山处亦有之，惟信州者佳。其块甚有大者，色如鹅子黄，明澈不杂。此类本处自是难得之物，每一两大块真者，人竟珍之，市之不啻金价。古服食方中亦或用之，必得此类乃可入药。其市肆所蓄，片如细屑，亦夹土石，入药服之，为害不浅。误中，解之用冷水研绿豆饮之，乃无也。

《本草衍义》 砒霜，疟家或用，才过剂，则吐泻兼作，须浓研绿豆汁，仍兼冷水饮，得石脑油即伏。今信州凿坑井，下取之。其坑常封锁，坑中有浊绿水，先绞水尽，然后下凿取。生砒谓之砒黄，其色如牛肉，或有淡白路，谓石非石，谓土非土，磨研酒饮，治癖积气有功。才见火，便有毒，不可造次服也。取砒之法：将生砒就置火上，以器覆之，令砒烟上飞，着覆器，遂凝结，累然下垂如乳尖。长者为胜，平短者次之。《图经》言大块者。其大块者已是下等，片如细屑者极下也。入药当用如乳尖长者，直须详谨。

《绍兴本草》 砒霜至毒之物，世所共知。其造作之法，本经不载，但将生砒而飞炼成霜矣。虽有疗病之说，但害人者多矣。在服饵不用为善，即非常毒之物。今定砒霜味苦、酸，有大毒是矣。

《本草蒙筌》 砒霜（一名信石），味苦、酸，有大毒。近铜山处俱有，信州井者独佳（信州属江西，其处有此井，宫中封禁甚严，井中有浊绿水，先绞水尽，才凿取之），块大色黄，明澈不杂。此生砒者，谓之砒黄。置火上以器覆之，令砒烟上着凝结，累累垂下。如乳尖长，才名砒霜，入药方妙。所畏醶醋、冷水、绿豆、羊血四般。误中毒腹中，用一味即解。医方醋煮，亦杀毒焉，截疟除哮，膈上风痰可吐；溃坚摩积，腹内宿食能消。

《本草纲目》 ［释名］砒石，一名信石、人言，生者名砒黄，炼者名砒霜。［时珍曰］砒，性猛如貔，故名。惟出信州，故人呼为信石，而又隐信字为人言。［集解］［时珍曰］此乃锡之苗，故新锡器盛酒日久能杀人者，为有砒毒也。生砒黄以赤色者为良，熟砒霜以白色者为良。［修治］［时珍曰］医家皆言生砒轻见火则毒甚，而雷氏治法用火煅，今所用多是飞炼者，盖皆欲求速效，不惜其毒也，易若用生者为愈乎？［气味］［时珍曰］辛、酸，大热，有大毒。［主治］［时珍曰］砒黄：除齁喘积痢，烂肉，蚀瘀腐瘰疬。砒霜：蚀痈疽败肉，枯痔杀虫，杀人及禽兽。味辛，大热，有大毒。［发明］［时珍曰］砒乃大热大毒之药，而砒霜之毒尤烈。鼠雀食少许即死，猫犬食鼠雀亦殆，人服至一钱许亦死。虽钩吻、射罔之力，不过如此，而宋人著本草不甚言其毒，何哉？此亦古者礜石之一种也，若得酒及烧酒，则腐烂肠胃，顷刻杀人，虽绿豆冷水亦难解矣。今之收瓶酒者，往往以砒烟熏瓶，则酒不坏，其亦嗜利不仁者哉？饮酒潜受其毒者，徒归咎于酒耳。此物不入汤饮，惟入丹丸。凡痰疟及齁喘用此，真有劫病立地之效。但须冷水吞之，不可饮食杯勺之物，静卧一日或一夜，亦不作吐；少物引发，即作吐也。其燥烈纯热之性，与烧酒、焰消同气，寒疾湿痰被其劫而怫郁顿开故也。今烟火家用少许，则爆声更大，急烈之性可知矣。此药亦止宜于山野藜藿之人。若嗜酒膏粱者，非其所宜，疾亦再作，不慎口欲故尔。凡头疮及诸疮见血者，不可用，此其毒入经必杀人。李楼奇方云：一妇病心痛数年不愈。一医用人言半分，茶末一分，白汤调下，吐瘀血一块而愈。得《日华子》治妇人血气心痛之旨乎？

《药性歌括四百味》 砒霜，大毒，吐风痰，截疟除哮，能消沉痼。（一名人言，一名信石，畏绿豆、冷水、米醋、姜肉。误中毒，服其中一味即解。）

《本草原始》 砒石，出信州。块大色如鹅子黄，明彻不杂，此生砒者谓之砒黄。砒性猛如貔，故名砒。出信州故名信而又隐信字为人言。生砒置火上以器覆之，令烟上飞，着器凝结累然下垂如乳尖者名砒霜。

《炮炙大法》 凡使，用小瓷瓶子盛后，入紫背天葵、石龙芮二味，三件便下火煅，从巳至申，便用甘草水浸，从申至子出，拭干入瓶盛，于火中煅，别研三万下，用之。一法：每砒霜一两，打碎，用明矾一两，为末，盖砒上，贮罐中，入明火一煅，以枯矾为度，砒之焊气随烟而去，驻形于矾中者，庶几无大毒，用之不伤也。用砒霜即用矾霜是也，似简便。畏绿豆、冷水。青盐、鹤顶草、硝石、蒜、水蓼、常山、益母、独帚、木律、菖蒲、三角酸、鹅不食草、波棱、莴苣，皆能伏砒。

《本草经疏》 砒霜禀火之毒气，复兼锻炼，本经虽云味苦酸，而其气则大热，性有大毒也。酸苦涌泄，故能吐诸疟风痰在胸膈间。大热大毒之物，故不可久服，能伤人也。更善落胎及枯痔杀虫。［简误］按砒黄既已有毒，见火则毒愈甚，而世人多用砒霜以治疟，不知《内经》云夏伤于暑，秋必痎疟，法当清暑益气，健脾，是为正治，岂宜用此大热大毒之药。如果元气壮实有痰者，取服之必大吐，虽暂获安，而所损真气实多矣。初烧霜时，人在上风十余丈外立，下风所近草木皆死。以之毒鼠鼠死，猫犬食之亦死，人服至一钱许则立毙。若得酒及烧酒服，则肠胃腐烂，顷刻杀人，虽绿豆、冷水亦难解。其余钩吻、射罔之毒，殆又甚焉奈何。今人用之治疟，是以必死之药治必不死之病，岂不误哉。除枯痔、杀虫用于外傅之药此外，慎毋服之。切戒！切戒！

《本草通元》 砒石，辛、酸，大热，大毒。主老疟齁喘，癖积蚀腐，瘰疬。

砒本大热大毒，炼之成霜，其毒尤烈，人服至七八分必死，得酒顷刻立毙，虽绿豆、冷水，立难解矣。入丸药中，劫哮喘痰疟，诚有立地奇功，须冷水吞之，不可饮食，安卧一日，即不作吐，食物引发即作吐也。惟宜生用，不可经火。

《本草述》 砒霜，在时珍谓其大热大毒，是固然矣。第陈承云：冷水磨服解热毒。若然，是则大热大毒之药，止以冷水磨之，遂能易其性味，顿使热毒化为清凉之用乎。窃意陈承所云，以冷水磨解热毒，近火即杀人，二语。盖谓是物有热毒，大有决壅溃瘀之能，吞以冷水，则差杀其热毒，而得用其枭以取胜，如近火则益恣其虐焬，不惟无益，而先取其害也。试以先哲所主治各证，曾有一属热毒者否？即时珍亦明言所治寒疾湿痰，被其劫而拂郁顿开。又云宜于山野藜藿之人，若嗜酒膏粱者非其所宜。以此推之，则病于素有热毒者，投之，不为以火济火乎！故以此味治痰，如痰喘齁船，诚为的对。第皆因于寒湿固非火热之痰也。愚昔年曾治一小子大获奇效，盖既为大热大毒之药，则宜以救偏至之疾，如寒痰湿痰是也。方书治胀满之椒仁丸，疗女子先因经水断绝，后至四肢浮肿，小水不通。血化为水者，此证瘀血，类逐峻厉之队以化之，盖溃阴凝之坚，非必借阳毒之厚者，不可也。又治哮喘之紫金丹，简易黄丸子。又治远年近日哮喘痰嗽一方，或止因于寒，或更寒以郁热而类同于所宜之味。盖非此大热有毒者，不足以散寒之凝，更不足以破寒之外锢而内蟞者，即此二证，则推类以尽之，亦可为善用砒石地矣。虽然，总之此种未可尝试。缪氏曰：今人奈何辄用之治疟，是以必死之药，治必不死之病。有味乎其言哉！第为外傅之药，如枯痔杀虫亦何可少也。

《本经逢原》 砒霜疟家常用，入口吐利兼作，吐后大渴，则与绿豆汤饮之。砒性大毒，误食必死。奈何以必死之药，治必不死之病，岂不殆哉？然狂痴之病，又所必需，胜金丹用之无不应者。枯痔散与白矾同用，七日痔枯自落，取热毒之性以枯歹肉也。

《本草诗笺》 砒石，出信州，入药醋煮，色红最劣。砒霜热毒足伤生，辛苦相兼最不情；制用豆茶灾略杀（畏绿豆芽茶，同用以杀其毒），解将水血祸稍轻（生羊血、冷水多灌亦可解毒）；外敷疮痔功偏捷，内治狂痴诳独成（胜金丹治狂痴病）；染指若还遭火酒，返魂无术向蓬瀛（砒同烧酒服立毙）。

《玉楸药解》 砒霜，味苦、辛，性烈，入肝、脾、肺等经。行痰化癖，截疟除齁，砒霜辛热大毒。治寒痰冷癖，久疟积痢，疗痔漏瘰疬，心疼齁喘，蚀痈疽腐肉，平走马牙疳，生名砒黄，炼名砒霜，经火更毒，得酒愈烈，过剂则生吐泄，服一钱杀人。

《得配本草》 砒石（生者名砒黄；炼者名砒霜，尤烈），畏冷水、绿豆、醋、青盐、蒜、消石、水蓼、常山、益母、独帚、菖蒲、水律、菠薐、莴苣、鹤顶草、三角酸、鹅不食草。辛、苦咸，大热，大毒。治痰癖，除寒哮。外用蚀败肉，杀诸虫。中其毒者，绿豆可解。煅，醋淬七次，研，水飞日于用。大热之性，虽可除寒消癖，必须煅过，配绿豆末，和诸药服之。第日约服一二厘而止，豆末亦每日约服二钱，以制其毒。不然久服之，肌肉燥裂，毒气交并，卒致后祸而不可解。

《本草求真》 ［批］热毒杀人，兼治哮疟顽痰。砒石（专入肠胃），出于信州，故名信石。即锡之苗，故锡亦云有毒。色白，有黄晕者，名金脚砒；炼过者曰砒霜。色红最劣。性味辛苦而咸，大热大毒。炼砒霜时，人立上风十余丈，其下风所近草木皆死。毒鼠鼠死，猫犬食亦死，人服至一钱者立毙。（烟火家用少许，则爆声更大，急烈之性可知矣。）若酒服及烧酒服，则肠胃腐烂，顷刻杀人，虽绿豆、冷水亦无解矣。奈何以必死之药，治不死之病，惟膈痰牢固，为哮为疟，果因寒结，不得已借此酸苦涌泄吐之。（时珍曰：凡痰疟及齁喘，用此真有劫病立起之效，但须冷水吞之，不可以饮食同投，静卧一日，或一夜，亦不作吐，少物引发，即作吐也。一妇病心痛，数年不愈。一医用人言半分，茶叶一分，白汤调下，吐瘀血一块而愈。）及杀虫。（恶疮，砒石、铜绿等分为末，摊纸上贴之，其效如神。）枯痔外敷。畏醋、绿豆、冷水、羊血。

《罗氏会约医镜》 砒霜（系砒黄所炼而成者，大毒杀人，能毒鼠犬），止可外用。蚀败肉、枯痔、杀虫，切毋内服。出信州，故名信石，锡之苗也（故锡器亦有毒）。生者名砒黄（醋磨涂一切肿毒），炼者名砒霜（炼时，所近草木皆死）。中毒者服绿豆汁、冷水，或者可解，十救一二。

《本草撮要》 砒石，辛、苦、酸，大热、大毒。砒霜尤烈。入手足太阴阳明经。功专燥痰。作吐药疗痰在胸膈，除哮截疟。外用蚀败肉，杀虫枯痔。信州者良，衡州次之。生名砒黄，炼名砒霜。锡之苗也，故锡亦有毒。以大枣一个去核，将砒霜放入少许，用线扎紧，瓦上焙焦，研细末，瓷瓶收贮，专涂牙根痒烂神效，名砒枣散。畏羊血、冷水、绿豆。

《本草便读》 砒石，热毒，能燥痰而作吐，辛酸兼苦，可截疟以除哮。枯痔杀虫，腐疮蚀肉。（砒石出信州，乃锡之苗，一云近铜山处亦有之。夫地之生石也，禀赋有良毒之不齐，出产有寒温之各异，昆虫草木皆然，不独石也。砒石大热大毒，经火煅为霜，则其性更烈。虽有内外诸方，皆劫疾之功用，取速效，然总不可浪投，致生祸患。）

尚志钧按 砒霜味辛，大热，有大毒，腐蚀力强，能腐烂疮头不溃，除溃疡内顽肉死肌难以脱落者，蚀窦道、瘘管、内痔、龋齿内痛、瘤赘、走马牙疳（牙龈坏死发黑），又能杀虫、止顽癣作痒。砒霜微量内服能截疟、平喘。治瘰疬，配少许蜡粉为丸。用针刺破瘰疬，取半绿豆大药丸，贴之能自落。又方：白砒（煅）一钱二分，硇砂二分，冰片一分，大田螺肉（晒干）五枚，研细末，治瘰疬已破，点敷瘰疬中央。

砒霜外用能破坏局部组织。牙科用微量砒霜制成腐蚀剂塞入龋齿内，能破坏牙髓及神经，使疼痛消失。《经验方》治走马牙疳，取红砒如黄豆大，以枣肉包裹，置瓦上煅至白烟尽，候冷研细，入梅片少许，敷患处，自初起至生肌均可敷，流涎吐出，下可咽下。

砒霜内服，能截疟，平喘，配绿豆、硫黄为丸内服，中病即止。

116 太乙神精丹（《千金方》）

本品用雄黄、雌黄、火硝、曾青、丹砂烧炼升华成皎洁雪状粉末。主要成分为三氧化二砷，有微量氧化汞、铜化物。其性味及主治功用，与砒霜同。

117 砒石（《开宝》）

砒石分红砒（红矾）、白砒两种。用三方晶系砷矿石炼成亦可用毒砂（礜石）、或雄黄炼成。红砒白色带有黄色和红色彩晕，有丝绢样光泽，质脆，易击碎，色红润，有晶莹直纹。白砒呈白色，有晶莹直纹。

红砒不纯，杂有硫化砷，三硫化二砷、铁、钴等，不宜入药，仅作农药杀虫剂。

砒石，性味同砒霜，二者腐蚀力皆甚峻烈，无论单用或配伍其他药物外用，皆可使局部组织发生坏死。本品经炼制后其毒性与腐蚀力尤剧。两药直接用于疮面能引起剧痛，内服腐烂胃肠能致脘腹剧烈疼痛。二者不可大量用，微量亦不可久用、久服，易产生积蓄性中毒。

118 砒矾散（《外科正宗》）

本品由白砒、白矾共炼而成。

白砒一两五钱，白矾二两，共研细末，入小罐内，碳火煅红，青烟已尽，旋起白烟，片时上下红彻，住火，取罐倾地上一宿，呈白色疏松结块，净重约一两，易溶于热水。

主成分为砒霜和枯矾。

本品作用同砒霜，腐蚀性很强。研末，津液调，点在疮疡、赘肉、息肉、瘰疬、疔疮上，使点处组织坏死，干枯，变黑，脱落。由于本品含有枯矾，能收敛，使药局限在点处，不致扩散侵蚀好肉，此与单纯砒霜腐蚀有所不同。

临床上根据需要，配成各种剂型使用。

（1）配成散剂。

《张氏医通》枯痔散治痔核突出。砒矾散三两，天灵盖粉、轻粉各四钱，蟾酥一分，共研细末，津调贴痔核。使核干枯脱落。

《疡医大全》枯痔散治痔疮突出。砒矾散一两，朱砂、轻粉各三钱，共研末，津调涂痔疮，使其自然干黑枯落。

此药亦可点涂赘肉、息肉、疣痣、疔疮。

一方：砒矾散二钱，乌梅炭二钱，朱砂、轻粉各五分，为末，津调，涂痔疮突出。

（2）制成细条，插入孔道，腐蚀瘘管。

《外科正宗》三品一条枪，治痔瘘。砒矾一两，雄黄二钱四分，乳香一钱二分，共研极细，厚糊调稠，搓如线条，阴干。凡痔疮、瘰疬及其他疮久不愈成瘘道，有孔者，纴入孔内。无孔者，先用针放孔窍，早晚各插药一次。孔大者，增插药条，使患孔药条满为止。待管自然落下，随用汤洗，涂上玉红膏，虚者宜进补药。凡疔核、瘰疬、痔瘘有管道者，均可治。

（3）制成药线。

枯痔线：砒矾二钱，闹羊花、藤黄各一钱，朱砂、轻粉各五分，以水煎取汁，将丝线浸汁后，取出晒，晒干再浸，至汁尽为度。用此药线，结扎痔核，三四日后，其核自然干枯变黑脱落。

119　礜石（《本经》）

《神农本草经》　礜石，味辛，大热。主寒热，鼠瘘。蚀疮，死肌，风痹，腹中坚。一名青分石，一名立制石，一名固羊石。

《吴普本草》　白礜石一名鼠乡。神农、岐伯：辛，有毒。桐君：有毒。黄帝：甘，有毒。季氏云：或生魏兴，或生少室，十二月采。

《名医别录》 礜石，味甘，生温、熟热，有毒。癖邪气，除热，明目，下气，除膈中热，止消渴，益肝气，破积聚，痼冷腹痛，去鼻中息肉。久服令人筋挛。火炼百日，服一刀圭。不炼服，则杀人及百兽，一名白礜石，一名太白石，一名泽乳，一名食盐。生汉中山谷及少室。采无时。（得火良，棘针为之使，恶马目毒公、鹜屎、虎掌、细辛，畏水。）

《本草经集注》 今蜀汉亦有，而好者出南康南野溪及彭界中，洛阳南堑，常取少室。生礜石，内水中令水不冰，如此则生亦大热。今以黄土泥苞，炭火烧之，一日一夕，则解碎可用，疗冷结为良。丹方及黄白术多用之，此又湘东新宁及零陵皆有。白礜石能柔金。

《药性论》 礜石，使。铅丹为之使，味甘，有小毒。主除胸膈间积气，去冷湿风痹，瘙痒皆积年者，忌羊血。

《四声本草》 不入汤。

《唐本草》注 此石能拒火，久烧但解散，不可夺其坚。今市人乃取洁白细理石当之，烧即为灰，非也。此药攻击积聚痼冷之病为良，若以余物代之，疗病无效，正为此也。今汉川武当西辽坂名礜石谷，此即是其真出处。少室亦有，粒细理，不如汉中者。

《本草图经》 礜石，生汉中山谷及少室，今潞州亦有焉，性大热，置水中令水不冰，又坚而拒火，烧之一日夕，但解散而不夺其坚。市人多取洁白石当之，烧即为灰也。此药攻击积聚痼冷之病为良，用之须真者乃佳。又有特生礜石，生西域。张华《博物志》云：鹳伏卵取礜石围绕卵，以助暖气。方术家用之，取鹳巢中者为真，即此特生礜石也。然此以难得，人多使汉中者，外形紫赤，内白如霜，中央有臼，形状如齿，其块小于白礜石，而肌粒大数倍，乃如小豆许。白礜石粒细，才若粟米耳。又有握雪礜石，出徐州西宋里山，人土丈余，生于烂土石间，色白细软如面也。又下条苍石，生西城。苏恭云：特生礜石，一名苍礜石，而梁州特生，亦有青者。房陵、汉川与白礜石同处，亦有青色者，多与特生同，但不入方用。而今医家多只用礜石，即白礜石也，形类相近，如此尤宜详择之耳。古方治寒冷积聚，皆用礜石。胡洽大露宿丸，主寒冷百病方。礜石炼、干姜、桂心、皂荚、桔梗各三两，附子二两，六物捣筛，蜜丸。服如梧子五丸，日三，渐增，以知为度。又有匈奴露宿丸、硫黄丸，并主积聚及饮食不下，心腹坚实，皆用礜石。近世乃少用者。

《丹房镜源》 红皮礜石能伏丹砂，养汞。

《本草衍义》 礜石并特生礜石，《博物志》及陶隐居皆言此二石，鹳取之以壅卵，如此则是一物也。隐居又言：《仙经》不云特生，则止是前白礜石。今《补注》但随文解义，不见特生之意。盖二条止是一物，但以特生不特生为异耳。所谓特生者，不附著他石为特耳。今用者绝少，惟两字礜石入药。然极须慎用，其毒至甚。及至论鹳巢中者，又却从谬说。鹳巢中皆无此石，乃曰：鹳常入水，冷，故取以壅卵。如此则鸬鹚、鹏鹙之类，皆食于水，亦自繁息生化，复不用此二石。其说往往取俗士之言，未尝究其实而穷其理也。尝官于顺安军，亲检鹳巢，率无石。矧礜石焉得处处有之？然治久积及久病胸腹冷有功，直须慎用，盖其毒不可当。

《绍兴本草》 礜石性味具于本经，乃大热有毒之药。其形坚而白，小大块不一，四面如粘碎方粒者佳。每用须大火煅之。治诸痼冷殊验。然其性热，又以大火煅之。其本经云：除热下气，除膈中热，止消渴，似非所宜。况前后诸方岂有疗热而用石者！后人不可不识之矣。

《本草纲目》 ［释名］［时珍曰］礜义不解。许氏《说文》云：礜，毒石也。《西山经》云：皋涂之山，有白石，其名曰礜，可以毒鼠。郭璞注云：鼠食则死，蚕食而肥。则鼠乡之意以此。［发明］［时珍曰］礜石性气与砒石相近，盖亦其类也。古方礜石、矾石常相浑书，盖二字相似，故误耳。然矾石性寒无毒，礜石性热有毒，不可不审。陆农师云：礜石之力，十倍钟乳。按《容斋随笔》云：王子敬静息贴，言礜石深是可疑，凡喜散者辄发痈。盖散者，寒食散也，古人多服之，中有礜石，性热有毒，故云深可深疑也。刘表在荆州，与王粲登鄣山，见一冈不生百草。粲曰：此必古冢，其人在世，服生礜石，热不出外，故草木焦灭。表掘之，果有礜石满茔。又今洛水不冰，下亦有礜，古人谓之温洛是也。取此石安瓮中，水亦不冰。文鹳伏卵，取石置巢中，以助温气。其性如此，岂可服？予兄文安公镇金陵，秋暑减食。医者汤三益教服礜石丸。已而饮啖日进，遂加意服之。越十月而毒作，衄血斗余。自是数数不止，竟至精液皆竭而死。时珍窃谓洪文安之病，未必是礜石毒发。盖亦因其健啖自恃，厚味房劳，纵恣无忌，以致精竭而死。夫因感食而服石，食既进则病去，药当止矣。而犹服之不已，恃药妄作，是果药之罪欤？

《五十二病方》 40 行云：诸伤，风人伤，伤痈痛，□礜。60 行云：狂犬伤，冶礜。350 行云：加（痂），燔礜。421 行云：疕，黎卢二，礜一，豕膏和，而索以熨疕。

《山海经》 《西山经》云：皋涂之山，有白石焉，其名曰礜，可以毒鼠。郭璞注云：今礜石杀鼠，音豫；蚕食之而肥。

《说文解字》 礜，毒石也。

《急就篇》 黄芩、茯苓、礜、柴胡。

《肘后备急方》 治风毒脚弱痹满上气，白礜石二斤，附子三两，豉三升，酒三斗，渍四五日，稍饮之。

《胡洽方》 露宿丸，治大寒冷积聚，礜石（炼）、干姜、桂、桔梗、附子（炮）、皂荚各三两，捣筛，蜜丸如梧子大，酒下十丸，加至一十五丸。

尚志钧按 礜石为斜方晶系毒砂的矿产物，剧毒。该矿常与金、银、铅、锡、黄铜、黄铁、闪锌、锌钴矿等共存于晶质岩中。该矿呈银白色或钢灰色，形状不等，或柱状，或棒状，或粒状，或散射状，条纹暗灰色，不透明，有金属光泽，质坚而硬，硬度为5.5~6，密度为5.9~6.2，性脆，断面不平，呈铁青色，加热则分解。礜石味辛，大热，有剧毒，腐蚀性很强，能蚀恶肉，破坚积，并能杀虫、毒鼠。《山海经》云："皋涂之山有白石，其名白礜，可以毒鼠。"《验方》：将礜石细末和荞麦面作饼，夜放鼠洞口，鼠食饼则死。如饼未吃完，白天取走，以防家畜、儿童食中毒。《验方》治瘰疬、赘瘤，取礜石、白矾等分研细末，用少许涂敷患处。《验方》治久疟不愈，肝脾肿大，以礜石研末为丸如绿豆大，每日一丸，中病即止，不可多服久服。

120 握雪礜石（《唐本》）

《唐本草》 握雪礜石，味甘，温，无毒。主痼冷，积聚，轻身延年，多食令人热。唐本注云：出徐州西宋里山。入土丈余于烂土石间，黄白色，细软如面。一名化公石，一名石脑。炼服别有法。

《蜀本草》注 今据中品自有"石脑"一条，主治与此甚别，应似徐长卿一名鬼督邮之类也。

《本草图经》 文具"礜石"条下。

《丹房镜源》 握雪礜石，干汞，制汞并丹砂。

《绍兴本草》 握雪礜石，以谓细软如面，故有握雪之称。虽同得礜石之名，而形质甚异。且礜石至坚，今云细软如面，明非一种。但主疗之文与礜石颇同，当以味甘、大热、有毒为定。今方家未闻用矣。

《本草纲目》 ［集解］［时珍曰］谨按：独孤滔《丹房镜源》云：握雪礜石出曲滩泽。盛寒时有髓生于石上，可采。一分结汞十两。又按：南宫从岣嵝神书云：石液，即丹矾之脂液也。此石出襄阳曲滩泽中，或在山，或在水，色白而粗糯。至冬月有脂液出其上，旦则见日而伏。当于日未出时，以铜刀刮置器内，火煅通赤，取出，楮汁为丸，其液沾处便如铁色。以液一铢，制水银四两，器中火之立干。但此液亦不多有，乃神理所惜，采时须用白鸡、清酒祭之。此石华山、嵩山皆出，而有脂液者，惟此曲滩。又熊太古《冀越集》亦言：丹山矾十两，可干汞十两。此乃人格物之精，发天地之秘也。据三书所引，则握雪礜石乃石之液，非土中石脑也。苏恭所说，自是石脑。其说与《别录》及陶弘景所注石脑相合，不当复注于此。又按：诸书或作礜石，或作矾石，未知熟是？古书二字每每讹混。以理推之，似是矾石。礜石有毒，矾石无毒故也。[主治][时珍曰] 治大风疮。

121 特生礜石（《别录》）

《名医别录》 特生礜石，味甘，温，有毒。主明目，利耳，腹内绝寒，破坚结及鼠瘘，杀百虫恶兽。久服延年。一名苍礜石，一名鼠毒。生西域。采无时。火炼之良，畏水。

《本草经集注》 旧鹳巢中者最佳，鹳常入水冷，故取以壅卵令热。今不可得。惟用汉中者，共外形紫赤令色，内白如霜，中央有臼，形状如齿者佳。《大散方》云：又出荆州新城郡房陵县，缥白色为好。用之亦先以黄土包烧之一日，亦可内斧孔中烧之，合玉壶诸丸用此。《仙经》不云特生，则止是前白礜石尔。

《唐本草》注 陶所说特生云：中如齿臼形者是。今出梁州，北马道戍涧中亦有之。形块小于白礜石，而肌粒大数倍，乃如小豆许。白礜石粒细，若粟米尔。

《本草图经》 文具"礜石"条下。

《绍兴本草》 特生礜石，陶注谓鹳伏卵，时取此石围绕，以助暖气生之意，故称特生。然与白礜石相类，而得之者少。今诸方止以白礜石入药，而罕见用此。既是礜石，即当以味甘、温、无毒。主痼冷，积聚，轻身延年。多食令人热。

《本草纲目》 [释名][时珍曰] 礜石有苍、白二种，而苍者多特生，故此云一名苍礜石，则《别录》苍石系重出矣。其功疗皆相同。今并为一。[集解][时珍曰] 礜石有数种，白礜石、苍礜石、紫礜石、红皮礜石、桃花礜石、金星礜石、银星礜石、特生礜石俱是一物，但以形色立名。其性皆热毒，并可毒鼠制汞，惟苍、白二色入药用。诸礜生于山，则草木不生，霜雪不积；生于水则水不冰冻，或有温泉，其气之热可知矣。《庚辛玉册》云：礜，阳石也，生山谷。水中濯出似矾，有文理横截在中者为佳。伏火，制砂汞。其状颇与方解石相似，但投水不冰者为真。其出金穴中者，名握雪礜石。[发明][时珍曰]《别录》言，礜石久服令人筋挛，特生礜石久服延年。丹书亦云，礜石化为水，能伏水银，炼入长生药。此皆方士谬说也，与服砒石、汞长生之义同，其死而无悔者乎？

122　苍石（《别录》）

《名医别录》　苍石，味甘，平，有毒。主寒热，下气，瘘蚀，杀禽兽。生西城，采无时。

《本草经集注》　俗中不复用，莫识其状。

《唐本草》注　特生礜，一名苍礜石。而梁州特生，亦有青者。今房陵、汉川与白礜石同处，有色青者，并毒杀禽兽，与礜石同。汉中人亦取以毒鼠，不入方用。此石出梁州、均州、房州，与二礜石同处，特生、苍石并生西城，在汉川金州也。

《本草图经》　文具“礜石”条下。

《绍兴本草》　苍石，据《图经》及《唐》注并称礜石中色青者。本经虽有性味主疗之文，但诸方不复见用。既能毒杀禽兽，其有毒明矣。

尚志钧按　本条，《本草纲目》并入“特生礜石”。

123　雄黄（《本经》）

《神农本草经》　雄黄，味苦，平，寒。治寒热，鼠瘘、恶疮，疽痔，死肌，杀精物、恶鬼、邪气、百虫、毒肿，胜五兵。炼食之，轻身神仙。一名黄食石。生山谷。

《吴普本草》　雄黄，神农：苦。山阴有丹雄黄，生山之阳，故曰雄，是丹之雄，所以名雄黄也。

《名医别录》　雄黄，味甘，大温，有毒。主治疥虫，䘌疮，目痛，鼻中息肉，及绝筋，破骨，百节中大风，积聚，癖气，中恶，腹痛，鬼疰，杀诸蛇虺毒，解藜芦毒，悦泽人面。饵服之，皆飞入人脑中，胜鬼神，延年益寿，保中不饥。得铜可作金。生武都、敦煌山之阳。采无时。

《雷公药对》　雄黄，《本经》平，寒。《别录》大温。主蚀脓，中蛊，伤寒，大腹水肿，君。

《本草经集注》　雄黄，炼服雄黄法，皆在《仙经》中，以铜为金，亦出《黄白术》中。晋末以来，氐羌中纷扰，此物绝不复通，人间时有三五两，其价如金。合丸皆用石门、始兴石黄之好者尔。始以齐初凉州平市微有所得，将至都下，余最先见于使人陈典签处，捡获见十余片，伊辈不识此物是何等，见有搓挟雌黄，或谓是丹砂，五禾语并更属觅，于是渐渐而来，好者作鸡冠色，不臭而坚实。若点黑及虚软者不好也。武都、氐羌是为仇池。宕昌亦有，与仇池正同而小劣。敦煌在凉州西数千黑，所出者未尝得来江东不知，当复云何？此药最要，无所不入也。

《雷公炮炙论》 雄黄，凡使，勿用黑鸡黄、自死黄、夹腻黄。其臭黄，真似雄黄，只是臭不堪用，时人以醋洗之三两度，便无臭气，勿误用也。次有夹腻黄，亦似雄黄，其内一重黄，一重石，不堪用。次有黑鸡黄，亦似雄黄，如乌鸡头上冠也。凡使，要似鹧鸪鸟肝色为上。凡修事，先以甘草、紫背天葵、地胆、碧棱花四件，并细剉。每件各五两，雄黄三两，下东流水入坩埚中，煮三伏时，漉出，捣如粉，水飞，澄去黑者，晒干再研，方入药用。其内有劫铁石，是雄黄中有，又号赴矢黄，能劫于铁，并不入药用。

《药性论》 雄黄，金苗也，杀百毒。又名黄石。味辛，有大毒。能治尸疰，辟百邪鬼魅，杀蛊毒。人佩之，鬼神不能近；入山林，虎狼伏；涉川济，毒物不敢伤。

《唐本草》注 雄黄，出石门名石黄者，亦是雄黄，而通名黄食石。而石门者最为劣耳，宕昌、武都者为佳，块方数寸，明澈如鸡冠，或以为枕，服之辟恶。其青黑坚者，不入药用。若火烧飞之而精小，疗疮疥猥用亦无嫌。又云恶者名熏黄，用熏疗疮疥，故名之，无别熏黄也。贞观年中，以宕州新出，有得方数尺者，但重脆，不可金致之耳。

《本草拾遗》 石黄，雄黄注中苏云：通名黄石。按石黄，今人敲取精明者为雄黄，外黑者为薰黄，主恶疮，杀虫，薰疮疥虮虱，和诸药薰嗽。其武都雄黄，烧不臭。薰黄中者，烧则臭。以此分别之。苏云通名，未之是也。

《日华子本草》 雄黄，微毒。治疥癣，风邪，癫痫，岚瘴，一切蛇虫犬兽咬伤。久服不饥。通赤亮者为上，验之可以熁虫死者为真，臭气少，细嚼口中含汤不激辣者通用。

《本草图经》 雄黄，生武都山谷敦煌山之阳，今阶州山中有之。形块如丹砂，明澈不夹石，其色如鸡冠者为真。有青黑色而坚者名熏黄，有形色似真而气臭者名臭黄，并不入服食药，只可疗疮疥耳。其臭以醋洗之便可断气，足以乱真，用之尤宜细辨。又阶州接西戎界，出一种水窟雄黄，生于山岩中有水泉流处，其石名青烟石、白鲜石。雄黄出其中，其块大者如胡桃，小者如粟豆，上有孔窍，其色深红而微紫，体极轻虚，而功用胜于常雄黄，丹灶家尤所贵重。或云雄黄，金之苗也，故南方近金坑冶处时或有之，但不及西来者真好耳。谨案：雄黄治疮疡尚矣。《周礼·疡医》：凡疗疡，以五毒攻之。郑康成注云：今医方有五毒之药，作之合黄堥，置石胆、丹砂、雄黄、礜石、磁石其中，烧之三日三夜，其烟上著，以鸡羽扫取之，以注创，恶肉破骨则尽出。故翰林学士杨亿常笔记直史馆杨嵎年少时有疡生于颊，连齿辅车外肿，若覆瓯，内溃出脓血不辍，吐之痛楚难忍，疗之百方，弥年不差，人语之，依郑法合烧药成，注之创中，少顷，朽骨连两牙溃出，遂愈，后便安宁，信古方攻病之速也。黄堥若今市中所货有盖瓦合也，近世合丹药，犹用黄瓦鬲，亦名黄堥，事出于古也。

《太平圣惠方》 治伤寒、狐惑毒，蚀下部肛外如䘌，痛痒不止。以雄黄半两，先用瓶子一个口大者，内入灰上，如装香火将雄黄烧之，候烟出当病处熏之。《外台秘要》治骨蒸极热。以一两和小便一升，研如粉。乃取黄理石一枚，方圆可一尺，以炭火烧之三食顷，极热，灌雄黄汁于石上。恐大热不可近，宜著一片薄毯置石上，令患人脱衣坐石上。冷停，以衣被围绕身，勿令药气泄出，经三五度差。又方治箭毒。捣为末傅之，沸汁出愈。亦疗蛇咬毒。《千金方》治妇人始觉有妊，养胎，转女为男。以一两囊盛带之。又方治耳聋。以雄黄、硫黄等分为末，绵裹塞耳中。又方卒中鬼击及刀兵所伤，血漏腹中不出，烦满欲绝。雄黄粉酒服一刀圭，日三服，化血为水。又方治癥瘕积聚，去三尸，益气延年却老。以雄黄二两，细研为末，九度水飞过，却入新净竹筒内盛，以蒸饼一块塞筒口，蒸七度，用好粉脂一两为丸如绿豆大。日三服，酒下七丸、十丸。三年后道成，益力不饥，玉女来侍。《肘后方》若血内漏者。以雄黄末如大豆，内疮中。又服五钱匕，血皆化为水，卒以小便服之。《经验方》治马汗入肉。雄黄、白矾等分，更用乌梅三个，槌碎，巴豆一个，合研为细末。以半钱匕油调敷患处。《斗门方》辟魔，以一块带头上，妙。《博济方》治偏头痛至灵散：雄黄、细辛等分研细，每用一字已下，左边疼吹入右鼻，右边疼吹入左鼻，立效。《续十全方》治缠喉风。雄黄一块，新汲水磨，急灌，吐下，差。《集验方》治卒魇。雄黄捣为末细筛，以管吹入鼻孔中。《伤寒类要》治小腹痛满，不得小便及疗天行病。雄黄细研蜜丸如枣核，内溺孔中。又方齿杀虫，以末如枣塞牙间。《抱朴子》饵之法：或以蒸煮，或以酒服，或以消石化为水乃凝之，或以猪脂裹蒸之于赤土下，或以松脂和之，或以三物炼之，引之如布，白如冰。服之皆令人长生，百病除，三尸下，瘢痕灭，白发黑，堕齿生，千日玉女来侍，可使鬼神。又云：玉女常以黄玉为志，大如黍米，在鼻上，是真玉女；无此志者，鬼试人也。带雄黄入山林，即不畏蛇。若蛇中人，以少许末傅之，登时愈。蛇虽多品，惟蝮蛇、青蝰、金蛇中人为至急。不治，一日即死，人不晓治之。方术者，为二蛇中人，即以刀急割疮肉投地，其肉沸如火炙，须臾尽焦，而人得活也。此蛇七月、八月毒盛之时不得啮人，其毒不泄，乃以牙刺大竹木，即亦焦枯。《太平广记》刘无名，成都人也。志希延生，谓古方草木之药，但愈疾得效，见火辄为灰烬，自不能固，岂有延生之力哉？乃入雾中山，尝遇人教服雄黄，凡三十余年。一旦，有二人赤巾朱服，径诣其室。刘问：何人？对曰：我泰山直事，追摄子耳，不知子以何术，我已三日冥期，迫促而无计近子，将欲阴符谴责，以稽延获罪，故见形相问。刘曰：余无他术，但冥心至道，不视声利，静处幽山，志希度世而已。二使曰：子之黄光照灼于顶，迫高数尺，得非雄黄之功乎？今子三尸已去，而积功未著，大限既尽，将及死期，岂可苟免。刘闻其语，心魂忧迫，不知所为。二使谓之曰：岷峨青城神仙之府，可以求真师，访寻要道，我闻铅汞朱髓，可致冲天，此非高真上仙，须得修炼之旨。复入青城北崖之下，见一洞，行数里忽觉平博，殆非人世，遇神仙居其间，云青城刘真人。刘祈叩再三，具述所值鬼使追摄之由，愿示要道，以拔沉沦，赐度生死之苦。真人指一岩室，使栖止其中，复令斋心七日，乃示其阳炉阴鼎，柔金炼化水玉之方，伏汞炼铅成朱髓之诀。狐刚子、阴长生皆得此道，亦名金液九丹之经。丹分三品，以铅为君，以汞为臣，八石为使，黄牙为田，君臣相得，运火功全，七日为轻汞，二七日变紫峰，三七日五彩具，内赤上黄，状如窗尘。复运火二年，日周六百，再经四时，重履长至，初则十月离胞胎，已成初品，即能干汞成银丸而服之，可以袪疫。二年之外，服者延年益算，白发反黑。三年之后服之刀圭，散居名山周游四海，为初品地仙，服之半剂，变化万端，坐在立亡，驾驭飞龙，白日升天。大都此药经十六节已为中品，便能使人长生。药成之日，五金、八石、黄牙诸物，与君臣二药，不相杂乱。千日功毕名上品还丹，谨而藏之，勿示非人，世有其人，视形气功行合道，依而传之。刘受丹诀，还雾中山，筑室修炼，三年乃成。开成二年犹驻于蜀，自述无名，传以示后人。入青城山去，不知所终矣。《太上八帝玄变经》小丹法：用雄黄、柏子。拘魂制魄方：柏子细筛去滓，松脂十斤，以和柏子、雄黄各二斤，色如赤李，合药臼中复捣如蒸药一日。如饵，正坐北向，平旦顿服五丸，百日之后，与神人交见。《明皇杂录》有黄门奉使交广回，周顾谓曰：此人腹中有蛟龙。上惊问黄门曰：卿有疾否？曰：臣驰马大庾岭，时当大热，困且渴，遂饮水，觉腹中坚痞如石。周遂以消石及雄黄煮服之，立吐一物，长数寸，大如指，视之鳞甲具，投之水中，俄顷长数尺，复以苦酒沃之如故，以器覆之，明日已生一龙矣，上甚讶之。《唐书》甄立言究习方书，仕唐为太常丞。有道人心腹满烦，弥二岁，立言诊曰：腹有蛊，误食发而然。令饵雄黄一剂，少选吐一蛇，如人小指，惟无目，烧之有发气，乃愈。《宝藏论》雄黄，若以草药伏住者，熟炼成汁，胎色不移；若将制诸药成汁并添得者，上可服食，中可点铜成金，下可变银成金。《丹房镜源》雄黄千年化为黄金。

《本草衍义》 雄黄，非金苗。今有金窟处无雄黄。“金”条中，言金之所生，处处皆有雄黄，岂处处皆得也。别法，治蛇咬，焚之熏蛇远去。又武都者，镌磨成物形，终不免其臭。唐·甄言仕为太常丞，有道人病心腹懑烦，弥二岁。诊曰：腹有蛊，误食发而然。令饵雄黄一剂，少选，吐一蛇如拇指，无目，烧之有发气，乃愈。此杀毒蛊之验也。

《绍兴本草》 雄黄，出产主疗已载本经。入药当取形块明澈，色如雄冠，不夹石者佳，余者不堪。本经云：味苦、甘，平，寒，复云大温，盖谓经火炼者，其性变温，若生用者，其性则寒，皆为有毒。陈藏器余内又有“石黄”一条，乃雄黄之粗恶者尔。

《汤液本草》 雄黄，味苦、甘，有毒。《本草》云：主寒热鼠瘘恶疮，疽痔死肌，疗疥虫䘌疮，目痛，鼻中息肉，及绝筋破骨，百节中大风，积聚癖气，中恶，腹痛，鬼疰。

[王好古曰] 雄黄，搜肝气，泻肝风，消涎积。

《本草蒙筌》 雄黄，味苦、甘、辛，气平，寒，无毒。一云：大温有毒。生武都敦煌山阳，名曰雄也。得大块三五两，重价类金焉。嗅之臭气不闻，赤如鸡冠明澈，此为上品。擂细水飞，作散为丸，任凭酒服。（炼服飞入人脑中。）年深月久，轻身神仙。出路佩之，鬼神不近。有孕带者，转女成男。又可点红铜成金，甚为丹灶家所重（一说：雄黄千年化为黄金。又云：雄黄以草药伏住者，炼成汁，胎色不移，若将制成药成汁并添得者，上可服饵，中可点铜成金，下可变银成金也。）坚顽作气（此名臭黄，不宜服饵。）只治疮疡。辟精魅鬼邪，杀蛇虺虫毒。去鼻中息肉，破骨绝筋。除鼠瘘痔疽，积聚痃癖。误中毒者，防己解之。

《本草纲目》 [时珍曰] 雄黄入点化黄金用，故名黄金石，非金苗也。[集解] [时珍曰] 武都水窟雄黄，北人以充丹砂，但研细色带黄耳。《丹房镜源》云：雄黄千年化为黄金。武都者上，西番次之。铁色者上，鸡冠次之。以沉水银脚铁末上拭了，旋有黄衣生者为真。一云：验之可以熁虫死者为真，细嚼口中含汤不臭辣者次之。[修治][时珍曰]一法：用米醋入萝卜汁煮干用良。[主治][时珍曰]治疟疾寒热，伏暑泄痢，酒饮成癖，惊痫，头风眩晕，化腹中瘀血，杀劳虫疳虫。[发明][时珍曰]五毒药，范汪东阳方变为飞黄散，治缓疽恶疮，蚀恶肉。其法取瓦盆一个，安雌黄于中，丹砂居南，磁石居此，曾青居东，白石英居西，礜石居上，石膏次之，钟乳居下，雄黄覆之，云母布于下，各二两末。以一盆盖之，羊毛泥固济，作三隅灶，以陈苇烧一日，取其飞黄用之。夫雄黄乃治疮杀毒要药也，而入肝经气分，故肝风肝气、惊痫痰涎、头痛眩晕、暑疟泄痢、积聚诸病，用之有殊功。又能化血为水。而方士乃炼治服饵，神异其说，被其毒者多矣。按洪迈《夷坚志》云：虞雍公允文感暑痢，连月不瘥。忽梦至一处，见一人如仙官，延之坐。壁间有药方，其辞云：暑毒在脾，湿气连脚；不泄则痢，不痢则疟。独炼雄黄，蒸饼和药；别作治疗，医家大错。公依方，用雄黄水飞九度，竹筒盛，蒸七次，研末，蒸饼和丸梧子大。每甘草汤下七丸，日三服，果愈。《太平广记》载成都刘无名服雄黄长生之说，方士言尔，不可信。

《药性歌括四百味》 雄黄甘辛，辟邪解毒，更治蛇虺，喉风息肉。

《本草原始》 雄黄重三五两一块者价类金。嗅之不闻臭气。赤如鸡冠明澈者为上品，黑暗有夹石者下，有孕佩之，转女成男。仙家人点化黄金用，故一名黄金石。因生武都敦煌山阳，故名曰雄黄。(味平寒有毒。主寒热，鼠瘘恶疮，疽痔死肌，杀精物，恶鬼邪气，百虫毒，胜五兵，炼食之轻身神仙，治疥虫䘌疮目痛，鼻中息肉及绕筋破骨，百节中大风，积聚癖气，中恶肚痛，鬼疰，杀诸蛇虺毒，解黎芦毒，悦泽人面，饵服之者，皆飞。入脑中，胜鬼神延年益寿，保中不饥，得铜可作金。搜肝气，泻肝风，消涎积，治疟疾寒热，伏暑，泄泄痢疾，饮酒成癖，惊痫，头风眩晕，化肚中瘀血，杀劳虫、疳虫，除百病。凡资入药，大块透亮无夹石者为佳。)

《炮炙大法》 雄黄，取透明色鲜红质嫩者，研如飞尘，水飞数次。畏南星、地黄、莴苣、地榆、黄芩、白芷、当归、地锦、苦参、五加皮、紫河车、五叶藤、鹅肠草、鸡肠草、鹅不食草、圆桑叶、猬脂。

《珍珠囊补遗药性赋》 雄黄能杀虺蛇毒。(雄黄、雌黄同山所生，山阳处生雄黄，山阴有金处，金精熏则生雌黄。)

《雷公炮制药性解》 雄黄，味苦、甘，平，有毒。主杀精魅鬼邪，蛇虺蛊毒，山岚瘴毒，恶疮死肌，疥癣虫䘌，百节中风，鼻中息肉，中恶腹痛，佩带之鬼神不敢近，诸毒不能伤，解藜芦毒。大块透明，中无砂石者佳，研细水飞用。按：

雄黄或以为黄金之苗，今有金窟处无雄黄，则斯言未足深信。禀太阳之精，杀蛊辟邪，宜其效矣。中其毒者，以防已解之。

《本草经疏》 雄黄，味苦，平，气寒，有毒。《别录》味甘，大温。甄权言辛，大毒。察其功用，应是辛、苦，温之药，而甘寒则非也。气味俱厚，升也，阳也。入足阳明经。其主杀精物，恶鬼邪气及中恶腹痛，鬼疰者。盖以阳明虚则邪恶易侵，阴气胜则精鬼易凭，得阳气之正者，能破幽暗，所以杀一切鬼邪，胜五兵也。寒热鼠瘘，恶疮疽痔，死肌，疥虫䘌疮诸证，皆湿热留滞肌肉所致，久则浸淫而生虫。此药苦辛，能燥湿杀虫，故为疮家要药。其主鼻中息肉者，肺气结也；癖气者，大肠积滞也；筋骨断绝者，气血不续也。辛能散结滞，温能通行气血，辛温相合而杀虫，故能搜剔百节中大风积聚也。虺蛇阴物，藜芦阴草，雄黄禀纯阳之气，所以善杀百虫蛇虺毒及解藜芦毒也。《别录》复有目痛及悦泽人面之语，悉非正治炼饵之法出自《仙经》。以铜为金亦黄金术中事耳。[主治参互] 同红白药子、白及、白蔹、乳香、没药、冰片，傅一切肿毒痈疽。研细末入猪胆内，套指头上，治天蛇疔毒发于中指。同金头蜈蚣、牛角䚡、猪悬蹄、猬皮、象牙末、黄蜡、白矾，治通肠漏。同漆叶、苦参、刺蒺藜、白芷、荆芥、天麻、鳖虱、胡麻、半枝莲、豨莶、百部、天门冬，治大麻风眉毛脱落。治暑毒疟痢百法不效，用雄黄研细，水飞九次，竹筒盛蒸七次，再研，蒸饼和丸梧子大，每服甘草汤下七丸，日三服。其辞云：暑毒在脾，湿气连脚，不泄则痢，不痢则疟，独炼雄黄蒸饼和药，别作治疗，医家大错。此昔人梦中所得之方，试之辄效。《太平圣惠方》伤寒狐惑，虫食下部，痛痒不止，雄黄半两，烧于瓶中熏其下部。《肘后方》五尸疰病，发则变痛无常，昏恍沉重，缠结脏腑，上冲心胁，即身中尸鬼接引为害也。雄黄、大蒜各一两，杵，丸弹子大，每热酒服一丸。夏氏《奇疾方》筋肉虫，有虫如蟹走于皮下，作声如小儿啼，为筋肉所化。雄黄、雷丸各一两，为末，掺猪肉上炙熟，吃尽自安。积德堂方：广东恶疮，雄黄一钱半，杏仁三十粒，去皮，轻粉一钱，为末，洗净，以雄猪胆汁调上二三日，即愈。百发百中，天下第一方也，出武定侯府内。入龙脑少许尤良。[简误] 雄黄，杀蛇虫咬毒及傅疥癣恶疮疔肿，辟鬼魅邪气，在所必用。然而性热有毒，外用亦见其所长，内服难免其无害。凡在服饵中病乃已，毋尽剂也。

《本草正》 雄黄味苦、甘、辛，性温，有毒。消痰涎，治癫痫，岚瘴疟疾，寒热，伏暑泄痢，酒癖，头风眩晕，化瘀血，杀精物鬼疰蛊毒，邪气中恶，腹痛及蛇虺、百虫兽毒、疥癞、疳虫、䘌疮，去鼻中息肉、痈疽腐肉并鼠瘘、疮疽痔等毒。

欲遂毒蛇，无如烧烟熏之，其畏遁尤速。

《食物本草》 雄黄，生武都山谷敦煌山之阳。纯而无杂，其赤如鸡冠，光明烨烨者佳。其但纯黄似雌黄色无光者，不任作仙药，但可合理病药耳。雄黄，味苦，寒，有毒。治寒热，鼠瘘恶疮，疽痔死肌，杀精物恶鬼邪气，百虫毒，胜五兵。炼食之，轻身神仙。得铜可作金。人佩之，鬼神不敢近；入山林，虎狼伏；涉川水，毒物不敢伤。

《本草乘雅半偈》 雄黄，雄，大也，武也，以将群也。黄，中色，男女之始生也。雄而黄，纯而健者也。《千金》云：妇觉有妊，作绛囊盛佩，易女为男，此转阳精旋于地产耳。鼠瘘曰寒热病；恶疮疽痔，皆名死肌；百骸焦府，悉属地大故也。阴凝坚而黄中失，安能通理，雄力含弘而光大之，可称大黄，大黄赋名将军，此足当之矣。故功胜五兵，杀精物恶鬼邪气，百虫毒为害也。炼食之轻身神仙，地仙类耳。［批］非将军不能功胜五兵，非将军亦不能开辟土地，不唯尽雄黄功绩，并显大黄威武矣。

《本草通元》 雄黄，辛，温，有毒。肝家药也。搜肝气，泻肝风，消涎积，解百毒，辟百邪，杀百虫，截鬼疟，理蛇伤，能化血为水。

《医宗说约》 雄黄，甘，辛。辟邪解毒，更治蛇虺，喉风息肉。（中无砂石者，研细水飞用。）

《本草述》 按《丹房镜源》云：雄黄千年化为黄金。又《别录》云：雌黄生山之阴，山有金，金精熏则生雌黄。若然，是则生山之阳为雄，禀金之气也。生山之阴者为雌，孕金之精也。夫金禀中宫阴己之气，然其气却资始于阳。在《地镜图》曰：黄金之气赤黄，千万斤以上，金气发火夜有光，上赤下青也。试观取之服食者，必其赤如鸡冠，光明烨烨，乃可合丹砂飞炼为丹。是则雄黄于金，虽未全其化气，而已赋其始气。缪仲淳氏所谓禀火金之性，得正阳之气以生，斯言亦微中矣。正阳之义若何？曰：天一之壬水召丁，乃丙随于丁，而心以成，更丙火召辛，其庚随于辛，而肺以成。然则人身之气，非火召金，而金应火，以为正阳之气乎！夫万物与人，同是阴阳五行耳。但万物有偏者，而雄黄一味，适得其阳气之正者矣。或曰：是亦所谓纯阳，故修真者借是以合丹欤。曰：不也。正阳之气，原非离于阴者也。如丙之召辛，辛之归丙，本以一气相感相应，唯为一气之呼应，故此品得其气，而味始辛后苦，是固阴之归于阳也。其色如鸡冠，而明彻有光，又阳之化乎阴也。借以治疗疾患，故协于同气之阴阳，即相合而化以为理，值于戾气之阴阳。又即以其化而理者，并化其戾，更化其戾而毒者矣。即修真家之所谓纯阳者，化阴以归阳，取其还于一也。非离阴以存阳，致其累于偏也，故此味能散风毒，伤寒阴毒，伏暑毒，湿热毒，辛热毒，积热毒，散见方书之治，使非召阴以归，化阴以行，安能咸宜若是乎哉！或曰：何故止以搜肝风为言乎？曰：出地之风，乃元气之别也。火之召金而布天气者，不能外于风木，金之从火而归地气者，亦不外风木，故曰一阴为独使也。（按雄黄疗肝风，其自阳召阴，是能疗风淫，其由阳化阴，是能疗风虚，但从其所主剂如何耳。）如在下，水中之火有金，为一阴化原，而使其上；在上，火中之水有金，又为一阴化原，而使其下。能上，则火金合而气布也；能下，则水金合而血化也。是金之所媾，本不外木，木之所媾，本不离金，况庚之随辛者，还即召乙，如之何不专言肝乎！故方书之治，如中风、如呕吐、如鼻衄、如头痛、如脚气、如破伤风、如癫痫，种种治肝。又如痰饮、喘证、吐利及胀满积聚，胃脘走气痃癖，及胃之瘀血，及虫，或由气以病液，或由血以壅癖，皆不外于血脏之肝也。即如《本经》所云，治寒热、鼠瘘、恶疮、疽痔，固皆戾气之病于血者，遇正阳之气而自化。即更推之死肌鼻中息肉，暨绝筋破骨，亦因正阳之气以归真阴，所谓非其种者自锄而去之矣。更有百虫蛇虺，固以气相制相伏之理也。或曰：其能辟精物邪魅者云何？曰：精物邪魅，皆幽阴之气不化也。如五行中禀正阳之气，则亦以阳明之气伏之矣。如谵妄之太乙备急散、太一神精丹、八毒赤丸、雄朱散，皆治尸疰等证，却用雄黄更专。如八毒赤丸，罗谦甫以治两证，其应如响，可见此味果得阳气之正，能化幽阴邪气者，良不诬也，是又何疑之有哉？

《本草崇原》 雄黄，苦，平，寒，有毒。主治寒热鼠瘘，恶疮疽痔，死肌，杀精物恶鬼，邪气百虫毒，胜五兵，炼食之轻身，神仙。（《别录》云：雄黄出武都山谷，敦煌山之阳。武都氐羌也，是为仇池，后名阶州，地接西戎界。宕昌亦有而稍劣。敦煌在凉州西数千里。近来用石门谓之新坑，始兴石黄之好者耳。阶州又出一种水窟雄黄，生于山岩中有水流处，其色深红而微紫体极轻虚，功用最胜。《抱朴子》云：雄黄当得武都山中出者纯而无杂，形块如丹砂，其赤如鸡冠，光明烨烨者，乃可用。有青黑色而坚者，名熏黄。有形色似真而气臭者，名臭黄，并不入服食，只可疗疮疥。金刚钻生于雄精之中，孕妇佩雄精，能转女成男。）雄黄色黄质坚，形如丹砂，光明烁烁，乃禀土金之气化，而散阴解毒之药也。水毒上行，则身寒热，而颈鼠瘘。雄黄禀土气而胜水毒，故能治之。肝血壅滞，则生恶疮而为疽痔，雄黄禀金气而平肝，故能治之。死肌乃肌肤不仁，精物恶鬼乃阴类之邪，雄黄禀火气而光明，故治死肌，杀精物恶鬼，邪气百虫之毒，逢土则解，雄黄色黄，故杀百虫毒。胜五兵者，一如硫黄能化金银钢铁锡也。五兵，五金也。胜五兵，火气盛也。炼而食之，则转刚为柔，金光内藏，故轻身神仙。

《本草择要纲目》 味苦，平，寒，有毒。［主治］杀百毒，辟百邪，杀蛊毒。人佩之鬼神不敢近，入山林虎狼伏，涉川水毒物不敢伤，佩入丛草即不畏蛇。大抵雄黄入肝经气分，故肝风肝气，惊痫痰涎，头痛眩晕，暑疟泄痢积聚诸病，用之有殊功。又能化血为水。有患者疡生于颊连齿辅车，外肿若覆瓯，内溃出脓血，痛楚难忍，以雄黄为君，佐之以石胆、丹砂、矾石、磁石，烧之三日三夜，其烟上著，用以鸡羽扫取以注疮，恶肉破而骨自尽出也。雄黄、雌黄俱是同产，但以山阴山阳受气不同耳。服食家重雄黄，取其得纯阳之精也。雌黄则兼有阴气，大寒不入药饵。

《本草备要》 雄黄，辛温，有毒。得正阳之气，入肝经气分。搜肝强脾，散百节大风，杀百毒，辟鬼魅。治惊痫痰涎，头痛眩晕，暑疟澼痢，泄泻积聚。（虞雍公道中冒暑，泄痢连月，梦至仙居，延之坐，壁有词云：暑毒在脾，湿气连脚，不泄则痢，不痢则疟。独炼雄黄，蒸饼和药，甘草作汤，食之安乐。别作治疗，医家大错。如方服之遂愈。）又能化血为水，燥湿杀虫。治劳疳疮疥蛇伤。赤似鸡冠，明彻不臭，重三五两者良。（孕妇佩之转女成男。）醋浸，入莱菔汁煮，干用。生山阴者名雌黄，功用略同。劣者名薰黄，烧之则臭，只堪熏疮疥，杀虫虱。

《本经逢原》 雄黄生山之阳，纯阳之精，入足阳明经。得阳气之正，能破阴邪，杀百虫，辟百邪。故《本经》所主，皆阴邪浊恶之病，胜五兵者，功倍五毒之药也。其治惊痫痰涎，及射工沙虱毒，与大蒜合捣涂之。同硝石煮服，立吐腹中毒虫。《千金方》治疔肿恶疮，先刺四边及中心，以雄黄末傅之。《太平圣惠方》治伤寒狐惑，以雄黄烧于瓶中，熏其下部。《和剂局方》酒癥丸，同蝎尾、巴豆，治酒积痛利。《肘后方》以雄黄、矾石、甘草汤煮，汉阴肿如斗。《经验方》以雄黄、白芷为末酒煎，治破伤风肿。家秘方以雄黄细研，神曲糊丸，空心酒下四五分，日服无间，专消疟母。《急救良方》以雄黄五钱，麝香二钱为末，作二服，酒下，治疯狗咬伤。《外台秘要》雄黄敷药箭毒。《摄生妙用》雄黄、硫黄、绿豆粉，人乳调傅酒皶鼻赤，不过三五次愈。痘疹证治以雄黄一钱，紫草三钱为末，胭脂汁调，先以银簪挑破，搽痘疔。《万氏方》治缠疡漫肿，色不掀赤，明雄黄细末三分，鸡子破壳调入，饭上蒸熟食之。重者不过三枚即消。《圣济录》以雄黄、猪胆汁调敷白秃头疮。熏黄治恶疮疥癣，杀虫虱。和诸药，熏嗽。《千金方》有咳嗽熏法。

《本草诗笺》 雄黄（米醋、萝卜汁煮，干用。生则有毒，伤人。）雄黄出自武都良，微毒辛温苦未忘；百疠力除殊懦怯，五兵功胜著刚强（功倍五毒之药）；

麝香作屑犬伤治（《急救良方》：雄黄五钱，麝香二钱，为末，作二服，酒下，治疯狗咬伤），神曲糊丸母疟康；虫虱恶疮兼有藉，《千金方》更用熏黄（《千金方》有咳嗽熏法）。

《长沙药解》 雄黄，味苦，入肝经。燥湿行瘀，医疮杀虫。金匮雄黄散（雄黄为末，洞瓦二枚，合之烧，熏肛门）。治狐惑蚀于肛者。以土湿木陷，郁而生热，化生虫䘌，蚀于肛门。雄黄杀虫而医疮也。升麻鳖甲汤（方在升麻）用之治阳毒阴毒，以消毒而散瘀也。雄黄燥湿杀虫，善治诸疮。其诸主治消肿痛，治疮疡，化瘀血，破癥块，止泄利，续折伤，辟邪魔,䘌虫蛇。

《得配本草》 雄黄，畏南星、地黄、莴苣、地榆、黄芩、白芷、当归、地锦、苦参、五加皮、紫河车、五叶藤、鹅肠草、鸡肠草、鹅不食草、桑叶、猥脂。苦温有毒，入肝经阳分，得土之精，搜肝气，泻肝风，解百毒。治恶疮，去死肌，辟鬼邪，疗惊痫，消涎积，杀诸虫。得淮枣去核，纳雄黄包之，灯上烧化为末，掺走马牙痛。得水调服五钱，治发癥饮油。得黑铅，治结阴便血、配荆芥穗末，治中风舌强。配硫黄水粉，用头生乳汁调，傅鼻准赤色。配白芷末酒服，治破伤风。配青黛末水服，治饮食毒。配白矾、甘草，浸阴肿如斗。配紫草末、胭脂汁，调涂痘疗。（先以银刀挑破搽之极效。）配蟾酥、葱、蜜，捣敷疔疮恶毒。配细辛为末，吹鼻，治偏头风痛（左痛吹右，右痛吹左）。配朱砂、猪心血调服，治癫痫。赤如鸡冠，明彻不臭者良，米醋入萝卜汁煮干用。怪证有虫如蟹，走于皮内，作声如小儿啼，此为筋肉所化。同雷丸各一两为末，掺猪肉片，炙熟常服之自愈。

《本草求真》 ［批］散结行气，杀虫辟恶。雄黄（专入胃、肝）生山之阳，得气之正，味辛而苦，气温有毒。凡人阳气虚则邪易侵，阴气胜则鬼易凭，负二气之精者，能破群妖，受阳气之正者，能辟幽暗。故能治寒热鼠瘘，恶疮疽痔。死肌疥虫,䘌疮诸证，皆由湿热侵于肌肉而成，服此辛以散结，温以行气，辛温相合而虫杀，故能搜剔百节中风寒积聚也。是以《太平圣惠方》之治狐惑（雄黄半两，烧于瓶中，即止）。《肘后方》之治阴肿如斗（雄黄、矾石各二两，甘草一尺，水浸；《家秘方》之消疟母；《急救方》之治疯狗咬伤；《圣济》之治白秃头疮（雄黄、猪胆汁和敷之）。何一不用雄黄以为调治。（虞雍公允文感暑下痢，连月不瘥，忽梦仙官延坐，壁间有药方，其辞云：暑毒在脾，湿气连脚，不泄则痢，不痢则疟，独炼雄黄，蒸饼和药，别作治疗，医家大错，公依方服愈。）至云能解蛇虺、藜芦等毒，以其蛇属阴物，藜属阴草也。（宗奭曰：焚之蛇皆远去。）息肉癖气能治者，以其一属气结，一属积滞也。目痛能愈者，以其肝得辛散之意也。明彻不臭者良。孕妇佩之，转女成男，醋浸，入莱菔汁煮干用。生山阴者名熏黄，功用略同，劣者名薰黄，烧之则臭，止可熏疮疥，杀虫虱。

《罗氏会约医镜》 雄黄（味苦辛温，有毒，入肝经。）禀纯阳之气，能杀鬼邪，而除湿热之毒。（阳明虚，则邪易侵。）治恶疮、疽痔、疥虫诸症（湿热生虫。此药燥湿杀虫，疮家要药）。惊痫、暑伤、疟痢（雄黄为末，蒸饼为丸，甘草汤下七丸，日三服）。鼻中息肉（吹末……），化瘀血，辟蛇伤，散百节大风。然石药与气血无情，凡荣卫亏损而成疳劳者勿服。赤似鸡冠，明彻不臭，重三两者良。生山阴者名雌黄，功用不及。劣者名薰黄，烧之则臭，只可熏疮疥，杀虫虱。

《本经疏证》 雄黄尤松脆易解，是质仅似金，土性未除，且成块时亦如鸡冠，有光烨烨，既研为末，则黄如鹅喙，黯淡无华，其能解土中浮火著于皮肤者何疑。凡土中之火，必湿与热久相醖釀乃成，故得以雄黄刚土性寒治之。而味辛，辛生皮毛，故仅能主其在外者，即土中实结之火非所能治也。观《金匮》面赤斑斑如锦文者，名曰阳毒，则用之。若面目青者，名曰有阴毒，则去之。可证雄黄能治中土之火著于外者。又即可证阳毒阴毒为由土中湿热醖釀而成矣。即雄黄善杀蛇，蛇独非土中湿热醖釀以成者乎。巢元方云：鼠瘘者由饮食不择，毒物所化入于腑脏，出于脉，稽留脉内不去，使人寒热，又非由内及外，久蓄而成者耶。言恶疮疽痔死肌而不及痈者，以痈裹大脓血，溃决而出，不得为死肌也，死肌不必尽由恶疮疽痔，恶疮疽痔不必尽为死肌，惟由恶疮疽痔而为死肌者，方是由中及外久蓄而成之毒，乃得以雄黄主之也。若有虫蚀肛，虽亦湿热所化，由内至外。第既在外而内无他患，则取此外治熏而杀之斯已矣。

《本草撮要》 雄黄，味辛。入肝、胃经。功专解毒胜邪。得黑铅治结阴，得朱砂、猪心血治癫痫。雌黄主治略同。血虚者大忌。阴肿如斗，雄黄、矾石各二两，甘草一尺，水五升，煮二升浸之良。

《本草便读》 雄黄，驱阴破血。具辛热之功取效，入胃通肝。辟鬼除邪，化留聚痰涎之积。杀虫治疥，涂外伤虫虺之灾。（雄黄生山之阳，得阳精之气于地者也。以明如鸡冠，内无砂石者良。其石黄、薰黄等，或产处不同，或变化不透，气味恶劣，止可杀虫搽疥，与雄黄有别耳。忌火煅。入肝胃，破瘀血，化痰涎，以其禀纯阳之气，故能辟鬼邪，杀蛇虺，解一切毒耳。）

《五十二病方》 338 行云：加（痂），冶雄黄，以彘膏脩……以傅之。408 行云：干骚（瘙）方，以雄黄二两，水银两少半……而傅之。

《山海经》 西山经，高山，其下多雄黄。郭璞注云：晋大兴三年（320）高平郡界（山东金乡西北）有山崩，其中出数千斤雄黄。

《肘后方》 有恶疮雄黄膏方，疗病疥、恶疮。

郑康成注《周礼·疡医》云：今医方有五毒之药，作之合黄堥（有盖瓦合），置石胆、丹砂、雄黄、礜石、磁石其中，烧之三日三夜，其烟上著，以鸡羽扫取之，以注创（疮），恶肉破骨则尽出。

尚志钧按 雄黄，一名砒黄、腰黄、石黄、薰黄、熏黄、雄精、明雄、苏雄。雄黄与雌黄均是天然矿产，皆为硫、砷化合物。雄黄主要成分为二硫化砷，为橘红色半透明结晶块。有玻璃样光泽。纯净者色泽鲜红如鸡冠，明彻不臭为雄精。其次质地明亮者称明雄。再次称苏雄，"苏"当作"酥"，谓其质酥脆。一般含杂质较多者通称雄黄。石黄则带石性。薰黄色暗，不宜入药，仅供制花炮用。雄黄虽称石黄，但与砒黄（砒石未经炼制）并非一物。其为橙黄色略透明片状物或块状物，常与雄黄或自然砒矿共存，主要成分为三硫化砷。腰黄色黄质轻，略透明，质优于雄黄，雄黄色稍红，透明度差。其色暗黑为雌贡，质量差。雄黄体重，质脆，易碎，有特异臭，加热则成红紫色液体，燃烧生黄色烟，使毒性增大，所以雄黄忌见火。雄黄味辛、苦，性温，有毒，能杀虫、解毒、消肿，适用于疔疮肿痛、恶疮肿毒、蛇虫咬伤。雄黄用于痈疽肿毒初起可使之内消，用于溃疡疮面则能去腐肉死肌，治湿烂之疮则能燥湿止痒，治疳䘌诸疮则能去腐敛疮，亦可治白癜风、狐臭、虫咬伤等。治手指红肿痛，配朴硝等为末，猪胆汁调涂。治痈疽坏烂及诸疮发背，配滑石为末，洗后掺疮上。治臁疮，久不收口，污水淋漓，配铜绿、轻粉、樟脑、煅石膏研极细对掺。治走马牙疳，取雄黄末（量如枣核大）填塞去核肉，煅炭，研末，搽患处。如流涎，令患者唾出涎液，切忌咽下，因雄黄煅后，有剧毒氧化砷形成。治脱疽及发背初起不痛，以雄黄、雌黄、丁香各二分，麝香少许，共研细末，搓入二钱艾绒中，灸局部焦黑为度，在灸时，雌黄、雄黄分解，释放砷附于局部呈黑色，此法适用于阴证疮疡，以开发阴凝之滞。又方雄黄、朱砂、血竭、没药各二钱，麝香四分，共研细末，每用三分以棉纸裹药为捻，点火照痈疽，初起能消，已成能溃，此方功同上方。治对口发背初起，腰黄（飞）四钱，五倍子（炙）八钱，炮山甲三钱，蝉衣（去足）二钱，蝎尾一只，蜈蚣十条，冰片四分，麝香三分，研细末，密贮，置膏药内，贴痈肿初起，未溃促消，已溃去腐搜脓，亦可用于瘰疬溃疡。《经验方》治带状疱疹，雄黄、冰片各5克，75%酒精100毫升混合成悬液状，涂于已洗净的患部，每日擦4~6次，一二日后痛减，水疱萎缩。炎症渐退以至脱屑而愈。《经验方》治阴部溃疡，以甘油调雄黄细末外涂。《外科大成》

二味消毒散：雄黄、白矾等分为末，茶清调外涂风湿诸疮、疥，并治蜘蛛螫伤、蠼螋伤、对节肿、乳痈初起，外敷亦有消肿止痛止痒功效。《经验方》以雄黄、密陀僧等分研末，外擦白癜风。（密陀僧含铅，遇硫变为暗褐色，掩盖白斑，待暗褐色消失，白斑依然如故。）《疡医大全》治疥疮，雄黄、硫黄、黄丹、潮脑、川椒、枯矾各等分，研细，合等量生猪板油共捣烂，布包外擦疥癣、疥疮。此方有杀虫止痒之功。《外科全生集》治红胆恶毒（阴疽忌用），其方配制为：雄黄、熊胆、京墨、朱砂各3克，麝香1.5克，牛黄0.3克，各研细末，先将京墨用酒少许化之，再入熊胆研，后入诸末，共研作锭，临用以清水磨，以新笔蘸药，空头围患处，全消。

124　雄胆（赵学敏）

《本草纲目拾遗》　《六研斋笔记》：王存思太仆，贵阳人。云其土多山，出雄黄，有大至数百斤者，中又有浮沙成团，如鹅卵，曰雄胆，破之有清水盏许，急饮之，沉疴俱消，寿二百岁。特以山民顽犷，遇之不谨，即散漫不得饮耳，有一人饮之，至今犹在，健如三十许人，自言百五十余岁矣。

杀三虫毒，除痼疾，驻容延年。

125　雉窠黄（赵学敏）

《本草纲目拾遗》　《簪云楼杂记》：雉窠底有雉黄，黄气远射，能辟毒物。乡人三四月中遍觅之为市，其取黄法：先以溺绕窠三匝，从而掘之，所获约二三两，价倍于他产。

《海外三珠》　有转胎法：五月五日午时，取金针花叶，俗名鹅脚花，单叶名金针花，阴干听用。妇人孕满月四十日之前，将雉窠黄拣明透重一两一块者，用叶包裹三四张，再布包缝孕妇腹前贴身衣上，候四十日，分娩生男不生女。

解一切毒蛇咬伤，辟邪魅山精。

按：雉窠有黄，犹鹤窠有礜，所以助阳气，能令子不孵也。《千金方》有转女成男法，用雄黄养胎，取其阳精之全于地产，则雉盖不独取以解毒也。窃谓雉之精气呴伏既久，人得佩之，可解一切产厄，于孕妇尤宜。

126　雌黄（《本经》）

《神农本草经》　雌黄，味辛、平、主恶疮，头秃，痂疥，杀毒虫、虱，身痒，邪气，诸毒，炼之久服轻身、增年、不老。

《名医别录》 雌黄，味甘，大寒，有毒。主蚀鼻中息肉，下部䘌疮，身面白驳，散皮肤死肌，及恍惚邪气，杀蜂蛇毒。令人脑满，生武都山谷，与雄黄同山生。其阴山有金，金精熏则生雌黄，采无时。

《本草经集注》 今雌黄出武都仇池者，谓为武都仇池黄，色小赤。扶南林邑者，谓昆仑黄，色如金而似云母甲错，画家所重。依此言，既有雌雄之名，又同山之阴阳，于合药便当以武都为胜，用之既稀，又贱于昆仑者。《仙经》无单服法，惟以合丹砂、雄黄共飞炼为丹尔。金精是雌黄，铜精是空青，而服空青反胜于雌黄，其义难了。

《雷公炮炙论》 凡使，勿误用夹石黄、黑黄、珀熟等。雌黄一块，重四两。按《乾宁记》云：指开拆得千重，软如烂金者上。凡修事，勿令妇人、鸡、犬、新犯淫人、有患人、不男人、非形人，曾是刑狱地臭秽，以上并忌。若犯触者，雌黄如铁，不堪用也，及损人寿。凡修事四两，用天碧枝、和阳草、粟遂子草各五两，三件干，湿加一倍，用瓷埚子中煮三伏时了，其色如金汁，一垛在埚底下，用东流水猛投于中，如此淘三度了，去水取出拭干，却于臼中捣筛过，研如尘，可用之。

《药性论》 雌黄，君，不入汤服。

《本草图经》 雌黄，生武都山谷，与雄黄同山，其阴山有金，金精熏则生雌黄。今出阶州，以其色如金，又似云母甲错可析者为佳。其夹石及黑如铁色者不可用。或云：一块重四两者，析之可得千重，此尤奇好也。采无时。

《太平圣惠方》 治乌癞疮，杀虫。用雌黄研如粉，以醋并鸡子黄打令匀，涂于疮上，干即更涂。又方治妇人久冷，血气攻心，疼痛不止。以叶子黄二两，细研，醋一升，煎似稠糊，丸如小豆大。每服无时，醋汤下五丸。又方治久心痛，时发不定，多吐清水，不下饮食。以雌黄二两，好醋二升，慢火煎成膏，用干蒸饼丸如梧桐子大。每服七丸，姜汤下。《百一方》治小腹满，不得小便。细末雌黄蜜丸，如枣核大，内一丸溺孔中，令入半寸许，以竹管注阴令紧，嘲气通之。《经验方》缩小便。以颗块雌黄一两半，研如粉，干姜半两切碎，入盐四大钱同炒，令干姜色黄，同为末，干蒸饼入水，为丸如绿豆大。每服十丸至二十丸，空心盐汤下。《斗门方》治肺痨咳嗽。以雌黄一两，入瓦合内，不固济，坐合子于地上，用灰培之，周匝令实，可厚二寸。以炭一斤簇定，顶以火煅之，三分去一，退火待冷，出，研如面，用蟾酥为丸如粟大。每日空心杏仁汤下三丸，差。《胜金方》治久嗽，暴嗽，劳嗽。金粟丸：叶子雌一两研细，用纸筋泥固济，小合子一个令干，勿令泥厚。将药入合子内，水调赤石脂封合子口，更以泥封之，候干，坐合子于地上，上面以未入窑瓦坯子弹子大，拥合子，令作一尖子，上用炭十斤簇定，顶上著火一熨斗笼起，令火从上渐炽，候火消三分去一，看瓦坯通赤则去火，候冷开合子取药，当如镜面，光明红色。入乳钵内细研，汤浸蒸饼心为丸如粟米大。每服三五丸，甘草水服。服后睡良久，妙。《宝藏论》雌黄伏住火，胎色不移，鞁熔成汁者，点银成金，点铜成银，阴。《丹房镜源》黄，背阴者雌也，纯柔者亦可干录，舶上嘿血者上，湖南者次。青者本性，叶子上者可转硫黄，伏粉霜，记之不可误使。青霞子云：雌黄，辟邪去恶。

《本草衍义》 雌黄，入药最稀，服石者宜审谛。治外功多，方士点化术多用，亦未闻终始如何。画工或用之。

《绍兴本草》 雌黄，主疗具于本经，但取成片如生金色、可折者佳。服饵家多以同雄黄煅炼用之。若外疗疾，皆生用之，未闻饵生用也。其性即寒，经火炼之即热，皆味辛、甘、有毒是矣。

《本草纲目》 ［释名］［时珍曰］生山之阴，故日雌黄。《土宿本草》云：阳气未足者为雌，已足者为雄，相距五百年而结为石。造化有夫妇之道，故曰雌雄。［集解］［时珍曰］按独孤滔《丹房镜源》云：背阴者，雌黄也。淄成者，即黑色轻干，如焦锡块。臭黄作者，硬而无衣。试法：但于甲上磨之，上色者好。又烧熨斗底，以雌划之，如赤黄线一道者好。舶上来如嘿血者上，湘南者次之，青者尤佳。叶子者为上，造化黄金非此不成。亦能柔五金，干汞，转硫黄，伏粉霜。又云：雄黄变铁，雌黄变锡。［气味］［土宿真君曰］芎䓖、地黄、独帚、益母、羊不食草、地榆、五加皮、瓦松、冬瓜汁，皆可制伏。又雌见铅及胡粉则黑。［主治］［时珍曰］治冷痰劳嗽，血气虫积，心腹痛，癫痫，解毒。［发明］［时珍曰］雌黄、雄黄同产，但以山阳山阴受气不同分别。故服食家重雄黄，取其得纯阳之精也；雌黄则兼有阴气故尔。若夫治病，则二黄之功亦仿佛，大要皆取其温中、搜肝杀虫、解毒祛邪焉尔。

尚志钧按 雌黄，一名砒黄，为硫化砷矿石，单斜晶系，由雄黄及淡红银矿、硫坤铜矿，受空气及阳光作用共成，或由温泉沉积物积压而成，火山喷火口附近亦有，常与雄黄、天然砷矿共存。雌黄一般为橙黄色片状或柱状块，表面有多数灰褐层，质酥松，硬度为1.5～2，密度为3.4～3.5，断面不平，解理成直立条纹，有玻璃样光泽，加热生红色升华，烧之生白烟及蒜臭，主要成分为三硫化二砷

(As_2S_3)。不纯者杂有三氧化二砷（As_2O_3）、三硫化二锑（Sb_2S_3）、硫化铁（FeS）、硫（S）、氧化硅（SiO_2）。所以不纯的雌黄，毒性很大。雄黄、雌黄遇火烧都生三氧化二砷（As_2O_3），毒性大增，所以雄、雌黄均忌见火。雌黄辛，平，有毒，其功效与雄黄大致相同，能解毒、燥湿、杀虫、止痒、去恶肉。其腐蚀力不太大，常配其他腐蚀药合用，配巴豆、白丁香可轻度腐蚀，配砒石、红升丹、白降丹，可强度腐蚀，用以去恶肉、死肌、核块。强度腐蚀剂破坏局部组织很大，产生剧痛，极易伤好肉。本品煅后，变成砒霜，剧毒，腐蚀力极强，昔日用以拔疔根，除瘘管、枯痔，蚀瘤及用为代针药，并可治走马疳等坏疽性疾患。总之，雌黄应用与雄黄大致相同，但多用于治疗疥癣、白癜风等皮肤病。

127　土黄（《纲目》）

《本草纲目》　［修治］［时珍曰］用砒石二两，木鳖子仁、巴豆仁各半两，硇砂二钱，为末，用木鳖子油、石脑油和成一块，油裹，埋土坑内，四十九日取出，劈作小块，瓷器收用。［气味］味辛、酸，热，有毒。［主治］［时珍曰］土黄，枯瘤赘痔，乳食瘰疬并诸疮恶肉。

九、含硫的矿物药

128　石硫黄（《本经》）

《神农本草经》　石硫黄，酸，温。治妇人阴蚀，疽痔，恶血，坚筋骨，除头秃。能化金银铜铁奇物。生谷中。

《吴普本草》　石硫黄。神农、黄帝、雷公：咸，有毒。医和、扁鹊：苦，无毒。或生易阳，或河西。或五色黄，是潘水石液也，烧令有紫炎者。八月、九月采。治妇人结阴。能化金银铜铁。

《名医别录》　石硫黄，大热，有毒。治心腹积聚，邪气冷癖在胁，咳逆上气，脚冷疼弱无力，及鼻衄，恶疮，下部䘌疮，止血，杀疥虫。生东海牧羊中，及大山及河西山，矾石液也。

《本草经集注》　东海郡属北徐州，而箕山亦有。今第一出扶南林邑。色如鹅子初出壳，名昆仑黄。次出外国，从蜀中来，色深而煌煌。俗方用之疗脚弱及痼冷甚良。《仙经》颇用之。所化奇物，并是《黄白术》及合丹法。此云矾石液，今南方则无矾石，恐不必尔。

《雷公炮炙论》 凡使，勿用青赤色，及半白半青，半赤半黑者。自有黄色，内莹净似物命者，贵也。凡用四两，先以龙尾嵩自然汁一镒，东流水三镒，紫背天葵汁一镒，粟遂子茎汁一镒，四件合之搅令匀。一坩埚，用六一泥固济底下，将硫黄碎之，入于锅中，以前件药汁旋旋添入，火煮之，汁尽为度了。再以百部末十两，柳蚛末二斤，一簇草二斤，细剉之，以东流水并药等同煮硫黄二伏时，日满，去诸药，取出，用熟甘草汤洗了，入钵中研二万匝，方用。

《药性论》 石硫黄，君，有大毒。以黑锡煎汤解之，及食宿冷猪肉。味甘，太阳之精，鬼焰居焉，伏炼数般，皆传于作者。能下气，治脚弱，腰肾久冷，除冷风顽痹。又云生用治疥癣，及疗寒热咳逆。炼服，主虚损泄精。

《四声本草》 硫黄，臣。

《海药本草》 石硫黄，按《广州记》云：生昆仑日脚下，颗块莹净，无夹石者良。主风冷，虚惫，肾冷，上气，腿膝虚羸，长肌肤，益气力，遗精，痔漏，老人风秘等。并宜烧炼服。仙方谓之黄硇砂，能坏五金，也能造作金色，人能制服归本色，服而能除万病。如有发动，宜以猪肉、鸭羹、余甘子汤并解之。蜀中雅州亦出，光腻甚好，功力不及舶上来者。

《日华子本草》 石硫黄，一名石亭脂。曾青为使，畏细辛、飞廉、铁。壮阳道，治痃癖冷气，补筋骨劳损，风劳气，止嗽上气，及下部痔瘘，恶疮疥癣，杀腹脏虫，邪魅等。煎余甘子汁，以御其毒也。

《本草图经》 石硫黄，生东海牧羊山谷中及泰山、河西山，矾石液也。今惟出南海诸蕃。岭外州郡或有，而不甚佳。以色如鹅子初出壳者为真，谓之昆仑黄。其赤色者名石亭脂，青色者号冬结石，半白半黑名神惊石，并不堪入药。又有一种土硫黄，出广南及荣州溪涧水中流出。其味辛，性热腥臭。主治疥疮，杀虫毒。又可煎炼成汁，以模钨作器，亦如鹅子黄色。谨按：古方书未有服饵硫黄者。《本经》所说功用，止于治疮蚀，攻积聚冷气，脚弱等。而近世遂火炼治，为常服丸散，观其制炼服食之法，殊无本源，非若乳石之有论议节度，故服之，其效虽紧，而其患更速，可不戒之。

《本草衍义》 石硫黄，治下元虚冷，元气将绝，久患寒泄，脾胃虚弱，垂命欲尽，服之无不效。中病当便已，不可尽剂。世人盖知用而为福，不知用久为祸。此物损益兼行，若俱弃而不用，当仓促之间，又可阙乎？或以法制，拒火而又常服者，是弗思也。在《本经》则不言如此服食，但专治妇人。不知者，往往更以酒服，其可得乎？或脏中久冷，服之先利。如病势危急，可加丸数服，少则不效，仍加附子、干姜、桂。

《绍兴本草》 石硫黄，虽产地土不一，以舶上来色理解明，不夹石者佳。内其色带赤，即名石亭脂，亦入药用。复有臭黄一种，止疗疮疥而不堪服饵。窃详石硫黄入药，生用即温，而有利性，炼治服之，则其性热而复固敛。皆味酸，有毒是矣。

《汤液本草》 硫黄，大热，味酸，有毒。《本草》云：主妇人阴蚀，疽痔，恶血。坚筋骨，除头秃。疗心腹积聚邪气，冷癖在胁，咳逆上气，脚冷疼弱无力，及鼻衄，恶疮，下部䘌疮。止血，杀疥虫。《液》云；如太白丹佐以硝石，来复丹用硝石之类，至阳佐以至阴，与仲景白通汤佐以人溺、猪胆汁，大意相同，所以去格拒之寒。兼有伏阳不得不尔，如无伏阳，只是阴证，更不必以阴药佐之也。硫黄亦号将军，功能破邪归正，返滞还清，挺出阳精，消阴化魄生魂。

《本草蒙筌》 石硫黄，味酸，气温，大热，有毒。乃矾石液，出泰山中。如鸡雏初出壳者为真；以火熔倾水浸过可饵。畏细辛、飞廉、铁，使曾青、石亭脂。体系至阳之精，能化五金奇物。壮兴阳道，若下焦虚冷，元阳将绝者殊功；禁止寒泻，或脾胃衰微，垂命欲死者立效；中病便已，过剂不宜。塞痔血，杀疥虫，坚筋骨，除头秃。去心腹痃癖，却脚膝冷疼。仍除格柜之寒，亦有将军之号。盖因功能破邪归正，返滞还清，挺出阳精，化阴魄而生魂也。谟按：硫黄性热，每用治其格拒之寒。倘或此证兼有伏阳在内，须加阴药为佐才妙也。古方太白丹、来复丹，各有硝石之类。是皆至阳，佐以至阴，正合宜尔。若无伏阳，单患阴证，此又不必例拘，惟在用其阳药也。

《本草纲目》 ［释名］石硫黄，一名黄牙、阳候、将军。［时珍曰］硫黄秉纯阳火石之精气而结成，性质通流，色赋中黄，故名硫黄。含其猛毒，为七十二石之将，故药品中号为将军。外家谓之阳侯，亦曰黄牙，又曰黄硇砂。［集解］［时珍曰］凡产石硫黄之处，必有温泉，作硫黄气。《魏书》云：悦般国有火山，山旁石皆焦熔，流地数十里乃凝坚，即石硫黄也。张华《博物志》云：西域硫黄出且弥山。去高昌八百里，有山高数十丈，昼则孔中状如烟，夜则如灯光。《庚辛玉册》云：硫黄有二种，石硫黄，生南海琉球山中；土硫黄，生于广南，以嚼之无声者为佳，舶上倭硫黄亦佳。今人用配消石作烽燧烟火，为军中要物。［修治］［时珍曰］凡用硫黄，入丸散用，须以萝卜剜空，入硫在内，合定，稻糠火煨熟，去其臭气；以紫背浮萍同煮过，消其火毒；以皂荚汤淘之，去其黑浆。一法：打碎，以绢袋盛，用无灰酒煮三伏时用。又消石能化硫为水，以竹筒盛硫埋马粪中一月亦成水，名硫黄液。［主治］［时珍曰］主虚寒久痢，滑泄霍乱，补命门不足，阳气暴绝，阴毒伤寒，小儿慢惊。［发明］［时珍曰］硫黄秉纯阳之精，赋大热之性，能补命门真火不足，且其性虽热而疏利大肠，又与躁涩者不同，盖亦救危妙药也。但炼制久服，则有偏胜之害。况服食者，又皆假此纵欲，自速其咎。于药何责焉？按孙升谈圃云：硫黄，神仙药也。每岁三伏日饵百粒，去脏腑积滞有验。但硫黄伏生于石下，阳气溶液凝结而就，其性大热，火炼服之，多发背疽。方勺《泊宅编》云：金液丹，乃硫黄炼成，纯阳之物，有痼冷者所宜。今夏至人多服之，反为大患。韩退之作文戒服食，而晚年服硫黄而死，可不戒乎？夏英公有冷病，服硫黄、钟乳，莫之纪极，竟以寿终，此其禀受与人异也。洪迈《夷坚志》云：唐与正亦知医，能以意治疾。吴巡检病不得溲，卧则微通，立则不能涓滴，遍用通利药不效。唐问其平日自制黑锡丹常服，因悟曰：此必结砂时，硫飞去，铅不死。铅砂入膀胱，卧则偏重，犹可溲；立则正塞水道，故不通。取金液丹三百粒，分为十服，煎瞿麦汤下。铅得硫气则化，累累水道下，病遂愈。硫之化铅，载在经方，苟无通变，岂能臻妙？类编云：仁和县一吏，早衰齿落不已。一道人令以生硫黄入猪脏中煮熟捣丸，或入蒸饼丸梧子大，随意服之。饮啖倍常，步履轻捷，年逾九十，犹康健。后醉食牛血，遂洞泄如金水，尪悴而死。内医官管范云：猪肪能制硫黄，此用猪脏尤妙。王枢使亦常服之。

《药性歌括四百味》 硫黄性热，扫除疥疮。壮阳逐冷，寒邪散当。

《本草原始》 石硫黄，生东海牧羊山及太山、河西山，矾石液也。如鸡雏初出壳者为真。硫黄秉纯阳火石之精气而结成。性质流通，色赋中黄，故名硫黄。（味酸，温，有毒。主女人阴蚀，疽痔恶疮，坚筋骨，除头秃，能化金银铜铁奇物，治心肚积邪气，冷痛在肠。咳逆上气，脚冷痛弱无力及鼻衄，恶疮，下部䘌疮，止血，杀疥虫，治腰肾久冷，除冷气顽痹，寒热。生用治疥癣，炼服主虚损泄精，虚寒久痢，滑泄霍乱。补命门不足，阳气暴绝，阴毒伤寒，小儿慢惊。火煅倾水浸过可饵。制酣煮水渍过用。）

《炮炙大法》 硫黄飞尘，用以杀虫行血。曾青、石亭脂为之使，畏细辛、朴硝、铁、醋、黑锡、猪肉、鸭汁、余甘子、桑灰、益母、天盐、车前、黄檗、石韦、荞麦、独帚、地骨皮、地榆、蛇床、蓖麻、菟丝子、蚕砂、紫河、波棱、桑白皮、马鞭草。

《珍珠囊补遗药性赋》 壮阳须索石硫黄。（硫黄味酸，性温大热，有毒。出广州。治疥虫䘌疮，坚筋，疗老人风秘。）

《雷公炮制药性解》 硫黄为火之精，宜入命门补火，盖人有真火寄于右肾，苟非此火则不能有生，此火一熄，则万物无父，非硫黄孰与补者。太清云：硫禀纯阳，号为将军，破邪归正，返浊还清，挺立阳精，消阴化魄。戴元礼云：热药皆燥，惟硫黄不燥，则先贤常颂之矣，今人绝不用之，诚虞其热毒耳，然有火衰之证，舍此莫疗，亦畏而遗之可乎？中其毒者，以猪肉、鸭羹、余甘子汤解之。

《本草经疏》 石硫黄禀火气以生。《本经》味酸，气温，有毒。《别录》大热。黄帝、雷公：咸，有毒。气味俱厚，纯阳之物也。入手厥阴经。《经》曰寒淫于内，治以温热。冷癖在胁，咳逆上气，寒邪在中也，非温剂无以除之。又曰：硬则气坚，咸以软之。心腹积聚，邪气坚积在中也，非咸剂无以软之。命门火衰则为脚冷疼弱无力，下焦湿甚则为阴蚀疽痔䘌疮。酸温能补命门不足，大热能除下焦湿气，故主之也。其主头秃、恶疮、疥虫者，恶取其除湿杀虫之功耳。《本经》又主坚筋骨及《别录》疗鼻衄止血者，皆非其所宜。夫热甚则骨消筋缓，火载血上则错经妄行，岂有大热之物反能疗是证哉？无是理也。［主治参互］入鸡子同艾叶煮食，治妇人白带，因于虚寒者。《太平圣惠方》诸疮胬肉如蛇出数寸，硫黄末一两，肉上扑之即缩。《救急良方》疥疮有虫，硫黄末以鸡子煎香油调搽极效。［简误］硫黄古方未有服饵者，《本经》所用止于治疮蚀，攻积聚，冷气，脚弱等，而近世遂为常服丸散，如来复丹、半硫丸、金液丹、黑龙丹及诸方书所载者不可缕指，称其功用亦未能殚述。然而人身之中，阳常有余，阴常不足，病寒者少，病热者多，苟非真病虚寒，胡可服此大热毒药。假令果系虚寒证法，当补气以回阳，亦何须借此毒石哉！世人徒知其取效良捷，而不知其为害之酷烈也。戒之！戒之！

《本草正》 硫黄，苦、微酸，性热，有毒。疗心腹冷积冷痛，霍乱，咳逆上气及冷风顽痹，寒热，腰肾久冷，脚膝疼痛，虚寒久痢，滑泄，壮阳道，补命门不足，阳气暴绝，妇人血结，小儿慢惊。尤善杀虫，除疥癣恶疮，老人风秘。用宜炼服，亦治阴证伤寒，厥逆烦躁，腹痛，脉伏将危者，以硫黄为末，艾汤调服二三钱，即可得睡，汗出而愈。

《本草乘雅半偈》 石硫黄，偏得山石剽悍之性，阳燧为体，动流为用者也。气禀火温，味兼木酸，盖木从火得，风自火出故尔。合入厥阴，从乎中治，故主阴蚀疽痔，及恶血为眚，无以奉发美毛，正骨柔筋者，悉属阴凝至坚，对待治之，阳生阴长，阳杀阴藏矣。化金银铜铁奇物，此火之精，矾之液耳。（厥阴之上，风气主之，中见少阳，少阳相火也。）

《本草通元》 硫黄咸热，有毒。主命门火衰，阳气暴绝，阴证伤寒，阳道痿弱，老人虚秘，妇人血结，虚人寒利，心腹积聚。按硫秉纯阳之精，益命门之火，热而不燥，能润肠结，亦救危神剂，故养正丹用之，常有起死之功。能化铅为水，修炼家尊为金液丹。寇宗奭云：下元虚冷，真气将绝，久患泄泻，垂命欲尽，服无不效。但中病当便，俱不可尽剂。蕃舶者良。取色鲜洁者，以莱菔剜空，入硫在内，合好，糠火煨熟，去其臭气，再以紫色浮萍同煮，消其火毒，又以皂荚汤淘去黑浆。一法，绢袋盛，碱水煮三日夜，取出，清水漂净用。畏细辛、醋、诸血、土。硫止可入疮科，不堪服饵。壬子秋，余应试北雍，值孝廉张抱赤久荒于色，腹满如斗，独参汤送金匮丸，小便稍利，满亦差减，越旬日其满如故，肢体厥逆，仍投前丸，竟无裨也，举家哀乱，惟治终事。抱赤泣而告曰：若可救我，当终其身父事之。余曰：即不敢保万全，然饵金液丹至数十粒，尚有生理。抱赤连服百粒，小便遄行，满消食进，更以补中八味并进，遂获痊安。故药中肯綮，如鼓应桴。世之病是症而不得援者众矣。有如抱赤之倾信者，几何人哉？况硫非治满之剂，只因元阳将绝，而参附无功，借其纯阳之精，令阴寒之滞，见暖冰消。

《医宗说约》 硫黄，大热，除癣疥疮，壮阳逐冷，杀虫妙方。甘草汤煮研用。

《本草述》 按硫黄伏生于石下，阳气溶液凝结而就，且凡产硫黄之处，必有温泉，作硫黄气，则此味之性大热。昔哲谓为纯阳之物，宜于痼冷者是也。第其能化五金，只以为胜者制所不胜，而未察硫之恋于铅，铅为五金之祖也。水火二气，相反乃以相合，是属何故？更硫恋于铅而还能化铅，胜者又何以反化于不胜者乎？夫铅为五金之祖，而硫即能化五金，则其化五金也，岂非同于化铅乎？若然，是硫固为至阳之精，实乃阴中之阳，其化铅于五金也。固感于所自始之阴，而合和以化之，非止以猛毒而制所不胜者也，即其恋于铅也。义固可思矣。（石硫黄的入命门，为水中之阳，义具铅总按中。）然时珍谓其补命门真火，与桂、附将无同欤？而其微有不同者，当绎前哲痼冷二字。并好古所谓破邪归正，反滞还清之义，犹不得等于桂、附，但入先天真火之窟，以消阴翳者此也。之颐谓其阳燧为体，动流为用，二语近之矣。故此味主治，似于寒凝而积阴者，宜用此纯阳以对偏胜之阴，使其结者化，戾者和也。之颐谓所治诸证，悉属阴凝至坚，对待治之，是中的语。知此，则适事为故，投此热剂，亦何可已，不则反不中病，无益有损矣。故临证施治，最宜细酌，盖不必待其久服多服，而始见其有害也。至服饵以戕生者，不亦愚乎哉！

《本草崇原》 石硫黄，味酸，温，有毒。治妇人阴蚀，疽痔恶血，坚筋骨，除头秃，能化金银铜铁奇物。（奇，疑作等。石硫黄出东海牧羊山谷及太行河西山中。今南海诸番岭外州郡皆有，然不及昆仑、雅州舶上来者良。此火石之精所结，所产之处必有温泉，泉水亦作硫黄气。以颗块莹净光腻，色黄，嚼之无声者，弥佳。夹土与石者，不堪入药。）硫黄色黄，其形如石。黄者，土之色。石者，土之骨。遇火即焰，其性温热，是禀火土相生之气化。火生于木，故气味酸温，禀火气而温经脉，故主治妇人之阴蚀，及疽痔恶血。禀土石之精，故坚筋骨。阳气长则毛发生，故主头秃。遇火而焰，故能化金银铜铁奇物。

《本草择要纲目》 石硫黄。（含其猛毒为七十二石之将，故药品中号为将军。外家谓之阳侯，亦曰黄牙，又曰黄硇砂。）［气味］酸温有毒。［主治］除头秃，能化金银铜铁奇物，下部䘌疮。杀疥虫。古方未有服饵硫黄者，《本经》所用，止于治疮蚀，攻积聚冷气脚弱等，而近世遂火炼，治为常服丸散。观其治炼服食之法，殊无本源，非若乳石之有论议，故服之其效虽紧，而其患更速，可不戒之。土硫黄辛热腥臭，止可治疥杀虫，不可服也。

《本草备要》 硫黄，味酸，有毒。大热纯阳（硫黄阳精极热，与大黄极寒，并号将军），补命门真火不足。性虽热而疏利大肠，与燥涩者不同。（热药多秘，惟硫黄暖而能通；寒药多泄，惟黄连肥肠而止泻。）若阳气暴绝，阴毒伤寒，久患寒泻，脾胃虚寒，命欲垂尽者用之，亦救危妙药也。治寒痹冷癖，足寒无力，老人虚秘（《局方》用半硫丸）。妇人阴蚀，小儿慢惊，暖精壮阳，杀虫疗疮，辟鬼魅，化五金，能干汞。（王好古曰：太白丹、来复丹皆用硫黄佐以硝石，至阳佐以至阴，与仲景白通汤佐以人尿、猪胆汁意同。所以治内伤生冷，外冒暑湿，霍乱诸病。能除扞格之寒，兼有伏阳，不得不尔，如无伏阳，只有阴虚，更不必以阴药佐之。《夷坚志》曰：唐与正亦知医，能以意治病，吴巡检病不得溲，卧则微通，立则不能涓滴，遍用通药不效。唐问其平日自制黑锡丹常服，因悟曰：此必结砂时，硫飞去，铅不死，铅砂入膀胱，卧则偏重犹可溲，立则正塞水道故不通。取金液丹三百粒，分十服，瞿麦汤下，铅得硫则化，水道遂通。家母舅童时亦病溺涩，服通淋药罔效，老医黄五聚视之曰：此乃外皮窍小，故溺时艰难，非淋证也。以牛骨作楔，塞于皮端，窍渐展开，勿药而愈。使重服通利药，得不更变他证乎！乃知医理非一端也。硫能化铅为水，修炼家尊之为金液丹。）番舶者良。（难得。）取色黄坚如石者，以莱菔剜空，入硫合定。糠火煨熟，去其臭气；以紫背浮萍煮过，消其火毒；以皂荚汤淘其黑浆。一法绢袋盛，酒煮三日夜。一法入猪大肠，烂煮三时用。畏细辛、诸血、醋。土硫黄辛热腥臭，止可入疮药，不可服饵。

《本经逢原》 石硫黄禀纯阳之精。赋大热之性。助命门相火不足。寒郁火邪。胃脘结痛。脚冷疼弱者宜之。其性虽热，而能疏利大肠，与燥涩之性不同，但久服伤阴。大肠受伤，多致便血，伤寒阴毒，爪甲纯青，火焰散屡奏神功。阴水腹胀，水道不通，金液丹服之即效。《本经》治阴蚀疽痔，乃热因热用，以散阴中蕴积之垢热，但热邪亢盛者禁用。又言坚筋骨者，取以治下部之寒湿。若湿热痿痹，良非所宜。人身阴常不足，阳常有余，苟非真病虚寒，胡可服此毒热。类案有久服硫黄，人渐缩小之例，石顽亲见李尧占服此数年，临毙缩小如七八岁童子状，正《内经》所谓热则骨消筋缓是也。

《神农本草经百种录》 石硫黄，味酸，温。主妇人阴蚀（阴湿所生之疾，惟阳燥之物能已之），疽痔恶血（亦下焦阴分之湿所生病也）。坚筋骨（壮筋骨之阳气）。除头秃（杀发根湿气所生之虫）。能化金银铜铁奇物（火克金也）。（硫黄乃石中得火之精者也。石属阴而火属阳，寓至阳于至阴，故能治阴分中寒湿之疾。其气旺而性暴，故又能杀虫而化诸金也。）

《本草诗笺》 硫黄，酸咸，有毒，性大热。石硫黄，能消恶血疽疮净，善散虚寒筋骨强；《本经》主妇人阴蚀，疽痔恶血坚筋骨；爪甲去青呈玉笋（伤寒后爪甲纯青，用火焰散效），鬓鬟添绿助红妆（《经》言除头秃）；余功更使肠疏利（能疏大肠），久服终防阴受伤（久服伤阴）。

《玉楸药解》 硫黄，味酸，温。入脾、肾、足厥阴肝经。驱寒燥湿，补火壮阳。石硫黄，温燥水土，驱逐湿寒。治虚劳咳嗽，呕吐泄利，衄血便红，冷气寒癥，腰软膝痛，阳痿精滑，痈疽痔瘘，疥癣癞秃，敷女子阴痒，洗玉门宽冷，涂鼻䶑疣痣，消胬肉顽疮。入萝卜内，稻糠火煨熟，去其臭气，研细用。硝石能化硫为水，以竹筒盛埋马粪中，一月成水，名硫黄液。

《得配本草》 石硫黄，曾青、石亭脂为之使。畏细辛、朴消、铁、醋、黑锡、猪肉、鸭汁、余甘子、桑灰、益母、大盐、车前、黄檗、石韦、荞麦、独帚、地骨皮、地榆、蛇床、蓖麻、菟丝、蚕沙、紫荷、菠薐、桑白皮、马鞭草，忌禽兽血。酸，有毒。大热纯阳，入足少阴经。去冷积，止水胀，杀脏虫，除鬼魅。得半夏，治久年哮喘。得艾叶，治阴毒伤寒。得鸡子煎香池，调搽疥疮。得枯矾，治气虚暴泻。配雄黄为末，绵裹，塞耳卒聋闭。配滑石，治伤暑吐泻。烧烟熏嗅，咳逆打呃立止。研细末，掺诸疮胬肉，如蛇出数寸。出番舶，黄色莹净者良。用莱菔剜空，入硫黄合定，糠火煨熟，以紫背浮萍、青蒿汁煮，汁尽为度；再用百部、柳蚛、东流水煮皂荚水，淘去黑浆用。或用猪大肠煮烂用。阴虚者禁用。人生一身，阳常有余，阴常不足。每见虚热者，补阴之剂，投之半载一年，未即有效，遂以滋阴为无济，不若补阳以生阴。且云怯病，内必有虫，以食其髓，惟硫黄下补命门，兼可杀虫。因之日服寸匕，以期速效。讵知阳火日盛，阴水益燥，速之使毙，而莫之知也。且果系虚寒，亦应补气以回阳，乃用此酷烈之药，而毒之死，何哉？

《本草求真》 ［批］石硫黄大补命门相火，兼通寒闭不解。石硫黄（专入命门。玄寿先生曰：硫是矾之液，矾是铁之精，磁石是铁之母。故铁砂、磁石制入硫黄，立成紫粉。）味酸有毒，（权曰：有大毒，以黑锡汤解之。）大热纯阳，号为火精。（时珍曰：凡产石硫黄处，必有温泉作硫黄气。）盖人一身，全赖命门真火周布，始能上贯心肝以主云雨，中及脾胃以蒸水谷，下司开合以送二便，旁达四肢以应动作。（李时珍曰：命门为藏精系胞之物，其体非脂非肉，白膜裹之，在脊骨第七节两肾中央，系著于脊，下通二肾，上通心肺，贯脑，为生命之源，相火之主，精气之府，人物皆有之，生人生物，皆由此出。即经所谓七节之旁中有小心是也。以相能代心君行事，故曰小心也。）此火既衰，阳微阴盛，内寒先生，外寒后中，厥气逆胸，旁及于胃，胃为肾关，外寒斩关直入，由是无热恶寒，手足厥逆，二便凝结，医以朴硝攻下，猪、泽渗利，则二便不通，而凝结益甚，是犹层冰不解，非不补火消阴，疏阳通胃，则寒莫去而结莫消。书云：命门火衰，服附、桂不能补者，须服硫黄补之。按硫黄纯阳，与大黄一寒一热，并号将军，凡阳气暴绝，阴毒伤寒，久患寒泻，脾胃虚寒，命欲垂尽者，须用此主之。又治老人一切风秘、冷秘、气秘（热药多秘，惟硫黄暖而能通，寒药多泄，惟黄连肥肠而止泻）。为补虚助阳圣药。且能外杀疮疥一切虫蛊恶毒，并小儿慢惊，妇人阴蚀，皆能有效。但必制造得宜，始可以服，余用法制。（另详杂证求真方内。）凡遇一切虚痨中寒，冷痢冷痛，四肢厥逆，并面赤戴阳，六脉无力，或细数无伦，烦躁欲卧井中，口苦咽干，漱水而不欲咽，审属虚火上浮，阳被阴格者，服无不效。（王好古曰：如太白丹、来复丹，皆用硫黄，佐以硝石，至阳佐以至阴，与仲景白通汤佐以人尿、猪胆汁，大意相同。所以治内伤生冷，外冒暑热霍乱诸病。能去格拒之寒，兼有伏阳，不得不尔。如无伏阳，只是阴虚，更不必以阴药佐之。）今人不晓病机，一见秘结不解，不分寒热，辄用承气以投，讵知寒热不同，冰炭迥异，用之无益，适以致害，可不慎欤。但火极似水，证见寒厥，不细审认，辄作寒治，遽用此药，其害匪浅。（孙升谈圃云：硫黄神仙药也。每岁三伏日饵百粒，去脏腑积滞，有验。但硫黄伏生于石下，阳气溶液凝成结而就，其性大热，火炼服之，多发背疽。方勺《泊宅编》云：金液丹乃硫黄炼成，纯阳之物，有痼冷者所宜，今夏至人多服之，反为大患。韩退之作文戒服食，而晚年服硫黄而死，可不戒乎。夏英公有冷病，服钟乳、硫黄，莫之纪极，竟以寿终，此其禀受与人异也。）番舶色黄，坚如石者良。土硫黄辛热腥臭，止可入疮药，不可服饵。（硫黄用大肠煮制，其法不佳。）

《罗氏会约医镜》 硫黄（补阳杀虫。其味酸大热，有毒。入心、肾二经。）纯阳之精，大补命门真火，能救阳气暴绝，阴毒惟甚。久患寒泻，脾胃虚冷，命欲垂尽者用之，可以起死回生。治寒痹冷癖、小儿慢惊，暖精壮阳，杀虫疗疮，脚膝冷疼，鬼魅作祟，老人虚秘，妇人阴蚀。伤寒厥逆烦躁、腹痛脉伏者（阴证似阳），以硫黄为末，艾汤调服二三钱，即可得睡，汗出而愈。按硫黄性虽热，而疏利大肠，与燥涩者不同。（热药多秘，惟硫黄暖而能通；寒药多泻，惟黄连肥肠而止泻。）番舶者良。（难得。）取色黄而坚者，以莱菔剜空，入硫合定，糠火煨熟，去其臭气，以紫背浮萍同煮，皂荚汤淘尽用。又法：烧溶入冷水内，如是者三次。又法：入猪大肠，煮三时用。畏细辛、朴硝、血、铁、醋。适病而止，不可过服。

《本草撮要》 硫黄，味酸，入足太阴、少阴、厥阴经。功专驱寒燥湿，补火壮阳。得半夏治久年哮喘；得艾治阴毒伤寒；乌鲗、五味合硫黄敷妇人阴脱；能化五金而干汞。畏细辛、醋、血。番舶者良。

《本草便读》 硫黄，酸、辛、咸，热。补肾火以助元阳。救逆扶危，润大肠可疏风闭。冷癖阴凝之证，内服则用以宣通。虫疮疥癞诸方，外治则取其毒烈。（硫黄有二种：一种石硫黄，出外番山谷间，秉阳火之气，由石液结成，凡产石硫黄之处，必有温泉作硫黄气；一种土硫黄，出广南煤矿中，以法熬炼而成，其色带青，其气带臭，碾之有声，止可作疮药、火药之用。若服食之方，用以扶危济急，拯逆返元，皆宜以石者为上。辛酸咸热有毒之品，用不得宜，或过用偏胜之害，祸如反掌。硫黄火之精也，暖而能通，入肾与命门大肠，回阳破阴之功，自非浅显。）

尚志钧按 硫黄一名石硫黄，为斜方晶系硫黄矿，多产于火山区及温泉地带。常与石膏、方解石、褐铁矿、石盐、黏土共存。石硫黄呈锐锥状晶体，色黄或黄绿，表面不平，常有麻纹及多数针眼状小孔，用手紧握，置耳旁，可闻轻微爆裂声。石硫黄体轻，质松，易碎，断面常呈针状结晶形，在密闭容器内加热到270℃则熔化，在空气中，加热至270℃即燃烧，产生有刺激性气体二氧化硫。石硫黄硬度为1.3~2.5，比重为2.05~2.08。天然的石硫黄多含杂质，如砷、硒、碲、黏土等，不宜内服，必须经过炼制。一般硫黄一斤、豆腐二斤，加水煮，煮到豆腐变黑绿色，浮在上面，去豆腐，取硫黄阴干，研末用。硫黄味酸，温，有毒。内服温下焦，通寒性便闭（小腹不痛，舌苔白为寒），热性便闭忌用（小腹硬痛拒按，舌苔黄为热)。外用杀虫灭疥、头癣及各种顽癣。治顽癣疥疮，配土大黄，研极细末，胆汁调如软膏，搽患处。治小儿头疮，配雄黄、冰片、轻粉少许，研极细末，调成软膏外搽。治阴蚀瘙痒，配枯矾、冰片、蛇床子合用。治疥疮，以本品同石灰煮成红色水液，加入洗浴水中洗浴，每日一次，取愈为度。或单用本品调成油膏外擦。但硫黄极难研细，研不细，疗效很差。治酒皶鼻，硫黄一两，轻粉、密陀僧、白矾各一钱，共研细末，凡士林调成20%软膏外搽。一方：硫黄、轻粉、乳香、巴豆等分为细末，以蜜调，涂患处。治老人冷秘，配半夏合用。治腰膝冷痛，尿频，阳痿，配鹿茸、补骨脂合用。治肾虚寒喘，怕冷，手足不温，配肉桂、附子合用。硫黄品种很多，因产地、颜色、形状不同而各异。如产于日本者名倭硫黄，产于硫黄泉附近成垂乳状者名天生黄。硫黄呈赤色者名石硫赤（即石亭脂)。硫黄呈青色者名石硫青（冬结石)。硫黄经过升华者名升华硫。升华硫经过氨水洗，除去杂质名精制硫。将石硫黄同石灰共煮，煮时水被蒸发去，要勤加水，煮得红色水液，加盐酸，有硫黄析出，名沉降硫。兹将一部分品种介绍如下。

129　倭硫黄（赵学敏）

《本草纲目拾遗》　出东洋琉球日本吕宋等国，以日本者佳。其色白似蜜，气不臭烈，光润而嫩。高濂《四时修合方》云：舶上硫黄，倭夷海船上作灰涂缝者佳。人不多见，俱以市硫有油者用，舶硫色如蜜者，黄中有金红处，如七日石榴皮，打开俨若水晶有光，全非松脆性如石硬者真。按：硫出内地者，取土与油煎熬而成。气腥触鼻，作老黄色，倭产者嫩白，濒湖集解但引《庚辛玉册》所载石、土二种，于倭硫却无考据，仅云倭舶者佳。不知倭硫黄与内地迥别也。其附方内所载《本事方》之阴证伤寒，《博济方》之阴阳二毒，《瑞竹堂方》之酒齄赤鼻，《宣明方》之鼻面紫风，皆用舶上硫黄者，断不可以内地台黄代用，故补著其功于左。

《百草镜》。白硫黄出琉球国，名倭硫黄。洋舶带来，质坚如石，不臭，光润滑泽，形如滴乳者真。

《物理小识》。舶硫如蜜，黄中有金红处，击开如水晶有光，今青硫不佳也。盖阳气入地，遇水则死为硫，升云则爆为雷，乃生养万物之源。故以金红者为第一种，但须善制耳，遇硫毒，研釜底煤泡汤饮，以煤为火之宅。硫本阳火，见而服也。岳嵯使秀峰先生曾语予云：在京师见倭黄，如梅花式，成饼，色亦不甚白，握手中置耳畔听之，索索作声，如虫鸣。云此种系倭舶来者，特笔于此以候考。

性大热，味微酸，有小毒，补下元，助阳道，益命门火衰，于老人尤宜。灭斑杀虫，治疮通血，止泄痢。

暖肚封脐膏。《周氏家宝》云：夏天帖之，秋后不生痢疾，用韭菜子、蛇床子、大附子各一两，肉桂一两，川椒三两，倭硫黄一两，麝香三分，独蒜一枚，麻油三斤，入粗药浸半月，熬制枯色，去渣，熬至滴水成珠，再加黄丹十二两，再熬，俟冷加细药听用。孕妇忌帖。

登仙膏。《万氏家抄》云：此药存精不漏，固体壮阳，强形健力，凡交不泄，可采十女之精。兼治腰疼，下元虚损，五劳七伤，半身不遂，膀胱疝气，下焦冷气，小肠偏坠。又治二三十年腿脚疼麻，阳事不举，妇人白带血淋，阴痛血崩，皆宜贴之。麻油一斤四两，入甘草二两，熬至六分，下诸药。第一下芝麻四两。第二下甘草二钱。第三下天门冬酒浸去心，麦冬、远志，俱酒浸去心，生地酒洗，熟地酒蒸，牛膝去芦酒浸，蛇床子酒洗，虎骨酥炙，菟丝子酒浸，鹿茸酥炙，肉苁蓉酒洗去甲膜，川续断，紫梢花，木鳖子去壳，杏仁去皮尖，谷精草、官桂去皮，各三钱。文武火熬至枯黑色，去渣，下飞过黄丹半斤。第四下松香八两、槐柳枝不住手搅，滴水不散。第五下倭硫黄、雄黄、龙骨、赤石脂，各为末二钱，再上火熬半时。第六下乳香、没药、木香、母丁香各末五钱，再熬，离火放温。第七下蟾酥、麝香、阳起石各二钱，滴水不散。第八下黄占一两，用瓷罐盛之，以蜡封口。入井中浸三日，去火毒，用红绢摊贴脐上，如行房欲泄，以妇人唾津润去膏药即泄，便有孕。

宝珠膏。《行箧检秘》：此药能助筋骨，补血长肌固元。未贴此膏之前，先用擦久易丹擦腰眼，三日后再贴此膏。赤石脂、天冬、麦冬、生地、熟地、紫梢花、蛇床子、鹿茸、谷精草、防风、元参、厚朴、虎骨、菟丝子、木香各一两。母丁香、肉桂、川断、赤芍、黄芪、肉苁蓉、白龙骨、杜仲各一钱五分。附子一个生用，蓖麻子一百粒去油，穿山甲一钱五分，地龙去土二钱，木鳖去壳不去油，切片，倭硫黄、没药各一钱，血竭一钱，乳香二钱，松香、黄蜡各四钱，麝香少许，用麻油二斤，将药入油浸，三日后入锅内熬至黑色，去渣，用槐柳枝搅，次下黄蜡、松香，再下细药油，滴水成珠不散为度。瓷器收之，绢缎布摊贴腰眼，其效如神。

擦久易丹。肉苁蓉、良姜、蛇床子、丁香，马兰花、韶脑各一两，木鳖、蟾酥少许，为末，炼蜜为丸，如弹子大，每用一丸。擦腰眼千百遍，软绢绸护之，一日不解，三日后，贴前宝珠膏。

七宝丹。高濂《修合方》：治久患泄痢，疗不瘥者，服之即效。老人及脾泄滑，宜服。用附子、童便和黄泥炮五钱，当归一两，干姜五钱，吴茱萸、厚朴、姜制花椒各三钱，舶硫黄八钱，七味为末，米醋和成两团，白面和外衣，裹药在内，如烧饼包糖一般，文武火煅面熟，去面捣为末，蜜丸桐子大。诸痢，米汤下二十丸，空心日午服，宿食气痛不消，姜盐汤下。

神效乾丹。《演揲儿集》：此药坚阳益肾，强筋力，和血脉，种子如神。天雄三钱去皮尖，雄精三钱，鸦片三钱，蟾酥三钱，母丁香大者四粒，人参三钱，樟脑、瓦上升净霜各三钱，乳香、没药去油各五分，倭硫黄三钱。共研细末，用绡罗裹外，麝香二钱，研极细，另包，将白及不拘多少，以敷用为度，放碗内，用滚水泡开，将白及装入绢袋内，拧汁去渣，再用苏合油三钱，同白及汁和药调匀，将麝香末洒上做成锭，放瓷盒阴干，或将口封固略晒，俟干研擦。

剪根丸。《经验广集》：治胃气，一服除根，冷痛尤效。玄胡索、胡椒、五灵脂、白豆蔻各五钱，倭硫黄，如无用石硫黄，水浸，早晚换水，取出，用瓷器熔数沸，于土地上候冷，再用水泡过洗净，一两，木香切片晒干二钱五分，研细末，拌匀收贮。体壮者服一分，弱者八厘，老人幼童五厘，取温烧酒半小钟调服，入密室，一切食物不可吃，待次日吃稀米汤，至五日后方可吃干饭，永不再发，孕妇忌服。

130　天生黄（赵学敏）

《本草纲目拾遗》　毗陵刘霁轩先生讳焕章，任浪穷令，有《天生磺纪》，略曰：浪穷东城外五里，有温泉焉。乃昆明海洱之委也，周围三四里许，泉底产硫黄，水热如汤，投以鸡蛋可熟。中流峙一平岩，名九气台，中空而旁穴，穴凡九，温泉注其内，其气熏蒸，上浮于石，沾濡流浃，如垂乳然，积时既久，质渐坚，色甚莹白，历数百余年，其色灰苍，堆聚岩下，磈碕玲珑，与巧石相似。土人凿取之以为药，其性大温补命门真火，虚寒等证服之，厥效如神。盖硫黄泉之热气所结，质最轻清，又久而后成，故功效远过于石硫黄也。今土人建文星阁于九气台上，为浪邑胜迹云。治膈症，补命门火衰，余功同倭黄。

按，西儒高一志《空际格致》云：硫黄有人造这，有天生者。天生者外如灰色，内如黄泥而淡，其体浓肥，其味苦咸，其气臭毒，其性燥热，故近火则易为养也。

131　石硫赤（《别录》）

《名医别录》　石硫赤，味苦，无毒。主妇人带下，止血，轻身长年。理如石者，生山石间。

《本草经集注》　芝品中有石硫丹，又有石中黄子。

《本草纲目》　［集解］［时珍曰］此即硫黄之多赤者，名石亭脂，而近世通呼硫黄为石亭脂，亦未考此也。按《抱朴子》云：石硫丹，石之赤精，石硫黄之类也。浸溢于涯岸之间，其濡湿者可丸服，坚结者可散服。五岳皆有，而箕山为多，许由、巢父服之，即石硫芝是矣。［主治］［时珍曰］壮阳除冷，治疮杀虫，功同硫黄。

132　石硫青（《别录》）

《名医别录》　石硫青，味酸，无毒。主疗泄，益肝气，明目，轻身长年。生武都山石间，青白色。

《本草纲目》　［释名］［时珍曰］此硫黄之多青色者。颂《图经》言石亭脂、冬结石并不堪入药，未深考此也。［主治］［时珍曰］治疮杀虫，功同硫黄。

十、含碳及其化合物的矿物药

133　石炭（《纲目》）

《本草纲目》　［释名］一名煤炭、石墨、铁炭、乌金石、焦石。［时珍曰］石炭即乌金石，上古以书字，谓之石墨，今俗呼为煤炭，煤墨音相近也。《拾遗》记言焦石如炭，《岭表录》言康州有焦石穴，即此也。［集解］［时珍曰］石炭南北诸山产处亦多，昔人不用，故识之者少。今则人以代薪炊爨，煅炼铁石，大为民利。土人皆凿山为穴，横入十余丈取之。有大块如石而光者，有疏散如炭末者，俱作硫黄气，以酒喷之则解。入药用坚块如石者。昔人言夷陵黑土为劫灰者，即此疏散者也。《孝经援神契》云：王者德至山陵，则出墨丹。《水经》言：石炭可书，燃之难尽，烟气中人。《酉阳杂俎》云：无劳县出石墨，爨之弥年不消。《夷坚志》云：彰德南郭村井中产石墨。宜阳县有石墨山。汧阳县有石墨洞。燕之西山，楚之荆州、兴国州，江西之庐山、袁州、丰城、赣州，皆产石炭，可以炊爨。并此石也。又有一种石墨，舐之粘舌，可书字画眉，名画眉石者，即黑石脂也。见石脂下。［气味］甘、辛、温，有毒。［时珍曰］人有中煤气毒者，昏瞀至死，惟饮冷水即解。［主治］［时珍曰］治妇人血气痛，及诸疮毒，金疮出血，小儿痰痫。

134　金刚石（《纲目》）

《本草纲目》　［释名］一名金刚钻。［时珍曰］其砂可以钻玉补瓷，故谓之钻。［集解］［时珍曰］金刚石出西番天竺诸国。葛洪《抱朴子》云：扶南出金刚，生水底石上，如钟乳状，体似紫石英，可以刻玉。人没水取之，虽铁椎击之亦不能伤。惟羚羊角扣之，则灌然冰泮。《丹房鉴源》云：紫背铅能碎金刚钻。周密《齐东野语》云：玉人攻玉，以恒河之砂，以金刚钻镂之，其形如鼠矢，青黑色如石如铁。相传出西域及回纥高山顶上，鹰隼粘带食入腹中，遗粪于河北砂碛间。未知然否？《玄中记》云：大秦国出金刚，一名削玉刀，大者长尺许，小者如稻黍，着环中，可以刻玉。观此则金刚有甚大者，番僧以充佛牙是也。欲辨真伪，但烧赤淬醋中，如故不酥碎者为真。若觉钝，则煅赤，冷定即锐也。故西方以金刚喻佛性，羚羊角喻烦恼。《十洲记》载西海流砂有昆吾石，治之作剑如铁，光明如水精，割玉如泥，此亦金刚之大者。又兽有貘及啮铁、狡兔，皆能食铁，其粪俱可为兵切玉，详见兽部貘下。［主治］［时珍曰］磨水涂汤火伤。作钗镮服佩，辟邪恶毒气。

135　釜脐墨（铛墨）（《蜀本》）

《蜀本草》　铛墨无毒。

《开宝本草》　主蛊毒中恶，血晕吐血。以酒或水细研温服之。亦涂金疮，生肌止血。疮在面，慎勿涂之，黑入肉如印，此铛下墨是也。

《本草图经》　文具“石灰”条下。

《千金要方》　臭气。鼻气壅塞不通方：水服釜墨末。又方治舌卒肿如猪胞状，满口，不治须臾死。以釜墨和酒涂舌下，立差。又方治心痛，取铛墨以热小便调下二钱匕。又方治逆生。以手中指取釜下墨，交画儿足下，顿生。又方治中恶，心痛欲绝。用釜下墨半两，盐一两，和研，以熟水一盏调，顿服。《肘后方》治转筋，入肠中欲转者。釜底墨末，和酒服之差。《经验方》治霍乱。取锅底墨煤少许，只半钱已下。又于灶额上取少许，以百沸汤一盏，投煤其中，急搅数十下，用碗盖之，汗出通口微呷一两口，吐泻立止。

《绍兴本草》 铛墨，诸铛、釜底积久火烟熏墨也。本经虽具主疗，而不载性味、有无毒。盖诸薪烧之，而烟气所成，即非有毒之物。又有百草霜，《图经》称为灶额上墨。今详与铛墨亦大同小异，当作一种通用矣。

《本草纲目》 ［释名］釜脐墨又名釜月中墨（《四声》）、铛墨（《开宝》）、釜煤（《纲目》）釜炲（《纲目》）锅底墨。［时珍曰］大者曰釜、曰锅，小者曰铛。［主治］［时珍曰］消食积，舌肿喉痹、口疮，阳毒发狂。

136 墨（《开宝》）

《开宝本草》 味辛，无毒。止血生肌肤，合金疮，主产后血运崩中，卒下血，醋摩服之。亦主眯目，物芒入目，摩点瞳子上。又止血痢及小儿客忤，捣筛和水温服之。好墨入药，粗者不堪。

《本草拾遗》 墨，温。

《外台秘要》 治天行毒病，衄鼻是热毒血下数升者。取好墨末之，鸡子白丸如梧子。用生地黄汁下一二十丸，如人行五里再服。《千金方》治物落眼中不出。好墨清水研，铜箸点之即出。《肘后方》客忤者，中恶之类也，多于道间门外得之，令人心腹绞痛，胀满，气冲心胸，不即治亦杀人。捣墨水和服一钱匕。又方崩中漏下清黄赤白，使人无子。好墨末一钱匕服。又方难产。墨一寸末，水服之，立产。又方治赤白痢，姜墨丸：干姜、好墨各五两筛，以醋浆和丸桐子大。服三十丸加至四五十丸，米饮下，日夜可六七服，如无醋浆，以醋入水解之，令其味如醋浆和之。七十病痢垂死服之愈。徐云：但嚼书墨一丸差。又方治堕胎胞衣不出腹中，腹中疼痛，牵引腰脊痛。用好墨细研，每服非时温酒调下二钱匕。《梅师方》治鼻衄出血多，眩冒欲死。浓研香墨，点入鼻孔中。《子母秘录》治产后血晕，心闷气绝。以丈夫小便浓研墨，服一升。又方妊娠胎死腹中，若胞衣不下，上迫心。墨三寸末，酒服。

《本草衍义》 墨，松之烟也。世有以粟草灰伪为者，不可用。须松烟墨方可入药。然惟远烟为佳。今高丽国每贡墨于中国，不知用何物合和，不宜入药，此盖未达不敢尝之义。又治大小血，好墨细末二钱，以白汤化阿胶清调，稀稠得所，顿服，热多者尤相宜。又鄜、延界内有石油，燃之烟甚浓，其煤可为墨，黑光如漆，松烟不及。其识文曰延川石液者是，不可入药，当附于此。

《本草纲目》 ［释名］一名乌金（《纲目》）、陈玄（《纲目》）、玄香（《纲目》）、乌玉玦。［时珍曰］古者以黑土为墨，故字从黑土。许慎《说文》云：墨，烟煤所成，土之类也，故从黑土。刘熙释名云：墨者，晦也。［集解］［时珍曰］上墨，以松烟用梣皮汁解胶和造，或加香药等物。今人多以窑突中墨烟，再三以麻油入内，用火烧过造墨，谓之墨烟，墨光虽黑，而非松烟矣，用者详之。石墨见石炭下。乌贼鱼腹中有墨，马之宝墨，各见本条。［主治］［时珍曰］墨，利小便，通月经，治痈肿。

尚志钧按 药用的墨应以松烟和入胶汁、香料制成，陈久者为佳。墨有止血功效，适用于金疮出血、妇人崩漏、产后血晕。用石油或杂草烟制成的墨，不能入药用。

137 雷墨（《纲目》）

《本草纲目》 ［时珍曰］按雷书云：凡雷书木石，谓木札，入二三分，青黄色。或云：雄黄、青黛、丹砂合成，以雷楔书之。或云：蓬莱山石脂所书。雷州每雷雨大作，飞下如沙石，大者如块，小者如指，坚硬如石，黑色光艳至重。刘恂《岭表录异》云：雷州骤雨后，人于野中得石如黳石，谓之雷公墨，扣之铮然，光莹可爱。又李肇《国史补》云：雷州多雷，秋则伏蛰，状如人，掘取食之。观此，则雷果有物矣。

治小儿惊痫邪魅诸病，以桃符汤磨服即安。

138 百草霜（《纲目》）

《本草纲目》 ［释名］又名灶突墨、灶额墨。［时珍曰］此乃灶额及烟炉中墨烟也。其质轻细，故谓之霜。［气味］辛，温，无毒。［主治］［时珍曰］止上下诸血，妇人崩中带下、胎前产后诸病，伤寒阳毒发狂，黄疸，疟痢，噎膈，咽喉口舌一切诸疮。［发明］［时珍曰］百草霜、釜底黑、梁上倒挂尘，皆是烟气结成，但其体质有轻虚结实之异。重者归中下二焦，轻者入心肺之分。古方治阳毒发狂，黑奴丸，三者并用，而内有麻黄、大黄，亦是攻解三焦结热，兼取火化从治之义。其消积滞，亦是取其从化，故疸膈疟痢诸病多用之。其治失血胎产诸病，虽是血见黑则止，亦不离从化之理。

尚志钧按 百草霜，味辛、涩，性温，能止血、化积、解毒，适用于吐血、衄血、咯血、龈衄、崩漏带下、口舌生疮。治吐血、衄血、咯血，与生地、血馀炭、侧柏叶合用。治口舌生疮，与硼砂、冰片，研细末外掺。治血痢，与木香、黄连合用。治食积泄泻，与巴豆霜合用。

139 莲房炭（《太平圣惠方》）

《太平圣惠方》 治血崩不止，莲蓬壳、荆芥穗，各烧存性，等分为末，每服二钱。

《妇人经验方》 治经血不止，陈莲蓬壳，烧存性。研末，每服二钱，热酒下。

《朱氏集验方》 治漏胎下血，莲房烧研，每服二钱，日二服。

尚志钧按 莲房炭，味苦、涩，性温，能活血止血，适用于尿血、便血、崩漏、带下、乳裂。治尿血、下血、子宫出血，本品煅炭，与荆芥穗炭、陈棕炭、槐花、白茅根、大小蓟、丹皮合用。治乳裂，单用本品炒炭，研末外敷。治痔疮、脱肛，单用莲房炒炭，研细末外敷。

140 荷叶炭（《集简方》）

《集简方》 治刀斧伤疱，荷叶烧，研，搽之。

《普济方》 治崩中下血，荷叶烧，研，半两，蒲黄、黄芩各一两，为末，每空心服三钱。

《经验良方》 治下痢赤白。荷叶烧，研，每服二钱。红痢，蜜水下；白痢，砂糖汤下。

《简便方》 治偏头风痛，烧荷叶一个，为末服。

尚志钧按 荷叶炭，味苦、涩，性平，能清暑利湿、醒脾和胃、炒炭止血，适用于各种出血。治吐血、下血，与白茅根、大小蓟、侧柏叶、乌贼骨合用。治暑热，与银花、西瓜翠衣合用。治停食胀满，与枳实、枳壳、陈皮、白术合用。

141 印纸（《拾遗》）

《本草拾遗》 印纸，无毒。主令妇人断产无子。剪有印处烧灰，水服之一钱匕，神效。

142 陈棕炭（《衍义》）

《本草衍义》 棕皮烧黑，治妇人血露及吐血。

《本草纲目》 ［发明］［时珍曰］棕灰，性涩，若失血过多，瘀滞已尽者，用之切当，所谓涩可去脱也。与乱发灰同用更良。年久败棕入药尤妙。

《黎居士方》治鼻血不止，棕榈灰随左右吹之。《妇人良方》治血崩不止，棕榈皮烧存性。空心酒服三钱。《卫生家宝方》治血淋不止，棕榈皮烧存性，为末，每服二钱，甚效。《近效方》治水谷痢下，棕榈皮烧，研，水服方寸匕。《摄生方》治小便不通，棕皮毛烧存性，为末，以水、酒服二钱即通利，累试甚验。

尚志钧按 陈棕炭，味苦、涩，性平，能泻热、收敛止血，适用于吐血、衄血、便血、血淋、尿血、血痢、带下、金疮出血。治妇人经血不止、崩漏，与侧柏叶、地榆、苎麻根、荆芥穗炭合用。治赤白痢，与白头翁、马齿苋、血馀炭合用。治衄血，与丹皮、白茅根、大小蓟、侧柏叶合用。治气虚下陷便血，与黄芪、白术、乌贼骨、茜草、荆齐炭合用。本品与血馀炭有协同作用，常相须为用。

143 血馀炭（《千金方》）

《千金方》 治小儿惊啼，乱发烧，研，乳汁服少许。

《梅师方》 治鼻血眩冒欲死者，乱发烧，研，水服方寸匕，仍吹之。

《证治要诀》 治肌肤出血，胎发烧灰，傅之即止。

《华佗中藏经》 治齿缝出血，头发，切，入铫内炒存性，研为末，掺之。

《圣济总录》 治上下诸血。或吐血，舌出血，或小便出血，并用乱发烧灰，为末，水服方寸匕，一日三服。

《普济方》 治大便泻血，血馀半两，烧灰，鸡冠花根、柏叶各一两，为末，卧时，酒服三钱。来早，以温酒一盏投之，一服见效。

尚志钧按 血馀炭，煅炭用，味苦，性平，能止血、消瘀、行水，适用于吐血、鼻衄、齿衄、咯血、血淋、崩漏等。治各种出血，与大小蓟、三七、煅花蕊石、仙鹤草、藕节合用。治久疮不合，与露蜂房、蛇蜕皮合用，各炒炭存性，外敷。

144 烟药（《拾遗》）

《本草拾遗》 烟药，味辛，温，有毒。主瘰疬，五痔瘘，瘿瘤疮根恶肿。石黄、空青、桂心并四两，干姜一两为末，取铁片阔五寸，烧赤，以药置铁上，用瓷碗以猪脂涂碗底，药飞上，待冷即开，如此五度，随疮孔大小，以药如鼠屎内孔中，面封之，三度根出也。无孔者针破内之。

145　石药（《拾遗》）

《本草拾遗》　石药，味苦，寒，无毒。主折伤内损，瘀血，止烦闷欲死者，酒消服之，南方俚人，以傅毒箭镞，及深山大蝮中人，速取病者当顶上十字嫠之。令皮断出血，以药末疮上，并傅所伤处，其毒必攻上，下泄之，当出黄汁数升，则闷解。俚人重之，带于腰，以防毒箭。亦主恶疮，热毒痈肿，赤白游风，瘘蚀等疮。北人呼肿名之曰游，并水和傅之。出贺州石上山内，似碎石、硇砂之类，土人以竹筒盛之。

146　阿婆、赵荣二药（《拾遗》）

《本草拾遗》　阿婆、赵荣二药，有小毒。主疔肿恶疮，出根蚀息肉、肉刺。齐人以白姜石、犬屎、绯帛、棘针钩等合成如墨，硬土作丸。又有阿婆、赵荣药，功状相同。云：石灰和诸虫及绯帛、棘针合成之，并出临、淄、齐州。

147　火药（《纲目》）

《本草纲目》　［时珍曰］味辛、酸，有小毒。主疮癣，杀虫，辟湿气瘟疫。乃焰消、硫黄、杉木炭所合，以为烽燧铳机诸药者。

148　车脂（《开宝》）

《开宝本草》　车脂，主卒心痛，中恶气，以温酒调及热搅服之。又主妇人妒乳，乳痈，取脂熬令热涂之，亦和热酒服。

《本草拾遗》　车脂，味辛，无毒。主鬼气，温酒烊令热服之。

《太平圣惠方》　治虾蟆及蝌蚪蛊，得之心腹胀满，口干思水，不能食，闷乱，大喘而气发。方用车辖脂半升已来，渐渐服之，其蛊即出。《外台秘要》治聤耳脓血出。取车辖脂，绵裹塞耳中。《千金方》治小儿惊啼。车辖脂如小豆许，内口中又脐中，差。

《本草别说》　谨按：车脂涂衣，衣不可洗涤，唯以生油方可解，然后复以蜜汤洗则净。

《绍兴本草》　车脂，即车辖口积久油尘脂也。在服饵则治中恶、心痛。在涂傅则疗妒乳、乳痈。本经不载性味、有无毒，然既是也。

《本草纲目》 ［释名］车脂一名车毂脂（《纲目》）、轴脂（《纲目》）、辖脂（《纲目》）釭膏（音公）。［时珍曰］毂即轴也。辖即釭也。乃裹轴头之铁，频涂以油，则滑而不涩。《史记》“齐人嘲淳于髡为炙毂輠”即此，今云油滑是矣。［主治］［时珍曰］治霍乱、中蛊、妊娠诸腹痛，催生，定惊，除疟，消肿毒诸疮。

尚志钧按 本条，《本草纲目》并入“釭中膏。”

149 釭中膏（《开宝》）

《开宝本草》 釭中膏，主逆产，以膏画儿脚底即正。又主中风，发狂。取膏如鸡子大，以热醋搅令消，服之。

《千金方》 治妊娠妇热病方：取车釭脂服之，大良，随意服。又方治妊娠腹中痛。烧车辖脂末，内酒中，随意服之。《梅师方》治诸虫入耳。取车釭脂涂耳孔中，自出。《子母秘录》治产后阴脱。烧车釭头脂内酒中，分温三服，亦治咳嗽。

《绍兴本草》 釭中膏，此车釭内脂膏也，亦是油尘所化。以其与车脂内外稍别，故主疗小异，本一物矣。本经不载性味、有无毒。在方涂傅或化服者，当同车脂，味辛，无毒也。

150 地溲（《纲目》）

《本草纲目》 ［时珍曰］沟涧流水，及引水灌田之次，多有之。形状如油，又如泥，色如黄金，甚腥烈。冬月收取，以柔铁烧赤投之，二三次，刚可切玉。

151 石漆（《拾遗》）

《本草拾遗》 石漆，堪然，烛膏半缸，如漆，不可食，此物水石之精，固应有所主疗，检诸方，见有说。《博物志》酒泉南山石出水，其如肥肉汁，取著器中，如凝脂，正黑，与膏无异，彼方人为之石漆。今检不见其方，深所恨也。

152 石脑油（《嘉祐》）

《嘉祐本草》 石脑油，主小儿惊风，化涎，可和诸药作丸服。宜以瓷器贮之，不可近金银器，虽至完密，直尔透之。道家多用，俗方亦不甚须。

《本草图经》 文具“钟乳石”条下。

《本草衍义》 石脑油，真者难收，多渗蚀器物。今入药最少，烧炼或须也。仍常用有油（去声）器贮之。又研生砒霜，入石脑油再研如膏，入坩埚子内，用净瓦片子盖定，置火上，俟埚子红泣尽油，出之。又再研，再入油，再上火，凡如此共两次，即砒霜伏。

《绍兴本草》 石脑油，本经不载所出州土及性味、有无毒。今山东及海南皆有之，状如竹沥。冬月微凝，上舌紧者为佳。虽名石脑油，但恐附石而生水中液，非自然石中所出矣。其云治小儿惊风，化涎，即知性寒，多饵亦可为害。今医方罕使，唯丹灶家时用之，云味辛、寒，有毒为定。

《本草纲目》 ［释名］一名石油、猛火油、雄黄油、硫黄油。［集解］［时珍曰］石油所出不一，出陕之肃州、鄜州、延州、延长，及云南之缅甸，广之南雄者，自石岩流出，与泉水相杂，汪汪而出，肥如肉汁。土人以草挹入缶中，黑色颇似淳漆，作雄硫气。土人多以燃灯甚明，得水愈炽，不可入食。其烟甚浓，沈存中宦西时，扫其煤作墨，光黑如漆。胜于松烟。张华《博物志》载：延寿县南山石泉注为沟，其水有脂，挹取着器中，始黄后黑如凝膏，然之极明，谓之石漆。段成式《酉阳杂俎》载：高奴县有石脂水，腻浮水上如漆，采以膏车及燃灯。康誉之《昨梦录》载：猛火油出高丽东，日烘石热所出液也，惟真琉璃器可贮之。入水涓滴，烈焰遽发；余力入水，鱼鳖皆死。边人用以御敌。此数说，皆石脑油也。国朝正德末年，嘉州开盐井，偶得油水，可以照夜，其光加倍。沃之以水则焰弥甚，扑之以灰则灭。作雄硫气，土人呼为雄黄油，亦曰硫黄油。近复开出数井，官司主之。此亦石油，但出于井尔。盖皆地产雄、硫、石脂诸石，源脉相通，故有此物。王冰谓龙火得湿而焰，遇水而燔，光焰诣天，物穷方止，正是此类，皆阴火也。［主治］［时珍曰］涂疮癣虫癞，治针、箭入肉药中用之。［发明］［时珍曰］石油气味与雄、硫同，故杀虫治疮。其性走窜，诸器皆渗，惟瓷器、琉璃不漏。故钱乙治小儿惊热膈实，呕吐痰涎，银液丸中，用和水银、轻粉、龙脑、蝎尾、白附子诸药为丸，不但取其化痰，亦取其能透经络、走关窍也。

《本草纲目拾遗》 石脑油出陕西延字榆州等处，乃石中流液，土人取之。《格物须知》云：石脑油真者透金银，惟真琉璃可贮，入水涓滴，烈焰遽发，余力入水，鱼鳖皆死。扑之以灰则灭。常中丞《宦游笔记》：西陲赤金卫东南一百五十里，有石油泉，油生水面如肥脂，色黑，气臭，土人多取以燃灯，极明。可抵松膏，或云可治疮癣。《笔谈》：鄜延脂，延安石油也。生于水际沙石，与泉水相杂，惘惘而出，土人以雉尾裛之入缶中，颇似漆，燃之极明。《元和志》：石油泉在玉门县东一百八十里，泉中有苔如肥肉，燃之可代烛，此油能于水中发火，如燃此油，沃以水，其火愈炽，以灰扑之即灭。按，此即古之石漆也。《汉书注》：延寿县南有山石，出泉漾漾，如不凝脂，燃之极明，不可食。县人谓之石漆。张华言：延寿县南山有沟脂，始黄后黑，谓之石漆。方镇《编年录》谓之地脂。时珍以为石脑油，一曰硫黄油。今云南缅甸、广之南雄皆有之。《闻见杂志》：蜀富顺县火井，先以木火下引而上，用大竹破半去节，火由内行，可引入灶下煎盐，其火色青绿不红，井中油用纸布捻燃，入水沉底不灭，搽疮疖立愈。此亦石脑油之类。《北史》：屈茨川在龟兹国西北大山中，水如膏，流出成川，行数里入地，状如饼餬，甚臭，服之齿发再生，疠人服之亦愈。此亦石脑、地溲之类。《通志略》：龟溺亦名石脑油，与此别。

治白秃堆灰，俗名狗屎、蜡梨疮。剃头，以此油涂上，立瘥。由治顽癣风癞恶疥。

无名肿毒。《救生苦海》：缅甸出石油，即石脑油，在石缝流，气臭恶不可闻，色黑，用涂恶毒良。又治疖毒。

153　猛火油（赵学敏）

《本草纲目拾遗》　《东西洋考》：三佛齐在东南海中，本南蛮别种，后为爪哇所破，更名旧港，产猛火油，树津也。一名泥油，大类樟脑，第能腐人肌肉，燃置水中，光焰愈炽，蛮夷以制火器，其烽更烈，鱼鳖过者，无不焦烁。敏按：此即石油，观其一名泥油，可知非树脂也，《洋考》误以为树津，故取附石脑油下。

154　烟胶（《纲目》）

《本草纲目》　［集解］［时珍曰］此乃熏消牛皮灶上及烧瓦窑上黑土也。［主治］［时珍曰］头疮白秃，疥疮风癣，痒痛流水，取牛皮灶岸为末，麻油调涂。或和轻粉少许。

155　鸡脚胶（赵学敏）

《本草纲目拾遗》　出云南鸡足山近地土中，俗名鸡脚胶。土人往往从土中掘得，形如碎砖，入火即烊如胶然，故名。终不知何物所结也。

治风如神。煎汤服。

156 琥珀（《别录》）

《名医别录》 虎魄，味甘，平，无毒。主安五脏，定魂魄，杀精魅邪鬼，消瘀血，通五淋。生永昌。

《本草经集注》 琥珀，旧说云是松脂沦入地，千年所化，今烧之亦作松气。俗有虎魄中有一蜂，形色如生。《博物志》又云烧蜂巢所作，恐非实。此或当蜂为松脂所粘，因堕地沦没耳。有煮毈鸡子及青鱼枕作者，并非真，唯以拾芥为验。俗中多带之辟恶。刮屑服，疗瘀血至验。《仙经》无正用，惟曲晨丹所须，以赤者为胜。今并从外国来，而出茯苓处永无有。不知出虎魄处，复有伏苓以否？

《雷公炮炙论》 琥珀，凡用须分红松脂、石珀、水珀、花珀、物象珀、瑿珀、琥珀。红松脂如琥珀，只是浊，太脆，文横。水珀多无红，色如浅黄，多粗皮皱。石珀如石重，色黄，不堪用。花珀文似新马尾松心文，一路赤，一路黄。物象珀其内自有物命，动此使有神妙。瑿珀，其珀是众珀之长，故号曰瑿珀。琥珀如血色，热于布上拭，吸得芥子者真也。夫入药中，用水调侧柏子末，安于瓷锅子中，安琥珀于末中了，下火煮，从巳至申，别有异光，别捣如粉，重筛用。

《药性论》 琥珀，君，治百邪，产后血疹痛。

《唐本草》注 瑿，味甘，平，无毒。古来相传云：松脂千年为茯苓，又千年为虎魄，又千年为瑿。然二物烧之，皆有松气，为用与虎魄同，补心安神，破血尤善。状似玄玉而轻，出西戎来，而有伏苓处，见无此物。今西州南三百余里，碛中得者，大则方尺，黑润而轻，烧作腥臭，高昌人名为木瑿，谓玄玉为石瑿。洪州土石间得者，烧作松气，破血生肌，与虎魄同。见风拆破，不堪为器量。此二种及虎魄，或非松脂所为也。有此差舛，今略论之。

《本草拾遗》 琥珀，止血，生肌，合金疮。和大黄、鳖甲作散子，酒下方寸匕，下恶血，妇人腹内血尽即止。苏于琥珀注后，出瑿功状。按瑿本功外，小儿带之辟恶，磨滴目翳赤障等。

《蜀本草》 琥珀，又据一说，枫脂入地，千年变为琥珀，乃知非因烧蜂窠成也。蜂窠既烧，安有蜂形在其间？不独自松脂独变，安有枫脂所成者。核其事而言，则琥珀之为物，乃是木脂入地，千年者所化也。但余木不及枫、松有脂而多经年岁，故不自其下掘得也。

《海药本草》 琥珀是海松木中津液，初若桃胶，后乃凝结。温，主止血，生肌，镇心，明目，破癥瘕气块，产后血晕闷绝，儿枕痛等，并宜饵此方。琥珀一两，鳖甲一两，京三棱一两，延胡索半两，没药半两，大黄六铢，熬捣为散。空心酒服三钱匕，日再服校量，神验莫及。产后即减大黄。凡验真假，于手心热磨，吸得芥为真。复有南珀，不及舶上来者。

《日华子本草》 琥珀，疗虫毒，壮心、明目、磨翳，止心痛、癫邪，破结瘕。

《开宝本草》 琥珀，宋高祖时，宁州真琥珀枕，碎以赐军士傅金疮。《汉书》云：出罽宾国，初如桃胶，凝乃成焉。

《本草别说》 琥珀，谨按：诸家所说，茯苓、琥珀，虽小有异同，皆云松脂入地所化，但产茯苓处，未尝有琥珀。采茯苓时，当寻大松摧折或因斫伐，而根瘢不朽，斫之津润如生者，则附近掘取之，盖松木折，不再抽芽，其根不死，津液下流，故生茯苓、茯神。因用治心肾，通津液也。若琥珀，即是松树枝节荣盛时，为炎日所灼，流脂出树身外，日渐厚大，因堕土中，其津润岁久，乃为土所渗泄，而光莹之体独存。今可拾芥，尚有黏性。故其中有蚊虫之类，此未入土时所粘着者。二物皆自松出，而所禀各异。茯苓生成于阴者也，琥珀生于阳而成于阴，故皆治荣安心，利水也。观下条松脂所图之形，则可悉其理矣。

《本草衍义》 琥珀，今西戎亦有之，其色差淡而明澈。南方者色深而重浊，彼土人多碾为物形。若谓千年茯苓所化，则其间有沾着蜾蠃蜂蚁宛然完具者，是极不然也。《地理志》云：林邑多琥珀，实松脂所化耳。此说为胜。但土地有所宜不宜，故有能化有不能化者。张茂先又为烧蜂窠所作，不知得于何处。以手摩热，可以拾芥，余如《经》。

［张元素曰］琥珀，清肺，利小肠。

《宝庆本草折衷》 琥珀，《续说》云：妇人因经血不调，及产后瘀血停滞，不循故道，流注四肢，腐而为水，身面肿痛，或发晕闷，非琥珀为君，莫能治疗。艾氏□□服，至验，亦须他药佐之。然西□□□□，南方者力壮。□□□□言：烧之亦微作松气，盖埋伏□□□□□终不全□□制青鱼枕为琥珀者，烧之最腥，亦有松脂做成者，见火则气□者松，皆不可入药矣。

《卫生宝鉴》 琥珀（气平，味甘），安五脏，定魂魄，消瘀血，通五淋，捣细，纱罗子罗过，用。

《汤液本草》 琥珀，气平，味甘，阳也。珍云：利小便，清肺。《本草》云：安五脏，定魂魄，消瘀血，通五淋，杵细用。《药性论》云：君。治产后血疹痛。《日华子》云：疗蛊毒，壮心，明目磨翳，止心痛，癫邪，破癥结。

《本草衍义补遗》 琥珀，属阳。今古方用为利小便，以燥脾土有功。脾能运化，肺气下降，故小便可通。若血少不利者，反致其燥急之苦，茯苓、琥珀二物，皆自松出而所禀各异。茯苓生成于阴者也，琥珀生于阳而成于阴，故皆治荣，而安心利水也。

［朱丹溪曰］琥珀，古方用为利小便，以燥脾土有功，脾能运化，肺气下降，故小便可通。若血少不利者，反致其燥急之苦。

《本草蒙筌》 琥珀，谟按：丹溪云：古方用琥珀利小便，以燥脾土有功。盖脾能运化，肺得下降，故小便可通也。若血少而小便不利者用之，反致燥急之患，不可不谨。《别说》又云：茯苓、琥珀皆自松出，而所禀各异。茯苓生成俱阴，琥珀生于阳而成于阴，故皆治荣而安心利水，其效同也。

《本草纲目》 ［释名］一云江珠。［时珍曰］虎死则精魄入地化为石，此物状似之，故谓之虎魄。俗文从玉，以其类玉也。梵书谓之阿湿摩揭婆。［集解］［时珍曰］琥珀拾芥，乃草芥，即禾草也。雷氏言拾芥子，误矣。唐书载西域康干河松木，入水一二年化为石，正与松、枫诸木沉入土化珀，同一理也。今金齿、丽江亦有之。其茯苓千年化琥珀之说，亦误传也。按曹昭《格古论》云：琥珀出西番、南番，乃枫木津液多年所化。色黄而明莹者名蜡珀，色若松香红而且黄者名明珀，有香者名香珀，出高丽、倭国者色深红。有蜂、蚁、松枝者尤好。

《药性歌括四百味》 琥珀，味甘，安魂定魄，破瘀消癥，利水通涩。（拾起草芥者佳。）

《本草原始》 琥珀，生永昌，是松脂沦入地，千年所化。今西戎亦有色差淡而明，南方者色深而重浊。入药以手摩热可拾草芥者为上。李时珍曰：虎死则精魄入地化为石，此物状似之，故谓之虎魄。俗文从玉，以其类玉也。（味甘，平，无毒。安五脏，定魂魄，杀精魅邪鬼，消瘀血，通五淋，清心明目，磨翳，止心痛，颠邪，治蛊毒，破结瘕，产后血枕痛，止血生肌，合金疮，清肺，利小肠。琥珀色黄明者，名蜡珀；红透者，名明珀，俗呼珀；香者名香珀。）

《珍珠囊补遗药性赋》 琥珀则镇心定魄，淋病偏宜。（琥珀味甘，平，无毒。是松脂入地中多年则化成。）

《雷公炮制药性解》 琥珀，按：琥珀乃松脂入地千载化成，得土既久，宜入脾家。松之有脂，犹人之有血与水也，且成珀者，有下注之义，又宜入心与小肠。《内经》曰：主不明则十二官危，使道闭塞而不通，服琥珀则神室得令，五脏安，魂魄定，邪何所附，病何自生邪！于是使道通而瘀血诸证靡弗去矣。夫目得血而能视，心宁则荣和，而翳何足虞。金疮者，惟患其血逆于腠尔，能止之和之，未有不瘳者也。丹溪曰：古方用以燥脾土有功，脾能运化，则肺气下降，故小便可通，若血少不利者，反致其燥急之苦。《别说》云：茯苓生成于阴者也，琥珀生于阳而成于阴者也，故皆主安心利水而治荣。

《本草经疏》 ［疏］琥珀感土木之气而兼火化，故其味甘平无毒而色赤，阳中微阴，降也。入手少阴、太阳，亦人足厥阴经。专入血分，五脏有所感触则不安，能杀精魅邪鬼，则五脏自安而魂魄自定。心主血，肝藏血，入心入肝，故能消瘀血也。《药性论》云：琥珀，君，治百邪，产后血瘀作痛。《日华子》云：疗蛊毒，壮心、明目磨翳，止心痛癫邪，破结瘕。正以其阳明之物又消瘀血，故主上来诸病也。若作傅药，能止血生肌，合金疮。宋高祖时，宁州贡琥珀枕，碎以赐军士傅金疮，其一证也。出罽宾国，初如桃胶，后乃凝结。性温，主止血生肌，镇心明目，破癥瘕气块，产后血晕闷绝，儿枕痛等，并宜饵此。以拾草、通明而坚轻，色赤者良。［主治参互］得没药、乳香、延胡索、干漆、鳖甲为散，治产后血晕有神，佐以人参、益母草、泽兰、生地、牛膝、当归、苏木作汤，送前药则治儿枕痛，恶露下不尽，腹痛，少腹痛，寒热等证极效，和大黄、鳖甲用散子酒，下方寸匕，下妇人腹内恶血，同鳖甲、京三棱各一两，没药、延胡索各半两，大黄六铢，熬捣为散，空心酒服三钱，治妇人癥瘕气块及产后血晕闷绝，儿枕痛。甚虚极者，减大黄。同丹砂、滑石、竹叶、麦冬、木通，治心家有热，小肠受之因之小水不利立效。同人爪、珍珠、玛瑙、珊瑚，除目翳赤障。得丹砂、犀角、羚羊角、天竺黄、远志、茯神，镇惊主诸痫。《直指方》治小儿胎惊。琥珀、防风各一钱，丹砂半钱为末，猪乳调一字，入口中最妙。又方：治小儿胎痫。琥珀、丹砂各少许，全蝎一枚，为末，麦门冬汤调一字服。《太平圣惠方》治小儿转胞。真琥珀一两为末，用水四升，葱白十茎，煮汁三升，入琥珀末二钱，温服。砂石诸淋三服皆效。《普济方》小便淋沥。琥珀为末二钱，麝香少许，白汤服之或萱草煎汤服。老人、虚人以人参汤下亦可，蜜丸以赤茯苓汤下。《外台秘要》治从高坠下，有瘀血在内。刮琥珀屑，酒服方寸匕，或入蒲黄二三匙，日服四五次。《鬼遗方》治金疮闷绝不识人。琥珀研粉，童子小便调一钱，三服瘥。［简误］此药毕竟是消磨渗利之性，不利虚人。大都从辛温药则行血破血；从淡渗药则利窍行水；从金石镇坠药则镇心安神。凡阴虚内热，火炎水涸，小便因少而不利者，勿服琥珀以强利之，利之则愈损其阴。

《本草正》 琥珀，味甘淡，性平。安五脏，清心肺，定魂魄，镇癫痫，杀邪鬼精魅，消瘀血、痰涎，解蛊毒，破癥结，通五淋，利小便，明目磨翳，止血生肌，亦合金疮伤损。

《食物本草》 琥珀，（李时珍曰：虎死则精魄入地化为石，此物状似之，故谓之虎魄。俗文从玉，以其类玉也。梵书谓之阿湿摩揭婆，是海松木中津液，初若桃胶，后乃凝结。复有枫脂入地，千年变为琥珀，不独松脂变也。大抵木脂入地于千年皆化，但不及枫、松有脂而经年岁耳。）琥珀味甘，平，无毒。安五脏，定魂魄，杀精魅邪鬼。消瘀血，通五淋。壮心，明目，磨翳。止心痛颠邪，疗蛊毒，破结癥，治产后血枕痛。止血生肌，合金疮，清肺利小肠。陈藏器曰：和大黄、鳖甲作散，酒下方寸匕，下恶血，妇人腹内血尽即止。宋高祖时，宁州贡琥珀枕，碎以赐军士，傅金疮。附方：治鱼骨哽咽，六七日不出。用琥珀珠一串，推入哽所，牵引之即出。

《本草乘雅半偈》 虎魄入土化石，松脂入土化珀，同成坚固，因名琥珀。况膏释脂凝，则松脂原具坚固相矣。入土沦结，自然莹光特异。虽与松脂偕安五脏，不若琥珀之能奠安神室也。魂游于天，对待治之；魄降于地，想更亲切。故定魂魄之功，昭著特甚。瘀血五淋，腐秽所成。松脂琥珀，精英所聚，杀精魅鬼邪者，以异光壁炤，则鬼魅遁形，如神明在躬，死阴自当潜消默化矣。（猛虎非寿兽，其魄入土化石者，嗔业所致也。松木耐岁寒，其脂入土化珀者，净业所成也。）

《医宗说约》 琥珀味甘，安魂安魄，破瘀消癥，利水通塞。（研细。）

《本草述》 松脂入地千年，化为琥珀。夫松节松心，耐久不朽，松脂则又树之津液精华也，在土不朽，化为兹物。昔哲曰：枫脂入地千年，变为琥珀。不独松脂也。若然何以独取松脂之所化者哉。盖松秉真阳之性，不为阴寒变易，即入地至深，而真阳之气，犹能吸阴以成。茯苓入地至久，而真阳之液，更能化阴以成琥珀，是阳吸阴以成，与阳化阴以成者，殊有不同也。彼枫脂所变，非真阳坚贞之气化（松脂为道家服食，而枫脂则否，以诸服食，多取炼真阳故尔）。即松脂所化，不至于殷红色，并不莹彻者，犹属阴未尽化，不发真阳之光也。故琥珀类知治营。不知其由阳能化营，化营还以达阳，所以洁古、东垣皆曰阳也。《别录》所云安五脏定魂魄者，即就阳化营，营还阳者，以言功也。疗心痛癫邪，乃真阳虚而血不化，还结乎气以为痛，或血不化而痰聚心窍以为癫邪，此实对治。利小肠者，心固主血，小肠行君火之气化为血为水，其原非二。明目磨翳，经曰：诸脉者皆属于目也。此致阳之精以化血，其何不治，其治产后血枕痛，并止血生肌，莫非此义。盖其所谓化瘀血者，原非以破泄为功，故能化即能止也。大抵琥珀所治，治阳虚而血不能化者，为中的之剂。若阴虚而血不生以致不化者，则不宜也。丹溪燥脾之说，犹觉未切。

《本草择要纲目》 琥珀，（凡用须分红松脂、石珀、水珀、花珀、物象珀、瑿珀、琥珀。其红松脂如琥珀，只是浊大脆文横。水珀多无红色，如浅黄多皱纹。石珀如石重，色黄不堪用。花珀文似新马尾松心，文一路赤，一路黄。物象珀其内自有物命入用神妙。瑿珀之象珀之长。琥珀如血色，以布拭热，吸得芥子者真也。琥珀拾芥，乃草芥即禾草也，言云芥子误也。入药用水调侧柏子末安瓷锅中，置琥珀于内煮之，从巳至申，当有异光，捣粉筛用。）［气味］甘，平，无毒。［主治］安五脏，定魂魄，杀精魅邪鬼，消瘀血，通五淋，壮心明目，磨翳，止心痛颠邪，疗蛊毒，破结瘕，治产后血枕痛，止血生肌，合金疮，清肺利小肠，古方用为利小便以燥脾土有功。脾能运化，肺气不降，故小便可通，若血少不利者，反致其燥急之苦。

《本草备要》 琥珀，甘平。以脂入土而成宝，故能通塞以宁心，定魂魄，疗癫邪（从镇坠药，则安心神）。色赤入手少阴、足厥阴血分（心、肝）。故能消瘀血，破癥瘕，生肌肉，合金疮（从辛药则能破血生肌）。其味甘淡上行，能使肺气下降而通膀胱（经曰：饮食入胃，游溢精气，上输于脾，脾气散精，上归于肺，通调水道，下输膀胱。凡渗药皆上行而后下降。）故能治五淋，利小便，燥脾土（从淡渗药，则利窍行水，然后药终燥，若血少而小便不利者，反致燥急之苦）。又能明目磨翳。松脂入土，年久结成。或枫脂结成。以摩热拾芥者真。（市人多煮鸡子及青鱼枕伪之，摩呵亦能拾芥，宜辨。）用柏子仁末入瓦锅同煮半日，捣末用。

《本经逢原》 琥珀，［发明］古方用琥珀利小便，以燥脾土有功；脾能运化，肺气下降，故小便可通。若阴虚内热，水炎水涸，血少下利者，反致燥结之苦。其消磨渗利之性，非血结膀胱者，不可误投。和大黄鳖甲作散，酒下方寸匕，治妇人腹内恶血，血尽则止。血结肿胀，腹大如鼓，而小便不通者，须兼沉香辈破气药用之。又研细傅金疮，则无瘢痕，亦散血消瘀之验。凡阴虚内热，火炎水涸，小便不利者勿服，服之愈损其阴，滋害弥甚。

《本草经解》 琥珀，气平，禀天秋平之金气，入手太阴肺经。味甘无毒，得地中正之土味，入足太阴脾经。气味降多于升，阴也。色赤专入血分，五脏藏阴者也，血有所凝，则五脏为之不安，琥珀甘平如血，故安五脏也。随神往来者谓之魂，并精出入者谓之魄，魄阴而魂阳也，琥珀气平入肺，肺主气，味甘入脾，脾统血，质坚有镇定之功，所以入肺脾而定魂魄也。魂魄定则神气内守，而精魅邪鬼不得犯之，所以云能杀鬼魅也。气平则通利，味甘则缓中，所以能消瘀血也。气平入肺，肺通水道，所以治五淋。

《本草诗笺》 琥珀（枫木脂膏所化，俗云茯苓千年化琥珀，此误传也），甘平无毒出番隅，苓化相传俗谚诬；血结膀胱欣代渗，水深脾土喜为图；胀消皮鼓恒资服（腹大如鼓），痕灭金疮每赖敷；内热阴虚偏切禁，尤严离炽坎宫枯。

《玉楸药解》 琥珀，凉肺清肝，磨障翳，止惊悸，除遗精白浊，下死胎胞衣，涂面益色，软疔拔毒，止渴除烦，滑胎催生。乳浸三日，煮软，捣碎用，上品也。

《得配本草》 琥珀，甘，平，入手少阴、足厥阴经气分。达命门，利水道，散瘀破坚，宁神定魄。得朱砂，治胎惊。配朱砂、全蝎，治胎痫。佐大黄、鳖甲，下恶血。和鹿葱，治淋沥。手心摩热能拾芥者，真。研粉，滚水泡候冷，凝如石花，冲药用。肾虚溲不利者，禁用。

《本草求真》 ［批］清肝肾热邪，利水消瘀。琥珀（专入心、肝，兼入小肠、肾。）甘淡性平。（承曰：茯苓生于阴而成于阳，琥珀生于阳而成于阴。）按书虽曰脂入土而成宝，合以镇坠等药，则能安魂定魂；色赤能入心、肝二经血分，合以辛温等药，则能消瘀破癥，生肌合口；其味甘淡上行，合以渗利等药，则能治淋通便，燥脾补土。（经曰：饮食入胃，游溢精气，上输于脾，脾气散精，上归于肺，通调水道，下输膀胱，凡渗药皆上行而后下降。）且能明目退翳（即退翳之效），逐鬼杀魅（即安魂魄之效）。谓是水去热除安镇之意。但此性属消磨，则于真气无补，气属渗利，则于本源有耗，此惟水盛火衰者，用之得宜。若使火盛水涸，用之不能无虑。（血瘀而小便不利者宜用，血少而小便利者，反致燥急之苦。）松脂入土，年久结成，或枫脂结成，以摩热拾芥者真。（市人多煮鸡子及青鱼胆伪之。摩热亦能拾芥，宜辨。芥即禾草。）用柏子仁末，入瓦锅同煮半日，捣末用。

《罗氏会约医镜》 ［批］安神散瘀。琥珀（味甘平，入心、肺、脾、小肠四经），松脂入土，千年而成，宝也。宁心定魄（成于坤象）。消瘀血，破癥瘕（色赤入血，同温药用）。生肌肉（敛涩）。利小水（味淡清肺）。治五淋（淡渗也）。燥脾土（甘能补土）。明目磨翳。以摩热拾芥者真。（市人以青鱼枕伪之，亦能拾芥，宜辨。）用柏子仁末入瓦锅同煮，捣末用。

《本草经读》 琥珀，气味甘平，无毒。主安五脏，定魂魄，杀精魅邪气，消瘀血，通五淋。（《别录》）

《本经续疏》 琥珀，松脂能流入地，遂可谓通五淋乎。琥珀自黄变赤，遂可谓消瘀血乎。浅之乎论琥珀矣。夫岂不曰松脂入地千年乃成琥珀耶。松脂为物，遇热能流，得火能燃，惟沦入地中，日久化成。其燃之性，被水养而至难燃。能流之性，被土养而至难流。遂火化为色，水化为光，故其殷赤是火丽于水也。其晶莹是水凝于火也，火阻水而成淋，水违火而为瘀，不借之可消可通邪。且消瘀血非行瘀血，通五淋非利小便。曰消则可见能化死为生；曰通则可见能使止为行。是故欲知非行瘀非利水之故，则当审所谓消瘀血通五淋者，必在五脏不安魂魄不定中施其作为，而后此义可明。魂神之凝于气者也，魄神之凝于精者也。五脏有所不安，精气有所不摄，则魂魄遂不定。盖魄藏于肺，肺不安则治节失职，而火阻夫水。魂藏于肝，肝不安则疏泄失宜，而水违于火。此证必精神恍惚，梦寐纷纭，惊惕不安，语言少序。即使有瘀而不得行攻伐，有阻而不得极道泄之候，故以此呼吸嘘植其精神，胶黏其水火。而后可消可通也。若因瘀滞而成瘕癖，因邪火而致淋沥者，原非所宜用。

《本草害利》 琥珀，［害］淡渗伤阴，凡阴虚内热，火炎水亏者，勿服。若血少而小便不利者，服之反致燥急之苦。［利］甘平，入心、肝、肺、膀胱四经，安神而鬼魅不侵。色赤入血分，故能消瘀血，破癥瘕，生肌。能清肺而利小便。甘淡上行，能使肺气下降，而通膀胱，故能治五淋。又能散瘀血，而生新血，去翳障而能明目。《经》曰：脾气散精，上归于肺，通调水道，下输膀胱。凡淡渗药，皆上行而后下降，琥珀脂入土成宝，故能通塞以宁心定魄，以燥脾土之功。［修治］松脂入土年久结成。入地亦能结成。以手心摩热拾芥者真，以柏子仁入瓦锅同煎半日，捣末。

《医家四要》 琥珀，安神破血，更利膀胱。(［寓木］以柏子仁入瓦锅同煮半日，捣末，同乳、没、延胡，治产后血晕。同麦冬、竹叶，治小便不通。)

《本草撮要》 琥珀，味甘淡，入手少阴经、少阳，厥阴经血分。功专消瘀通淋。得黑穞豆治产后神昏。得麝香治小便淋沥。用柏子仁入瓦锅同煮半日，捣末用。

《本草便读》 琥珀，本灵气以生成，通心窍，安神定魄。性淡平而钟结，降肺金导水分消。色赤入营，兼可行瘀燥湿。味甘化毒，并能摩翳生肌。(琥珀乃松脂入土年久而成。其质坚，其色赤，平和甘淡，入心、肺、小肠、膀胱四经血分。消瘀利窍，清肺渗湿，镇心定魄，是其所长。毕竟淡渗下行之品，凡小肠膀胱血分湿热，致成淋浊癃闭等证皆可用之。至于生肌摩翳药中用之者，亦取其和营化湿耳。以其入土最久，百毒遇土则化，故能解毒耳。)

《伪药条辨》 琥珀，琥珀出西番、南番，及松树枫木津液坠地，多年所化。色黄而明莹者，名蜡珀；色若松香，红而且黄者名明珀；有香者名香珀。出高丽、日本者色深红。凡中有蜂、蚁、松枝，形色如生者尤好。当以手心摩热，拾芥为真。气味甘平，无毒。能安五脏，定魂魄，消瘀血，通五淋。近有以松脂伪造混售，松脂气味苦温，性不同则功自别。［炳章按］《南蛮记》云：宁州有折腰峰，岸崩则蜂出，土人烧冶以为琥珀。常见琥珀中，有物如蜂形。此说亦难凭信。《列仙传》云：松柏脂入地，千年成为茯苓，茯苓化为琥珀。今泰山出茯苓，而无琥珀。益州永昌出琥珀，而无茯苓，亦无实据。或言龙血入地为琥珀，或言虎死时目光沦入地生琥珀，故名虎魄。此属无稽神话，更无价值可言。《元中记》言松脂入地为琥珀。《广志》云：哀牢县生有琥珀，生地中，其土及旁不草，深者八九尺，大者如斛，削去外皮，中藏琥珀，初如桃胶凝结成也。《滇志》云：云南丽江出者，其产地旁不生草木，深八九尺，大者如斗，削去外皮，中藏琥珀，红大明透者为血珀，最佳；黄嫩者力薄为金珀，次之。今蛮地莫对江猛拱地产此，夷民皆凿山而得，与开矿无异。《滇南杂志》云：琥珀产缅爨诸西夷地，以火珀及杏红血珀为上，金珀次之，蜡珀最下，供药饵而已。又云珀根有黑有白，犹如雀脑。据诸家所说，是属矿物质无疑。琥珀以药用者之鉴别，以深红明透质松脆者为血珀，最佳。广西产者，色红明亮为西珀，亦佳，黄嫩者次之，金珀更次。厦门产者，色淡黄有松香气，为洋珀，更次。他如云贵边省人死以松香榇垫材底，伏土深久，松香由黄转黑，土人名曰老材香，以充琥珀。年久古墓中往往发见之，然色黑无神光，仍含松香气，为最次，不入药用。欲辨真伪，试将琥珀摩擦之，能拾芥者真。伪者放樟脑臭，置酒精中最易浸入，以刀削之，不能粉末而为小片，其硬度比天然产为高，皆为伪品。真者刀刮松脆成粉，凡安心神，定魂魄，宜生用，与灯心同研，去灯心。眼科宜入豆腐内煮用。

尚志钧按 琥珀为松树或枫树之树脂坠于地上，在土中埋没日久转变而成。琥珀为圆形或扁圆形结块，色红、黄或淡黄，或红黄相间，透明，有松脂样光泽，质硬而易破碎。因其色泽与轻重不同，故有血珀、香珀、蜡珀、水珀、石珀、花珀、明珀之分。入药宜用红色。琥珀味甘，性平，能镇惊安神、散瘀止血、利水通淋、收湿、敛疮、生肌收口、消翳膜，治惊痫、心悸、心神不宁。《景岳全书》治虚烦不寐，有琥珀多寐丸，其方为：琥珀30克，茯神20克，远志15克，羚羊角5克，人参、甘草各10克，共研细末，炼蜜为丸如芡实大，每晚服6克。《方脉正宗》治惊痫猝倒，用琥珀、珍珠、珊瑚各3克，胆南星、当归、人参、白术各10克，共研细末，每服3克。《沈氏尊生书》治癫痫惊悸，有金箔镇心丸，其方为：琥珀、朱砂、天竺黄各15克，胆南星30克，珍珠、牛黄、雄黄各4克，麝香1克，制成蜜丸，金箔为衣，丸重3克，每日2次，每服2丸。《经验方》治惊悸，脉结代，琥珀、三七各10克，甘松香3克，人参、黄精各5克，共研细末，每日3次，每次6克。《杨氏家藏方》忘忧散，治淋沥涩痛，以琥珀15克研末，分3次服，用竹叶、瞿麦各15克煎汤送服。一方，用金钱草、海金沙、瞿麦、石韦、木通各9克煎汤，送服琥珀末9克，治砂淋、血淋、尿结石。《医宗金鉴》琥珀膏，治诸疮，活血、解毒、化腐，其方为：定粉30克，轻粉12克，银朱2.1克，琥珀1.5克，各研极细末，和匀。先以血馀炭24克，花椒14粒，同入麻油360毫升中，炸枯去渣，入黄蜡120克，溶尽，再将上药末徐徐下油蜡内不时搅之，以冷为度，绵胭脂或红绵纸摊贴。《疡医大全》生肌收口散，治痈疽溃烂，毒已尽，久不收口，其方为：琥珀、象皮、煅龙骨各15克，珍珠母10克，炉甘石30克，牛黄5克，冰片3克，各研细末，和匀，撒布疮面，外盖膏药。此方入轻粉3克，名八宝丹。对汞过敏者，轻粉忌用。一方，琥珀、象皮、石钟乳各15克，珍珠母、炉甘石、赤石脂、滑石各30克，朱砂5克，血竭2克，各研细面和匀，撒布疮面，膏药盖之，对疮口久不收，不长肉，均可外掺。《疡医大全》瘰疬膏：琥珀、冰片各1克，乳香、没药、血竭、轻粉、铜绿、黄丹、珍珠、龙骨各2克，麝香1.5克，松香24克，杏仁、蓖麻仁各50枚，各研细碎，合和，共捣三千杵，摊布上，贴瘰疬处。一方，琥珀10克，朱砂、桂心各5克，丁香、木香各0.3克，共研细末，另取当归、白芷、防风、木鳖子仁各5克，柳枝30克，浸麻油190克，熬至白芷焦黄，去渣，下松香末20克，烊化，滤净，再熬，入黄丹70克，搅成膏，再入上粉末，调匀，摊牛皮纸上，贴颈项瘰疬经久不愈，渐成瘘管。《疡医大全》琥珀散，治诸般外障、红赤羞明、风赤热火眼、血缕斑疮、翳膜、眼弦烂、生眵流泪，其方为：琥珀（捶研）6克，炉甘石（煅）60克，冰片1克，共研极细，点眼。《审视瑶函》琥珀煎治冰瑕翳久不瘥，其方为：琥珀（另研）、龙脑各7.5克，明朱砂（另研）、贝齿各15克，马牙硝（炼过者）22克，研极细腻如面，清水100毫升，加白蜜30克搅和，入干净瓷罐中，重汤煮，以柳木枝搅，约1小时，即取起，过滤，点眼，或以细末点眼亦可。《经验方》治火眼、烂眼边，其方为：琥珀6克，煅炉甘石60克，冰片1克，研极细粉，点眼。《经验方》治目赤肿痛，云翳遮睛，用琥珀、珍珠、珊蝴各6克，炉甘石（煅）60克，冰片、硼砂、朱砂、熊胆各1克，麝香0.5克，研至无声，点眼角内，单用珊瑚研极细末，点眼，亦可退翳。

157　育沛（《山海经》）

《山海经》　南山经，丽麐之水，其中多育沛（琥珀），佩之无瘕疾。

第十一章　玉石类矿物药

158　玉屑（《别录》）

《名医别录》　玉屑，味甘，平，无毒。主除胃中热、喘息、烦满，止渴。屑如麻豆服之。久服轻身，长年。生蓝田。采无时。（恶鹿角。）

《抱朴子》　玉屑，服之与水饵之，俱令人不死。所以不及金者，令人数数发热，似寒食散状也。若服玉屑者，宜十日辄一服，雄黄、丹砂各一刀圭，散发洗沐寒水，迎风而行，则不发热也。

《本草经集注》　此云玉屑，亦是以玉为屑，非应别一种物也。《仙经》服瑴玉，有捣如米粒，乃以苦酒辈，消令如泥，亦有合为浆者。凡服玉，皆不得用已成器物，及冢中玉璞也。好玉出蓝田及南阳徐善亭部界中，日南、卢容水中，外国于阗、疏勒诸处皆善。《仙方》名玉为玄真，洁白如猪膏，叩之鸣者，是真也。其比类甚多相似，宜精别之。所以燕石入笥，卞氏长号也。

《唐本草》注　饵玉，当以消作水者为佳。屑如麻豆服之，以其精润脏腑，滓秽当完出也。又为粉服之者，使人淋壅。屑如麻豆，其义殊深。

《海药本草》　按《异物志》云：出昆仑。又《淮南子》云：出钟山。又云：蓝田出美玉，燕口出璧玉，味咸，寒，无毒。主消渴，滋养五脏，止烦躁。宜共金、银、麦门冬等，同煎服之，甚有所益。《仙经》云：服玉如玉化水法，在淮南《三十六水法》中载。又《别宝经》云：凡石韫玉，但夜将石映灯看之，内有红光，明如初出日，便知有玉。《楚记》卞和三献玉，不鉴所以遭刖足，后有辨者，映灯验之，方知玉在石内，乃为玉玺，价可重连城也。

《日华子本草》 玉，润心肺、明目，滋毛发，助声喉。

《本草图经》 玉，按《本经》玉泉生蓝田山谷，玉屑生蓝田。陶隐居注云：好玉出蓝田及南阳徐善亭部界中，日南、卢容水中，外国于阗、疏勒诸处皆善，今蓝田、南阳、日南不闻有玉，礼器及乘舆服御多是于阗国玉，晋·金州防御判官平居海，天福中为鸿胪卿张邺（本二名，上一字犯太祖庙讳上字）使于阗，判官回作《行程记》，载其国采玉之地云玉河，在于阗城外。其源出昆山，西流一千三百里，至于阗界牛头山，乃疏为三河。一曰白玉河，在城东三十里；二曰绿玉河，在城西二十里；三曰乌玉河，在绿玉河西七里。其源虽一，而其玉随地而变，故其色不同。每岁五六月大水暴涨，则玉随流而至。玉之多寡，由水之大小。七八月水退，乃可取，彼之谓之捞玉。其国之法，官未采玉，禁人辄至河滨者，故其国中器用服饰，往往用玉。今中国所有，多自彼来耳。陶隐居云：玉泉是玉之精华，白者质色明澈，可消之为水，故名玉泉。世人无复的识者，惟通呼为玉尔。玉屑是以玉为屑，非应别是一物。《仙经》服瑴玉，有捣如米粒，乃以苦酒辈消令如泥，亦有合为浆者。苏恭云：玉泉者，玉之泉液也，以仙室池中者为上。其以法化为玉浆者，功劣于自然泉液也。饵玉当以消作水者为佳。又屑如麻豆服之，取其精润脏腑，滓秽当完出。若为粉服之，即使人淋壅。《周礼》玉府王齐，则供食玉。郑康成注云：玉是阳精之纯者，食之以御水气，王齐当食玉屑。《正义》云：玉屑研之乃可食，然则玉泉今固无有。玉屑，医方亦稀用。祥符中先帝尝令工人碎玉如米豆粒，制作皆如陶、苏之说，然亦不闻以供膳饵。其云研之乃食，如此恐非益人，诚不可轻服也。方书中面膏，有用玉屑者，此恐是研粉之乃可用，既非服饵用之，亦不害也。书传载玉之色曰：赤如鸡冠，黄如蒸栗，白如截肪，黑如纯漆，谓之玉符，而青玉独无说焉。又其质温润而泽，其声清越以长，所以为贵也。今五色玉，清白者常有，黑者时有，黄、赤者绝无，虽礼之六器，亦不能得其真。今仪州出一种石，如蒸栗色，彼人谓之栗玉，或云亦黄玉之类，但少润泽，又声不清越，为不及耳。然服玉、食玉，惟贵纯白，他色亦不取焉。

李预每羡古人餐玉之法，乃采访蓝田，躬往掘得若环璧杂器形者，大小百余枚，稍粗黑，皆光润可玩，预乃捶七十枚成屑，日食之，经年云有效验，而世事寝息，并不禁节。又如之以好酒损志，及疾笃，谓妻子曰：服玉当屏居山林，排弃嗜欲，或当有大神力，而吾酒色不绝，自致于死，非药之过也。尸体必当有异于人，勿使速殡，令后人知餐服之验。时七月中旬，长安毒热，预停尸四宿，而体色不变，其妻常氏，以玉珠二枚，含之，口闭。因嘘其口，都无秽气。《宝藏论》云：玉玄真者饵之，其命无极，令人举身轻飞，不但地仙而已。然其道迟成，服一二百斤乃可知也。玉，可以乌米酒及地榆酒化之为水，亦可以葱浆水消之为粘，亦可饵以为丸，可烧为粉服，一年以上，入水中不濡。王莽遗孔休玉，休不受，莽曰：君面有疵，美玉可以灭瘢，休犹不受。莽曰：君嫌其价，遂捶碎进休，休方受之。青霞子玉屑一升，地榆草一升，稻米一升，三物，取白露二升，置铜器中煮米熟，绞取汁。玉屑化为水，名曰玉液。以药内杯中美醴，所谓神仙玉浆也。《天宝遗事》云：唐贵妃含玉咽津，以解肺渴。《叶天师枕中记》云：玉屑，味甘，和，无毒。屑如麻豆，久服轻身长寿。恶鹿角。《马鸣先生金丹诀》云：玉屑常服，令人精神不乱。《丹房镜源》云：玉末养丹砂。

《绍兴本草》 玉屑，碎玉为屑也。主疗已载本经，但洁白如猪膏，叩之鸣者佳。味甘平，无毒者是矣。

《本草纲目》 ［释名］玉，一名玄真。［时珍曰］按许慎《说文》云：玉乃石之美者。有五德：润泽以温，仁也；鳃理自外可以知中，义也；其声舒扬远闻，智也；不挠而折，勇也；锐廉而不技，洁也。其字象三玉连贯之形。葛洪《抱朴子》云：玄真者，玉之别名也，服之令人身飞轻举。故曰：服玄真者，其命不极。［集解］［时珍曰］按《太平御览》云：交州出白玉，夫余出赤玉，挹娄出青玉，大秦出菜玉，西蜀出黑玉。蓝田出美玉，色如蓝，故曰蓝田。《淮南子》云：钟山之玉，炊以炉炭，三日三夜，而色泽不变，得天地之精也。观此诸说，则产玉之处亦多矣，而今不出者，地方恐为害也，故独以于阗玉为贵焉。古礼玄珪苍璧，黄琮赤璋，白琥玄璜，以象天地四时而立名尔。《礼记》云，石蕴玉则气如白虹，精神见于山川也。《博物志》云：山有谷者生玉。《尸子》云：水圆折者有珠，方折者有玉。《地镜图》云：二月山中草木生光下垂者有玉，玉之精如美女。《玉书》云：玉有山玄文，水苍文，生于山而木润，产于水而流芳，藏于璞而文采露于外。观此诸说，则玉有山产、水产二种。中国之玉多在山，于阗之玉则在河也。其石似玉者，珷玞、琨、珉、璁、瓔也。北方有罐子玉，雪白有气眼，乃药烧成者，不可不辨，然皆无温润。《稗官》载火玉色赤，可烹鼎；暖玉可辟寒；寒玉可辟暑；香玉有香；软玉质柔；观日玉，洞见日中宫阙，此皆希世之宝也。

159 青玉（《别录》）

《名医别录》 青玉，味甘，平，无毒。主妇人无子，轻身不老长年，一名珏玉。生蓝田。

《本草经集注》 张华云：合玉浆用珏玉，正缥白色，不夹石者，大者如升，小者如鸡子，取穴中者，非今作器物玉也。出襄乡县旧穴中。黄初中，诏征南将军夏侯尚求之。

《本草纲目》 ［释名］一名谷玉。［时珍曰］谷，一作瑴，又作珏，谷、角二音。二玉相合曰瑴，此玉常合生故也。［集解］［时珍曰］按《格古论》云：古玉以青玉为上，其色淡青，而带黄色。绿玉深绿色者佳，淡者次之。菜玉非青非绿，如菜色，此玉之最低者。

160 瑾瑜玉（《山海经》）

《山海经》 西山经，钟山之阳，瑾瑜之玉为良，坚栗精密，浊泽而有光，君子服之，以御不详。

161 白玉髓（《别录》）

《名医别录》 白玉髓，味甘，平，无毒。主妇人无子，不老延年。生蓝田玉石间。

《本草纲目》 ［集解］［时珍曰］此即玉膏也，别本以为玉泉者是矣。《山海经》云：密山上多丹木，丹水出焉，西流注于稷泽。其中多白玉，是有玉膏。其源沸沸汤汤，黄帝是食是飨。是生玄玉，玉膏所出，以灌丹木。黄帝乃取密山之玉，荣而投之钟山之阳，瑾瑜之玉为良，坚栗精密，泽而有光，五色发作，以和柔刚。天地鬼神，是食是飨。君子服之，以卸不详。谨按：密山亦近于阗之间。是食者，服食也。是飨者，祭祀也。服之者，佩服也。玉膏，即玉髓也。《河图玉版》云：少室之山，有白玉膏，服之成仙。《十洲仙记》云：瀛洲有玉膏如酒，名曰玉醴，饮数升辄醉，令人长生。《抱朴子》云：生玉之山，有玉膏流出，鲜明如水精，以无心草末和之，须臾成水，服之一升长生。皆指此也。

162 合玉石（《别录》）

《名医别录》 合玉石，味甘，无毒。主益气，疗消渴，轻身，辟谷。生常山中丘，如凝肪。

《本草纲目》 ［时珍曰］此即碾玉砂也，玉须此石碾之乃光。

163 璧玉（《别录》）

《名医别录》 璧玉，味甘，无毒。主明目，益气，使人多精生子。

《本草纲目》 ［时珍曰］璧，瑞玉圜也。此玉可为璧，故曰璧玉。璧外圆象天，内方象地。《尔雅》云：璧大六寸谓之瑄，肉倍好谓之璧，好倍肉谓之瑗。

164 玉英（《别录》）

《名医别录》 玉英，味甘。主风瘙皮肤痒，一名石镜，明白可作镜。生山窍，十二月采。

165 玉膏（《别录》）

《名医别录》 玉膏，味甘，平，无毒。玉石，主延年神仙。术家取蟾蜍膏软玉如泥，以苦酒消之成水，此则为膏之法。今玉石间水，饮之长生，令人体润，以玉投朱草汁中化成醴，朱草瑞物，已出金水卷中。《十洲仙记》瀛洲有玉膏泉如酒，饮之数杯辄醉，令人长生。洲上多有仙家似吴儿，虽仙境之事，有可凭者，故以引为证也。

《本草纲目》 玉膏，并入“白玉髓”条。

166 水精（《纲目》）

《本草纲目》 ［释名］水精，一名水晶（《纲目》）、水玉（《纲目》）、石英。［时珍曰］莹澈晶光，如水之精英，会意也。《山海经》谓之水玉，《广雅》谓之石英。［集解］［时珍曰］水精亦颇黎之属，有黑、白二色。倭国多水精，第一。南水精白，北水精黑，信州、武昌水精浊。性坚而脆，刀刮不动，色澈如泉，清明而莹，置水中无瑕、不见珠者佳。古语云冰化，谬言也。药烧成者，有气眼，谓之硝子，一名海水精。《抱朴子》言，交广人作假水精碗，是此。［主治］［时珍曰］亦入点目药。穿串吞咽中，推引诸哽物。

尚志钧按 矿物学上所讲的水精（水晶），即无色透明的石英。石英成分为二氧化硅（SiO_2）。石英为三方晶系，晶体呈六方柱状，通常呈晶簇，或为粒状、块状集合体。颜色不一，无色透明者为水晶，乳白色者名乳石英，紫色者名紫水晶，浅玫瑰色者名蔷薇石英，烟黑色者名烟水晶。其硬度为7，比重为2.65~2.66，有玻璃样光泽，质脆，断面呈贝壳状，有油脂样光泽。大的晶体多产于岩石晶洞中。粒状石英是花岗岩和砂岩石主要成分。

167 火珠（《纲目》）

《本草纲目》 火珠，[时珍曰]《说文》谓之火齐珠。《汉书》谓之玫瑰（音枚回）。《唐书》云：东南海中有罗刹国，出火齐珠，大者如鸡卵，状类水精，圆白，照数尺。日中以艾承之则得火，用灸艾炷不伤人。今占城国有之，名朝霞大火珠。又《续汉书》云，哀牢夷出火精、琉璃，则火齐乃火精之讹，正与水精对。

168 阳燧（《纲目》）

《本草纲目》 阳燧，[时珍曰] 火镜也。以铜铸成，其面凹，摩热向日，以艾承之，则得火。周司烜氏以火燧取明火于日，是矣。

169 碝石（《纲目》）

《本草纲目》 碝（音软）石，[时珍曰] 出雁门。石次于玉，白色如冰，亦有赤者。《山海经》云：北山多碝石。《礼》云，士佩碝玫，是也。

170 白石英（《本经》）

《神农本草经》 白石英，味甘，微温。主消渴，阴痿不足，咳逆，胸膈间久寒，益气，除风湿痹，轻身长年。

《吴普本草》 白石英，神农：甘。岐伯、黄帝、雷公、扁鹊：无毒。生太山，形如紫石英。白泽，长者二三寸。采无时。又云青石英如白石英，青端赤后者是。赤石英，赤端白后者是。赤泽有光，味苦。补心气。黄石英，黄色如金在端者是。黑石英，黑泽有光。

《名医别录》 白石英，味辛，无毒。疗肺痿，下气，利小便，补五脏通日月光。耐寒热。生华阴山谷及太山。大如指，长二三寸，六面如削，白澈有光。其黄端白棱名黄石英，赤端名赤石英，青端名青石英，黑端名黑石英。二月采，亦无时。（恶马目毒公。）

《本草经集注》 今医家用新安所出，极细长白澈者；寿阳八公山多大者，不正用之。《仙经》大小并有用，惟须精白无瑕杂者。如此说，则大者为佳。其四色英，今不复用。

《药性论》 白石英，君。能治肺痈吐脓，治嗽逆上气，疸黄。

《唐本草》注 白石英所在皆有，今泽州、虢州、洛州山中俱出，虢州者大，径三四寸，长五六寸。今通以泽州者为胜也。

《日华子本草》 五色石英，平。治心腹邪气，女人心腹痛，镇心，疗胃冷气，益毛发，悦颜色，治惊悸，安魂定魄，壮阳道，下乳，通亮者为上。其补益随脏色而治，青者治肝；赤者治心；黄者治皮肤；白者治肺；黑者治肾。

《本草图经》 白石英，生华阴山谷及泰山。陶隐居以新安出者佳。苏恭以泽州者为胜。今亦泽州出焉。大抵长而白泽，明澈有光，六面如削者可用。长五六寸者弥佳。其黄色如金在端者，名黄石英。赤端白后者，名赤石英。青端赤后者，名青石英。黑泽而有光者，名黑石英。二月采，亦云无时。古人服食，惟白石英为重，紫石英但入五石散。其黄、赤、青、黑四种，《本经》虽有名，而方家都不见用者。故《乳石论》以钟乳为乳，以白石英为石，是六英之贵者，惟白石也。又曰：乳者，阳中之阴；石者，阴中之阳，故阳生十一月后甲子服乳，阴生五月后甲子服石。然而相反、畏恶，动则为害不浅。故乳石之发，方治虽多，而罕有能济者，诚不可轻饵也。

《太平圣惠方》 治腹坚胀满号石水方：用白石英十两，捶如大豆大，以瓷瓶盛，用好酒二斗浸，以泥重封瓶口，将马粪及糠火烧之，长令酒小沸，从卯至午即住火，候次日暖一中盏饮，日可三度。如吃酒少，随性饮之。其白石英，可更一度烧之。《简要济众》方治心脏不安，惊悸善忘，上鬲风热化痰。白石英一两，朱砂一两，同研为散。每服半钱，食后、夜卧，金银汤调下。

《本草衍义》 白石英，状如紫石英，但差大而六棱，白色如水精。紫、白二石英，当攻疾，可暂煮汁用，未闻久服之益。张仲景之意，只令㕮咀，不为细末者，岂无意焉。其久服，更宜详审。

《绍兴本草》 白石英，乃石之英华也。益气疗肺疾，诚为要药。《日华子》云：其补益随藏色而治，此乃一家之说。然世之所用者，唯白石英。主治肺病，经验不惑，明矣。当从本经味甘辛、微温、无毒是也。除白石英、紫石英外，余色石英并无专主治正文。

［王好古曰］白石英，实大肠。

《本草纲目》 ［释名］［时珍曰］徐锴云：英，亦作瑛，玉光也。今五种石英，皆石之似玉而有光莹者。［集解］［时珍曰］泽州有英鸡，食石英，性最补。见禽部。［发明］白石英，手太阴、阳明气分药也，治痿痹肺痈枯燥之病。但系石类，止可暂用，不宜久服。

尚志钧按 白石英为六方晶系氧化硅矿石，构成大部分矿脉岩石，其纯品呈锥状及柱状体，色透明，有玻璃样光泽，质坚而硬，难碎，能耐高温及各种化学药侵蚀，火煅成不规则碎块。其主要成分为二氧化硅（SiO_2），二氧化硅结晶体为石英，非结晶体为砂子。白石英味甘，微温，能治痿痹。《千金翼方》治风虚冷痹，用白石英三两，火煅酒淬 3 次，研细末，每早温服三分。《简要济众方》治惊悸善忘、心神不安，白石英、朱砂等分为散，每服五分。

171 紫石英（《本经》）

《神农本草经》 紫石英，味甘。主心腹咳逆邪气，补不足，女子风寒在子宫，绝孕十年无子，久服温中，轻身延年。

《吴普本草》 紫石英，神农、扁鹊：味甘，平。季氏：大寒。雷公：大温。岐伯：甘，无毒。生太山或会稽，采无时。欲令如削，紫色达头如樗蒲者。

《名医别录》 紫石英，辛，温，无毒。疗上气心腹痛，寒热邪气结气，补心气不足，定惊悸，安魂魄，填下焦，止消渴，除胃中久寒，散痈肿，令人悦泽。生太山山谷。采无时。（长石为之使，得茯苓、人参、芍药共疗心中结气；得天雄、菖蒲，共疗霍乱，畏扁青、附子，不欲鮀甲、黄连、麦句姜。）

《雷公药对》 紫石英，温。主女人血闭腹痛，君。疗惊悸心气，虚而惊悸不安加紫石英，若冷，则用紫石英。长石为之使。得茯苓、人参、芍药，共疗心中结气。得天雄、菖蒲，共疗霍乱。畏扁青、附子，不欲鮀甲、黄连、麦句姜。

《本草经集注》 今第一用太山石，色重澈，下有根。次出雹零山，亦好。又有南城石，无根。又有青绵石，色亦重黑，不明澈。又有林邑石，腹里必有一物如眼。吴兴石四面才有紫色，无光泽。会稽诸暨石，形色如石榴子。先时并杂用。今丸散家采择，惟太山最胜，余处者，可作丸酒饵。《仙经》不正用，而为俗方所重也。

《药性论》 紫石英，君。女人服之有子，主养肺气，治惊痫，蚀脓，虚而惊悸不安，加而用之。

《岭南录异》 陇州山中多紫石英，其色淡紫，其实莹澈，随其大小皆五棱，两头如箭镞，煮水饮之，暖而无毒。比北中白石英，其力倍矣。

《日华子本草》 紫石英，治痈肿毒等，醋淬捣为末，生姜、米醋煎，傅之。摩亦得。

《本草图经》 紫石英，生泰山山谷，今岭南及会稽山中亦有之。谨按：《吴普本草》云：紫石英，生泰山及会稽，欲令如削，紫色达头如樗蒲者。陶隐居云：泰山石，色重澈，下有根，最佳。会稽石，形色如石榴子，最下。先时并杂用，今惟用泰山石，余处者可作丸、酒饵。又按《岭表录异》云：今陇州山中多紫石英，其色淡紫，其实莹澈，随其大小皆五棱，两头如箭镞。煮水饮之，暖而无毒，比北中白石英，其力倍矣。然则泰山、会稽、岭南紫石英用之亦久。《乳石论》无单服紫石者，惟五石散则通用之，张文仲有镇心单服紫石煮水法，胡洽及《千金方》则多杂诸药同用，今方家用者，惟治疗妇人及治心病药时有使者。

《太平圣惠方》 补虚劳，止惊悸，令人能食。紫石英五两，打碎如米豆大，水淘一遍，以水一斗，煮取二升，去滓澄清，细细服，或煮粥、羹食亦得，服尽更煎之。青霞子言紫石英，轻身充肌。

《本草衍义》 紫石英，明澈如水精，其色紫而不匀。张仲景治风热瘈疭及惊痫瘈疭风引汤：紫石英、白石英、寒水石、石膏、干姜、大黄、龙齿、牡蛎、甘草、滑石等分，混合㕮咀，以水一升，煎去三分，食后，量多少温呷，不用滓，服之无不效者。

《绍兴本草》 紫石英与白石英形质大小颇同，但其色紫，故名紫石英也。《图经》云：其力倍于白石英，乃论药攻疾而力有轻重矣，非谓与白石英主治一同，缘皆名石英，故言之。又《本经》云：主女子风寒在子宫及补心气不足，则其性温明矣。季氏复云大寒者，甚非也。当从味甘、辛温、无毒是矣。

《汤液本草》 紫石英，味甘、辛，温，无毒。入肾经及足厥阴经。《本草》云：主心腹咳逆邪气，补不足，女子风寒在子宫，绝孕十年无子。疗上气，心腹痛，寒热邪气，结气。补心气不足，定惊悸，安魂魄，填下焦，止消渴。除胃中久寒，散痈肿。令人悦泽。久服温中，轻身延年。得茯苓、人参、芍药共疗心中结气；得天雄、菖蒲共疗霍乱。长石为之使。畏扁青、附子，不欲鮀甲、黄连、麦句姜。《衍义》云：仲景治风热瘈疭风引汤，紫石英、白石英、寒水石、石膏、干姜、大黄、龙齿、牡蛎、甘草、滑石等分，右㕮咀，以水一升，煎去三分，食后，量多少温呷之。不用柤，立效。

［王好古曰］紫石英，入手少阴、足厥阴经。

《本草蒙筌》 紫白石英，味甘，温，无毒。泰山山中，每每出产。色有五品，种有两般。但青赤黄，治疗少用。惟紫白者，服饵多求。钵贮擂成，水搅飞过。资长石为使，入心肝肺经。（紫者入心肝二经，白者入肺经。）畏附子、扁青，恶黄连、麦句（麦句姜也）。紫石英类水精明澈，似樗蒲达头。治妇人子户风寒，经十年不孕；疗男子寒热邪气，致咳逆异常。定惊悸且补心虚，填下焦尤安魂魄。又散痈肿，姜醋煎调。白石英二三寸长，手指般大。六面如削，白澈有光。治咳逆胸膈久寒，理消渴阴痿不足。益气除风痹，下利小便。疗肺痿肺痈，止吐脓吐血。

《本草纲目》 ［集解］［时珍曰］按《太平御览》云：自大岘至太山，皆有紫石英。太山所出，甚瑰玮。平氏阳山县所出，色深特好。乌程县北垄山所出，甚光明，但小黑。东莞县爆山所出，旧以贡献。江夏帆山亦出之。永嘉固陶村小山所出，芒角甚好，但色小薄尔。［修治］［时珍曰］凡入丸散，用火煅醋淬七次，碾末水飞过，晒干入药。［气味］［时珍曰］服食紫石英，乍寒乍热者，饮酒良。［发明］［时珍曰］紫石英，手少阴、足厥阴血分药也。上能镇心，重以去怯也。下能益肝，湿以去枯也。心生血，肝藏血，其性暖而补，故心神不安，肝血不足，及女子血海虚寒不孕者宜之。《别录》言其补心气、甄权言其养肺者，殊昧气阳血阴营卫之别。惟《本经》所言诸证，甚得此理。

《本草原始》 紫石英，生太山山谷，采无时。其色淡紫，其质莹澈，随其大小皆五棱，两头如箭镞者佳。因形类白石英而色紫，故名紫石英。（味甘辛温，无毒。主心腹咳逆，邪气，补不足，女子风寒在子宫，绝孕十年无子。久服轻身延年。治上气心腹痛，寒热，邪气，结气，补心气不足，定惊悸，安魂魄，填下焦，止消渴，除胃中久寒，散痈肿，令人悦泽，养肺气。）

《炮炙大法》 紫石英，煮汁用，或火烧醋淬，为末，傅毒。长石为之使。得茯苓、人参、芍药，主心中结气；得天雄、菖蒲，主霍乱。恶鮀甲、黄连、麦句姜，畏扁青、附子及酒。

《珍珠囊补遗药性赋》 紫石英，味甘、辛，温，无毒。主女人风寒在子宫，绝孕十年无子。胎宫乏孕，紫石英有再弄之璋。

《雷公炮制药性解》 紫石英，味甘、辛，温，无毒。入心经。主咳逆邪气，宁心定惊，补不足，涂肿毒，又主妇人子户风寒，十年无孕。长石为使，畏扁青、附子，恶黄连，鮀甲、麦句姜。按：紫石英为重镇之剂，又有紫赤色，心经之所由入也。心主血，妇人得之，则血受温补，而胎可结矣。

《本草经疏》 紫石英［疏］紫石英禀土中之阳气以生。《本经》味甘，气温，无毒。《别录》味辛，雷公言大温，独李当之言大寒者，是昧其性矣。味厚于气，阳中之阴，降也。入手少阴、手厥阴、足厥阴经。少阴主心属阳，而本热虚则阳气衰，而寒邪得以乘之，或为上气咳逆，或为气结寒热，心腹痛。此药温能除寒，甘能补中，中气足，心得补，诸证无不瘳矣。惊悸属心虚，魂魄不安，亦由心君怯弱，无以镇压诸经，兹得镇坠之力，而心君有以镇摄，即重以去怯之义也。其主女子风寒在子宫，绝孕无子者，盖女子系胎于肾及心胞络，皆阴脏也。虚则风寒乘之而不孕，非得温暖之气，则无以祛风寒，而资化育之妙。此药填下焦，走肾及心胞络。辛温能散风寒邪气，故为女子暖宫之要药。补中气，益心肝。通血脉，镇坠虚火，使之归元。故又能止消渴，散痈肿，令人悦泽及久服轻身延年也。凡入丸散，用火煅淬七次，碾末水飞过，晒干入药。［主治参互］同白薇、艾叶、白胶、当归、山茱萸、川芎、香附，治女人子宫虚寒，绝孕无子。张文仲《备急方》虚劳惊悸，补虚止惊，令人能食。紫石英五两，打如豆大，水淘一遍，以水一斗煮取三升，细细服。仲景《金匮方》治风热瘛疭及惊痫风引汤：紫石英、寒水石、石膏、干姜、大黄、龙齿、牡蛎、甘草、滑石等分㕮咀，水一升，煎去三分，食后温呷，无不效者。［简误］紫石英其性镇而重，其气暖而补。故心神不安，肝血不足及女子血海虚寒不孕者，诚为要药。然而止可暂用，不宜久服。凡系石类皆然，不独石英一物也。妇人绝孕，由于阴虚火旺，不能摄受精气者忌用。

《食物本草》 紫石英，（生太山山谷，泷州、会稽山中亦多。其色淡紫，其质莹澈，大小不一，皆五棱，两头如箭镞，头如樗蒲者更佳。煮水饮之，暖而无毒，比之白石英，其力倍矣。）味甘，温，无毒。主心腹咳逆邪气，补不足，女子风寒在子宫，绝孕十年无子。久服温中，轻身延年。疗上气心腹痛，寒热邪气结气，补心气不足，定惊悸，安魂魄，填下焦，止消渴，除痈肿，令人悦泽。养肺气，治惊痫。

《本草乘雅半偈》 紫石英，生太山山谷，《岺表录》云：泷州山中多紫石英，其色淡紫，其质莹彻，随其小大，皆具五棱，两头如箭镞。比之白石英，其力倍矣。《太平御览》云：自大岘至太山，皆出紫石英。太山者，其环玮。平氏山阳县者，色深特好。乌程县北垄山者，甚光明，但小而黑。东莞县爆山者，旧以贡献。江夏矾山亦有。永嘉固陶村小山者，芒角甚佳，但小薄耳。必以五棱如削，紫色达头，如樗蒲者乃良。修治，火煅醋淬，凡七遍，研末，水飞三四次，晒干入药。长石为之使。畏扁青、附子。恶鮀甲、黄连、麦句姜。得茯苓、人参，疗心中结气。得天雄、菖蒲，疗霍乱。过服紫石英，设乍寒乍热者，饮酒遂解。［参］曰：赤黑相间曰紫，坎离交会之色也。石乃山骨，英乃石华。艮山为体，震动为用，故主体用不足，致邪入心腹，作咳作逆者。正离失虚中，坎失刚中耳。若风寒在子宫，绝孕无子，十年弗克攻者，借坎离交会，则体用双彰，十年乃字矣。久服温中，轻身，互坎填离之验也。（虚中刚中，正阴阳互根之妙。）

《本草通元》 紫石英，甘，温，入心、肝血分药也。上能镇心，重可去怯也。下能益肝，湿可去枯也。心主血，肝藏血。性暖而补，故神不安，血不足，虚寒不孕者，宜之。

《医宗说约》 紫石英，温，宁心，定惊，咳逆邪气，肿毒能倾。

《本草述》 紫石英具五色，而用者唯紫石英及白石英耳。且紫为赤黑相间之色，之颐举似坎离交会。此一语与《本经》及《别录》主治诸证，庶几能中病情，而更合于方书所疗之病，其义亦不爽也。抑何以明之？盖坎中有离，则阴得阳以化。夫水者，气之所以孕育也，而却借于阳之能化阴。离中有坎，则阳得阴以裕。夫火者，气之所以昌大也，而却借于阴之能裕阳。是水合于火而气生，火合于水而气化，即所谓坎离交会也，能生即能化，能化即能生。《本经》所谓治心腹咳逆邪气，补不足，而《别录》所谓疗上气，心腹痛，寒热邪气结气，其所主治同也。正元气生化之妙用，具足水火合和之神机耳。其所谓补不足者，正补其水火合和之气耳。虽然元气属三焦，在《本经》一条已包举言之矣。如分而在上，所云补心气，定惊悸；在下，如疗女子子宫风寒填下焦；在中，如久服温中，除胃中久寒。是分三焦之主治，皆取其精悍之气，化为精粹者，适有合于坎之会离，离之会坎，大为人身真元之助也。如本草所谓寒热邪气，方书所治寒邪胀满，皆不足所受之妄象。又本草所谓惊悸，方书所治劣弱泄泻，思虑过度，浊证，皆不足所见之虚象。悉由坎离交会之元以为化，以为生矣。或曰：然则兹品将独取其阳乎？不然本草所云疗女子子宫风寒及胃中久寒者，是何所取尔也。曰：元气是坎离交会，乃少火，非壮火也。经固曰：气食少火，壮火食气，如是，则岂可谓其以热治寒，为偏于补阳，如桂、附论哉。若执以热治寒，《本经》又何为以寒热相衡而言乎。且方书用治胀满之见晛丸，固因寒气久结，而治痫证属热者，如风引汤，又皆用之。则可以明于兹品之用，以补元气为其主，而温寒清热之味，乃得需之以奏功者也，亦如斯论。然则方书所治惊痫等证，谓重可去怯者，殆未然欤？曰：坎离交会而心气具足，奈何锢于陋说而不深究乎。或曰：疗惊悸等证，类以为益气血，何以《别录》独言补心气也？曰：既已离得会坎，则心血有不足乎？但离借坎以为用，总归于补心气耳。至若濒湖谓为血分药，而更以《别录》、甄权所说为无据也，是固鲁莽甚矣。何不取方书所治之证而一通之。即如气证之养气丹，其所云主治者，已的的为真元地，与《本经》正合。故以五石为主，是岂不较然，犹得贸贸谓为血分药哉。

《本草崇原》 紫石英，气味甘温，无毒。主治心腹咳逆邪气，补不足，女子风寒在子宫，绝孕十年无子。久服温中，轻身延年。（紫石英始出太山山谷，今会稽、诸暨、乌程、永嘉、阳山、东莞山中皆有，唯太山者最胜，其色淡紫，其质莹澈，大小皆具五棱，两头如箭镞。）

《本草择要纲目》 紫石英，（凡入丸散用火煅醋淬七次，碾末，水飞过，晒干入药。）［气味］甘，温，无毒。入手少阴、足厥阴血分药也。［主治］心腹咳逆邪气，补不足，女子风寒在子宫，绝孕十年无子。久服温中，轻身延年，疗上气心腹痛，寒热邪气结气，补心气不足，定惊悸，安魂魄，填下焦，止消渴，除胃中久寒，散痈肿，令人悦泽，养肺气，治惊痫蚀脓。紫石英上能镇心，重以去怯也，下能益肝，湿以去枯也。心生血，肝藏血，其性暖而补。故心神不安，肝血不足及女子血海虚寒不孕者宜之。《别录》言其补心气，甄权言其养肺者，殊昧气阳血阴营卫之别。惟《本经》所言诸证甚得此理。畏扁青、附子，恶鮀甲、黄连。

《本草备要》 紫石英，甘、平，温，而补。重以去怯，湿以去枯，入心肝血分，故心神不安，肝血不足，女子血海虚寒不孕者宜之。（冲为血海，任主胞胎。《经疏》曰：女子系胞于肾及心包络，虚则风寒乘之，故不孕。紫石英辛温，走二经，散风寒，镇下焦，为暖子宫之要药。色淡紫莹彻。）五棱。火煅醋淬七次，研末水飞用。二英俱畏附子，恶黄连。（五色石英，各入五脏。）

《本经逢原》 紫石英，甘，温，无毒。生泰山，以五棱明净深紫大块者良，浙产者块小，亦可入药。经火则毒，生研极细，水飞三次用。时珍云：煅赤醋淬七次水飞用非。《本经》主心腹咳逆，邪气，补不足，女子风寒在子宫，绝孕十年无子。［发明］紫石英入手足少阴、厥阴血分。上能镇心，定惊悸，安魂魄，摄逆气，重以去怯也；下能益肝，填补下焦，散阴火，止消渴，温以暖血也。女子经阻色淡不孕者宜之。《本经》治女子风寒在子宫，绝孕十年者，服之能孕，非特峻补，兼散浊阴留结之验也。若血热紫黑者禁用，为其性温也。《千金》云：妇人欲求美色者，勿服紫石英，令人色黑，非温血之谓乎，故妇人绝孕，由于阴虚火旺，不能摄精者，禁用。

《本草经解》 紫石英温，禀天春和之木气，入足厥阴肝经。味甘，无毒，得地中正之土味，入足太阴脾经。气味俱升，阳也。心腹者足太阴经行之地，肺虚不能生肺，肺失下降之令，则邪气上逆而咳矣。紫石英味甘，质重，益脾土而降气逆，所以主咳也。补不足者，气温补肝气之不足，味甘补脾阴之不足也。厥阴之脉络于阴器，则子宫亦属肝经，肝为两阴交尽之经，风木之府，风寒在子宫，则肝血不藏，脾血亦不统，不能生育而孕矣，脾土之成数十，所以十年无子也。紫石英气温，可以散子宫之风寒，味甘可以益肝脾之血也。中者，中州脾土也，久服甘温益脾，所以温中。肝木条达，脾土健运，所以身轻延年也。

《神农本草经百种录》 紫石英，甘，温。主咳逆。（甘能和中，重能降气。）邪气（散风寒）。补不足（补心血之不足）。女子风寒在子宫，绝孕十年无子。（子宫属冲脉血海，风寒入于其中，他药所不能及。紫石英色紫入血分，体重能下达，故能入于冲脉之底，风寒妨孕，温能散寒驱风也。）久服温中，轻身延年。（补血纳气之功。此以色为治。色紫则入心，心主血故能补血，其降气而能入下焦，则质重之效也。）

《本草诗笺》 紫石英（生研极细水飞用）。紫石英行少厥阴，肾肝胞络更兼心；温能暖血资生广（女子风寒在子宫服之能孕），重足凝神镇定深；咳逆气邪施自稳，阴虚火旺用宜禁；虽无毒性惟甘热，女欲修容口勿噙。（《千金方》云妇人欲求美色者勿服。）

《得配本草》 紫石英，长石为之使。畏扁青、附子，恶鮀甲、黄连、麦句姜。甘温，入手少阴，足厥阴经血分。镇心益肝，暖子宫，除风寒。得茯苓、人参，疗心中结气。得天雄、菖蒲，治霍乱。得生姜、米醋煎，调敷痈肿毒气。煅，醋淬，研，水飞。血热者禁用。

《本草求真》 ［批］散肝、心血分寒燥不润。紫石英（专入肝、心）。即系石英之紫色者，故尔别其名曰紫，性味俱同，而紫则能直入血分，不似白石英因其色白，功专润肺，止就肺部之病而言之也。紫能入血治疗，凡妇女子户，因于风寒内乘绝孕，男子寒热咳嗽惊悸，梦魂不安，服此则能镇魄安神，为心肝经温血要药。（时珍曰：上能镇心，重以去怯也；下能益肝，湿以去枯也。心主血、肝藏血，其性缓而补，故心神不安，肝血不足，及女子血海虚寒不孕者宜之。《别录》言其补心气。甄权言其养肺气。殊昧气阳血阴营卫之别。）但阴虚火旺者切忌。醋煅淬七次。研末水飞用。畏附子，恶黄连。

《罗氏会约医镜》 ［批］镇心补肝。紫石英，（味辛、甘，温，入心、肝二经。畏扁豆、附子，恶黄连。火煅、醋淬、水飞用。）重以去怯，湿以润枯，补心以定惊悸，达下以安魂魄。女子血海虚寒不孕者宜之。（冲为血海，任主胞胎。虚则风寒乘之，故不孕。紫石英辛温走二经，散风寒，镇下焦，为暖子宫要药。）色淡紫，莹彻五棱者真。但系石类，只可暂用。

《本草经读》 紫石英，温，入肝。味甘，无毒。得土味而入脾，咳逆邪气者，以心腹为脾之部位，人之呼吸出心肺而入肝肾，脾居中而转运，何咳逆之有。惟脾虚受肝邪之侮，不能下转而上冲，故为是病。其主之者，温能散邪，甘能和中，而其质又重而能降也。补不足者，气温，味甘，补肝脾之不足也。风寒入于子宫，则肝血不藏，脾血亦不统，往往不能生育。脾土之成数十，所以十年无子也。紫石英，气温可以散子宫之风寒，味甘可以益肝脾之血也。久服温中轻身延年，夸其补血纳气之力也。

《本经疏证》 紫石英，此所谓以形质与色为治者，夫石土之刚，金之未成者也，五，土数也。明澈晶莹，水光也，石也，而无论大小，咸具五棱，明澈晶莹，两端皆锐如箭镞，则其为自中土而上至肺金，下抵肾水矣。紫，赤黑相兼之色，水中有火，火中有水之象也。水火者，阴阳之征兆。阴者，比于不足；阳者，比于有余。而明澈晶莹，固无与于粗涩秽浊之处矣。能于心腹咳逆邪气间补不足，非入肺而治有余中不足乎！能于女子绝孕十年间，除子宫风寒，非入肾而治不足中有余乎！但其所以然，则当归其效于温中，其所以温中，则为其味甘气温也。他石药皆剽悍，明澈晶莹者，必不剽悍，故须久服乃有益耳。虽然，从中宫而上至肺，下抵肾，其所过岂无藏匿精华之所，顾遂不能兼治之与，故《别录》于上，则有补心气不足，定惊悸，安魂魄之功；于下，则有填下焦、止消渴之功。然亦皆水中有火，火中有水之证也。统而参之，则其理有比于是者，无不可以意融会而用之矣。

《本草害利》 石药终燥，只可暂用。妇人绝孕，由阴虚火旺，不能摄受精气者，忌用。［利］甘、辛，温，润以去燥回枯，重以镇宁心神，养肝血不足，血海虚，不孕者宜之，暖子宫之要药。白石英，甘、辛，微温，润以去燥，利小便，实大肠，治肺痿、吐脓、咳逆、上气。十剂曰：润可去燥枯，二英之属是也。润药颇多，而徐之才取紫白石英为润剂，存其意可也。石英五色，各入五脏。俱畏附子、黄连。［修治］紫石英色淡，莹彻五棱，火煅醋淬七次，研末水飞，白石英如水晶者良。

《医家四要》 紫石英，养肝血，主虚寒不孕。（火煅醋淬七次，研末水飞。同白薇、艾叶、阿胶，治女人不孕。）

《本草撮要》 紫石英，甘辛，温。入心、肝二经，功专治子宫寒不孕，镇心去怯，益肝去枯。火煅醋淬七次，研末，水飞。二英俱畏附子、黄连。痈肿毒气，以紫石英煅淬为末，生姜米醋煎敷之良。

《本草便读》 紫石英，入心肝，温养营血，可通奇脉，镇冲气之上升。虽有五色之分，性味甘辛则一。(紫石英形似紫晶，玉之类也，其形有五色之分，而用者惟紫白二种，皆具温养润泽之功。不可火炼，若一经火煅，则失其温润之性，而有毒烈之祸矣。石药之性悍信哉，能入心肝血分，暖子宫，镇冲气，且润泽而有补性，故女子血海虚寒不孕者宜之。)

尚志钧按 紫石英是石英的一类，为六方晶系氧化硅矿石，存于各种岩石中，如花岗岩、砂岩等，采出的石英为柱状及锥状体，色明彻，有玻璃样光泽，质坚硬，不易碎。其主要成分为二氧化硅（SiO_2），并杂有铁、锰，呈淡紫色，能耐高温，除氟化氢外，不受任何化学药品侵蚀。紫石英味甘，性温，能镇心定惊、温补肝肾，适用于心神不宁、心悸、肝血不足、女子宫寒不孕。治心悸不寐，与枣仁、柏子仁、远志、茯神合用。治女子宫寒不孕，与阿胶、艾叶、当归、川芎、白芍合用。

172 马脑（《拾遗》）

《本草拾遗》 马脑出日本国，用斫木不热为上，斫木热非真也。

《嘉祐本草》 马脑，味辛、寒，无毒。主辟毒。熨目赤烂，红色似马脑，亦美石之类，重宝也。生西国玉石间，来中国者皆以为器，亦云马脑珠。是马口中吐出，多是胡人谬言，以贵之耳。

《本草衍义》 马脑，非石、非玉，自是一类。有红、白、黑色三种，亦有纹如缠丝者，出西裔者佳。彼土人小者碾为好玩之物，大者碾为器。今古方入药，绝可用。此物，西方甚重，故佛经多言之。其马口吐出，既知谬言，不合编入。

《绍兴本草》 马脑，性味、主治及无毒之文，并载本经，然但可从熨目为用，亦未闻入服饵之药矣。

《本草纲目》 ［释名］［时珍曰］按增韵云：玉属也。文理交错，有似马脑，因以名之。《拾遗》记云是鬼血所化，更谬。［集解］［时珍曰］马脑出西南诸国，云得自然灰即软，可刻也。曹昭《格古论》云：多出北地、南番、西番，非石非玉，坚而且脆，刀刮不动，其中有人物鸟兽形者最贵。顾荠《负暄录》云：马脑品类甚多，出产有南北，大者如斗，其质坚硬，碾造费工。南马脑产大食等国，色正红无瑕，可作杯斝。西北者色青黑，宁夏、瓜、沙、羌地砂碛中得者尤奇。有柏枝马脑，花如柏枝。有夹胎马脑，正视莹白，侧视则若凝血，一物二色也。截子马脑，黑白相间。合子马脑，漆黑中有一白线间之。锦江马脑，其色如锦。缠丝马脑，红白如丝。此皆贵品。浆水马脑，有淡水花。酱斑马脑，有紫红花。曲蟮马脑，粉红花。皆价低。又紫云马脑出和州，土马脑出山东沂州，亦有红色云头、缠丝、胡桃花者，又竹叶马脑，出淮右，花如竹叶，并可作桌面、屏风。金陵雨花台小马脑，止可充玩耳。试马脑法：以砑木不热者为真。[主治][时珍曰]主目生障翳，为末日点。

尚志钧按 马脑是玉髓的一种，由二氧化硅溶胶，从岩石空隙或空洞的周壁向内逐渐沉积，形成马脑同心层或平行层的块体，经过晶化转变为隐晶质纤维状石英微晶，在沉积时，由于混入金属氧化物种类及量的不同，形成各种颜色和花纹。按其颜色和花纹不同，有带状马脑、苔纹马脑之分。

173 淡秋石（《证类》）

《证类本草·经验方》 秋石还元丹：久服去百病，强骨髓，补精血，开心益志，补暖下元，悦色进食。久则脐下常如火暖，诸般冷疾皆愈。久年冷劳虚惫者，服之亦壮盛。其法：以男子小便十石，更多尤妙。先支大锅一口于空室内，上用深瓦甑接锅口，以纸筋杵石灰泥甑缝并锅口，勿令通风。候干，下小便约锅中七八分以来，灶下用焰火煮之。若涌出，即少少添冷小便。候煎干，即人中白也。入好罐子内，如法固济，入炭炉中煅之。旋取二三两，再研如粉，煮枣瓤和，丸如绿豆大。每服五七丸，渐加至十五丸，空心温酒或盐汤下。其药常要近火，或时复养火三五日，则功效更大也。

《本草蒙筌》 秋石须秋月取童子溺，每缸入石膏末七钱，桑条搅，澄定倾去清液。如此二三次，乃入秋露水一桶，搅澄。如此数次，滓秽涤净，咸味减除。以重纸铺灰上晒干，完全取起，轻清在上者为秋石，重浊在下者刮去。古人立名，实本此义。男用童女溺，女用童男溺，亦一阴一阳之道也。世医不取秋时，杂收人溺，但以皂荚水澄，晒为阴炼，煅为阳炼。尽失于道，何合于名？谋利败人，安能应病？况经火炼，性却变温耶？[嘉谟曰]秋石，味咸，温，无毒。滋肾水，养丹田，返本还元，归根复命，安五脏，润三焦，消痰咳，退骨蒸，软坚块，明目清心，延年益寿。

《本草纲目》 [释名]秋石一名秋冰。[时珍曰]淮南子丹成，号曰秋石，言其色白质坚也。近人以人中白炼成白质，亦名秋石，言其亦出于精气之余也。再加升打，其精致者，谓之秋冰，此盖仿海水煎盐之义。方士亦以盐入炉火煅成伪者，宜辨之。[主治][时珍曰]秋石，主虚劳冷疾，小便遗数。漏精白浊。[发明］［时珍曰］古人惟取人中白、人尿治病，取其散血、滋阴降火、杀虫解毒之功也。王公贵人恶其不洁，方士遂以人中白设法煅炼，治为秋石。叶梦得《水云录》，极称阴阳二炼之妙；而《琐碎录》云秋石味咸走血，使水不制火，久服令人成渴疾。盖此物既经煅炼，其气近温。服者多是淫欲之人，借此放肆，虚阳妄作，真水愈涸，安得不渴耶？况甚则加以阳药，助其邪火乎？惟丹田虚冷者，服之可耳。观病淋者水虚火极，则煎熬成沙成石。小便之炼成秋石，与此一理也。

《叶石林水云录》 阴阳二炼丹，世之炼秋石者，但得火炼一法。此药须兼阴阳二炼，方为至药。火炼乃阳中之阴，得火而凝，入水则释，归于无体，盖质去味存，此离中之虚也。水炼乃阴中之阳，得水而凝，遇曝而润，千岁不变，味去质留，此坎中之实也。二物皆出于心肾二脏，而流于小肠，水火螣蛇玄武正气，外假天地之水火，凝而为体。服之还补太阳、相火二脏，实为养命之本。空心服阳炼，日午服阴炼。此法极省力，与常法功用不侔，久疾服之皆愈。有人得瘦疾且嗽，诸方不效，服此即瘳。有人病颠腹鼓，日久加喘满，垂困，亦服此而安也。阳炼法：用人尿十余石，各用桶盛。每石入皂荚汁一碗，竹杖急搅百千下，候澄去清留垽。并作一桶，如前搅澄，取浓汁一二斗滤净，入锅熬干，刮下捣细。再以清汤煮化，筲箕铺纸淋过，再熬。如此数次，直待色白如雪方止。用砂盒固济，火煅成质，倾出。如药未成，更煅一二次，候色如莹玉，细研。入砂盒内固济，顶火养七昼夜，取出摊土上，去火毒，为末，枣膏丸梧桐子大。每空心温酒下二十丸。阴炼法：用人尿四五石，以大缸盛。入新水一半，搅千回，澄定，去清留垽。又入新水搅澄，直候无臭气，澄下如腻粉，方以曝干。刮下再研，以男儿乳和如膏，烈日晒干，盖假太阳真气也。如此九度，为末。枣膏和，丸梧子大。每午后温酒下三十丸。

《仁斋直指方》 直指秋石丸，治浊气干清，精散而成膏淋，黄白赤黯，如肥膏、蜜、油之状。用秋石、鹿角胶（炒）、桑螵蛸（炙）各半两，白茯苓一两，为末，糕糊丸梧子大。每服五十丸，人参汤下。

《郑氏家传方》 秋石交感丹，治白浊遗精。秋石一两，白茯苓五钱，菟丝子（炒）五钱，为末。用百沸汤一盏，井华水一盏，煮糊，丸梧子大。每服一百丸，盐汤下。

杨氏《颐贞堂经验方》 秋冰乳粉丸，固元阳，壮筋骨，延年不老，却百病。用秋冰五钱，头生男乳晒粉五钱，头生女乳晒粉五钱，乳香二钱五分，麝香一分，为末，炼蜜丸芡子大，金箔为衣，乌金纸包，黄蜡匮收，勿令泄气。每月用乳汁化服一丸，仍日饮乳汁助之。秋冰法：用童男、童女尿垽各一桶，入大锅内，桑柴火熬干。刮下，入河水一桶搅化，隔纸淋过。复熬刮下，再以水淋炼之。如此七次，其色如霜，或有一斤。入罐内，上用铁灯盏盖定，盐泥固济，升打三炷香。看秋石色白如玉，再研，再如前升打。灯盏上用水徐徐擦之，不可多，多则不结；不可少，少则不升。自辰至未，退火冷定。其盏上升起者，为秋冰，味淡而香，乃秋石之精英也，服之滋肾水，固元阳，降痰火。其不升者，即寻常秋石也，味咸苦，蘸肉食之，亦有小补。

尚志钧按 秋石因制造时所用的原料不同，其产品各异。用人中白制成秋石，为灰白色小块，表面不甚光，质坚不易碎。其精制品名秋冰，色白，味淡而香。用石膏制成者，色白如雪，质重而脆，火煅则成无晶体的粉末。由人中白、石膏制成的秋石，其味淡，统称为淡秋石。用精制食盐，经火煅后成白色结晶块，或微带淡黄固体，质硬味咸，为咸秋石。水肿病人，待水肿消失后，只能用淡秋石代替食盐，咸秋石忌用。《摘玄方》：肿胀忌盐，以人中白制秋石拌饮食，待肿胀消，以盐入罐煅过，少少用之。古方以淡秋石降心火，《永类钤方》治色欲过度、损伤心气、遗精、小便数，用秋石、白茯苓各四两，莲肉、芡实各二两，为末，蒸枣肉和，丸梧子大，每空心盐汤下三十丸。《刘氏保寿堂经验方》中有秋石五精丸，常服补益，秋石一两，莲肉六两，真川椒红五钱，小茴香五钱，白茯苓二两，为末，枣肉和，丸梧子大，每服三十丸，盐汤、温酒空心下。秋石法：用童男、童女洁净无体气、疾病者，沐浴更衣，各聚一石，用洁净饮食及盐汤与之，忌葱、蒜、韭、姜等辛辣、膻腥之物，待尿满缸，以水搅澄，取人中白，各用阳城瓦罐，盐泥固济，铁线扎定，打火一炷香。连换铁线，打七火。然后以男、女者秤匀，和作一处，研开，以河水化之，隔纸七层滤过，仍熬成秋石，其色雪白，用洁净香浓乳汁和成，日晒夜露，但干即添乳汁，取日精月华，四十九日数足，收贮配药。市售秋石，多是咸秋石，淡秋石少见。咸秋石性寒，味咸，多作外用，治口疮、牙痛、咽喉肿痛，研细末外掺。

174 溺白垽（人中白）（《别录》）

《名医别录》 溺白垽，疗鼻衄，烫火灼疮。

《唐本草》注 溺白垽烧研末，主紧唇疮。

《日华子本草》 人中白，凉，治传尸、热劳、肺痿，心膈热，鼻洪（鼻大出血），吐血羸瘦，渴疾。是积尿垽入药。

［朱震亨曰］人中白，能泻肝火、三焦火并膀胱火，从小便中出。盖膀胱乃此

物之故道也。

《本草纲目》 人中白，［主治］［时珍曰］降火，消瘀血，治咽喉口齿生疮，疳䘌，诸窍出血，肌肤汗血。［发明］［时珍曰］人中白，降相火，消瘀血，盖咸能润下走血故也。张杲《医说》云：李七常苦鼻衄，仅存喘息，张思顺用人中白散，即时血止。又延陵镇官曾棠鼻出血如倾，白衣变红，头空空然，张用人中白药治之即止，并不再作。此皆散血之验也。

汴梁李提领方，治走马牙疳，用妇人尿桶底白垢，火煅，取一钱，入铜绿三分，麝香一分和匀，贴之。或单用煅人中白，入麝香少许为末，贴之。

尚志钧按 溺白垽，《本草纲目》注出处为《唐本草》。垽即沉淀物。溺白垽即小便久放，所生沉淀物。《日华子本草》称之为人中白。

175 砭石（《纲目》）

《本草纲目》 ［集解］［时珍曰］按《东山经》云，高氏之山，凫丽之山，皆多铁石。郭璞注云：可为砭针也。《素问·异法方宜论》云：东方之域，鱼盐之地，海滨傍水，其病为疮疡，其治宜砭石，故砭石亦从东方来。王冰注云：砭石如玉，可以为针。盖古者以石为针，季世以针代石，今人又以瓷针刺病，亦砭之遗意也。但砭石无识者，岂即石砮之属为之欤？［主治］刺百病痈肿。

尚志钧按 砭石即《山海经》中的针石、铁石。

176 宝石（《纲目》）

《本草纲目》 ［集解］［时珍曰］宝石出西番、回鹘地方诸坑井内，云南、辽东亦有之。有红、绿、碧、紫数色：红者名刺子，碧者名靛子，翠者名马价珠，黄者名木难珠，紫者名蜡子。又有鸦鹘石、猫精石、石榴子、红扁豆等名色，皆其类也。《山海经》言骒山多玉，凄水出焉，西注于海，中多采石。采名，即宝石也。碧者，唐人谓之瑟瑟。红者，宋人谓之靺鞨。今通呼为宝石，以镶首饰器物，大者如指头，小者如豆粒，皆碾成珠状。张勃《吴录》云：越嶲、云南河中出碧珠，须祭而取之，有缥碧、绿碧。此即碧色宝石也。［主治］［时珍曰］宝石，去翳明目，入点药用之。灰尘入目，以珠拭拂即去。

177 淋石（《拾遗》）

《本草拾遗》 溺中出，正如小石，非他物也，候出时收之，淋为用最佳也。

又主噎病吐食，俗云涩饭病者效。

《日华子本草》 淋石，暖。

《开宝本草》 淋石，无毒，主石淋。此是患石淋人或于溺中出者，如小石，水磨服之，当得碎石随溺出。

《绍兴本草》 淋石，即病淋人所下之石也。然本经虽有主疗及无毒之文，但治病之药，取其精英者为止，此甚非起疾之药矣。

《本草纲目》 ［时珍曰］淋石：是淫欲之人，精气郁结，阴火煎熬，遂成坚质。正如滚水结硷，卤水煎盐，小便炼成秋石，同一义理也。

178 陵石（《别录》）

《名医别录》 陵石，味甘，无毒。主益气，耐寒，轻身，长年。生华山，其形薄泽。

179 遂石（《别录》）

《名医别录》 遂石，味甘，无毒。主消渴，伤中，益气。生太山阴，采无时。

180 终石（《别录》）

《名医别录》 终石，味辛，无毒。主阴痿痹，小便难，益精气。生陵阴，采无时。

181 封石（《别录》）

《名医别录》 封石，味甘，无毒。主消渴，热中，女子疽蚀。生常山及少室，采无时。

182 紫加石（《别录》）

《名医别录》 紫加石，味酸。主痹血气。一名赤英，一名石血。赤无理。生邯郸山，如爵茈。二月采。

《本草经集注》 三十六水方，呼为紫贺石。

183 紫石华（《别录》）

《名医别录》 紫石华，味甘，平，无毒。主渴，去小肠热。一名茈石华。生中牛山阴，采无时。

184 黑石华（《别录》）

《名医别录》 黑石华，味甘，无毒。主阴痿，消渴，去热，疗月水不利。生弗其劳山阴石间，采无时。

185 白石华（《别录》）

《名医别录》 白石华，味辛，无毒。主瘅，消渴，膀胱热。生液北乡北邑山，采无时。

186 黄石华（《别录》）

《名医别录》 黄石华，味甘，无毒。主阴痿，消渴，膈内热，去百毒。生液北山，黄色，采无时。

187 厉石华（《别录》）

《名医别录》 厉石华，味甘，无毒。主益气，养神，止渴，除热，强阴。生江南，如石花，采无时。

188 碧石青（《别录》）

《名医别录》 碧石青，味甘，无毒。主明目，益精，去白瘫（音癖），延年。

189 白肌石（《别录》）

《名医别录》 白肌石，味辛，无毒。主强筋骨，止渴，不饥，阴热不足。一名肌石，一名洞石。生广焦国卷（音权）山青石间。

190 晕石（《拾遗》）

《本草拾遗》 晕石，无毒。主石淋。磨服之。亦烧令赤，投酒中服。生大海底。如姜石，紫褐色，极紧似石，是咸水结成之。自然有晕也。

尚志钧按 《本草纲目》将本条附在“浮石”条后。

191 烧石（《拾遗》）

《本草拾遗》 烧石令赤投水中，内盐数合。主风瘙瘾疹，及洗之。又取石如鹅卵大，猛火烧令赤，内醋中十余度。至石碎尽取屑曝干，和醋涂肿上。出北齐书，医人马嗣明，发背及诸恶肿皆愈。此并是寻常石也。

192 石栏干（《拾遗》）

《本草拾遗》 石栏干，味辛，平，无毒。主石淋，破血，产后恶血。磨服，亦煮汁服，亦火烧投酒中服。生大海底，高尺余，如树，有眼、茎。茎上有孔，如物点之，渔人以网罾得之，初从水出，微红，后渐青。

尚志钧按 《本草纲目》将此条并入“青琅玕”。

193 金星石（《嘉祐》）

《嘉祐本草》 金星石，寒，无毒。主脾肺壅毒，及主肺损吐血、嗽血，下热涎，解众毒。今多出濠州。又有银星石，主疗与金星石大体相似。新定

《本草图经》 金星石，生并州、濠州。寒，无毒。主脾、肺壅毒及肺损出血，嗽血下热涎，解众毒。又有一种银星石，体性亦似，采无时。

《本草衍义》 金星石、银星石，治大风疾。别有法，须烧用。金星石于苍石内，外有金色麸片。银星石，有如银色麸片。又一种深青色，坚润中有金色如麸片，不入药，工人碾为器，或妇人首饰。余如《经》。

《绍兴本草》 金星石与银星石，皆色青，而上有细点如金、银星也。二种主疗已载本经，诸方亦稀用之。本经云解众毒，当从性寒、无毒是矣。

《本草纲目》 ［集解］［时珍曰］金星有数种。苏颂所说二石，武当山亦有之。或云金星出胶东，银星出雁门，盖亦礞石之类也。寇宗奭所说二石治大风者，今考《圣惠方》大风门，皆作金星礜石、银星礜石，则似是礜石之类。《丹方鉴源·礜石篇》中，亦载二石名，似与苏说者不同。且金星、银星无毒，主热涎血病；礜石则有毒，主风癞疾。观此，则金星、银星入药，各有二种矣。又歙州砚石，亦有金星、银星者。琼州亦出金星石，皆可作砚。翡翠石能屑金，亦名金星

石。此皆名同物异也。刘河间《宣明方》点眼药方中用金精石、银精石，不知即此金星、银星否也？［主治］［时珍曰］水磨少许服，镇心神不宁，亦治骨哽。

194 菩萨石（《嘉祐》）

《嘉祐本草》 菩萨石，平，无毒。解药毒、蛊毒，及金石药发动作痈疽渴疾，消仆损瘀血，止热狂惊痫，通月经，解风肿，除淋，并水磨服。蛇虫、蜂蝎、狼犬、毒前等所伤，并末傅之，良。新补 见《日华子》。

《杨文公谈苑》 嘉州峨眉山有菩萨石，人多采得之。色莹白，若太山狼牙石，上饶州水晶之类，日光射之，有五色如佛顶圆光。

《本草衍义》 菩萨石，出峨眉山中，如水精明澈，日中照出五色光，如峨眉普贤菩萨圆光，因以名之。今医家鲜用。

《绍兴本草》 菩萨石，据《谈苑》所说形质甚详，以本经考之，主疗亦备。既能解诸毒，其性平、无毒者明矣。

《本草纲目》 ［释名］一名放光石、阴精石（《纲目》）。［集解］［时珍曰］菩萨石：出峨眉、五台、匡庐岩窦间。其质六棱，或大如枣栗，其色莹洁，映日则光采微芒，有小如樱珠，则五色粲然可喜，亦石英之类也。丹炉家煅制作五金三黄匮。［主治］［时珍曰］明目去翳。

195 砺石（《嘉祐》）

《嘉祐本草》 砺石，无毒。主破宿血，下石淋，除癥结，伏鬼物恶气。一名磨石。烧赤热投酒中，饮之。即今磨刀石，取埏，傅蠼螋溺疮，有效。又不欲人蹋之，令人患带下，未知所由。又有越砥石，极细，磨汁滴目，除障暗，烧赤投酒中，破血瘕痛。功状极同，名又相近，应是砺矣。《禹贡》注云：砥细于砺，皆磨石也。新补 见陈藏器。

《绍兴本草》 砺石，即今之磨刀石也。又有越砥石一种，其状颇细于砺，而主治一同，本经云应是砺矣。况诸石皆可磨刀，今定当取越砥石正作砺石用，庶使有准。主治已载本经，无毒者是矣。

《本草纲目》 以越砥为正名。［释名］越砥一名磨刀石（藏器）、羊肝石、砺石。［时珍曰］尚书：荆州厥贡砥砺。注云：砥以细密为名，砺以粗粝为称。俗称者为羊肝石，因形色也。磨刀埏，一名龙白泉粉。［主治］［时珍曰］涂瘰疬结核。

196 黑羊石（《图经》）

《本草图经》 黑羊石，生兖州宫山之西。味淡，性热，解药毒。春中掘地采之，以黑色有墙壁光莹者为上。

197 白羊石（《图经》）

《本草图经》 白羊石，生兖州白羊山。味淡，其性：熟用即大热，生用即凉。解众药毒。春中掘地采之，以白莹者为良。

198 然石（《纲目》）

《本草纲目》 然石，［时珍曰］曹叔雅《异物志》云：豫章有石，黄色，而理疏，以水灌之便热，可以烹鼎，冷则再灌，张华谓之然石。高安亦有之。

199 朵梯牙（《纲目》）

《本草纲目》 ［时珍曰］周定王《普济方》，眼科去翳，用水飞朵梯牙，火煅大海螺，碗糖霜，为末，日点。又方：用可铁刺一线，阿飞勇一李子树胶四钱，白雪粉八钱，为末，鸡子白调作锭，每以乳女儿汁磨点之。又方：安咱芦，出回回地面，黑丁香（即蜡粪），海螵蛸，各为末，日点。所谓朵梯牙、碗糖霜、安咱芦、可铁刺、阿飞勇，皆不知何物也？附录于此以俟。

200 马肝石（《纲目》）

《本草纲目》 马肝石，［时珍曰］按郭宪洞《冥记》云：郅支国进马肝石百片，青黑如马肝，以金函盛水银养之。用拭白发，应手皆黑。云和九转丹吞一粒，弥年不饥。亦可作砚。

201 铅光石（《纲目》）

《本草纲目》 铅光石，［时珍曰］主哽骨。

202 太阳石（《纲目》）

《本草纲目》 太阳石，［时珍曰］刘守真《宣明方》：治远年近日一切目疾方：用太阳石、太阴石、碧霞石、猪牙石、河洛石、寒水石、紫石英、代赭石、菩萨石、金精石、银精石、禹余石、砜矿石、云母石、炉甘石、井泉石、阳起石、滑石、乌贼青、青盐、铜青各一两，硇砂半两，密陀僧一两，硼砂三钱，乳香二钱，麝香、脑子一钱，轻粉一钱半，黄丹四两，各为末，熊胆一斤，白砂蜜二斤，井华水九碗，同熬至四碗，点水内不散为度，滤净收点。此方所用太阳石、太阴石等，多无考证，姑附于此。

203　龙涎石（《纲目》）

《本草纲目》　龙涎石，［时珍曰］主大风疠疮。出齐州。一名龙仙石。

204　猪牙石（《纲目》）

《本草纲目》　猪牙石，［时珍曰］明目去翳。出西番，文理如象牙，枣红色。

205　碧霞石（《纲目》）

《本草纲目》　碧霞石，［时珍曰］明目，去翳障。

206　水中石子（《拾遗》）

《本草拾遗》　水中石子，无毒。主食鱼脍腹中胀满成瘕痛闷，饮食不下，日渐瘦。取水中石子数十枚，火烧赤投五升水中，各七遍，即热饮之。如此三五度，当利出瘕也。

《本草纲目》　［时珍曰］此石处处溪涧中有之。大者如鸡子，小者如指头，有黑白二色，入药用白小者。［时珍曰］昔人有煮石为粮法，即用此石也。其法用胡葱汁或地榆根等煮之，即熟如芋，谓之石羹。《抱朴子》云：洛阳道士董威辟谷方：用防风、苋子、甘草之属十许种为散，先服三方寸匕，乃吞石子如雀卵十二枚。足百日，不食，气力颜色如故。欲食，则饮葵汤，下去石子。又有赤龙血、青龙膏，皆可煮石。又有引石散，投方寸匕，可煮白石子一斗，立熟如芋，可食。（水中石子，《纲目》作水中白石。）

207　白师子（《拾遗》）

《本草拾遗》　白师子，主白虎病。向东人呼为历节风，置白师子于病者前自愈，此压伏之义也。白虎鬼，古人言如猫，在粪堆中，亦云是粪神。今时人扫粪莫置门下，令人病。此疗之法，以鸡子揩病人痛，咒愿送著粪堆，头勿反顾。

208　玄黄石（《拾遗》）

《本草拾遗》　玄黄石，味甘，平，温，无毒。主惊恐身热邪气，镇心。久服令人眼明，令人悦泽。出淄川北海山谷土石中。如赤土、代赭之类。又有一名零陵，极细，研服之如代赭，土人用以当朱，呼为赤石，恐是代赭之类也。人未用之。

209　保心石（赵学敏）

《本草纲目拾遗》　《本草补》：生鹿腹中，鹿食各种解毒之草，其精液久积，结而为石。亦名宝石。有二种：一是鹿兽生成，一是泰西名医至小西洋采珍药制成，服之令毒气不攻于心，故曰保心石。用法：以刀刮如麦大者六粒，为粉调服，多用亦无害，更增加精神。常服此药，酒水随入，能令腹中不多生蛔虫，体健神旺。

治大热燥渴，小便不通，泄泻俱水，调服；胸伤忧闷，无热者，或酒或水调服。有热者，酒水各半调服。病后软弱，酒水各半调服。胸肉伤心痛，风寒气痛，吐蛔，咯血吐血，皆水调服。毒蛇毒虫伤，不拘酒水服，刀箭疯犬毒物伤，以粉敷疮口，外以布包即愈。俱见《本草补》。

210　木心石（赵学敏）

《本草纲目拾遗》　生古木中，圆如雀卵，中色正白，着木处灿如黄金，《书影丛说》有孝子某，母尝患心痛，日久不瘳，孝子日祷于神求治，一夕梦神曰：尔母疾必得木心石乃愈。醒而遍访名医，皆不知此药，一日入山，忽有二匠解木，下锯有声，孝子乃悟，急止告以故，视锯下有石，持归磨酒与母服，痼疾顿除。

治心痛。

按造化之用，无风不能生物，无火不能结物，故万物之动者皆生于风，万物之静音皆凝于火。观于火死而质不朽可知，木性疏达，得风以生之，是以自萌而芽而苞，苞坼而花而实，皆得风以散之，故春荣秋落，如有知也。其实与脂质之静者，均属于火。火为木子，所以树老则自焚。火郁必泄也，木心有石，乃风不能散，火郁于内，又不得泄，致其脂液凝聚，至精者久则变为石。余者皆朽，如松脂成琥珀，柏脂成玛瑙，所谓物物有一太极也。心为人身之太极，主中宫而至灵，以至变之物治之，则合同而化，故能愈此疾。论事虽变，而论理则常也。

211 辟惊石（赵学敏）

《本草纲目拾遗》 一名辟惊风石。《本草补》云：西巴尼亚国有一处土中产石，色黑而光嫩，取而琢之。或大或小，佩孩童胸前，遇邪风而起慢惊急惊，此石代受其患，邪气尽收于石内，自然裂破，孩童无恙。必须常佩永远，方可无虞，真可宝之物也。

治急慢惊风，一切天钓尸疰。

212 奇功石（赵学敏）

《本草纲目拾遗》 出大西洋，形状无可考。《本草补》云：此石能治妇人产难，凡遇产难者，用芝麻油一钟，放此石在油内，浸一宿，后用此油擦妇人肚面，即无难产之患，或用此石绑在妇人大腿上，即产，产后随时除去。凡遇发摆子，中华名疟，身热，或心中胀闷，或胃气疼痛，或痰滞，及错食毒物等患，将石或泡酒一碗、水一碗，浸一宿，取此酒石用手挤一挤，令此石气汁下酒水内，空心饮此酒水即愈。

血热疮疥，饮此酒水，并涂抹患处即愈。患眼将此酒水或饮或洗皆妙。

213 金精石（赵学敏）

《本草纲目拾遗》 《福建续志》：出永春州双髻山等处，其石似铁磺而松，色如黄金。《本草纲目》金星石集解后，引刘河间《宣明方》点眼药中用金精石，时珍疑以为即金星石，盖未见《续志》也。

去翳明目，入眼科用。

214 猫睛石（赵学敏）

《本草纲目拾遗》 《墨庄漫录》：宣和间外夷贡方物，有石圆如龙眼实，色若绿葡萄，号猫儿眼睛，能息火。燃炭方炽，投之即灭。按：此即宝石中一种猫儿眼也。今云南、缅地宝井中有之。

解虫毒。

215　龙窝石（赵学敏）

《本草纲目拾遗》　《名胜志》：出庐山溪中，及有龙居之所，此石夜觉凉冷者真。王伯厚云：深山有龙蛰处皆有之，土人俟龙升去，乃迹而获之。有五色，以透明者煅用，生用有毒，敲碎投醋中，片片能动而相合者良。性大寒，磨面能灭瘢痕，解热疮毒，煅粉扑暑痱，立消。按：龙体纯阳，凡阳之体，以阴为用，故其蛰处石皆性冷，入夜更凉者，真阴为用也。投醋中辄能相合者，龙乃东方之神，应木，木味作酸，石感精气，所以遇醋而能合，其功能解热灭瘢，亦取其寒敛之性以奏效耳。

216　瘤卵石（赵学敏）

《本草纲目拾遗》　《池北偶谈》：高阳民家子方十余岁，忽臂上生宿瘤，痛痒不可忍，医皆不辨何症。一日忽溃，中有圆卵坠出，寻化为石，刘工部霦以一金售之，用治膈症如神。

治痞结隔症。

217　禹穴石（赵学敏）

《本草纲目拾遗》　产四川龙安府石泉县石纽乡，以红如濮血者佳。《四川通志》：出石泉禹穴下，石皮如血染，气腥，以滚水沃饮之，能催生。

治难产。

218　吸毒石（赵学敏）

《本草纲目拾遗》　袁栋《书影丛说》云：吴江某姓有吸毒石，形如云南黑围棋，亦有白色者，有大肿毒者，以石触之，即胶粘不脱，毒重者，一周时即落，轻者逾时即落，当候其自脱，不可强离也，强离则毒终未尽。俟其落时预备人乳一大碗，分贮小碗，以石投乳中，乃百沸踊跃，再易乳，复沸如前，俟沸定，则其石无恙，以所吸之毒为乳所洗尽也。否则石必粉裂云，得之大西洋。《岭南杂记》：出西洋岛中，毒蛇脑中石也，大如扁豆，能吸一切肿毒，发背亦可治。今货者乃土人捕此蛇，以土和肉，舂成如围棋石子，可吸平常肿毒及蜈蚣毒蝎等伤，置患处粘吸不动，毒尽自落。浸以人乳，变绿色，即远弃之，不浸即裂，下次不验。真脑中石，置蛇头不动者真。张绿猗言：吸毒石乃蛇蛰时口中所含泥，惊蛰后吐弃穴畔，人取货之。按：《庚辛玉册》云：蛇入蛰时含土，起蛰时化作黄石，并无此事，如绿猗所言，纵有之，亦蛇衔土耳，何能吸毒耶！

泰西石振铎《本草补》云：吸毒石又名蛇石，有两种，小西洋有毒蛇，头内生一石，如扁豆仁大，能拔除各种毒气，此生成者也。土人将蛇石并本蛇之肉与本地之土为末造成，如围棋子大，此造成者也。小西洋用蛇石，大西洋惟用药制，凡遇蛇蝎蜈蚣等伤，及痈疽大毒、一切恶疮，用此石置患处，则紧粘不脱，其毒吸尽则解脱。须防坠损，以绵毡等盛之，吸时只可一二时，不脱亦当摘下，否则石碎，脱离时，急用乳汁浸之，或人乳不便，牛羊乳亦可，浸至乳汁略变绿色，或黄或黑，是其毒尽也。或诸乳皆无，以温水浸之亦可，浸之稍迟，石即受伤，不可再用矣。既浸之后，又以清水洗净抹干收贮，但所浸乳汁有毒，在内须掘地坑埋之，免伤人畜。或患处无血，用小刀刮损微见血出，方能粘也。或预服解毒汤药内攻，再用此石吸之，更妙。如试此石，置毒蛇头上，蛇即不敢动，然亦必须乳汁浸如前法，则石不伤，盖一试之顷，蛇毒亦在内也。

纪晓岚先生《泺阳消夏录》云：小奴玉保，乌鲁木齐流人子也，初隶特纳格尔军屯，尝入谷追亡羊，见大蛇巨如柱，盘于高冈之顶，向日晒鳞，周身五色烂然，如堆锦绣，顶一角，长尺许，有群雉飞过，张口吸之，相距四五丈，皆翩然而落，如矢投壶，知羊为所吞矣，乘其未见，循涧逃归，恐怖几失魂魄。军吏邬图麟因言此蛇至毒，而其角能解毒，即所谓吸毒石也。见此蛇者，携雄黄数斤于上风烧之，即委顿不能动，取其角锯为块，痈疽初起时，以一块着疮顶，即如磁吸铁，相粘不可脱。待毒气吸出，乃自落。置之乳中，浸出其毒，仍可再用。毒轻者乳变绿，稍重变青暗，极重者变黑紫。须吸四五次乃可尽。余一二次愈矣。予从兄懋园家有吸毒石，治痈疽颇验。其质非木非石，至是乃知为蛇角矣。

敏按：吸毒石，晓岚先生以为即大蛇之角，绿猗以为蛇含土，恐皆非是。濒湖《纲目》蛇角一名骨咄犀，引《辍耕录》及《松漠纪闻》、曹昭《格古论》诸书，只言能治痈毒，并无吸毒之说。《书影丛说》及《岭南杂记》皆断以为石，其说详核可从，故列石部。兼采诸说备证。至蛇含土乃蛇黄也，与此更迥别，尤不辨自明。

治一切无名肿毒，及毒虫伤，以石吸之，立愈。

219　松化石（赵学敏）

《本草纲目拾遗》　《唐书》：仆骨东境康于河，断松投之，辄化为石，其色佳，谓之康于石。《录异记》：婺州永康县山亭中有枯松，因断之，误坠水中，化为石，取未化者试于水，随亦化焉。其所化者枝干及皮，与松无异，但坚劲。《博物志》云：松本石气，石裂受沙即产松，松至三千年更化为石。《舆地纪》：宋建炎间，遂宁府转运使衙内后圃有松石，外犹松树，而中化为石。又重庆府永川县有石松坪，有松化石，石质而松理，或二三尺许，大可合抱，然不过相望数山有之，俗呼雷烧松。《神仙传》三千年当化为石。《涂说》：松化石有黄紫二色，质理甚细，皮上有水纹，或松皮纹，亦有节晕纹者。天台山间有之，西北亦产。乃年久折松入涧水，得地气变石。且有变不全，尚带松质者，入药宜用全化者。服之令人忘情绝想。

治相思症，凡男女有所思不遂者，服之，便绝意不复再念。

敏按：松化石乃有情化无情，为阳极反阴之象，男女爱慕，结想成病，致君相二火虚磨妄动，铄耗真阴，魂狂魄越，神不守舍。非此反折之使入和平不可，正取其贞凝之气以释妄缘也。濒湖石部不灰木后附松石云：松久所化，不入药用，殆未深悉其奥妙耳。

220　樟岩（赵学敏）

《本草纲目拾遗》　沈氏《秘检》：樟树内有石，名樟岩。治心痛。能通五经。煅研煎酒服。

221　红毛石皮（赵学敏）

《本草纲目拾遗》　出粤澳门，来自红毛国，中国用作火石。外皮白如粉，甚松脆，番人去其皮，其中石质，售为火石，皮不甚贵重，任人搬取。

治金刃伤，以石皮捣粉，功胜千年石灰，云可以粘合皮肤裂痕。

222　研朱石槌（《拾遗》）

《本草拾遗》　研朱石槌，主妒乳。煮令热，熨乳上，取二槌，更互用之，以巾覆乳上，令热彻内，数十遍，取差为度也。

223 石髓（《拾遗》）

《本草拾遗》 石髓，味甘，温，无毒。主寒、热中，羸瘦无颜色，积聚，心腹胀满，食饮不消，皮肤枯槁，小便数疾，癖块，腹内肠鸣，下利，腰脚疼冷，男子绝阳，女子绝产，血气不调。令人肥健能食，合金疮，性壅，宜寒瘦人，生临海盖山石窟。土人采取，澄陶如泥，作丸如弹子，有白有黄，弥佳矣。

《本草纲目》 ［集解］［时珍曰］按《列仙传》言，印疏煮石髓服，即钟乳也。《仙经》云：神山五百年一开，石髓出，服之长生。王列入山见石裂，得髓食之，因撮少许与嵇康，化为青石。《北史》云：龟兹北大山中，有如膏者，流出成川。行数里入地，状如醍醐，服之齿发更生，病人服之皆愈。方镇《编年录》云：高展为并州判官，一日见砌间沫出，以手撮涂老吏面，皱皮顿改，如少年色。展以为神药，问承天道士。道士曰：此名地脂，食之不死。乃发砌，无所见。此数说皆近石髓也。

《福建续志》 石髓出泉州安溪长潭石罅间，接骨如神，疗内伤折骨，酒研三分服，能接断骨，不可多服，多则骨大。

尚志钧按 地质上所讲的石髓，又称玉髓。其成分为二氧化硅，石英隐晶质变种，由纤维状石英微晶组成。其外形呈肾状或葡萄状、钟乳状，半透明，有蜡样光泽。由于颜色不同，故有血玉髓（绿色中夹红斑点）、光玉髓（红褐色）、绿玉髓（绿色）等名称。其硬度为7，比重为2.57～2.64，断面呈贝壳状。石髓产于喷出岩的空洞，可用做工艺雕刻品的材料。

224 石黄（《拾遗》）

《本草拾遗》 石黄，雄黄注中苏云：通名黄石。按石黄，今人敲取精明者为雄黄，外黑者为薰黄。主恶疮，杀虫，薰疮疥虮虱，和诸药薰嗽。其武都雄黄，烧不臭。薰黄中者，烧则臭。以此分别之。苏云通名，未之是也。

225 石面（《纲目》）

《本草纲目》 ［集解］［时珍曰］石面不常生，亦瑞物也。或曰饥荒则生之。唐玄宗天宝三载，武威番禾县醴泉涌出，石化为面，贫民取食之。宪宗元和四年，山西云、蔚、代三州山谷间，石化为面，人取食之。宋真宗祥符五年四月，慈州民饥，乡宁县山生石脂如面，可作饼饵。仁宗嘉祐七年三月，彭城地生面；五月，锺离县地生面。哲宗元丰三年五月，青州临朐、益都石皆化面，人取食之。搜集于此，以备食者考求云。［气味］甘，平，无毒。［主治］［时珍］益气调中，食之止饥。

226　石芝（《纲目》）

《本草纲目》　［集解］［葛洪曰］芝有石、木、草、菌、肉五类，各近百种。道家有石芝图。石芝者，石象芝也。生于海隅名山岛屿之涯，有积石处。其状如肉，有头尾四足如生物，附于大石。赤者如珊瑚，白者如截肪，黑者如泽漆，青者如翠羽，黄者如紫金，皆光明洞彻。大者十余斤，小者三四斤，须斋祭取之，捣末服。其类有七明九光芝，生临水高山石崖之间。状如盘碗，不过径尺，有茎连缀之，起三四寸。有七孔者名七明，九孔者名九光，光皆如星，百步内夜见其光。常以秋分伺之，捣服方寸匕，入口则翕然身热，五味甘美。得尽一斤，长生不老，可以夜视也。玉脂芝，生于有玉之山。玉膏流出，千百年凝而成芝。有鸟兽之形，色无常彩，多似玄玉、苍玉及水精。得而末之，以无心草汁和之，须臾成水。服至一升，长生也。石蜜芝生少室石户中。有深谷不可过，但望见石蜜从石户上入石偃盖中，良久辄有一滴。得服一升，长生不老也。石桂芝生石穴中，有枝条似桂树，而实石也。高尺许，光明而味辛。［时珍曰］神仙之说，渺茫不知有无；然其所述之物，则非无也。贵州普定分司署内有假山，山间有树，根干枝条皆石，而中有叶如榴，袅袅茂翠，开花似桂微黄。嘉靖丁巳，佥事焦希程赋诗纪之，以比康于断松化石之事，而不知其名，时珍按图及《抱朴子》之说，此乃石桂芝也。海边有石梅，枝干横斜，石柏，叶如侧柏，亦是石桂之类云。［主治］［葛洪曰］诸芝捣末，或化水服，令人轻身，长生不老。

227　石肝（《别录》）

《名医别录》　石肝，味酸，无毒。主身痒，令人色美。生常山，色如肝。

228　石脾（《别录》）

《名医别录》　石脾，味甘，无毒。主胃寒热，益气，令人有子。一名胃石，一名膏石，一名消石。生隐蕃山谷石间，黑如大豆，有赤文，色微黄，而轻薄如棋子，采无时。

《本草拾遗》 石脾，芒硝注中陶云：取石脾、消石。以水煮之一斛，得三斗，正白如雪，以石投中则消，故名消石。按石脾、芒消、消石，并生西戎卤地。咸水结成，所生次类相似。

《本草纲目》 ［时珍曰］石脾乃生成者，陶氏所说是造成者。按《九鼎神丹经》云：石脾乃阴阳结气，五盐之精，因矾而成，峨眉山多有之。俗无识者，故古人作成代用。其法用白矾、戎盐各一斤为末，取苦参水二升，铛中煮五沸，下二物煎减半，去滓熬干，色白如雪，此为石脾也。用石脾、朴消、芒消各一斤为末，苦参水二斗，铜铛煎十沸，入三物煮减半，去滓煎，着器中，冷水渍一夜，即成消石。可化诸石为水，此与焰消之消石不同，皆非真也。

229 石肺（《别录》）

《名医别录》 石肺，味辛，无毒。主疠咳寒，久痿，益气，明目。生水中，状如肺，黑泽有赤文，出水即干。

《本草经集注》 今浮石亦疗咳，似肺而不黑泽，恐非是。

230 石肾（《别录》）

《名医别录》 石肾，味咸，无毒。主泄痢。色如白珠。

231 石耆（《别录》）

《名医别录》 石耆，味甘，无毒。主咳逆气。生石间，色赤如铁脂，四月采。

232 石鳖（《纲目》）

《本草纲目》 ［时珍曰］石鳖生海边，形状大小俨如䗪虫，盖亦化成者。䗪虫俗名土鳖。味甘，凉，无毒。治淋疾血病，磨水服。

233 石脑（《别录》）

《名医别录》 石脑，味甘，温，无毒。主风寒虚损，腰脚疼痹，安五脏，益气。一名石饴饼。生名山土石中。采无时。

《本草经集注》 此石亦钟乳之类，形如曾青而白色黑斑，软易破。今茅山东及西平山并有，凿土龛取之。俗方不见用，《仙经》有刘君导仙散用之。又《真诰》曰：李整采服，疗风痹虚损而得长生。

《唐本草》注 隋时有化公者，所服亦名石脑，出徐州宋里山，初在烂石中，入土一丈以下得之，大如鸡卵，或如枣许，触著即散如面，黄白色，土人号为握雪礜石，云服之长生。与李整相会。今附下品条中。

《蜀本草》 今据下品握雪礜石，主疗与此不同。苏妄引握雪礜石注为之。

《本草图经》 文具“石钟乳”条下。

《绍兴本草》 石脑，医方中亦罕用之。据本经载性味主疗，及注云类钟乳，显见性温明矣。然当须制炼而可用，即为无毒，若生用之不得为无毒也。

《本草纲目》 ［释名］石脑，一名石饴饼（《别录》）、石芝（《纲目》）、化公石。［时珍曰］其状如结脑，故名。昔有化公服此，又名化公石。［集解］［时珍曰］按《抱朴子·内篇》云：石脑芝生滑石中，亦如石中黄子状，但不皆有耳。打破大滑石千计，乃可得一枚。初破之，在石中五色光明而自得，服一升得长生。乃石芝也。《别录》所谓石脑及诸仙服食，当是此物也。苏恭所说本是石脑，而又以注握雪礜石，误矣。握雪乃石上之液，与此不同。［发明］［时珍曰］《真诰》载姜伯真在大横山服石脑，时使人身热而不渴，即此。

234 石螺蛳（赵学敏）

《本草纲目拾遗》 《百草镜》：出广东，修治与石燕同。治瞽目眼疾。按：石螺蛳形似螺，而体质则石也。亦石蟹、石蛇之类，故主治亦大略相似。

235 大石镇宅（《拾遗》）

《本草拾遗》 大石镇宅，主灾异不起。宅经取大石镇宅四隅。《荆楚岁时记》：十二月暮日，掘宅四角，各埋一大石为镇宅。又《鸿宝万毕术》云：埋丸石于宅四隅，槌桃核七枚，则鬼无能殃也。

236 霹雳针（《拾遗》）

《本草拾遗》 霹雳针，无毒。主大惊失心，恍惚不识人，并下淋，磨服，亦煮服，此物伺候震处，掘地三尺得之。其形非一，或言是人所造，纳与天曹，不知事实。今得之，亦有似斧刃者，亦有如锉刃者，亦有安二孔者。一用人间石作也。注出雷州，并河东山泽间。因雷震后时，多似斧，色青黑，斑文，至硬如玉。作枕，除魔梦，辟不祥。名霹雳屑也。

《本草纲目》 ［释名］霹雳针，一名雷楔。［时珍曰］旧作针及屑，误矣。［集解］［时珍曰］按《雷书》云：雷斧如斧，铜铁为之。雷砧似砧，乃石也，紫黑色。雷锤重数斤，雷钻长尺余，皆如钢铁，雷神以劈物击物者。雷环如玉环，乃雷神所珮遗落者。雷珠乃神龙所含遗下者，夜光满室。又《博物志》云：人间往往见细石形如小斧，名霹雳斧，一名霹雳楔。《玄中记》云，玉门之西有一国，山上立庙，国人年年出钻，以给雷用。此谬言也。雷虽阴阳二气激薄有声，实有神物司之，故亦随万物启蛰，斧、钻、砧、锤皆实物也。若曰在天成象，在地成形，如星陨为石。则雨金石、雨粟麦、雨毛血及诸异物者，亦在地成形者乎？必太虚中有神物使然也。陈时苏绍雷锤重九斤。宋时沈括于震木之下得雷楔，似斧而无孔。鬼神之道幽微诚不可究极。［主治］［时珍曰］刮末服，主瘵疾，杀劳虫，下蛊毒，止泄泻。置箱箦间，不生蛀虫。诸雷物佩之，安神定志，治惊邪之疾。（时珍，出雷书。）

237　器酸（《山海经》）

《山海经》 北次三经，条菅之水，其中多器酸，三岁一成，食之已疠。

238　帝台之棋（《山海经》）

《山海经》 中次七经，休与之山，其上有石焉，名曰帝台之棋，五色而文，其状如鹑卵，服之不蛊。

第十二章　盐类矿物药

一、盐酸盐类

239　食盐（《别录》）

《名医别录》　食盐，味咸，温，无毒。主杀鬼蛊邪疰毒气，下部䘌疮，伤寒寒热，吐胸中痰癖，止心腹卒痛，坚肌骨。多食伤肺，喜咳。

《本草经集注》　五味之中，惟此不可阙。有东海、北海盐及河东盐池，梁、益盐井，交、广有南海盐，西羌有山盐，胡中有树盐，而色类不同，以河东者为胜。东海盐、官盐白，草粒细。北海盐黄，草粒粗。以作鱼鲊及咸菹，乃言北胜。而藏茧必用盐官者，蜀中盐小淡，广州盐咸苦。不知其为疗体复有优劣否？西方、北方人，食不耐咸，而多寿少病，好颜色。东方、南方人，食绝欲咸，而少寿多病，便是损人，则伤肺之效矣。然以浸鱼肉，则能经久不败；以沾布帛则易致朽烂。所施处各有所宜也。

《药性论》　盐，有小毒。能杀一切毒气，鬼疰气。主心痛中恶，或连腰脐者。盐如鸡子大，青布裹烧赤，内酒中顿服，当吐恶物。主小儿卒不尿，安盐于脐中灸之。面上五色疮，盐汤绵浸拓疮上，日五六度易差。又和槐白皮切蒸，治脚气。又空心揩齿，少时吐水中洗眼，夜见小字，良。治妇人隐处疼痛者，盐青布裹熨之。主鬼疰，尸疰，下部蚀疮，炒盐布裹坐熨之，兼主火灼疮。

《食疗本草》 蠼螋尿疮，盐三升，水一斗，煮取六升，以绵浸汤，淹疮上。又，治一切气及脚气，取盐三升，蒸，候热分裹，近壁，脚踏之，令脚心热。又，和槐白皮蒸用，亦治脚气。夜夜与之良。又，以皂荚两梃，盐半两，同烧令通赤，细研。夜夜用揩齿。一月后有动者齿及血䘌齿，并差，其齿牢固。

《本草拾遗》 按盐本功外，除风邪，吐下恶物，杀虫，明目，去皮肤风毒，调和腑脏，消宿物，令人壮健。人卒小便不通，炒盐内脐中即下。陶公以为损人，斯言不当。且五味之中，以盐为主，四海之内，何处无之。惟西南诸夷稍少，人皆烧竹及木盐当之。

《蜀本草》 盐：多食，令人失色肤黑。损筋力也。

《日华子本草》 暖水脏及霍乱，心痛，金疮，明目，止风泪，邪气，一切虫伤疮肿，消食，滋五味，长肉，补皮肤，通大小便。小儿疝气并内肾气，以葛袋盛于户口悬之，父母用手拈抖尽，即疾当愈。

《本草图经》 食盐，旧不著所出州郡，陶隐居云：有东海、北海盐，及河东盐池，梁、益有盐井，交、广有南海盐，西羌有山盐，胡中有木盐，而色类不同，以河东者为胜。河东盐，今解州、安邑两池所种盐最为精好，是也。又有并州两监末盐，乃刮碱煎炼，不甚佳，其咸盖下品所著卤碱，生河东盐池者，谓此也。下品又有大盐，生邯郸及河东池泽，苏恭云：大盐即河东印盐，人之常食者，形粗于末盐，乃似今解盐也。解人取盐，于池傍耕地，沃以池水，每临南风急，则宿昔成盐满畦，彼人谓之种盐，东海、北海、南海盐者，今沧、密、楚、秀、温、台、明、泉、福、广、琼、化诸州官场煮海水作之，以给民食者，又谓之泽盐，医方所谓海盐是也。其煮盐之器，汉谓之牢盆，今或鼓铁为之，或编竹为之。上下周以蜃灰，广丈深尺，平底，置于灶，皆谓之盐盘。《南越志》所谓织篾为鼎，和以牡蛎是也。然后于海滨掘地为坑，上布竹木，覆以蓬茅，又积沙于其上。每潮汐冲沙，卤碱淋于坑中。水退则以火炬照之，卤气冲火皆灭，因取海卤注盘中煎之，顷刻而就。《管子》曰：齐有渠展之盐，伐菹薪煮海水征积之，十月始生，至于正月成三万是也。菹薪谓以茅菹然火也。梁、益盐井者，今归州及西川诸郡皆有盐井，汲其水以煎作盐，如煮海之法，但以食彼方之民耳。西羌山盐，胡中水盐者，即下条云光明盐，生盐州。下品有戎盐，生胡盐山及西羌北地。酒泉福禄城东南角，北海青，南海赤者是也。然羌胡之盐种类自多。陶注又云：虏中盐有九种：白盐、食盐、常食者，黑盐、柔盐、赤盐、驳盐、臭盐、马齿盐之类，今人不能遍识。医家治眼及补下药多用青盐，疑此即戎盐。而《本经》云：北海青，南海赤，今青盐从西羌来者，形块方棱，明莹而青黑色，最奇。北胡来者，作大块而不光莹，又多孔窍若蜂窠状，色亦浅于西盐，彼人谓之盐枕，入药差劣。北胡又有一种盐，作片屑如碎白石，彼人亦谓之青盐，缄封于匣中，与盐枕并作礼贽，不知是何色类。又阶州出一种石盐，生山石中，不由煎炼，自然成盐，色甚明莹，彼人甚贵之，云即光明盐也。医方所不用，故不能尽分别也。又通、泰、海州并有停户刮碱，煎盐输官，如并州末盐之类，以供给江湖，极为饶衍，其味乃优于并州末盐也。滨州亦有人户煎炼草土盐，其色最粗黑，不堪入药，但可啖马耳。又下有“绿盐”条云：以光明盐、硇砂、赤铜屑酿之为块，绿色，真者出焉耆国，水中石下取之，状若扁青，空青，今不闻识此者，医方亦不用。唐·柳柳州纂《救三死治霍乱盐汤方》云：元和十一年十月得干霍乱，上不可吐，下不可利，出冷汗三大斗许，气即绝。河南房伟传此汤，入口即吐，绝气复通。其法：用盐一大匙，熬令黄，童子小便一升，二物温和服之，少顷吐下，即愈。刘禹锡《传信方》著崔中丞炼盐黑丸方：盐一升捣末，内粗瓷瓶中实，筑泥头讫，初以塘火烧，渐渐加炭火，勿令瓶破，候赤彻，盐如水汁，即去火，其盐冷即凝，破瓶取之。豉一升熬焦，桃仁一大两和麸熬令熟，巴豆二大两，去心膜，纸中熬令油出，须生熟得所，即少力，生又损人，四物各用研捣成熟药，秤量，蜜和丸如梧子，每服三丸，皆平旦时服。天行时气，豉汗及茶下并得。服后多吃茶汁行药力。心痛，酒下，入口便止。血痢，饮下，初变水痢，后便止。鬼疟，茶饮下。骨热，白蜜汤下。忌冷浆水。合药久则丸稍加令大。凡服药后吐痢，勿怪。服药一日，忌口两日，吐痢若多，即煎黄连汁服止之。平旦服药，至小食时已来，不吐痢者，或遇杀药人，即更服一两丸投之。其药冬中合，腊月尤佳，瓷合子中盛贮，以腊纸封之，勿令泄气。清河崔能云：合得一剂，可救百人。天行时气，卒急觅诸药不得，又恐过时，或在道途或在村落，无诸药可求，但将此药一刀圭，即敌大黄、朴消数两，曾试有效。宜行于闾里间及所使辈。若小儿、女子不可服多，被搅作耳。唐方又有药盐法，出于张文仲。唐之士大夫多作之。

《太平圣惠方》 治小儿脐风湿。以盐二两，豉二合，相和烂捣，捏作饼子如钱大，安新瓦上炙令热，以熨脐上差。亦用黄檗末傅之。又方治肝风虚，转筋入腹。以盐半斤，水煮少时，热渍之佳。《素问》咸伤血，发渴之证。《外台秘要》治胸心痰饮，伤寒热病，瘴疟须吐者，以盐末一大匙，以水或暖汤送下，须臾则吐。吐不快，明旦更服，甚良。又方治天行后两胁胀满，小便涩。熬盐熨脐下。又方主风，身体如虫行。盐一斗，水一石，煎减半，澄清温洗三五度，治一切风。

《千金方》治齿龈宣露。每旦捻盐内口中，以热水含遍齿百遍，不过五日齿即牢密。又方主逆生。以盐涂儿足底，又可急搔爪之。《千金翼》治诸疮癣初生，或始痛时。以单方救不效嚼盐涂之妙。《肘后方》治中风，但腹中切痛。以盐半斤，熬令水尽，著口中，饮热汤二升，得吐愈。又方齿疼，龈间出血，极验。以盐末，每夜厚封齿龈上，有汁沥尽乃卧。其汁出时，仍叩齿勿住。不过十夜，疼、血止。更久尤佳。长慎猪肉、油菜等。又方卒得风，觉耳中恍恍者。急取盐五升，甑蒸使热，以耳枕之，冷复易。又方治耳卒疼痛，以盐蒸熨之。又方手足忽生疣目。以盐傅疣上，令牛舐之，不过三度。又方治金疮中风。煎盐令热，以匙抄沥，取水，热泻疮上。冷更著，一日许勿住，取差，大效。又方治赤白久下，谷道疼痛不可忍。宜服温汤，熬盐熨之。又，炙枳实熨之妙。《经验方》治蚯蚓咬。浓作盐汤，浸身数遍差。浙西军将张韶为此虫所咬，其形如大风，眉须皆落。每夕蚯蚓鸣于体，有僧教以此方愈。《梅师方》治心腹胀坚，痛闷不安，虽未吐下欲死。以盐五合，水一升，煎令消，顿服。自吐下，食出即定，不吐更服。又方治金中经脉伤皮及诸大脉，血出多，心血冷则杀人。宜炒盐三撮，酒调服之。又方治蜈蚣咬人痛不止，嚼盐沃上及以盐汤浸疮，极妙。其蜈蚣有赤足者螫人，黄足者痛甚。又方治热病，下部有䘌虫生疮。熬盐绵裹熨之，不过三度差。《孙真人食忌》主眯眼者。以少盐并豉，置水视之。立出。又方主卒喉中生肉。以绵裹箸头柱盐揩，日六七度易。又方主卒中尸遁，其状腹胀气急冲心或块起，或牵腰脊者是。服盐汤取吐。《食医心镜》盐，主杀鬼蛊气，下部䘌疮，伤寒寒热，吐胸中痰癖，止心腹卒痛，坚肌骨。黄帝云：食甜瓜竟食盐成霍乱。又主大小肠不通。取盐和苦酒，傅脐中，干即易。《广利方》治气淋，脐下切痛。以盐和醋调下。《集验方》主毒箭。以盐贴疮上，灸盐三十壮，差。《范汪方》主转筋。以盐一升，水一升半作汤，洗渍之。又方主目中泪出不得开即刺痛方：以盐如大豆许，内目中，习习，去盐，以冷水数洗目差。《产宝方》治妊娠心腹痛，不可忍。以一斤盐，烧令赤，以三指取一撮酒服差。《子母秘录》小儿撮口，盐、豉脐上灸之。《后魏·李孝伯传》盐九种，各有所宜。白盐主上所自食，黑盐治腹胀气满，末之，以酒服六铢。《丹房镜源》盐消作汁，拒火之力。

《本草衍义》　食盐，《素问》曰：咸走血。故东方食鱼盐之人多黑色，走血之验，故可知矣。病嗽及水者，宜全禁之。北狄用以淹尸，取其不坏也，至今如此。若中蚯蚓毒，当以盐洗沃，亦宜汤化饮汁。其烧剥金银，熔汁作药，仍须解州池盐为佳。齿缝中多出血，常以盐汤嗽，即已。益齿走血之验也。

《绍兴本草》 食盐，其种有三，谓解盐，海盐及蜀井盐也。其采取造作之法，《图经》载之详矣。自余外国等盐，种类甚多。大要食盐三种，主疗功力并同，俱性温，无毒。本经云：多食伤肺，喜咳。盖谓味极浓厚，而食之过其节也。或云有小毒者，非也。今当从味咸，温，无毒是矣。

《本草纲目》 ［时珍曰］盐字象器中煎卤之形。礼记：盐曰咸鹾。《尔雅》云：天生曰卤，人生曰盐。许慎《说文》云：盐，咸也。东方谓之斥，西方谓之卤，河东谓之咸，黄帝之臣宿沙氏，初煮海水为盐。本经大盐，即今解池颗盐也。《别录》重出食盐，今并为一。方士呼盐为海砂。［集解］［时珍曰］盐品甚多：海盐取海卤煎炼而成，今辽冀、山东、两淮、闽浙、广南所出是也。井盐取井卤煎炼而成，今四川、云南所出是也。池盐出河东安邑、西夏灵州，今惟解州种之。疏卤地为畦陇，而堑围之。引清水注入，久则色赤。待夏秋南风大起，则一夜结成。谓之盐南风。如南风不起，则盐失利。亦忌浊水瘀淀盐脉也。海丰、深州者，亦引海水入池晒成。并州、河北所出，皆鹻盐也，刮取鹻碱土，煎炼而成。阶、成、凤川所出，皆崖盐也，生于土崖之间，状如白矾，亦名生盐，此五种皆食盐也，上供国课，下济民用。海盐、井盐、鹻盐三者出于人，池盐、崖盐二者出于天。《周礼》云：盐人掌盐之政令。祭祀供其苦盐、散盐，宾客供其形盐，王之膳馐，供其饴盐。苦盐，即颗盐也，出于池，其盐为颗，未炼治，其味咸苦。散盐，即末盐，出于海及井，并者鹻而成者，其盐皆散末也。形盐，即印盐，或以盐刻作虎形也；或云积卤所结，其形如虎也。饴盐，以饴拌成者；或云生于戎地，味甜而美也。此外又有崖盐生于山崖，戎盐生于土中，伞子盐生于井，石盐生于石，木盐生于树，蓬盐生于草。造化生物之妙，诚难殚知也。［时珍曰］凡盐，人多以矾，消、灰、石之类杂之。入药须以水化，澄去脚滓，煎炼白色，乃良。又、盐味咸、微辛，寒，无毒。主解毒，凉血润燥，定痛止痒，吐一切时气风热、痰饮关格诸病。［发明］［时珍曰］《书经·洪范》水曰润下作咸。《素问》曰：水生咸。此盐之根源也。夫水周流于天地之间，润下之性无所不在，其味作咸凝结为盐亦无所不在。在人则血脉应之。盐之气味咸腥，人之血亦咸腥。咸走血，血病无多食咸。多食则脉凝泣而变色，从其类也。煎盐者用皂角收之，故盐之味微辛。辛走肺，咸走肾。喘嗽水肿消渴者，盐为大忌。或引痰吐，或泣血脉。或助水邪故也。然盐为百病之主，百病无不用之。故服补肾药用盐汤者，咸归肾，引药气入本脏也。补心药用炒盐者，心苦虚，以咸补之也。补脾药用炒盐者，虚则补其母，脾乃心之子也。治积聚结核用之者，盐能软坚也。诸痈疽眼目及血病用之者，咸走血也。诸风热病用之者，寒胜热也。大小便病用之者，咸能润下也。骨病齿病用之者，肾主骨，咸入骨也。吐药用之者，咸引水聚也。能收豆腐与此同义。诸蛊及虫伤用之者，取其解毒也。[颂曰] 唐·柳柳州纂《救三死方》云：元和十一年十月，得霍乱，上不可吐，下不可利，出冷汗三大斗许，气即绝。河南房伟传此方，入口即吐，绝气复通。一法用盐一大匙，熬令黄，童子小便一升，合和温服，少顷吐下，即愈也。

《五十二病方》 30行云：痉者，燔(熬) 盐令黄，取一斗，裹以布，卒（淬）醇酒中，入即出，蔽以市，以熨头。45～46 行云：索痉者，取封殖土冶之，□□二，盐一，合挠而烝（蒸），以扁（遍）熨直肎(肎) 挛筋所。80 行云:瘟(厢)，濡，以盐傅之，令牛吔（舐）之。135 行云：冥（螟）者，以鲜产鱼，□而以盐财和之，以傅虫所啮。151 行云:瘁病，盐隋（脽）炙尻。169 行云：治瘁病用美盐。

尚志钧按 《五十二病方》以盐蒸熨，治癃闭，治蠆疮，并以盐涂厘处，令牛舐。这些治法，后世医方一直都在沿用的。如《肘后方》《梅师方》《外台》等书所记的一些治法与《五十二病方》大体相似。这里提示《五十二病方》与后世的《肘后方》《千金》《外台》等，存在递嬗关系。盖与《五十二病方》同时代方书，见录于《汉书·艺文志》有36家，868卷。葛洪《肘后备急方·序》云：“余既穷览坟索，以著述余暇，兼综术数，省仲景、元化、刘戴、秘要、金匮、绿秩、黄素方，近将千卷……选而集之，使种类殊分，缓急易简，凡为百卷……今采其要约，以为《肘后救卒》三卷。”这就说明今日的《肘后备急方》几乎是从千卷古方书中摘录而成。所以今日《肘后备急方》包含《汉书·艺文志》所载诸逸医方的血液，也包含《五十二病方》的血液。

食盐味咸，性寒，能吐宿食热痰、解毒凉血、消肿止痛，适用于食停上脘、心腹疼痛、胸中痰癖、金创出血、小儿尿闭、霍乱吐泻、目中浮翳。治霍乱腹痛，以本品炒二包，一包熨其心腹，又一包熨其背。治目中浮翳，本品研少许，频点，小儿亦宜。治小儿尿闭，以本品擣细纳脐中，着艾火灸之。

240 咸秋石（《纲目》）

用食盐精制后，再火煅一次而成，其主治、功用详见“秋石”条。

241 大盐（《本经》）

《神农本草经》 大盐，令人吐。

《名医别录》 大盐，味甘、咸，寒，无毒。主肠胃结热，喘逆，胸中病。生邯郸及河东池泽。（漏芦为之使。）

《四声本草》 大盐，臣。

《唐本草》注 大盐，即河东印盐也，人之常食者是，形粗于末盐，故以大别之。

《本草图经》 文具“食盐”条下。

《太平广记》 《梁四公记》杰曰：交河之间平碛中，掘深数尺有末盐，红紫色鲜，味甘，食之止痛。

《本草衍义》 大盐，新者不苦，久则咸苦。今解州盐池所出者，皆成斗子，其形大小不等，久亦苦。海水煎成者，但味和。二盐互有得失。入药及金银作，多用大盐及解盐。傍海之人多黑色，盖日食鱼盐，此走血之验也。齿缝中血出，盐汤嗽之。及接药入肾。北虏以盐淹尸使不腐。

《绍兴本草》 大盐，即河东印盐也。生池泽中，成块而大，然与解盐大同小异尔。以其治肠中结热，故本经称为性寒。其食盐多食皆能取吐，今本经云令人吐者，盖亦谓过多所致。当从味甘咸、寒、无毒是也。

《本草纲目》 大盐并“食盐”条。

242 卤咸（《本经》）

《神农本草经》 卤咸，味苦，寒。主大热、消渴、狂烦，除邪及下蛊毒，柔肌肤。

《名医别录》 卤咸，味咸，无毒。去五脏肠胃留热结气，心下坚，食已呕逆喘，明目目痛。生河东盐池。

《本草经集注》 是煎盐釜下凝滓。

《唐本草》注 卤咸既生河东，河东盐不釜煎，明非凝滓。此是硷土名卤咸，今人熟皮用之，斯则于硷地掘取之。

《本草图经》 文具“食盐”条下。

《丹房镜源》 卤盐纯制四黄，作焊药。

《绍兴本草》 卤咸，此即硷土地。主治已载本经。陶注指为煎盐釜下凝滓，未为可据。本经云：生河东盐池，必因水涸而有之。当从味苦咸、寒、无毒为正，然诸方罕用之。

《本草纲目》 ［释名］卤咸一名卤盐、寒石（《吴普》）、石硷（《补遗》）。

[时珍曰]醎音有二：音咸者，润下之味；音减者，盐土之名，后人作硷，作鹻，是矣。许慎《说文》云：卤，西方碱地也。故字从西省文，象盐形。东方谓之斥，西方谓之卤，河东谓之鹹。传云，兑为泽，其于地也为刚卤，亦西方之义。[集解][时珍曰]《说文》既言卤碱皆斥地之名，则谓凝滓及卤水之说皆非矣。卤盐与卤硷不同。山西诸州平野，及太谷，榆次高亢处，秋间皆生卤，望之如水，近之如积雪。土人刮而熬之为盐，微有苍黄色者，即卤盐也。《尔雅》所谓天生曰卤、人生曰盐者是矣。凡盐未经滴去苦水，则不堪食，苦水即卤水也。卤水之下，澄盐凝结如石者，即卤硷也。丹溪所谓石硷者，乃灰硷也，见土类。《吴普本草》谓卤碱一名卤盐者，指卤水之盐，非卤地之盐也，不妨同名。

尚志钧按 卤咸由熬盐苦水（卤水）凝结而成，主要成分为氯化镁（$MgCl_2$），夹有食盐（NaCl），为无色结晶，有玻璃样光泽，易潮解，强热分解氧成氧化镁，放出氯化物。卤咸味苦，寒，有轻泻作用。

243 戎盐（《本经》）

《神农本草经》 戎盐，主明目、目痛，益气，坚肌骨，去毒蛊。

《名医别录》 戎盐，味咸，寒，无毒，主心腹痛，溺血吐血，齿舌血出。一名胡盐。生胡盐山及西羌北地酒泉福禄城东南角。北海青，南海赤。十月采。

《本草经集注》 今俗中不复见卤咸，惟魏国所献虏盐，即是河东大盐，形如结冰圆强，味咸，苦，夏月小润液。虏中盐乃有九种：白盐、食盐、常食者；黑盐，主腹胀气满；胡盐，主耳聋目痛；柔盐，主马脊疮；又有赤盐、驳盐、臭盐、马齿盐四种，并不入食。马齿即大盐，黑盐凝是卤咸，柔盐疑是戎盐，而此戎盐又名胡盐，并主眼痛，二三相乱。今戎盐虏中甚有，从凉州来，芮芮河南使及北部胡客从敦煌来，亦得之，自是稀少尔。其形作块片，或如鸡鸭卵，或如菱米，色紫白，味不甚咸，口尝气臭，正如毈鸡子臭者言真。又河南盐池泥中，自有凝盐如石片，打破皆方，青黑色，善疗马脊疮，又疑此或是。盐虽多种，而戎盐、卤咸最为要用。又巴东朐县北岸大有盐井，盐水自凝，生粥子盐，方一二寸，中央突张伞形，亦有方如石膏、博棋者。李云：戎盐味苦，臭。是海潮水浇山石，经久盐凝著石取之。北海者青，南海者紫赤。又云：卤咸即是人煮盐釜底凝强盐滓，如此二说并未详。

《唐本草》注 陶称卤咸，疑是黑盐，此是碱土，议如前说，其戎盐即胡盐。沙州名为秃登盐，廓州名为阴土盐，生河岸山坂之阴土石间，块大小不常，坚白似石，烧之不鸣烢尔。

《本草拾遗》 戎盐累卵。

《日华子本草》 戎盐，平。助水脏，益精气，除五脏癥结，心腹积聚，痛疮疥癣等。即西蕃所出，食者号戎盐，又名羌盐。

《本草图经》 文具“食盐”条下。

《丹房镜源》 戎盐，赤、黑二色。累卵，干汞，制丹砂。

《本草衍义》 戎盐，成垛，裁之如枕，细白，味甘，咸。亦功在却血。入肾，治目中瘀赤、涩昏。又云：盐药，味咸，无毒。主眼赤烂风赤，细研水和点目中。又入腹去热烦，痰满，头痛，明目，镇心，水研服之。又主蚖蛇恶虫毒，疥癣，痈肿，瘰疬。已前入腹，水消服之，著疮正尔摩傅。生海西南雷、罗诸州山谷。似芒消末细，入口极冷。南人多取傅疮肿，少有服者，恐极冷，入腹伤人，且宜慎之。

《绍兴本草》 戎盐，其所载出产甚多，然西蕃所出者，其形成块，色明净者佳。本经虽有主治，而但助益水脏，用之多验。当作味咸，平，无毒是矣。

《本草纲目》 ［集解］［时珍曰］本草戎盐云，北海青，南海赤。而诸注乃用白盐，似与本文不合。按《凉州异物志》云：姜赖之墟，今称龙城。刚卤千里，蒺藜之形。其下有盐，累棋而生。出于胡国。故名戎盐。赞云：盐山二岳，二色为质。赤者如丹，黑者如漆。小大从意，镂之为物。作兽辟恶，佩之为吉。或称戎盐，可以疗疾。此说与本草本文相合，亦惟赤、黑二色，不言白者。盖白者乃光明盐，而青盐、赤盐则戎盐也。故《西凉记》云：青盐池出盐，正方半寸，其形如石，甚甜美。《真腊记》云：山间有石，味胜于盐，可琢为器。梁杰公传言，交河之间，掘碛下数尺，有紫盐，如红如紫，色鲜而甘，其下丈许，有瑿珀。《北户录》亦言，张掖池中出桃花盐，色如桃花，随月盈缩。今宁夏近凉州地，盐井所出青盐，四方皎洁如石。山丹卫即张掖地，有池产红盐，红色。此二盐，即戎盐之青、赤二色者。医方但用青盐，而不用红盐，不知二盐皆名戎盐也。所谓南海、北海者，指西海之南北而言，非炎方之南海也。张果《玉洞要诀》云：赤戎盐出西戎，禀自然水土之气，结而成质。其地水土之气黄赤，故盐亦随土气而生。味淡于石盐，力能伏阳精。但于火中烧汁红赤，凝定色转益者，即真也。亦名降盐。《抱朴子》书有作赤盐法。又岭南一种红盐，乃染成者，皆非真红盐也。又《丹房镜源》云：蛮盐可伏雌雄，红盐为上。［主治］［大明曰］戎盐，助水脏，益精气，除五脏癥结，心腹积聚，痛疮疥癣。［时珍曰］解芫青、斑蝥毒。［发明］［时珍曰］戎盐功同食盐，不经煎炼，而味咸带甘，入药似胜。《周礼》注云，饴盐味甜，即戎盐，不知果否？或云以饴拌盐也。

244　光明盐（《唐本》）

《唐本草》　光明盐，味咸，甘，平，无毒。主头面诸风，目赤痛，多眵泪。生盐州五原盐池下，凿取之，大者如升，皆正方光彻。一名石盐。唐本先附

《蜀本草》　光明盐，亦呼为圣石。

《本草图经》　文具“食盐”条下。

《绍兴本草》　光明盐，形色、主治、性味及无毒之文，已载本经。或生盐池下，或出山石中，不由煎炼以成，乃自然生此一种矣。《图经》云：医方所不用者是也。

《本草纲目》　［释名］光明盐，一名石盐（《唐本》）、圣石（《蜀本》）、水晶盐（《纲目》）。［时珍曰］雷敩《炮炙论·序》云：圣石开盲，明目而如云离日。则光明者，乃兼形色与功而名也。［集解］［时珍曰］石盐有山产、水产二种。山产者即崖盐也，一名生盐，生山崖之间，状如白矾，出于阶、成、陵、凤、永、康诸处。水产者生池底，状如水晶、石英，出西域诸处。吴录云：天竺有新淘水，味甘美，下有石盐，白如水晶。又波斯出自然白盐，如细石子。金幼孜《北征录》云：北虏有盐海子。出白盐，莹洁如水晶。又有盐池盐，色或青或白，军士采食之。此皆水产者也。梁《四公子传》云：高昌国烧羊山出盐，大者如斗，状白如玉。月望收者，其文理粗，明澈如冰；非月望收者，其文理密。《金楼子》云：胡中白盐，产于崖，映月光明洞澈如水晶。胡人以供国厨，名君王盐，亦名玉华盐。此则山产者也。皆自然之盐，所谓天成者也。《益州记》云：汶山有咸石，以水渍而煎之成盐。此亦石盐之类，而稍不同者。按光明盐得清明之气，盐之至精者也，故入头风眼目诸药尤良。其他功同戎盐，而力差次之。

245　硇砂（《唐本》）

《唐本草》　硇砂，味咸、苦、辛，温，有毒。不宜多服。主积聚，破结血，烂胎，止痛下气，疗咳嗽宿冷，去恶肉，生好肌。柔金银，可为焊药。出西戎，形如牙消，光净者良。驴马药亦用。

《雷公炮炙论》　硇遇赤须，水留金鼎。（注云：其草名赤须，今呼为虎须草，

是用煮硇砂即生火验。）又云：除癥去块，全仗硝硇。（注云：硝硇即磠砂、硝石二味，于乳钵中研作粉同煅了，酒服神效也。）

《药性论》 硇砂，有大毒。畏浆水，忌羊血。味酸、咸。能销五金八石，腐坏人肠胃。生食之，化人心为血。中者，研生绿豆汁，饮一二升解之。道门中有伏炼法。能除冷病，大益阳事。

《四声本草》 硇砂，使。生不宜多服，光净者良，今生北庭为上。

《本草拾遗》 硇砂，主妇人、丈夫羸瘦积病，血气不调，肠鸣，食饮不消，腰脚疼冷，痃癖痰饮，喉中结气，反胃吐水。令人能食，肥健。一飞为酸砂，二飞为伏翼，三飞为定精，色如鹅儿黄，和诸补药为丸，服之有暴热。飞炼有法，亦能变铁。又按别本注云：胡人谓为浓沙，其性大热，今云温，恐有误也。又云：有暴热损发。

《日华子本草》 北庭砂，味辛、酸，暖，无毒。畏一切酸。补水脏，暖子宫，消冷癖瘀血，宿食不消，气块痃癖，及血崩带下，恶疮息肉。食肉饱胀，夜多小便，女人血气心疼，丈夫腰胯酸重，四肢不任。凡修制，用黄丹、石灰作柜，煅赤使用，并无毒。世人自疑烂肉，如人被刀刃所伤，以北庭罯傅定，当时生痂。亦名狄盐者。

《开宝本草》 硇砂，别本注云：胡人谓为浓沙，其性大热，今云温，恐有误也。

《本草图经》 硇砂，出西戎，今西凉夏国及河东，陕西近边州郡亦有之。然西戎来者，颗块光明，大者有如拳，重三五两，小者如指面，入药最紧，边界出者，杂碎如麻豆粒，又夹砂石，用之须飞澄去土石讫，亦无力，彼人谓之气砂。此药近出唐世，而方书著古人单服一味，伏火作丸子，亦有兼硫黄、马牙消辈合饵者，不知方出何时？殊非古法。此本攻积聚之物，热而有毒，多食腐坏人肠胃，生用又能化人心为血，固非平居可饵者，而西土人用淹肉炙以当盐食之，无害，盖积习之久，若魏开啖野葛不毒之义也。又名北庭砂，又名狄盐。《本经》云：柔金银，可为焊药。今人作焊药，乃用硼砂，硼砂出于南海。性温，平。今医家治咽喉最为要切。其状甚光莹，亦有极大块者，诸方亦稀用。

《太平圣惠方》 治悬痈卒肿。用硇砂半钱，绵裹含，咽津，即差。《外台秘要》救急治鱼骨哽在喉中。以少许硇砂，口中咀嚼咽之，立下。《经验方》硇砂丸方：硇砂不计多少，用罐子内著硇砂，上面更坐罐子一个，用纸筋、白土和上下俱埿了。窨干后，从辰初时便用苍耳自在落下叶，将来捣罗为末，药上铺头盖底，上面罐子内用水坐著，水旋添，火烧从罐子外五寸已来围绕，欲尽更添火，移向前罐子周回，火尽更旋烧促向前，计一伏时为度，更不移火，却闲杂人及妇人不得见，一伏时住。取来捣罗为末，醋、面糊为丸如桐子大。每服逐日十丸至十五丸，温酒或米饮下，并无忌，若烧吃三二斤，进食无病。陈巽治元藏虚冷，气攻脐腹疼痛。硇砂一两，川乌头生去皮脐，杵为末取一两，硇砂生研，用纤霞早末二两，与硇砂同研匀，用一小砂罐子，不固济，慢火烧通赤热，将拌了者硇砂入罐子内，不盖口加顶火一秤，候火尽炉寒取出研，与乌头末同研匀，汤浸蒸饼丸如桐子大。每服三丸，热木香汤、醋汤任下。青霞子《宝藏论》硇砂，若草伏住火不碎，可转制得诸石药，并引诸药，可治妇人久冷。硇砂为五金贼也，若石药并灰霜伏得者，不堪用也。《太清服炼灵砂法》云：北庭砂所禀阴石之气，性含阳毒之精，功能消败去秽益阳，其功甚著。《丹房镜源》云：硇砂性有大毒，或沉冷之疾可服则愈，久服有痈肿。出北庭白黄者，诀曰为五金贼，能制合群药。药中之使，自制雄、雌黄。

《本草衍义》 硇砂，金银有伪，投熔锅中，其伪物尽消散。矧人腹中有久积，故可溃腐也。合他药治目中翳，用之须水飞过，入瓷器中，于重汤中煮其器，使自干，杀其毒及去其尘秽。

《绍兴本草》 硇砂，性味主治已载本经，形块大小不一，唯取光明者佳。然此药性极烈，用之固不得过多，但破积聚最为良药。又有一法，制炼而经火者，除痼冷坚积尤验。当从本经味咸、苦、辛，温、有毒是矣。

《汤液本草》 硇砂，味咸。破坚癖，消肉积。独不用入群队用之。味咸，苦辛温，有毒，不宜多服。主积聚，破结血，烂胎，止痛，下气，疗咳嗽宿冷，去恶肉，生好肌。柔金银，可为焊药。《药性论》云：有大毒，畏浆水，忌羊血。味酸咸。能腐坏人肠胃，生食之化人心为血。能除冷病，大益阳事。《日华子》云：北庭砂，味辛酸暖，无毒。畏一切酸。补水脏，暖子宫，消冷癖瘀血，宿食，气块痃癖，及妇人血气心痛，血崩带下。凡修制，用黄丹、石灰作匮，煅赤使用，无毒。柔金银，驴马药亦用。

《本草蒙筌》 硇砂，味酸、苦、辛，气温，有毒。近边州郡俱有，西戎出者尤奇。形择如牙硝光明，水飞去土石重煮。（水飞后，又水煮干用。）忌羊血勿食，畏浆水须防。因多烂肉之功，每为外科要剂。肿毒资破口去血，溃痈仗剔腐生肌。除翳膜，肿双睛。柔金银为焊药。《本经》又云：生食之，化人心为血，倘误中毒，急研绿豆汁解之。谟按：经注云：硇砂质禀阴石气，性含阳毒精。去秽益肠，功用甚著。故能消五金八石，而为五金贼也。飞炼有法：一飞为酸砂，二飞为伏翼，三飞为定精，色如鹅儿黄。若草伏住不碎，可转制得诸石药。亦能变铁，又能制铜。为大青大绿，修丹灶者当知。

《本草纲目》 ［释名］硇砂，一名硵砂（音硇）、狄盐（《日华》）、北庭砂（《四声》）、气砂（《图经》）、透骨将军（《土宿》）。［时珍曰］硇砂性毒。服之使人硇乱，故曰硇砂。狄人以当盐食。《土宿本草》云：硇性透物，五金借之以为先锋，故号为透骨将军。［集解］［时珍曰］硇砂亦消石之类，乃硇液所结，出于青海，与月华相射而生，附盐而成质，虏人采取淋炼而成。状如盐块，以白净者为良。其性至透，用黝罐盛悬火上则常干，或加干姜同收亦良。若近冷及得湿，即化为水或渗失也。《一统志》云：临洮兰县有洞出硇砂。张匡邺《行程记》云：高昌北庭山中，常有烟气涌起而无云雾，至夕光焰若炬火，照见禽鼠皆赤色，谓之火焰山。采硇砂者，乘木屐取之，若皮底即焦矣。北庭即今西域火州也。［修治］［时珍曰］今时人多用水飞净，醋煮干如霜，刮下用之。［主治］［时珍曰］治噎膈癥瘕，积痢骨哽，除痣黡疣赘。［发明］［时珍曰］硇砂大热有毒之物，噎膈反胃积块内癥之病，用之则有神功。盖此疾皆起于七情饮食所致，痰气郁结，遂成有形，妨凝道路，吐食痛胀，非此物化消，岂能去之？其性善烂金银铜锡，庖人煮硬肉，入硇砂少许即烂，可以类推矣。所谓化人心为血者，亦甚言其不可多服尔。张果《玉洞要诀》云：北庭砂秉阴石之气，含阳毒之精，能化五金八石，去秽益阳，其功甚著，力并硫黄。独孤滔《丹方鉴源》云：硇砂性有大毒，为五金之贼，有沉冷之疾。则可服之，疾减便止，多服则成拥塞痈肿。二说甚明，而唐宋医方乃有单服之法，盖欲得其助阳以纵欲，而不虞其损阴以发祸也。其方唐慎微已收附本草后，今亦存之，以备考者知警。

《药性歌括四百味》 硇砂有毒，溃痈烂肉，除翳生肌，破癥消毒。（水飞，去土石，生用烂肉，火煅可用。）

《本草原始》 味咸、苦、辛，温，有毒。使药也。

《珍珠囊补遗药性赋》 硇砂，能破癥瘕积聚，若还生用烂心肠。（硇砂，味咸、苦、辛，温，有毒。能消五金，入口腐人肠胃，生服之，化人心为血。）

《本草经疏》 硇砂乃卤液所结，秉阴毒之气，含阳毒之精。其味极咸极苦极辛，气温有毒。甄权：酸、咸，有大毒。能消五金八石，腐坏人肠胃。生食之化人心为血，其毒之猛烈如此可畏矣。其主积聚结血宿冷者，以咸能入血软坚，辛能散结，温能除冷故也。积聚散则痛自止，气自下，因寒以致顽痰壅结，则咳嗽作，故暂用以散之。柔金化石之性，故能烂胎及去恶肉也。金石见之即化，其能生好肌乎！此前人之误耳。[主治参互]《普济方》损目生瘀，赤肉弩出不退，杏仁百粒蒸熟，去皮、尖，研，滤取净汁，入硇砂末一分，水煮化，日点一二次自落。《白飞霞方》鼻中息肉，硇砂点之即落。此方须入明矾、牛黄、铅粉、象牙末、珍珠末乃佳。《集效方》面上疣目，硇砂少许，硼砂、铁锈、麝香等分，研，搽三次自落，急以甘草汁浸洗。[简误]按硇砂大热有畜之物，近出于唐世而方书不著，古人单服，一味伏火作丸子，亦有兼硫黄、马牙硝辈合饵者，不知方出何时？殊非古法。此物虽能攻积聚凝结，化有形癖块，然多食腐坏人肠胃。观其柔化金银铜锡及庖人煮硬肉，入硇少许即烂，可以类推矣。惟去恶肉及恶疮息肉、目翳弩肉是其所长，亦须与真牛黄、龙脑、铅华、象牙末等同用。其内服诸方虽唐慎微已收附本草末，然服必害人命，悉不敢载。一名狄盐，一名北庭砂，一名气砂，一名透骨将军。中其毒者，生绿豆研汁一二升饮之。畏浆水，忌羊血。

《本草正》 硇砂，味咸、苦、大辛，性大热，有毒。善消恶肉腐肉生肌，傅金疮生肉，去目翳弩肉，除痣黡疣赘，亦善杀虫毒，水调涂之或研末掺之立愈。本草言其消瘀血、宿食，破结气，止反胃，肉食饱胀，暖子宫，大益阳事。但此物性热大毒，能化五金八石，人之脏腑岂能堪此，故用以治外则可，以服食则不宜也。若中其毒，惟生绿豆研汁饮一二升，乃可解之。

《本草乘雅半偈》 硇砂[参]曰：硇从卤石声，取通气以为量。一名气砂，其为性至透，湿即水化渗泄而走矣。一名透骨将军，张匡邺《行程记》云：高昌北庭山，尝有烟涌，而无云雾，夕则光焰若炬火，炤见禽鼠尽赤，谓之火焰山。中有硇砂，土人乘屐采之，若屐底为革者，即焦败矣。一名火砂，故性秉火毒，对待宿冷，糜化有形者也。时珍云：硇砂亦消石之类，乃卤液所结，出于青海，与月华相射而生，附盐而成质者。故可投诸脏阴之属，若止痛下气，疗咳嗽，谓其气结则痛，积聚则气不下矣。经云：咳逆上气，有积气在胸中也。倘属虚无，为害弥笃，慎勿以药试病耳。

《本草述》 按硇砂，在先哲谆谆致慎，是则人之脏腑，固未可尝试也。第张果《玉洞要诀》云：北庭砂秉阴石之气，含阳毒之精，能化五金八石，去秽益阳，方并硫黄。又独孤滔《丹房镜源》云：硇砂性有大毒，为五金之贼，有沉冷之疾，乃可服之，疾减即止。故甄权亦云有大毒，多服能坏人肠胃，生食令人心化为血。是则所指大毒者，皆指阳毒也，故沉冷之疾，与痰气结积诸证，悉由阴之不能化以为痼病者，非如此味禀阳毒之精，更含于阴石气中，固不能透入痼阴而致阳之化也。愚不能无疑者，谓是物以北庭砂为止。而张匡邺《行程记》所云：高昌北庭山中有火焰山，采硇砂者在此。若然，则所谓阳毒之砂，疑即此地所产也。乃时人又曰：此是卤汁所结，生于青海，与月华相射而生，附盐以成质者。彼人淋炼成之，果如此，则又为至阴之精，其毒便属阴矣。何以治诸沉冷之疾哉？愚揣此砂，或另是卤汁一种，有异于北庭山中所产之砂也。更可疑者，苏颂曰是物有毒，能腐人肠胃，而又曰西土人用淹肉炙以当盐。推求其故而不得，则曰彼土人习久则不毒也。噫！何其自为悖谬至此，犹欲著之为信书乎！愚揣之，其西人用以当盐者，即彼中淋炼之卤汁，而阳毒能腐人肠胃者，乃北庭所产之砂也。是其性味之阴阳迥殊，而施治之证，有若冰炭，不审时珍滚同而称举之，抑又何耶？未亲履其地，而道听途说，不悟其舛错若此。愚故有辨疑，以俟后之确见而实证者云，［修治］按硇砂又号透骨将军，谓其善透物也，用黝罐悬火上则常干，或加干姜同收亦良，若近冷及得湿，即化为水，或渗失也，然亦阳极遇阴即化之义。

《本草择要纲目》 硇砂一名透骨将军。其性毒，服之使人硇乱，故曰硇砂。《本草》云：硇性透物，五金借之以为先锋，故号为透骨将军，凡用须水飞过，去尘秽，入瓷器中重汤煮干，则杀其毒。今时人多用水飞净，醋煮干如霜，刮下用之。又一法治用黄丹、石灰作柜煅赤使用，并无毒。［气味］咸、苦、辛，温，有毒。中其毒者，生绿豆研汁饮一二升解之。［主治］硇砂大热，有毒之物，噎膈反胃，积块内癥之病，用之则有神功。盖此疾皆起于七情饮食所致。痰气郁结，遂成有形，妨碍道路，吐食痛胀，非此物化消，岂能去之。其性善烂金银铜锡，庖人煮硬肉，入硇砂少许即烂，可以类推矣。所谓化人心为血者，亦甚言其不可多服耳。若被刀刃所伤，以之罨傅，当时生痂，畏浆水，一切酸，忌羊血。

《本草备要》 硇砂，咸苦，辛热有毒。消食破瘀，治噎膈癥瘕，去目翳胬肉，暖子宫，助阳道，性大热，能烂五金。《本草》称其能化人心为血，亦甚言不可多服耳。凡煮硬肉，投少许即易烂，故治噎膈、癥瘕、肉积有殊功。《鸡峰方》曰：人之脏腑，多因触胃成病，而脾胃最易受触。饮食过多则停滞难化，冷热不调，则呕吐泄痢，而膏粱者尤为甚。口腹不节，须用消化药，或言饮食既伤于前，难以毒药反攻其后，不使硇砂、巴豆等，只用曲柏之类，不知古今立方用药，各有主对。曲柏止能消化米谷，如伤肉食，则非硇砂、阿魏不能治也。如伤鱼、蟹，须用橘叶、紫苏、生姜；伤菜、果，须用丁香、桂心；伤水饮，须用牵牛、芫花。必审所伤之因，对用其药，则无不愈。其间多少，则随患人气血以增损之而已。又有虚人沉积，不可直取，当以蜡匮其药，盖蜡能久留肠胃，又不伤气，能消磨至尽也。又有脾虚饮食捱化者，正宜助养脾胃，自能消磨，更不须用消导药耳。病久积，聚成癥瘕者，须用三棱、鳖甲之类。寒冷成积者，轻则附子、厚朴；重则矾石、硫黄。瘀血结块者，则用大黄、桃仁之类，用者详之。出西戎。乃卤液结成，状如盐块，置冷湿处即化，白净者良，水飞过，醋煮，干如霜用。畏醋，忌羊血。

《本经逢原》 硇砂大热，乃卤液所结，秉阴毒之气，含阳毒之精。破积攻坚，无出其右，故能治噎膈反胃，积块肉癥。其性能柔金银，故焊药用之。所言化人心为血者，甚言其迅利也。外用治恶肉，除疣赘，去鼻中息肉捷。但不可过用，用过急以甘草汤洗之。观金银有伪，投硇砂罐中，悉能消去，况人腹中有久积死胎，岂不腐溃，但其性毒烈，苟有生机，慎勿轻试。

《本草诗笺》 卤液凝成为硇砂，阳含阴秉聚精华（秉阴毒之气，含阳毒之精）；亦咸亦苦甘无望，兼热兼辛毒有加；破积攻坚功最捷，除疣去息效殊奢（外用治恶肉，除疣赘，去鼻中息肉最捷，但不可过用，用过急以甘草汤洗之）；人心血化胎随溃（除积块癥，能化人心为血，故堕胎），呕噎何愁不手拏（噎膈反胃用之即治，但其性毒烈苟非必用慎勿轻试）。

《玉楸药解》 硇砂，味辛，性温。入足太阴脾、手太阴肺经。攻坚破结，化痞磨癥。硇砂辛烈消克。治气块血癥，去翳胬肉，停食宿脍，疣痣赘瘤之类。《本草》谓其暖胃益阳，消食止嗽，备载服食之法。如此毒物，能使金石消毁，何可入腹？但宜入膏散外用。西番者佳。

《得配本草》 硇砂，一名透骨将军，畏一切酸浆水、醋乌梅、牡蛎、卷柏、萝卜、独帚、羊蹄、商陆、冬瓜、苍耳、蚕沙、海螵蛸、羊䯒骨、羊踯躅、鱼腥草、河豚、鱼胶。忌羊血。消五金八石。咸、苦、辛，热，有毒。治癥瘕肉积，破结血顽痰。又能尽化三焦之痼疾。其性能消金石，腐肠胃，不宜服，服之化心为血。白净者良，水飞醋煮干，如霜，刮下用。中其毒者，以生绿豆研汁，饮二三升解之。

《本草求真》 硇砂，消肉食不化。专入肠胃。系卤液所结而成。秉阴毒之气，含阳毒之精，其味苦、咸、辛，其性大热，五金入石，俱能消磨。《本草》言能化人心为血。硬肉难化，入砂即烂。故治噎膈、癥瘕、肉积有殊功。其性猛烈，殆不堪言，况人脆肠薄胃，其堪用此消导乎。第或药与病对，有非峻迫，投治不能奏效。时珍曰：硇砂大热有毒之物，噎膈反胃，积块肉瘕之病，用之则有神功。盖此疾皆起于七情饮食所致，痰气郁结，遂成有形，妨碍道路，吐食痛胀，非此物化消，岂能去之。如谷食不消，则必用以曲孽；鱼鳖不消，则必用以橘叶、紫苏、生姜；菜果不消，则必用以丁香、桂心；水饮不消，则必用以牵牛、芫花，至于肉食不消，又安能舍此阿魏、硇砂而不用乎？第当详其虚实，审其轻重缓急，以求药与病当耳。洁古云：实中有积，攻之自便；若属虚人，纵有大积，或应攻补兼施可耳，如其置虚不问，徒以实治，似属偏见，未可法也。如其审证不明，妄为投治，祸犹指掌，不可不慎。出西戎，如牙硝，光净者良。用水飞过，醋煮干如霜，刮下用之，忌羊血。

《罗氏会约医镜》 硇砂，去腐生新。味咸、苦、辛，热，有大毒。化坚性烈，消金石，腐肠胃。《本草》称其能化心为血，亦甚言不可多服耳。凡煮硬肉，投少许，即易烂。用之适宜，可消宿冷癥瘕，逐顽痰，烂死胎，去腐肉，生新肌，散目翳胬肉，除痣黡疣赘，故外科用为要药，肿毒可破口去血，溃痈可排脓收功，但宜外治，不宜服食。若中毒，多饮生绿豆汁二升可解。出西戎，乃卤液结成。状如盐块，置冷湿处即化，白净者良。水飞过，醋煮，畏酸，忌羊血。

《本草撮要》 硇砂，咸、苦、辛，热，有毒。入手足太阴、足阳明经。功专消食破瘀，治噎膈癥瘕，去目翳胬肉。若鼻中息肉点之即落。悬痈卒肿，硇砂五钱，绵裹含之，咽津即安。但能烂五金而化心为血，不可轻用。出西域火焰山者佳。

《本草便读》 硇砂，软坚痰，消宿食。咸热可行瘀，内服须知性有毒。化肉积，除癥瘕。苦、辛能散肿，外施颇觉效非常。硇砂产炎方斥卤之地，禀阴石之气，含阳毒之精，以鼻闻之，自觉炎热之气蒸蒸外达。能化五金八石，腐烂肠胃，其咸热之性，毒烈可知。功用皆外治为长，虽有内服诸方，然亦不可浪用也。西域有火山，每每有烟出自焚，山为之崩，甚至远近人畜皆灾。采硇砂者，须乘木履，若皮底即焦矣。

《增订伪药条辨》 硇砂［炳章按］《石雅》云硇砂者何？即氯化阿麻尼亚是也，或作硇。方书一名狄盐（《日华本草》），一名北庭砂（萧炳《四声》），又名气砂（《图经本草》），或作卤砂。硇砂古以出北庭为显，故名北庭砂。北庭即西域火州，在汉为东师前王地，隋为高昌，唐置西州，宋时回鹘居之，元时始名火州，明史云：其地多山，青红若火，故名火州。《方与纪要》云：火焰山在柳陈城东，连亘火州，是火州殆以火焰山得名也。高昌国传云：北庭山中出硇砂，山中常有烟气涌气，无云雾，至夕光焰若炬火，照见禽鼠皆赤，采者着木底靴取之，皮底者即焦，下有穴生青泥，出穴外即变为砂石，土人取以治皮。苏颂《图经》云：今西凉夏国，及河东、陕西近边州郡亦有之，西戎来者颗粒光明，大者如拳，重三四两，小者如指，边界出者，杂碎如麻豆粒，彼人谓之气砂。《方与纪要》谓兰州南四十五里，有硇砂洞，出硇砂。又太原府河曲县西五里，有火山，上有硇砂窟。若然则硇砂亦出内地边界矣。然而碎如麻豆，又杂砂石，则疑与西土来者，精粗或异矣。于今所见形块粗末，色带黄赤，味辛咸多孔，遇火白烟如云起。古曰气砂，洵可谓名符其实矣。《新疆矿产调查记》云：硇砂产于阗鲁村达尔乌兰布孙山、及拜城之硇砂山、库车之大鹊山，徐星伯云：其山极热，望之若列灯。取硇沙者，春夏不敢近，惟严寒时取之，入山采取，亦必去其衣服，著以衣包，仅露二目，至洞内凿之，不过二时，衣包已焦，取出砂石，每千斤得纯砂石少许，著石上红色星星，携此必用瓦坛盛之，但坛不可太满，满则受火气熏蒸，致于破裂。硇砂善挥发，受风受湿，皆可发挥净尽，故坛藏必须密闭。贾人在此时，行数日，遇天气晴明无风时，则稍揭其封口，以出火气。又云：运库车时，曾携数十坛，行抵伊犁，则石皆化为黄粉，而纯砂不见矣。若白色成块者不易化，可以及远，内地所谓硇砂即此是也。以上所辨为上品之淡硇，内地不可得，近今所通行者，皆咸硇、石硇，为不道地，亦有高下不同，如色如朱砂，或淡红起镜面，西土产者佳；如猪肝色者，名猪肝硇；或曰洋硇者次之；山西出者为石硇，亦次；陕西出者为香硇，红色者亦佳；湖广出者为咸硇，又名江砂，其色要白者佳；食盐色者次。

桃花盐（赵学敏）　《柑园小识》：桃花盐产泽旺，每春深红如桃花，至夏红色渐减，秋冬色白，入春仍红。胃痛人炙盐熨之立止。治胃痛，以盐熨之立止。

尚志钧按　硇砂一名番硇砂、北庭砂。硇砂为含氯离子、天然矿产之非金属盐类，为白色及紫红色结晶块。紫硇砂产于我国西北地区，古称番硇砂。硇砂质硬而脆，断面有玻璃样光泽，能溶于水，易潮解，主要成分均为氯化铵。硇砂味咸、苦、辛，温，有毒，腐蚀性、刺激性很强，伴有疼痛感。硇砂能蚀痈疽恶肉及息肉疣赘，治虫咬伤，多作外用，在疡科蚀方中作为佐使药，亦可用于开疮、拔疔及枯痔、除瘘等。《疡医大全》用冰蛳散治瘰疬、痰核、乳岩日久坚核不消及瘿瘤等。《外科正宗》硇砂散治鼻痔、耳痔，其配方如下：硇砂3克，轻粉、雄黄各1克，冰片0.15克各研细末，和匀，水调，点痔上。治疗虫咬伤，硇砂配雄黄等解毒药和为药锭用，亦有以水溶化涂患处者。《外科启玄》治毒虫咬疮肿痛不已者，其配方为：雄黄、硇砂、乳香、麝香各6克，土蜂窝、露蜂窝各1个（烧灰存性）各为末，和匀，醋糊为锭子，磨涂。硇砂单独用可作缓腐蚀剂。临床上常以本品与乌梅、巴豆、胆矾、蟾酥、白丁香等同用，能清除痈疽溃后之恶肉死肌或出脓不快者。亦可腐蚀疣痣，点时伴有痛感，防止伤好肉。《证治准绳》硇砂膏，常用于死肌、疣痣，其配方如下：硇砂（生用）3克，石灰（炒黄色）30克，白丁香（炒黄色）6克，黄丹（生用）250克，碱500克，淋水5碗，前4味须研极细末，次将碱水煎作一碗成膏，待冷，以前末入膏和匀，外点之。硇砂能软坚散结，适用于痈肿疮毒、咽喉肿痛、噎膈反胃，亦治疔疮肿毒，配雄黄为末，油调涂之。《丹溪心法附余》中神仙奇命丹，治噎膈（食道癌、胃癌），其方为：乌梅肉（捣烂）13个，硇砂、雄黄各6克，百草霜15克，绿豆、黑豆各49粒研末，杵为丸如弹子大，以乳香3克少加朱砂末为衣，每次1丸噙化，待药尽进食，无碍为效，隔三五日再噙化1丸。《浙江中医杂志》收录治食道癌的方子：山慈姑200克，硼砂80克，硇砂、三七各20克，冰片30克，沉香50克，共研细末，每次10克，温开水送服，每日4次，连用10日，后改每日2次，每次10克。《卫生宝鉴》硇砂丸治食道癌：硇砂、木香各9克，荜茇、破故纸各30克，附子（炮）32克，先将硇砂用水化开，将其他药研末加入硇砂溶液，蒸干研末，醋糊为丸如梧子大，每次用10丸噙化，每日1次，病重者每日2～3次。《河北中医》收录硇黄汤治食管癌：硇砂6克，黄芪15克，甘草5克，先将硇砂捣碎，置砂锅内水泡10分钟，煮半小时，入黄芪、甘草再煮半小时，滤取汁，分3次服，连服10天，为1个疗程，尔后停2～3日，再服1个疗程，服3个疗程后，每隔5日连服5天。此药严禁接触铁器。此外，硇砂能化痰止咳，治急、慢性支气管炎。但本品有毒，每次只能服1～2分，饭后服。空腹内服，刺激胃引起恶心，大量服用会引起呕吐，吸收后易致酸中毒。

二、硼酸盐类

246　蓬砂（《嘉祐》）

《嘉祐本草》　蓬砂，味苦、辛，暖，无毒。消痰止嗽，破癥结，喉痹，及焊金银用。或名鹏砂。新补　见日华子。

《日华子本草》　蓬砂，味苦、辛，暖，无毒。消痰止嗽，破癥结，喉痹，及焊金银用。或名鹏砂。

《本草图经》　文具“硇砂”条下。

《本草衍义》　蓬砂，含化咽津，治喉中肿痛，膈上痰热，初觉便治，不能成喉痹，亦缓取效可也。南番者，色重褐，其味和，其效速；西戎者，其色白，其味焦，其功缓，亦不堪作焊。

《绍兴本草》　蓬砂亦名鹏砂。生南海，其状光莹者佳。本经云味苦、辛，暖，无毒。考主疗消痰治喉痹，生用之，宜作性平、无毒。若经火煅用之，当从性暖，无毒矣。

《本草蒙筌》 蓬砂（一名硼砂），味苦、辛，气温，无毒。出西戎者，色白味焦功迟；出南番者，色褐味和力速。大块妙，光莹良。同绿豆收藏，才形色不伐。治喉中肿痛要药，去膈上痰热捷方。合化咽津，缓以取效。又为焊药，可柔金银。

《本草纲目》 ［释名］蓬砂一名鹏砂（《日华》）、盆砂。［时珍曰］名义未解。一作硼砂。或云：炼出盆中结成，谓之盆砂，如盆消之义也。［集解］［时珍曰］硼砂生西南番，有黄白二种。西者白如明矾，南者黄如桃胶，皆是炼结成，如硇砂之类。西者柔物去垢，杀五金，与消石同功，与砒石相得也。［气味］［时珍曰］甘、微咸，凉，无毒。［土宿真君曰］知母、鹅不食草、芸苔、紫苏、甑带、何首乌，皆能伏硼砂。同砒石煅过，有变化。［主治］［时珍曰］治上焦痰热，生津液，去口气，消障翳，除噎膈反胃，积块结瘀肉，阴痨骨哽，恶疮及口齿诸病。［发明］［时珍曰］硼砂，味甘微咸而气凉，色白而质轻，故能去胸膈上焦之热。《素问》云，热淫于内，治以咸寒，以甘缓之，是也。其性能柔五金而去垢腻，故治噎膈积聚、骨哽结核、恶肉阴痨用之者，取其柔物也；治痰热、眼目障翳用之者，取其去垢也。洪迈《夷坚志》云：鄱阳汪友良，因食误吞一骨，哽于咽中，百计不下。恍惚梦一朱衣人曰：惟南蓬砂最妙。逐取一块含化咽汁，脱然而失。此软坚之微也。《日华》言其苦、辛，暖，误矣。

《药性歌括四百味》 硼砂，辛。治喉肿痛，膈上热痰，噙化立中。（大块光莹者佳。）

《本草原始》 蓬砂，可焊金银。出西番者白如明矾；产南番者黄如桃胶。皆是炼出盆中结成，故古人谓之盆砂，今人呼转为蓬砂、硼砂。（味苦、辛，温，无毒。主消痰止嗽，破癥结，喉痹，上焦痰热，生津液，去邪气，消障瞖，除噎膈，脾胃结块，瘀血，阴痨，骨哽，恶疮，口齿诸病。同绿豆收藏形色不改。豆病，蓬砂黄色者一线，细研，入片脑一分，再研，灯心蘸点之。蓬砂色白透明如矾石，俗呼官硼，亦呼白硼。火药最佳黄色者。少青色者，俗呼青硼，次之，堪用焊金银铜器。）

《炮炙大法》 硼砂，白如明矾者良。研如飞尘。畏知母、芸苔、紫苏、甑带、何首乌、鹅不食草。

《珍珠囊补遗药性赋》 硼砂，攻喉痹，止嗽消痰直有理。（硼砂一名蓬砂，味苦、辛，暖，无毒。出南番者色重褐，其味和，其效速；出西戎者其色白，其味杂，其功缓，不堪入药，作金银焊药用之。）

《雷公炮制药性解》 硼砂，苦、辛，温，无毒。入肺经。主消痰止嗽，理喉痹，破癥结。光明莹澈者佳。按：蓬砂色白味辛，专入肺部。痰嗽等证皆肺火也，故咸治之。

《本草经疏》 蓬砂出于西南番，采取煎淋而结，亦如硝石、硇砂之类。《本经》味苦、辛，气暖，无毒。然详其用，味应有咸，气亦微暖，色白而体轻，体轻能解上焦胸膈肺分之痰热。辛能散，苦能泄，咸能软，故主消痰止嗽、喉痹及破癥结也。寇宗奭云：含化咽津，治喉中肿痛，膈上痰热，初觉便治不能成喉痹也。兼能去口气，消障翳，除噎膈反胃，积块瘀肉，阴㿉骨哽，恶疮折伤及口齿诸病。［主治参互］同龙脑香、人中白、青黛为末，傅口舌疮效。《经验方》咽喉肿痛，破棺丹，用蓬砂、白梅等分，捣，丸芡子大，每噙化一丸。《集玄方》小儿阴㿉，肿大小消，鹏砂一分，水研涂之大效。《直指方》胬肉瘀突，南鹏砂，黄色者一钱，龙脑香少许，研末，灯草蘸点之。［简误］蓬砂其性能柔五金，去垢腻，克削为用，消散为能，宜攻有余，难施不足。此暂用之药，非久服之剂。

《本草正》 硼砂，咸，微甘，阴也，降也。消痰涎，止咳嗽，解喉痹，生津液，除上焦湿热，噎膈，癥瘕，瘀血，退眼目肿痛翳障，口齿诸病，骨哽，恶疮。或为散丸，或噙化咽津俱可。

《本草乘雅半偈》 蓬砂［参］曰：命名曰蓬，借喻以比量也。蓬，草之不理者，遇风辄拔而旋，故古者观转蓬为车，轮之所繇始也。而身亦有轮：喉即呼吸之轮，机废则为痹；咽即水谷之轮，机废则为㾷；舌即发声之轮，机废则为木、为强；目即根识之轮，机废则为噎、为膈；胃腑即腐化敷布之轮，机废则为吐、为呕、为反胃；阴气即转输决渎之轮，机废则为癃、为闭、为诸淋、为肿㿉。虽气亦有轮，机废则壅而痰结；血亦有轮，机废则濡而瘕结。整之以蓬砂，使旋转如轮，则形骸气血，凡废弛者，无所不运迭而捷行矣。（运迭捷行，即机转不回，回则不转，乃失其机。）

《本草通元》 硼砂，甘凉，微咸。退障除昏，开胬肉消瘕，通膈杀劳虫，生津止嗽，治喉痹口齿诸病。按硼砂之性，能柔五金而去垢腻，故治噎膈积块、痰核、胬肉目翳、骨哽等症。但可疗有余，虽施于不足，虚劳症中非所宜也。有二种：出西番者，白如明矾；南番者，黄如桃胶。能制汞哑铜。

《医宗说约》 硼砂，温。止嗽消痰，善理喉痹，破结开关。（研用。）

《本草述》 硼砂，据时珍所云，皆是炼结成如硇砂之类。但硇砂有炼结成者，更有北庭山中生者。据硇砂所主治诸证，举是以阳毒之精，施化沉冷之阴也。而硼砂之用，乃治上焦痰热，盖其味咸而气凉也。虽其除噎膈破瘕结诸证，似与硇砂仿佛，然而阴结阳结，岂可不别，令其溷淆莫辨哉。故愚揣硇砂之辛热，乃北庭砂，而硼砂之咸凉，应同于硇砂之由卤汁而结炼者也。如时珍于硇砂不及分别而硼砂之同于硇砂类者，不无以寒热之殊，令人顿生疑意。愚于硇特著辨疑。因注硼之确相类者，以俟临证审处云。

《本草择要纲目》 硼砂，苦、辛，暖，无毒。[主治] 硼砂味甘，微咸，而气凉。色白而质轻，能去胸膈上焦之热。《素问》云：热淫于内，治无毒咸寒，以甘缓之是也。其性能柔五金而去垢腻，故治噎膈积聚、骨哽、结核、恶肉阴癀用之者，取其柔物也。治痰热、眼目障翳用之者，取其去垢也。

《本草备要》 硼砂，甘，微咸，凉，色白质轻，除上焦胸膈之痰热，生津止嗽。治喉痹口齿诸病。（初觉喉中肿痛，含化咽津，则不成痹。）能柔五金而去垢腻，故治噎膈积块，结核胬肉，目翳骨哽。（咸能软坚，含之咽汁。）出西番者，白如明矾；出南番者，黄如桃胶，能制汞哑铜。蓬砂、硇砂，并可作金银焊。

《本经逢原》 蓬砂，甘微咸，无毒。甘草汤煮化，微火炒松用。[发明] 蓬砂味甘微咸。气温色白而质轻，能去胸膈上焦之实热。《素问》云：热淫于内，治以咸寒，以甘缓之是也。其性能柔五金而去垢腻，故主痰嗽喉痹，破癥结。治噎膈积聚骨鲠结核恶肉，取其能柔物也。含化咽津，治喉中肿痛，膈上痰热，取其能散肿也，眼目障翳口齿诸病用之，取其能涤垢也。昔人治骨鲠，百计不下，取含咽汁，脱然如失，此软坚之症也。

《本草诗笺》 硼砂，微咸甘味是蓬砂，气质轻温色更嘉；痰嗽喉痹主有益，膈烦癥结治无差；障翳不使蒙眸子，疼肿还教愈齿牙；凡属上焦多实热，何妨小试倩君家。

《玉楸药解》 蓬砂，味咸，性凉。入手太阴肺经。化痰止嗽，磨翳消癥。蓬砂消癥化瘀。治癖积翳障，胬肉结核，喉痹骨哽。《本草》谓其化痰止嗽，清肺生津，除反胃噎膈。此非循良之性，未可服饵也。

《得配本草》 硼砂（一名盆砂），畏知母、芸苔、紫苏、甑带、何首乌、鹅不食草。制汞，哑铜。甘、微咸，凉。治上焦痰热，瘕结，喉痹，骨哽，恶疮胬肉，翳障，口齿诸病。得生姜片，蘸揩木舌肿强。得冰片少许，研细末，灯草蘸，点胬肉翳障，配牙消，治咽喉谷贼肿痛。配白梅，治咽喉肿痛。出西番者，白如明矾；南番者，黄如桃胶。

《本草求真》 ［批］治胸膈热痰。蓬砂（专入肝）。又名硼砂。辛甘微咸，气温，色白质轻。功专入上除热，故云能除胸膈热痰也。是以痰嗽喉痹，噎膈积聚，骨鲠结核，眼目翳障，口齿诸病，凡在胸膈以上者，无不可以投治。（颂曰：今医家用硼砂治咽喉，最为要功。宗奭曰：含化咽津，治喉中肿痛，膈上热痰，初觉便治，不能成喉痹。时珍曰：硼砂味甘微咸而气凉，色白而质轻，故能去胸膈上焦之热。《素问》云：热淫于内，治以咸寒，以甘缓之是也。其性能柔五金而去垢腻，故治噎膈积聚，骨鲠结核，恶肉阴㿗用之者，取其柔物也。治痰热眼目障翳用之者，取其去垢也。）况性能消金，岂有垢腻块积而不可以消导乎！第当审实而治，勿轻投也。出西番者，白如明矾；出南番者，黄如桃胶。甘草汤煮化，微火炒松用。

《罗氏会约医镜》 硼砂，（味甘、微咸、微辛，入肺经。）色白入肺。除上焦热痰，治喉痹口齿诸病（初觉喉中肿痛，含化咽津，则不成痹。）退目翳胬肉（研末加片点之），疗噎膈、结核、骨哽。（皆辛散咸软之效。）出西番，色白似矾。（此味甘，矾味酸。）性能柔五金，则削克可知。虽生津止嗽，虚劳证勿用。

《本草撮要》 硼砂，味甘咸凉，色白质轻，入手足太阳、阳明经。功专除上焦胸膈痰热。治喉痹口齿诸病，能柔五金，去垢腻，治噎膈积块结核胬肉，目翳骨哽。制汞哑铜。证非有余不可轻用。

《本草便读》 蓬砂：柔五金，化痰垢。骨哽翳遮，皆可随方应手。清胸膈，利咽喉。咸寒辛苦，尽能取效由人。（蓬砂此物亦卤石之类。一云由煎炼而成。故能熔化。凡五金之属，必须用此熔之。极能荡涤上焦一切郁热垢腻，消痰破结，长于外治，吹喉点睛诸方，悉皆用之。一云出南海诸番，系卤液结成。）

尚志钧按 硼砂，一名蓬砂、月石、鹏砂，产于青海、西藏盐湖中，杂有石膏及硬硼酸钙。天然矿加热熔化于水中，除去杂质后，再结晶可形成硼砂。硼砂为无色半透明菱柱形结晶体，具玻璃样光泽，质脆，易溶于水，且易风化。其成分为含水四硼酸二钠（$Na_2B_4O_7 \cdot 10H_2O$），加热至75℃即溶化，继则膨胀成为疏松海绵状物，成为失去结晶水之煅硼砂。入外治药生用或煅用。硼砂味甘、咸，性凉，能清热解毒、消痰破积，适用于咳嗽痰稠、咽喉疼痛、口舌生疮。治溃疡面红肿痛，以本品二钱，配朱砂三钱、生石膏三两、冰片六分，共研细末，撒布疮面，有消肿止痛之功。治溃疡脓腐未尽，新肉不生，皮肤对汞、铅过敏，以本品一两，配血竭一钱，研成细末，外掺。治咽喉肿痛，硼砂、白矾、朴硝、火硝、僵蚕、青黛、薄荷、黄连等分，共研细末，入猪胆汁拌后，再装胆囊内，悬挂通风阴处，自冬至日到翌年立春日取出，研细贮存，用时加冰片少许，吹喉肿痛处。一方：硼砂、雄黄、珍珠各三分，儿茶五分，青黛、薄荷各八分，牛黄、冰片各一分，共研细末，吹喉肿痛。一方：硼砂、西瓜霜各五钱，朱砂六分，冰片三分，研末外吹。治鹅口疮，配雄黄、冰片、甘草粉，以蜜水调涂。一方：硼砂、元明粉各15克，冰片1.5克，朱砂1.8克，共研极细，吹或搽患处。适用于咽喉口齿新久肿痛。《医宗金鉴》以此方治攒牙疳、舌下痰包、舌上痰核、重舌、慢舌风、哑瘴喉风、上颚痈、锁喉毒及乳蛾等，临床使用宜随症加减。如肿痛热甚者加青黛、黄连；破溃疼痛者加儿茶、珍珠；风热重者加白僵蚕；疳蚀加煅人中白；余如牛黄、胆矾、蟾酥、乳香、没药均可随症取用。硼砂生用，能清热散结，适用于痈疽肿毒初起。硼砂煅后，能收湿，适用于痈疽肿毒溃后创面有多量渗出物。煅硼砂掺入腐蚀药中，能缓和腐蚀药刺激性。《仁斋直指方》以硼砂治胬肉瘀突，其配方为：南硼砂黄色者3克，片脑少许，研末，灯心草蘸点之。硼砂用于慢性黏膜溃疡，配白矾、铜绿等分细研，香油调涂。《经验方》治汗斑，以鲜黄瓜折断蘸硼砂面用力涂擦患处。每日2～3次，洗澡时，患处不宜水洗，以免药力丧失。硼砂有除垢作用，配成漱口液，适用于口腔急慢性炎证，亦适用于鱼骨鲠喉，取其能柔物也。硼砂稍加热即溶化。炼制丹药时常配用本品，作结胎之用。

三、硝酸盐类

247　消石（《本经》）

《神农本草经》　消石，味苦、寒，主五脏积热，胃胀闭，涤去蓄结饮食，推陈致新，除邪气，炼之如膏，久服轻身。

《吴普本草》　消石，神农：苦。扁鹊：甘。

《名医别录》　消石，味辛，大寒，无毒。疗五脏十二经脉中百二十疾，暴伤寒、腹中大热，止烦满、消渴，利小便及瘘蚀疮。天地至神之物，能化成十二种石。一名芒消。生益州山谷及武都、陇西、西羌。采无时。（火为之使，恶苦参、苦菜，畏女苑。）

《本草经集注》　疗病亦与朴消相似，《仙经》多用此消化诸石，今无正识别此者。顷来寻访，犹云与朴消同山，所以朴消名消石朴也，如此则非一种物。先时有人得一种物，其色理与朴消在大同小异，朏朏如握盐雪不冰，强烧之，紫青烟起，仍成灰，不停沸如朴消，云是真消石也。此又云一名芒消，今芒消乃是炼朴消作之。与后皇甫说同，并未得核研其验，须试效，当更证记尔。化消石法，在三十六水方中。陇西蜀秦州，在长安西羌中。今宕昌以北诸山有咸土处皆有之。

《雷公炮炙论》 凡使，先研如粉，以瓷瓶子于五斤火中，煅令通赤，用鸡肠菜、柏子仁和作一处，分丸如小帝珠子许，待瓶子赤时投消石于瓶子内，其消石自然伏火，每四两消石，用鸡肠菜、柏子仁共十五个帝珠子，尽为度。

《药性论》 消石，君，恶曾青，畏粥。味咸，有小毒。主项下瘰疬，泻，得根出破血。一名芒消。烧之即成消石矣。主破积，散坚结。一作苦消。甚治腹胀。其消石、芒消，多川原人制作，问之详其理。

《唐本草》 此即芒消是也。朴消一名消石朴，今炼粗恶朴消，淋取汁煎，炼作芒消，即是消石。《本经》一名芒消，后人更出芒消条，谬矣。

《蜀本草》 大黄为使。按今消石是炼朴消，或地霜为之，状如钗脚，好者长五分已来，能化七十二种石为水，故名消石。

《日华子本草》 消石畏杏仁、竹叶。含之治喉闭，真者火上伏法，用柳枝汤煎三周时，如汤减少即入热者，伏火即止也。

《开宝本草》今注 此即地霜也。所在山泽，冬月地上有霜，扫取以水淋汁后，乃煎炼而成，盖以能消化诸石，故名消石。非与朴消、芒消同类，而有消名也。一名芒消者。以其初煎炼时有细芒，而状若消，故有芒消之号，与后条芒消全别。旧经陶注引证多端，盖不的识之故也。今不取焉。

《本草图经》 文具“朴消”条下。

《太平圣惠方》 治眼赤痛。用消石研令极细，每夜临卧，以铜箸取如黍米大，点目眦头，至明旦，以盐浆水洗之。《外台秘要》疗恶寒啬啬，似欲发背，或已生疮肿。瘾疹起方：消石三两，以暖水一升和令消，待冷，取故青布摺三重，可似赤处方圆，湿布拓之，热即换，频易，立差。《灵苑方》治五种淋疾，劳淋、血淋、热淋、气淋、石淋，及小便不通至甚者。透格散：用消石一两，不夹泥土雪白者，生研为细末。每服二钱，诸淋各依汤使如后。劳淋，劳倦虚损，小便不出，小腹急痛，葵子末煎汤下，通后，便须服补虚丸散。血淋，小便不出时，下血、疼痛、满急；热淋，小便热，赤色，淋沥不快，脐下急痛，并用冷水调下。气淋，小腹满急，尿后常有余沥，木通煎汤下。石淋，茎内痛，尿不能出，内引小腹膨胀急痛，尿下砂石，令人闷绝，将药末先入铫子内，隔纸炒至纸焦为度，再研令细，用温水调下。小便不通，小麦汤下。卒患诸淋，并只以冷水调下。并空心，先调使药消散如水，即服之，更以汤使送下，服诸药未效者，服此立愈。陈藏器《拾遗》治头疼欲死，鼻内吹消末愈。《兵部手集》服丹石人有热疮，疼不可忍方：用纸环围处，中心填消石令满，匙抄水淋之。觉甚不热疼，即止。《宝藏论》消石，若草伏而斤两不折，软切金、银、铜、铁硬物，立软。《史记》甾川王美人怀子而不乳，来召意，意往。饮以莨菪药一撮，以酒饮之，旋乳。意复诊其脉而脉躁，躁者有余病，即饮以消石一剂，出血如豆，比五六枚。

《本草衍义》 消石，是再煎炼时已取讫芒消，凝结在下如石者。精英既去，但余滓而已。故功力亦缓，惟能发烟火。《唐本》注盖以能消化诸石，故曰消石。煎柳枝汤煮三周时即伏火，汤耗，即又添柳枝汤。

《绍兴本草》 硝石所产不一，乃所在泽，冬用地上有霜，扫取以水淋汁后乃煎炼而成，盖以能消化诸石，故名消石。一名芒硝者，谓其初煎炼时上有细芒，故亦有芒消之名。下别有此一种尔，即非后条内朴消中芒消也。其性寒，主治除热去闭结显然矣。既有利性，当以味苦、辛，大寒，有小毒者是。

《本草纲目》 ［释名］一名苦消（《甄权》）、焰消（《土宿》）、火消（《纲目》）、地霜（《蜀本》）、生消（《宋本》）、北帝玄珠。［时珍曰］消石，丹炉家用制五金八石，银工家用化金银，兵家用作烽燧火药，得火即焰起，故有诸名。狐刚子炼粉圆谓之北帝玄珠。《开宝本草》重出生消、芒消，今并为一，并详下文。［集解］［时珍曰］消石，诸卤地皆产之。而河北庆阳诸县及蜀中尤多。秋冬间遍地生白，扫取煎炼而成。货者苟且，多不洁净，须再以水煎化，倾盆中，一夜结成。澄在下者，状如朴消，又名生消，谓炼过生出之消也。结在上者，或有锋芒如芒消，如有圭棱或马牙消，故消石亦有芒消、牙消之名，与朴消之芒、牙同称，而水火之性则异也。崔昉《外丹本草》云：消石，阴石也。此非石类，乃碱卤煎成，今呼焰消。河北商城及怀、卫界，沿河人家，刮卤淋汁炼就，与朴消小异，南地不产也。昇玄子《伏汞图》云：消石生乌场国，其色青白，用白石英炙热点上，便消入石中者为真。其石出处，气极秽恶，飞鸟不能过其上。人或单衣过之，身上诸虫悉化为水。能消金石，为水服之长生，以形若鹅管者佳。谨按：昇玄子所说，似与今之消石不同，而姚宽《西溪丛话》以其说为真正消石，岂外国所产与中国异耶？抑别一种耶？当俟博物者订正。［正误］［好古曰］消石者，消之总名也。但不经火者，谓之生消；朴消经火者，谓之芒消、盆消。［时珍曰］诸消，自晋、唐以来，诸家皆执名而猜，都无定见。惟马志《开宝本草》，以消石为地霜炼成，而芒消、马牙消是朴消炼出者，一言足破诸家之惑矣。诸家盖因消石一名芒消，朴消一名消石朴，二名相混，遂致费辨不决。而不知消有水、火二种，形质虽同，性气迥别也。惟《神农本经》朴消、消石二条为正。其《别录》芒消、《嘉祐》马牙消、《开宝》生消，俱系多出，今并归并之。神农所列朴消，即水消也，有二种，煎炼结出细芒者为芒消，结出马牙者为牙消，其凝底成块者通为朴消，其气味皆咸而寒。神农所列消石，即火消也，亦有二种，煎炼结出细芒者亦名芒消，结出马牙者亦名牙消，又名生消，其凝底成块者通为消石，其气味皆辛苦而大温。二消皆有芒消、牙消之称，故古方有相代之说。自唐宋以下，所用芒消、牙消，皆是水消也。南医所辨虽明，而以凝水石、猪胆煎成者为芒消，则误矣。今通正其误。其石脾一名消石者，造成假消石也。见后石脾下。［发明］［土宿真君曰］消石感海卤之气所产，乃天地至神之物，能寒能热，能滑能涩，能辛能苦，能酸能咸，入地千年，其色不变，七十二石，化而为水，制服草木，柔润五金，制炼八石，虽大丹亦不拾此也。［时珍曰］土宿所说，乃消石神化之妙。《别录》列于朴消之下，误矣。朴消属水，味咸而气寒，其性下走，不能上升，阴中之阴也。故惟荡涤肠胃积滞，折治三焦邪火。消石属火，味辛带苦微咸，而气大温，其性上升，水中之火也。故能破积散坚，治诸热病，升散三焦火郁，调和脏腑虚寒。与硫黄同用，则配类二气，均调阴阳，有升降水火之功，治冷热缓急之病。煅制礞石，则除积滞痰饮。盖硫黄之性暖而利，其性下行；消石之性暖而散，其性上行。礞石之性寒而下，消石之性暖而上。一升一降，一阴一阳，此制方之妙也。今兵家造烽火铳机等物，用消石者，直入云汉，其性升可知矣。《雷公炮炙论·序》云，脑痛欲死，鼻投消末，是亦取其上升辛散，乃从治之义。《本经》言其寒，《别录》言其大寒，正与龙脑性寒之误相似。凡辛苦物未有大寒者，况此物得火则焰生，与樟脑、火酒之性同，安有性寒、大寒之理哉？《史记·仓公传》云：菑川王美人怀子不乳，来召淳于意。意往以饮莨菪药一撮，以酒饮之，旋乳。意复诊其脉躁，躁者有余病，即饮以消石一剂，出血，豆比五六枚而安。此去自结之验也。［修治］［抱朴子曰］能消柔五金，化七十二石为水。制之须用地莲子、猪牙皂角、苦参、南星、巴豆、汉防已、晚蚕砂。［时珍曰］熔化，投甘草入内，即伏火。消石［气味］［时珍曰］辛、苦、微咸，有小毒，阴中之阳也。得陈皮，性疏爽。［主治］治伏暑伤冷，霍乱吐利，五肿淋疾，女劳黑疸，心肠㽲痛，赤眼，头痛，牙痛。

《五十二病方》 22行云：久伤者稍（消）石直（置）温汤中，以洒痈。

《范子计然》 消石，出陇道。

《本草经》 消石，味苦寒。主五脏积热，胃胀闭，涤去蓄结饮食，推陈致新，除邪气。

《吴普本草》 消石，神农：苦。扁鹊：甘。

尚志钧按 消石（硝石）异名很多，《别录》谓“消石”名“芒消”，但《别录》另有“芒消”条。又，《别录》称“朴消”名“消石朴”，是硝石有同名异物现象。《本草纲目》说：“诸消，自晋、唐以来，诸家皆执名而猜，都无定见。惟马志《开宝本草》，以消石为地霜炼成，而芒消、马牙消为朴消炼出者，一言足破诸家之惑矣。诸家盖因消石一名芒消，朴消一名消石朴，二名相混，遂致费辨不决。”今日所用硝石主要含硝酸钾，并夹杂少量硝酸钠、氯化钠。朴硝主要成分为含水硫酸钠，杂有硫酸钙、硫酸铁、硫酸钾。而芒硝、马牙硝是较纯的硫酸钠。它们都是针芒状结晶，外观相似，加以古人炼制不纯，因此，在应用和名称上出现混乱的情况。试看《本草经》所讲硝石功用“涤去蓄结饮食”，显然是泻下剂的芒硝作用，倘若真正是含纯硝酸钾的硝石，大量服之，岂不要中毒。而《别录》所言硝石功用，乃是含钾盐的硝石功用，因钾盐能利尿，亦能溶解多种无机盐。陶弘景说真硝石“强烧之，紫青烟起。”此因硝酸钾强烈分解放出有色一氧化氮气体所致。《外台秘要》以硝石溶液作疮肿外敷用，和《五十二病方》的用法相同。

248 狗溺硝（赵学敏）

《本草纲目拾遗》 此药处处有之，生人家石墈上，乡村尤多，乃狗溺石上，多年结成，如硝样。取之水飞用，或甘草汤拔去秽气用。

性凉色清白，治咽喉肿痛等症。能降虚火。

四、硫酸盐类

249 朴消（《本经》）

《神农本草经》 朴消，味苦，寒。主百病，除寒热邪气，逐六腑积聚，结固留癖，能化七十二种石。炼饵服之。轻身神仙。

《名医别录》 朴消，味辛，大寒，无毒。消胃中食饮热结，破留血、闭绝，停痰痞满，推陈致新炼之白如银，能寒能热，能滑能涩，能辛能苦，能咸能酸，入地千岁不变，色青白者佳，黄者伤人，赤者杀人。一名消石朴。生益州山谷有咸水之阳。采无时。（畏麦句姜。）

《本草经集注》 今出益州北部故汶山郡、西川、蚕陵二县界。生山崖上，色多青白，亦杂黑斑。俗人择取白软者，以当消石用之，当烧令汁沸出，状如矾石也。《仙经》惟云：消石能化他石。今此亦云能化石，疑必相似，可试之。

《药性论》 朴消，君，味苦，咸，有小毒。能治腹胀，大小便不通，女子月候不通，《日华子》云：主通汇五脏百病及癥结，治天行热疾，消肿毒及头痛，排脓，润毛发。凡入饮药，先安于盏内，搅热药浇服。

《唐本草》 此物有二种，有纵理、缦理，用之无别。白软者，朴消苗也，虚软少力，炼为消石，所得不多，以当消石，功力大劣也。

《药谱》 朴消，一名太清尊者。

《开宝本草》今注 今出益州，彼人采之，以水淋取汁，煎炼而成朴消也。一名消石朴者。消即是本体之名；石者，乃坚白之号；朴者，即未化之义也。以其芒消、英消皆从此出，故为消石朴也。其英消，即今俗间谓之马牙消者是也。

《本草图经》 朴消，生益州山谷有咸水之阳。消石，生益州山谷及武都陇西西羌。芒消，生于朴消，今南北皆有之，而以西川者为佳。旧说三物同种，初采得其苗，以水淋取汁，煎炼而成，乃朴消也，一名消石朴。以消石出于其中。又炼朴消或地霜而成，坚白如石者，乃消石也，一名芒消。又取朴消，以暖水淋汁，炼之减半，投于盆中，经宿而有细芒生，乃芒消也。虽一体异名，而修炼之法既殊，则主治之功别矣。然《本经》各载所出，疑是二种。而今医方家所用，亦不复能究其所来，但以未炼成块，微青色者，为朴消。炼成盆中上有芒者，为芒消，亦谓之盆消，其芒消底澄凝者，为消石。朴消力紧，芒消次之，消石更缓，未知孰为真者。又按：苏恭谓晋宋古方，多用消石，少用芒消。近代诸医但用芒消，鲜言消石，是不然也。张仲景伤寒方承气汤、陷胸丸之类，皆用芒消。葛洪《肘后方》伤寒、时气、温病亦多用芒消，惟治食脍胸膈中不化，方用朴消。云无朴消者，以芒消代皆可用也。是晋宋以前，通用朴消、芒消矣。又《胡洽方》十枣汤用芒消，大五饮丸用消石。亦云无消石用芒消。是梁、隋间通用芒消、消石矣。以此言之，朴消、消石为精，芒消为粗。故陶隐居引皇甫士安炼消石法云：乃是取芒消与石脾合煮，成为真消石，然石脾无复识者。又注矾石云：生者名马齿矾，青白色，已炼成绝白，蜀人以当消石，是消石当时已为难得其真矣。故方书罕用，通以相代，若然今所用者，虽非真识，而其功效既相近，亦可通用无疑矣。其《本经》所以各载所出州土者，乃方俗治炼之法有精粗，故须分别耳。至如芎䓖之与蘼芜，大戟之与泽漆，俱是一物，《本经》亦各著州土者，盖根与苗，土地各有所宜，非别是一物。则朴消、消石，别著所出，亦其义也。他同此比，又有英消者，亦出于朴消，其状若白石英，作四五棱，白色莹澈可爱，功用与芒消颇同，但不能下利，力差小耳，亦谓之马牙消，盖以类得名，近世用之最多。又金石凌法，用马牙消、芒消、朴消、消石四种相参次第下之。详此法出于唐世，不知当时如何分别也。又下有“生消”条云：生茂州西山岩石间，其形块大小不常，色青白，鲜见用者。而今医家又用一种甜消，弥更精好，或疑是此，乃云出于英消。炼治之法未闻。又南方医人论消或小异。有著说云：本草有朴消、消石、芒消，而无马牙消，诸家所注本草三种，竟无坚决，或言芒消、消石本是一物，不合重出。又言煎炼朴消，投于盆中经宿乃有细芒，既如是，自当为马牙消。又云马牙消亦名英消，自是一物，既以芒消为朴消，所出不应更有英消。今诸消之体各异，理亦易明，而至若此之惑也。朴消味苦而微咸，《本经》言苦，《名医别录》以为辛，盖误谓消石也。出蜀部者，莹白如冰雪，内地者小黑，皆酥脆易碎，风吹之则结霜，泯泯如粉，熬之烊沸，亦可熔铸。以水合甘草，猪胆煮之减半，投大盆中，又下凝水石屑同渍一宿，则凝结如白石英者，芒消也。扫地霜煎炼而成如解盐，而味辛苦，烧之成焰都尽，则消石也。能化金石，又性畏火而能制诸石使拒火，亦天地之神物也。牙消则芒消是也。又有生消不因煮炼而成，亦出蜀道，类朴消而小坚也。其论虽辩，然与古人所说殊别，亦未可全信也。张仲景《伤寒论》疗膀胱急，小腹满，身尽黄，额上黑及足下热，因作黑瘅，大便必黑，腹胪胀满如水状，大便溏者，女劳得之，非水也。腹满者难疗，消石矾石散主之。消石熬黄，矾石烧令汁尽，二物等之，合夹绢筛，大麦粥汁和服方寸匕，日三，重衣覆取微汗，病随大小便去，小便正黄，大便正黑也。大麦用无皮者。《千金方》消石用二分，矾石用一分。刘禹锡《传信方》著石旻山人甘露饮：疗热壅，凉膈上，驱积滞。蜀朴消成末，每一大斤用蜜，冬有十三两，春、夏、秋用十二两，先捣筛朴消成末后，以白蜜和令匀，便入新青竹筒，随小大者一节，著药得半筒已上即止，不得令满。却入炊甑中，令有药处在饭内，其虚处出其上，不妨甑箪即得，候饭熟取出，承热绵滤入一瓷钵中，竹蓖搅勿停手，令至凝即药成，收入合中。如热月即于冷水中浸钵，然后搅，每食后或欲卧时，含一匙、半匙，渐渐咽之。如要通转亦得。

《太平圣惠方》 治时气头痛不止。用朴消二两，捣罗为散，用生油调，涂于顶上。又方治乳石发动烦闷及诸风热。用朴消炼成者半两，细研如粉，每服以蜜水调下一钱匕。日三四服。《外台秘要》疗喉痹神验。朴消一两，细细含咽汁，顷刻立差。《孙真人食忌》主口疮，取朴消含之。《简要济众》治小便不通，膀胱热。

白花散：朴消不以多少，研为末，每服二钱匕，温茴香酒调下，无时服。

《本草衍义》 朴消，是初采扫得，一煎而成者，未经再炼治，故曰朴消。其味酷涩，所以力坚急而不和，可以熟生牛、马皮，及治金银有伪。葛洪治食脍不化，取此以荡逐之。腊月中以新瓦罐，满注热水，用朴消二升，投汤中，搅散，挂北檐下，俟消渗出罐外，羽收之。以人乳汁调半钱，扫一切风热毒气攻注目睑外，及发于头面、四肢肿痛，应手神验。

［成无己曰］朴消，《内经》云：咸味下泄为阴。又云：咸以软之。热淫于内，治以咸寒。气坚者以咸软之，热盛者以寒消之。故张仲景大陷胸汤、大承气汤、调胃承气汤皆用芒消，以软坚去实热，结不至坚者不可用也。

《绍兴本草》 朴消一名消石朴，盖如物之朴，以未经炼故也。而又芒消、英消，皆从此出，故谓之朴消。青白者佳，黄赤者不堪入药。本经云：逐积聚，破留血，推陈致新，其荡利之性皆可知矣。今定朴消味苦、辛，大寒，有小毒是也。

［张从正曰］朴消，畏三棱。

［王好古曰］本草云，朴消味辛，是辛以润肾燥也。今人不用辛字，只用咸字，咸能软坚也。其义皆是。

《本草纲目》 ［释名］［时珍曰］此物见水即消，又能消化诸物，故谓之消。生于盐卤之地，状似末盐，凡牛马诸皮须此治熟，故今俗有盐消、皮消之称。煎炼入盆，凝结在下，粗朴者为朴消，在上有芒者为芒消，有牙者为马牙消。《神农本经》止有朴消、消石，《名医别录》复出芒消，宋《嘉祐本草》又出马牙消。盖不知消石即是火消，朴消即是芒消、马牙消，一物有精粗之异尔。诸说不识此，遂致纷纭也。今并芒消、牙消于一云。［集解］［时珍曰］消有三品：生西蜀者，俗呼川消，最胜；生河东者，俗呼盐消，次之；生河北、青、齐者，俗呼土消。皆生于斥卤之地，彼人刮扫煎汁，经宿结成，状如末盐，犹有沙土猥杂，其色黄白，故《别录》云，朴消黄者伤人，赤者杀人。须再以水煎化，澄去滓脚，入萝卜数枚同煮熟，去萝卜倾入盆中，经宿则结成白消，如冰如蜡，故俗呼为盆消。齐、卫之消则底多，而上面生细芒如锋，《别录》所谓芒消者是也。川、晋之消则底少，而上面生牙如圭角，作六棱，纵横玲球，洞澈可爱，《嘉祐本草》所谓马牙消者是也。状如白石英，又名英消。二消之底，则通名朴消也。取芒消、英消，再三以萝卜煎炼去咸味，即为甜消。以二消置之风日中吹去水气，则轻白如粉，即为风化消。以朴消、芒消、英消同甘草煎过，鼎罐升煅，则为玄明粉。陶弘景及唐宋诸人皆不知诸消是一物，但有精粗之异，因名迷实，谬猜乱度，殊无指归。详见消石正误下。朴消［气味］［时珍曰］《别录》所列神化之说，乃消石之功。详见消石下。［发明］［时珍曰］朴消澄下，消之粗者也，其质重浊。芒消、牙消结于上，消之精者也，其质清明。甜消、风化消，则又芒消、牙消之去气味而升缓轻爽者也。故朴消止可施于鲁莽之人，及傅涂之药；若汤散服饵，必须芒消、牙消为佳。张仲景《伤寒论》只用芒消，不用朴消，正此义也。消禀太阴之精，水之子也。气寒味咸，走血而润下，荡涤三焦肠胃实热阳强之病，乃折治火邪药也。唐时，腊日赐群臣紫雪、红雪、碧雪，皆用此消炼成者，通治积热诸病有神效，贵在用者中的尔。

250　仙人骨（赵学敏）

《本草纲目拾遗》　《舆地志》：云南镇南州山中出碎石如朴硝。土人掘取作粉货之。相传仙人曾化于此，因名焉。《南诏备考》：镇南州城东二十里山中，世传仙人张明亨遗蜕瘗此。

治一切疮，神效。取粉敷。

杜昌丁《藏行纪程》：楚雄府七十里至吕合，有吕祖庙，去村数里，山脚出仙人骨，如水晶，能疗疮疖。相传仙人为吕祖所度，又三五十里为镇南州。

《滇略》：南诏时张王二生遇吕仙于吕合驿，王得度上升，张不能从，愤而死。埋骨山中化为石。莹澈如水晶。敷一切疮疡，立愈。

251　芒消（《别录》）

《名医别录》　芒消，味辛、苦，大寒，主五脏积聚，久热、胃闭，除邪气，破留血，腹中痰实结搏，通经脉，利大小便及月水，破五淋，推陈致新。生于朴消。

《雷公药对》　芒消，大寒，傅漆疮，臣石韦为之使，恶麦句姜。

《本草经集注》　按《本经》无芒消，只有消石，名芒消尔。后《名医》别载此说，其疗与消石正同，疑此即是消石。旧出宁州，黄白粒大，味极辛、苦。顷来宁州道断都绝。今医家多用煮练作者，色全白，粒细，而味不甚烈。此云生于朴消，则作者亦好。又皇甫士安解散消石大凡说云：无朴消可用消石，生山之阴，盐之胆也。取石脾与消石，以水煮之，一斛得三斗，正白如雪，以水投中即消，故名消石。其味苦，无毒。主消渴热中，止烦满，三月采于赤山。朴消者，亦生山之阴，有盐咸苦之水，则朴消生于其阳。其味苦无毒，其色黄白，主疗热，腹中饱胀，养胃消谷，去邪气，亦得水而消，其疗与消石小异。按如此说，是取芒消合煮，更成为真消石，但不知石脾复是何物？本草乃有石脾、石肺，人无识者，皇甫既是安定人，又明医药，或当详。练之以朴消作芒消者，但以暖汤淋朴消，取汁清澄煮之减半，出着木盆中，经宿即成，状如白石英，皆六道也，作之忌杂人临视。今益州人复炼矾石作消石，绝柔白，而味犹是矾石尔。《孔氏解散方》又云：熬炼消石令沸定汁尽。如此，消石犹是有汁也。今仙家须之，能化他石，乃用于理第一。

《雷公炮炙论》 凡使，先以水飞过，用五重纸滴过，去脚于铛中干之。方入乳钵研如粉，任用。芒消是朴消中炼出，形似麦芒者，号曰芒消。

《药性论》 芒消使，味咸，有小毒。能通女子月闭，癥瘕，下瘰疬，黄疸病。主堕胎，患漆疮，汁傅之。主时疾壅热，能散恶血。

《唐本草》 晋宋古方，多用消石，少用芒消，近代诸医但用芒消，鲜言消石，岂古人昧于芒消也。《本经》云生于朴消，朴消一名消石朴，消石一名芒消，理既明白，不合重出之。

《本草拾遗》 按，石脾、芒消、消石并出于西戎卤地，咸水结成，所主亦以类相次。

《蜀本草》 芒消，人若常炼石而服者，至殁塚中生悬石，名芒消。冷如雪，能杀火毒，与此不同。旧注说朴消、消石、芒消等，互有得失，乃云不合重有“芒消”条也。夫朴消，一名消石朴，即炼朴消成消石，明矣，故有“消石”条焉。又消石，一名芒消，即明芒消，亦是炼朴消而成也。凡药虽为一体，盖同出而异名，修炼之法既殊。主治之功遂别矣。

《开宝本草》 芒消出于朴消，以暖水淋朴消，取汁炼之，令减半，投于盆中，经宿乃有细芒生，故谓之芒消也。又有英消者，其状若白石英，作四五棱，白色，莹澈可爱。主疗与芒消颇同，亦出于朴消，其煎炼自别有法，亦呼为马牙消。唐注以此为消石同类，深为谬矣。

《本草衍义》 芒消，经云：生于朴消。乃是朴消以水淋汁，澄清，再经熬炼减半，倾木盆中，经宿，遂结芒有廉棱者。故其性和缓，古今多用以治伤寒。

《绍兴本草》 芒消生于朴消，谓取朴消煎炼而成，上有细芒者，故曰芒消也。味辛、苦，大寒。本经不云有无毒。在古今方用，能破留血坚积，荡涤邪热之气。当从《药性论》有小毒是也。《图经》一说煎炼朴消经宿，乃有细芒者名马牙消，甚误矣，此正谓芒消尔。

［张元素曰］　芒消气薄味厚，沉而降，阴也。其用有三：去实热，一也；涤肠中宿垢，二也；破坚积热块，三也。孕妇惟三四月及七八月不可用，余皆无妨。本草言芒消利小便而堕胎，然伤寒娠妊可下者用此，兼大黄引之，直入大腹，润燥软坚泻热，而母子俱安。经云，有故无殒，亦无殒也，此之谓欤？以在下言之，则便溺俱阴。以前后言之，则前气后血。以肾言之，总主大小便难。溺涩秘结，俱为水少火盛。经云，热淫于内，治以咸寒，佐之以苦，故用芒消、大黄相须为使也。

《汤液本草》　盆消，即芒消。寒，味咸。去实热，《内经》云：热淫于内，治以咸寒，此之谓也。《珍》云：纯阴，热淫于内，治以咸寒。《本草》云：主五脏积聚，久热胃闭，除邪气，破留血，腹中痰实结搏，通经脉及月水，破五淋。消肿毒，疗天行热病。《药性论》云：使。味咸，有小毒，通月闭癥瘕，下瘰疬，黄疸，主漆疮，散恶血。《太平圣惠方》云：治代指用芒消煎汤，淋渍之愈。

《本草蒙筌》　芒消煎炼，倾盆内结芒，上有廉棱，名故改唤。甚消痰癖，更通月经。延发漆疮可敷，难产子胞可下。洗心肝明，涤肠胃止痛。经云：热淫于内，治以咸寒，佐以苦寒。古方因之，每用大黄、芒消，相须而为使也。又称英硝者，因形与白英相同。

《本草纲目》　诸消，自晋唐以来，诸家皆执名而猜，都无定见。惟马志《开宝本草》，以消石为地霜炼成，而芒消、马牙消是朴消炼出者，一言足破诸家之惑矣。诸家盖因消石一名芒消，朴消一名消石朴，二名相混，遂致费辨不决。而不知消有水火二种，形质虽同，性气迥别也。惟《神农本经》朴消、消石二条为正。其《别录》芒消、《嘉祐》马牙消、《开宝》生消，俱系多出，今并归并之。神农所列朴消，即水消也，有二种，煎炼结出细芒者为芒消，结出马牙者为牙消，其凝底成块者通为朴消，其气味皆咸而寒。神农所列消石，即火消也，亦有二种，煎炼结出细芒者亦名芒消，结出马牙者亦名牙消，又名生消，其凝底成块者通为消石，其气味皆辛苦而大温。二消皆有芒消、牙消之称，故古方有相代之说。自唐宋以下，所用芒消、牙消，皆是水消也。南医所辨虽明，而以凝水石、猪胆煎成者为芒消，则误矣。今通正其误。其石脾一名消石者，造成假消石也。见后石脾下。

《本草原始》　芒消，朴消再炼，倾入盆中，结成锋芒，名曰芒消。味辛苦，大寒，无毒。主五脏积聚，胃中火热，除邪气，破留血，肚中痰实结搏，通经，利大小便，破五淋，推陈致新，下瘰疬，黄疸病，时疾壅热，能散恶血，堕胎，敷漆疮。虫牙疼，芒消、朱砂等分为末，上患外立止。

《炮炙大法》 芒消，水飞过，用五重纸滴过去脚，于铛中干之，方入乳钵研如粉，任用。芒消是朴消中炼出，形似麦芒者，号曰芒消。火为之使。恶苦参、苦菜，畏女菀、杏仁、竹叶。

《珍珠囊补遗药性赋》 芒消，再取朴消淋汁炼之，有细芒者谓之芒消，专治伤寒。

《本草经疏》 芒消，禀天地至阴极寒之气所生，故味苦、辛，性大寒。乃太阴之精，以消物为性，故能消五金八石，况乎五脏之积聚，其能比之金石之坚哉？久热即是邪热，伤寒热邪结中焦，或停饮食，则胃胀闭，少少投之，可立荡除。除邪气者，寒能除热故也。破留血者，咸能软坚，辛能散结也。邪热盛，则经脉闭，热淫于内，治以咸寒，结散热除，则经脉自通，二便自利，月水复。故五淋中，惟石淋、膏淋为胶结难解，病由于积热，非得辛苦大寒之药，以推荡消散之，不能除也。推陈致新，总述其体用之功耳。由朴消再煎而成，故曰生于朴硝，［主治参互］入仲景大承气汤，治伤寒七八日后，邪结下焦，少腹按之坚痛，下之愈。又治伤寒邪热，失汗，蓄血少腹，或先因内伤留血下焦，入桃仁承气汤，下之愈。《千金方》疗漆疮，用汤渍芒消，令浓涂之，如干，即易之。《子母秘录》治小儿赤游行于体上下，至心即死，以芒消纳汤中，取浓汁，以拭丹上。《百一选方》治关格，大小便不通，胀满欲死，两三日则杀人，以芒消三两，纸裹三四重，炭火烧之，令内一升汤中，尽服，当先饮汤一升，已吐出，乃服之。《孙真人食忌》主眼有翳，取芒消一大两，置铜器中，急火上炼之，放冷后，以生绢细罗点眼角中，每夜欲卧时一度点妙。《姚和众方》治小儿重舌，马牙消涂于舌上下，三日效。《简要济众方》治小儿鹅口，用马牙消擦舌上，日五度效。《梅师方》治火焰丹毒，水调芒消末涂之。《信效方》治死胎不下，用芒消末二钱，童便温服。《三因方》治风热喉痹及缠喉风，玉钥匙，用焰消一两半，白僵蚕一钱，白硼砂半两，脑子一字，研匀，取少许，数数吹之。《普济方》治重舌鹅口，用竹沥同焰消点之。

《本草通元》 芒消，主占，可供走血荡肠之需。

《本草述》 芒消，辛、苦，大寒，无毒。（按苦辛未确。）权曰：咸有小毒。主治百病，除邪气，逐五脏积聚，结固留癖并久热骨闭，疗腹热胀并大小便不通，破五淋乃留血闭绝，痰实结搏，通经脉，推陈致新，利女子月水，治时疾壅热头痛，下瘰疬，黄疸病。

《本草择要纲目》 芒消，辛、苦，大寒，无毒。又曰：咸有小毒。［主治］五脏积聚久热胃闭，除邪气，破留血，腹中痰实结博，通经脉，利大小便及月水，破五淋，推陈致新，下瘰疬，黄疸病，时疾壅热，能散恶血，堕胎，傅漆疮。

《本草备要》 朴消、芒消（朴消即皮消），辛能润燥，咸能软坚，苦能下泄，大寒能除热。朴消酷涩性急，芒消经炼稍缓。能荡涤三焦肠胃实热，推陈致新。（按：致新则泻亦有补，与大黄同。盖邪气不能除，则正气不能复也。）治阳强之病，《伤寒》经曰：人之伤于寒也，必病热；盖寒郁而为热也。疫痢，积聚结癖，留血停痰，黄疸淋闭，瘰疬疮肿，白赤障翳，通经堕胎。（丰城尉家有猫，子死腹中，啼叫欲绝，医以消灌之，死子即下。后有一牛，亦用此法得活。本用治人，治畜亦验。《经疏》曰：消者，消也，五金八石，皆能消之，况脏腑之积痰乎？其直往无前之性，所谓无坚不破、无热不荡者也。病非热邪深固，闭结不通，不可轻投，恐误伐下焦真阴故也。成无己曰：热淫于内，治以咸寒。气坚者，以咸软之。热盛者，以寒消之。故仲景大陷胸汤、大承气汤、调胃承气汤，皆用芒消以软坚，去实热。结不至坚者，不可用也。佐之以苦，故用大黄相须为使。许誉卿曰：芒消消散，破结软坚；大黄推荡，走而不守；故二药相须，同为峻下之剂。王好古曰：《本草》言芒消堕胎，然妊娠伤寒可下者，兼用大黄以润燥，软坚泻热，而母子相安。经曰：有故无殒亦无殒也，此之谓欤。谓药有病当之，故母与胎俱无患也。）消能柔五金，化七十二种石为水。生于卤地，刮取煎炼，在底者为朴消；在上有芒者为芒消；有牙者为马牙消；置风日中，消尽水气，轻白如粉，为风化消，大黄为使。（《本经》《别录》朴消、消石虽分二种，而气味主治略同。后人辩论纷然，究无定指。李时珍曰：朴消下降，属水性寒；消石为造炮，焰消上升，属火性温。昂按：世人用消，从未取其上升而温者，李氏之说，恐非确论。）

《本草经解》 芒消，寒，味苦，无毒。主五脏积热，胃胀闭，涤去蓄结饮食，推陈致新，除邪气，炼之如膏。久服轻身。（芒消气寒，禀天冬寒之水气，入手太阳寒水小肠经。味苦无毒，得地南方之火味，入手少阳相火三焦经。气味俱降，阴也。其主五脏积热胃胀闭者，五脏本为藏阴之经，阴枯则燥，而火就之，则热积于脏而阳偏盛矣。阳者胃脘之阳，阳偏盛，故胃胀而闭塞也。其主之者，芒消入三焦，苦寒下泄，水谷之道路通，而胀者平矣。小肠为受盛之官，化物出焉之腑，小肠燥热，则物受而不化，饮食蓄结于肠矣。芒消入太阳，苦寒下泄，咸以软坚，则陈者下而新者可进也。除邪气者，苦寒治燥热之邪气也，炼之如膏。久服轻身者，指三焦小肠有实积者言也，盖积去身自轻也。）

《长沙药解》 芒消，味咸、苦、辛，寒。入心及足太阳膀胱经。泄火而退燔蒸，利水而通淋沥。伤寒柴胡加芒消汤（柴胡半斤，黄芩三两，半夏半升，人参三两，大枣十二枚，生姜三两，芒消六两），治少阳伤寒十三日不解，胸胁满而呕，日晡所发潮热已而微利者。伤寒之证，六日经尽当解，自能汗愈，迟者，十二日再经解矣。若十三日不解，已过再经之期，非是入脏即是入腑，必不在经中也。其胸胁痞满而作呕吐，是少阳经证。日晡所发潮热已而微利者，是阳明腑证。以少阳之经循胸胁而走足，经病而侵胃腑，胃腑被逼逆而上行，阻格少阳下降之路，二气壅塞，故胸胁痞满，胃腑郁迫，故水谷莫容，而生呕利。少阳以甲木而化相火，传于戊土则胃腑生热，阳明以戊土而化燥金，日晡土金旺相之时，故腑热，应期发如潮信，经腑双病，此本大柴胡证。外解其经而内下其腑，一定之法，乃已曾用丸药下，过缓不及事而又遗其经症，是以犹见微利，宜先以小柴胡解其经病，后以柴胡而加芒消以清腑热，缘已服丸药，无须用大黄也。金匮木防己去石膏加茯苓芒消汤（木防己三两，人参四两，桂枝二两，茯苓四两，芒消三合。）治支饮在胸喘满，心下痞坚而黧黑，脉沉，服木防己汤三日复发，复与不愈者。以土湿木郁而生下热，去石膏之清上，加茯苓以泄湿，芒消以清热也。伤寒大承气汤（方在大黄），用之治阳明病胃热便难，所以泄阳明之燥热也。大陷胸汤（方在大黄），用之治太阳病结胸，所以泄胸膈之湿热也。金匮大黄牡丹皮汤（方在大黄），用之治肠痈脓成，脉洪数者，所以泄肠中之瘀热也。芒消，咸苦大寒，下清血分，泄火救焚，软坚破积，利水道而通淋涩，利谷道而开结闭；结热瘀蒸非此不退，宿痰老血非此不消，寒泄之力诸药不及。

《本草从新》　［批］大泻，润燥，软坚。芒消，辛能润燥，咸能软坚，苦能下泄，大寒能除热。朴消，酷涩性急，芒消，经炼稍缓。能荡涤三焦肠胃实热，推陈致新（与大黄同，盖邪气不除，正气不能复也）。治阳强之病，伤寒（《经》曰：人之伤于寒也，必病热。盖寒郁而为热也）、疫痢，积聚结癖，留血停痰，黄疸淋闭，瘰癖疮肿，目赤障翳，通经堕胎。（《经疏》云：硝者，消也，五金八石皆能消之，况脏腑之积聚乎？其直往无前之性，所谓无坚不破，无热不荡者也。病非邪实深固，闭结不通，不可轻投，恐误伐下焦真阴故也。无已曰：热淫于内，治以咸寒，气坚者以咸软之，热盛者以寒消之，故仲景大陷胸汤、大承气汤、调胃承气汤皆用芒消以软坚去实热。结不至坚者不可用也。佐之以苦，故用大黄相须为使。按：芒消消散，破结软坚，大黄推荡，走而不守，故二药相须，同为峻下之剂。好古曰：《本草》言芒消堕胎，然妊娠伤寒可下者，兼用大黄以润燥、软坚、泻热而母子相安，《经》曰：有故无殒，亦无殒也。此之谓欤？谓药自病当之，故胎无患也。消能柔五金，化七十二石为水。生于卤地。刮取煎炼，在底者为朴消，在上者为芒消，有牙者为马牙消。置风日中消尽水气，轻如白粉为风化消。大黄为使。(《本经》《别录》朴消、消石虽分二种，而气味、主治略同。后人辩论纷然，究无定指。时珍曰：朴消下降，属水性寒。消石为造炮焰消，上升，属火性温。)

《得配本草》 芒消，一名盆消、英消。辛、苦、咸，大寒。荡涤三焦肠胃之实热，消除胸膈壅淤之痰痞。得鼠粘子，治大便痈毒。得水调，涂火焰丹毒。得童便温服，下死胎。配猪胆汁，涂豌豆毒疮。和沉香末，破下焦阳结。研末，吹喉痹不通。(并治重舌、鹅口。) 朴消再炼，倾盆凝结，在上有芒者，为芒消；有牙者，为马牙消。大伐下焦真阴，不宜轻用。

《罗氏会约医镜》 芒消煎炼，倾盆内，在上结芒，其质稍轻。功用与朴硝同，但稍轻耳。能消五金八石，何虑积热诸坚，不为推荡消散也！化痰癖，通月经，下死胎，洗赤目，涤肠胃，止疼。若虚寒者误服，伤生如反掌。

《本经疏证》 芒消，大承气汤、调胃承气汤、柴胡加芒消汤之治，非腑中结热耶。大陷胸汤、丸，木防己去石膏加茯苓芒消汤之治，非腑中留癖耶。是皆其性之所向，征之于理固不悖，体之于情尤吻合者也。而所谓适与病机会者，则更有精密焉。如芒消岂能治渴，已椒苈黄丸偏加之以治渴。芒消安能止利，小柴胡汤偏加之以止利是也。盖津液与固癖结，遂不得上潮为渴。去其固癖，正使津液流行，积聚结于中，水液流于旁，为下利。去其积聚，正所以止其下利耳。又岂有他奇也哉。

《本草害利》 芒消生于卤地，刮取煎炼，在底者为朴消，在上为芒消，有牙者为马牙消。置风日中，消尽水气，清白如粉，为风化消。若经甘草水煅过，即元明粉。究其功用，无坚不磨，无结不散，无热不荡，无积不推，可谓直往无前，无留碍之性也。非邪结下焦，坚实不可按者不用，恐误伐下焦真阴故也。病不由于邪热深固，闭结难通，断勿轻投，至于血涸津液枯竭，以致大肠燥结，阴虚精乏以致大热，骨蒸火炎于上，以致头痛、目昏、口渴、耳聋、咽痛、吐血、衄血、虚极类实等证，切戒勿施，庶免虚虚之咎。[利] 咸辛微寒，泻肾火，治阳强，能荡三焦肠胃实热，大泻下泄，与大黄功同。破血攻痰，软坚消食，又能通终堕胎。[修治] 采无时，青白者佳，黄者损人，赤者杀人。元明粉功缓力少轻，明目清燥，推陈致新。朴消，即皮消。朴消在下最粗而浊，芒消在上质稍清，元明粉再经甘草水煎炼，尤为精粹。

《本草便读》 芒消，咸以软坚，辛，苦，泻下至速；寒而润燥，热痰互结荡无余。元明粉虽属轻清，泻燥实均归肠胃。(芒消，生斥卤盐地，取以煎炼而成。

在下者为朴消；在上者为芒消；以芒消再经煎炼，在上者为之元明粉；悬风处化成粉者为之风化消。其主治虽有轻清重浊之分，而咸寒润下之性，非肠胃实热坚结者，不可浪投。消皮作用此以消牛羊之皮，与消石之消不同。）

《本草思辨录》 芒消，（消之经煎炼而凝底成块者为朴消，亦名皮消。在上生细芒如锋者为芒消，均即水消。）李濒湖谓朴消下走，火消得火则焰生，与樟脑、火酒之性同。《本经》言其寒，《别录》言其大寒，实乃大温。刘氏引伸其说，谓水消治热之结，热结多属血分，所谓阴不降阳不化者也，能行阴中之阳结，则阴降阳自化矣。火消治热之郁，热郁多属气分，所谓阳不升阴不畅者也。能达阳中之阴郁，则阳化阴自畅矣，邹氏又以火消为性向阳，解自阴而阳之盛热。水消为性向阴，故逐伏在阳之实结。三家可谓发前人所未发矣。虽然，愚窃有未安焉。阴阳之理，至为微妙，就物论物，易圆其说，以物合证与方而论之，则难于确当，难于莹澈，浑言之而深，何如切言之而浅也。火消固上升而散，固在气分，然其升散者为阴中热郁之气，非阳中热郁之气。病在阴经阴脏为阴，病有阴邪亦为阴。盖其辛温际上，咸苦入下。凡在上在下之病胥治之，而总归于解阴中之热郁。刘氏达阳中阴郁一语，得毋犹有可商，试核之证。来复丹、二气丹、玉真丸，皆阴邪中有伏热，金匮消石矾石散尤彰彰者，惟大黄消石汤用以下夺，不与升散之旨相戾欤，乃其证为黄疸、腹满、小便不利、面赤，热为阳邪，得湿而郁，且独在里，里实而表和，是亦阴中之邪也，阴中之邪，非咸苦何以得入，舍芒消用消石者，以表虽汗出而表间之湿热自在。消石辛温胜于咸苦，故于大黄檗栀下夺之中，加兹一味以达表而散邪。夫火消之不易明者。为其以温治热耳。若水消以寒治热，曰走血，曰润下，曰软坚，曰破结，固宜古今无异词，然亦何尝易明哉。大承气、调胃承气、桃核承气，洵可谓去血中热结矣。独大陷胸汤、丸，用芒消一升半升，而其所治为结胸，纵云破结软坚，非多不济，独不虑下降之物，用之多不愈速其降耶，是则有故矣。芒消乃煎消时结之于上者，细芒如锋，质本轻于朴消，味复兼辛，宁无上升之性，宁不入气分，后世且以治口舌咽喉诸热证，谓芒消不能际上治上可乎！由斯以观，刘氏阴中阳结之说，恐亦有未然者。仲圣有言，病发于阳而反下之，热入因作结胸，据此自非阴中之阳结。又凡仲圣用芒消之方，皆阳证无伏阴，用消石之方，则一证中有阴有阳，然则行阴中阳结者，乃消石非芒消。芒消者，逐阳证之热结者也。芒消咸寒胜于苦辛，多煮则下益速，下速则遗上邪，故仲圣必后内微煮而少扬之。消石辛温胜于咸苦，微煮则升之亟，升亟则不入下，故仲圣于二升中煮取一升而少抑之。此二物正相对待，刘氏于二物亦似以对待释之，而不知非也。咸与寒皆阴也，其微辛不过挟有升性，并不能治阴邪。咸与温则阴阳异趣矣，温而兼辛，辛温而兼辛润，则必阴中有阳邪之证，始克任之，其中奥旨，猝不易悟。故曰：非对待也。抑刘氏以入血分为阴中乎，血分为阴，则大承气当曰太阴病，不当曰阳明病。桃核承气当曰少阴病，不当曰太阳病。芒消盖血药而亦不专入血者，与大黄颇有似处。大黄味苦入心，能开胸膈之热结。若与芒消皆不宜于气病，胸膈之间，其能堪此重剂哉。邹氏以火消向阳，水消向阴，为脏病移腑，腑病移躯体之所以然，此尤不可不辨者。本经积热曰五脏，岂悉能入使胃胀闭；病曰百病，岂尽在于躯体。谓火消性向阳，解自阴而阳之盛热，向阳自即入阳，何以先入于阴，宁得谓非其所向，谓水消性向阴，逐伏在阳之实结，所逐在阳所向亦必在阳，反是则有异谋。人固有之，物所必无，此等近似之谈，并无真理可求，徒眩人目耳。邹氏更有误者，谓已椒苈黄丸加芒消以治渴，是去其痼癖，正使津液流行。小柴胡汤加芒消以止利，是去其积聚，正所以止下利。噫！是亦不深思矣。已椒苈黄丸之证，原非固癖。若固癖，大黄决不止用一两（有方解，详大黄）。芒消亦不后加，况方后云，先食饮服一丸，日三服。稍增，口中有津液。渴者加芒消半两，是无芒消，津液非不能生，岂加芒消之精液与此有异耶。徐氏、尤氏皆云：渴是胃热，故加芒消。邹氏坐泥本经太过耳，柴胡加芒消汤云，潮热者实也，热实无不下之理，以柴胡加芒消汤主之，即所以治热实，云：内芒消更煮微沸，分温再服，不解更作，加芒消非欲其解而何。邹氏之说，何与相反，殆误会今反利句耳。不知仲圣明云微利，明云下非其治，下之而仍潮热，安得不以对证之下药继之，此读古书所以贵细心寻绎也。

《增订伪药条辨》 风化硝，风化硝乃芒硝。用萝卜煎炼去咸味，置之风日中，吹去水气，则轻白如粉，故名风化硝，市肆中有以玄明粉伪充者，殊不知玄明粉是用朴硝、芒硝，以甘草煎过，置泥罐中用火升煅，制法既别，功用悬殊，误人不浅。[炳章按] 风化硝乃皮硝所提炼而成，皮硝又名朴硝，产于江北通州山东，生于斥卤之地，经冬今西北燥风冷气凝结成硝，扫取即名皮硝，再以皮硝入水煎烊，去杂屑，经宿凝结，状如盐末，名曰朴硝。再以水煎，澄去渣滓。入萝卜数枚同煮熟，倾入盆中，经宿则凝结成白硝如冰。其表部生有细芒如锋者为芒硝；其生牙似圭角，作六角棱，纵横玲珑，名马牙硝；又以其似白石英，故又谓之英硝；其再以萝卜汁煎炼，至去咸味为甜硝；置风日中吹去水气，则轻白如粉，即风化硝是也；若同甘草汁煎过，鼎罐升烧，则为元明粉也。

尚志钧按 芒硝，味苦、咸、辛，性寒，能泻热通便、软坚、消肿，适用于实热积滞、腹胀便秘、痈肿疮毒。治热结便秘，与大黄、枳实、厚朴合用。治口疮，咽痛，配冰片、硼砂外吹。治乳痈、痈肿，芒硝水调浓，不时涂敷。治肠痈，配大蒜捣烂外敷，能消肿止痛。治痔疮肿痛，本品用开水冲泡，溶化，待温频频洗浴。

252 生消（《开宝》）

《开宝本草》 生消，味苦，大寒，无毒。主风热癫痫，小儿惊邪瘈疭，风眩头痛，肺痈，耳聋，口疮，喉痹咽塞，牙颔肿痛，目赤热痛，多眵泪。生茂州西山岩石间。其形块大小不定，色青白。采无时。（恶麦句姜。）

《本草图经》 文附“朴消”条下。

《绍兴本草》 生消，性寒除热，本经已载。然此一种，既言生消，但与朴消亦相远。内有色白鲜而小坚者，为之甜消，近世多用之。味微咸、甘，性寒，有小毒矣。

253 玄明粉（《嘉祐》）

《嘉祐本草》 玄明粉，味辛、甘，性冷，无毒。治心热烦躁，并五脏宿滞、癥结，明目，退膈上虚热，消肿毒。此即朴消炼成者。

《药性论》 玄明粉，味辛、甘，性冷，无毒。治心热烦躁，并五脏宿滞、癥结，明目，退膈上虚热，消肿毒。此即朴消炼成者。

《仙经》 以朴消制伏为玄明粉。朴消是太阴之精华，水之子也。阴中有阳之药。太阴号曰玄明粉，内搜众疾，功莫大焉。治一切热毒风，搜冷，痃癖气胀满，五劳七伤，骨蒸传尸，头痛烦热，搜除恶疾，五脏秘涩，大小肠不通，三焦热淋，疰忤疾，咳嗽呕逆，口苦干涩，咽喉闭塞，心、肝、脾、肺脏胃积热，惊悸，健忘，荣卫不调，中酒中脍，饮食过度，腰膝冷痛，手脚酸，久冷久热，四肢壅塞，背膊拘急，眼昏目眩，久视无力，肠风痔病，血癖不调，妇人产后，小儿疳气，阴毒伤寒，表里疫疠等疾，并悉治之。此药久服令人身轻耳明，驻颜延寿。急解毒药，补益，妙。唐明皇帝闻说终南山有道士刘玄真，服食此药，遂诏而问曰：朕闻卿寿约三百岁，服食何药，得住世间，充悦如此。玄真答曰：臣按《仙经》修炼朴消，号玄明粉，止服此药，遂无病长生。其药无滓，性温，能除众疾。生饵尚能救急难性命，何况修炼长服。益精壮气，助阳证阴。不拘丈夫妇人，幼稚襁褓，不问四时冷热，即食后冷热俱治。一两分为十二服，但临时酌量加减。似觉壅热，伤寒，头痛鼻塞，四肢不举，饮食不下。烦闷气胀，不论昼夜急疾，要宣泻求安，即看年纪高下，用药一分或至半两，酌量加减，用桃花汤下为使，最上；次用葱汤下；如未通宣，更以汤一碗或两碗，投之即验。自然调补如常。要微畅不秘涩，但长服之，稍稍得力，朝服暮服，应不搜刮人五脏，怡怡自泰。其药初服之时，每日空腹，酒饮茶汤任下三钱匕，食后良久更下三钱匕。七日内常微泻利黄黑水涎沫等，此是搜淘诸疾根本出去，勿用畏之。七日后渐觉腹脏暖，消食下气，唯忌食苦参或食诸鱼、藕菜。饮食诸毒药解法，用葱白煎汤一茶碗，调玄明粉两钱顿服之，其诸毒药立泻下。若女人身怀六甲，长服安胎，诞孩子生日，无疮肿疾病。长服除故养新，气血日安。如有偶中毒物，取地胆一分，荠苨、犀角各半两，服之立解。如长服，用大麻汤下为使。此药偏暖水脏，女人服，补血脉，及治骨蒸五劳，惊悸健忘，热毒风等，服之立愈。令人悦泽，开关健脾，轻身延寿，驻精神，明目。诸余功效不可具载，有传在《太阴经》中。朴消二斤，须是白净者，以瓷炉一个叠实，却以瓦一片盖炉，用十斤炭火一煅，炉口不盖，著炭一条，候沸定了，方盖之，复以十五斤炭煅之。放冷一伏时，提炉出药，以纸摊在地上，盆盖之一伏时，日晒取干。入甘草二两，生熟用，细捣罗为末。

《绍兴本草》 玄明粉，本出于朴消，以火制炼，入甘草合和而成。比之诸消，即无猛利之性。其主治已载本经，味辛、甘，冷、无毒是也。

《汤液本草》 玄明粉，气冷，味辛、甘，无毒。《液》云：治心热烦躁，五脏宿滞，癥瘕，明目，逐膈上虚热，消肿毒。注中有治阴毒一句。非伏阳不可用，若止用此除阴毒，杀人甚速。“牙硝”条下，太清炼灵砂补注，谓阴极之精，能化火石之毒。《仙经》云：阴中有阳之物。

《本草蒙筌》 忌苦参。制玄明粉法：用朴硝十斤，水一桶，同入锅内溶化。掠去面上油腻，其水将细布并好纸滤去渣滓。仍用萝卜十斤，冬瓜五斤，豆腐三斤，俱切厚片，同硝水入锅内，煮沸六七次，捞去萝卜等物，又掠去油腻，将细布好纸再滤过，务令渣滓去净，然后放入瓦盆，置诸星月之下，自然生出硝牙片子。取出放于桌面上，任其风干。将原水又煎沸一次，入瓦盆内，令其再生。如是者数次，以水内无硝片为度。将前风干硝芽，用泥裹罐子，装盛按实，碎炭周围不走火气，如法煎炼，候水干尽，仍听罐内硝汁不响，复如法固封罐口，再加猛顶火，煅炼一昼夜，玄明粉成矣。待冷取出，着净地上，以新瓦盆一个复之，以去火毒。后研为末，每斤加生熟甘草各一两，和匀。初服一袋，渐加二袋，四时服食，各有饮引。春养肝，川芎黄芪芍药汤下。夏养心，茯苓汤下。秋养肺，茯苓桔梗汤下。冬养肾，肉苁蓉乌头汤下。四季养脾，人参白术汤下。朴硝咸物也，萝卜性温，与冬瓜、豆腐俱能夺咸味，用之修制，使去其咸，故曰阴中有阳之药也。

《本草纲目》 ［释名］玄明粉一名白龙粉。［时珍曰］玄，水之色也。明，莹澈也。御药院方谓之白龙粉。［修治］［时珍曰］制法：用白净朴消十斤，长流水一石，煎化去滓，星月下露一夜，去水取消，每一斗，用萝卜一斤切片，同煮熟滤净，再露一夜取出。每消一斤，用甘草一两，同煎去滓，再露一夜取出。以大沙罐一个，筑实盛之，盐泥固济厚半寸，不盖口，置炉中，以炭火十斤，从文至武煅之。待沸定，以瓦一片盖口，仍前固济，再以十五斤顶火煅之。放冷一伏时，取出，隔纸安地上，盆覆三日出火毒，研末，每一斤，入生甘草末一两，炙甘草末一两，和匀，瓶收用。［发明］［李杲曰］玄明粉，沉也，阴也。其用有二：去胃中之实热，荡肠中之宿垢。大抵用此以代盆消耳。［玄明粉传曰］唐明皇帝闻终南山道士刘玄真服食多寿，乃诏而问之。玄真曰：臣按《仙经》，修炼朴消，号玄明粉，止服此方，遂无病长生。其药无滓性温，阴中有阳，能除一百二十种疾。生饵尚能救急难性命，何况修炼长服。益精壮气，助阳证阴。不拘丈夫妇人，幼稚襁褓。不问四时冷热。一切热毒风冷，痃癖气胀满，五劳七伤，骨蒸博尸，头痛烦热，五内气塞，大小肠不通，三焦热淋，疰忤，咳嗽呕逆，口苦舌干，咽喉闭塞，惊悸健忘，营卫不调，中酒中鲙，饮食过度，腰膝冷痛，手足酸痹，久冷久热，四肢壅塞，背膊拘急，目昏眩晕，久视无力，肠风痔病，血澼不调，妇人产后，小儿疳气，阴毒伤寒，表里疫疠。此药久服，令人悦泽，开关健脾，驻颜明目，轻身延寿，功效不可具载。但用一两，分为十二服，临时酌量加减。似觉壅热伤寒，头痛鼻塞，四肢不举，饮食不下，烦闷气胀，须通泻求安者，即看年纪高下，用药二钱半或半两，以桃花煎汤下为使，最上；次用葱汤下；如未通，以沸汤投之即效。或食诸鱼藕菜饮食诸毒药，用葱白汤调服二钱，毒物立泄下。若女人身怀六甲，长服安胎生子，亦无疮肿疾病。若要微畅不闭塞，但长服之，稍稍得力，朝服夕应，不搜刮人五脏，怡怡自泰。其药初服时，每日空腹，酒饮茶汤任下二钱匕，良久更下三钱匕。七日内常微泄利黄黑水涎沫等，此是搜淘诸疾根本出去，勿用畏之。七日后渐知腹内暖，消食下气，长服除故养新，气血日安。用大麻子汤下为使，惟忌苦参。详载《太阴经》中。［好古曰］玄明粉治阴毒一句，非伏阳在内不可用。若用治真阴毒，杀人甚速。［震亨曰］玄明粉火煅而成，其性当温。曰长服久服，轻身固胎，驻颜益寿，大能补益，岂理也哉？予亲见一二朋友，不信予言而亡，故书以为戒。［时珍曰］《神农本草》言朴消炼饵服之，轻身神仙，盖方士窜入之言。后人因此制为玄明粉，煅炼多遍，佐以甘草，去其咸寒之毒。遇有三焦肠胃实热积滞，少年气壮者，量与服之，亦有速效。若脾胃虚冷，及阴虚火动者服之，是速其咎矣。

《药鉴》 玄明粉，微寒，味辛、咸，无毒，沉也，阴也。承气汤用之，去胃中之实邪，而荡肠中之宿垢。通圣散用之，除胸膈之稠痰，而润下部之结燥。痘家实热便秘者，用之于当归解毒汤中，甚为得法，取其不损真阴也。妇人胞衣不下，即用童便调二五钱，热服立下。大都寒能泄实，咸能软坚，辛能散滞，此三者，玄明粉之功也。予用之经代芒硝，虽老弱之人，亦可服之。

《本草原始》 玄明粉：玄，水之色也，明，莹澈也。粉，言其质也。(味辛、甘，冷，无毒。主心热烦躁，并五脏宿滞，癥结，明目，退膈上虚热，消肿毒。制玄明粉：用朴硝十斤，水一桶，同入锅内溶化。去面上油腻，其水用细布好纸内去滓。用萝卜十斤，冬瓜五斤，豆腐二斤，切厚片，同硝水入锅内煮六七次，捞去萝卜等物，掠去油，将布再内过渣去净，放瓦盆，星月之下，自然生出消牙。取出放东土任其风干，将原水又煎一次，入瓦盆再生消牙，以水中无消片为度，将风干消牙用罐子装，泥裹，碎炭周围不走火气，炼一日夜，玄明粉成矣。待冷取出，净地以新瓦盆一个收之，以去火毒。研为末，每斤加生熟甘草各一两，和用。) 玄明粉辛，能蠲宿垢，化积消痰，诸热可疗。(即朴硝，以萝卜制成者是。)

《本草经疏》 玄明粉，味辛、甘，冷，无毒，治心热烦躁，并五脏宿滞，癥结，明目，退膈上虚热，消肿毒，此即朴硝炼成者。[疏] 玄明粉，即芒硝。投滚汤沸化，夜置冰霜之下，结起在水面上者。用白莱菔切片，煮汁，投硝，以结起多次者。为上，其色莹白，其味辛咸，沉而降，阴也。入手少阴、足厥阴、阳明经，其治邪热在心烦躁者。经曰：热淫于内，治以咸寒，佐之以苦，并主五脏宿滞癥结者，即燥粪结痰，瘀血宿食之谓。辛能散结，咸能软坚，兼能润下，苦能下泄，故主之也。目为血热所侵，必赤肿作痛异常，硝性峻利，加以苦辛咸寒之极，故能散热结，逐热血，目病既去，必自明矣。退膈上虚热者，当作实热，邪解心凉，故热退也。消肿毒者，即软坚散结之功也。[主治参互]《集简方》热厥气痛，玄明粉三钱，热童便调下，《伤寒蕴要》伤寒发狂，玄明粉二钱，朱砂一钱，末之，冷水服。《圣济总录》鼻血不止，玄明粉二钱，水服。[简误] 硝者，消也。五金八石，其坚莫比，惟硝能销之，苟非大辛至咸极苦最烈之味，其能消化之乎。消石、朴硝，一经澄炼，便名芒硝、马牙硝、风化硝、甜硝。若经煅过，即名玄明粉。究其功用，无坚不磨，无结不散，无热不荡，无积不推，可谓直往无前，物无留碍之性也。《别录》谓炼饵服之，轻身神仙，失其本矣。故仲景于诸承气汤用之，非邪结下焦坚实不可按者，不用，恐其误伐下焦真阴故也。病不由于邪热深固，闭结难通，断不可轻投。至于血涸津枯，以致大肠燥结；阴虚精乏，以致大热骨蒸；火炎于上，以致头痛，目昏，口渴，耳聋，咽痛，吐血，衄血，咳嗽，痰壅，虚极类实等证，切戒勿施。庶免虚虚之咎而无悔不可追之大错也。至如唐玄宗所召道士刘玄真，谓服玄明粉遂无病，长生中所载有益精壮气，助阳补阴，不拘丈夫、妇人、幼稚襁褓，不问四时冷热，俱治之说，乃是荒唐不经之语。不识《本草》何缘载入，岂历代董修儒臣，本不知医，但广异闻，未暇核实而误收之耶。正所谓尽信书则不如无书也。

《本草正》 玄明粉，味辛、微甘，冷，沉也，阴也。降心火，祛胃热，消痰，平伤寒实热狂躁，去胸膈脏腑宿滞癥瘕，通大便秘结，阴火疼痛，亦消痈疽肿毒。

《本草述》 玄明粉，味辛、甘，冷，无毒。《仙经》曰：阴中有阳之物。主治心热烦躁，五脏结滞（甄权）。退膈上虚热，明目，消肿毒（《日华子》）。[东垣曰] 元明粉，沉也，阴也。其用有二：去胃中之实热；荡肠中之宿垢。大抵用此以代盆消耳。[时珍曰] 元明粉煅炼多遍，佐以甘草，去其咸寒之毒。遇有三焦肠胃实热积滞，少年气壮者，量予服之，亦有速效。若脾胃虚冷及阴虚火动者服之，是速其咎矣。制元明粉法，[时珍曰] 制法，用白净朴消十斤，长流水一石，煎化去滓，星月下露一夜，去水取消。每一斗，用萝卜一斤，切片，同煮熟滤净，再露一夜取出。每消一斤，用甘草一两同煎去滓，再露一夜取出。以大砂罐一个，筑实盛之，盐泥固济厚半寸，不盖口，置炉中，以炭火十斤，从文至武煅之。待沸定，以瓦一片盖口，仍前固济，再以十五斤顶火煅之。放冷一伏时，取出，隔纸安地上，盆覆三日出火毒，研末，每一斤，入生甘草末一两，炙甘草末一两，和匀，瓶收用。[希雍简误总论曰] 硝者消也，究其功用，无坚不磨，无结不散，无热不荡，无积不推，可谓直往无前，物无留碍之性也。故仲景于诸承气汤用之，非邪结下焦，坚实不可按者不用，恐其误伐下焦真阴故也，病不由于邪热深固，闭结难通，断不可轻投。至于血涸津枯，以致大肠燥结；阴虚精乏，以致大热骨蒸；火炎于上，以致头痛，目昏，口渴，耳聋，咽痛，吐血，衄血，咳嗽，痰壅，虚极类实等证，切戒勿施。庶免虚虚之咎而致有不可追之悔也。

《本草择要纲目》 味辛、甘，无毒。沉也，阴也。[主治] 心热烦躁，并五脏宿滞癥结，明目，退膈上虚热，消肿毒。大抵玄明粉其用有二：去胃中之实热；荡肠中之宿垢。用此以代盆消耳。《神农本草》言朴消炼饵服之，轻身神仙。《玄明粉传》云：阴中有阳，能除一百二十种疾。盖因方士窜入之言，后人因此制为玄明粉，煅炼多遍，佐以甘草，去其咸寒之毒。遇有三焦肠胃实热积滞，少年气壮者，量与服之，亦有速效。若脾胃虚冷及阴虚火动者，服之是速其咎矣。

《本草备要》 玄明粉，辛、甘，冷，去胃中之实热，荡肠中宿垢。润燥破结，消肿明目。（血热去，则肿消而目明。昂按：泄痢不止，用大黄、玄明粉以推荡之，而泄痢反止。盖宿垢不净，疾终不除。《经》所谓：通因通用也。）朴硝煎化，同莱菔煮，再用甘草煎，入罐火煅，以去咸寒之性，阴中有阳，性稍和缓。大抵用代朴硝，若胃虚无实热者禁用。俱忌苦参。

《本经逢原》 玄明粉，味辛、甘，微寒，无毒。［发明］玄明粉用芒消煅过多遍，佐以甘草，缓其咸寒之性，用治膈上热痰，胃中实热，肠中宿垢，非若芒消之力峻伤血也。然脾胃虚寒及阴虚火动者，慎勿轻用以取虚虚之咎。

《本草诗笺》 玄明粉（御药院方名白龙粉）本属芒牙煅再三，缓其咸味著辛甘（玄明粉用芒硝煅过多遍，佐以甘草，缓甘咸寒之性）；已无余毒些些着，仅有微寒略略耽（二句一言无毒，一言微寒）；善向肠中搜宿垢，专从膈上探炎痰（即热痰）；凡由实热皆能任，虚火虚寒总不堪。（惟实热之人宜之，若脾胃虚寒及阴虚火动者，慎勿轻用。）

《玉楸药解》 元明粉，味辛、咸，性寒。入手少阴心，手太阴肺经，泄热除烦，扫癥破结。元明粉咸寒疏荡。治心肺烦热，伤寒发狂，眼痛鼻衄，宿滞老瘀。元明粉，朴消、萝卜、甘草煎炼而成，是方士造作，以服食却病之药，泄火伐阳，舍生取死，原非通制，不必用也。

《得配本草》 玄明粉，辛、甘，冷。去胃中实热荡肠中宿垢，消肿破结，除痰积，洗目肿。得朱砂，治伤寒发狂。和童便，治热厥心痛，朴消以长流水煎化，同莱菔煮，再同甘草煎，入瓦罐火煅，去其咸寒之性，收用，胃虚无实热者，禁用。朴消、芒消、玄明粉，皆通大肠之实结，而虚秘者用之，祸如反掌。然虚实之分，难于审认，七情所伤，怫郁于内，变为热壅，结于肠胃，则便坚，坚则生火，炽于五内，诸症蜂起，急须通滞，迫不待时。《经》曰：热淫于内，治以咸寒，不妨于滋补中，佐消粉以荡涤其火，岂得拘于内伤之虚，禁用通剂，而迁延待毙耶。若邪热伤于阴分，大肠枯燥，秘结不行者，消粉甚不相宜。但重滋其阴，以宣其血气，加麻仁、蒌仁、杏仁、郁李仁之类以利之。如因邪火之炽，用消黄推荡之，未有不重伤其阴而死者也，故虚之反成实结，实邪久成虚秘，务须审之再三，知之确当，应用与否，庶可无误。

《本草求真》 ［批］泻肠胃实热。玄明粉（专入肠胃），系芒硝再煎而成。其色莹白，辛甘而冷，功用等于芒硝，皆有软坚推陈致新之力。（陈不除则泄痢不止，用宜同大黄推荡，正书所云通因通用之意。若热闭不解，亦当用此下夺。）然煅过多遍，其性稍缓，不似芒硝，其力迅锐，服之恐有伤血之虑耳。（王好古曰：玄明粉治阴毒一切，非伏阳在内不可用，若用治真阴毒，杀人甚速。时珍曰：《神农本草经》言朴硝炼饵，服之轻身神仙，盖方士窜入之言。后人因此制为玄明粉，煅炼多遍，佐以甘草，去其咸寒之毒。遇有三焦、肠、胃实热积滞，少年气壮者，量与服之，亦有速效，若脾胃虚冷及阴虚火动者，服之是速其咎矣。）若佐甘草同投，则膈上热痰，胃中实热，肠中宿热，又克见其治矣。兼洗眼目消肿。（绣族兄式和用玄明粉搽眼，初觉一二次甚明。召绣同搽，绣揣眼病非热不得用，是因未允。越后族兄屡坏，始信余言不谬。）忌苦参。

《罗氏会约医镜》 玄明粉，泻热润燥，软坚。味辛、微甘，性冷，入胃经。降心火，祛胃热。平伤寒实邪狂躁，去胸膈脏腑宿滞。通大便秘结，消痈肿，去目障，止泄痢。（血热去则肿消而目明。泄痢用大黄、玄明粉，盖宿垢不净，疾终不除，《经》所谓通因通用是也。）老弱人用之，以代芒硝，诚微驱虚热之妙剂也。朴硝煎化，同莱菔煮，再以甘草煎后入罐火煅，以去其咸寒之性。阴中有阳，性稍和缓，可去热而不伤胃。若胃虚而无实热者禁用。俱忌苦参。芒硝之有牙者，为马牙硝。置风日中，消尽水气，轻白如粉，为风化硝。（大黄为使。）

《本草撮要》 元明粉，味辛、甘、咸，冷，入足阳明经。功专去胃中实热，荡肠中宿垢。得大黄止泄痢。无实热而胃虚者禁用。忌苦参。

254 风化消（《纲目》）

《本草纲目》 风化消［修治］［时珍曰］以芒消于风日中消尽水气，自成轻飘白粉也。或以瓷瓶盛，挂檐下，待消渗出瓶外，刮下收之。别有甜瓜盛消渗出刮收者，或黄牯牛胆收消刮取，皆非甜消也。［主治］［时珍曰］上焦风热，小儿惊热膈痰，清肺解暑。以人乳和涂，去眼睑赤肿，及头面暴热肿痛。煎黄连，点赤目。［发明］［时珍曰］风化消甘缓轻浮，故治上焦心肺痰热，而不泄利。

255　马牙消（《嘉祐》）

《嘉祐本草》　马牙消，味甘，大寒，无毒。能除五脏积热伏气，末筛点眼及点眼药中用，甚去赤肿障翳涩泪痛。

《本草图经》　文已具“朴消”条中。

《经验方》　治食物过饱不消遂成痞膈。马牙消一两，碎之，吴茱萸半升陈者，煎取茱萸浓汁投消，乘热服，良久未转，更进一服，立愈。窦群在常州，此方得效。又方退翳明目白龙散：马牙消光净者，用厚纸裹令按实，安在怀内著肉处。养一百二十日取出研如粉，入少龙脑同研细，不计年岁深远，眼内生翳膜，渐渐昏暗，远视不明，但瞳人不破散并医得，每点用药末两米许，点目中。《简要济众》治小儿鹅口。细研马牙消，于舌上掺之，日三五度。姚和众治小儿重舌。马牙消涂舌下，日三度。《太清伏炼灵砂法》马牙消，阴极之精，能制伏阳精，消化火石之气。《丹房镜源》养丹砂，制硇砂。

《绍兴本草》　马牙消，因其状类马牙而为名也。出蜀郡，以朴消制炼成之。其色白如白石英，故亦名英消。今方家多用于治咽喉、眼目药中，比之诸消，其性不烈。及已经制练，当作味甘、寒，无毒者是也。

《本草纲目》　马牙消［气味］［时珍曰］咸、微甘。即英消也。［主治］［时珍曰］功同芒消。

256　牙消（《药谱》）

《药谱》　牙消，一名飞风道者。

257　石膏（《本经》）

《神农本草经》　石膏，味辛，微寒。治中风寒热，心下逆气，惊喘，口干舌焦，不能息，腹中坚痛，除邪鬼，产乳，金疮。生山谷。

《名医别录》　石膏，味甘，大寒，无毒。除时气，头痛身热，三焦大热，皮肤热，肠胃中膈热，解肌，发汗，止消渴，烦逆，腹胀，暴气喘息，咽热。亦可作浴汤。一名细石，细理白泽者良，黄者令人淋。生齐山及齐卢山、鲁蒙山，采无时。

《雷公药对》　石膏，大寒。主心下急，出汗，臣。鸡子为之使，恶莽草、巴豆、马目毒公，畏铁。

《本草经集注》 石膏，今出钱塘县，皆在地中，雨后时时自出，取之皆方如棋子，白澈最佳。比难得，皆用虚隐山者。彭城者亦好。近道多有而大块，用之不及彼土。《仙经》不须此。

《雷公炮炙论》 石膏，凡使，勿用方解石。方解石虽白，不透明，其性燥，若石膏出剡州茗山县义情山，其色莹净如水精，性良善也。凡使之，先于石臼中捣粉，以密物罗过，生甘草水飞过了，水澄令干，重研用之。

《药性论》 石膏，使，恶巴豆，治伤寒头痛如裂，壮热皮如火燥，烦渴，解肌，出毒汗。主通胃中结，烦闷，心下急，烦躁，治唇口干焦。和葱煎茶去头痛。

《唐本草》 石膏、方解石大体相似，而以未破者为异。今市人以方解石代石膏，未见有真石膏也。石膏生于石旁，其方解石不因石生，端然独处，大者如升，小者若拳，或在土中，或生溪水，其上皮随土及水苔色，破之方解，大者方尺。今人以此为石膏，疗风去热虽同，解肌发汗不如真者也。

《本草拾遗》 石膏，陶云出钱塘县，按钱塘平地无石膏，陶为错注。苏又注五石脂云：五石脂中，又有石膏，似骨如玉坚润，服之胜钟乳。与此石膏，乃是二物同名耳，不可混而用之。

《药谱》 石膏，一名玉灵片。

《日华子本草》 石膏，治天行热狂，下乳，头风旋，心烦躁，揩齿益齿。通亮，理如去母者上。又名方解石。

《本草图经》 石膏，生齐山山谷及齐卢山、鲁蒙山，今汾、孟、虢、耀州、兴元府亦有之。生于山石上，色至莹白，其黄者不堪。此石与方解石绝相类，今难得真者，用时惟取未破者以别之。其方解石不附石而生，端然独处，外皮有土及水苔色，破之皆作方棱。石膏自然明莹如玉石，此为异也。采无时。方解石旧出下品，《本经》云生方山。陶隐居以为长石，一名方石，疗体相似，疑是一物。苏恭云疗热不减石膏。若然，似可通用，但主头风不及石膏也。又今南方医家著一说云：按《本草》石膏、方解石大体相似，但方解石不因石，端然独处。又云今市人皆以方解石代石膏，未见有真石膏也。又陶隐居谓石膏皆在地中，雨后时时自出，取之皆如棋子。此又不附石生也。二说相反，未知孰是。今详石膏既与方解石肌理、形段、刚柔皆同，但以附石，不附石，岂得功力顿异，至于雌黄、雄黄之类，亦有端然独处者，亦有附石而生者，不闻别有名号，功力相异也。但意今之所用石膏、方解者，自是方解石，石膏乃别是一物尔。今石膏中时时有莹澈可爱，有纵理而不方解者，好事者或以为石膏。然据本草，又似长石。又有议者以谓青石间往往有白脉贯澈，类肉之有膏肪者为石膏，此又本草所谓理石也。然不知石膏定是何物。今且依市人用方解石，然博物者亦宜坚考其实也。今密州九仙山东南隅地中，出一种石，青白而脆，击之内有火，谓之玉火石，彼土医人常用之。云味甘、微辛，温。疗伤寒发汗，止头目昏眩痛，功与石膏等。彼土人或以当石膏，故以附之。

《本草衍义》 石膏，二书分辨不决，未悉厥理。详《本经》元无方解石之文，正缘《唐本》注石膏，方解石大体相似。因此一说，后人遂惑。《经》曰：生齐山山谷及齐卢山、鲁蒙山，采无时，即知他处者为非。今《图经》中又以汾州者编人，前后人都不详。《经》中所言细理白泽者良，故知不如是，则非石膏也。下有理石，条中《经》云：如石膏顺理而细，又可明矣。今之所言，石膏，方解石，二者何等有顺理细文又白泽者。有是，则石膏也；无是，则非石膏也。仍须是《经》中所言州土者，方可入药，余皆偏见，可略不取。仲景白虎汤中，服之如神。新校正仲景《伤寒论》后言，四月以后，天气热时，用白虎者是也。然四方气候不齐，又岁中气运不一，方所既异，虽其说甚雅，当此之时，亦宜两审。若伤寒热病，或大汗后，脉洪大，口舌燥，头痛，大渴不已；或着暑热，身痛倦怠，白虎汤服之无不效。

［成无已曰］石膏：风，阳邪也；寒，阴邪也。风喜伤阳，寒喜伤阴。营卫阴阳，为风寒所伤，则非轻剂所能独散；必须轻重之剂同散也，乃得阴阳之邪俱去，营卫之气俱和。是以大青龙汤，以石膏为使。石膏乃重剂，而又专达肌表也。又云：热淫所胜，佐以苦甘。知母、石膏之苦甘以散热。

《绍兴本草》 石膏，主治已载本经，与方解石形质相类，但细理莹白者为石膏。方解石则敲之块块形方而解，以此有异尔，其主疗亦不远矣。然方家所用，亦各分之。今当作味辛、甘，寒，无毒是矣。

［张元素曰］石膏，止阳明经头痛，恶寒发热，日晡潮热，大渴引饮，中暑潮热，牙痛。石膏性寒，味辛而淡，气味俱薄，体重而沉，降也阴也，乃阳明经大寒之药。善治本经头痛牙痛，止消渴中暑潮热。然能寒胃，令人不食，非腹有极热者，不宜轻用。又阳明经中热，发热恶寒燥热，日晡潮热，肌肉壮热，小便浊变，大渴引饮，自汗，苦头痛之药，仲景用白虎汤是也。若无以上诸证，勿服之。多有血虚发热象白虎证，及脾胃虚劳，形体病证，初得之时，与此证同。医者不识而误用之，不可胜救也。

《药类法象》 石膏，寒，味甘、苦，治足阳明经发热，恶热，燥热，潮热，自汗，小便浊赤，大渴引饮，身体肌肉壮热，苦头痛，白虎汤是也。善治本经头痛，若无此证，医者误用，有不可胜救也。捣细罗用。

[李杲曰] 石膏，除胃热肺热，散阴邪，缓脾益气。石膏，足阳明药也。故仲景治伤寒阳明证，身热、目痛、鼻干，不得卧。身以前，胃之经也。胸前，肺之室也。邪在阳明，肺受火制，故用辛寒以清肺气，所以有白虎之名。又治三焦皮肤大热，入手少阳也。凡病脉数不退者，宜用之；胃弱者，不可用。

《汤液本草》 石膏，味甘、辛，大寒，无毒。入手太阴经、少阳经、足阳明经。《象》云：治足阳明经中热，发热，恶热，燥热，日晡潮热，自汗，小便浊赤，大渴引饮，肌肉壮热，苦头痛之药，白虎汤是也。善治本经头痛，若无此有余证，勿用。《心》云：细理白泽者良，甘寒。胃经大寒药，润肺除热，发散阴邪，缓脾益气。《珍》云：辛甘，阴中之阳。止阳明经头痛。胃弱不可服。下牙痛，须用香白芷为引。《本草》云：主中风寒热，心下逆气，惊喘，口干舌焦，不能息，腹中坚痛，除邪鬼，产乳金疮。除时气头痛，身热，三焦大热，皮肤热，肠胃中膈气，解肌发汗，止消渴烦逆，腹胀，暴气喘息，咽热，亦可作浴汤。太上云：石膏发汗。辛寒，入手太阴也。东垣云：微寒，足阳明也。又治三焦皮肤大热，手少阳也。仲景治伤寒阳明证，身热，目痛鼻干，不得卧。身以前，胃之经也。胸，胃肺之室。邪在阳明，肺受火制，故用辛寒以清肺，所以号为白虎汤也。鸡子为之使，恶莽草、马目毒公。《药性论》云：石膏，使。恶巴豆。《唐本》注：疗风去热，解肌。

《本草衍义补遗》 石膏，药名有不可晓者，中间亦多有意义，学者不可不察。如以色而名者，大黄、红花、白前、青黛、乌梅之类是也。以气而名者，木香、沉香、檀香、麝香、南香之类是也。以质而名者，厚朴、干姜、茯苓、生地黄之类是也。以味而名者，甘草、苦参、龙胆草、淡竹叶、苦酒之类是也。以能而名者，百合、当归、升麻、防风、硝石之类是也。石膏，火煅，细研，醋调，封丹炉，其固密甚于石脂，苟非有膏焉。能为用此兼质、兼能而得名，正与石脂同意阎孝忠妄以方解石为石膏，况石膏甘辛，本阳明经药，阳明经主肌肉。其甘也，能缓脾益气，止渴去火。其辛也，能解肌出汗，上行至头。又入手太阴、手少阳。彼方解石止有体重、质坚、性寒而已。求其所谓石膏而可为三经之主者焉在哉。医欲责效不其难乎？又云：软石膏，可研为末，醋研丸如绿豆大，以泻胃火、痰火、食积，殊验。生钱塘者，如棋子白澈最佳；彭城者亦好。又有一种玉火石，医人常用之。云味甘、微辛，温。治伤寒发汗，止头痛，目昏眩，功与石膏等，故附之。

［朱丹溪曰］石膏，火煅，细研，醋调，封丹灶，其固密甚于脂膏。此盖兼质而能而得名，正于石脂同意。又曰：本草药之命名，多有意义，或以色，或以形，或以气，或以质，或以味，或以能，或以时是也。石膏固济丹炉，苟非有膏，岂能为用？此盖兼质与能而得名。昔人以方解为石膏，误矣。石膏味甘而辛，本阳明经药，阳明主肌肉。其甘也，能缓脾益气，止渴去火。其辛也，能解肌出汗，上行至头，又入太阴、少阳。彼方解石，止有体重质坚性寒而已，求其有膏而可为三经之主治者焉在哉？

《本草蒙筌》 石膏，味辛、甘，气微寒。气味俱薄，体重而沉，降也，阴中阳也。无毒。青州并徐州多生，畏铁恶莽草巴豆。细理白泽为上，猛火煅软方灵。绝细研成，汤液任使。以鸡子为使，入肺胃三焦。辛能出汗，解肌上行而理头痛；甘则缓脾，益气生津以止渴消。故风邪伤阳，寒邪伤阴，总解肌表可愈；任胃热多食，胃热不食，惟泻胃火能愈。仲景加白虎名（身以前胃之经，胸者肺之室。邪在阳明，肺受火制，故用石膏辛寒，以清肺，所以号为白虎）。易老云大寒剂。胃弱食不下者忌服，血虚身发热者禁尝。(比象白虎证，误服白虎汤者死，不可轻忽。)单研末和醋为丸，治食积痰火殊验。胃脘痛甚，吞服立差。谟按：丹溪云：尝观药之命名，固有不可晓者，中间亦多意义，学者不可不察焉。如以色而名者，大黄、红花、白前、青黛、乌梅之类是也。以气而名者，木香、沉香、檀香、茴香、麝香之类是也。以质而名者，厚朴、干姜、茯苓、生熟地黄之类是也。以形而名者，人参、狗脊、乌喙、贝母、金铃子之类是也。以味而名者，甘草、苦参、龙胆草、淡竹叶、苦酒之类是也。以能而名者，百合、当归、升麻、防风、硝石之类是也。以时而名者，半夏、茵陈、冬葵、寅鸡、夏枯草之类是也。石膏火煅，研细醋调，封丹炉，其固密甚于石脂。苟非石膏，焉能为用。此兼质与能而得名，正与石脂同意。阎孝忠妄以方解石为石膏，况石膏味甘、辛，本阳明经药，阳明主肌肉。其甘也，能缓脾益气，止渴去火。其辛也，能解肌出汗，上行至头。又入太阴，入手少阳。彼方解石，只体重质坚，性寒而已。求其所调有膏，可为三经之主者，安在哉！医欲责效，不亦难乎。

《本草纲目》 石膏［释名］［时珍曰］其文理细密，故名细理石。其性大寒如水，故名寒水石，与凝水石同名异物。［集解］［时珍曰］石膏有软、硬二种。软石膏，大块生于石中，作层如压扁米糕形，每层厚数寸。有红、白二色，红者不可服，白者洁净，细文短密如束针，正如凝成白蜡状，松软易碎，烧之即白烂如粉。其中明洁，色带微青，而文长细如白丝者，名理石也。与软石膏乃一物二种，碎之则形色如一，不可辨矣。硬石膏，作块而生，直理起棱，如马齿坚白，击之则段段横解，光亮如云母、白石英，有墙壁，烧之亦易散，仍硬不作粉。其似硬石膏成块，击之块块方解，墙壁光明者，名方解石也，烧之则烢散亦不烂。与硬石膏乃一类二种，碎之则形色如一，不可辨也。自陶弘景、苏恭、大明、雷敩、苏颂、阎孝忠皆以硬者为石膏，软者为寒水石；至朱震享始断然以软者为石膏，而后人遵用有验，千古之惑始明矣。盖昔人所谓寒水石者，即软石膏也；所谓硬石膏者，乃长石也。石膏、理石、长石、方解石四种，性气皆寒，俱能去大热结气；但石膏又能解肌发汗为异尔。理石即石膏之类，长石即方解之类，俱可代用，各从其类也。今人以石膏收豆腐，乃昔人所不知。[修治] [时珍曰] 古法惟打碎如豆大，绢包入汤煮之。近人因其性寒，火煅过用，或糖拌炒过，则不妨脾胃。[发明] [时珍曰] 东垣李氏云：立夏前多服白虎汤者，令人小便不禁，此乃降令太过也。阳明津液不能上输于肺，肺之清气亦复下降故尔。甄立言古今录验方，治诸蒸病有五蒸汤，亦是白虎加人参、茯苓、地黄、葛根，因病加减。王焘《外台秘要》：治骨蒸劳热久嗽，用石膏文如束针者一斤，粉甘草一两，细研如面，日以水调三四服。言其无毒有大益，乃养命上药，不可忽其贱而疑其寒。《名医录》言，睦州杨士丞女，病骨蒸内热外寒，众医不瘥，处州吴医用此方而体遂凉。愚谓此皆少壮肺胃火盛，能食而病者言也。若衰暮及气虚血虚胃弱者，恐非所宜。广济林训导年五十，病痰嗽发热。或令单服石膏药至一斤许，遂不能食，而咳益频，病益甚，遂至不起。此盖用药者之瞀瞀也，石膏何与焉。杨士瀛云：石膏煅过，最能收疮晕，不至烂肌。按刘跂《钱乙传》云：宗室子病呕泄，医用温药加喘。乙曰：病本中热，奈何以刚剂燥之，将不得前后溲，宜与石膏汤。宗室与医皆不信。后二日果来召。乙曰：仍石膏汤证也。竟如言而愈。又按：古方所用寒水石，是凝水石；唐宋以来诸方所用寒水石，即今之石膏也，故寒水石诸方多附于后，近人又以长石、方解石为寒水石，不可不辨之。

《药性歌括四百味》 石膏大寒，热渴头疼，解肌立妥。（或生或煅，一名解石。）

《药鉴》 白石膏，大寒，味辛、甘，无毒。气味俱薄，沉也，阴也。足阳明经药也。阳明主肌肉，惟其甘也，能缓脾益气，止渴去火。惟其辛也。能解肌出汗，上行止头疼。故风邪伤阳，寒邪伤阴，揔解肌表甚捷。任胃热多食，胃热不食，并泻胃火极灵。不时食积痰火殊效，虽有胃脘痛甚立瘥。东垣曰，制火邪，清肺热，仲景有白虎之名。除胃热，夺甘食，易老为大寒之剂。身凉内静，手足俱冷者禁用，恐耗血也。

《本草原始》 石膏，生齐山山谷及齐卢山、鲁蒙山。块大如白腊，有二三寸厚者，色至莹目可爱，有纵理而不方解。震亨曰：药之命名多有意义，或以色，或以形，或以气，或以质，或以味，或以能，或以地，或以时。石膏，火煅细研，醋调封丹灶，其固密甚于脂膏。此盖兼质与能而得名，正与石脂同意。（味甘，微寒，无毒。主中风寒热，心下逆气，惊悸，口干舌焦，不能息，腹中坚痛，除邪鬼，产乳，金疮，除时气头痛身热，三焦大热，皮肤热，肠胃中结气，解肌发汗，止消渴，烦逆，肚胀暴气喘咽热，亦可作浴汤。治伤寒头如裂，壮热，皮如火燥，和葱煎茶。去头痛，治天行时热狂，头风旋，下乳，揩齿益齿，治中暑潮热，牙疼。制：火煅细研，其性寒如水，故亦名寒水石，与凝水石同名异物。）

《炮炙大法》 石膏，白有墙壁真。即市之寒水石。石臼中捣成粉，以密绢罗过，生甘草水飞过了，水澄令干，重研用之。作散者煅熟，入煎剂半生半熟。鸡子为之使，畏铁，恶莽草、巴豆、马目毒公。

《珍珠囊补遗药性赋》 石膏发汗解肌，去风寒热。（石膏味甘辛，大寒，无毒。与方解石相类，须用细理白泽者为真。治头疼，解肌发汗。黄色者，服之使人淋。）

《雷公炮制药性解》 石膏，味辛、甘，性寒；无毒。入肺、胃二经。主出汗解肌，缓脾益气，生津止渴，清胃消痰，最理头疼。与方解石相似，须莹净如水晶者真。鸡子为使，恶莽草、马目毒公、巴豆，畏铁。按：石膏辛走肺，甘走胃，所以主发散。仲景名为白虎，盖有两义，一则以其入肺，一则以其性雄。苟胃弱不食及血虚发热者误用之，为害不浅。

《本草经疏》 石膏，禀金水之正，得天地至清至寒之气，故其味辛甘，其气大寒而无毒。阴中之阳，可升可降，入足阳明，手太阴、少阳经气分。辛能解肌，甘能缓热，大寒而兼辛甘，则能除大热，故《本经》主中风寒热，热则生风故也。邪火上冲则心下有逆气及惊喘；阳明之邪热甚，则口干舌焦，不能息；邪热结于腹中，则腹中坚痛；邪热不散，则神昏谵语，同乎邪鬼；肌解热散汗出，则诸证自退矣。惟产乳、金疮非其用也。《别录》除时气头痛，身热，三焦大热，皮肤热，肠胃中膈气，解肌发汗，止消渴烦逆，腹胀暴气，喘息咽热者，以诸病皆由足阳明胃经邪热炽盛所致。惟喘息咽热略兼手太阴病，此药能散阳明之邪热，降手太阴之痰热，故悉主之也。甄权亦用以治伤寒头痛如裂，壮热如火。《日华子》用以治天行热狂，头风旋，揩齿。东垣用以除胃热肺热，散阳邪，缓脾益气者，邪热去则脾得缓，而元气回也。洁古又谓止阳明经头痛发热，恶寒，日晡潮热，大渴引饮，中暑及牙痛者，无非邪在阳明经所生病也。理阳明则蔑不济矣。足阳明主肌肉，手太阴主皮毛，故又为发斑发疼之要品，起死回生功同金液。若用之鲜少，则难责其功。世医罔解，兹特表而著之。［主治参互］仲景白虎汤，专解阳明邪热。其证头痛壮热，口渴烦躁，鼻干目眴眴，不得眠，畏人声、木声、畏火。若劳役人病此元气先虚者，可加人参，名人参白虎汤。发斑阳毒盛者，白虎汤加竹叶、麦门冬、知母。以石膏为君，自一两至四两，麦门冬亦如之，知母自七钱至二两，竹叶自百片至四百片，粳米自一大撮至四大撮，甚则更加黄连、黄檗、黄芩，名三黄石膏汤，自一剂至四剂。妇人妊娠病此者亦同。伤寒汗后烦热不解，竹叶石膏汤主之。小儿痧疹，发热，口渴唇焦，咳嗽多嚏，或多痰，或作泄，竹中石膏汤加赤柽木枝两许，贝母、栝楼根各二三钱主之。发斑亦同，甚者加三黄。疟疾，头痛壮热，多汗发渴，亦用竹叶石膏汤，二三剂主之。虚者加人参，后随证施治。中暑用白虎汤，虚者加人参。太阳中暍亦用竹叶石膏汤。胃家实热，或嘈杂，消渴，善饥，齿痛，皆须竹叶石膏汤主之。［简误］石膏本解实热，祛暑气，散邪热，止渴除烦之要药。温热二病多兼阳明，若头痛，遍身骨痛，而不渴不引饮者，邪在太阳也，未传阳明，不当用。七八日来，邪已结，里有燥粪，往来寒热，宜下者勿用。暑气兼湿作泄，脾胃弱甚者勿用。疟邪不在阳明，则不渴，亦不宜用。产后寒热，由于血虚，或恶露未尽，骨蒸劳热，由于阴精不足，而不由于外感，金疮，下乳，更非其职，宜详察之，并勿误用。

《本草正》 石膏，味甘、辛，气大寒，气味俱薄。体重能沉，气轻能升，阴中有阳。欲其缓者煅用，欲其速者生用。用此者，用其寒散清肃，善祛肺胃三焦之火，而尤为阳阴经之要药。辛能出汗解肌，最逐温暑热证而除头痛。甘能缓脾清气，极能生津止渴而却热烦。邪火盛者不食，胃火盛者多食，皆其所长。阳明实热牙痛，太阴火盛痰喘及阳狂热结，热毒发斑，发黄，火载血上，大吐大呕，大便热秘等证，皆当速用。胃虚弱者忌服，阴虚热者禁尝，若误用之，则败阳作泻，必反害人。

《食物本草》 石膏，生齐山山谷及齐卢山、鲁蒙山。今出钱塘县，皆在地中，雨后时时自出，取之如棋子，白澈最佳。李时珍曰：石膏有软、硬二种。软石膏，大块生于石中，作层如压扁米糕形，每层厚数寸。有红、白二色，红色不可服，白者洁净，细文短密如束针，正如凝成白蜡状，松软易碎，烧之即白烂如粉。

其中明洁，色带微青，而文长细如白丝者，名理石也。与软石膏乃一物二种，碎之则形色如一，不可辨矣。硬石膏，作块而生，直理起棱，如马齿坚白，击之段段横解，光亮如云母、白石英，有墙壁，烧之亦易散，仍硬不作粉。其似硬石膏成块，击之块块方解，墙壁光明者，名方解石也，烧之则姹散亦不烂。与硬石膏乃一类二种，碎之则形色如一，不可辨矣。大抵四种性气皆寒，俱能去大热结气。但石膏又能解肌发汗为异尔。今人又以石膏收豆腐，乃昔人所不知。石膏味辛，微寒，无毒。治中风寒热，心下逆气惊喘，口干舌焦，不能息，腹中坚痛，除邪鬼，产乳金疮。除时气头痛身热，三焦大热，皮肤热，肠胃中结气，解肌发汗，止消渴烦逆腹胀，暴气喘咽热。治伤寒头痛如裂，壮热皮如久燥。和葱煎茶，去头痛。下乳，揩齿益齿。除胃热肺热，散阴邪，缓脾益气。止阳明经头痛，发热恶寒，日晡潮热，大渴引饮，中暑潮热，牙痛。

《本草乘雅半偈》 石膏［参］曰：石以止为体，膏以释为用。质之宁谧，气之微寒，即体之止；文之理腠，味之辛解，即用之释。体用互显者也，但止释有时，故体用各有先后尔。或因似体之止，则显用以释之，或因似用之释，则显体以止之。此即从而逆，逆而从，反佐以取之之法也。如风性动摇，从之以用，逆之以体；寒性劲敛，从之以体，逆之以用，此从逆寒风定动之本性，非从逆寒风寒化之本气也。以性无迁变，气有反从，反从者，反乎本气之寒，从乎标象之阳，则为病热之热也。则凡结而欲解者宜矣。结而欲下者，非所宜也。与麻黄、桂枝、葛根，解发之用相同。寒热从逆之气为别异耳。主治诸证，悉以体止用释，逆热从寒，反复分疏，莫不迎刃而解。并可推暑性之欲降，火性之欲炎，燥性之欲濡，湿性之欲流，与腑脏形骸，血气窍穴，欲止欲释者，详审合宜，为效颇捷。否则灾害并至，慎之慎之。

《本草通元》 石膏，甘，寒，除胃热，止阳明头额痛，日晡寒热，大渴引饮，中暑潮热，胃火牙疼，皮热如火。元素曰：能寒胃，令人不食，非腹有极热者，不宜轻用。东垣云：邪在阳明，肺受火邪，故用以清肺，所以有白虎之名。孙兆曰：四月以后天气热时，宜用白虎。壮盛人生用，虚人糖拌炒，恐妨脾胃。火煅亦可。

《医宗说约》 石膏性寒，清胃解肌，止渴生津，头痛可医。大热生用，煨熟研末性缓兼敷热疮。

《本草述》 石膏，愚按石膏，朱丹溪先生因名思义，谓其适用在石膏也。正与海藏入足阳明，手太阴、少阳气分之义合。何以故，盖三焦为气之所终始，而气之始者在命门，气之生者在胃，气之统者在肺，由下而上也。自命门以上极于肺由上而下也。复自肺以下归命门，其或上或下者，皆不离于胃。若三焦为命门元气之使，固下而上，上而下者之主也。是举诸肺胃之病，皆不能离乎三焦矣。第三焦之气，根于至阴，际于至阳，是先哲所谓始于元气，用于中脘，散于膻中，膻中固肺所居也。乃石膏即石之脂，萃清寒之精气，不有合于三焦元气，根于至阴者乎。而味兼乎甘辛，辛甘发散为阳，是不有合于三焦元气，由至阴而彻于至阳乎。然则石膏之致其清寒于肺胃者，固犹是元气之上布，但阴胜于阳耳。其举清寒之气钟为甘辛，阴得随阳而入胃，以至于肺，以际于天。举甘辛之冲味致其清寒，阳得随阴而由肺以降胃，以极于地。若然，其所疗种种诸证，似以三焦为体，肺胃为用。然三焦为元气别使者，亦自完其阴中达阳之用。（虽似以三焦为体，肺胃为用。然所主治诸证，多由足阳明胃经邪热炽盛所致，缪氏之言是也。故先哲多以为足阳明主药，是乃由用而全体者也。）即《本经》首主中风寒热，可以参矣。按《古今录验》五蒸汤内，三焦之乍寒乍热用此味，是则《本经》首言三焦之治也。然何以又言为阳明主药。盖缘水火之气，附于中土以为用，即先于中土以为病，是所谓水火体物而不遗也。如伤寒传经，由太阳而次阳明，可以思矣。抑《本经》首言中风者，其义谓何。经云：人生有形，不离阴阳，阴不足而阳有余者，即为风之淫；阳不足而阴有余者，即谓风之虚。兹味之阴有余者，正以对待阳有余之证，而治其风淫者也。（真阴之丽于阳以升者，易为六淫之所横侵，七情之所潜消，于是阳乃独亢而化风矣，是为风之淫。何以曰淫，以阴不能为阳守也。）不但《本经》，即方书主治诸证属于风者强半，而热即次之。因其具足清寒之阴气，由味之甘辛，得上达于至阳腑脏，以化其亢阳之淫气而静其风，更能散风化之厉气而除其热若热留而不散，致销铄真阴已甚，非此不得息酷烈之焰，而置清冷之渊，是缪希雍所谓功等金液，且云用之鲜少，难责其功者，皆不谬也。第世医类知取责于胃耳，虽三焦之热，亦得因胃之热清以清之。然究肺胃之本，根于三焦，在经曰：三焦者，足少阴太阳之所将，非以其为元气之使乎。夫人身元气之用，用于离中坎，以心为火主，而火实藉水以为用也。元气之根，根于坎中离，以肾为水主，而水实藉火以为体也。盖三焦主元气，而元气之根柢，即在命门，然则投兹清寒之气味，岂得不留意于三焦之根柢，而只于足阳明之胃留意哉。如方书所谓能除三焦大热，皮肤热，又在内骨蒸劳热。虽兹味之从皮肤而散热者，即从阳归阴之功，从骨空而祛热者，即从阴达阳之功。然三焦之根柢于肾者，为周身之使无量，而其为病者，举五脏以及六腑，且或气、或血、或皮、或肤、或脉、或肉、或筋、或脑、或髓、或骨、或胞，即兹味亦未足以尽变而咸宜，如五蒸汤有可参也。或曰：元气之说是矣。第此味谓为胃经大寒药，用之有宜有忌者，其义何居。曰：大抵石膏之用，其所宜者，正以救元气也。盖阳炽于肺胃之间，则火与元气不两立。经所谓至阳盛则地气不足，故宜石膏，以泻阳而存阴，此之谓救元气也。其所忌者，亦以救元气也。盖肺胃之阳未亢，相火即是元气。经所谓通天者生之本也。故忌石膏，以存阳而达阴，此之谓亦以救元气也。审于斯义，则中土握升降之枢，以为元气转关者，其宜否当自了然。如东垣所云：立夏前不宜多服白虎汤者，正谓其宜升之时也。虽然，用此味全要认定是气分除热之药，与血分全无涉。其曰能退脉数者，虽以清寒胜热，然以甘为血生化之原，更有辛以达之，而气为血主矣。有合于心为火主，而却主血，脉乃血之舍，血固原于水而成于火者，正合于《内经》化原之义。此苦寒之所以不能奏绩，而必藉力于兹味也。先哲谓血虚发热禁用，又恐亦由气虚而不能胜，此味更绝血之化原耳。其苦寒不用者，因苦寒固入血分，其阳之郁者愈不能散，亦救化原之意也。或曰：先哲所治，多属外因，岂兹味优于治外淫乎。曰：所云除胃热肺热，固不独外淫。如云食积痰火，非内伤乎。第内伤之证，由于阳分壅阏其正气，以成有余之热者，皆能治之，如头痛齿痛皆是也。第内伤由于气不足以生痰热者，则未可概施而独任也。又如内伤消渴，有劳伤脾脏，以致心火乘土，善消水谷为糟粕，而不能化为精血。以养五脏者，与内伤实热之消渴，自难例治，至于中风时行，并伤寒中暑之消渴，其治更回殊矣。若然，何为三焦蒸热。所谓热在脏腑之中者，何以亦用兹味也。先哲云：诸蒸皆因热病后，食肉油腻，或行房饮酒，犯之而成。即此推之，由于不能调养正气，以致热结而不散者多矣。如五蒸汤（五蒸汤，分属五脏及腑形证，并投治药味，历历不同。具见《准绳》虚劳论中。）益气血之味，兼以清热，更入石膏以散其结热，先哲立方，岂无深义乎。即如虚烦消痹等证，何尝不用石膏，唯本于益气血，而佐使得宜以行之。诸方书固可稽也，故在胃气虚者不可投，至若他气血不足，而有结热在气分者，若补泻之宜得当，主辅之剂中节，安能惩噎废食，舍此中病之味哉。

《本草崇原》 石膏质坚色白，气辛味淡，纹理如肌腠，坚白若精金，禀阳明金土之精，而为阳明胃腑之凉剂，宣剂也。中风寒热者，风乃阳邪，感阳邪而为寒为热也。金能制风，故主治中风之寒热。心下逆气惊喘者，阳明胃络上通于心，逆则不能上通，致有惊喘之象矣。口干舌焦，不能息，腹中坚痛者，阳明之上，燥气治之。口干舌焦，燥之极也。不能息，燥极下也。石膏质重性寒，清肃阳明之热气，故皆治之。禀金气则有肃杀之能，故除邪鬼。生产乳汁，乃阳明胃腑所生。刀伤金疮，乃阳明肌肉所生。石膏清阳明而和中胃，故皆治之。《灵枢经》云：两阳合明，是为阳明。又云：两火并合，故为阳明，是阳明上有燥热之主气，复有前后之火热，故伤寒有白虎汤，用石膏、知母、甘草、粳米，主资胃腑之津，以清阳明之热。又，阳明主合而居中土，故伤寒有越脾汤。石膏配麻黄，发越在内之邪，从中土以出肌表，盖石膏质重则能入里，味辛则能发散，性寒则能清热。其为阳明之宣剂、凉剂者，如此。

《本草择要纲目》 石膏，辛，微寒，无毒。沉而降，阴也。入足阳明，手太阴、少阴经气分。[主治] 除胃热肺热，散阴邪，缓脾益气，止阳明经头痛发热恶寒，日晡潮热，大渴引饮，中暑潮热牙痛。凡风喜伤阳，寒喜伤阴，荣卫阴阳为风寒所伤，则非轻剂所能独散，必须轻重之剂同散之，乃得去阴阳之邪，和荣卫之气。是以大青龙汤以石膏为之使，以苦甘散热而直达肌表也。又阳明经中热，发热恶寒，燥热，日晡潮热，肌肉壮热，小便浊赤，大渴引饮，自汗头痛。此邪在阳明，肺受火制，必用辛寒以清肺气。仲景之用白虎汤是也。若无以上诸证者，则多有血虚发热象白虎汤证及脾胃虚劳形体病证。初得之时与此证亦同，俱不宜服之。若不识而误用，不可胜救也。立夏前多服白虎汤者，令人小便不禁，此乃降令太过，阳明津液不能上输于肺，肺之清气亦复下降故也。大抵非腹有极热者，不宜轻用，轻用之令人寒胃不食也。

《本草备要》 石膏，甘辛而淡，体重而降。足阳明经（胃）大寒之药。色白入肺，兼入三焦。（诸经气分之药。）寒能清热降火，辛能发汗解肌，甘能缓脾益气，生津止渴。治伤寒郁结无汗，阳明头痛，发热恶寒，日晡潮热，肌肉壮热。（经曰：阳盛生外热。）小便赤浊，大渴引饮，中暑自汗。（能发汗，又能止自汗。）舌焦，（苔厚无津。）牙痛。（阳明经热，为末擦牙固齿。）又胃主肌肉，肺主皮毛，为发斑、发疹之要品。（色赤如锦纹者为斑，隐隐见红点者为疹，斑重而疹轻，率由胃热。然亦有阴阳二证，阳证宜用石膏。又有内伤阴证见斑疹者，微红而稀少，此胃气极虚，逼其无根之火，游行于外，当补益气血，使中有主，则气不外游，血不外散，若作热治，死生反掌！医者宜审。）但用之甚少，则难见功。（白虎汤以之为君，或自一两加至四两，竹叶、麦冬、知母、粳米，亦加四倍，甚者加芩、连、柏，名三黄石膏汤；虚者加人参，名人参白虎汤。）然能寒胃，胃弱血虚及病邪未入阳明者禁用。（成无已解大青龙汤曰：风，阳邪伤卫，寒，阴邪伤营。营卫阴阳俱伤，则非轻剂所能独散，必须重轻之剂同散之，乃得阴阳之邪俱去，营卫俱和，石膏乃重剂，而又专达肌表也。李东垣曰：石膏，足阳明药，仲景用治伤寒阳明证，身热，目痛、鼻干、不得卧，邪在阳明，肺受火制，故用辛寒以清肺气。所以有白虎之名，肺主西方也。按阳明主肌肉，故身热；脉交额中，故目痛；脉起于鼻，循鼻外，金燥，故鼻干；胃不和，则卧不安，故不得卧。然亦有阴虚发热，及脾胃虚劳，伤寒阴盛格阳、内寒外热、类白虎汤证，误投之不可救也。按阴盛格阳、阳盛格阴二证，至为难辨，盖阴盛极而格阳于外，外热而内寒；阳盛极而格阴于外，外冷而内热。经所谓重阴必阳，重阳必阴，重寒则热，重热则寒是也。当于小便分之。便清者，外虽燥热，而中实寒；便赤者，外虽厥冷，而内实热也。再看口中之燥润，及舌苔之深浅，苔黄黑者为热，宜白虎汤。然亦有苔黑属寒者，舌无芒刺，口有津液也，急宜温之，误投寒剂即殆矣。）亦名寒水石。（李时珍曰：古方所用寒水石是凝水石；唐宋诸方用寒水石即石膏。凝水石乃盐精渗入土中，年久结成，清莹有棱，入水即化。辛咸大寒，治时气热盛，口渴水肿。）莹白者良。研细，甘草水飞用。近人因其寒，或用火煅，则不伤胃，味淡难出。若入煎剂，须先煮数十沸，鸡子为使，忌巴豆、铁器。

《本经逢原》 石膏，古人以石膏、葛根，并为解利阳明经药。盖石膏性寒，葛根性温，功用讵可不辨。葛根乃阳明经解肌散寒之药；石膏为阳明经辛凉解热之药，专治热病暍病，大渴引饮，自汗头痛，溺涩便闭，齿浮面种之热证，仲景白虎汤是也。东垣云：立夏前服白虎，令人小便不禁，降令太过也。今人以此汤治冬月伤寒之阳明证，服之未有得安者。不特石膏之性寒，且有知母引邪入犯少阴，非越婢、大青龙、小续命中石膏佐麻黄化热之比。先哲有云：凡病虽有壮热，而无烦渴者，知不在阳明，切勿误与白虎。《本经》治中风寒热，是热极生风之象。邪火上冲，则心下有逆气及惊喘；阳明之邪热甚，则口干舌焦不能息；邪热结于腹中则坚痛，邪热不散则神昏谵语，等乎邪鬼。解肌散热外泄，则诸证自退矣，即产乳金疮，亦是郁热蕴毒，赤肿神昏，故可用辛凉以解泄之，非产乳金疮可泛用也。其金匮越婢汤，治风水恶寒无大热，身肿自汗不渴，以麻黄发越水气，使之从表而散，石膏化导胃热，使之从胃而解，如大青龙、小续命等制。又不当此执泥也。至于三黄石膏汤，又以伊尹三黄，河间解毒，加入石膏、麻黄、香豉、姜、葱，全以麻黄开发伏气，石膏化导郁热，使之从外而解。盖三黄石膏之有麻黄；越婢、青龙、续命之有石膏；白虎之加桂枝，加苍术，加人参、竹叶、麦门冬；皆因热利导之捷法。《千金》五石丸等方，用以解钟乳、紫白石英、石脂之热性耳。《别录》治时气头痛身热，三焦大热，皮肤热，肠胃中热气，解肌发汗，止消渴烦逆腹胀暴气喘息咽热者，以诸病皆由足阳明胃经邪热炽盛所致，惟喘息略兼手太阴病，此药能散阳明之邪热，阳明热邪下降，则太阴肺气自宁，故悉主之。粗理黄石破积聚去三虫，《千金》炼石散醋煅水飞，同白蔹、鹿角，治石痈，以火针针破傅之。

《本草经解》 石膏，气微寒，禀天初冬寒水之气，入足太阳寒水膀胱经。味辛无毒，得西方燥金之味，入手太阴肺经、足阳明燥金胃、手阳明燥金大肠经。气味降多于升，阴也。中风者，伤寒五种之一也。风为阳邪，中风病寒热，而心下逆气惊喘，则已传阳明矣。阳明胃在心之下，胃气本下行，风邪挟之上逆，乘肺则喘，闻木声则惊，阳明火烁津液，致口干舌焦，不能呼吸，故用石膏辛寒之味，以泻阳明实火也。腹中大肠经行之地，大肠为燥金，燥则坚痛矣，其主之者，辛寒可以清大肠之燥火也。阳明邪实，则妄言妄见，如有神灵，若邪鬼附之。石膏辛寒清胃，胃火退而邪妄除，故云除邪鬼也。产乳者，产后乳不通也。阳明之脉，从缺盆下乳，辛寒能润，阳明润则乳通也。金疮热则皮腐，石膏气寒，故外糁合金疮也。

《本草诗笺》 石膏（附粗理黄石）：寒大甘辛毒自消，专除郁热在三焦；神昏谵语邪能退，心静清凉气可招；暍极生投功不浅，胃烦煅用效非遥；杀虫更有粗黄石（破积聚，去三虫），破积相须利亦饶（《千金》炼石散治石痈，以火针针破傅之）。

《长沙药解》 石膏，味辛，气寒。入手太阴肺、足阳明胃经。清金而止燥渴，泄热而除烦躁。伤寒白虎汤（石膏一斤，知母六两，甘草二两，粳米六两）。治太阳伤寒表解后，表有寒，里有热，渴欲饮水，脉浮滑而厥者。太阳表解之后，阴旺则汗去阳亡而入太阴，阳旺则汗去阴亡而入阳明，表解而见燥渴是腑热内动，将入阳明也。阳明戊土从庚金化气而为燥，太阴辛金从己土化气而为湿，阳旺之家则辛金不化己土之湿而亦化庚金之燥，胃热未发而肺燥先动，是以发渴。石膏清金而除烦，知母泄火而润燥，甘草、粳米补中化气，生津而解渴也。金匮小青龙加石膏汤（麻黄三两，桂枝三两，芍药三两，甘草二两，半夏半升，五味半升，细辛三两，干姜二两，石膏二两）。治心下有水，咳而上气，烦躁而喘，肺胀，脉浮者。以水饮内阻，皮毛外阖，肺气壅遏而生咳喘。小青龙发汗以泄水饮，石膏清热而除烦躁也。伤寒大青龙汤（方在麻黄），用之治太阳中风，不汗出而烦躁者。麻杏石甘汤（方在麻黄），用之治太阳伤寒，汗下后，汗出而喘，无大热者。竹叶石膏汤（方在竹叶），用之治大病差后，气逆欲吐者。金匮越婢汤（方在麻黄），用之治风水恶风，续自汗出者。木防己汤（方在防己），用之治膈间支饮，其人喘满者。厚朴麻黄汤（方在厚朴），用之治咳而脉浮者。文蛤汤（方在文蛤），用之治吐后渴欲饮水而贪饮者。竹皮大丸（方在竹茹），用之治乳妇烦乱呕逆者。皆以其泄热而除烦也。石膏辛凉之性，最清心肺而除烦躁，泄郁热而止躁渴，甚寒，脾胃中脘肠虚者，勿服。其诸主治：疗热狂，治火嗽，止烦喘，清燥渴，收热汗，消热痰，住鼻衄，除牙痛，调口疮，理咽痛，通乳汁，平乳痈，解火灼，疗金疮。（研细，绵裹入药煎，虚热，煅用。）

《得配本草》 石膏，又名寒水石、细理石。鸡子为之使，畏铁，恶莽草、巴豆、马目毒公。甘辛，淡寒。入足阳明，手太阴、少阳经气分。解肌发汗，清热降火，生津止渴。治伤寒疫症，阳明头痛，发热恶寒，日晡潮热，狂热发斑，小便浊赤，大渴引饮，舌焦鼻干，中暑自汗，目痛牙疼。得甘草、姜、蜜，治热盛喘嗽。得桂枝，治温疟。得荆芥、白芷，治胃火牙疼。得苍术，治中暍。得半夏，达阴降逆，有通玄入冥之神。得黄丹，掺疮口不敛（生肌止痛）。配川芎、炙甘草、葱白、茶汤，治风邪眼寒。配牡蛎粉，新汲水服，治鼻衄头痛。（并滴鼻内。）配蒌仁、枳壳、郁李仁，涤郁结之热。使麻黄，出至阴之火。（麻黄止用二三分）。石膏、凝水石，各四两，芒硝一觔，共研末，用生甘草汁一升五合，入前药同煎，不住手搅令消溶，入青黛四两和匀，倾盆结成碧雪。研末，或含或吹，或水调服。治狂热诸症。莹白洁净，文如束针，软者良。发表生用，清热煅用，勿疑过寒而概用火煅。立夏前，过服白虎汤，令人小便不禁。胃弱气虚，血虚发热者，禁用。火炎土燥，非苦寒之剂所除。经曰：甘先入脾。又曰：以甘泻之。故甘寒之品，祛胃火生津液之上剂也。伤寒时疫，热邪溢于阳明经者，非此不除。况石膏味辛而散，使邪气外达于肌肤。若误用芩、连，苦燥而降，反令火邪内结，渐成不治之症。勿以川连、石膏、葛根、钗斛、竹茹等味，悉除胃火，概混治之。盖胃经之气，凉则行，热则滞，气为热所滞，致失升降之令，而食不化，宜用葛根升之散之。邪火伏于阳明气分，宜用生石膏疏之。热火入于胃腑，升之火气益烈，疏之结不可解，宜用川连导之使下。钗斛但清胃中虚火，竹茹专主胃腑虚痰。此固各有攸当分别用之，庶为得法。

《本草求真》 石膏，清胃热，解肌发汗。石膏专入胃腑，兼入脾、肺。甘辛而淡，体重而降，其性大寒，功专入胃，清热解肌，发汗消郁。缘伤寒邪入阳明胃腑，内郁不解，则必日晡热蒸，口干舌焦唇燥，坚痛不解，神昏谵语，气逆惊喘，溺闭渴饮，暨中暑自汗，胃热发斑，牙痛等证。皆当用此调治。（成无已曰：风阳邪也，寒阴邪也。风喜伤阳、寒喜伤阴，营卫阴阳，为风寒所伤，则非轻剂所能独散，必须轻重剂同散之。乃得阴阳之邪俱去，营卫之气俱和，是以大青龙汤以石膏为使，石膏乃重剂，而又专达肌表也。）以辛能发汗解热，甘能缓脾益气，生津止渴，寒能清热降火故也。按石膏是足阳明腑药，邪在胃腑，肺受火制，故必用此辛寒以清肺气，所以有白腑之名，肺主西方故也。（杲曰：石膏足阳明药也，故仲景治伤寒阳明证，身热目痛，口干不眠，以身之前，胃之经也。胸前肺之室也。邪在阳明，肺受火制，所以有白虎之名。）但西有肃杀而无生长，如不得已而用，须中病即止，切勿过食以损生气。（时珍曰：此皆少壮肺胃火盛能食而病者言也。若衰暮及气虚血虚胃弱者，恐非所宜。）况有貌属热证，里属阴寒而见斑黄狂躁，日晡潮热，便秘等证，服之更须斟酌。惟细就实明辨，详求其真可也。（汪昂曰：按阴盛格阳、阳盛格阴二证，至为难辨。盖阴盛极而格阳于外，外热而内寒；阳盛极而格阴于外，外冷而内热。经所谓重阴必阳，重阳必阴，重寒则热，重热则寒也。当于小便分之，便清者外虽燥热而中实寒；便赤者外虽厥冷而内实热也。再看口中之燥润，及舌苔之浅深，苔黄黑者为热，宜白虎汤。亦有苔黑属寒者，舌无芒刺，口有津液，急宜温之，误投寒剂则殆矣。又按热在胃，热证见斑疹，然必色赤如绵纹者为斑，隐隐见红点者为疹，斑重而疹轻，斑疹亦有阴阳，阳证宜石膏，又有内伤阴证见斑疹者，微红而稀少，此胃气极虚，逼其无根之火游行于外，当补益气血，使中有主，则气不外游，血不外散，若作热治，生死反掌，医者宜审。）取莹白者良。（亦名寒水石，非盐精渗入土中结成之寒水石也。）研细，或甘草水飞，或火煅，各随本方用。鸡子为使。忌豆、铁。

《罗氏会约医镜》　石膏，泻胃火。（味辛、甘，寒，入肺、胃二经，兼入三焦。）辛能发汗，甘能缓脾益气，寒能清热，为去胃经实热之主药。治伤寒寒热无汗、头痛牙疼、大渴舌焦、便赤、日晡潮热、肌肉壮热（阳明主肌肉），目痛（脉交额中）、鼻干（脉起于鼻）、不得卧。（胃不和也，病传胃，宜用白虎汤。）疗发斑（色赤如锦）、发疹（隐见红点），皆胃热也。逐温暑热证、痰喘（太阴火盛）。阳狂（热结）、大呕吐血（胃火）、大便秘结（肺胃热燥）、不思食（邪火）、多食（胃火。二者皆治）。然能寒胃，若胃弱血虚，及病邪未入阳明者禁用。（热重生用，热轻煅用。）味淡难出，若入煎剂，分量宜重，先煎数十沸，鸡子为使，忌巴豆与铁。

《本草经读》　石膏气微寒，禀太阳寒水之气；味辛无毒，得阳明燥金之味。风为阳邪，在太阳则恶寒、发热，然必审其无汗、烦躁而喘者，可与麻、桂并用。在阳明则发热而微恶寒，然必审其口干、舌焦、大渴而自汗者，可与知母同用。曰心下气逆即《伤寒论》气逆欲呕之互词；不能息即《伤寒论》虚羸少气之互词，然必审其为解后里气虚而内热者，可与人参、竹叶、半夏、麦冬、甘草、粳米同用。腹中坚痛阳明燥甚而坚将至于胃实不大便之症。邪鬼者，阳阳邪实，妄言妄见，或无故而生，惊若邪鬼附之，石膏清阳明之热，可以统治之。阳明之脉从缺盆下乳，石膏能润阳明之燥，故能通乳。阳明主肌肉，石膏外糁又能愈金疮之溃烂也。但石品见火则成石灰，今人畏其寒而煅用，则大失其本来之性矣。

《本经疏证》 石膏质重，光明润泽，乃随击即解，纷纷星散，而丝丝纵列，无一缕横陈，故其性主解横溢之热邪也。盖惟其寒，方足以化邪热之充斥；惟其辛，方足以通上下之道路；惟其泽，方足以联津液之灌输；惟其重，方足以摄浮越之亢阳。譬之溽暑酷烈，万物喘息仅属，不敢自保。惟清飚乍动，肃降乃行，而化随爽洁，于是欣欣然始有有生之乐焉。人病中风而至心下逆气惊喘，口干舌焦，不能息者，何以异是？病寒热而至心下逆气惊喘，口干舌焦，不能息者，又何以异是？《别录》之治暴气喘咽热，即《本经》所谓心下逆气惊喘也。止消渴烦逆，即《本经》所谓口干舌焦不能息也。身热，三焦大热，皮肤热，解肌发汗，又所以明热之散漫充斥也。惟《本经》之腹中坚痛，《别录》之肠胃中结气，及腹胀，似热不仅散漫矣。夫热邪既盛，内外相连，久延不解，焉能不与气结，故暂时散漫，继遂胀满而坚痛。然曰腹中坚痛，曰结气腹胀，明其尚未与滓秽相结，犹可解以石膏也，若不待解肌发汗而汗自出，腹中满痛，小便自利，则其热已与滓秽抟聚，非承气不为功矣，石膏又乌能为？心下有水气，肺胀咳，上气而喘，脉浮，皆小青龙汤证也。多一烦躁，则为小青龙加石膏汤证。核之以大青龙汤之不汗出而烦躁，白虎汤之大烦渴不解，竹皮大丸之中虚烦乱，是石膏为烦设矣。但《伤寒》《金匮》用石膏者十一方，此才得其四，其不烦而用者，何多也。夫阴气偏少，阳气暴胜，外有所挟，内有所亏，或聚于胃，或犯于心，乃为烦。烦之由来不一，本非石膏所主，化其暴胜之阳，解其在胃之聚，非治烦也。越婢加半夏汤候曰：肺胀，咳而上气，其人喘，目如脱状。小青龙加石膏汤候曰：肺胀咳而上气，烦躁而喘。木防己汤候曰：膈间支饮，其人喘满，心下痞坚。麻杏甘膏汤候曰：汗出而喘，无大热。是石膏者，为喘而设欤？夫喘有虚有实，虚者无论，实者必邪聚于气，轩举不降。然邪又有不同，兹四喘者，皆热盛于中，气被逼于上，则石膏所主，乃化其在中之热，气自得下，非治喘也。然则石膏气寒而形津润，《本经》以主口干舌焦不能息，宜乎必治渴矣。乃《伤寒》《金匮》两书用石膏方，并不言渴。越婢汤治风水，并证明不渴，白虎汤之治渴者，必加人参，其不加人参证，亦并不言渴。岂石膏之治热，必热而不渴者，乃为恰当乎！是可知石膏止能治六淫所化之热矣。故仲景用石膏者十一方，同麻黄用者六，同大黄用者一，同防己用者一，同桂枝、白薇用者一，可同人参用者仅二方，而一方可同可不同，惟竹叶石膏汤，却必与参同用。是石膏之治热，乃或因风鼓荡而生之热，或因水因饮蒸激而生之热，或因寒所化之热，原与阴虚生热者无干。其《本经》所谓口干舌焦，乃心下逆气惊喘之余波，故下更著不能息为句。盖心下既有逆气，而遇惊辄甚，则其口张不翕，焉得不干不焦，然又当验其能息与否，能息则口尚有翕时，干与焦亦有间时矣。他如竹叶石膏证之欲吐，竹皮大丸之呕逆，皆适与用石膏相值，亦可知为热致虚，因虚气逆解热气自平，气平呕吐自止，非石膏能治呕吐矣。说者谓麻黄得石膏，则发散不猛，此言虽不经见，然以麻杏甘膏汤之汗出而喘，越婢汤之续自汗出证之，则不可谓无据矣。麻黄为用，所以从阴通阳，然阳厄于阴，其源不一。有因寒凝，有因热壅，故其佐之者，不用桂枝，则加石膏。桂枝文理有纵有横，石膏则有纵无横，纵者象经，横者象络，经络并通，与及经不及络者，其优柔猛烈，自是不同。况因寒者，所谓体若燔炭，汗出而散（从丹溪章句），固其所当然也。因热者，乃阳猖而阴不与交，欲使阴交于阳，非泄热不可，第徒泄其热，正恐阴反肆而迫阳，故一面任石膏泄热，随手任麻黄通阴，使阴之郁勃者，随阳而泄。柔和者，与阴相交，是以石膏协麻黄，非特小青龙加石膏汤、厚朴麻黄汤、越婢加术汤、越婢加半夏汤、文蛤汤。其禁忌较之大青龙汤、麻黄汤为弛，即如所谓麻杏甘膏汤、越婢汤者，并有汗亦治之。可见其汗乃盛阳之加于阴，非阴阳交和而成，亦非营弱卫强而有矣。矧证之以《千金》用越婢加术汤，治肉极热，则身体津脱，腠理开汗大泄，顾何谓耶？夫亦以热盛于中，内不与阴和，而外迫逐津液，与才所论者无异，特恐通其阴而阴遂逆，故凡兼恶风者，即于汤中加附子耳。尚不可信麻黄、石膏并用，可治汗出耶！然则桂枝二越婢一证，谓之无阳者，又当作何解？夫发热者，太阳之标，恶寒者，太阳之本，热多寒少，标盛本微矣。而脉反微弱，则非因阳不足，乃表阳内伏也。表阳之所以内伏，正为其本寒将尽，无事与相拒于外耳，故曰无阳。然阳者津液之所从化，汗之所由出也，不泄其标热，而从阴中通其内伏之阳，表热于何而和？营卫于何而调，故取桂枝之二以解外，取越婢之一以通中，此其义也。风寒抟热，用麻黄、石膏泄热通阳，既知之矣。水饮与热，其不相入正同冰炭，何亦能合为患耶。不知寒与热犹本异而末同，水与热更本同而末异，何也？夫寒在人身，被阳气激而化热，既化则一于热，不更为寒。水则本属太阳，原能盛热，是以寒既化热，热已而寒无存，水中挟热，热去而水尚在，其同用麻黄，在寒化之热，止欲其通阳，在水挟之热，更欲其去水矣。虽然，水与饮固有分，且同为水，复有近表近里之分。曰风水恶风，一身悉肿，脉浮不渴，续自汗出，无大热，越婢汤主之。

此比于大青龙者也，故麻黄分数多。曰吐后渴欲得水而贪饮者，文蛤汤主之。兼主微风，脉紧头痛，此比于麻杏甘膏者也，故麻黄分数少。曰里水，越婢加术汤主之。此则比于麻黄附子甘草汤矣，以其是水与热而非寒，故不用附子而用白术、石膏，是二证近表，一证近里，既彰彰然矣。若夫饮，则非如水之无畔岸，或随处横溢也。则必著脏腑而后为患。曰咳而上气，此为肺胀，其人喘，目如脱状，脉浮大者，越婢加半夏汤主之。此著于上者也。曰膈间支饮，其人喘满，心下痞坚，面色黧黑，其脉沉紧，得之数十日，医吐下之，不愈者，木防已汤主之。此著于中者也。著于上者，比于表，故用麻黄。著于中者，比于里，故不用麻黄，石膏则皆不可阙者也。然服木防已汤，虚者即愈，实者即发，则去石膏，加茯苓、芒消。夫曰实，乃去石膏，不去人参，似其助实反在石膏矣，然膈间支饮，则喘满色黑，固其宜也。其关节则在心下痞坚，脉沉紧，二者痞犹可以桂枝下之，坚则非芒消为功矣。痞由于饮，犹可专以防已通之，饮而至坚，则非兼用茯苓不为功矣。其用人参、石膏，取义原与白虎加人参同，欲其泄热生津。为已病数十日曾经吐下也，屡经剥削，继得和养，自然立能应手。然终以痞坚而脉沉紧，非剥削已极之征，第初投之能获效，必饮中之热得清而解，其再发也纵有热亦杀于前。虽然前方不愈，则病虽不去，而热未必复留矣。故于前方去石膏，加茯苓、芒消，不去人参者，一则尚缘剥削之余，一则所以驭防已、芒消之暴也。

《本草害利》 石膏，解实热，祛暑气，散邪热，止渴除烦之要药。极能寒胃。温热病多兼阳明，若头痛，遍身骨痛面不渴，不引饮者，邪在太阳，未传阳明，不当用。七八日来邪已结里，内有燥屎，往来寒热，宜下之，勿用。暑气兼湿作泄，脾胃弱者勿用。疟邪不在阳明则不渴亦不宜用。产后寒热，由于血虚，或由恶露未尽；骨蒸劳热，由于脾胃虚寒，阴精不足，而不由于外感者，并勿误用。伤寒阴盛格阳，内寒外热，便青舌黑，属寒者，误投之，不可救也。宜详察之，黄色者令人淋。［利］寒能清热降火，辛能发汗解肌，甘能缓脾生津止渴。清肺胃之热，故又为斑疹之要品。煨石膏。经火则寒性减，而不甚伤胃。［修治］有软、硬二种，软石膏大块生于石中，作层如压扁米糕形，每层厚数寸，有红、白二色，红者不可服，莹白者良。研细甘草水飞净。因其寒胃，用火煅，则不甚伤胃，但用之甚少，则难见功，冰糖拌过，则不妨脾胃矣。

《医家四要》 石膏，主伤寒狂热。用时宜研细，甘草水飞，或煅用。入肺胃。同知母、甘草、粳米，名白虎汤。治肺胃实热。同甘草，名玉泉饮。治温疫斑黄。

《本草撮要》 石膏，味甘辛，入足阳明，手太阴、少阳经。功专解肌发汗，得桂枝治温疟，得苍术治中暍，得知母、甘草、粳米治胃腑大热。少壮火热者功效神速，老弱虚寒者祸不旋踵。病邪未入阳明者，切勿遽投。或因性太寒，用火煅则不甚伤胃，但少用则难见功，且须先煎。鸡子为使，恶巴豆，畏铁。亦名寒水石。

《本草便读》 清肺、胃火，清暑除烦能止渴。解阳明之郁热，祛温逐疫可消斑。性属甘寒，质颇重镇。（石膏大寒，质重，味甘之物，真清肺胃。相传解肌之说，皆因表有风寒，里有郁热，故正气被郁，不得透达于表，郁热解则表里通矣。大青龙之制，亦犹是耳，岂质重性寒味甘之品而能发汗者哉。）

《本草思辨录》 石膏体质最重，光明润泽，乃随击即解，纷纷星散，而丝丝纵列，无一缕横陈，故其性主解横溢之热邪，此正石膏解肌之所以然。至其气味辛甘，亦兼具解肌之长，质重而大寒，则不足于发汗。乃《别录》于杏仁曰解肌，于大戟曰发汗，石膏则以解肌发汗连称，岂以仲圣尝用于发汗耶。不知石膏治伤寒阳明病之自汗，不治太阳病之无汗。若太阳表实而兼阳明热郁，则以麻黄发汗，石膏泄热，无舍麻黄而专用石膏者。白虎汤治无表证之自汗，且戒人以无汗勿与，即后世发表经验之方，亦从无用石膏者。所谓发表不远热也，然则解肌非欤。夫白虎证至表里俱热，虽尚未入血成腑实，而阳明气分之热，已势成连衡，非得辛甘寒解肌之石膏，由里达表，以散其连衡之势。热焉得除而汗焉得止，是石膏解肌，所以止汗，非所以出汗。他如竹叶石膏汤、白虎加桂枝汤非不用于无汗，而其证则非发表之证，学者勿过泥《别录》可耳。又王海藏谓石膏发汗，朱丹溪谓石膏出汗，皆以空文附和，未能实申其义。窃思方书石膏主治，如时气肌肉壮热，烦渴，喘逆，中风，眩晕，阳毒发斑等证，无一可以发汗而愈者。病之倚重石膏，莫如热疫。余师愚清瘟败毒散，一剂用至六两、八两，而其所著《疫证一得》，则谆谆以发表致戒。顾松园以白虎汤治汪缵功阳明热证，每剂石膏用至三两，两服热顿减，而遍身冷汗，肢冷发呃，群医哗然，阻勿再进。顾引仲圣热深厥深，及喻氏阳证勿变阴厥万中无一之说，与辩，勿听。迨投参附回阳之剂，而汗益多，体益冷。复求顾诊，顾仍以前法用石膏三两，而二服后即汗止身温。（见陆定圃《冷庐医话》。）此尤可为石膏解肌不发汗之明证。要之顾有定识定力，全在审证之的，而仲圣与喻氏有功后世，亦可见矣。《本经》中风寒热四字，刘潜江、邹润安皆作两项看，甚是。惟邹以下文心下逆气，惊喘，口干舌焦，不能息，为即中风与寒热之候，强为牵合，殊不切当。刘谓阳不足而阴有余者风之虚也，阴不足而阳有余者风之淫也，兹味之阴有余，正对待阳有余之证，而治其风淫。讲石膏治中风极真，讲寒热则以五蒸汤内三焦之乍寒乍热用石膏释之，而五蒸汤却不仅恃石膏除寒热也。窃思中风用石膏，如《金匮》风引汤、《古今录验》续命汤皆是。寒热用石膏，当以《外台》石膏一味，治阳邪入里，传为骨蒸，令人先寒后热，渐成羸瘦，有汗而脉长者为切。又白虎加人参汤，治太阳中热，汗出恶寒，身热而渴，亦可为石膏治寒热之据。然此二证，与阳虚之寒，阴虚之热，伤寒有表证之恶寒，皆迥乎不同，未可漫施而不细辨也。石膏甘淡入胃，辛入肺，体重易碎，亦升亦降则入三焦，以清肃之寒，涤蒸郁之热，只在三经气分而不入于血，其为胃药非脾药亦由于是。然则腹中坚痛，必苦寒入血如大黄，方克胜任。即枳、朴、芍药，亦只堪用为臣使，石膏断不能攻坚而止痛。《本经》腹中坚痛四字，必是后世传写舛误，原文宁有是者。仲景方石膏、麻黄并用，与大黄协附子变其性为温药相似，更设多方以增损而轩轾之觉变幻纷纭，令人目眩。然只认定麻黄散寒发汗，石膏泄热止汗，相为制还相为用，推此以求，何方不可解，何方不可通，大青龙汤，咸以发汗之猛剂矣。窃谓发汗之猛，当推麻黄汤，不当推大青龙。麻黄汤中桂枝、杏仁，皆堪为麻黄发汗效力，而无石膏以制麻黄，大青龙麻黄受石膏之制，六两犹之三两，杏仁又少三十枚。用于脉浮紧，身疼痛则曰中风，用于伤寒则曰脉浮缓，身不疼，但重。中风自较伤寒为轻，身不疼但重，自非但取解表。柯韵伯谓大青龙方后之汗出多者温粉扑之。一服汗者停后服，汗多亡阳，遂虚恶风，烦躁不得眠也，宜移列麻黄汤后。盖从温服八合，并汗后烦躁，与未汗烦躁悟出，可谓读书得间。诸家震于青龙之名，念有汗多亡阳之戒，遂以麻黄得石膏，譬龙之兴云致雨，其于白虎非驱风之方。小青龙无石膏亦名青龙，越婢麻膏之多如大青龙而不言取汗，皆有所难通，则不顾也，然则名大、小青龙何哉？盖龙者屈伸飞潜不可方物，能召阳而化阴者也。麻黄能由至阴以达至阳，而性味轻扬，得石膏、芍药则屈而入里，得桂枝、杏仁则伸而出表。石膏寒重之质，复辛甘津润而解肌，并堪为麻黄策应，故名之曰大青龙。小青龙心下有水气，以石膏寒重而去之，麻黄可任其发矣。而麻黄三两，芍药亦三两，麻黄虽发亦绌，其辛、夏诸味，又皆消水下行，盖龙之潜者，故名之曰小青龙。越婢汤之麻黄，亦制于石膏者，而故制之而故多之，则越婢之证使然也。风水恶风，一身悉肿，脉浮不渴，种种皆麻黄证。惟里热之续自汗出，则不能无石膏，有石膏故用麻黄至六两，石膏因有麻黄，故虽无大热而用至半斤，其不以石膏倍麻黄者，化阴尤要于退阳也。或问越婢以汗出用石膏，大青龙以烦躁用石膏（别有说，详麻黄），无阳明热邪者，宜不得而用矣。乃伤寒脉浮缓，身不疼，但重，乍有轻时，大青龙汤主之。徐洄溪谓此条必有误，其信然乎？曰：此正合青龙屈伸飞潜之义也。尤在泾云：经谓脉缓者多热，伤寒邪在表则身疼，邪入里则身重，寒已变热而脉缓，经脉不为拘急，故身不疼而但重，而其脉犹浮，则邪气在或进或退之时，故身体有乍重乍轻之候也。不曰主之而曰发之者，谓邪欲入里，而以药发之使从表出也，诠解之精，诸家不及。夫邪欲入里而以药发之，非麻黄得石膏寒重之质。如青龙出而复入，入而复出，何能如是。若视石膏为汗药，麻黄不因石膏而加多（诸家多坐此误）。则此条真可大疑矣。越婢石膏多于麻黄止二两，即不以龙名，不以汗多示禁。大青龙石膏断不至如鸡子大一块（别有说，详麻黄），且石膏多则不能发汗，又有可证者。麻杏甘膏汤之石膏倍麻黄是也，麻黄四两，虽不及大青龙之六两，而较麻黄汤之三两，尚多一两，即杏仁少于麻黄汤二十枚，而麻黄一两，则非杏仁二十枚可比。此汤何不用于无汗之证而反用于汗出应止之证，则以石膏制麻黄，更甚于越婢耳（方解别详麻黄）。石膏止阳明热炽之汗，亦止肺经热壅之喘，既有麻黄，原可不加杏仁。因麻黄受制力微，故辅以杏仁解表间余邪。无大热而用石膏至半斤，其义与越婢正同。乃柯氏不察，改汗出而喘无大热为无汗而喘大热，反谓前辈因循不改，不知用石膏正为汗出。若无汗而喘，乃麻黄汤证，与此悬绝矣，更证之桂枝二越婢一汤。大青龙谓脉微弱，汗出恶风者不可服。此云脉微弱此无阳也不可更汗，岂犹以麻黄发之，石膏寒之。夫不可更汗，必先已发汗，或本有自汗，观其用桂枝汤全方而下去芍药可见，至又加以麻、膏，则非与桂枝麻黄各半汤互参不明。按桂枝麻黄各半汤，发热恶寒，热多寒少与此同，而彼如疟状脉微缓有邪退欲愈之象。若脉微非缓而恶寒，面反有热色，则以桂枝麻黄各半汤微汗之。此脉微弱而恶寒，阳微之体，亦无自愈之理，桂枝汤接以和阳，协麻黄则散余寒而解表邪，法已备矣。加石膏何为者？为热多耶，乃热多不过较多于寒。若脉非微弱，亦将如桂枝麻黄各半汤之欲愈，而何热之足虑。然则加石膏者，专为阳虚不任麻黄之发，而以石膏制之，化峻厉为和平也。药止七味，皆伤寒重证之选，而各大减其分数，遂为治余邪之妙法。用石膏而不以泄热，如大黄之用以泻心，用以利小便，同一巧也。生姜多于他味者，以能辅桂、甘生阳，又为石膏防弊也。

尚志钧按 石膏为单斜晶系硬石膏族石膏，主要成分为硫酸钙，含两分子水为生石膏（$CaSO_4 \cdot 2H_2O$），加热至120℃则失去结晶水，为熟石膏。生石膏白色，或灰白色，有的半透明，质软，性脆，易碎，纵断面具纤维状纹理，有丝样光泽，硬度为1.5~2，比重为2.2~2.4，难溶于水，每100毫升水能溶0.2克。煅石膏，白色粉，不透明，加少许水（每10克粉，加水7.5毫升），则凝结成固体块。生石膏味辛而甘，性寒，能清热泻火、除烦止渴，适用于气分高热、壮热汗出、烦渴引饮、脉洪大，及胃火炽盛、头痛如破、牙龈红肿疼痛、热毒壅盛、发斑发疹、口舌生疮等。煅石膏治痈疽疮疡溃不收口、烫火灼伤。治疮疡痈肿初起，生石膏粉、冰片，研极细，生鸡蛋清调成稠膏贴患处，有消肿之功。治偏正头疼，痛连目睛，配牛蒡子，研细末，每服7克。治高烧不退，与知母、甘草、粳米合用。治高热神昏发斑发疹，与丹皮、犀角、生地合用。治肺热咳喘，口渴欲饮，与麻黄、杏仁、甘草合用。治牙龈肿痛，口舌生疮，与丹皮、生地、麦冬、牛膝、升麻、黄连合用。煅石膏配青黛、黄柏，治疮疡久不收口。

258 龙石膏（《别录》）

《名医别录》 龙石膏，无毒。主消渴，益寿。生杜陵，如铁脂中黄。

259 长石（《本经》）

《神农本草经》 长石，味辛、寒，主身热，四肢寒厥，利小便，通血脉，明目，去翳眇，下三虫。杀蛊毒，久服不饥，一名方石。

《名医别录》 长石，味苦，无毒。胃中结气，止消渴，下气，除胁肋肺间邪气，一名土石，一名直石，理如马齿，方而润泽，玉色。生长子山谷及太山、临淄。采无时。

《本草经集注》 长子县属上党郡，临淄县属青州。俗方及《仙经》并无用此者。

《唐本草》注 此石状同石膏而厚大，纵理而长，文似马齿，今均州辽坂山有之，土人以为理石者，是长石也。

《本草图经》 长石，生长子山谷及泰山、临淄，今惟潞州有之。文如马齿，方而润泽，玉色。此石颇似石膏，但厚大，纵理而长，为别耳。采无时。谨按：《本经》理石、长石，二物二条，其味与功效亦别。又云理石如石膏，顺理而细。陶隐居云：理石亦呼为长理石。苏恭云：理石皮黄赤，肉白，作斜理，不似石膏，市人刮去皮，以代寒水石，并当礜石。今灵宝丹用长、理石为一物。医家相承用者，乃似石膏，与今潞州所出长石无异，而诸郡无复出理石，医方亦不见单用，往往呼长石为长理石。又市中所货寒水石，亦有带黄赤皮者，不知果是理石否？

《绍兴本草》 长石与理石、方解石、石膏，凡四种，经注具形质甚明。若在方则治风除热，功力不远。本经云：长石文理如马齿，方而润泽，当从本经味辛、苦，寒，无毒是也。又今医方所用未闻单称长石者，但只云长理石。盖治病之方，取其已验之药。既四石其性与主治亦不远，若用石膏，即的当无疑，而经验可据也。

《本草纲目》　［释名］长石一名方石（《本经》）、直石（《别录》）、土石（《别录》）、硬石膏（《纲目》）。［集解］［时珍曰］长石即俗呼硬石膏者，状似软石膏而块不扁，性坚硬洁白，有粗理，起齿棱，击之则片片横碎，光莹如云母、白石英，亦有墙壁似方解石，但不作方块尔。烧之亦不粉烂而易散，方解烧之亦然，但烢声为异尔。昔人以此为石膏，又以为方解，今人以此为寒水石，皆误矣。但与方解乃一类二种，故亦名方石，气味功力相同，通用无妨。唐宋诸方所用石膏，多是此石，昔医亦以取效，则亦可与石膏通用，但不可解肌发汗耳。

尚志钧按　长石有斜长石和正长石，前者成分为石膏杂硅酸铝钠钙盐，后者成分为石膏杂硅酸铝钾盐。

260　理石（《本经》）

《神农本草经》　理石，味辛，寒，主身热，利胃，解烦，益精，明目，破积聚，去三虫。一名立制石。

《名医别录》　理石，味甘，寒。主消渴及中风痿痹。一名肌石，如石膏，顺理而细。生汉中山谷及卢山。采无时。（滑石为之使，恶麻黄。）

《本草经集注》　《别录》谓理石生汉中。汉中属梁州，卢山属青州，今出宁州。俗用亦稀，《仙经》时须，亦呼为长理石。石胆一名立制，今此又名立制，疑必相乱类。

《唐本草》　此石夹两石间如石脉，打用之。或在土中重叠而生。皮黄赤，肉白，作针理文，全不似石膏。汉中人取酒渍服之，疗癖，令人肥悦。市人或刮削去皮，以代寒水石，并以当礜石，并是假伪。今卢山亦无此物，见出襄州西汎水侧也。

《本草图经》　文具“长石”条下。

《丹房镜源》　长理石可食。

《本草衍义》　理石如长石，但理石如石膏，顺理而细，其非顺理而细者为长石，治疗亦不相辽。

《绍兴本草》校定　理石状如石膏，顺理而细，主治性味亦与石膏不远矣。唐注复云：市人刮去皮以代寒水石，并以当礜石，甚不相似，其说显误。但理石乃性寒去热之药，当作味辛、甘，寒，无毒者是矣。详主疗内云益精一说，亦未见其验。

《本草纲目》 ［时珍曰］理石即石膏中之长文细直如丝而明洁色带微青者。唐人谓石膏为寒水石，长石为石膏，故苏恭言其不似石膏也。此石与软石膏一类二色，亦可通用，详石膏下。

尚志钧按 理石主要成分为硫酸钙（$CaSO_4$）。

261 凝水石（《本经》）

《神农本草经》 凝水石，味辛，寒，治身热。腹中积聚邪气，皮中如火烧烂，烦满，水饮之。久服不饥。一名白水石。生山谷。

《吴普本草》 寒水石，神农：辛。岐伯、医和、扁鹊：甘，无毒。季氏：大寒。或生邯郸，采无时，如云母色。

《名医别录》 凝水石，味甘，大寒，无毒。主除时气热盛，五脏伏热，胃中热，烦满，止渴，水肿，少腹痹。一名寒水石，一名凌水石。色如云母，可析者良，盐之精也。生常山山谷，又中水县及邯郸。

《雷公药对》 凝水石，畏地榆，解巴豆毒。

《本草经集注》 凝水石，常山即恒山，属并州。中水县属河间郡。邯郸即是赵郡，并属冀州城。此处地皆咸卤，故云盐精，而碎之亦似朴消也。此石末置水中，夏月能为冰者佳。

《雷公炮炙论》 凝水石，凡使，先须用生姜自然汁，煮汁尽为度，研细成粉用。每修十两，用姜汁一镒。

《药性论》 寒水石，能压丹石毒风，去心烦闷，解伤寒劳复。

《唐本草》 此石有两种，有纵理、横理，以横理色清明者为佳。或云纵理为寒水石，横理为凝水石。今出同州韩城，色青黄，理如云母为良；出澄城者，斜理文色白为劣也。

《本草图经》 凝水石，即寒水石也。生常山山谷，又出中水县及邯郸，今河东汾、隰州及德顺军亦有之。此有两种，有纵理者，有横理者，色清明如云母可析，投置水中，与水同色，其水凝动者为佳。或曰纵理者为寒水石，横理者为凝水石。三月采。又有一种冷油石，全与此相类，但投沸油铛中，油即冷者是也。此石有毒。若误用之，令腰以下不能举。

《本草衍义》 凝水石，又名寒水石。纹理通彻，人或磨刻为枕，以备暑月之用。入药须烧过，或市人烧入腻粉中以乱真，不可不察也。陶隐居言：夏月能为冰者佳。如此则举世不能得，似乎失言。

《绍兴本草》 凝水石乃寒水石也。唐注虽称纵理、横理二种，其实一物。但出产、主疗、性味一同，即无少异。常用形色鲜明，以火煅之。今当作味辛、甘，大寒，无毒矣。

《本草蒙筌》 凝水石（即寒水石），味辛、甘，气寒，无毒。多生河间（郡名），亦产邯郸（即赵郡），有纵理、横理不同，惟润泽清明为上。置水中与水一色。虽夏月亦凝为水，故此得凝水之名，必须研极细才用。服加姜汁，性恶地榆。却胃中热，及五脏伏热齐驱；解巴豆毒，并丹石诸毒并压。伤寒劳复兼治，积聚邪热亦除。止烦闷喉颡渴消，去水肿小腹顽痹。

《本草纲目》 ［释名］［时珍曰］凝水石，拆片投水中，与水同色，其水凝动；又可夏月研末，煮汤入瓶，倒悬井底，即成凌冰，故有凝水、白水、寒水、凌水诸名。生于积盐之下，故有盐精以下诸石。石膏亦有寒水之名，与此不同。［集解］［时珍曰］《别录》言凝水，盐之精也。陶氏亦云卤地所生，碎之似朴消，《范子计然》云，出河东。河东，卤地也。独孤滔《丹房镜源》云：盐精出盐池，状如水精。据此诸说，则凝水即盐精石也。一名泥精，昔人谓之盐枕，今人谓之盐根。生于卤地积盐之下，精液渗入土中，年久至泉，结而成石，大块有齿棱，如马牙消，清莹如水精，亦有带青黑色者，皆至暑月回润，入水浸久亦化，陶氏注戎盐，谓盐池泥中有凝盐如石片，打破皆方，而色青黑者，即此也。苏颂注玄精石，谓解池有盐精石，味更咸苦，乃玄精之类；又注食盐，谓盐枕作精块，有孔窍，若蜂窠，可缄封为礼贽者，皆此物也。唐宋诸医不识此石，而以石膏、方解石为注，误矣。今正之于下。［正误］［时珍曰］寒水石有二：一是软石膏，一是凝水石。惟陶弘景所注，是凝水之寒水石，与本文相合。苏恭、苏颂、寇宗奭、阎孝忠四家所说，皆是软石膏之寒水石。王隐君所说，则是方解石。诸家不详本文盐精之说，不得其说，遂以石膏、方解石指为寒水石。唐宋以来相承其误，通以二石为用，而盐精之寒水，绝不知用，此千载之误也。石膏之误近千载，朱震亨氏始明；凝水之误，非时珍深察，恐终于绝响矣。［气味］辛、咸。［主治］［时珍曰］治小便白，内痹，凉血降火，止牙疼，坚牙明目。［发明］［时珍曰］凝水石禀积阴之气而成，其气大寒，其味辛咸，入肾走血除热之功，同于诸盐。古方所用寒水石是此石，唐宋诸方寒水石是石膏，近方寒水石则是长石、方解石，俱附各条之下，用者详之。

《本草原始》 凝水石，即寒水石。生常山山谷及邯郸。碎之似朴硝，润泽清明者佳。投水中与水一色，夏月研末煮汤入瓶悬井底，即凝为凌水，故得凝水之名。（味辛，寒，无毒。主身热，肚中积聚邪气，皮中如火烧，烦满水饮，久吃不饥，除时气热盛，五脏伏热，胃中热，止渴，水肿，小肚痹，压丹石毒，解伤寒劳役，治小便白，内痹，凉血降火。）［批］状如水精，色如云母。石膏亦有寒水之名，与此不同。

《珍珠囊补遗药性赋》 寒水石，热渴急求寒水石。（寒水石一名凝水石，味甘，寒，无毒。出汾州及邯郸，即盐之精也。治火烧丹毒，能解巴豆毒，畏地榆。）

《雷公炮制药性解》 寒水石，按：寒水石即凝水石，性极寒冷，故于五脏靡所不入。过服令人肠胃受寒，不能饮食。陶隐居云夏月能为冰者佳，如此则举世不能得矣，似乎失言。

《本草经疏》 凝水石生于卤地，禀积阴之气而成。《本经》味辛，气寒，《别录》味甘，大寒，无毒。经曰：小热之气，凉以和之；大热之气，寒以取之。又曰：热淫于内，治以咸寒。大寒，微咸之性，故主身热邪气，皮中如火烧，烦满，及时气热盛，五脏伏热，胃中热也。易饥作渴亦胃中伏火也。甘寒除阳明之邪热，故能止渴不饥。水肿者，湿热也，小便多不利，以致水气上溢于腹，而成腹痹。辛咸走散之性，故能除热利窍，消肿也。疗腹中积聚者，亦取其辛散咸软之功耳。［主治参互］《永类方》：男女转脬不得小便。寒水石二两，滑石一两，葵子一合，为末，水一斗，煮五升，时服一升，即利。《经验方》：小儿丹毒，皮肤热赤。寒水石半两，白土一分，为末，米醋调涂之。［简误］凝水石，按本文云，盐之精，则与石膏、方解石大相悬绝矣。因石膏有寒水石之名，而王隐君复云：寒水石又名方解石，以致混淆难辨，其功能各不同，用者自宜分别。生卤地，味辛、咸，碎之如朴硝者是。凝水石其气大寒，能除有余邪热。凡阴虚火旺，咳嗽，吐血，多痰，潮热，骨蒸，并脾胃作泄者，不宜服。经曰：诸腹胀大，皆属于热者，宜之。诸湿肿满属脾土者，忌之。大宜详审，慎勿有误。

《医宗说约》 寒水石寒，能清大热，肠中积聚，热可俱捷。（研用。）

《本草述》 按李东璧氏又云：古方所用寒水石，是此种凝水石。唐宋诸方寒水石，是石膏。近方寒水石，则是长石、方解石。若然，则东璧氏所云，诸家皆不知有盐精之寒水石，故承袭其误是矣。今阅方书中，如咳嗽，如痰饮，及痫证，类用凝水石，安知其非承误而不及致察者耶。第石膏四种，并凝水一种，东璧氏悉其形与味甚明，投剂者是宜谛审其所入不同，勿令误也。但凝水石，虽苏颂谓为元精之类，而东璧氏遂无分别，愚细释之，觉同中有异处。观二石之释名，同禀水气，而凝水石止曰寒水，元精则曰大乙元精；同为盐结，凝水止曰盐精，而元精则曰阴精。如斯相提而论，岂得谓无少异乎。其说见“元精石”条。

《本经逢原》 凝水石（即寒水石），辛、咸，寒，无毒。近世真者绝不易得，欲验真伪，含之即化为水，否即是伪。石膏亦名寒水石，与此不同。《本经》主身热，腹中积聚，邪气，皮中如火烧，烦满。[发明] 寒水石生积盐之下，得阴凝之气而成，盐之精也。治心肾积热之上药。《本经》治腹中积聚，咸能软坚也。身热皮中如火烧，咸能降火也。《金匮》风引汤、《局方》紫雪，皆用以治有余之邪热也。如无真者，戎盐、玄精石皆可代用，总取咸寒降泄之用耳。

《本草诗笺》 凝水石（即含水石）含之即化始为真，酝酿盐精绝等伦；咸且带辛味固美，寒而无毒性尤仁；散除积热安肢体，祓尽余邪养气神；治肾治心推上药，戎玄差足拟芳邻。（真者难得，戎盐、玄精石皆可代用。）

《得配本草》 凝水石，又名寒水石、盐精石。畏地榆、制丹砂，解巴豆毒。辛、咸，寒，入足少阴经血分，凉血降火。治时气热盛，五脏伏热，皮如火烧，伤寒劳复，坚齿明目，涂小儿丹毒。得朱砂、甘草、冰片，研细末，掺牙龈出血。得滑石、葵子，治男女转脬（过忍小便而致者）。卤地积盐之下，渗入土中，年久至泉，结而成石。清莹有齿，棱如马牙消，入水即化。以生姜自然汁，煮干研用。胃弱者禁用。古文所用寒水石，是此石。唐宋诸方寒水石，是石膏。近方寒水石是长石、方解石。

《本草求真》 寒水石，解火热，利水道。寒水石（专入胃、肾），又名凝水石，又名白水石，生于卤地，因盐精渗入土中，年久结聚，清莹有棱而成也。味辛而咸，气寒无毒，书载能治时行大热、口渴水肿，盖以性禀纯阴故也。经曰：热淫于内，治以咸寒。又曰：小热之气，凉以和之，大热之气，寒以收之，服此治热利水，适相宜耳。（《永类方》男女转脬不得小便，寒水石二两，滑石一两，葵子一合，水煎即利。《易简方》烫火伤，用寒水石烧研敷。《经验方》小儿丹毒、皮肤热赤，用寒水石半两，白土一分，为末，醋调涂。）然此止可暂治有余之邪，及敷烫火水伤。若虚人热浮，其切忌焉。莹白含之即化者真，否则是伪，但真者绝少。

《本经疏证》 凝水石，源本水，其所趋亦水，故虽伏土中，遇水能化。陶隐居云：末置水中，夏月可使为冰，是其阴凝之甚，肃厉之严，纯乎寒化，似非他物能间，而其气味乃辛，则仍能外达皮毛，非仅寒中一节已也。身热腹中积聚邪气，是内为本外为标。皮中如火烧烦满，是外为本内为标。均可以是化水饮之者。盖是物之生原，贯彻水土标本，当其为水之死，固已背阴向阳，迨与土化烹炼为盐，则转而温，乃不肯保其温，复溜于下以变为寒，仍与水化而味犹辛，则其假散而联为聚，即聚而复为散，昭然矣。身热皮中如火烧，散也；腹中积聚邪气烦满，聚也。聚而能散，则在内者释散而终不能聚，则在外者已又何必究其为标与本哉！风引汤入此于中，以治外热内满，亦可见其满之不仅为实，而热则已造其极，故与大黄、石膏、滑石伍，以胜外热而内之满，终不能废干姜、桂枝矣。

《医家四要》 凝水石，时邪热甚当须。（［石部］唐宋诸方用凝水石，即石膏。）

《本草撮要》 凝水石，味辛、咸，大寒。功专治时气热盛，口渴水肿。亦名寒水石。古方所用寒水石，是凝水石。唐宋诸方用寒水石即石膏。

《本草便读》 寒水石，辛、咸，寒，无毒，清肺胃。并入大肠，温邪暑热有功，解渴烦，且凉血分。（寒水石，此石即古之方解石，敲之块块方解，其光洁如白石英，烧之不软。大抵性寒质重，色白之品，与石膏主治相同，惟用者甚罕耳。古之寒水石，即凝水石，产于盐地，入水即化，其咸寒入肾，走血除热之功，较方解、石膏等石为胜耳。）

尚志钧按 凝水石，一名寒水石，又名盐精石、凌水石、白水石，为单斜晶系，多产于盐湖、盐池、卤地之下。凝水石呈白色或无色结晶块，清莹透明，有棱，也有不透明者，有玻璃样光泽，质坚而脆，敲之即折，易潮解。凝水石主要成分为硫酸钾镁复盐。李时珍认为，古之寒水石即凝水石，唐、宋医家所言凝水石、寒水石为软石膏及方解石，敲之块块方解。但凝水石生于盐池、卤地积盐之下，津液渗入土中，年久至泉结成，清莹如水晶。凝水石味辛、咸，性寒，清热泻火，除烦止渴，利水，适用于高热烦渴、胃热齿衄、牙龈肿痛。治胃火牙龈出血，与鲜白茅根、鲜竹叶合用。《卫生易简方》治烫火灼伤，凝水石烧研粉敷之。

262 太阴玄精（《开宝》）

《开宝本草》 太阴玄精，味咸，温，无毒。主除风冷，邪气湿痹，益精气，妇人痼冷、漏下，心腹积聚冷气，止头疼，解肌。其色青白、龟背者良，出解县。

《唐本余》 近地亦在，色赤、青白，片大不佳。

《本草图经》 太阴玄精，出解县，今解池及通、泰州积盐仓中亦有之。其色青白、龟背者佳，采无时。解池又有盐精，味更咸苦，青黑色，大者三二寸，形似铁铧嘴，三月、四月采。亦主除风冷，无毒。又名泥精，盖玄精之类也。古方不见用者，近世补药及治伤寒多用之。其著者，治伤寒三日，头痛，壮热，四肢不利。

正阳丹：太阴玄精、消石、硫黄各二两，硇砂一两，四物都细研，入瓷瓶子中。固济以火半斤，于瓶子周一寸，熁之，约近半日，候药青紫色，住火。待冷取出，用腊月雪水拌令匀湿，入瓷罐子中，屋后北阴下阴干。又入地埋二七日，取出细研，以面糊和为丸，如鸡头实大。先用热火浴后，以艾汤研下一丸。以衣盖，汗出为差。

［沈存中云］大卤之地即生阴精石。

《本草衍义》 太阴玄精石，合他药，涂大风疾，别有法。阴证伤寒，指甲、面色青黑，六脉沉细而疾，心下胀满、结硬、燥渴，虚汗不止，或时狂言，四肢逆冷，咽喉不利，腹疼，亦须佐他药兼之。《本草图经》已有法，惟出解州者良。

《绍兴本草》 太阴玄精，形质主疗经注甚明。所产解州盐池，亦盐之类也。自然生此一种，当从本经味咸，温，无毒。又有盐精，形似铁铧嘴。所治性味与太阴玄精颇同。

《本草纲目》 ［释名］又名太乙玄精石、阴精石、玄英石。［时珍曰］此石乃碱卤至阴之精凝结而成，故有诸名。［集解］［时珍曰］玄精是碱卤津液流渗入土，年久结成石片，片状如龟背之形。蒲、解出者，其色青白通彻。蜀中赤盐之液所结者，色稍红光。沈存中《笔谈》云：太阴玄精生解州盐泽大卤中，沟渠土内得之。大者如杏叶，小者如鱼鳞，悉皆六角，端正似刻，正如龟甲状。其裙襕小椭，其前则下剡，其后侧上剡，正如穿山甲相掩之处，全是龟甲，更无异也。色绿而莹彻，叩之则直理而折，莹明如鉴，折处亦六角，如柳叶大。烧过则悉解折，薄如柳叶，片片相离，白如霜雪，平洁可爱。此乃禀积阴之气凝结，故皆六角。今天下所用玄精，乃绛州山中所出绛石，非玄精也。［气味］［时珍曰］甘、咸、寒。［发明］［时珍曰］玄精石禀太阴之精，与盐同性，其气寒而不温，其味甘咸而降，同硫黄、消石治上盛下虚，救阴助阳，有扶危拯逆之功。故铁瓮申先生来复丹用之，正取其寒，以配消、硫之热也。《开宝本草》言其性温，误矣。

尚志钧按 太阴玄精，简称玄精石，又称玄英石、元精石、阴精石，产于盐湖、盐池底土中，是硫酸钠、硫酸钙经过很长时间凝结而成，形如龟甲结晶体，色青白或淡黄透明，有玻璃样光泽，质脆易折，折片呈六角形，置空气中，表面风化生粉末，烧之则裂解成薄片，片片相离，白如霜雪。本品味甘、咸，性寒，无毒，能缓下、利尿、清热。《本草图经》记载，正阳丹治伤寒三日，头痛壮热，四肢不利，太阴玄精石、消石、硫黄各二两，硇砂一两，细研，入瓷瓶固济。以火半斤，周一寸熁之。约近半日，候药青紫色，住火。待冷取出，用腊月雪水拌匀，入罐子中，屋后北阴下阴干。又入地埋二七日，取出细研，面糊和丸鸡头子大。先用热水浴后，以艾汤研下一丸。以衣盖汗出为瘥。《普济方》治小儿风热挟风蕴热，体热，其方为：太阴玄精石一两，石膏七钱半，龙脑半两，为末，每服半钱，新汲水下。《千金方》治头风脑痛，太阴玄精石末，入羊胆中阴干，水调一字，吹鼻中，立止。《普济方》治目赤涩痛，太阴玄精石半两，黄柏（炙）一两，为末，点之，良。《朱氏集验方》治赤目失明内外障翳，太阴玄精石（阴阳火煅）、石决明各一两，蕤仁、黄连各二两，羊肝七个，竹刀切晒，为末，粟米饭丸梧子大。每卧时茶服二十丸。服至七日，烙顶心以助药力，一月见效。宋丞相言：黄典史病此，梦神传此方，愈。《总微论》记载，目生赤脉，太阴玄精石一两，甘草半两，为末，每服一钱，小儿半钱，竹叶煎汤调下。《太平圣惠方》记载，重舌涎出，水浆不入，太阴玄精石二两，牛黄、朱砂、龙脑各一分，为末，以铍针舌上去血，盐汤漱口，掺末咽津，神效。《史载之指南方》治冷热吐泻，分利阴阳，太阴玄精石、半夏各一两，硫黄三钱，为末，面糊丸梧子大，每米饮服三十丸。

263　盐精石（《图经》）

《本草图经》　解州解池有盐精石，味更咸苦，青黑色。大者三二寸，形似铁铧嘴，三月、四月采，亦主除风冷。又名泥精，盖玄精之类也。古方不见用者，近世补药及治伤寒药多用之。

尚志钧按　玄精石是硫酸钠、硫酸钙经长时间凝结成的龟甲状晶体，质脆易折，折片呈六角形。盐精石与此同类，皆为硫酸钠、硫酸钙凝结晶体。

264　矾石（《本经》）

《神农本草经》　矾石，味酸，寒，治寒热泄痢、白沃、阴蚀、恶疮、目痛，坚骨齿。炼饵服之。轻身不老增年。一名羽硉。生山谷。

《名医别录》　矾石，无毒。除固热在骨髓，去鼻中息肉。岐伯云：久服伤人骨。能使铁为铜。一名羽泽。生河西及陇西、武都、石门。采无时。

《雷公药对》　白矾，寒。雷公：酸，无毒。主瘘，恶疮，瘰疬，使。甘草为之使，恶牡蛎，畏麻黄。

《本草经集注》　矾石出西川，从河西来。色青白，生者名马齿矾。已炼成绝白，蜀人又以当消石名白矾。其黄黑者名鸡屎矾，不入药，惟堪渡作以合熟铜。投苦酒中，涂铁皆作铜色。外虽铜色，内质不变。《仙经》单饵之，丹方亦用。俗中合药，皆先火熬，令沸燥，以疗齿痛，多即坏齿，是伤骨之证，而云坚骨齿，诚为疑也。

《雷公炮炙论》 矾石，凡使，须以瓷瓶盛，于火中煅，令内外通赤，用钳揭起盖，旋安石蜂窠于赤瓶子中，烧蜂窠尽为度。将钳夹出，放冷，敲碎，入钵中，研如粉。后于屋下掘一坑，可深五寸，却以纸裹留坑中一宿，取出再研。每修事十两，用石蜂窠六两，烧尽为度。又云：凡使，要光明如水精，酸、咸、涩味全者，研如粉，于瓷瓶中盛，其瓶盛得三升已来，以六一泥泥于火畔，炙之令干。置研了白矾于瓶内，用五方草、紫背天葵二味，自然汁各一镒，旋旋添白矾于中，下火逼令药汁干，用盖子并瓶口，更以泥泥上，下用火一百斤煅，从巳至未，去火，取白矾瓶出，放冷，敲破取白矾，若经大火一煅，色如银，自然伏火，铢累不失，捣细研如轻粉，方用之。

《药性论》 矾石，使，一名理石。畏麻黄，有小毒。能治鼠漏瘰疬，疗鼻衄。生含咽津，治急喉痹。

《唐本草》 矾石有五种：青矾、白矾、黄矾、黑矾、绛矾。然白矾多入药用；青黑二矾，疗疳及诸疮；黄矾亦疗疮生肉，兼染皮用之；其降矾本来绿色，新出窟未见风者，正如琉璃，陶及今人谓之石胆，烧之赤色，故名绛矾矣。出瓜州。

《海药本草》 波斯白矾，《广州记》云：出大秦国，其色白而莹净，内有刺针纹。味酸、涩、温，无毒。主赤白漏下，阴蚀，泄痢，疮疥，解一切虫蛇等毒。去目赤暴肿，齿痛。火炼之良，恶牡蛎。多入丹灶家，功力逾于河西石门者。近日文州诸番往往亦有，可用也。

《日华子本草》 白矾，性凉。除风去劳，消痰，止渴，暖水脏，治中风失音，疥癣。和桃仁、葱汤浴，可出汗也。

《开宝本草》 陶云蜀人用白矾当消石，误也。

《本草图经》 矾石，生河西山谷及陇西武都、石门，今白矾则晋州、慈州、无为军，绿矾则隰州温泉县、池州铜陵县，并煎矾处出焉。初生皆石也，采得碎之，煎炼乃成矾。凡有五种，其色各异，谓白矾、绿矾、黄矾、黑矾、绛矾也。白矾则入药，及染人所用者。绿矾亦入咽喉、口齿药及染色。黄矾丹灶家所须，时亦入药。黑矾惟出西戎，亦谓之皂矾，染须鬓药或用之。绛矾本来绿色，亦谓之石胆，烧之赤色，故有绛名，今亦稀见。又有矾精、矾蝴蝶，皆炼白矾时，候其极沸，盘心有溅溢者，如物飞出，以铁匕接之，作虫形者，矾蝴蝶也。但成块光莹如水晶者，矾精也。此二种入药，力紧于常矾也。又有一种柳絮矾，亦出矾处有之，煎炼而成，轻虚如棉絮，故以名之。今医家用治痰壅，及心肺烦热，甚佳。刘禹锡《传信方》治气痢巴石丸，取白矾一大斤，以炭火净地烧令汁尽，则其色如雪，谓之巴石。取一大两细研，治以熟猪肝作丸，空腹饮下，丸数随气力加减，水牛肝更佳。如素食人，蒸饼丸之亦通。或云白矾中青黑者，名巴石。又治蛇咬蝎螫，烧刀子令头赤，以白矾置刀上，看成汁，便滴咬处立差，此极神验，得力者数十人。正元十三年，有两僧流向南到邓州，俱为蛇啮，令用此法救之，傅药了便瘥，更无他苦。又《崔氏方》治甲疽，或因割甲伤肌，或因甲长侵肉，遂成疮肿痛，复缘窄靴研损四边肿焮，黄水出，浸淫相染，五指俱烂，渐渐引上脚趺，泡浆四边起，如火烧疮，日夜倍增，医方所不能疗者，绿矾石五两，形色似朴消而绿色。取此一物，置于铁板上，聚炭封之，囊袋吹令火炽，其矾即沸，流出色赤如融金汁者，是真也。看沸定汁尽，去火待冷，取出挪为末，色似黄丹，收之。先以盐汤洗疮，拭干，用散傅疮上，惟多为佳，著药讫，以软帛缓裹，当日即汁断，疮干。若患痛急，即涂少酥，令润，每日一遍，盐汤洗濯有脓处，常洗使净，其痂干处不须近。每洗讫，傅药如初。但急痛即涂酥。五日即觉上痂，渐剥起，亦依前洗傅药，十日即疮渐渐剥尽痂落，软处或更生白浓泡，即擦破傅药，自然总差。刑部张侍郎亲婴此病，卧经六十日，困顿不复可言，京众医并经造问，皆随意处方，无效验，惟此法得效如神，故录之，以贻好事者。又有皂荚矾，亦入药，或云即绿矾也。《传信方》治喉痹用之，取皂荚矾入好米醋，或常用酽醋亦通，二物同研，咽之立差。如若喉中偏一旁痛，即侧卧，就痛处含之勿咽。云此法出于李谟，甚奇，黄矾入药，见崔元亮《海上方》灭瘢膏，以黄矾石烧令汁出，胡粉炒令黄，各八分，惟须细研，以腊月猪脂和，更研如泥，先取生布揩令痛，即用药涂五度。又取鹰粪、白燕窠中草，烧作灰等分，和人乳涂之，其瘢自灭，肉平如故。

《本草衍义》 矾石，今坊州矾，务以野火烧过石，取以煎矾。色惟白，不逮晋州者。皆不可多服，损心肺、却水故也。水化书纸上，才干，水不能濡，故知其性却水。治涎药多须者，用此意尔。火枯为粉，贴嵌甲。牙缝中血出如衄者，贴之亦愈。

《绍兴本草》 矾石总诸矾而言之也。然矾正有五种，所谓青矾、黄矾、黑矾、绛矾、白矾也。复有矾蝴蝶、矾精，亦皆白矾之类。其青、黑二矾，止疗疳及诸疮。黄矾，丹灶家所须；绛矾，方家亦罕用之，独白矾多入药用。其味酸涩，所以止泄痢而坚骨齿，凡涤除痰实须生用之，则微寒有小毒；若止泄痢，须熬沸枯，令汁尽方可入药，当性温，无毒是也。亦如丹砂生用，或经火炼之，其性各异矣。

《汤液本草》 白矾，气寒，味酸，无毒。《本草》云：主寒热泄泻下痢，白沃，阴蚀恶疮。消痰止渴，除痼热。治咽喉闭，目痛。坚骨齿。《药性论》云：使。有小毒。生含咽津，治急喉痹。

《本草蒙筌》 矾石，味酸，气寒，无毒。一云：小毒。种颜色五般，地出产数处。初皆石全凭炼就，其极精无越晋州。（属北直隶。）畏麻黄，恶牡蛎。为使甘草，凡用俱同。白矾，治病证多能，生煅随重轻应变。并研细末，任作散丸。去息肉鼻窍中，除痼热骨髓内。劫喉痹，止目痛，禁便泻，塞齿疼。洗脱肛涩肠，敷脓疮收水。稀涎散同皂荚研服，吐风痰通窍神方。蜡矾丸和蜜蜡丸吞，平痈肿护膜要剂。久服损心肺伤骨，为医亦不可不防。黄矾（一名鸡矢丸）理溃痈生肌，镀金家难缺。（一说：投苦酒中涂铁，皆作铜色，但外变而内质不变。）黑矾即（皂矾）涂皓发变黑，染皮者要多。绿矾，亦主疮科。紫矾，可制砂汞。绛矾，烧之赤色，《本经》但载虚名。金线矾，纹缕有金丝，治疮追毒。柳絮矾，轻虚如棉絮，止渴消痰。

《本草纲目》 ［释名］［时珍曰］矾者，燔也，燔石而成也。《山海经》云：女床之山，其阴多涅石。郭璞注云：矾石也。楚人名为涅石，泰人名为羽涅。［集解］［时珍曰］矾石折而辨之，不止于五种也。白矾，方士谓之白君，出晋地者上，青州、吴中者次之。洁白者为雪矾；光明者为明矾，亦名云母矾；文如束针，状如粉扑者。为波斯白矾，并入药为良。黑矾，铅矾也，出晋也；其状如黑泥者，为昆仑矾；其状如赤石脂有金星者，为铁矾；其状如紫石英，火引之成金线，画刀上即紫赤色者，为波斯紫矾，并不入服饵药，惟丹灶及疮家用之。绿矾、绛矾、黄矾俱见本条。其杂色者，则有鸡屎矾、鸭屎矾、鸡毛矾、粥矾，皆下品，亦入外丹家用。［修治］［时珍曰］今人但煅干汁用，谓之枯矾，不煅者为生矾。若入服食，须循法度。按《九鼎神丹秘诀》，炼矾石入服食法：用新桑合盘一具。于密室净扫，以火烧地令热，洒水于上，或洒苦酒于上，乃布白矾于地上，以盘复之，四面以灰拥定。一日夜，其石精皆飞于盘上，扫取收之。未尽者，更如前法，数遍乃止，此为矾精。若欲作水，即以扫下矾精一斤，纳三年苦酒一斗中清之，号曰矾华，百日弥佳。若急用之，七日亦可。［主治］［时珍曰］吐下痰涎饮澼，燥湿解毒追涎，止血定痛，食恶肉，生好肉，治痈疽疔肿恶疮，癫痫疸疾，通大小便，口齿眼目诸病，虎犬蛇蝎百虫伤。［发明］［时珍曰］矾石之用有四：吐利风热之痰涎，取其酸苦涌泄也；治诸血痛脱肛阴挺疮疡，取其酸涩而收也；治痰饮泄痢崩带风眼，取其收而燥湿也；治喉痹痈疽中蛊蛇虫伤螫，取其解毒也。按李迅《痈疽方》云：凡人病痈疽发背，不问老少，皆宜服黄矾丸。服至一两以上，无不作效，最止疼痛，不动脏腑，活人不可胜数。用明亮白矾一两生研，以好黄蜡七钱熔化，和丸梧子大。每服十丸，渐加至二十丸，熟水送下。如未破则内消，已破即便合。如服金石发疮者，引以白矾末一二匙，温酒调下，亦三五服见效。有人遍身生疮，状如蛇头，服此亦效。诸方俱称奇效，但一日中服近百粒，则有力。此药不惟止痛生肌，能防毒气内攻，护膜止泻，托里化脓之功甚大，服至半斤尤佳，不可欺其浅近，要知白矾大能解毒也。今人名为蜡矾丸，用之委有效验。

《药性歌括四百味》 白矾，味酸，化痰解毒，治症多能，难以尽述。（火煅过名枯矾。）

《本草原始》 矾石［批］白矾石形，火炼之良。矾石即白矾，生河西山谷及陇西、武都、石门。矾，燔也，燔石而成也。其体纯白明净，故俗呼曰矾。化炼体轻枯者，俗呼枯矾。（味酸涩，温，无毒。主鼻中息肉，痼热，喉痹目痛，泄痢，齿痛，风热痰涎，痈肿脱肛，赤白漏下，阴蚀疥癣，乳蛾，黄疸水肿，遗尿，阴汗湿痒，木舌，解一切蛇蝎毒。黄水疮效方：枯白矾、熟松香、黄丹，三味研极细，真芝麻油调涂患处，愈。）

《炮炙大法》 矾石，生用解毒，煅用生肌。甘草为之使，恶牡蛎，畏麻黄，红心灰藋。

《珍珠囊补遗药性赋》 矾石，治风喉，理鼻息，功全矾石。（矾石味酸，寒，无毒。出晋州者佳。化痰止痢，攻阴蚀诸疮漏，煅过谓之枯矾，亦可生用。）

《雷公炮制药性解》 矾石，按：矾石西方之色，宜入肺家，东方之味，宜入肝部，肺肝得令，而寒热诸证可无虞矣。然亦收敛之剂，弗宜骤用。

《本草经疏》 矾石味酸，气寒而无毒。其性燥急，收涩解毒，除热坠浊。盖寒热泄痢，皆湿热所为。妇人白沃，多由虚脱，涩以止脱故也。阴蚀恶疮，亦缘湿火。目痛，多由风热。除固热在骨髓，坚齿者，髓为热所劫则空，故骨痿而齿浮。矾性入骨除热，故亦主之。去鼻中息肉者，消毒除热燥湿之功也。［主治参互］矾石，即白矾。得巴豆同煅令枯，取矾研末，以鹅翎管吹入喉中，流出热涎，立解。喉痹其证，俗呼为缠喉风是也。皮肤疥癣，脓窠坐板，肥疮等疮，皆资其用，各合所宜以施之。得硫黄、雄黄、白附子、海金沙、密陀僧，擦汗斑殊效。一年者，去皮一次，十年者，去皮十次，擦后坐卧，勿当风，勿行房、摇扇。制半夏，能散湿痰及食积痰，兼除五饮。同芒硝，可烧水银成粉，治一切疮中有虫。得黄蜡和丸，名蜡矾丸，治一切肿毒有神。凡治痈疽，当服之，以护膜，膜苟不破，虽剧必瘥。《陈师古方》：中风痰厥，四肢不收，气闭膈塞者，白矾一两，牙皂角五钱，为末，每服一钱，温水调下，吐痰为度。《简要济众方》：牙齿肿痛，白矾一两，烧灰，大露蜂房一两，微炙，每二钱，水煎含漱，去涎。《千金方》：鼻中息肉，用明矾一两，蓖麻仁七粒，盐梅肉五个，麝香一字，捣丸，绵裹塞之，化水自下也。夏子益《奇疾方》：发斑怪证，有人眼赤鼻张，大喘，浑身出斑，毛发如铜铁，乃热毒气结于下焦也。白矾、滑石各一两，为末，水三盏，煎减半，不住服尽即安。《永类钤方》：烂弦风眼，白矾煅一两，铜青三钱，研末，汤泡，澄清点洗。《千金方》脚气冲心，白矾三两，水一斗五升，煎沸浸洗。张仲景《金匮》方：女劳黄疸，日晡发热，而反恶寒，膀胱急，少腹满，目尽黄，额上黑，足下热，因作黑疸，其腹胀如水状，大便必黑，时溏。此女劳之病，非水也，自大劳大热，交接后入水所致，腹满者难治。用矾石烧，消石熬黄，等分为散，以大麦粥汁，和服方寸匕，日三服，病从大小便去。又《金匮》方：妇人白沃，经水不利，子脏坚癖，中有干血，下白物，用矾石烧，杏仁一分，研匀，蜜丸，枣核大，纳入肠中，日一易之。《千金翼》：妇人阴脱作痒，矾石烧研，空心酒服方寸匕，日三。刘禹锡《传信方》：蛇咬蝎螫，烧刀矛头，令赤，置白矾于上，汁出，热滴之，立瘥。此神验之方也。[简误] 白矾，《本经》主寒热泄痢，此盖指泄痢久不止，虚脱滑泄，因发寒热。矾性过涩，涩以止脱，故能主之。假令湿热方炽，积滞正多，误用收涩，为害不一，慎之。妇人白沃，多由虚脱，故用收涩以固其标，终非探本之治。目痛不由胬肉及有外障，亦非所宜。除固热在骨髓，仅可资其引导，若谓其独用，反有损也。矾性燥急，而能劫水，故不利齿骨，齿者骨之余故也。岐伯云：久服伤人骨。故凡阴虚内热，火炽水涸，发为咽喉痛者，不宜含此。目痛由阴虚血热者，亦不宜用劫水损骨之药，岂可炼服轻身不老增年？徒虚语耳！

《本草正》 白矾，味酸、涩，性凉，有小毒。所用有四：其味酸苦可以涌泄，故能吐下痰涎，治癫痫，黄疸；其性收涩可固脱滑，故能治崩淋带下，肠风下血，脱肛阴挺，敛金疮，止血，烧枯用之能止牙缝出血，辟狐腋气，收阴汗、脚汗；其性燥可治湿邪，故能止泄痢，敛浮肿，汤洗烂弦风眼；其性毒大能解毒定痛，故可疗痈疽疔肿，鼻齆息肉，喉痹，瘰疬，恶疮疥癣，去腐肉，生新肉，及虎、犬、蛇、虫、蛊毒。或丸或散，或生或枯，皆有奇效。

《本草乘雅半偈》 矾石［参］曰：矾石具五色味，《本经》品白为上，寒酸偏胜，涩其性，非味也。盖弱土之气，御于白天生白矾，是禀天一水，转坚金地矣。故一名羽涅。羽者，水之音；涅者，水中之具土者。固石显土地坚金之体相，镕则仍还水大润湿之本性耳。然则功能，不唯涩去脱，亦滑去着矣。故泄痢白沃者涩之；息肉疮蚀者滑之。若坚骨固齿，明目增年，及失音瘰疬，痰澼淡阴之疾，此以澄湛坚明为体用，对待染污晦浊为形证故也。

《本草通元》 白矾，酸、涩，性凉。主消痰燥湿，解毒止血，定痛止痢，除咽喉口齿诸病，虎犬蛇蝎百虫伤，主治与胆矾同，收而燥湿，痰饮痢泻、崩带风眼皆用也。性能却木，多服损肺。

《医宗说约》 白矾，酸，寒，清喉明目，寒热泄痢，诸疮解毒。（光明如水晶者使，收敛之剂，弗宜骤用。）

《本草述》 按白矾之气寒，其味咸者少，而酸与涩为多也。夫寒者水气，合于味之咸，以归于木酸金涩。在酸者，阴中之阳，未能大畅以达其阴也。在涩者，阳中之阴，未能大畅以和其阳也。是阴之在下者，既不得借下之阳以达，致阴之在下而欲上者，又不能即和于上之阳以化。若然，是则白矾性味，为至阴结于寒水，而不能如勾萌之毕达，只成其为润下之用耳。即小儿口疮乃用矾汤濯足，脚气冲心，浴足亦以矾汤。又如二便不通，女子阴脱等证用之，则专于润下可知矣。然何以曰燥？盖惟只成其润下之性，则在上阳中之阴少，故曰燥。夫肺本曰燥金，以其为阳中之少阴，而其性亦主涩也。此味色白象肺，不更似本燥金之气，以成其寒水之用而专归于下者乎，故每用之收水。寇氏谓多服有伤心肺，其义明矣。故兹味主治，本润下之寒水而收阴为先。（曰酸涩，为至阴结于寒水，是谓收阴。又曰：本燥金之气，以成寒水之归下者，谓上之燥，又助之收也。总归于收阴，不然，是谓金生水矣。）虽然人身阴阳本不宜相离，如兹味之收阴，不似谓离于阳乎！亦何以能奏功于诸证乎！曰：非真阴之能离于真阳也，亦非真阳之可以离真阴也。其收阴，一似令阳失所依者，乃阳之邪也。乃阳亢而为风，风更鼓阳以伤其寒水所化之液，凝而为痰，大蚀真阴，而并令真阳失所归者也。盖人身唯是寒水乃至阴之初气，而至阳出焉，阴中之阳，得升于天表以行其阳化，而至阴之精气，亦依阳而上为之行其化，盖无阴则阳即不能行其化也，是即为阳中之阴矣。如六淫七清，一有以伤其阳中之阴，则阳无以行其化淫而为风，风之厉气鼓阳，更以伤阴，举寒化之液，燥而为痰，更即寒水所化之痰，盖以滋热而蚀阴，将使至阴初气赋在五脏者，无不受伤。此《内经》所谓失守而阴虚也。若伤其立命之初气，即《经》所谓阴虚则无气，无气则死者也。就是即欲抑阳而益阴，犹水沃石耳，盖未能消痰，则风之壅也不静。未能静风，则阳之狂也不化，唯此收阴归元，而离于阳者，俾阴气有主，能令寒水所凝之痰自消，而亢阳失恃，是其由祛痰而风静，由静风而阳化也。阳之化者，即阳邪散，而真阳亦得依真阴以归其元也。盖此收阴，即以全寒水之初气，使阴不受蚀于阳邪耳。如治外证之阴蚀恶疮，举同斯义也，故论兹味主治，唯在收阴于亢阳之中，以散阳邪而救真阴，是为首功，原未尝分其用于润下也。然究兹味所益，能归元阴于最初之地，以裕阴化而畅元阳，是为全功，固不止奏其绩于清上也。夫人身至阳，本出于阴中，而兹味反全至阴于阳中。人身阴阳，以合而神其分之用，而兹味乃似由离而效其合之用。统识斯义，则白矾主治，可以知其大都矣。试以诸先哲之论治征之。如祛痰静风化阳，此《日华子》所谓消痰去风除热也；如真阳亦随阴而降，是阳中之阴得行其化，仍还归于寒水之至阴，此《别录》所谓除固热在骨髓也；即此寒水至阴之中，至阳亦得所宅而畅其气化，此《日华子》所谓暖水脏也。又试以方书之治疗，而用白矾首征于上行者，在痰饮证，此味疗风痰为多，如丹溪搜风化痰丸，宝鉴祛风丸、飞矾丹、辰砂化痰丸之类是也。其治热痰则次之，如化涎散、金珠化痰丸之类是也。在咳嗽证，如人参半夏丸、玉液丸之类，皆治热痰矣，在痫症以治风为专，如治风痫及心风方，又治痫方，及胜金丸之类是也。杨氏五痫丸，是兼治痰者。在喉痹证，如开关散、七宝散、备急如圣散、一字散之类，皆治风而兼导痰者也。至其除热，不啻热痰之治而已。凡热上行者，如口如舌为病，同清热诸味而奏功于内。又如耳如鼻，用之外治者亦不少矣。凡此皆收真阴于元阳之中，而救治其飙焰之上行极者，皆由病于阴，不能引阳而下也。第病热者，犹属阴虚不能驭阳。如风痰相煽而剧者，则阳之蚀阴急矣。其《本经》所云治阴蚀恶疮，即内而收阴以消痰之义，总归于寒水得收以获奇效。即内证中风危笃投稀涎散以开关，是非其明征欤？凡此俱属上行为功，次即征于下行者，如小儿口疮，并脚气冲心，俱以矾汤濯足，是其收阴者即以归阳也。然就元阳之中，而收阴以归阳，是即于归阴之地，而能裕阴以达阳。盖清上则自然实下，非兹味之独能兼擅也。在下血证，如断红丸，治下血久，面色萎黄，渐成虚惫，下元衰弱，以黄芪四君子汤下此丸。又鲫鱼方，与白矾同用，治肠风血痔，及下痢脓血，积年泻血，面色萎黄。夫血乃真阴之化醇，其原固本于肾，然生化却在胃，而且统于肺，断红丸已具足斯义矣。乃犹用白矾者，正返其阳之始，俾得化阴以为血之化原也。又如鲫鱼方所治，犹未至于虚衰，故但用鲫以补土生血，并止用白矾为归阳化阴地耳。然即此二方，可以思水土合德，实为人身阴阳之化原而兹味适有当焉者也。在泄泻方，如玉龙丸之治伏暑，既用硫黄以降而归之，又消石复升而散之。若腹胀作痛则加滑石利滞热，更用白矾之收阴归阳，即用畅阳而裕阴以化者，于伏暑尤切也。如大断下丸，治泄泻滑数，脉细皮寒，气少不能言，饮食不入胃，胃无谷气以养，致形气消索，五脏之液不收，谓之五虚，此为难治者。用姜附等味，以大补元阳，而济之收涩诸剂，乃更入枯矾以归阳，且俾阳能化阴，转为阳生之本，是于兹证尤吃紧也。在赤白浊证，如子午丸，治心肾俱虚，所见虚证种种，且患于消渴饮水，漩下赤白，此方补阴阳两虚之味，亦种种攸宜，并兼化浊者，却亦不舍枯矾，则其收阴而归阳，即畅阳而裕阴以化者，有可参也。又治虚惫，便浊滴地成霜方，兹方所以交水火，合阴阳，畅血化，奉肾阳为治浊地者，亦精矣。更有灵砂养阴驭阳以救其离绝，而与归阳裕阴大畅生化之枯矾，同为主剂，其功用不可思钦，凡此为下治之大都也。若于兹味贸贸然止以上治以消石、白矾者，是何以得当也？一取其出地之初阳，而升散肾中之郁阴；一取其归地之元阴，而专补肾中之虚阳。抑更思此证，额上黑，足下热，有殊于诸疸，而不知通身尽黄，所谓水土合德之元气。受病最剧者，若即此以思其功，则不得以上治概其功也。岂不较然哉？虽然，兹味之上下异治，亦因于上下阴阳之分耳。在《经》有曰：出地者阴中之阳，谓阳予之正，阴为之主也。即此义以推，则上而阳中之阴，便是阴与之正，阳为之主矣。《经》所云为正为主二字，最有分辨，辨之明，则上下异治之由，乃了然矣。故投剂者，须知白矾疗风热之痰，不疗寒湿之痰，而治风亦治内淫之风，不治外受之风，即除热止除元阴受伤之热，不除外邪所郁之热，此属身半以上者也，至疗下血乃疗阳虚而阴征之血，不疗寒泣及湿滞之血。其补阳直补阴虚而真元不归之阳，不补阴郁而元气不达之阴，其化阴即化气盛而血能化精之阴，不化气虚而不裕气之阴，此属身半以下者也。或曰：白矾之性燥急，何以不治湿痰？曰其性燥急收水者收真阴之丽于阳邪者而归之，非谓其收湿邪也，但因其收阴，故其性燥急，即燥急亦止成其收阴下归之用，不能借其燥湿也，时珍其未之察乎，且以解毒为功，不知收阴归元以裕阳，于解毒是何义也，愦愦甚矣。

《本草崇原》 矾石，味酸，寒，无毒。主治寒热泄痢白沃，阴蚀恶疮，目痛，坚骨齿。炼饵服之，轻身不老增年。（矾石始出河西山谷及陇西、武都石门，今益州、晋州、青州、慈州、无为州皆有。一名涅石，又名羽捏、羽泽，矾有五种，其色各异，有白矾、黄矾、绿矾、皂矾、绛巩之不同。矾石，白矾也，乃采石敲碎煎炼而成洁白光明者，为明矾。成块光莹如水晶者，为矾精。煎矾之法，采石数百斤，用水煎炼，其水成矾石之斤数不减，是石中之精气，假水而成矾，故有羽涅、羽泽之名，涅泽，水也，羽，聚也，谓聚水而成也。）矾石以水煎石而成，光亮体重，酸寒而涩，是禀水石之专精，能肃清其秽浊。主治寒热泄痢白沃者，谓或因于寒，或因于热，而为泄痢白沃之证。矾石清涤肠胃，故可治也。阴蚀恶疮者，言阴盛生虫，肌肉如蚀，而为恶疮之证，矾石酸涩杀虫，故可治也。以水煎石，其色光明，其性本寒，故治目痛。以水煎石，凝结成矾，其质如石，故坚骨齿。炼而饵服，得石中之精，补养精气，故轻身不老增年。

《本草备要》 白矾，酸、咸，寒，性涩而收，燥湿追涎，化痰坠浊，解毒生津，除风杀虫，止血定痛，通大小便，蚀恶肉，生好肉，除痼热在骨髓。（髓为热所劫则空，故骨痿而齿浮。）治惊痫黄疸，血痛喉痹，齿痛风眼，鼻中息肉，崩带脱肛，阴蚀阴挺，（阴肉挺出，肝经之火。）疔肿痈疽，瘰疬疥癣，虎犬蛇虫咬伤。（李时珍曰：能吐风热痰涎，取其酸者涌泄也。治诸血痛，阴挺、脱肛、疮疡，取其酸涩而收也。治风眼、痰饮、泄痢、崩带，取其收而燥湿也。治喉痹、痈蛊、蛇伤，取其解毒也。）多服损心肺伤骨。（寇宗奭曰：祛水故也，书纸上水不能濡，故知其性祛水也。李迅曰：凡发背，当服蜡矾丸以护摸，防毒气内攻。矾一两，黄蜡七钱，溶化和丸。每服十丸，渐加至二十丸，日服百丸则有力，此药护膜托里、解毒化脓之功甚大。以白矾、芽茶捣末，冷水服，能解一切毒。）取洁白光莹者煅用。又法以火煅地，洒水于上，取矾布地，以盘复之，四面灰拥一日夜，矾飞盘上，扫收之，为矾精。未尽者更如前法。再以陈苦酒（醋也）化之，名矾华。七日可用，百日弥佳。甘草为使，畏麻黄，恶牡蛎。（生用解毒，煅用生肌。）

《本经逢原》 白矾专收湿热，固虚脱。故《本经》主寒热泄利，盖指利久不止，虚脱滑泄，因发寒热而言。其治白沃阴蚀恶疮，专取涤垢之用，用以洗之则治目痛，漱之则坚骨齿。弘景曰：《经》云坚骨齿，诚为可疑，以其性专入骨，多用则损齿，少用则坚齿，齿乃骨之余也。为末去鼻中息肉。其治气分之痰湿痈肿最捷，侯氏黑散用之，使药积腹中，以助悠久之功。故蜡矾丸以之为君，有人遍身生疮如蛇头，服此而愈。甄权生含咽津，治急喉痹，皆取其去秽之功也。若湿热方炽，积滞正多，误用收涩，为害不一。岐伯言久服伤人骨。凡阴虚咽痛，误认喉风，阴冷腹痛，误认臭毒，而用矾石，必殆。

《长沙药解》 矾石，味酸涩，微寒，入脾及膀胱经。善收湿淫，最化瘀浊，黑疸可消，白带能除。金匮矾石丸，（矾石三分，烧，杏仁一分，炼蜜丸枣核大，内脏中。）治妇人带下，经水闭不利，脏坚癖不止，中有干血，下白物。以干血结瘀脏中，癖硬阻碍经脉下行之路，以致经水闭涩不利。血瘀因于木陷，木陷因于土湿，湿土遏抑，木气不达，故经水不利，木陷于水，愈郁而愈欲泄，癸水不能对蛰，精液溢流，故下白物。矾石化败血而消痞硬，收湿淫而敛精液，杏仁破其郁陷之滞气也。硝矾散（方在硝石）治女劳黑疸，以其燥湿而利水也。《千金》矾石丸（矾石二两，浆水一斗五升，煎侵脚气），治脚气冲心，以其燥湿也。矾石酸涩燥烈，最收湿气而化瘀腐，善吐下老痰宿饮，缘痰涎凝结，黏滞于上下窍隧之间，牢不可动，矾石搜罗而扫荡之，离根失据，脏腑不容，高者自吐，低者自下，实非吐下之物也。其善治痈疽者，以中气未败，痈疽外发，肉腐脓泄，而新肌生长，自无余事，阳衰土湿，中气颓败，痈疽不能外发，内陷而伤腑脏，是以死也，矾石收脏腑之水湿，土燥而气达，是以愈也。煅枯，研细用。

《得配本草》 矾石，甘草为之使，畏麻黄、红心灰藋，恶牡蛎。酸咸，涩，入肝、肺二经。燥湿解毒，杀虫坠浊，追涎化痰，除风去热，止血定痛。蚀恶肉，生好肉，除痼热在骨髓。治惊痫喉痹，风眼齿痛，鼻中息肉，脱肛漏下，阴挺阴蚀，疔毒恶疮，瘰疬疥癣，虎犬蛇虫咬伤。得肉桂，治木舌肿强。得皂角末，吐中风痰厥。得甘草，水磨，洗目赤肿痛。得朱砂，傅小儿鹅口。得铜绿，泡水，洗烂弦风眼。得蓖麻仁、盐梅肉、麝香，杵丸，绵裹，塞鼻中息肉。得细茶叶五钱、生白矾一两，蜜为丸，如梧子大，治风痰痫病。（一岁十丸。）配黄丹，搽口舌生疮。配好黄蜡，溶化为丸，治毒气内攻，护膜止泻，托里化脓。配盐，搽牙关紧急，并点悬痈垂长。配牡蛎粉酒下，治男妇遗尿。配黄蜡、陈橘皮，治妇人黄疸。（如经水不调，或房事触犯致此疾者，用调经汤下。）研生白矾，吹喉痹肿闭。蘸石榴皮，擦皮癣。生用解毒，煅用生肌，煅过即为枯矾。多服损心肺，伤骨。怪症：遍身生疮，状如蛇头。此热毒郁于内，寒气包于外，久之从皮肉攻出，故外形如此。用蜡矾丸服之自愈。

《本草求真》 （逐热痰，下泄上涌）。白矾（专入脾）。气味酸寒，则其清热收热可知。何书又言燥痰，若于寒字相悖；书言能治风痰，若于收字涩字相殊，不知书之所云能燥痰者，非其气味温热，而可以燥而即化，实以收其燥湿初起，使之下坠，不使留滞而不解也。（泄即是收。）且其酸而兼咸，则收涩之中，尚有追涎逐降之力，非即不燥之燥乎。所谓能治风痰者，其酸苦涌泄，兼因风邪初客，合以皂荚等味研服，则能使之上涌，岂其风热历久，深入不解，而即可以上涌乎。是以风痰泄痢崩带，用此以收即愈（收），诸血脱肛阴挺（肝火），崩带风眼，痰饮疮疡，用此以涩即效（涩），喉痹痈疽、蛇伤蛊毒，用此酸寒以解即除（酸）。治虽有四，然总取其酸涩寒咸为功，以为逐热去涎之味，但暂用则可，久服则于精血有损。（宗奭曰：损心肺却水故也。水化书纸上，干则水不能濡，故知其性却水。李迅《痈疽方》云：凡人病痈疽发背，不问老少，皆宜服黄矾丸，服至一两以上，无不作效，最止疼痛，不动脏腑，活人不可胜数。用明亮白矾一两，生研，以好黄蜡七钱熔化，和丸梧子大，每服十丸，渐加至二十丸，热水送下。如未破则内消，已破即便合。如服金石发疮，以白矾末酒服即效。）古言服损心肺伤骨，义根于是，岂正本求源之治欤。取洁白光莹者佳。火煅用。（以火煅地，洒水于上，布地，以盘复之，四面灰拥，一日夜矾飞盘上，扫收之，为矾精。未尽者，更如前法。再以陈苦酒化之，名矾华。七日可用，百日更佳。）甘草为使。畏麻黄，恶牡蛎。

《罗氏会约医镜》 白矾，燥湿收脱，味酸、涩，性寒，（入肺、脾二经。）酸能收，寒胜热。善用，有大功效于人。其用有四，能吐风热痰涎，治癫痫（痰迷心窍），黄疸（其味酸苦，以通泄），疗崩带、脱肛、肠风、阴挺（阴肉挺出，肝经之火），牙缝出血，止狐腑臭气、脚汗、阴汗（四者烧枯用。其性收涩，可固滑脱），除泄痢，敛浮肿、烂弦风眼（其性燥，可治湿邪），散痈疽疔肿、鼻息喉痹、瘰疬恶疮疥癣及蛇虫蛊毒（其性能解毒、定痛）。或丸或散，或生或枯，皆效。多服损心伤骨。甘草为使。恶牡蛎、麻黄。生用解毒，煅用生肌。

《本经疏证》 矾石气寒，味咸少而酸、涩多。夫是之谓举寒水之气味，尽该于酸涩，酸者下之阳未能达阴也，涩者上之阴未能和阳也，下之阴既不得达，上之阳遂无以和，则矾石者，只能成其润下之用矣。何以复云燥哉！夫燥金属肺，为阳中之阴，其气涩而能生肾，与矾石之质色气味，无不有合焉。夫如是则其本燥金以成水化，而专归于下，可知也。第人身阴阳，欲其交，若是者不似使阴离于阳乎。夫矾非使阴离于阳，乃使阴离阳邪之化风，以劫液为痰，而专耗阴者耳。盖人身惟寒水为至阴之气，而至阳出焉，阴中至阳升于上，以行其化，亦端赖阴精随之以资其宣发。如六淫七情，一有以伤其阴，则阳孤无以行其化，淫而为风，既以鼓阳为厉，复以劫阴化痰，于斯时也。不消痰则风仍不靖，不靖风则阳仍不化，惟收阴归元，俾离于阳，方得使阴有主，不化为痰，由痰消而风靖，由风靖而阳化，真阳真阴得自相依，以归其元也。人身至阳，本出于阴中，而此反全至阴于阳中。人身阴阳，以相合而神其分之用，而此反似由离而效其合之用。统参斯义，则矾石主治可以得其大都矣。以其能归元阴于初发之地，以裕阴化而畅元阳，阳畅则阴可达，阴裕则阳得和，阳和则寒热自已，阴达则泄利白沃自除，且阴裕阳和，津液充畅，阳更何能蚀阴以生恶疮哉。目痛者，阴之迫于阳邪也。骨齿不坚者，阳邪之溷于阴也，一使阴离于阳邪而皆可已矣。浣猪肠者，以矾揉之，取其杀涎滑也。醃萵苣者，以矾拌之，取其劫黏汁也。搅浊水者，矾屑掺之，则滓自澄而坠。制采笺者，矾汁刷之，则水不渗而之他。凡一切花瓣，渍之以矾，则花中苦水尽出，花之色香不损。凡欲木石相连者，熬矾焊之，则摇曳不动。盖缘矾之为物，得火则烊，遇水即化。得火则烊，故能使火不入水中为患；遇水即化，故能护水使不受火之患。是其质欲双绾于阴阳，其功实侧重于治水，此其于淖泽则澄而清之，于沉浊则劫而去之，固善于阴中固气，水中御火矣。寒热者，阳迫阴，而阴不为之下也。泄利、白沃者，水不固，被火劫而流也。阴蚀、恶疮者，阴有隙，阳得入而蚕食之也。目者，水之精，齿骨者，水之干，能使不为火侵，则痛者自除，摇动者自坚矣。即是以推仲景之用矾，于矾石汤比之焊木石，于矾石丸比之杀涎滑，于侯氏黑散比之澄浊淖，于消石矾石散比之刷采笺，是知神圣用意，亦只在人情物理间，非必别求奥妙也。

《本草撮要》 白矾，味酸，寒，入脾、胃经。功专吐痰解毒。得黄蜡解一切肿毒，暑天痧症，昏迷瞀乱，急含少许或冲服立愈。得川郁金治痫疾。多食损心肺伤骨。甘草为使，畏麻黄，恶牡蛎。

《本草便读》 白矾，味咸，寒，酸、涩，收敛，化痰涤热，劫黏滑以稀涎。燥湿杀虫，蚀恶肉而解毒。除风却水，治痢敷疮。（白矾初生亦石也，经煎炼而成，有五色精粗之分。其酸敛之性，同吐药则吐，同敛药则敛，如稀涎散蜡矾丸之类。性善却水，水化书纸上，干则水不能濡，损齿伤肺。虽金匮治女劳瘅硝石矾石散一方，能劫除肾邪，然毕竟削伐之品。外治为优耳。）

《本草诗笺》 白矾赋性带微寒，味涩、酸；湿热收来除滑泄，垢污涤去净疮瘢；少搽每喜坚牙齿，多食恒虞破肺肝；尤忌阴虚积滞满，误投鲜不受伤残。

尚志钧按 白矾由明矾石炼制而成。明矾石由黄铁矿、黏土片岩分解后，经过水及化学反应而成。明矾石为无色透明晶体，质微硬而脆，击破，断面作介壳状。主要成分为含水硫酸钾、硫酸铝［$AlK(SO_4)_2 \cdot 12H_2O$］。白矾敲碎，放锅内加热到烊化为汁，经继续加热，则蒸发失去结晶水，体积膨大，成白色质地疏松枯矾。白矾味酸、涩，性寒，能收敛止血、止泻、止痒、收水湿，适用于外伤出血、便血、崩漏、久泻、湿疹、吐痰。治各种出血，与血馀炭、五倍子合用。治久泻，与诃子、五倍子、五味子合用。治风痰癫痫发狂，与郁金合用，或与牙皂合用。治湿疹瘙痒，与硫黄、冰片合用。治口疮，与黄柏、青黛、冰片共研细末，外搽。治耳内流脓，以枯矾二钱、胭脂一钱，研成末，吹敷患处，吹前，先用药棉将耳内脓水沾干，吹的药粉，不能过多。过多结痂阻塞耳道，妨碍听觉。治痔疮出，单用本品溶于开水中，待温坐浴，每日 1 次，以愈为度。治脚气水肿，配杉木煎汤浸洗。治疥疮，以枯矾、硫黄、雄黄各二钱，生矾、樟脑、胡椒各一钱，轻粉三分共研细末，和猪油调膏，外擦疥疮。一方有大枫子肉二钱、水银一钱、蛇床子一钱，研时，研至水银不见星为度。但水银毒性大，很不安全。治臁疮、恶疮有腐肉，以明矾末配五倍子末、松香末为散，撒布疮面，能去腐生肉，促进愈合。治热疖风湿痒疮，生白矾、雄黄等分研末，桐油调涂。

265　波斯白矾（《海药》）

《海药本草》　波斯白矾，《广州记》云：出大秦国。其色白而莹净，内有棘针纹。味酸、涩，温，无毒。主赤白漏下，阴蚀泄痢，疮疥，解一切虫蛇等毒。去目赤暴肿，齿痛。火炼之良。恶牡砺。多入丹灶家，功力逾于河西石门者，近日文州诸番往往亦有，可用也。

《本草纲目》　波斯矾，并入“矾石”条。

266　柳絮矾（《嘉祐》）

《嘉祐本草》　柳絮矾，冷，无毒。消痰，治渴，润心肺。

《本草图经》　文具“矾石”条下。

《绍兴本草》　柳絮矾，亦矾之类也，其状轻虚如絮。本经云消痰，治渴，润心肺，但今稀见用之。当从性冷、无毒为正。

《本草纲目》　［时珍曰］柳絮矾，并入“矾石”条。

267　绿矾（《嘉祐》）

《嘉祐本草》　绿矾，凉，无毒。治喉痹，蚛牙，口疮及恶疮疥癣。酿鲫鱼烧灰和服，疗肠风泻血。新补　见《日华子》。

《本草图经》　文具“矾石”条下。

《集验方》　治小儿疳气不可疗。神效丹：绿矾用火煅通赤，取出，用酽醋淬过复煅，如此三度。细研，用枣肉和丸如绿豆大，温水下，日进两三服。

《绍兴本草》　绿矾亦矾类矣，然考其主疗，则绿矾多在咽喉口齿方中用之，性凉、无毒者明矣。

《本草纲目》　［释名］绿矾即皂矾（《纲目》）、青矾，煅赤者名绛矾（《唐本》）、矾红。［时珍曰］绿矾可以染皂色，故谓之皂矾。又黑矾亦名皂矾，不堪服食，惟疮家用之。煅赤者俗名矾红，以别朱红也。［集解］［时珍曰］绿矾晋地、河内、西安、沙州皆出之，状如焰消。其中拣出深青莹净者，即为青矾；煅过变赤，则为绛矾。入圬墁及漆匠家多用之。然货者亦杂以沙土为块。昔人往往以青矾为石胆，误矣。［主治］［时珍曰］绿矾消积滞，燥脾湿，化痰涎，除胀满黄肿疟利，风眼口齿诸病。［发明］［时珍曰］绿矾酸涌涩收，燥湿解毒化涎之功与白矾同，而力差缓。按张三丰《仙传方》载伐木丸云：此方乃上清金蓬头祖师所传。治脾土衰弱，肝木气盛，木来克土，病心腹中满，或黄肿如土色，服此能助土益元。用苍术二斤，米泔水浸二宿，同黄酒面曲四两炒赤色，皂矾一斤，醋拌晒干，入瓶火煅，为末，醋糊丸梧子大。每服三四十丸，好酒、米汤任下，日二三服。时珍常以此方加平胃散，治一贱役中满腹胀，果有效验。盖此矾色绿味酸，烧之则赤，既能入血分伐木，又能燥湿化涎，利小便，消食积，故胀满黄肿疟痢疳疾方往往用之，其源则自张仲景用矾石、消石治女劳黄疸方中变化而来。

尚志钧按 绿矾为单斜晶系，由含水硫酸亚铁矿（水绿矾）炼制而成。该矿存于氧化带以下黄铁矿石罅隙中，多与石膏及其他硫酸盐共存。将黄铁矿石砸碎，喷水，经空气氧化，亦生绿矾，再加水使溶解，过滤，将滤液蒸发，得结晶绿矾。绿矾为棱柱状晶体，半透明，有玻璃样光泽。绿矾在干燥空气中渐渐风化，在潮湿空气中，经氧化生出棕黄色锈衣［$Fe(OH)_3 \cdot FeSO_4$］。绿矾，成分为 $FeSO_4 \cdot 7H_2O$，火煅变赤色，名绛矾（矾红）。绿矾味酸，性寒，刺激性很强，有轻度腐蚀作用，大剂量内服，刺激胃肠，引起恶心呕吐、腹痛。绿矾又有收敛作用，能止血，内服易引起便闭，而且使大便呈黑色。临床应用，要用醋，火煅成绛矾，每 100 克绿矾加醋 20 克，先熬干，再火煅，至全部变绛色为度。《医学正传》中绿矾丸治黄肿病（贫血），其方为绛矾四钱、五倍子（炒黑）七两、针砂四两、神曲七两，共为细末，生姜汁和枣肉为丸，如梧子大，每日早、晚各服 30 丸。张三丰《仙传方》中伐木丸，治黄肿如土色，其方为绛矾一斤、苍术二斤、神曲四两，共为细末，醋糊为丸如梧子大，每日 2 次，早、晚各服 30 丸。《永类钤方》治肠风下血，积年不止，用绛矾四两，青盐三钱，硫黄、制附子各一两，研细末，粟米粥糊为丸，如梧子大，每日 2 次，每次 15 丸。《圣济总录》绿白散，治赤白痢，肠滑不止，绛矾、枯白矾、龙骨、赤石脂、砂仁各等分，研细末，每日早、晚各服一钱。《普济方》治白秃头疮，皂矾、楝树子烧研搽之。

268　金线矾（《海药》）

《海药本草》　金线矾，《广州志》云：生波斯国。味咸、酸、涩，有毒。主野鸡瘘痔，恶疮疥癣等疾。打破，内有金线纹者为上。多入烧炼家用。

金线矾，《本草纲目》名黄矾。［集解］［时珍曰］黄矾出陕西瓜州、沙州及舶上来者为上，黄色状如胡桐泪。人于绿矾中拣出黄色者充之，非真也。波斯出者，打破中有金丝文，谓之金线矾，磨刀剑显花文。《丹房镜源》云：五色山脂，吴黄矾也。［气味］酸、涩、咸，有毒。

［李杲曰］黄矾治阳明风热牙疼。

尚志钧按 金线矾，一名黄矾，为硫酸盐类矿石，是单斜晶系，其晶体不多见，常呈细小纤维状集合体，淡黄色，有珍珠样或丝样光泽，微透明，多存于长石及粗面岩石内。《海药本草》谓金线矾出波斯国，打破后内有金线纹者为上。金线矾主要成分为含水硫酸钾、硫酸铁。本品味咸、酸，涩，有毒，有轻度腐蚀作用，能蚀恶疮、痔瘘，又能杀虫，灭疥癣，对中耳炎、风热牙痛有一定疗效。《太平圣惠方》中黄矾散治小儿聤耳流脓水，用黄矾五钱，乌贼骨、黄连粉各三钱，共研细末，绵裹如小枣核大，塞耳中，日3次。

269　汤瓶内硷（《纲目》）

《本草纲目》　［集解］［时珍曰］此煎汤瓶内，澄结成水硷，如细砂者也。［主治］［时珍曰］本品止消渴，以一两为末，粟米烧饭丸梧子大，每人参汤下二十丸。又小儿口疮，卧时以醋调末书十字两足心，验。

270　恒石（《五十二病方》）

《五十二病方》　56行云：狂犬啮人：取恒石两，以相靡（磨）殹（也），取其靡（磨）如麋（糜）者，以傅犬所啮者，已矣。56行注，释恒石疑即长石。

《吴普本草》　长石，一名方石，一名直石。生长子山谷，如马齿，润泽玉色长鲜，服之不饥。

尚志钧按 《肘后方》卷7疗猘犬咬人方："末矾石，内（纳入）疮中裹之，止疮不坏，速愈，神妙。"《证类本草》卷3"矾石"条引文同。窃疑恒石或即矾石。矾石，战国时称为涅石。《山海经·西山经》云："女牀之山，其阴多石涅。"郭璞注云："即矾石也。楚人名为涅石，秦人名为羽涅。"《淮南子》云："以涅染缁。"高诱注云："涅，矾石也。"《玉篇》云："碮，矾石也"。《本草经》云："矾石，一名羽涅。"按郭璞所注《山海经》，羽涅是秦人对矾石的称呼，涅石是楚人对矾石的称呼。《本草经》不言矾石一名涅石。盖著《本草经》的人不知南方楚人有涅石之名。涅石的名称，和恒石字形很相近，传抄极易舛误，疑恒石或是涅石，涅石亦能治疗狂犬病。《五十二病方》又出在南方长沙，长沙为古之楚地。从地方相同、功用相同、字形相近，"恒石"似为"涅石"的笔误。

五、碳酸盐类

271　石钟乳（《本经》）

《神农本草经》　石钟乳，味甘，温。治咳逆上气，明目，益精，安五脏，通百节，利九窍，下乳汁。生山谷。

《吴普本草》　钟乳，一名虚中。神农：辛。桐君、黄帝、医和：甘。扁鹊：甘，无毒。李氏：大寒。或生太山山谷阴处，岸下聚溜汁所成，如乳汁，黄白色，空中相通。二月、三月采。阴干。

《名医别录》　石钟乳，无毒。主益气。补虚损，疗脚弱疼冷，下焦伤竭，强阴。久服延年益寿，好颜色，不老，令人有子。不炼服之，令人淋。一名公乳，一名芦石，一名夏石。生少室及太山，采无时。

《雷公药对》　石钟乳，温。主上气。泄精，臣。虚而损加钟乳。蛇床为之使，恶牡丹、玄石、牡蒙，畏紫石英、蘘草，忌羊血。

《本草经集注》　石钟乳出始兴，江陵及东境名山石洞亦皆有。惟通中轻薄如鹅翎管，碎之如爪甲，中无雁齿，光明者为善。长挺乃有一二尺者。色黄，以苦酒洗刷则白。《仙经》用之少，而俗方所重，亦甚贵。

《雷公炮炙论》　凡使，勿用头粗厚，并尾大者为孔公石。不用色黑及经大火惊过，并久在地上收者。曾经药物制者，并不得用。须要鲜明，薄而有光润者，似鹅翎筒子为上，有长五六寸者。凡修事法，以五香水煮过一伏时，然后漉出。又别用甘草、紫背天葵汁渍，再煮一伏时。凡八两钟乳，用沉香、零陵、藿香、甘松、白茅等各一两，以水先煮过一度了，第二度方用甘草等二味，各二两，再煮了，漉出，拭干，缓火焙之，然后入臼，杵如粉，筛过，却入钵中。令有力少壮者三两人，不住研，三日夜勿歇。然后用水飞澄了，以绢笼之，于日中晒令干，又入钵中研二万遍，后以瓷合子收贮用之。

《药性论》　钟乳，一名黄石沙，有毒，主泄精，寒嗽，壮元气，健益阳事，能通声。忌羊血。

《唐本草》 钟乳第一始兴，其次广、连、澧、朗、郴等州者，虽厚而光润可爱，饵之并佳。今峡州、青溪、房州三洞出者，亚于始兴。自余非其土地，不可轻服。多发淋渴，止可擣筛，白练裹之，合诸药草浸酒服之。陶云钟乳一二尺者，谬说。

《日华子本草》 石钟乳，补五劳七伤，通亮者为上。更有蝉翼乳，功亦同前。凡将合镇驻药，须是一气研七周时，点末臂上，便入肉不见为度，虑人歇，即将铃系于捶柄上，研常鸣为验。

《开宝本草》 石钟乳，别本注云：凡乳生于深洞幽穴，皆龙蛇潜伏，或龙蛇毒气，或洞口阴阳不匀，或通风气。雁齿涩，或黄或赤，乳无润泽，或其煎炼火色不调，一煎以后不易水，则生火毒，即令服人发淋。又乳有三种：有石乳、竹乳、茅山之乳。石乳者，以其山洞纯石，以石津相滋，阴阳交备，蝉翼文成，谓为石乳。竹乳者，以其山洞，遍生小竹，以竹津相滋，乳如竹状，谓为竹乳。茅山之乳者，山有土石相杂，遍生茅草，以茅津相滋为乳，乳色稍黑而滑润。石乳性温，竹乳性平，茅山之乳微寒。一种之中有上、中、下色，余处亦有，不可轻信。凡乳光泽为好也。

《本草衍义》 石钟乳如蝉翼爪甲者为上，如鹅管者下。《经》既言乳，今复不取乳，此何义也？盖乳取其性下，不用如雁齿者，谓如乌头、附子不用尖角之义同。但明白光润轻松，色如炼消石者佳。服炼别有法。

《绍兴本草》 石钟乳，性味主治已载本经。在石穴堂中，石液凝而为乳，用之当取状如鹅翎管或碎如爪甲、轻薄光明者佳。煮炼研成粉，极细为用，则曰无毒；若不炼服之，令人淋，则为有毒。今定石钟乳制炼如法，即性热无毒，其不经制炼及制炼不如法者，并有小毒矣。

《本草衍义补遗》 石钟乳为慓悍之剂，《经》曰：石钟乳之气悍，仁哉言也。天生斯民不厌药，则气之偏，可用于暂而不可久。夫石药又偏之意者也。自唐时，太平日久，膏粱之家惑于方士服食致长生之说，以石药体厚气厚，习以成俗，迨至宋及今，犹未已也。斯民何辜受此气悍之祸而莫知能救，哀哉！本草赞服有延年之功，而柳子厚又从而述美之，予不得不深言也。唐本注云：不可轻服，多发渴淋。

《本草蒙筌》 石钟乳，味甘，气温，无毒。始兴江陵，多生岩穴。阴处才有，溜汁结就，故以乳名。形类鹅管中空，又若蝉翼轻薄。色白净光润，（得此无问厚薄并佳。倘如枯骨死灰及黄、赤二色，不任用。）长六七寸余。收采无时，入水不沉。药汤煮炼，须宗雷公。（每乳八两，用甘草、紫背天葵各二两，以水煮一伏时，漉出拭干，缓火焙之，捣筛，水飞过，晒干，复研万遍收用。）节度或违，多生他变。所恶药有三品，牡丹玄石牡蒙。畏紫石英，使蛇床子。主咳逆上气，疗脚弱冷疼。安五脏百节能通，下乳汁九窍并利。解舌痹渴数饮，补下焦虚遗精。益气强阴，通声明目。久服有子，不炼病淋。谟按：丹溪云：钟乳乃慓悍之剂。经云：石药之气悍，仁哉言也。夫天生民以谷食，及有病以药治。谷气和可常食，药气偏惟暂用，石药则又偏之甚也。自来富贵之家，多惑方士。以石药体重气厚，服饵可以延年。习以成俗，受此气悍之祸莫救，哀哉。

《本草纲目》 ［释名］［时珍曰］石钟乳，石之津气，钟聚成乳，滴溜成石，故名石钟乳。芦与鹅管，象其空中之状也。［集解］［时珍曰］按范成大《桂海志》所说甚详明。云桂林接宜、融山洞穴中，钟乳甚多。仰视石脉涌起处，即有乳床，白如玉雪，石液融结成者。乳床下垂，如倒数峰小山，峰端渐锐且长如冰柱，柱端轻薄中空如鹅翎。乳水滴沥不已，且滴且凝，此乳之最精者，以竹管仰承取之。炼治家又以鹅管之端，尤轻明如云母爪甲者为胜。［气味］甘，温，无毒。［时珍曰］《相感志》云：服乳石，忌参、术，犯者多死。［发明］［时珍曰］石钟乳乃阳明经气分药也，其气慓疾，令阳气暴充，饮食倍进，而形体壮盛，昧者得此自庆，益肆淫溢，精气暗损，石气独存，孤阳愈炽。久之营卫不从，发为淋渴，变为痈疽，是果乳石之过耶？抑人之自取耶？凡人阳明气衰，用此合诸药以救其衰，疾平则止，夫何不可？五谷五肉久嗜不已，犹有偏绝之弊，况石药乎？《种树书》云：凡果树，作穴纳钟乳末少许固密，则子多而味美。纳少许于老树根皮间，则树复茂。信然，则钟乳益气、令人有子之说，亦可类推，但恐嗜欲者未获其福，而先受其祸也。然有禀赋异常之人，又不可执一而论。张杲《医说》载：武帅雷世贤多侍妾，常饵砂、母、钟乳，日夜煎炼，以济其欲。其妾父苦寒泄不嗜食，求丹十粒服之，即觉脐腹如火，少焉热狂，投井中，救出遍身发紫泡，数日而死；而世贤服饵千计，了无病恼，异哉！沈括《笔谈》载：夏英公性豪侈，而禀赋异于人。才睡即身冷而僵如死者，常服仙茅、钟乳、硫黄，莫知纪极。每晨以钟乳粉入粥食之。有小吏窃食，遂发疽死。此与终身服附子无恙者，同一例也。沈括又云：医之为术，苟非得之于心，未见能臻其妙也。如服钟乳，当终身忌术，术能动钟乳也。然有药势不能蒸，须要其动而激发者。正如火少，必借风气鼓之而后发；火盛则鼓之反为害。此自然之理也。凡服诸药，皆宜仿此。又《十便良方》云：凡服乳人，服乳三日，即三日补之；服乳十日，即十日补之。欲饱食，以牛羊獐鹿等骨煎汁，任意作羹食之。勿食仓米、臭肉，及犯房事。一月后精气满盛，百脉流通，身体觉热，绕脐肉起，此为得力，可稍近房事；不可频数，令药气顿竭，弥更害人，戒之慎之！名之为乳，以其状人之乳也。与神丹相配，与凡石迥殊，故乳称石。语云：上士服石服其精，下士服石服其滓。滓之与精，其力远也。此说虽明快，然须真病命门火衰者宜之，否则当审。

《药性歌括四百味》 钟乳甘，性剽悍，益气固精，明目延寿。

《本草原始》 （钟乳体轻而自可服。蝉翅者上，爪甲者次，鹅管者下。）石钟乳，出始兴江陵，形类鹅管中空，又若蝉翼轻薄，色白净光润，长六七寸余。收采无时。入水不沉，系石之津气，钟聚成乳，滴留成石，故名石钟乳。（味甘，温，无毒。主咳逆上气，明目益精，安五脏，通百节，利九窍，下乳汁，益气，补虚损，疗足弱疼冷，下焦伤损，强阳，久吃延年益寿，令人有子。不炼吃之令人淋。主泄精，寒嗽，壮元气，益阳通谷，补五劳七伤，补骨髓，治消渴引饮。）

《炮炙大法》 石钟乳，凡使，勿用头粗厚并尾大者，为孔公石，不用。色黑及经大火惊过，并久在地上收者，曾经药物制者，并不得用。须要鲜明薄而有光润者，似鹅翎筒子为止，有长五六寸者。凡修事法，以五香水煮过一伏时，然后漉出，又别用甘草、紫背天葵汁渍，再煮一伏时，凡八两钟乳，用沉香、零陵、藿香、甘松、白茅等各一两，以水先煮过一度了，第二度方用甘草等二味各二两再煮了，漉出拭干，缓火烘之。然后入臼杵如粉，筛过，却入钵中，令有力少壮者三两人不住研三日夜勿歇，然后用水飞澄了，以绢笼之，于日中晒令干，又入钵中研两万遍后，以瓷盒子收贮用之。蛇床为之使，恶牡丹、玄石、牡蒙、人参、二术，忌羊血，畏紫石英、蘘草、韭实、独蒜、胡荽、麦门冬、猫儿眼草。

《珍珠囊补遗药性赋》 钟乳粉补虚而助阳。（石钟乳味甘，温，无毒。道州者最佳。须炼服之，不然，使人病淋。治咳嗽，行乳道，补髓添精，强阳道，益肺家。宜慎用之。）

《雷公炮制药性解》 钟乳甘、温，无毒，入肺、肾二经。主泄精，寒嗽，壮元气，益阳事，安五脏，通百节，利九窍，下乳汁，亦能通声。光润轻松，色如炼硝石者佳。久研忌歇，须用水飞，以掺臂上入肉不见为度。蛇床为使。恶牡丹、玄石、牡蒙，畏紫石英、蘘草，忌羊血。按：钟乳性温，而状有下行之义，宜入肾经，肺即其母也。故并入之。诸家本草述其功者甚众，惟丹溪以为剽悍之剂，不宜轻用，不炼而服，使人病淋。

《本草经疏》 石钟乳禀石之气而生。《本经》谓其味甘，气温，无毒。吴普曰：神农辛斯言近之。甄权以为有大毒，或是经火之故。应云味甘辛，气大温，其性得火则有大毒，乃为得之。其主咳逆上气者。以气虚则不得归元，发为斯证。乳性温而镇坠，使气得归元，则病自愈，故能主之也，通百节，利九窍，下乳汁者，辛温之力也，疗脚弱疼冷者，亦是阳气下行之验也。甄权主寒嗽通声者，辛以散邪结，温以祛寒气故也。其他种种补益之说，当是前人好事者溢美之辞，夷考其性，恐无是理，未足信也。[主治参互] 石钟乳得牛黄、白腊、象牙末、真珠、乳香、没药、桦皮灰、龟板灰俱存性，细研。枯白矾、蛀竹屑、红铅，治广疮结毒，烂坏鼻梁及阴蚀阳物有神。孙真人《千金翼》钟乳煎，治风虚劳损，腰脚无力，补益强壮。用钟乳粉炼成者三两，以夹绢袋盛之，牛乳一大升，煎减三之一，去袋饮乳，分二服，日一作。不吐不利，虚冷人，微溏无所苦。一袋可煮三十度，力尽别作袋，每服讫，须濯净，令通气，其滓和面煨鸡子食之。此崔尚书方也。《宣明方》治一切劳嗽，胸膈痞满。焚香透膈散，用鹅管石、雄黄、佛耳草、款冬花等分为末，每用一钱，安香炉上焚之，以筒吸烟入喉中，日二次。《圣济录》治肺虚喘急，连绵不息。生钟乳粉光明者五钱，蜡三两，化和饭，甑内蒸熟，研丸如梧子大，每水下一丸。《外台秘要》治乳汁不通，气少血衰，脉涩不行。故少乳炼成钟乳粉二钱，浓煎漏芦汤调下，或通草等分为末，米饮服方寸匕，日三服。[简误] 石钟乳辛温，若加火煅，有毒无疑。纵治虚寒，尚须审察，况病涉温热者耶！世人病阴虚有热者，十之九；阳虚内寒者，百之一。是以自唐迄今，因服钟乳而发病者，不可胜纪；服之而获效得力者，不闻一二。其于事理可以独照。经曰：石药之性悍。味斯言也，则其大略可概见已，慎毋轻信方士之言，致蹈前人覆辙。尊生之士，宜安常处顺，以道理自持，修短有命，无惑乎长年之说，庶不为其所误矣。

《食物本草》 钟乳，味甘，温，无毒。治咳逆上气，明目益精，安五脏，通百节，利九窍，下乳汁。益气，补虚损，疗脚弱疼冷，下焦伤竭，强阴。久服延年益寿，好颜色，不老，令人有子。不炼服之，令人淋。《种树书》云：凡果树，作穴纳钟乳末少许固密，则子多而味美。纳少许老树根皮间，则树复茂。信然，则钟乳益气，令人有子之说，亦可类推。但恐嗜欲之人，未获其福，而先受其祸也。然有禀赋异常之人，又不可执一而论。张杲《医说》载：武帅雷世贤多侍妾，常饵砂、母、钟乳，日夜煎炼，以济其欲。其妾父苦寒泄不嗜食，求丹十粒服之，即觉脐腹如火，少焉热狂，投井中，救出遍身发紫泡，数日而死；而世贤服饵千计，了无病恼，异哉！李补阙服乳法：主五劳七伤，咳逆上气，治寒嗽，通音声，明目益精。安五脏，通百节，利九窍，下乳汁，益气补虚损。疗脚弱疼冷，下焦伤竭，强阴。久服延年益寿不老，令人有子。取韶州钟乳，无问厚薄，但颜色明净光泽者即堪入炼，惟黄赤二色不任用。置于金银器中，大铛着水，沉器煮之，令沸水如鱼眼，水减即添。乳少三日三夜，乳多七日七夜，候干，色变黄白即熟。如疑其生，更煮满十日最佳。取出去水，更以清水再煮半日，其水色青不变即止，则乳无毒矣，入瓷钵中，玉槌着水研之。觉干涩，即添水，常令如稀米泔状。研至四五日，揩之光腻。如书中白鱼，便以水洗之。不随水落者即熟，落者更研，乃澄取暴干。每用一钱五分，温酒空腹调下，兼和丸散用。其煮乳若黄浊水，切勿服。服之损人咽喉，伤肺，令人头痛，或下利不止。其有犯者，但食猪肉解之。

《本草乘雅半偈》 石钟乳，功力勇悍乃尔。［参］曰：乳乃石之灵液，具山之全体者也。顾山体有清浊，而乳之优劣因之。如妇人异质，则钟乳之厚薄，与味之甘淡，气之腥香冷暖，其滋益婴儿与否，亦自有辨。故钟乳先须论土地，再审形状，庶几得之，唯天地之气，钟于名山而乳凝焉。砚其主治，一一可想，如肺系填塞胀满，则不能分布诸气，故咳逆上气，钟乳虚中，宛若肺系，何患填塞胀满，此石液所钟，光润莹彻，故明目，目亦水液所钟，洞见明暗，此石中精髓，点滴不穷，故益精髓之体。此艮山之液，能益真阴。然五脏至阴，须宁静濡润，乃得安和，若通百节，利九窍，下乳汁，借穿山石之力耳。

《医宗说约》 钟乳甘，温，壮元阳，利窍下乳，解毒甚良。(研末水飞用。)

《本草述》 石钟乳，在乳石论，为阳中之阴，然窃疑其不必然也。土宿真君曰：钟乳产于阳洞之内，阳气所结。是固然矣，第阳亦有清浊之分焉。石固禀精悍之气以结，但其质之坚重为最，是亦居其浊者也，故类名石为阴焉。至精悍之气，复透化而为乳，则居其清者也。斯名之为阳，而大能益气也。若然，谓此品不为阴中之阳乎，是则不独补肺中阳气，更大能壮下焦元气。如所云补虚损，疗脚弱疼冷，下焦伤竭，强阴，令人有子者，盖不谬也。《种树书》云：凡果树作穴，纳钟乳末少许固密，则子多而味美，纳少许于老树根皮间，则树复茂。移此于人身，则为元气之助者，岂其鲜功哉。不审方书用之何以寥寥也。或曰：即是思其功，且气味甘温，似犹不等桂附之辛热，奚为久服便至伤生也。曰：石药之气悍，经固言之矣。易伤阴气，故久服则营卫不从变生他证，故非真病于阳虚者，不可轻服，即服之中病，病愈则止，岂可视为延年久视之剂乎！若阴虚人误服，是犹抱薪救火也。更《物类相感志》曰：服钟乳忌参、术，犯者多死。又沈括曰：服钟乳当终身忌术，缘术能动钟乳也。如火微，必借风鼓之而后发；火盛，则一鼓之即不可响迩。其义固如斯耳，统味二说。善养生者，岂能置参术于不用，而辄投此犯忌之味乎哉。或曰：石英亦为悍气所透出者，何以其毒差轻也。曰：此品具山之全力，故其勇悍为甚。卢氏之言微中矣。

《本草崇原》 石钟乳，气味甘温，无毒。主治咳逆上气，明目，益精，安五脏，通百节，利九窍，下乳汁。（石钟乳一名虚中，一名芦石，一名鹅管石，皆取中空之意。石之津气钟聚成乳滴溜成石，故名石钟乳。今倒名钟乳石矣。出太山少室山谷，今东境名山石洞皆有，唯轻薄中通形如鹅翎管，碎之如爪甲，光明者为上。）石钟乳乃石之津液融结而成，气味甘温。主滋中焦之汁，上输于肺，故治咳逆上气。中焦取汁奉心，化赤而为血，故明目。流溢于中而为精，故益精。精气盛，则五脏和，故安五脏。血气盛，则百节和，故通百节。津液濡于空窍，则九窍自利。滋于经脉，则乳汁自下。

《本草择要纲目》 钟乳，甘，温，无毒，又曰有大毒。［主治］乃阳明经气分之药，但石钟乳为剽悍之剂。《内经》云：石药之气悍，仁哉言也。凡药气之偏者，可用于暂，而不可久。夫石药又偏之甚者也。自唐时太平日久，膏粱之家，惑于方士服食致长生之说，以石药体厚气厚，习以成俗，迨宋至今犹未已也。斯民何辜，受此气悍之祸，而莫之能救，哀哉！《本草》赞其久服延年之功，柳子厚又从而述美之，予不得不深言也。

《本草备要》 钟乳甘，温，胃气分药，木石之精。强阴益阳，通百节，利九窍，补虚劳，下乳汁，服之令人阳气暴充，饮食倍进，形体壮盛。然其性剽悍，须命门真火衰者，可偶用之，若藉以恣欲，多服久服，不免淋浊痈疽之患。出洞穴中，石液凝成，下垂如冰柱，通中轻薄，如鹅翎管，碎之如爪甲光明者真。炼合各如本方。蛇床为使，恶牡丹，畏紫石英，忌参、术、羊血、葱、蒜、胡荽。

《本经逢原》 钟乳之山灵阳气所钟，故莹白中空，纯阳通达，专走阳明气分。若质实色渝，必生阴蛩，不无蛇虺之毒，误饵伤人。惟产乳源，形如鹅翎管者最胜。然性偏助阳，阴虚之人，慎毋轻服。《内经》云：石药之气悍，服之令阳气暴充，形体壮盛，味者得此自庆，益肆淫溢，精气暗损。石气独存，孤阳愈炽，久之荣卫不从，发为淋渴，变为痈疽，是果乳石之过欤，抑人之自取耶。惟肺气虚寒，咳逆上气，哮喘痰清，下虚脚弱，阴痿不起，大肠冷滑，精泄不禁等疾，功效无出其右。《本经》主咳逆上气者，取其性温而镇坠之，则气得归元而病自愈。五脏安，则精自益，目自明，其通百节，利九窍。下乳汁者，皆取甘温助阳，色白利窍之力也，昔人言钟乳与白术相反，而《千金方》每方并用，专取相反之性，激其非常之效。予常亲试，未尝有害。

《神农本草经百种录》 石钟乳，味甘，温。主咳逆上气（钟乳石体属金，又其象下垂而中空，故能入肺降逆)，明目（能益目中肺脏之精)，益精（能引肺气入肾)。安五脏，通百节，利九窍（降气则脏安，中虚则窍通)，下乳汁（钟乳即石汁如乳者所溜而成，与乳为类，故能下乳汁也)。(此以形为治，石为土中之金，钟乳石液所凝，乃金之液也，故其功专于补肺。以其下垂，故能下气。以其中空，故能通窍。又肺朝百脉，肺气利则无所不利矣。自唐以前，多以钟乳为服食之药，以其能直达肾经，骤长阳气，合诸补肾之品，用于房中之术最效。但此乃深岩幽谷之中，水溜凝结而成，所谓金中之水，其体至阴，而石药多悍，性反属阳，故能补人身阴中之火。阴火一发，莫可制伏，故久服毒发至不可救。惟升炼得宜，因证施治，以交肺肾子母之脏，实有殊能也。)

《本草诗笺》 石钟乳（莹白中空，形如鹅翎管最胜。孔公孽、殷孽附。）钟乳专从气分行，甘温性更走阳明；下虚资助看强健，上逆匡扶睹降平；殷孽治疮诚足重（殷孽、孔公孽根也，治癥瘕、痔瘘)，孔公利窍亦休轻（孔公孽利九窍治男妇阴疮)；三般妙药人须识（石钟乳、殷孽、孔公孽三味通乳汁甚捷)，要取中空色白莹。

《玉楸药解》 石钟乳，味甘，性温。入足太阴脾、手太阴肺、足少阴肾、足厥阴肝经。止嗽定喘，敛血秘精。石钟乳燥湿除痰。治脾肾湿寒，遗精吐血，肠滑乳闭，虚喘劳嗽，阳痿声哑，其功甚速。寒消湿去，食进气充，恃此纵欲，伤精，阳根升泄，往往发为消淋、痈疽之证。固缘金石剽悍，亦因服者恃药力而雕斫也。

《得配本草》 石钟乳（一名鹅管石)，蛇床为之使，畏紫石英、蘘草，恶牡丹、玄石、牡蒙、人参、术，忌羊血，伏韭实、独蒜、胡葱、胡荽、麦门冬、猫儿眼草。甘，温。入足少阴经气分。利九窍，通百节，壮元阳，疗脚冷。得漏芦、通草，下乳汁。光润轻松，形如鹅翎筒。沉香、藿香、甘松、白茅根水煮过，再以天葵、甘草同煮，焙研，水飞澄过，绢笼日干，再研，收用。服钟乳者，终身忌术、人参，犯者多死。药石性悍，勿以补阳可种子，常服不已，以贻卒祸，况阳虚内寒者，百中不过一二，妄用之，激火生风，万病蜂起，即使宜服，而久服之，亦不免淋渴痈疽之祸。

《本草求真》 钟乳（镇阳归阴，通窍利乳)，石钟乳（专入胃、大肠)，即鹅管石者是也。味辛而甘，气温质重。故凡咳气上逆，脚弱冷痛，虚滑遗精，阳事不举者，服此立能有效。以其气不归元。坠坚镇虚，得此火不上浮，气不下脱，而病俱可以愈耳。且以辛温之力，又兼色白，故能通窍利乳，昔人取名钟乳，即是此意。但金石性悍，服之阳气暴充，形体壮盛，饮食倍进，得此肆淫，则精竭火烁，发为痈疽淋浊，害不胜言。即古有焚香透膈散（用雄黄、佛耳草、款冬花，安置香炉，以烟吹入人喉），以治胸膈劳嗽、痞满之病。然暂用则可，久服恐损人气。出洞穴中，石液凝成，下垂如冰柱，通中轻薄如鹅翎管，碎之如爪甲，光明者真，炼合各如本方。蛇床为使，恶牡丹，畏紫石英，忌参、术、羊血、葱、蒜、胡荽。

《本经续疏》 乳与泉皆山石中润泽之气所结，而性体不同，为用迥殊者。以乳得其阴而化于阳，泉得其阳而化于阴耳。惟得其阳，故专行流动旋转空隙之地。惟化于阴，故仰出而性寒。惟得其阴，故专行崭岩荦确艰阻之所。惟化于阳，故俯出而性温。其在人身，一则似溺似津，行阳道而质清冽。一则似液似精，行阴道而质稠黏也。质稠黏而性温，形中空而有窍，体洁白而通明，何能不明目益精，通百节，利九窍，下乳汁？石属金而性下行，何能不主咳逆上气？五脏主藏精而不泻，精既充盈，且能彼此输灌，五脏又何能不安？特味甘气温，其用在补，则只有合于肺虚且寒，气馁不降，绝无与于风寒热湿之客为咳逆上气者矣。（故《千金》于肺虚冷有补肺汤，第二方、第四方、第五方于气极有钟乳散，于咳嗽有钟乳七星散，又七星散大都合温补药用之）是明目为明精气不充，神光昏暗之目；益精为益阴寒酸削，气化清冷之精；安五脏为安气失联络，不相裒益五脏；通百节为通骨属乏泽，屈伸不利之百节；利九窍为利气道窘涩，开阖不便之九窍；下乳汁为下冲脉既上，无阳以化之乳汁；其与一切外感及他内伤，均无涉也。夫补之为补，于无形易，有形难，精乃五脏液之至粹，其成尤不易。乃观钟乳功力，多在补精，且若不甚难者（《千金》治阴痿精薄而冷方云：欲多精倍钟乳，是钟乳之益精甚速也。）殊不知有形之生长消歇，皆视无形为指使。《阴阳应象大论》所谓精食气，精化为气，则气为精毋。古训甚明，即以泰西所谓质具之德传生之用。而论其义亦为气聚生火，火盛迫液，尽可顷刻而成，初非难事，即钟乳之所以生，原石中润泽之气，被阳气蒸逼而流。既已液中有气，气中具阳，其蒸腾变化，亦又何难。况观于《别录》之义，尤有递相补缀之妙。譬如调兵剿狄，则令禁兵守要害，腹里之兵防边，以易边兵出塞，为其风土合宜，人情不甚相远耳。钟乳之用，具有此义中，调在上未虚之阳，和在下失偶之阴，而特其甘温气味踞守于肺，使源源继进，务令火下归而水上济，成不偏不倚平治之功。此益气之下所以复赘补虚损一言，而脚弱疼冷，下焦伤竭，强阴，均一以贯之矣。乃世俗所谓补精，动以质腻性寒者当之。名曰以类相求，岂知无阳则阴何由生，是以不阴于中，即滞于下，初为胃减，续为便溏，驯至心之化物无权，肺之治节失职而毙，宜乎视补精为甚难之事也，孰知以阳生阴推近及远为易易耶。

《医家四要》 钟乳石，虚劳能补，乳汁能通。[石部] 入阳明气分。

《本草撮要》 钟乳甘温，入胃经。功专强阴益阳，通百节，利九窍，补虚劳，下乳汁。肺虚喘急不息，以光明钟乳粉五钱，蜡三两化和，饭甑内蒸熟，研丸梧子大，温水下一丸。气甚剽悍，命门火衰者只可暂用，否则有害。蛇床为使，畏紫石英，恶牡丹，忌胡荽、葱、蒜、羊血、参、术。一名鹅管。

《本草便读》 钟乳石，上温肺冷，下壮肾阳。质重性偏，补火强阴通乳汁。味甘气热，除寒治嗽理虚劳。(钟乳石得石之津气。钟聚成乳，滴流成石，内则中空如管，故名。禀阳则之性。凡药性之偏者，皆可用于暂而不可久，况石药之气悍哉。昧者服之，顿觉阳气倍充，饮食倍进，形体壮盛为庆，而不知暗损阴精，致成消渴痈疽之祸矣。凡肺虚寒嗽，久不愈者，用数分研细冲服神效。又果树上作穴，纳钟乳末少许，封好，则子多而味美，其功概可想见矣。)

尚志钧按 钟乳石，由含有碳酸的地下水，流经石灰岩罅隙，溶解石灰石，使水中含碳酸钙溶液，从石灰洞顶下滴，逐渐凝结下垂成冰的檐柱状物。由于檐柱部位不同，其名称各异。附于洞顶石处的粗大根盘称为“殷孽”，在“殷孽”下中空者为“孔公孽”，在“孔公孽”之下中空如笔管状者为“钟乳石”，在“钟乳石”之下（即檐柱最下端）为“滴乳石”，或“鹅管石”。它们的名称、形状、颜色虽不同，实际上属一物，成分均含碳酸钙，功用亦相似。珊瑚科动物栎珊瑚的骨骼，亦称鹅管石，呈圆管状，稍弯曲，表面乳白色，有突出节状环纹及多数纵直棱线。其间有细的横棱线，交互成小方格，质硬而脆，断面有多数中隔，自中心呈放射状排列。另有笛珊瑚骨骼，呈鹅翎管状，亦称鹅管石，稍弯曲，长 3～4 厘米，一端较尖细，表面乳白色。钟乳石呈圆锥状，质坚硬而重，其断面作放线状条纹，主要含碳酸钙。钟乳石味甘，微咸，性温，无毒，能助阳、平喘降逆、通乳，适用于阳痿、劳咳、吐血、乳汁不通。《和剂局方》中有钟乳丸，治丈夫衰老，阳绝肢冷，少气减食，腰疼脚痹，下气消食，和中长肌，钟乳粉二两，菟丝子（酒浸焙）、石斛各一两，吴茱萸汤泡 7 次炒半两，为末，炼蜜和丸梧子大。每服 7 丸，空心温酒或米汤下，日 2 服。服讫行数百步，觉胸口热，稍定即食干饭豆酱，忌食粗臭恶食，及闻尸秽等气。初服 7 日，勿为阳事，过 7 日乃可行，不宜伤多。服过半剂，觉有功，乃续服。此曹公卓方也。《宣明方论》治一切劳嗽，胸膈痞满，用焚香透膈散：鹅管石、雄黄、佛耳草、款冬花等分，为末，每用一钱，安香炉上焚之，以筒吹烟入喉中，日 2 次。《十便良方》治吐血损肺炼成钟乳粉，每服二钱，糯米汤下，立止。《圣济录》治肺虚喘急，连绵不息，生钟乳粉光明者五钱，蜡三两化和，饭甑内蒸熟，研丸梧子大，每温水下1丸。《济生方》治大肠冷滑不止，钟乳粉一两，肉豆蔻煨半两，为末，煮枣肉丸梧子大。每服70丸，空心米饮下。《外台秘要》治乳汁不通，气少血衰，脉涩不行，故乳少也，炼成钟乳粉二钱，浓煎漏芦汤调了，或与通草等分为末，米饮服方寸匕，日3次。《济生方》治元气虚寒，精滑不禁，大便溏泄，手足厥冷，用阳起石（煅研）、钟乳粉各等分，酒煮附子末同面糊丸梧子大，每空心米饮服50丸，以愈为度。

272　岩香（赵学敏）

《本草纲目拾遗》　深山皆有之，凡山岩洞壁上有泉滴下，年久，其水流处则生水结，乃至阴之精华。凭石乳滋液，乘风力而结者，土人名岩香。俗呼水碱。凿石取之，色白如窑灰，置手中冷入骨者真。

《百草镜》　性寒，敷烫火伤，金疮出血，用水碱火煅醋淬，研末。同白果肉水浸，捣汁和服七分，可治白浊。亦入眼科用。

273　石床（《唐本》）

《唐本草》　石床，味甘，温，无毒。酒渍服，与殷孽同。一名同石，一名乳床，一名逆石。《唐本草》注云：陶云孔公孽即乳床，非也。二孽在上，床、花在下，性体虽同，上下有别。钟乳水滴下凝积，生如笋状，渐长，久与上乳相接为柱也。出钟乳堂中，采无时。唐本先附

《日华子本草》　石笋即是石乳下凝滴长者，与石花功同，一名石床。

《本草图经》　文具“石钟乳”条下。

《绍兴本草》　石床，亦出钟乳之下，然又分此一种。在方即无炼制之法，止可渍酒服饵。本经云甘温、无毒是也。然固非精英起疾之物矣。

尚志钧按　《本草纲目》将“石床”列在“殷孽”条的“附录”。

274　孔公孽（《本经》）

《神农本草经》　孔公孽，味辛，温。主伤食不化，邪结气恶，疮疽瘘痔，利九窍，下乳汁。

《吴普本草》　孔公孽，神农：辛。岐伯：咸。扁鹊：酸，无毒。色青黄。

《名医别录》　孔公孽，无毒。主男子阴疮，女子阴蚀，及伤食病，常欲眠

睡。一名通石，殷孽根也。青黄色。生梁山山谷。（木兰为之使，恶细辛。）

《本草经集注》 梁山属冯翊郡，此即今钟乳床也，亦出始兴，皆大块打破之。凡钟乳之类，三种同一体，从石室上汁溜积久盘结者，为钟乳床，即此孔公孽也。其以小宠炊者，为殷孽。今人呼为孔公孽。殷孽复溜轻好者为钟乳。虽同一类，而疗体为异，贵贱悬殊。此二孽不堪丸散，人皆捣末酒渍饮之，甚疗脚弱。其前诸疗，恐宜水煮为汤也。按今三种同根，而所生各处，当是随其土地为胜尔。

《药性论》 孔公孽，忌羊血，味甘，有小毒。主治腰冷，膝痹，毒风，男女阴蚀疮。治人常欲多睡，能使喉声圆亮。

《唐本草》注 此孽次于钟乳，如牛、羊角者，中尚孔通，故名通石。《本经》误以为殷孽之根，陶依《本经》以为今人之误，其实是也。

《蜀本草》 凡钟乳之类有五种：一钟乳、二殷孽、三孔公孽、四石床、五石花，虽同一体而主疗有异。此二孽止可酒浸，不堪入丸散药用，然甚疗脚弱、脚气。石花、石床显在后条。

《日华子本草》 孔公孽，味甘，暖。治癥结。此即殷孽床也。

《本草图经》 具“石钟乳”条下。

《绍兴本草》 孔公孽，即钟乳根也。主治已载本经，其称为殷孽根者误矣。然殷孽在上，盘屈如姜；钟乳在下，通明如鹅管；孔公孽在中，形如牛羊角也。《唐注》所说共明，然诸方用之，皆以酒渍。当从味辛，温，无毒。若生用入药亦有毒矣。

《本草纲目》 ［释名］孔公孽一名孔公石，又名通石。［时珍曰］孔窍空通，附垂于石，如木之芽孽，故曰孔公孽，而俗讹为孔公尔。［集解］［时珍曰］以姜石、通石二石推之，则似附石生而粗者，为殷孽；接殷孽而生，以渐空通者，为孔公孽；接孔公孽而生者，为钟乳。当从苏恭之说为优。盖殷孽如人之乳根，孔公孽如乳房，钟乳如乳头也。

275 殷孽（《本经》）

《神农本草经》 殷孽，味辛，温，主烂伤瘀血，泄痢，寒热，鼠瘘，癥瘕结气，脚冷疼弱。一名姜石。

《名医别录》 殷孽，无毒。钟乳根也。生赵国山谷，又梁山及南海。采无时。（恶防已，畏术。）

《本草经集注》 赵国属冀州，此即今人所呼孔公孽，大如牛、羊角，长一二尺左右，亦出始兴。

《唐本草》 此即石堂下孔公孽根也，盘结如姜，故名姜石。俗人乃以孔公孽，为之误尔。

《日华子本草》 殷孽，治筋骨弱，并痔瘘等疾及下乳汁。

《本草图经》 文具“石钟乳”条下。

《绍兴本草》 殷孽与孔公孽及钟乳，在石室中，但分高下、清浊，形质在异尔。钟乳在下，形如牛羊角而稍浊，殷孽在上，附石盘屈如姜。此一物而分三名。以诸方多用钟乳者，盖谓取其精英矣。二孽主治已载本经，皆酒渍而可用。当从味辛、温、无毒。或生用入药即有毒矣。

《本草纲目》 ［释名］殷孽，一名姜石。［时珍曰］殷，隐也。生于石上，隐然如木之孽也。

276 土殷孽（《别录》）

《名医别录》 土阴孽，味咸，无毒。主妇人阴蚀，大热，干痂。生高山崖上之阴，色白如脂。采无时。

《本草经集注》 此犹似钟乳、孔公孽之类，故亦有孽名，但在崖上尔，今时有之，但不复采用。

《唐本草》 此即土乳是也。出渭州鄣县三交驿西北坡平地土窟中，见有六十余坎昔人采处。土人云：服之亦同钟乳而不发热。陶及《本经》俱云在崖上，此说非也。今渭州不复采用。

《蜀本草》 据《本经》所载，既与陶注同，而苏说独异，恐苏亦未是。

《开宝本草》 今按别本注云：此则土脂液也，生于土穴，状如殷孽，故名土阴孽。

《绍兴本草》 土阴孽，本经及陶注并称生高山崖上，《唐本》及别注以谓生土窟穴中。虽云与殷孽相类，今方家罕见入药，及近世亦少识之。当从本经味咸、无毒为正。

《本草纲目》 ［集解］［时珍曰］此即钟乳之生于山崖土中者，南方名山多有之。人亦掘为石山，货之充玩，不知其为土钟乳也。

277 姜石（《唐本》）

《唐本草》 姜石，味咸，寒，无毒。主热豌豆疮、疔毒等肿。生土石间，状如姜，有五种色，白者最良，所在有之，以烂不磣（插茬切）者好，齐州历城东者良。

《本草图经》 姜石，生土石间，齐州历城来者良，所在亦有，今惟出齐州。其状如姜，有五种，用色白者，以烂而不磣者好，采无时。崔氏疗疔肿，单用白姜石末，和鸡子清傅之，疗自出。乳痈涂之亦善。大凡石类，多主痈疽，北齐马嗣明医杨遵彦背疮，取粗理黄石如鹅卵大，猛烈火烧令赤，内醎醋中，因有屑落醋里，频烧淬石，至尽，取屑暴干，捣筛和醋涂之，立愈。刘禹锡谓之炼石法：用之傅疮肿无不愈者。

《外台秘要》 救急治乳痈肿如碗大，痛甚。取白姜石捣末一二升，用鸡子白和如饧傅肿上，干易之，此方频试验佳。

《本草衍义》 姜石，所在皆有，须不见日色，旋取微白者佳。治疔肿殊效。

《绍兴本草》 姜石，乃沙姜石也，唯色白者佳。本经与《图经》主疗并外傅疮肿，方亦稀用于服饵。当从味咸，寒，无毒是矣。

《本草纲目》 ［释名］姜石，一名䃔砺石。［时珍曰］姜石以形名。或作礓砾，邵伯温云，天有至戾，地有至幽，石类得之则为礓砾是也。俗作䃔砺。

278 麦饭石（《图经》）

《本草图经》 麦饭石者，粗黄白，类麦饭，曾作磨硙者尤佳。中岳山人吕子华方云：取此石碎如棋子，炭火烧赤，投米醋中浸之，良久又烧，如此十遍，鹿角一具连脑骨者，二三寸截之，炭火烧令烟出即止，白蔹末与石末等分，鹿角倍之，三物同杵筛，令精细，取三年米醋，于铛中煎如鱼眼沸，即下前药调和，令如寒食饧，以篦傅于肿上，惟留肿头如指面，勿令有药，使热气得泄，如未有肿脓，即当内消，若已作头，即撮令小。其病久，得此膏，直至肌肉烂落出筋骨者，即于细布上涂之，贴于疮上，干即易之，但中隔不穴者，即无不差。其疮肿时，切禁手触，其效极神异。此方，孙思邈《千金要方》已有之，与此大同小异，但此本论说稍备耳。又水中圆石，治背上忽肿，渐如碟子，不识名者，以水中圆石一两碗，烧令极热，泻入清水中，沸定后洗肿处，立差。

《本草纲目》 ［集解］［时珍曰］李迅云：麦饭石处处山溪中有之。其石大小不等，或如拳，或如鹅卵，或如盏，或如饼，大略状如握聚一团麦饭，有粒点如豆如米，其色黄白，但于溪间麻石中寻有此状者即是。古方云，曾作磨者佳，误矣。此石不可作磨。若无此石，但以旧面磨近齿处石代之，取其有麦性故耳。

279 井泉石（《嘉祐》）

《嘉祐本草》 井泉石，大寒，无毒。主诸热，治眼肿痛，解心脏热结，消去肿毒及疗小儿热疳，雀目，青盲。得大黄、栀子，治眼睑肿。得决明、菊花，疗小儿眼疳生翳膜，甚良。亦治热嗽。近道处处有之，以出饶阳郡者为胜，生田野间地中，穿地深丈余得之。形如土色，圆方、长短、大小不等，内实而外则重重相叠，采无时。用之当细研为粉，不尔使人淋。又有一种如姜石，时人多指以为井泉石者，非是。

《本草图经》 井泉石，生深州城西二十里剧家村地泉内，深一丈许。其石如土色，圆方、长短、大小不等，内实外圆，作层重叠相交。其性大寒，无毒。解心脏热结，消去肿毒及疗小儿热疳。不拘时月采之。

《绍兴本草》 井泉石虽所产土地不一，而北地者为佳。以其掘地丈余得之，故谓之井泉石也。形色主疗已载本经，当云性寒、无毒是矣。

《本草纲目》 ［释名］［时珍曰］井泉石，性寒如井泉，故名。

280 花蕊石（《嘉祐》）

《嘉祐本草》 花乳石，主金疮止血，又疗产妇血晕恶血。出陕华诸郡。花正黄，形之大小、方圆无定。欲服者，当以大火烧之。金疮止血，正尔刮末傅之即合，仍不作脓溃。或名花蕊石。

《本草图经》 花蕊石，出陕州阌乡县。体至坚重，色如硫黄，形块有极大者，人用琢器。古方未有用者，近世以合硫黄同煅，研末傅金疮，其效如神。又人仓卒中金刃，不及煅合，但刮石上取细末傅之亦效。采无时。

《别说》 《图经》玉石中品有花蕊石一种，主治与此同，是一物。

《本草衍义》 色如硫黄，《本经》第五卷中已著。今出陕、华间，于黄石中间，有淡白点，以此得花之名。今惠民局花乳石散者是。此物陕人又能镌为器。《图经》第二卷中，易其名为花蕊石，是却取其色黄也。更无花乳之名，虑岁久为世所惑，故书之。

《绍兴本草》 花乳石即花蕊石也。《图经》载色如硫黄，似乎未当，但此石其体坚重，色皆青绿，虽大小、方圆不定，破之内有浅黑点及间有晕相杂者是矣。然本经虽具主疗，而不载性味者、有无毒。凡欲入药，须火煅之可用。当以性平、无毒为定。若生用之即有毒矣。

《本草蒙筌》 花蕊石，坚重。出自陕州。颜色仿佛硫黄，黄中间有白点。因名花蕊，最难求真。得之煅研粉霜，治诸血证神效。男子以童便搀半酒和，女人以童便搀半醋调。多服体即流通，瘀血渐化黄水，诚为劫药，果乃捷方。金疮血流，敷即合口。产后血晕，舐下立安。

《本草纲目》 ［集解］［时珍曰］《玉册》云：花乳石，阴石也。生代州山谷中，有五色，可代丹砂匮药。蜀中汶山、彭县亦有之。［修治］［时珍曰］凡入丸散，以罐固济，顶火煅过，出火毒，研细水飞晒干用。［主治］［时珍曰］治一切失血伤损，内漏目翳。［发明］［时珍曰］花蕊石旧无气味。今尝试之，其气平，其味涩而酸，盖厥阴经血分药也。其功专于止血，能使血化为水，酸以收之也。而又能不死胎，落胞衣，去恶血，恶血化则胎与胞无阻滞之患矣。东垣所谓胞衣不出，涩剂可以下之，故赤石脂亦能下胞胎，与此同义。葛可久治吐血出升斗，有花蕊石散；《和剂局方》治诸血及损伤金疮胎产，有花蕊石散，皆云能化血为水。则此石之功，盖非寻常草木之比也。

《药性歌括四百味》 花蕊石寒，善止诸血，金疮血流，产后血涌。（火煅研。）

《本草原始》 花蕊石［批］身中有黄点。花蕊石，出陕州，体玉坚重，白中间有黄点，如花中黄蕊，因名花蕊石。（味酸涩平，无毒。主金疮出血，刮末敷之即合，仍不作脓。又治女人血运恶血，治一切失血伤损，内漏目翳。制以馕固门，顶火煅过，研细，水飞用。形之大小、方圆无定，体主阳重，色如硫黄。采无时。切耑于止血，能使血化为水。）

《珍珠囊补遗药性赋》 血晕昏迷，法炼广生花蕊石。花蕊石出陕州阌乡县，性至坚硬，保金疮止血。《局方》以硫黄合花蕊石，如法炼成，专治产后血晕，去恶血。

《雷公炮制药性解》 花蕊石，主金疮止血，产妇血晕，火煅用。按：花蕊之功，专主血证，能化瘀血为黄水。服之令人大虚，不宜轻用。若多用，服后当以补剂培之。

《本草经疏》 花乳石，本经无气味，详其所主，应是酸、辛、温之药。其功专于止血，能使血化为水，妇人血晕恶血上薄也，消化恶血则晕自止矣。以酸敛之气复能化瘀血，故傅金疮即合，仍不作脓也。［主治参互］葛可久《十药神书》花乳石散，治五内崩损，喷血出升斗。用此治之。花蕊石，煅存性，研如粉，以童子小便一钟，男入酒一半，女入醋一半，令温食后调服三钱，甚者五钱。能使瘀血化为黄水后，以独参汤补之。按此石性温，味辛，又加火煅，虚劳吐血多是火炎迫血上行，于药性非宜，除是膈上原有瘀血停凝者，乃可暂用，亦须多服童便，独参汤乃肺热咳嗽所忌，尤不宜于虚劳内热火炎之人，戒之戒之。《和剂局方》花蕊石散，治一切金刃箭镞伤及打仆伤损，狗咬至死者，急以药掺伤处，其血化为黄水，再掺便活，更不疼痛。如内损血入脏腑，热童便入酒少许，热调一钱服立效。妇人产后败血不尽，血晕，恶血奔心；胎死腹中，胞衣不下至死，但心头温暖者。急以童便调服一钱，取下恶物，愈。若膈上有血化为黄水，即时吐出或随小便出甚效。用硫黄四两，花蕊石一两，并为粗末，以胶泥固济，日干。瓦罐一个，盛之泥封口，烘干，安在四方砖上，砖上书八卦五行字，炭一秤簇匝，从巳午时自下生火，煅至炭消，冷定取出，为细末，瓷瓶收贮封固，取用无时。［简误］无瘀血停留者，不宜内服。不由内伤血凝胸膈板痛，而因火炎血溢以致吐血者忌之。

《本草正》 花蕊石，色如硫黄，黄石中间有淡白点，故名也。李时珍曰：此药旧无气味，今尝试其气平，其味涩而酸，盖厥阴经血分药也。其功专于止血，能使血化为水，酸以收之也。若治金疮出血，则不必制，但刮末傅之则合，仍不作脓，及治一切损伤失血。又疗妇人恶血血晕，下死胎，落胞衣，去恶血，血去而胎胞自落也。凡入丸散，须用罐固济，火煅过，研细水飞用之。

《本草乘雅半偈》 花乳石，花者，山之英；乳者，山之液；石者，山之骨也。经云：水势劣火，结为高山。缘水火为因，即缘水火为体用矣。英即火用，液即水体，用行而体至之，阴因阳为用也。故主诸血为眚，正体虽至而用失先也，花乳先之以用，佐之以体，巽入自中，营周经隧，自强不息矣。（水势劣火，结为高山。是故山石，击，则成焰，融，则成水。势劣以少言，非下劣也。血者，少阴君火之所主；少阴者，因阴以为体。缘阳以为用，是故君火以明，非相火以位。）

《本草通元》 花乳石，主金疮出血，一切失血，女人血晕，且化血为水，故虽有殊功，不敢多用。煅研，水飞。

《本草述》 花乳，石类产于西土。其于血证，似以能化瘀为止，其或得于以母气召子之义乎，盖血本于水化也。然方书如王宇泰先生《证治准绳》，于诸血证绝未一见者，何哉。岂《本草纲目》之论治，尽属妄耶。第如缪仲淳氏所云，吐血诸证，多因于火炎迫血以上行，如斯药性非宜，亦是确论也。然有血证不尽因于阴虚者，则此味又为中的之剂矣。盖不属阴虚，而患于血逆者，应有瘀证，有瘀证而以化为止，是亦奇效也。如花蕊石散，以疗产后瘀血危证，遂终身不患血风血气其化而止者，且能下死胎，落胞衣，去恶血，是则兹味化瘀。似有以还其血之，不属强止之，亦不属峻导以重虚之。若投剂者，审其为应投之证，岂得不藉其奏功于匆遽，而云姑舍是乎哉。盖不属阴虚者多属气虚，不能引血以归经，固另有补气之剂，而禁用寒凉矣。然又有偶感于寒凉，而血泣以逆者，则补气犹宜少待，如兹味不为应候之良剂乎。缪氏所云尚未能明悉其功用耳。

《本草备要》 花蕊石，酸、涩，平。专入肝经血分。能化瘀血为水，止金疮出血（刮末敷之即合，仍不作脓。《局方》治损伤诸血，胎产恶血血运，有花蕊石散），下死胎胞衣（恶血化则胞胎无阻）。出陕华代地，体坚色黄。煅研，水飞用。

《本经逢原》 花乳石产硫黄山中。其性大温，厥阴血分药也。葛可久治虚劳吐血有花蕊石散，以其性温善散瘀结也。《和剂局方》治金刃箭伤，打仆垂死，外有损处，以煅过细末掺伤处，血化黄水，再掺即活，如内有损血入脏腑，煎童子小便，入酒少许，调灌一钱匕立效。妇人产后恶血冲心，错晕不省，或胎死腹中，胞衣不下致死，但心胸温暖者，急以童便调灌一钱，取下恶血即安。若膈上有血，化为黄水，即时吐出，或随小便出，甚效，但阴虚火炎，中无瘀积者，误用必殆。

《本草诗笺》 花乳石，无毒，酸、辛，温。专从血分厥阴奔（可久治虚劳吐血，有花蕊石散）；覆盆每保鲰生命，分娩常安倩女魂（妇人产后恶血冲心昏迷不省胎死腹中）；瘀结散来重受益，虚劳治去复还元；只嫌火旺中非积，误服招尤难雪冤（阴虚火炎中无瘀积误服必死）。

《玉楸药解》 花乳石，酸、涩，平，入足厥阴肝经。止血行瘀，磨郁消瘴。花乳石功专止血，治吐衄崩漏，胎产刀杖，一切诸血。善疗金疮，合硫黄煅炼敷之，神效。亦磨远年障翳，化瘀血老癥，落死胎，下胞衣，煅研，水飞用。

《得配本草》 花乳石（一名花蕊石），酸、涩，平。入厥阴经血分。化血为水，掺金疮，跌仆损伤，犬咬至死者。得川芎、甘菊、防风、白附子、大力子、炙甘草为末。每服腊茶下五分，治多年障翳。配黄丹，掺脚缝出水。配童便，治产妇恶血奔心，胎死腹中，胎衣不下。硫黄四两，乳石一两为末，泥固日干，入瓦罐内泥封烘干，火煅为末，水飞日干，磁瓶收用。内火逼血妄行者禁用。

《本草求真》 花蕊石（专入肝），虽产硫黄山中，号为性温，然究味酸而涩，其气亦平，故有化血之功耳。是以损伤诸血，胎产恶血血运，并子死腹中，胞衣不下，服之体即疏通，瘀血化为黄水。金疮血流，敷即合口，诚奇方也。（颂曰：近世以合硫黄同煅，研末敷金疮，其效如神。人有仓卒金刃不及煅治者，但刮末敷之亦效。）但此原属劫药（时珍曰：花蕊石尝试其味酸涩，其功专于止血，能使血化为水，酸以收之也。东垣所谓胞衣不出，涩剂可以下之，盖赤石脂亦能下胞胎，与此义同。）下后止后，须以独参汤救补，则得之矣。若使过服，则于肌血有损，不可不谨。以罐固济，顶火煅过，出火毒，研细水飞，晒干用。

《罗氏会约医镜》 花蕊石（味酸、涩，气平，入肝经），其功专于止血，化血为水（酸以收之）。治金伤出血，刮末敷之立止。疗妇人恶血、血晕，下死胎，落胞衣（恶血去，胞胎自落）。并疗五内崩损，喷血出升斗者（男以童便加酒，女以童便加醋，调末三五钱服）。体坚色黄，中有淡白点。（外敷生用，内服煅研。）

《本草害利》 花蕊石，一名花乳石。大损阴血，凡虚劳吐血，多由火炎迫血上行，当用滋降阴火者，不宜服。无瘀血停积，胸膈不板痛者，亦忌之。［利］酸、涩，气平，专入肝经血分，能化瘀血为水；止金疮出血，下死胎胞衣，恶血化则胞胎无阻。［修治］出陕华诸郡，体坚色黄，采得，罐固济，顶火煅过，出火毒，研细，水飞，晒干用。

《本草撮要》 花乳石，酸、涩，平，入足厥阴经。功专化血为水，止金疮出血，下死胎、胞衣及胎产恶血血晕等症。有花蕊石散，多服损阴血，煅研水飞用。一名花乳石。

《本草便读》 花蕊石，酸入肝，消瘀化水，温能治外，敛口生肌。（花蕊石，此石性能敛血，而又能使血化为水，一如兵家攻寇之法，欲劫之而先聚之之意。金疮出血刮末掺之即合者，亦此意也。）

尚志钧按 花蕊石，一名花乳石。花蕊石为天然矿石，淡黄或灰绿、淡红、浅褐色，兼有白、绿、棕黄色斑点。花蕊石光滑，沉重而质硬，主要成分为碳酸钙、镁及少量硅。花蕊石味酸、涩，性平，能止血化瘀，适用于金疮出血、吐血、衄血、便血、崩漏、产后血晕。治金疮出血，以本品研细面，掺伤处。治各种出血，与三七、血馀炭合用。治跌打损伤、瘀血肿痛，与乳香、没药、血竭、白芷合用，内服、外敷均有效。花蕊石入生肌药中，其吸附及保护创面的作用，有利于创口愈合。此外又能收湿敛疮。《和剂局方》中有花蕊石散，治一切金刃箭簇伤及跌仆伤损，狗咬至死者，急以此药掺伤处，其血化为黄水，再掺便活，更不疼痛，其配方为：硫黄120克，花蕊石30克，并为粗末，拌匀，日晒，瓦罐盛之，泥封口，烘干，安四方砖上，用炭火煅至炭销，冷定，取出为细末，掺之。《验方》中有平肌散，治诸疮不敛，其配方为：花蕊石（煅）、密陀僧（煅）、龙骨（煅）各30克，乳香、轻粉各3克，各研末，和匀，掺疮上。《验方》治脚缝出血，黄丹、花蕊石研细末掺之。

281　桃花石（《唐本》）

《唐本草》　桃花石，味甘，温，无毒。主大肠中冷，脓血痢。久服令人肌热，能食。

《唐本草》注　出申州钟山县，似赤石脂，但舐之不着舌者为真石英，若桃花，其润且光而重，目之可爱是也。

《本草图经》　桃花石，《本经》不载所出州土。注云：出申州钟山县。今信州亦有之。形块似赤石脂、紫石英辈。其色似桃花，光润而体重，以舐之不着舌者为佳。采无时。陶隐居解赤石脂云：用义阳者，状如豚脑，色鲜红可爱。苏恭以为非是，即桃花石也。久服肥人，土人亦以疗痢，然则功用亦不相远矣。

《本草衍义》　桃花石，有赤、白两等。有赤地淡白点，如桃花片者，有淡白地、有淡赤点，如桃花片者。人往往镌磨为器用，今人亦罕服食。

《绍兴本草》　桃华石，形色、主疗虽与赤石脂相类，其实两物也。但舐之不着舌者与赤石脂有异耳。以其温肠止痢。当从本经味甘，温，无毒是也。

《本草纲目》　［集解］［时珍曰］此即赤白石脂之不粘舌、坚而有花点者，非别一物也，故其气味、功用皆同石脂。昔张仲景治痢用赤石脂名桃花汤，《和剂局方》治冷痢有桃花丸，皆即此物耳。

282　石花（《唐本》）

《唐本草》　石花，味甘，温，无毒。酒渍服。主腰脚风冷，与殷孽同，一名乳花。

《唐本草》注　三月、九月采之。乳水滴水上，散如霜雪者，出乳穴堂中。

《日华子本草》　石花，治腰膝及壮筋骨，助阳。此即洞中石乳滴下凝结者。

《本草图经》　文具“石钟乳”条下。

《本草衍义》　石花，白色，圆如覆大马杓，上有百十枝，每枝各槎牙，分歧如鹿角。上有细文起，以指撩之，铮铮然有声。此石花也，多生海中石上，世亦难得，家中有一本，后又于大相国宫中见一本，其体甚脆，不禁触击。本条所注皆非。

《绍兴本草》　石花，本出自钟乳之下，而本经又分此一种，性味主治亦与钟乳不远，然无制炼之法。用之渍酒。当从味甘，温，无毒。今方家罕用之。

《本草纲目》 ［时珍曰］石花是钟乳滴于石上迸散，日久积成如花者。苏恭所说甚明。寇宗奭所说，乃是海中石梅、石柏之类，亦名石花，不入药用，非本草石花，正自误矣。（本条，《本草纲目》列在“殷孽”条的“附录”。）

尚志钧按 与石花同名异物者很多，乌韭、殷孽亦称石花。此外，胞孔科动物脊突苔虫、瘤苔虫等的骨骼，亦称石花。此等石花状如珊瑚，全体呈圆形或扁圆形，基部略平，中部交织如网状，上面作叉状分枝，枝的表面及断面均密具细小孔。石花体轻，入水不沉，类似浮石，色泽不一，有灰白色、灰黄色、灰黑色，质硬而脆，味微咸，微腥。石花功同海浮石，能软坚散结、清肺化痰，适用于瘰疬结核、痰热咳嗽。治咳痰黏稠、咯血，配青黛、栝楼仁。治瘰疬结核，配海藻、昆布。

283 方解石（《别录》）

《名医别录》 方解石味苦、辛，大寒，无毒。主胸中留热，结气，黄疸，通血脉，去蛊毒。一名黄石。生方山。采无时。（恶巴豆。）

《本草经集注》 按本经长石一名方石，疗体亦相似，疑是此也。

《唐本草》注 此石性冷，疗热不减石膏也。

《开宝本草》 今注此物大体与石膏相似，惟不附石而生，端然独处，形块大小不定，或在土中，或生溪水，得之敲破皆方解，故以为名。今沙州大鸟山出者佳。

《本草图经》 文具“石膏”条下。

《绍兴本草》 方解石，其状碎之，则随大小而皆方，色明莹者佳。然与石膏性及主治皆不远，但形质少异尔。本经云味苦辛、大寒、无毒是也。又陶注称为长石者误矣，不唯长石自有条例，其云方解者显非一物也。

《本草纲目》 ［集解］［时珍曰］方解石与硬石膏相似，皆光洁如白石英，但以敲之段段片碎者为硬石膏，块块方棱者为方解石，盖一类二种，亦可通用。唐宋诸方皆以此为石膏，今人又以为寒水石，虽俱不是，但其性寒治热之功，大抵不相远，惟解肌发汗不能如硬石膏为异尔。

尚志钧按 方解石是三方晶系菱形晶矿石，由硅酸钙受热，碳酸水分解而成，多产于石灰石附近及花岗岩中。纯者白色，不纯者有灰、红、绿、紫等色。方解石形状不一，有菱形、柱形、锥形，质脆，劈之裂解成菱形薄片，即“破之方解”“块块方菱”。方解石硬度为3，密度为2.716，主要成分为碳酸钙（$CaCO_3$）。方解石数量多，分布亦广，由于结晶形状和所含杂质及颜色不同，其名亦各异。本草所用的方解石，是普通方解石，劈开呈块块方菱。其他如钉头石、狗牙石、银光石、纤维石、冰州石、绿方解石、艳色方解石、白云方解石、铁方解石、锶方解石、钡方解石等，本草均未见录。方解石味苦、辛，大寒，无毒，能解热、和胃、制酸，适用于热证发热烦躁不安。

284 石灰（《本经》）

《神农本草经》 石灰，味辛，主疽疡，疥瘙，热气，恶疮，癞疾，死肌，堕眉，杀痔虫，去黑子息肉，一名恶灰，

《名医别录》 石灰，温。一名希灰。生中山川谷。

《本草经集注》 石灰生中山。陶隐居云：中山属代郡。今近山生石，青白色，作灶烧竟，以水沃之，即热蒸而解末矣。性至烈，人以度酒饮之，则腹痛下痢，疗金疮亦甚良。俗名石垩。古今多以构冢，用捍水而辟虫。古冢中水，洗诸疮，皆即差。

《雷公炮炙论》 石灰，凡使，用醋浸一宿，漉出待干，下火煅，令腥秽气出，用瓶盛著，密盖，放冷，拭上灰，令者，以滑石傅之。

《药性论》 石灰，治病疥，蚀恶肉，不入汤服。止金疮血，和鸡子白，败船茹，甚良。

《唐本草》注 按《别录》及今人，石灰用疗金疮，止血，大效。若五月五日采蘩蒌、葛叶、鹿活草、槲叶、芍药、地黄叶、苍耳叶、青蒿叶合石灰，捣为团如鸡卵，暴干末，以疗疮生肌，大神验。

《蜀本草》 石灰有毒，堕胎。

《日华子本草》 石灰，味甘，无毒。生肌长肉，止血，并主白癜，疬疡，瘢疵等。疗冷气，妇人粉刺，痔瘘疽疮，瘿赘疣子。又治产后阴不能合，浓煎汁熏洗。解酒味酸，令不坏，治酒毒，暖水脏，倍胜炉灰。又名煅石。

《开宝本草》 今按别本注云：烧青石为灰也，有两种，风化、水化。风化为胜。

《本草图经》 石灰，生中山川谷，今所在近山处皆有之。此烧青石为灰也，又名石煅。有两种：风化、水化。风化者，取煅了石，置风中自解，此为有力；水化者以水沃之，则热蒸而解，力差劣。古方多用合百草团末，治金创殊胜。今医家或以腊月黄牛胆，取汁搜和，却内胆中，挂之当风百日，研之更胜草叶者，又败船

茹灰刮取用亦同。又冬灰，生方谷川泽。浣衣黄灰，烧诸蒿藜积聚炼作之。今有灰多杂薪蒸，乃不善，惟桑薪灰，纯者入药绝奇。古方以诸灰杂石灰熬煎，以点疣、痣、黑子等，丹灶亦用之。又煅铁灶中灰，主坚积，古方二车丸用之。灶中封釜月下黄土，名伏龙肝。灶额上墨，名百草霜，并主消化积滞，今人下食药中多用之。铛下墨、梁上尘，并主金创。屋尘煤，治齿龈肿出血。东壁土，主下部疮，脱肛，皆医家常用，故并见此。伤寒黑效丸，用釜底墨、灶突墨、梁上尘三物，同合诸药，盖其功用，亦相近矣。

《经验方》 治蚯蚓虫咬，其形如大风，眉须皆落。以石灰水浸身亦良。《梅师方》治产后阴肿，下脱肠出，玉门不闭。取石灰一斗，熬令黄，以水三斗投灰中，放冷澄清，取一斗三升暖洗。又方治金疮止血速差方：炒石灰和鸡子白，和丸如弹子大，炭火煅赤，捣末，以傅疮上，立差。孙用和治误吞金银或钱，在腹内不下方：石灰一杏核大，硫黄一皂子大，同研为末，酒调下，不计时候服。孙真人食忌治疥淋，石灰汁洗之。又方去靥子。取石灰炭上熬令热，插糯米于灰上，候米化，即取米点之。《斗门方》治刀斧伤。用石灰上包，定痛止血佳，差。又方治中风，口面㖞斜。向右即于左边涂之，向左即于右边涂之，候才正如旧，即须以水洗下，大妙。崔氏治血痢十年方：石灰三升熬令黄，以水一斗搅令清澄。一服一升，日三服。《抱扑子·内篇》古大墓中多石灰汁，夏月行人有疮者，见墓中清水，用自洗浴，疮自愈。于是诸病者闻之，悉往洗之，传有人饮之以中病。《新唐书·李百药传》百药劝杜伏威朝京师，既至历阳中，悔欲杀之，饮以石灰酒，因大利，顿欲死，既而宿病皆愈。《丹房镜源》云石灰伏硫黄，去锡上晕，制雄黄，制硇砂可用之。《肘后方》治产后阴道开不闭。石灰一斗熬之。以水二斗投灰中，适寒温，入水中坐，须臾更作。又方治汤火灼疮。石灰细筛，水和涂之，干即易。又方治金刃所伤，急以石灰裹之，既止痛，又速愈。无石灰，灰亦可用，疮若深，未宜速合。《千金方》治眉发髭落。石灰三升，右以水拌令匀，焰火炒令焦，以绢袋贮，使好酒一斗渍之，密封，冬十四日，春秋七日。取服一合，常令酒气相接，服之百日，即新髭发生，不落。又方治瘘疮。取古冢中石灰，傅厚调涂之。《外台秘要》元希声侍郎治卒发疹秘验方：石灰随多少，和醋，浆水调涂，随手即减。《太平圣惠方》治蝼蛄咬人，用石灰醋和涂之。又方治大肠久积虚冷，每因大便脱肛，炒石灰令热，故帛裹，坐其上，冷即易之。

《本草衍义》 石灰，水调一盏，如稠粥，拣好糯米粒全者，半置灰中，半灰外。经宿，灰中米色变如水精。若人手面上有黑黡子及纹刺，先微微以针头拨动，置少许如水精者于其上，经半日许，黡汁自出，剔去药不用，且不得着水，三二日愈。又取新硬石灰一合，以醋炒，调如泥，于患偏风牵口㖞邪人口唇上，不患处一边涂之，立便牵正。

《绍兴本草》 石灰，煅石为灰，味辛，性热而复利。在本经主疗，唯以外用之，其有毒明矣。《日华子》云无毒者非也。

《本草纲目》 ［释名］［时珍曰］石灰又名白虎、矿灰。［集解］［时珍曰］（石灰）今人作窑烧之，一层柴或煤炭一层在下，上累青石，自下发火，层层自焚而散。入药惟用风化、不夹石者良。［主治］［时珍曰］散血定痛，止水泻血痢，白带白淫，收脱肛阴挺，消积聚结核，贴口㖞，黑须发。［发明］［时珍曰］石灰，止血神品也。但不可着水，着水即烂肉。［时珍曰］古墓中石灰，名地龙骨。治顽疮瘘疮，脓水淋漓，敛诸疮口。棺下者尤佳。［时珍曰］艌船油石灰，名水龙骨。治金疮跌仆伤损，破皮出血，及诸疮瘘，止血杀虫。

尚志钧按 石灰味辛，性温，有毒，能杀虫、止血，性腐蚀，适用于创伤出血、灼伤。治臁疮及久不收口的溃疡，用年久的陈石灰，研细末，外掺，用消毒纱布包扎，如患处恶痒，加入适量的樟脑粉。治赘疣、黑痣、鸡眼，取生石灰、干碱等分，研末，水调成糊状，涂患处，待稍干，再以胶布贴住。治烫火灼伤，以石灰清水和等分麻油共置瓶内振摇成乳状，外涂用。治创伤出血，同生大黄同炒红为末，外掺止血。

285 天龙骨（赵学敏）

《本草纲目拾遗》 乃千年塔顶石灰也。濒湖“石灰”条下，附古墓中石灰，名地龙骨，艌船油石灰，名水龙骨，而独遗此，特补之。盛再华云：塔上石灰，受天阳风露之气，变悍烈之性而成温和，故能定痛生肌，止血去湿，为金刃要药，内服亦良。

外治止血生肌，涂恶疮肿毒，寒湿臁疮。内治心腹痛，乌痧胀，妇人血崩漏带，男子久痢便血，及一切打仆损伤，恶血凝聚，腹痛欲死者，俱可服。

白虎丸治一切青筋腹痛。《万氏家抄》：天龙骨不拘多少，去泥土，水飞过，丸似桐子大，每服五十丸，看轻重加减，烧酒下。初觉头痛恶心腹胀，即进一服，当时血散；若过三五日，青筋已老者，多服取效。

286 石硷（《纲目》）

《本草纲目》　［释名］石硷一名灰硷、花硷。［时珍曰］石硷，状如石类硷，故亦得硷名。［集解］［时珍曰］石硷，出山东济宁诸处。彼人采蒿蓼之属，开窖浸水，漉起晒干烧灰，以原水淋汁，每百引入粉面二三斤，久则凝淀如石，连汁货之四方，浣衣发面，甚获利也。他处以灶灰淋浓汁，亦去垢发面。［气味］辛、苦，温，微毒。［主治］［震亨曰］去湿热，止心痛，消痰，磨积块，去食滞，洗涤垢腻，量虚实用，过服损人。［时珍曰］杀齿虫，去目翳，治噎膈反胃，同石灰烂肌肉，溃痈疽瘰疬，去瘀肉，点痣黡疣赘痔核，神效。

287 青黛（《开宝》）

《开宝本草》　味咸，寒，无毒。主解诸药毒、小儿诸热、惊痫发热、天行头痛寒热，并水研服之，并摩傅热疮恶肿、金疮下血、蛇犬等毒。从波斯国来及太原并庐陵、南康等。染淀，亦堪傅热恶肿，蛇虺螫毒。染瓮上池沫，紫碧色者，用之同青黛功。

《药性论》　青黛，君，味甘，平。能解小儿疳热，消瘦杀虫。

《本草拾遗》　青黛，解毒，小儿丹热，和水服之。并鸡子白、大黄傅疮痈、蛇虺等。

《本草图经》　文具“蓝实”条下。

《本草衍义》　青黛乃蓝为之。有一妇人患脐下腹上、下连二阴遍满生湿疮，状如马瓜疮，他处并无，热痒而痛，大小便涩，出黄汁，食亦减，身面微肿。医作恶疮治，用鳗鲡鱼、松脂、黄丹之类。药涂上，疮愈热，痛愈甚。治不对，故如此。问之，此人嗜酒，贪啖，喜鱼蟹发风等物。令急用温水洗拭去膏药，寻以马齿苋四两，烂研细，入青黛一两，再研匀，涂疮上，即时热减，痛痒皆去。仍服八正散，日三服，分败客热。每涂药，得一时久。药已干燥，又再涂新湿药。凡如此，二日减三分之一，五日减三分之二，自此二十日愈。既愈而问曰：此疮何缘至此？曰：中、下焦蓄风热毒气，若不出，当作肠痈内痔，仍常须禁酒及发风物。然不能禁酒，后果然患内痔。

《本草纲目》　［释名］青黛一名靛花、青蛤粉。［时珍曰］黛，眉色也。刘熙《释名》云：灭去眉毛，以此代之，故谓之黛。［集解］［时珍曰］波斯青黛，亦是外国蓝靛花，既不可得，则中国靛花亦可用。或不得已，用青布浸汁代之。货者复以干淀充之，然有石灰，入服饵药中当详之。[气味] 咸，寒，无毒。[主治] [时珍曰] 去热烦，吐血咯血，斑疮阴疮，杀恶虫。

尚志钧按 青黛由石灰、菘蓝和马蓝茎叶制成。夏秋时，采摘菘蓝、马蓝茎叶置缸中，加水沤，沤至叶烂、茎蜕皮时，将茎枝捞出，加入适量石灰，充分搅拌，以浸液由乌绿色转为深紫红色为度，捞取液面泡沫，置强烈阳光下晒干即成。《药性论》首载此药，《本草拾遗》亦载之，《开宝本草》收为正品。青黛味咸，性寒，能泻火解毒、消斑凉血，适用于温病热盛、痈肿、口疮、丹毒、斑疹。治口舌生疮，配薄荷、冰片、黄柏为散外吹。治咽喉肿痛，配珍珠、牛黄、冰片、象牙粉、指甲、壁钱窝为散，外掺患处。治高热发斑，与丹皮、生地、赤芍、紫草、茅根合用。治小儿暑热惊痫，与甘草、滑石合用。治肺热咳血，与海蛤粉、海浮石、栝楼、栀子合用。对湿疹、湿疮流水痒痛，配蛤粉、冰片外掺。本品同大青叶、板蓝根对病毒性肺炎、脑炎、肝炎、心肌炎有良好疗效。青黛能止血，对血热吐衄，单用青黛二钱，凉开水冲服，或与蒲黄、蛤粉合用，其效益佳。青黛能退热，治小儿疳疾发热，配胡黄连、干蟾、芦荟为丸服之。治痰黄黏稠咳嗽，与贝母、花粉、竹沥合用，或与苏子、桑白皮合用。由于本品克伐力强，内服量过大或久用，极易损伤正气。一般使用时中病即止。

288 龙骨（《本经》）

《神农本草经》 龙骨，味甘，平。主心腹鬼疰、精物、老魅，咳嗽，泄痢脓血，女子漏下，癥瘕坚结，小儿热气惊痫。龙齿，主治小儿、大人惊痫、癫疾、狂走，心下结气，不能喘息，诸痉。杀精物。久服轻身，通神明，延年。生山谷。

《吴普本草》 龙骨，生晋地山谷阴，大水所过处，是死龙骨，色青白者善。十二月采，或无时。龙角畏干漆、蜀椒、理石。

《名医别录》 龙骨，微寒，无毒。主治心腹烦满，四肢痿枯，汗出，夜卧自惊，恚怒，伏气在心下，不得喘息，肠痈内疽阴蚀，止汗，小便利，溺血，养精神，定魂魄，安五脏。白龙骨，治梦寐泄精，小便泄精。

《雷公药对》 龙骨，微寒，主蚀脓。虚而多梦纷纭加龙骨，虚而小肠利亦加龙骨。得人参、牛黄良，畏石膏。

《本草经集注》 龙骨，今多出益州、梁州间，巴中亦有骨，欲得脊脑，作白地锦文，舐之着舌者，良。齿小强，犹有齿形。角强而实。又有龙脑，肥软，亦断痢。云皆是龙蜕，非实死也。比来巴中数得龙胞，吾自亲见形体具存，云疗产难，产后余疾，正当末服之。

《雷公炮炙论》 龙骨，剡州生者，仓州、太原者上。其骨细文广者是雌，骨粗文狭者是雄。骨五色者上，白色者中，黑色者次，黄色者稍得。经落不净之处不用，妇人采得者不用。夫使，先以香草煎汤浴过两度，捣研如粉，用绢袋子盛粉末了。以燕子一只，擘破腹去肠，安骨末袋于燕腹内，悬于井面上一宿，至明，去燕子并袋子，取骨粉重研万下，其效神妙。但是丈夫服空心，益肾药中安置，图龙骨气入肾脏中也。

《药性论》 龙骨，君，忌鱼，有小毒。逐邪气，安心神、止冷痢，及下脓血，女子崩中带下，止梦泄精，夜梦鬼交，治尿血，虚而多梦纷纭加而用之。

《唐本草》 龙骨，今并出晋地，生硬者不好，五色具者良。其青、黄、赤、白、黑，亦应随色与腑脏相会，如五芝、五石英、五石脂等辈。而《本经》不论，莫知所以。

《日华子本草》 龙骨，健脾、涩肠胃，止泄痢渴疾，怀孕漏胎，肠风下血，崩中带下，鼻洪吐血，止汗。

《本草图经》 龙骨，龙骨并齿、角，出晋地川谷及泰山岩水岸土穴中死龙处，今河东州郡多有之。或云是龙蜕，实非死骨，得脊脑，作白地锦文，舐之着舌者良。齿小强，犹有齿形。角强而实。采无时。李肇《国史补》云：春水时至，鱼登龙门，蜕其骨甚多。人采以为药，而有五色者。《本经》云出晋地，龙门又是晋地，岂今所谓龙骨者，乃此鱼之骨乎？或云骨有雄、雌，细文而广者，是雌；粗文而狭者，是雄。凡入药，五色具者，尤佳。黄白色者次，黑色者下，皆不得经落不净处，则不堪用。骨、齿医家常用，角亦稀使。惟《深师》五邪丸用龙角。又云无角用齿。《千金方》治心有兼用龙齿、龙角者。韦丹疗心热风痫，取烂龙角浓研取汁，食上，服二大合，日再。然则龙角有烂者，此物大抵世所稀有。孙光宪《北梦琐言》云：石晋时镇州接邢台界，尝斗杀一龙，乡豪有曹宽者见之，取其双角，角前有一物如蓝色，文如乱锦，人莫之识。曹宽未经年，为寇所杀，镇师俄亦被诛。又云：海上人言龙每生二卵，一为吉吊，吉吊多与鹿游，或于水边遗沥，值流槎，则黏着木枝，如蒲槌状，其色微青黄，复似灰色，号紫梢花，坐汤多用之。《延龄至宝方》治聋，无问年月者，取吉吊脂，每日点半杏仁许，入耳中便差。云此物福建州甚不为难得，其脂须琉璃瓶子盛，更以樟木合重贮之，不尔则透气，失之矣。又《箧中方》女经积年不通，必治之。用龙胎、瓦松、景天三物各少许，都以水两盏，煎取一盏，去滓，分温二服，少顷，腹中转动，便下。龙胎，古今方不见用者，人亦鲜识。本方注云：此物出蜀中山涧大水中，大类干鱼鳞，投药煎时甚腥臊，方家稀所闻见，虽并非要药，然昔人曾用，世当有识者，因附于此，以示广记耳。

《本草衍义》 龙骨，诸家之说，纷然不一。既不能指定，终是臆度。西京颍阳县民家，忽崖坏，得龙骨一副，支体头角悉具，不知其蜕也，其毙也。若谓蜕毙，则是有形之物，而又生不可得见，死方可见。谓其化也，则其形独不能化。然《西域记》中所说甚详，但未敢据凭。万物所禀各异，造化不可尽知，莫可得而详矣。孔子曰：君子有所不知，盖阙如也。妄乱穿凿，恐误后学。治精滑及大肠滑，不可阙也。

《绍兴本草》 龙骨，齿、角形色不一，然主疗大同小异。大率收固之性多矣，治热即未闻验据。性味经注不等。详世之主疗，即非性寒。今当作味苦、涩，平，无毒为定。但上舌紧涩，产河东佳。又有紫梢花，补助下经，多以外用。其形色、主治已载《图经》，乃无毒之药矣。

《宝庆本草折衷》 龙骨，《续说》云：按图像中所画，虫兽之属，皆具全体。今于龙止画其骨者，良以龙之灵变无测，难定其形，故以遗骨而载诸图耳。《成都记》谓蜀中分栋山多有龙蜕（音棁，脱也），齿角头足悉具，亦有久而腐者。而《松漠记闻》又言：二龙毙于北方之冷山，身高丈余，长不可计，寒气腥焰袭人，莫之敢近。则诸家云龙蜕，或云龙毙者，皆非臆度也。然龙骨之等色，《图经》辨论虽详而明，更须择其横纹现如粟粒，直理沓似朽杉，揭一层复有一层，其体轻，其气郁，舐则粘舌，烧则转青而纹愈现，斯可验其真矣。复按许叔微论龙齿曰：龙，东方木也，木配肝而肝藏魂，故治魂飞扬、惊悸多魇者，以珍珠为君，以龙齿为佐。又《局方》摩挲元，定中风神昏，亦用珍珠。注谓如阙珍珠，则龙齿可代，当知二物功用伉行，但珍珠更能明目耳。抑又观叶庭珪《香录》所述，龙涎性寒通利，其气本臊，能发众香而益芬。白者如百药煎而理腻，黑者如五灵脂而光泽。

《汤液本草》 龙骨，气平微寒，味甘。阳也，无毒。《本草》云：主心腹鬼疰，精物老魅，咳逆，泄痢脓血。女子漏下，癥瘕坚结。小儿热气惊痫。疗心腹烦满，四肢痿枯，汗出，夜卧自惊。恚怒伏气在心下，不得喘息。肠痈内疽，阴蚀。止汗，缩小便，溺血，养精神，定魂魄，安五脏。《本经》云：涩可去脱而固气。成无已云：龙骨、牡蛎、铅丹，皆收敛神气以镇惊。凡用，烧通赤为粉。畏石膏。珍云：固大肠脱。

《本草蒙筌》 龙骨，味甘，气微寒。阳也。无毒。河东多，崖穴有。指脱者，当时臆度语；云死者，《本经》的实辞（经云：死龙处，采无时）。雄龙骨狭而纹粗，雌龙骨广而纹细。五色具全上品，白中黄乃次之。黑者极低，检除勿用。舐竟粘舌不假，煅脆研细方精。仍水飞淘，免着肠胃。畏椒漆（蜀椒、干漆）、理石，宜牛黄、人参。闭涩滑泻大肠，收敛浮越正气。止肠风来血，及妇人带下崩中；塞梦寐泄精，并小儿惊痫风热。辟鬼疰精物，除肠痈内疽。固虚汗，缩小便，散坚结，消癥瘕。经云：涩可去脱此之谓欤。谟按：罗氏云：龙春分登天，秋分潜渊，物之至灵者也。世俗书龙有三停九似之说。三停者，谓自首至膊，膊至腰，腰至尾相停也。九似者，谓角似鹿，头似马，眼似鬼，项似蛇，腹似蜃，鳞似鱼，爪似鹰，掌似虎，耳似牛也。头上有物如博山，名尺木。龙无尺木，不能升天。其性粗猛，畏铁，爱珠玉、空青，而嗜烧燕肉，故尝食燕者，不可渡海。又言畏楝（音炼）叶、五色线，故汉以五色线合楝叶缚之。古有豢龙氏徒，能知其欲恶而节制之尔。嘘气成云，以蔽身体，人不可见。其声如戛铜盘，液能发众香。龙火与人火相反，得湿而焰，遇水乃燔。以火逐之，则燔息而焰灭矣。《卫生宝鉴》曰：龙齿安魂，虎睛定魄，此各言其类也。东方苍龙木也，属肝藏魂；西方白虎金也，属肺藏魄。龙能变化，故魂游不定；虎能专静，故魄止能守。是以魄不宁者，宜治以虎睛；魂飞扬者，宜治以龙齿。万物有成理而不说，亦在夫人达之而已矣。

《本草纲目》 ［集解］［时珍曰］龙骨，《本经》以为死龙，陶氏以为蜕骨，苏、寇诸说皆两疑之。窃谓龙，神物也，似无自死之理。然观苏氏所引斗死之龙，及《左传》云，豢龙氏醢龙以食；《述异记》云，汉和帝时大雨，龙堕宫中，帝命作羹赐群臣；《博物志》云，张华得龙肉鲊，言得醋则生五色光等说，是龙固有自死者矣，当以《本经》为正。［修治］［时珍曰］近世方法，但煅赤为粉。亦有生用者。《事林广记》云：用酒浸一宿，焙干研粉，水飞三度用。如急用，以酒煮焙干。或云：凡入药，须水飞过晒干。每斤用黑豆一斗，蒸一伏时，晒干用。否则着人肠胃，晚年作热也。［气味］甘，平，无毒。［时珍曰］许洪云：牛黄恶龙骨，而龙骨得牛黄更良，有以制伏也。其气收阳中之阴，入手、足少阴、厥阴经。［主治］［时珍曰］益肾镇惊，止阴疟，收湿气脱肛，生肌敛疮。［发明］［时珍曰］涩可去脱。故成氏云：龙骨能收敛浮越之正气，固大肠而镇惊。又主带脉为病。

《药性歌括四百味》 龙骨味甘，梦遗精泄，崩带肠痈，惊痫风热。（火煅。）

《本草原始》 龙骨，出晋地。龙者鳞虫之长也。其形似龙，头似驼，角似鹿，眼似鬼，耳似牛，项似蛇，肚似蜃，鳞似鲤，爪似鹰，掌似虎是也。其背八十一鳞，合九九阳数，故易曰龙物也。其声如戛铜盘，口旁有髯，额下有明珠，喉中有逆鳞，头之上有物如博山，名尺木，无尺木不得升天。呵气成云，既能变水，又能变火，每交则变为二小蛇，即生思抱。入药用骨，骨细文广者是雌，骨粗文狭者是雄，骨五色具。舐之着舌者为上，白色、黄色者中，黑色者下。龙耳亏聪，故谓之龙。（骨甘、平，无毒。主心腹鬼生精物老魅，咳逆泄痢脓血，女人漏下，癥瘕坚结，小儿热气惊痫，心肚烦闷，恚怒气在心下，不得喘息，肠痈内疽阴蚀，四肢痿枯，夜卧自惊汗出，止汗，缩小便，溺血，养精神，定魂魄，安五脏。龙脑形肥软能断，故曰龙骨主多淋泄精，小便泄精，迷邪气，安心神，止夜梦鬼交，虚而多梦，止冷痢，下脓血，女子崩中带下，怀孕漏胎，止肠风下血，鼻血，止泻，健脾滑肠胃，益瞽，镇惊，止阴疟，诸邪气，脱肛，生肌敛疮。炙，火煅，水飞用。龙角，味甘平，无毒。主惊痫瘈疭，身热如火，腹中坚及热泄。久吃轻身。小儿大热、心热、风痫，以烂角磨浓汁二合，食上服，日二次效。修制同龙骨。孙光宪《北梦琐言》海上人言龙每生一卵，一为吉吊，多与鹿游，或水边遗沥，值流槎，则粘着木枝如蒲槌状，其色微青黄，复似灰色，号龙骨。五色者优，白色次，黄又次黑色者。）

《炮炙大法》　龙骨，骨细纹广者是雌，骨粗纹狭者是雄骨。五色者上，白色者中，黑色者次，黄色者稍得。经落不净之处并妇人采得者不用。洗净捋研如粉，极细方入药，其效始神。但是丈夫服，空心，益肾药中安置，图龙骨气入肾脏中也，《雷公》所云生用法也。一法：用酒浸一宿，焙干，研粉，水飞三度用。如急用，以酒煮，焙干。或云：凡入药，须水飞晒干，每斤用黑豆一斗蒸一伏时，晒干用，否则着人肠胃，晚年作热也。得人参、牛黄、黑豆良，畏石膏、铁，忌鱼。

《珍珠囊补遗药性赋》　龙骨，生肌止汗，龙骨止泄痢遗精。（龙骨味甘，平，微温；无毒。治女子崩，止小便遗沥，疗阴疮。）

《雷公炮制药性解》　龙骨，味甘，性平，无毒。入肾经。主丈夫精滑遗泄，妇人崩中带下，止肠风下血，疗泄痢不止，得五色者佳。其齿，主惊痫狂疾。俱畏干漆、蜀椒、理石、石膏。按，《经》曰：肾主骨，宜龙骨独入之。观其粘舌，大抵涩之用居多，故主精滑等症，《经》曰：涩可去脱，是之谓耶。

《本草经疏》　龙骨［疏］龙禀阳气以生而伏于阴，为东方之神，乃阴中之阳，鳞虫之长，神灵之物也。故其骨味甘，平，气微寒，无毒。内应乎肝，入足厥阴、少阳、少阴，兼入手少阴、阳明经。神也者，两精相合，阴阳不测之谓也。神则灵，灵则能辟邪恶、蛊毒、魇魅之气，及心腹鬼疰，精物老魅遇之则散也。咳逆者，阳虚而气不归元也，气得敛摄而归元，则咳逆自止。其性涩以止脱，故能止泄痢脓血，因于大肠虚而久不得止及女子漏下也。小儿心肝二脏，虚则发热，热则发惊痫，惊气入腹则心腹烦满，敛摄二经之神气而平之，以清其热则热气散而惊痫及心腹烦满者皆自除也。肝气贼脾，脾主四肢，故四肢痿枯，肝宁则热退而脾亦获安，故主之也。汗者心之液也，心气不收则汗出。肝、心、肾三经，虚则神魂不安而自惊，收敛三经之神气，则神魂自安，气得归元，升降利而喘息自平，汗自止也。肝主怒，肝气独盛则善恚怒，魂返乎肝则恚怒自除。小肠为心之府，膀胱为肾之府，二经之气虚脱，则小便多而不禁，脏气敛则腑亦随之，故能缩小便及止梦寐泄精，小便泄精，兼主溺血也。其主养精神，定魂魄，安五脏者，乃收摄神魂，闭涩精气之极功也。又主癥瘕坚结，肠痈内疽阴蚀者，以其能引所治之药黏着于所患之处也。按，龙骨入心肾肠胃，龙齿单入肝心，故骨兼有止泻涩精之用，齿惟镇惊安魂魄而已。凡用龙骨，先煎香草汤洗二度，捣粉，绢袋盛之，用燕子一只，去肠肚，安袋于内，悬井上面一宿，取出，研粉，入补肾药中，其效如神。又法：酒浸一宿，焙干，研粉，水飞三度用。如急用，以酒煮，焙干，或云凡入药须水飞过，晒干，每斤用黑豆一斗，煮一伏时，晒干用，否则着人肠胃，晚年作热也。[主治参互] 仲景方：同牡蛎入柴胡桂枝各汤内，取其收敛浮越之正气，固脱而镇惊。同远志等分为末，炼蜜丸如梧子大，朱砂为衣。每服三十丸，莲心汤下，治劳心梦遗。《梅师方》睡即泄清，白龙骨四分，韭子五合，为散，空心酒服方寸匕。又方：泄泻不止，白龙骨、白石脂等分，为末，水丸梧子大，紫苏木瓜汤下，量大人、小儿用。亦治久痢休息。《姚和众方》久痢脱肛，白龙骨粉扑之。龙齿同荆芥、泽兰、牡丹皮、苏木、人参、牛膝、红花、蒲黄、当归、童便，治产后恶血扑心。妄语癫狂，如伤寒发狂者，切不可认作伤寒治，误则杀人。同牛黄、犀角、钩藤、丹砂、生地黄、茯神、琥珀、金箔、竹沥、天竹黄、苏合香，治大人、小儿惊痫癫疾。[简误] 龙骨味涩而主收敛。凡泄痢肠澼及女子漏下崩中，溺血等证，皆血热积滞为患，法当通利疏泄，不可便用止涩之剂，恐积滞瘀血在内，反能为害也。惟久病虚脱者不在所忌。

《本草正》　龙骨，味甘，平，性收涩，其气入肝肾，故能安神志，定魂魄，镇惊悸，涩肠胃，逐邪气，除夜梦鬼交，吐血衄血，遗精梦泄，收虚汗，止泄痢，缩小便，禁肠风下血、尿血，虚滑，脱肛，女子崩淋带浊，失血漏胎，小儿风热惊痫。亦疗肠痈脏毒，内疽阴蚀，敛脓敛疮，生肌长肉。涩可去脱，即此属也。制须酒煮焙干或用水飞过，同黑豆蒸热晒干用之。

《本草乘雅半偈》 龙骨［参］曰：龙耳亏聪，以角为听，固有六根互用，此则借用以为六根者也。春半登天，秋半潜渊，揆机衡之升沉，是合四时之宜耳。豢龙氏醢龙以食。张华云：龙酢得醋，则生五色，安知非形似龙类也。《别录》为死龙之骨；苏、寇疑为神物，无自死理，既属神物，又安知非从尸解而去也，故仅存朽骨，尚获灵异乃尔，对待生人未朽之四大，便为鬼疰精物老魅之所侮，与泄痢脓血、癥瘕坚结之早现颓败相者，若惊痫癫疾，狂走痉痓，此不能震惊百里，施诸己身者也。古有龙髯作拂，见燕则冉冉自飘，龙皮作障，溽暑时云生凉作，固属谬诞，亦未必非尸解物，留人间世，以显灵异者也，雷公修事，藏纳燕腹，悬井面上，此遂出处嗜欲之性，倍发其灵异故尔。但用燕似觉伤生，且非时亦不易得，不若以云母易紫燕，云从龙，物各从其类也。［批］土大顽颓则风木变眚，以木必基土，维土为命，互为乘制，制则化生。客曰：龙骨畏石膏。喜牛黄、人参何也？颐曰：石膏禀艮止之凝肃，虽与潜蛰之德相符，御天之性则反，故畏之。牛黄黄中通理，厚德载物；人参参天两地，奠安形脏，藉以济弱扶倾，运用枢纽，故喜之。又曰：牛黄为君，佐以龙骨，牛黄又反畏龙骨，何也？颐曰：牛黄全具敦阜之体，龙则时蛰时跃，蛰时无碍，跃时未免为之崩且溃耳。（眼耳鼻舌身意曰六根，色声香味触法曰六尘，根之合尘，各有专司，互用，则根尘应矣。若龙之角，为根身之余物，以之借听，此亦极大神通。繇此观之，物物都有神通，神通者，我之不能，彼之独善者是也。若蚱蝉之鸣以胁，蛴螬之行以腹，与猨猴之善援，羚羊之挂角，火鼠之火食，鱼龙之藏渊，何莫非极大神通，入水不濡，入火不烧者乎？）

《本草通元》 龙骨，甘，平，性涩。涩可去脱，故能收敛浮越之气，固大肠，止遗泄，下血定惊，止汗，除崩带。煅赤，研细，水飞。稍不极细，则黏着肠胃，晚年作热。

《本草述》 龙骨，愚按龙乃神异之物，第其变化最灵者，纯乎阳也，而阳原本于阴，故乘水则神立，失水则神废，且呵气成云，既能变水，又能变火者，以水中之阳出于阴，而能肖之也。夫天一生水而化形于肾，肾主骨在人固然，况此灵异之物乎。龙之遍体皆灵，何独取骨以为用？谓阴阳变化之妙，即形归神，即神征形，可以疗阴阳乖离之病者，唯骨得先天真一之气也。若齿则骨之余耳，以故所患诸证，如阴之不能守其阳，或为惊悸，为狂痫，为讵妄，为自汗、盗汗。如阳之不能固其阴，若为久泄，为淋，为便数，为齿衄、鼻衄，溺血、便血，为赤白浊，为女子崩中带下，为脱肛。或阴不为阳守，阳亦不为阴固，为多寐泄精，为中风危笃，种种所患。如斯类者，咸得借此以为关捩子，而治以应证之剂。此所谓疗阴阳之患，而用灵物之形神，以气相感者也。乃粗工贸贸然就涩，可固脱以为言，不知其涩固然矣。然岂一涩之所尽乎，则亦不察甚矣。

《本草崇原》 龙骨，晋地川谷及大山山岩，水岸土穴之中多有死龙之骨，今梁益、巴中、河东州郡山穴、水涯间亦有之。骨有雌雄，骨细而纹广者，雌也；骨粗而纹狭者，雄也。入药取五色具而白地碎纹，其质轻虚，舐之粘舌者为佳。黄白色者次之，黑色者下也。其质白重，而花纹不细者，名石龙膏，不堪入药，其外更有齿角，功用与龙骨相等。鳞虫三百六十，而龙为之长，背有八十一鳞，具九九之数，上应东方七宿，得冬月蛰藏之精，从泉下而上腾于天，乃从阴出阳，自下而上之药也。主治心腹鬼疰、精物老魅者，水中天气，上交于阳，则心腹和平，而鬼疰精魅之阴类自消矣。咳逆者，天气不降也。泄痢脓血者，土气不藏也。女子漏下者，水气不升也。龙骨启泉下之水精，从地土而上腾于天，则阴阳交会。上下相和，故咳逆、泄痢漏下，皆可治也。土气内藏，则癥瘕坚结自除，水气上升，则小儿热气惊痫自散，不言久服，或简脱也。

《本草择要纲目》 龙骨，甘，平，无毒。阳中之阴，入手足少阴、厥阴经。［主治］益肾镇惊，止阴疟，收湿气。疗多寐泄精，小便自泄，生肌敛疮。盖涩可去脱，龙骨能收敛浮越之正气，固大肠而镇惊。又主带脉为病。

《本草备要》 龙骨，甘、涩，微寒。入手足少阴（心、肾）、手阳明（大肠）、足厥阴（肝）经。能收敛浮越之正气，涩肠益肾，安魂镇惊，辟邪解毒。治多梦纷纭，惊痫疟痢，吐衄崩带，遗精脱肛，利大小肠，固精止汗，定喘（气不归元则喘）敛疮，皆涩以止脱之义。（《十剂》曰：涩可去脱，牡蛎、龙骨之属是也。）白色锦纹，舐之粘舌者良。（人或以古矿灰伪之。）酒浸一宿，水飞三度用，或酒煮、酥炙、火煅，亦有生用者，又云水飞、晒干，黑豆蒸过用。（否则着人肠胃，晚年作热。）忌鱼及铁；畏石膏、川椒，得人参、牛黄良。（许洪曰：牛黄恶龙骨，而龙骨得牛黄更良，有以制伏也。）

《本经逢原》 龙骨［发明］涩可以去脱，龙骨入肝敛魂，收敛浮越之气。《本经》主心腹鬼疰精魅诸疾，以其神灵能辟恶气也。其治咳逆泄利脓血，女子漏下，取涩以固上下气血也。其性虽涩，而能入肝破结。癥瘕坚结，皆肝经之血积也。小儿热气惊痫，亦肝经之病。得牛黄以协济之，其祛邪伐肝之力尤捷。许洪云：牛黄恶龙骨，而龙骨得牛黄更良，有以制伏之也。其性收阳中之阴，耑走足厥阴经，兼入手、足少阴。治夜梦交合，多梦纷纭，多寐泄精，衄血吐血，治漏肠风，益肾镇心，为收敛精气要药。有客邪，则兼表药用之，故仲景治太阳证，火劫亡阳惊狂，有救逆汤。火逆下之，因烧针烦躁，有桂枝甘草龙骨牡蛎汤。少阳病误下惊烦，有柴胡龙骨牡蛎汤。《金匮》治虚劳失精，有桂枝加龙骨牡蛎汤。《千金方》同远志酒服，治健忘心忡，以二味蜜丸，朱砂为衣，治劳心梦泄。《梅师》同桑螵蛸为末，盐汤服二钱，治遗尿淋沥。又主带脉为病，故崩带不止，腹满，腰溶溶若坐水中，止涩药中加用之。止阴疟，收湿气，治休息痢，久痢脱肛，生肌敛疮皆用之。但收涩太过，非久痢虚脱者，切勿妄投。火盛失精者误用，多致溺赤涩痛，精愈不能收摄矣。

《本草经解》 龙骨，气平，禀天秋收之金气，入手太阴肺经。味甘，无毒，得地中正之土味，入足太阴脾经。龙为东方之神，鳞虫之长，神灵之骨，入足厥阴肝经。气味降多于升，阴也。心腹，太阴经行之地也，太阴脾气上升，则肺气下降，位一身之天地，而一切鬼疰精魅不能犯之矣。龙骨气平益肺，肺平则下降，味甘益脾，脾和则上升，升降如，而天地位焉，所以祛鬼疰精物老魅也。咳逆者肝火炎上而乘肺也，泄痢脓血清气下陷也，女子漏下肝血不藏也。龙骨，味甘可以缓肝火，气温可以达清气，甘平可以藏肝血也。脾统血，癥瘕坚结，脾血不运而凝结也，气温能行，可以散结也。小儿热气惊痫，心火盛，舍肝而惊痫也，惊者平之，龙骨气平，所以可平惊也。

《神农本草经百种录》 龙骨，甘，平。主心腹鬼疰，精物老魅（纯阳能制阴邪），咳逆（敛气涤饮），泄痢浓血，女子漏下（收涩之功），癥瘕坚结（龙性善入，能穿破积滞）。小儿热气惊痫（敛火安神）。齿主小儿大人惊痫，癫疾狂走（与骨同义，但齿则属肾属骨，皆主闭藏，故于安神凝志之效尤多）。心下结气，不能喘息（收降上焦游行之逆气），诸痉（心经痰饮），杀精物。（义亦与骨同。）久服轻身，通神明，延年。（龙能飞腾变化且多寿，故有此效。龙得天地纯阳之气以生，藏时多，见时少。其性至动而能静，故其骨最黏涩能收敛正气。凡心神耗散肠胃滑脱之疾，皆能已之。阳之纯者，乃天地之正气，故在人身亦但敛正气而不敛邪气，所以仲景于伤寒之邪气未尽者亦用之。后之医者于斯义，盖未之审也。人身之神属阳，然神非若气血之有形质可补泻也，故治神为最难。龙者乘天地之元阳出入而变化不测，乃天地之神也。以神治神，则气类相感，更佐以寒热温凉补泻之法，虽无形之病不难治矣。天地之阳气有二，一为元阳之阳，一为阴阳之阳。阴阳之阳，分于太极既叛之时，以日月为升降，而水火则其用也。与阴为对待，而不并于阴，此天地并立之义也。元阳之阳，存于太极未判之时，以寒暑为起伏，而雷雨则其用也。与阴为附丽，而不杂于阴，此天包地之义也。龙者正天地元阳之气所生，藏于水而不离乎水者也，故春分阳气上，井泉冷，龙用事而能飞。秋分阳气下，井泉温，龙退蛰而能潜。人身五脏属阴，而肾尤为阴中之至阴，凡周身之水皆归之，故人之元阳藏焉。是肾为藏水之脏，而亦为藏火之脏也，所以阴分之火动而不藏者，亦用龙骨。盖借其气以藏之，必能自反其宅也。非格物穷理之极者，其孰能与于斯。）

《本草诗笺》 龙骨，足厥阴兼两少阴，性能反复往来寻；敛精收气安魂魄，弭血除遗止痢淋；甘旨莫容癥结扰（治癥瘕坚结），平良不受悸惊侵（同牛黄治惊悸）；心忡忘健虚劳证，各显神灵报好音。（《千金方》同远志酒服，治健忘心忡。）

《长沙药解》 龙骨，味咸，微寒，性涩。入手太阴心、足少阴肾、足厥阴肝、足少阳胆经。敛神魂而定惊悸，保精血而收滑脱。《金匮》桂枝龙骨牡蛎汤（桂枝三两，芍药三两，甘草二两，生姜三两，大枣十二枚，龙骨二两，牡蛎二两），治虚劳，失精血，少腹弦急，阴头寒，目眩发落，脉得芤动，微紧虚迟者。凡芤动微紧虚迟之脉，是谓清谷亡血失精之诊，男子得之，则为失精，女子得之，则为梦交，以水寒土湿，风木疏泄，精血失藏故也。相火升泄则目眩发落，风木郁陷则少腹弦急。桂枝、芍药达木而清风燥，甘、枣、生姜补脾精而调中气，龙骨、牡蛎敛精血之失亡也。《伤寒》桂枝甘草龙骨牡蛎汤（桂枝一两，甘草二两，龙骨二两，牡蛎二两），治太阳伤寒，火逆下后，因烧针烦躁者。火逆之证，下之亡其里阳，又复烧针，发汗亡其表阳，神气离根，因至烦燥不安。桂枝、甘草疏木郁而培中宫，龙骨、牡蛎敛神气而除烦躁也。桂枝去芍药加蜀漆龙骨牡蛎汤（桂枝三两，甘草二两，大枣十二枚，生姜三两，龙骨四两，牡蛎五两，蜀漆三两），治太阳伤寒，脉浮，火劫亡阳，惊狂起卧而不安者。以火逼汗多因至阳亡，君火飞腾，神魂失根，是以惊生。浊阴上逆，迷失心宫，是以狂作。龙骨、牡蛎敛神魂而止惊，加蜀漆以吐瘀浊，去芍药之泄阳气也。柴胡加龙骨牡蛎汤（柴胡四两，半夏二合，人参两半，大枣六枚，生姜两半，桂枝二两半，牡蛎二两半，茯苓两半，铅丹两半，大黄二两，龙骨两半），治少阳伤寒，下后胸满，烦惊谵语，小便不利，一身尽重，不可转侧者。以下败里阳，胆气拔根，是以惊生。甲木逆冲，是以胸满。相火升炎，故心烦而语妄。水泛土湿，故身重而便癃。大枣、参、苓补土而泄水，大黄、柴、桂泄火而疏木，生姜、半夏下冲而降浊，龙骨、铅丹敛魂而镇逆也。龙骨蛰藏闭涩之性，保摄精神，安惊悸而敛疏泄，凡带浊遗泄，崩漏吐衄，一切失精亡血之证。皆医断鬼交，止盗汗，除梦多，敛疮口，涩肠滑，收脱肛。白者佳，煅，研细用。

《得配本草》 龙骨，得人参、牛黄、黑豆良。畏石膏、铁器，忌鱼。甘，平，涩，入足少阴、厥阴经。收浮越之正气，涩有形之精液，镇惊定魄，止肠红，生肌肉，疗崩带，愈溺血，敛疮口，祛肠毒。（能引治毒之药黏滞于肠，以治患也。）得白石脂，治泄泻不止。得韭菜子，治睡即泄精。配桑螵蛸，治遗尿。合牡蛎粉，扑阴汗湿痒。酒浸一宿焙干，水飞三度用，或酒煮焙干，水飞用，或黑豆蒸晒干，或火煅水飞用。不制着于肠胃，晚年发热。龙骨、龙齿，舐之粘舌者良，黑色者勿用。

《本草求真》 龙骨［批］敛肝气止脱，镇惊安魄。龙骨（专入肝、肾、大肠，兼入心，阴中之阳，鳞虫之长），甘涩微寒，功能入肝敛魂，不令浮越之气游散于外，故书载能镇惊辟邪，止汗定喘。（冯兆张曰：龙，灵物也。灵则能敛邪恶蛊毒魇魅之气，喘逆者气不归元也。气得敛摄而归元，则喘逆自止。）涩可去脱，故书载能以治脱肛、遗结、崩带、疮口不敛等证。功与牡蛎相同，但牡蛎咸涩入肾，有软坚化痰清热之功。此属甘涩入肝，有收敛止脱、镇惊安魄之妙。如徐之才所谓涩可止脱，龙骨、牡蛎之属。白地锦纹，舐之粘舌者佳。（时珍曰：龙骨《本经》以为死龙，其说似是。《别录》曰：生晋地川谷及太山岩水岸上穴中死龙处，采无时。汪昂曰：今人或以古圹灰伪之。）酒煮火煅用，忌鱼及铁，畏石膏、川椒，得人参、牛黄良。（牛黄恶龙骨，而龙骨得牛黄更良，有以制伏也。）

《罗氏会约医镜》 龙骨［批］止虚脱滑精。龙骨（味甘、涩，微寒，入心、肝、肾、大肠四经。忌鱼与铁，畏石膏。火炼、水飞、酒煮），性主收敛，凡滑脱之病，俱为可治，如吐衄崩带、遗精脱肛、大小肠利、虚汗气喘（气不归元则喘）、溃疮滑痢（惟久病虚脱，无夹杂者可用）。白地锦纹，舐之粘舌者真。（人或以古圹灰伪之。）

《本草经读》 龙骨，陈修园曰：龙得天地纯阳之气，凡心腹鬼疰精物，皆属阴气作祟，阳能制阴地。肝属木而得东方之气，肝火乘于上，则为咳逆，奔于下则为泄痢脓血，女子漏下。龙骨能敛戢肝火，故皆治之，且其用，变化莫测，虽癥瘕坚结难疗，亦能穿入而攻破之，至于惊痫癫痉，皆肝气上逆，挟痰而归迸入心。龙骨能敛火安神，逐痰降逆，故为惊痫癫痉之圣药。仲景风引汤，必是熟读《本经》从此一味悟出全方，而神妙变化，亦如龙之莫测。余今详注此品，复为之点睛欲飞矣。痰水也，随火而生，龙属阳而潜于海，能引逆上之火，泛滥之水，而归其宅。若与牡砺同用，为治痰之神品。今人只知其性涩以止脱，何其浅也。

《本经疏证》 龙骨，论龙骨者，纷纷异辞，彼此辩诘，予则谓均不足信。何者？醢龙龙豢，即古诚有是事，其骨亦决难入药。乃《图经》复证以北梦琐言，谓龙实有死者。若必待龙死乃得其骨，则千百年罕觏之物矣，蜕骨之说，似属可信。然龙之骨岂诚如麋鹿之角、蛇之皮、蟹之螯耶。角可蜕，皮可蜕，螯可蜕，骨又焉可蜕？况凡骨必其中有空隙，今之龙骨无有也。是诚龙之骨耶。不知龙纯乎气之物，秋冬则随地皆蛰，是故滨海之区，龙蛰水底，无水之地，龙蛰土中。至春启蛰，则出土上腾，其所伏处，土遂黏埴似石，而形实龙，人得之谓为龙骨。其理平实，又何异焉？或者疑雨为阴，谓龙能行雨，必与阴为类，不知龙阳物也，其能喷火，固阳之性，而雨则阳之所化，是故龙嘘气成云，必于上而不于下，其安居屈伏，则不于上而于下。亦可见阳之用虽在升，阳之体则宜伏，彼龙骨固盛阳伏而息焉之窟宅也。其本体是土，土为万物生长收藏之所本。若为龙所曾蛰之土，则更为水火发敛起伏之所。由敛甚者能起而发之，发甚者能敛而伏之。此其用之神，有非他物可比拟者。其在于人，火离于土而不归，则惊痫癫狂。水离于土而不藏，则溲多泄利。阴不附土而阳逐之，则遗精溺血。阳不附土而阴随之，则汗出身热，心下伏气，癥瘕坚结，蛰而不能兴也。夜卧自惊恚怒咳逆，兴而不能蛰也，种种患恙，一皆恃夫龙骨以疗之，则其取义于土之能发敛水火，又何疑焉？彼谵妄狂易汗出烦渴之不用龙骨，正以盛阳之结根于土地。下痢圊谷里寒外热之不用龙骨，正以阴水之汩夫土也。因是知龙骨之用，固为水火不依土设，然又必水违土而有火之相迫。火违土而有水之相尾者，乃为恰合也。

《本草害利》　龙骨［害］其性涩而收敛，凡泄利肠澼，及女子漏下、崩中、溺血等症，皆血热积滞而为患，法当通利疏泄，不可便用止涩之剂，恐积滞瘀血在内，反能为害。惟久病虚脱者，不在所忌。畏石膏、川椒、鱼腥及铁器。［利］甘涩平，人心、肾、肝、大肠经，能收敛浮越之正气，涩肠益肾固精，安魂镇惊，辟邪解毒，治多梦纷纭，敛汗收脱，缩小便，生肌肉，得人参、牛黄良。［修治］查近世之修治方法，但煅赤为粉。亦有生用者，或酒浸一宿，焙干研粉，水飞三次用。如急用以酒煮焙干，或云凡入药须水飞晒干，每斤用黑豆一斗，蒸一伏时晒干用，否则着人肠胃，晚年作热也。

《医家四要》　龙骨，涩精止汗，崩带可诊。（［鳞部］酒浸水飞，或酒煮火煅，亦有生用者。入心、肝、肾。同牡蛎、白芍，治梦遗。同白石脂，止泄泻。）

《本草撮要》　龙骨，味甘、涩，气微寒。入手足厥阴、少阴、少阳经。功专固脱。得远志治健忘。得韭子治滑精。得桑螵蛸治遗尿。得白石脂治泄泻不止。水飞三度，或酒煮酥炙火煅，或生用。忌鱼、铁，畏石膏、川椒。得人参、牛黄良。

龙齿镇心凉惊，功用同前。

《本草便读》 龙骨，性入东方，治肝脏魂无所附，功昭灵异，疗惊风瘛痓难痊，敛疮口以止遗。甘平性涩，固崩淋而辟魅，重镇能收。（龙骨，一云龙蜕骨。鹿蜕角、蛇蜕皮、蟹蜕壳，则龙骨是所蜕之骨。一云出山谷间，是死龙。又云山谷间所生嫩石，得龙交感之气而生，其形相似，有角齿三说，未知孰是。味甘、涩，性平质重，舐之粘舌不脱，入肝、肾、大肠。镇虚固脱，是其本功，一切外内诸治，皆从四字脱化而来。龙为灵物，故又能安神辟魅耳。龙为东方之神，故专入肝，肝藏魂，故魂不归肝者，治之以龙骨。）

《本草思辨录》 龙骨，龙骨非无真者，特不易得耳。药肆所售，乃龙蛰土中，至春启蛰上腾，其所伏处，土遂黏埴似石而形似龙，故其用与真龙为近。龙为东方之神而骨粘舌，其用在心肝二经为多，能收敛浮越之正气，安魂魄，镇惊痫，至主心腹鬼疰精魅，则以神物能辟邪恶也。治泄精、泻利、漏下，则以味甘归土，涩可去脱也。徐氏谓龙骨敛正气而不敛邪气，故伤寒邪气未尽者亦用之。邹氏谓龙骨、牡蛎，推挽空灵之阴阳，与他发敛著物之阴阳者异，故桂枝、柴胡两汤可以会合成剂。龙骨摄阳以归土，牡蛎据阴以召阳，二说皆极精。

尚志钧按 龙骨为古代多种大型哺乳动物，如象、犀等的骨骼埋于土内日久形成的化石，古人误以为“龙”之骨骼。因其吸附收湿性强，故谓舔之粘舌者佳。龙骨入外治药时生用或煅用。白龙骨，表面色白，或灰白，或黄白，较光滑。有的具纹理或裂隙，或具棕色条纹，或斑点，断面不平，白色，具粉性及吸湿性。五花龙骨，淡黄色，夹有蓝灰色及红棕色花纹，表面平滑，有的具小裂隙，断面粗糙，易散碎，或片片剥落，质脆，分层，吸湿性强，有五色花纹。龙骨味甘，平，无毒。生龙骨：安神镇惊。煅龙骨：收敛固涩，内服止遗精盗汗、崩漏出血、带下，外用敛疮生肌。治神志不宁，如心悸、不寐、烦躁不安，或风痫、癫狂，与枣仁、琥珀、胆南星、人参等合用。治阴虚阳亢、头晕目眩、烦躁、不能入睡，与牡蛎、代赭石、白芍等合用。治气虚自汗，与人参、黄芪、牡蛎、麻黄根、浮小麦等合用。治阴虚盗汗，与牡蛎、人参、知母、当归、白芍、熟地合用。治崩漏带下，与乌贼骨、茜草、苎麻根、人参、黄芪、当归、白芍合用。治泄泻下痢，与木香、黄连、肉豆蔻、苍术、厚朴合用。煅龙骨，收敛性强，外治疮疡湿疹，溃疡糜烂久不收口，单用亦见效，或与枯矾合用。治湿疮、湿疹糜烂流黄水，与枯矾、黄连、黄柏合用，或与煅石膏、滑石合用。治烫火伤，煅龙骨配生石膏、大黄（炒炭）、儿茶等，研细末，香油调涂。治新久溃疡，及溃疡面渗出物较多者，疗效最好。但应随症配伍用药，且须在脓腐已净后用。《疡科纲要》治下疳，消毒退肿，长肉生肌，其方配制为：龙衣（烧灰）大者两条，龙骨15克，鹅卵石、海螵蛸（煅）、炉甘石（制）各12克，乌芋粉30克，冰片9克，各研极细末，和匀，鸡子黄熬油，调涂。《疡医大全》八宝丹，生肌长肉收口，其方配制为：珍珠（棉布包，豆腐内煮，一伏时）3克，牛黄1.5克，象皮（切片）、琥珀（灯心同研）、龙骨（煅）、轻粉各4.5克，冰片0.9克，炉甘石（银罐内煅红）9克，各研极细末，和匀，每用少许，掺患处。《沈氏尊生书》治脐疮出水，取煅龙骨、枯矾等分，研为末，每用少许掺于患处。《医宗三昧》治阴囊汗痒，以龙骨、牡蛎粉扑之。《证治准绳》治脓耳，其配方为：龙骨、枯矾、干胭脂各3克，麝香少许，共为细末，拭去耳中脓，再吹少许入耳中，每日2次。

本品同峻腐蚀药相配，能缓和其烈性、毒性、刺激性，常在治疗痈疽及坏疽方中，作为辅助药，兹举例如下。《小儿药证直诀》中有龙骨散，治疳疮、走马疳，其配方为：龙骨3克，砒霜、蟾酥各1克，粉霜1.5克，定粉4.5克，龙脑1克，先研砒霜、粉霜极细，次入龙骨再研，次入定粉等同研，每用少许敷之。《医宗金鉴》中有龙骨散，治脚气及久远恶疮，能去脓腐，其配方为：龙骨、轻粉各7.5克，槟榔3克，猪粪（烧炭）15克。共研极细末，先以盐汤洗净患处，以香油调敷，包扎。《证治准绳》治金刃箭伤，生肌长肉，定痛止血，诸创敛口，取龙骨、滑石、枯矾、寒水石、乳香、没药、黄丹（炒）各0.15克，轻粉少许，各为细末，和匀，每用干掺，外用膏药贴之。龙骨能增加身体内的含钙量，可以预防及治疗幼儿营养不良性软骨病（佝偻），常配牡蛎、龟板、鸡内金、黄芪、神曲等研末冲服。龙骨也经常被用来治疗疮疡外科的疾病，取其收涩之力收敛止血，取其气味甘平生肌敛疮，常于疮疡溃后脓腐已净之时。慢性溃疡中多湿者，皮肤创面湿烂也可用龙骨收湿生肌。龙骨还可作为局部止汗药及止血药用。宜研为散剂作掺敷药及制为药捻用。作为围箍药使用时又可缓解某些药物的黏腻之性。

289　龙齿（《本经》）

《神农本草经》　龙齿，主小儿、大人惊痫，癫疾狂走，心下结气，不能喘息，杀精物。

《吴普本草》　龙齿，神农、季氏：大寒。

《名医别录》　龙齿，主小儿五惊十二痫，身热不可近，大人骨间寒热，又杀蛊毒。得人参、牛黄良，畏石膏。

《雷公药对》 龙齿，平。

《药性论》 龙齿，君。镇心，安魂魄，主小儿大热。

《日华子本草》 龙齿，涩，凉。治烦闷，癫痫，热狂，辟鬼魅。

《本草图经》 龙骨、龙齿并出晋地川谷及泰山岩水岸土穴中死龙处。龙齿舐之着舌小强，犹有齿形。龙骨、龙齿，医家常用，角亦稀使。

《绍兴本草》 龙齿，文并在“龙骨”条中。

《本草蒙筌》 龙齿（形小强，有齿状），安心定魄，男妇邪梦纷纭者急服。

《本草纲目》 ［发明］［时珍曰］龙者东方之神，故龙骨、龙齿、龙角皆主肝病。许叔微云：肝藏魂，能变化，故魂游不定者，治之以龙齿。即此义也。

《本草原始》 龙齿，味温凉，无毒。主役精物，大人惊痫，诸病恶，疟疾狂走，心下结气，不能喘息，小儿惊风，十二痫，小儿身热不可近，大人骨开寒热，杀蛊毒，镇心安魂，治烦闷热狂，鬼魅。

《炮炙大法》 龙齿，捣碎，入丸煅研。

《珍珠囊补遗药性赋》 龙齿，镇惊治癫痫。

《雷公炮制药性解》 龙齿，其齿，主惊痫狂疾。俱畏干漆、蜀椒、理石、石膏。

《本草通元》 龙齿，镇心神，安魂魄。龙者东方之神，故其骨与齿皆主肝病。许叔微云：肝藏魂，能变化，故魄游不定，治之以龙齿。煅过，研细，水飞。

《本草备要》 龙齿，涩凉。镇心安魂。治大人疯癫狂热，小儿五惊十二痫。（《卫生宝鉴》曰：龙齿安魂，虎睛定魄。龙属木，主肝，肝藏魂；虎属金，主肺，肺藏魄也。）治同龙骨。

《本经逢原》 龙齿［发明］龙者东方之神，故骨与齿皆主肝病。许叔微云：肝藏魂，能变化，故游魂不定者，治之以龙齿。古方有远志丸、龙齿清魂散、平补镇心丸，皆收摄肝气之剂也。又龙骨以白者为上，取固上气以摄下脱。齿以苍者为优，生则微黑，煅之翡翠可爱，较白者功用更捷，产后血晕为要药，取其直入肝脏也。予闻神龙蜕骨之说，初未之信，及从药肆选觅龙齿，见其骨有变化未全者，半与牛骨无异，始知宇宙之大，无所不有。即如蛇虫之属，皆能蜕形化体，岂特云龙风虎而已哉。龙禀东方纯阳之气，故能兴云致雨，东方木气，主乎生也。其耳独不司听者，阳神别走于角也。春夏发现而秋冬潜伏者，随阳气之鼓舞也。虎禀西方阴暴之性，故啸则生风，西方金令，主乎杀也。其项独不能仰者，阴威并振于尾也。昼潜伏而宵奋迅者，乘阴气之暴虐也。以是推之，则虎骨能搜风气，健筋骨，疗疼重，睛能定人魄，魄者，阴之精也。龙骨能涩精气，收神识，止滑脱。齿能清人魂，魂者，阳之神也。然龙性飞腾而骨独粘者，正以其滞而欲蜕之，始得飞冲御天，非飞冲后而蜕其骨也。观《本经》惊痫癫疾结气，甄权镇心安魂魄等治，总皆入肝敛魂，用以疗阳神之脱，同气相求之妙。许叔微云：肝藏魂，能变化，故魂游不定者，治之以龙齿。时珍曰：龙者东方之神，故其骨与齿，皆主肝病。

《神农本草经百种录》 龙齿，主小儿大人惊痫，癫疾狂走（与骨同义。但齿则属肾属骨，皆主闭藏，故于安神凝志之效尤多），心下结气，不能喘息（收降上焦游行之逆气），诸痉（心经痰饮），杀精物。义亦与骨同。久服轻身，通神明，延年。龙能飞腾亦化且多寿，故有此效。

《本草诗笺》 龙齿：涩平无毒龙之齿，亦向肝家探病源；血晕每看安产妇（取其直入肝脏），惊痫恒见定游魂（能入肝敛魂）；兼申喘息消沉结，更绝癫狂清乱错；用疗阳神收气脱，洵为要药首推尊。

《得配本草》 龙齿，得人参、牛黄、黑豆良。畏石膏、铁器，忌鱼。甘、涩、凉。入手少阴、足厥阴经。镇心神，安魂魄，疗烦热，逐鬼魅。法制与龙骨同。止泄痢莫若龙骨，摄游魂不如龙齿。怪症：两足跟齐出一虫，上行至顶，一到腰膝，旋即分散，大小虫行，不计其数，后复下行于足，经年累月，不可得疗。此缘惊气所积也。重滋真水，加龙齿镇之，一月而愈。

《本草求真》 龙齿入肝，收魂安魄。凡惊痫癫狂，因于肝魂不收者，即当用此以疗（肝藏魂，能变化，故魂游不定者，治之以龙齿）。但无止泻涩精之用。

《罗氏会约医镜》 镇惊固脱。龙齿（味涩，性凉），镇心安魂。（龙属木，主肝，肝藏魂；虎属金，主肺，肺藏魄。）治大人痉癫狂热，小儿一切惊痫。其余敛涩固脱与龙骨同。

《本草害利》 龙齿，尤能定惊，镇心安魂。龙潜藏于水，气入肾脏中。骨主肾病，故又益肾也。肝藏魂，能变化，魂飞不定者，治之以龙齿。

《医家四要》 龙齿，镇心安魂，惊痫必要。（［鳞部］同琥珀、牛黄、金箔、竹沥、治癫狂惊痫。）

《本草思辨录》 龙齿，龙骨以白者为上，齿以苍者为优，生者微黑，煅之则如翡翠色可爱，较白者功用更捷。许叔微云：肝藏魂，能变化，故游魂不定者，治之以龙齿。古方如远志丸、龙齿清魂散、平补镇心丸，皆收摄肝气之剂也。

尚志钧按 龙齿为古代大型哺乳动物如牛、马、象、犀等的牙齿化石，主产于山西、河南、河北等地。龙齿分犬齿、臼齿。犬齿呈圆锥形，先端较细，或略弯曲。白齿呈圆柱状，或方形。二者多有深浅不同的沟棱。龙齿表面光滑或粗糙，其色青灰者名青龙齿，其色黄白者名白龙齿。其断面有吸湿性，舐之粘舌。龙齿，性凉，味涩，能镇惊安神、除烦热，适用于血虚所致精神恍惚、心悸、怔忡、烦躁不安。龙齿、龙骨，在化学成分上，基本一样，均含碳酸钙、磷酸钙。但中医临床应用不全相同。龙齿作用以安神定志为主。龙骨除用于心神不宁外，又能用于泄痢、遗精、盗汗、崩中、带下等，外用能生肌敛疮、止血，适用于溃疡、糜烂、金疮出血等。《深师方》五邪丸，用龙角，又云：无角用齿。《千金方》治心惊悸，兼用龙齿、龙角。《小儿卫生总微方论》中有龙齿散，治小儿惊热如火，取龙齿研细末，每服五分至一钱，日 2 服。

290　牡蛎（《本经》）

《神农本草经》　牡蛎，味咸，平。主伤寒寒热，温疟洒洒，惊恚怒气，除拘缓，鼠瘘，女子带下赤白。久服强骨节，杀邪鬼，延年。一名蛎蛤。生池泽。

《名医别录》　牡蛎，微寒，无毒。主除留热在关节荣卫，虚热去来不定，烦满，止汗，心痛气结，止渴，除老血，涩大小肠，止大小便，治泄精、喉痹、咳嗽、心胁下痞热。一名牡蛤。生东海，采无时。

《雷公药对》　牡蛎，微寒，主女人血气历腰痛。杂杜仲水服，主止汗。虚而多热加牡蛎；贝母为之使；得甘草、牛膝、远志、蛇床良；恶麻黄、吴茱萸、辛夷、伏硇砂。夏至之日，豕首、茱萸先生，为牡蛎、乌喙使，主四肢三十二节。

《本草经集注》　牡蛎，是百岁雕所化，以十一月采为好，去肉，二百日成。今出东海，永嘉、晋安皆好。道家方以左顾者是雄，故名牡蛎；右顾则牝蛎尔。生著石，皆以口在上，举以腹向南视之，口邪向东则是。或云以尖头为左顾者，未详孰是。例以大者为好。又出广州，南海亦如此，但多右顾不用尔。丹方以泥釜，皆除其甲口，止取朏朏如粉处尔。俗用亦如之，彼海人皆以泥煮盐釜，耐水火而不破漏。

《雷公炮炙论》　牡蛎，有石牡蛎、石鱼蛎、真海牡蛎。石牡蛎者，头边背大，小甲沙石，真似牡蛎，只是圆如龟壳。海牡蛎使得，只是丈夫不得服，令人无髭。真牡蛎火煅白炮，并用瑿试之，随手走起可认真是。万年珀，号曰瑿。用之妙，凡修事，先用二十个，东流水、盐一两，煮一伏时，后入火中烧令通赤，然后入钵中，研如粉用也。

《药性论》　牡蛎，君。主治女子崩中，止盗汗，除风热，止痛，治温疟。

又，和杜仲服止盗汗。末蜜丸，服三十丸，令人面光，永不值时气。主鬼交精出、病人虚而多热，加用之，并地黄、小草。

《食疗本草》 牡蛎，火上炙，令沸。去壳食之，甚美。令人细润肌肤，美颜色。又，药家比来取左顾者，若食之，即不拣左右也。可长服之。海族之中，惟此物最贵。北人不识，不能表其味尔。

《本草拾遗》 牡蛎，捣为粉，粉身，主大人、小儿盗汗。和麻黄根、蛇床子、干姜为粉，去阴汗。肉煮食，主虚损，妇人血气，调中，解丹毒。肉于姜醋中生食之，主丹毒、酒后烦热，止渴。天生万物皆有牝牡，惟蛎是咸水结成块。然不动阴阳之道，何从而生。经言牡者，应是雄者。

《蜀本草》 牡蛎，又有螃蛎，形短，不入药用。《图经》云：海中蚌属，以牡者良。今莱州昌阳县海中多有，二月、三月采之。

《海药本草》 牡蛎，按，《广州记》云：出南海水中。主男子遗精，虚劳乏损，补肾正气，止盗汗，去烦热，治伤热疾，能补养安神，治孩子惊痫。久服身轻，用之，炙令微黄色，熟后研令极细，入丸散中用。

《本草图经》 牡蛎，生东海池泽，今海傍皆有之，而南海、闽中及通、泰间尤多。此物附石而生，块礧相连如房，故名蛎房，一名蚝山，晋安人呼为蚝莆。初生海边才如拳石，四面渐长，有一二丈者，崭岩如山，每一房内有蚝肉一块，肉之大小随房所生，大房如马蹄，小者如人指面。每潮来则诸房皆开，有小虫入则合之以充腹。海人取之皆凿房以烈火逼开之，挑取其肉，而其壳左顾者为雄，右顾者则牡蛎耳。或曰以尖头为左顾，大抵以大者为贵。十一月采左顾者入药，南人以其肉当食品，其味尤美好，更有益，兼令人细肌肤，美颜色，海族之最可贵者也。

《本草衍义》 牡蛎，须烧为粉用。兼以麻黄根等分同捣，研为极细末，粉盗汗及阴汗。本方使生者，则自从本方。左顾，《经》中本不言，只从陶隐居说。其《酉阳杂俎》已言：牡蛎言牡，非为雄也。且如牡丹，岂可更有牝丹也？今则合于地，人面向午位，以牡蛎顶向子，视之口，口在左者为左顾。此物本无目，如此，焉得更有顾盼也。

《绍兴本草》 牡蛎乃海生之物，采壳烧粉为用。性味、主治本经具载。大率固涩之性，用取效多矣，而疗热未闻的验。今当作味咸、平、无毒为定。其肉非起疾之物矣。

《宝庆本草折衷》 牡蛎，（君。一名牡蛤，一名蛎蛤，一名蛎房，一名蚝山，一名蚝甫。又云：一名左顾牡蛎。）生东海池泽，附石而生，及南海。（即广地，及永嘉、晋安、闽中及通、泰、莱、泉州。今海傍有之。采壳无时。或二、三、十一月采。贝母为之使，恶麻黄、吴茱萸、辛夷；得甘草、牛膝、远志、蛇床良。附：肉，一名蚝肉。）味咸，平，涩（序例），微寒，无毒。主伤寒寒热温疟，惊恚怒气，除拘缓鼠瘘、女子带下赤白，除留热在关节、荣卫虚热、烦满，止汗止渴、涩大小肠、止大小便，疗泄精咳嗽、心胁下痞热、强骨节。（《药性论》云:）治崩中，除风热，主鬼交精出，虚而多热。（《图经》曰:）魂礌相连，以大者为贵，（用头厚处。《广州记》云:）主虚劳乏损，补肾正气，治孩子惊痫。（寇氏曰:）牡蛎，（烧为粉，兼麻黄根等分，同捣末粉，）盗汗及阴汗，（本方使生者，则从本方。）言牡，非雄也。且如牡丹，岂可更有牝丹？（今则合于地，人面向午，以牡蛎顶向子视之，口在左者为左顾。附:）蛎肉，主丹毒，酒后渴，（宜姜醋生食之。）主虚损血气，调中（宜煮食之）。每房肉块（大如马蹄，小者如人指面。）

［张元素曰］牡蛎，壮水之主，以制阳光，则渴饮不思。故蛤蛎之类，能止渴也。

《卫生宝鉴》 牡蛎，（气微寒，味咸平。）主伤寒，寒热，温疟，女子带下赤白，止汗，心痛，气结，涩大小肠，治心胁下痞，烧白，捣罗用。

《汤液本草》 牡蛎，气微寒，味咸、平，无毒。入足少阴经。《象》云：治伤寒寒热温疟，女子带下赤白，止汗，止心痛气结，涩大小肠，治心胁痞。烧白，研细用。《珍》云：能软积气之痞。《经》曰：咸能软坚。《心》云：咸、平，熬，泄水气。《本草》云：主伤寒寒热，温疟洒洒，惊恚怒气，除拘缓，鼠瘘，女子带下赤白。除留热在关节，荣卫虚热，往来不定，烦满。止汗，心痛气结，止渴，除老血，涩大小肠，止大小便，疗泄精，喉痹咳嗽，心胁下痞热。能去瘰疬，一切疮肿。入足少阴，咸为软坚之剂。以柴胡引之，故能去胁下之硬；以茶引之，能消结核；以大黄引之，能除股间肿。地黄为之使，能益精收涩，止小便，本肾经之药也。久服强骨节，杀鬼延年；贝母为之使。得甘草、牛膝、远志、蛇床子良；恶麻黄、吴茱萸、辛夷。《药性论》云：君主之剂。治女子崩中，止血及盗汗，除风热，定痛。治温疟。又和杜仲服，止盗汗。为末蜜丸，服三十丸，令人面光白，永不值时气。又治鬼交精出，病人虚而多热加用之，并地黄、小草。陈士良云：牡蛎捣粉粉身，治大人、小儿盗汗。和麻黄根、蛇床子、干姜为粉，粉身，去阴汗。《衍义》义同。

《本草衍义补遗》 牡蛎，咸，软痞。又治带下，温疟，疮肿。为软坚收敛之剂。

《本草蒙筌》 牡蛎（一名蛎蛤），味咸，气平、微寒，无毒。系咸水结成，居海旁不动。（天生万物皆有牝、牡，惟蛎是咸水结成块，然不动阴阳之道何而生？经言牡者，非指为雄，正犹牡丹之牡同一义也。）小乃块礧，大则崭岩。（始生不如拳石，四面渐长，二三丈者如山崭岩。）口向上如房相连，肉藏中随房渐长。（每一房有蚝肉一块，肉之大小，随房渐长。）海潮辄至，房口悉开。涌入小虫，合以充腹。海人欲取其肉，凿房火迫得之。（以锥凿房，用烈火迫开，方得挑取其肉。）入药拯疴，除甲并口。采朏朏如粉之处，得左顾大者尤良。（左顾之说诸注下同。一云：取蛎向南视之，口斜向东者是。一云：头尖者是，俱无证据，惟大者为上。）火煅微红，杵罗细末。宜蛇床、牛膝、甘远（甘草、远志）。恶吴茱、麻黄、辛夷。入少阴肾经，以贝母为使。能软积癖，总因味咸。茶清引消结核疽，柴胡引去胁下硬。同大黄泻热，焮肿即平；同熟苄益精，尿遗可禁。麻黄根共作散，敛阴汗如神；川杜仲共煎汤，固盗汗立效。髓疽日深嗜卧，泽泻和剂频调。又单末蜜丸水吞，令面光时气不染。摩宿血，消老痰。闭塞鬼交精遗，收涩气虚带下。肉炙令沸，去壳食佳，海族之中，亦为上品，美颜色，细肌肤，补虚劳，调血气。若和姜醋生啖，酒后烦渴亦驱。

《本草纲目》 牡蛎，［释名］［时珍曰］蛤蚌之属，皆有胎生、卵生。独此化生，纯雄无雌，故得牡名。曰蛎曰蚝，言其粗大也。［集解］［时珍曰］南海人以其蛎房砌墙，烧灰粉壁，食其肉谓之蛎黄。［修治］［时珍曰］按，温隐居云：牡蛎，将童尿浸四十九日（五日一换），取出，以硫黄末和米醋涂上，黄泥固济，煅过用。［主治］［时珍曰］化痰软坚，清热除湿，止心脾气痛，痢下赤白浊，消疝瘕积块，瘿疾结核。

《药性歌括四百味》 牡蛎微寒，涩精止汗，崩带胁痛，老痰祛散。（左顾大者佳，火煅红研。）

《本草原始》 牡蛎，［批］左顾牡蛎，右顾牝蛎，入药用者良。牡蛎，生东海池泽。是百岁雕所作，十一月采，以大者为好。其生著石，皆以口在上。举以腹向南视之，口斜向东，则是左顾。左顾者雄也。故名牡蛎。蛎言其精大也。（味咸，平、微寒，无毒。主伤寒，寒热温疟，治酒惊，恚怒气，除拘挛痹痿，女子带下赤白。久吃强骨节，杀邪鬼，延年，除留热在关节营卫，虚热去来不定，烦满心痛气结，止汗、止渴，除老血，疗泄精，涩大小肠，治喉痹咳嗽。凡用，以东流水入盐少许，煮一时，复火煅赤，研粉用。）

《炮炙大法》 牡蛎，左顾者良。东流水入盐一两，煮一伏时后，入火中烧令通赤，然后入钵中研如粉用也。一法：火煅醋淬七次，研极细，如飞面。贝母为之使。得甘草、牛膝、远志、蛇床子良；恶麻黄、辛夷、吴茱萸；伏硇砂。

《珍珠囊补遗药性赋》 牡蛎，固漏血遗精，补虚止汗；虻虫，破癥瘕血积，经闭通渠。（牡蛎味咸，平，微寒，无毒；主疟疾寒热，除惊恐。虻虫味苦，微寒，有毒；咂食牛马背血者；用须炒熟，除去足翅，方可入药。）

《雷公炮制药性解》 牡蛎，味咸，性微寒，无毒。入肾经。主遗泄带下，喉痹咳嗽，荣卫虚热去来不定，心胁下老痰，痞积，宿血，温疟，疮肿，结核。贝母为使，喜甘草、牛膝、远志、蛇床，恶麻黄、吴茱萸、辛夷。火煅微红，杵绝细用。按，牡蛎本是咸水结成，故专归肾部。软坚收敛之剂也。

《本草经疏》 牡蛎，［疏］牡蛎得海气结成，故其味咸、平，气微寒，无毒。气薄味厚，阴也降也。入足少阴、厥阴、少阳经。其主伤寒寒热，温疟，洒洒，惊恚怒气，留热在关节，去来不定，烦满，气结，心痛，心胁下痞热等证，皆肝胆二经为病。二经冬受寒邪，则为伤寒寒热；夏伤于暑，则为温疟洒洒；邪伏不出，则热在关节，去来不定；二经邪郁不散，则心胁下痞热；邪热甚，则惊恚怒气、烦满、气结、心痛。此药味咸，气寒。入二经而除寒热邪气，则荣卫通拘缓和，而诸证无不瘳矣。少阴有热则女子为带下赤白，男子为泄精。解少阴之热而能敛涩精气，故主之也。咸属水属阴，而润下善除一切火，热为病故又能止汗止渴及鼠瘘、喉痹、咳嗽也。老血者，宿血也。咸走血而软坚，所以主之。其性收敛，故能涩大小肠，止大小便利也。肾主骨，入肾益精则骨节自强。邪本因虚而入，肝肾足则鬼邪自去。人以肾为根本，根本固则年自延矣。更能止心脾气痛，消疝瘕积块，瘿瘤结核，胁下坚满等证，皆寒能除热，咸能软坚之功也。［主治参互］同生地黄、黄芪、龙眼、五味子、酸枣仁、麦门冬、白芍药、茯神、黄檗、当归，治心肾虚，盗汗。同黄檗、五味子、地黄、山茱萸、枸杞子、车前子、沙苑蒺藜、莲须、杜仲，治梦遗，泄精；加牛膝则兼治赤白浊。同地黄檗、阿胶、木耳、炒黑香附、白芍药、地榆、麦门冬、续断、青蒿、鳖甲、蒲黄，止妇人崩中下血及赤白带下。仲景方：同龙骨入柴胡、桂枝各汤内，取其收敛浮越之阳气，固脱而镇惊，更能除胸胁中痞硬。藏器方：同麻黄根、蛇床子为粉去阴汗。《本事方》：虚劳盗汗，牡蛎粉、麻黄根、黄芪等分为末，每服二钱，水煎服。仲景《金匮玉函方》：伤寒传成百合病，如寒无寒，如热无热，欲卧不卧，欲行不行，欲食不食，口苦，小便赤色，得药则吐，变成渴疾，久不瘥者，用牡蛎（煅）二两，栝楼根二两为细末，每服方寸匕，用米饮调下，日三服。《古今录验方》：水病囊肿，牡蛎粉二两，干姜（炮）

一两，研细，冷水调稠，扫上，须臾，囊热如火，干则再上，小便利即愈。一方用葱汁、白面同调，小儿不用干姜。《经验方》：男女瘰疬，用牡蛎粉四两，玄参末三两、甘草一两，面糊，丸梧子大，每三十丸酒下，日三服，服尽除根，不拘已破、未破，皆效。《普济方》：月水不止，牡蛎（煅）研细，米醋揉成团，再煅研末，以米醋调艾叶末熬膏，丸梧子大，每用醋汤下四五十丸。［简误］凡病虚而多热者宜用，虚而有寒者忌之，肾虚无火、精寒自出者非宜。

《本草正》 牡蛎，味微咸、微涩，气平。用此者，用其涩能固敛，咸能软坚，专入少阴肾脏，随药亦走诸经，能解伤寒温疟，寒热往来，消瘀血，化老痰，去烦热，止惊痫，心脾气痛，解喉痹咳嗽，疝瘕积块，利下赤白，涩肠止便，禁鬼交遗沥，止滑精、带下及妇人崩中带漏，小儿风痰虚汗。同熟地，固精气，禁遗尿；同麻黄根，敛阴汗；同杜仲，止盗汗；同白术，燥脾利湿；同大黄，善消痈肿；同柴胡，治胁下硬痛；同天花茶，消上焦瘿瘤、瘰疬结核。

《食物本草》 牡蛎，一名蚝。蛤蚌之属，皆有胎生、卵生。独此化生，纯雄无雌，故得牡名。曰蛎曰蚝，言其粗大也。今海旁皆有之。而通、泰及南海、闽中尤多。皆附石而生，磈礌相连如房，呼为蛎房。初生止如拳石，四面渐长，至一二丈者，崭岩如山，俗呼蚝山。每一房内有肉一块，大房如马蹄，小者如人指面。每潮来，诸房皆开，有小虫入，则合之以充腹。海人取者，皆凿房以烈火逼之，挑取其肉当食，其味美好，更有益也。海俗为珍贵。

《本草乘雅半偈》 牡蛎，此湿生也。湿以合感，敛水之融，摄山之结，合感成形者也。但磈礌连络，坚固不迁，宛若山水之附赘悬疣耳。其启闭候潮，诚应开阖之关键，阴阳之枢纽者，故名牡。牡者，门牡也。蛎者，金坚之用也。味咸气寒，体于水而用于水，不离水相故尔。伤寒寒热者，一阳枢象之是动。温疟洒洒者，一阳枢象之所生，惊恚怒气者，一阳上逆之从开；带下赤白者，一阳下逆之不阖；拘缓鼠瘘者，一阳之不能从开从阖也。所谓门牡自亡，则开阖不得。久服强骨节者，假水融结，俨如人骨，象形巽人，骨气以精。杀邪鬼者，奇生无偶，玉衡左旋，生阳偏胜，阴屈自敛。延年者,澒留成丹，饵之则仙，水凝为质，自可延年。(有言百岁雕所化，则亦化生矣。然百岁雕不易得，何牡蛎之多也。如雀之为蛤，特一端之变现，非尝也。牡，有因无牝而名者，有因不生子蔓而名者，有生子而根乃生苗而名者。此属湿生，亦属化生，即谓无雄亦可。段成式以牡丹驳之，又谓无目，更何顾盼，不知情意之所向即为顾，岂必定以目视，此皆拘执不圆通，不可以格物论古者。天道左旋，蛎房左顾，揆度奇衡，道在于一，枢机之象乎。所主诸疾，咸属去来不定，盖去来不定，正从开从阖之枢象也。不独入少阳，亦入少阴矣。故《内经》鼠瘘、淡阴、痎疟、淋露之疾，皆名曰寒热病，则本经“寒、热”两字，当贯通章枢机之义，昭然可见矣。）

《本草通元》 牡蛎，咸，寒。化痰软坚，清热除湿，止遗泄，肠滑，小便多，盗汗，心脾病，赤白浊，崩带，疝瘕积块，瘿疬。好古曰：牡蛎入足少阴，为软坚之剂。以柴胡引之去胁下硬，以茶饮之消项上核。以大黄引之，能除股间肿；地黄为使，能益精收摄，止小便。黄泥固济，火煅。

《本草述》 牡蛎，愚按，牡蛎为咸水结成，魂然不动，固无情者也。然其渐长也，不可谓无情。其房因潮来而悉开，潮不至则合，是更在化机中无情而大有情者。虽是物亦不知其所以然也。何以故？盖潮汐之消长应月，月属阴，乃木之精也。然先哲云：日者众阳之母。阴生于阳，潮固依于月而亦附于日，是故随日而应月，依阴而附阳，盈于朔望，消于朏魄，虚于上下弦，息于辉朒，故潮有大小焉。即此绎之，则牡蛎之结成也。毋亦属于潮气，所以开合俱应于潮欤。夫潮本应阴精之月，而又假无成有，泡幻立坚，岂非得阴气之最厚者欤。得阴凝之厚，仍随潮以为开合，则其阴附于阳，阳化于阴之气机，不宛然在兹味欤。先哲云：海中有鱼兽，取皮而悬之，潮水至则毛皆起。盖气盛而类应，亦不知其所以然耳。是则无情乃更有情。如牡蛎者，亦犹是也。先哲谓入足少阴经，为肾经血分之药。又有云：咸属水属阴而润下，善除一切留热，似皆指其入肾益阴之功。然而未能明其所以然也。试畅言之，盖其因潮而结者，本于阴中有阳，即阴亦原资生于阳也，故其开合复应于潮者，虽质属阴，与海水之诸生化者同。然却有阴能召乎阳以归阴，而归阴者，是能化其阴以清阳。其召阳归阴之功，即本草所谓能收能涩者也。其化阴清阳之功，即本草所谓能软坚消结，清热除湿者也。盖其能召阳以归阴，故阴得阳以化，能化阴以宅阳，故阳由阴而清。阅方书诸证主治，如病于阳虚，投以益阳之味，或兼以除湿，即以兹味之召阳而归阴者，使阴化于阳；如病于阳实，投以清阳之味，或兼以滋阴，即以兹味之化阴而清阳者，使阳宅于阴。在阳虚之治，若遗精之桂枝龙骨牡蛎汤、玉华白丹、内固丸；又如赤浊之王瓜散、龙骨汤、大茴香丸、固精丸、子午丸；又如小便不禁之菟丝子散、阿胶饮、泽泻散、桑螵蛸散，小便数之菟丝子散、泻泄之五味子丸；又如自汗之牡蛎散、盗汗之柏子仁散，皆因阳虚而阴召之者也。在阳实之治，若溲血之牡蛎散，痫证之金匮风引汤，消瘅之天门冬丸，皆因阳实而阴化之者也。又如宜补阳而阴亦虚者，则补阳又恐其益燥；若虚劳之猪脂丸，即以其化阴者而归阳；又如宜补阴而阳亦虚者，则补阴转虑其滋滞；若恶寒之巴戟丸，即以其召阳者而化阴。若是之变化主治。即二方可以类推也。盖人之生也，本于天一之水，阴阳固为互根，而潮具有依阴附阳之气化。此味秉其气化以为人身气化之治，即以疗其水液痰血。其根阴而和阳，即之颐不离水相之义也。乃粗者于收涩则止，以固脱言之，于开结则止，以软坚言之。讵知其能收者，固召阳归阴之功，能软坚者，乃化阴清阳之功。是历观方书主治，多有益阳之虚，以是召之归阴而为益阴地者，即止言益阴尚未悉其所以然也。况遗其至能而言其近似，果为察物者欤。试以本草所云、益肾治男子虚劳，及除留热在关节营卫虚热、去来不定，则知兹味润下为功，固超于海水之诸所凝结。又即以收涩与软坚破结者相对，以参其不相谋之功，则亦知兹味之召阳归阴，化阴清阳，乃其所以超于海水之诸凝结者也。可仅以固脱软坚之说，为的然之义乎哉。

《本草崇原》 牡蛎，气味咸平，微寒，无毒。主治伤寒寒热，温疟洒洒，惊恚怒气，除拘缓，鼠瘘，女子带下赤白。久服强骨节，杀邪鬼延年。（牡蛎出东南海中，今广闽、永嘉、四明每旁皆有之，附石而生，魂礌相连如房，每一房内有肉一块，谓之蛎黄，清凉甘美，其腹南向，其口东向，纯雄无雌，故名牡，粗大而坚，故名曰蛎。）牡蛎假海水之沫，凝结而成形，禀寒水之精，具坚刚之质；太阳之气，生于水中，出于肤表，故主治伤寒寒热，先热后寒，谓之温疟。皮毛微寒，谓之洒洒。太阳之气，行于肌表，则温疟洒洒可治也。惊恚怒气，厥阴肝木受病也；牡蛎南生东向，得水中之生阳，达春生之木气，则惊恚怒气可治矣。生阳之气，行于四肢，则四肢拘缓自除。鼠瘘乃肾脏水毒，上淫于脉；牡蛎味咸性寒，从阴泄阳，故除鼠瘘。女子带下赤白，乃胞中湿热下注；牡蛎禀水气而上行，阴出于阳，故除带下赤白。具坚刚之质，故久服强骨节。纯雄无雌，故杀邪鬼。骨节强而邪鬼杀，则延年矣。

《本草择要纲目》 牡蛎，味咸，平、微寒，无毒。入足少阴经。［主治］化痰软坚，清热除湿，止心脾气痛，痢下赤白浊，消疝瘕积块，瘿疾结核。以柴胡引之能去胁下硬，以茶引之能去顶上结核，以大黄引之能消股间肿，以地黄引之能益精收涩，止小便多，乃肾经血分之药也。故成无已云：牡蛎之咸，以消胸膈之满，以泄水气。又云壮水之主，以制阳光，则渴饮不思。故牡蛎又能止渴也。

《本草备要》 牡蛎，咸以软坚，化痰，消瘰疬结核，老血瘕疝；涩以收脱，治遗精崩带，止嗽敛汗或同麻黄根、糯米为粉扑身；或加入煎剂固大小肠；微寒以清热补水，治虚劳烦热，温疟赤痢，利湿止渴，为肝肾血分之药。（王好古曰：以柴胡引之，去胁下硬；茶引之，消颈核，大黄引之，消股间肿；以地黄为使，益精收涩，止小便利；以贝母为使，消积结。）盐水煮一伏时，煅粉用。亦有生用者，贝母为使，恶麻黄、辛夷、吴茱萸，得甘草、牛膝、远志、蛇床子良。（海气化成，纯雄无雌，故名牡。）

《本经逢原》 牡蛎，咸，平、微寒，无毒。煅赤用左顾者良。《本经》主伤寒寒热，温疟洒洒，惊恚怒气，除拘缓鼠瘘，女子带下赤白。［发明］牡蛎入足少阴，为软坚之剂。以柴胡引之，去胁下痛；以茶引之，消项上结核；以大黄引之，消股间肿；以地黄引之，益精收涩止小便。肾经血分药也。《本经》治伤寒寒热，温疟洒洒，是指伤寒发汗后，寒热不止而言，非正发汗药也。仲景少阳病犯本，有柴胡龙骨牡蛎汤；《金匮》百合病变渴，有栝楼牡蛎散。用牡蛎以散内结之热，即温疟之热从内蕴。惊恚之怒气上逆，亦宜咸寒降泄为务。其拘缓鼠瘘，带下赤白，总由痰积内滞，端不出软坚散结之治耳。今人以牡蛎涩精，而治房劳精滑，则虑其咸降，治亢阳精伤。又恐其敛涩，惟伤寒亡阳汗脱，温粉之法最妙。其肉糟制，即蛎黄酱也。

《本草经解》 牡蛎，气平，微寒，禀天秋冬金水之气，入手太阴肺经、足太阳寒水膀胱经。味咸无毒，得地北方之水味，入足少阴肾经。气味俱降，阴也。冬不藏精，水枯火旺，至春木火交炽，发为伤寒热病，病在太阳寒水，所以寒热。其主之者，咸寒之味入太阳，壮水清火也。夏伤于暑，但热不寒，名为温疟。温疟阴虚，阴者中之守，守虚所以洒洒然也。其主之者，咸寒可以消暑热，气平入肺，肺平足以制疟邪也。肝虚则惊，肝实则恚怒，惊者平之，恚怒降之，气平则降，盖金能制木也。味咸足以软坚，平寒可除拘缓，故主鼠瘘。湿热下注于肾，女子则病带下，气平而寒，可清湿热，所以主之。久服强骨节，咸平益肺肾之功也。杀邪鬼，气寒清肃热邪之力也。能延年者，固涩精气之全功也。

《本草诗笺》 牡蛎（用左顾者良），足少阴经牡蛎入，软坚血分药殊灵；益精止便亡阳治，去滞消痰结核真（消项上结核）；气定恚惊祛疟病，带除赤白护娉婷；伤寒汗后安寒热（伤寒亡阳汗脱最效，今人用以涩精恐其咸降），性味咸寒毒不停。

《长沙药解》 牡蛎，味咸，微寒，性涩。入手少阴心、足少阴肾经。降胆气而消痞，敛心神而止惊。《金匮》牡蛎泽泻汤，（牡蛎、泽泻、梅藻、蜀漆、葶苈、商陆根、栝楼根，等分，为散，白饮和服方寸匕，小便不利，止服。）治大病差后，从腰以下有水气者。大病新差，汗下伤中之后，脾阳未复，不能行水，从腰以下渐有水气。牡蛎、栝楼根清金而泄湿，蜀漆、海藻排饮而消痰，泽泻、葶苈、商陆根决州都而泄积水也。《伤寒》小柴胡汤（方在“柴胡”），治少阳伤寒胸下痞硬，去大枣，加牡蛎，以其软坚而消痞也。柴胡桂枝干姜汤（方在“干姜”），用之治少阳伤寒汗下后胸胁满结，以其化结而消满也。《金匮》栝楼牡蛎散（方在“牡蛎”），用之治百合病，渴不差者，以其凉金而泄热也。白术散（方在“白术”），用之治妊娠胎气，以其消瘀而除烦也。《伤寒》桂枝龙骨牡蛎汤、桂枝甘草龙骨牡蛎汤、桂枝去芍药加蜀漆龙骨牡蛎汤、柴胡加龙骨牡蛎汤（诸方并在“龙骨”）皆用之，以其敛神而止惊也。牡蛎咸寒降涩，秘精敛神，清金泄热，安神魂而保精液。凡心悸神惊、遗精盗汗之证皆医；崩中带下，便滑尿数之病俱疗。善消胸胁痞热，缘少阳之经逆而不降，则胸胁硬满而生瘀热，牡蛎降摄君相之火，甲木不行，经气松畅，硬满自消。一切痰血癥瘕、瘿瘤瘰疬之类，得之则化，软坚消痞功力独绝，粉身止汗最良。煅粉，研细用。

《得配本草》 牡蛎，得甘草、牛膝、远志、蛇床子良。贝母为之使，恶麻黄、吴茱萸、辛夷。伏硇砂。咸，平，微寒，涩。入足少阴经血分。主泄精带下，逐虚痰宿血，除鬼交，治温疟，止遗溺，散喉痹。收往来潮热，消胃膈胀满。凡肝虚魄升于顶者，得此降之，而魂自归也。得杜仲，止盗汗（加麻黄根更好）。得元参，治男女瘰疬。得柴胡，治腹痛。配大黄，消痈肿。配鳖甲，消胁积。合贝母，消痰结。合花粉，消瘿瘤，并治伤寒百合变渴。同干姜末，水调，涂阴囊水肿。（热如火，若干燥再涂之，小便利自愈。）研。久服寒中。

《本草求真》 牡蛎，［批］入肾涩精，固气、化痰、软坚。牡蛎，（专入肾，兼入肝。）咸涩微寒。功专入肾，软坚化痰散结，收涩固脱。故瘰疬结核、血瘕遗精崩带、咳嗽盗汗、遗尿滑泄、燥渴温疟、赤痢等证，皆能见效。（权曰：病虚而多热，宜同地黄、小草用之。好古曰：牡蛎入足少阴，为软坚之剂，以柴胡引之，能去胁下硬。以茶引之，能消项上结核。以大黄引之，能消股间肿。以地黄为使，能益精收涩止小便，肾经血分之药也。成无已曰：牡蛎之咸，以消胸膈之满，以泄水气，使痞者消硬者软也。元素曰：壮水之主以镇阳光，则渴饮不思，故蛤蛎之类能止渴也。）然咸味独胜，走肾敛涩居多，久服亦能寒中。或生用，盐水煮煅成灰用。此本海气化成，纯雄无雌，故曰牡蛎。贝母为使。得甘草、牛膝、远志、蛇床子良。恶麻黄、辛夷、吴茱萸。伏硇砂。

《罗氏会约医镜》 牡蛎，软坚涩脱。牡蛎（味咸寒，性涩，入肾经。贝母为使，恶麻黄、辛夷、吴茱萸。火煅，童便淬，研粉用。）专入肾经，亦随药以走诸经。化老痰、结血、瘰疬（有方在“瘰疬门”）、结核（颈核用茶调服，上焦瘿瘤同天花粉、茶叶用。凡属结积，同贝母用）。去胁下积块（同柴胡用），消痈肿（同大黄用），皆咸能软坚也。治遗精、崩带（性涩）。止嗽（肺虚可用）、敛汗（用麻黄根、黄芪等分末服，止虚汗）、禁遗尿（同熟地用），皆涩以收脱也。疗虚劳烦热，利湿（同白术用）。水病囊肿［牡蛎粉二两，干姜（炮）五钱，为末，水调，事葱汁白面调敷，干则频上，囊大热，小便消即愈］，截疟（化疟痞）。止渴，皆微寒清热以补水也。按，虚而热者宜用，有寒者忌之。（海气化成，纯雄无雌。）

《本草经读》 牡蛎，气平者，金气也，入手太阴肺经。微寒者，寒水之气也，入膀胱经。味咸者，真水之味也，入足少阴肾经。此物得金水之性，凡病起于太阳，皆名曰伤寒，传入少阳之经，则为寒热往来。其主之者，借其得秋金之气，以平木火之游行也。温疟者，但热不寒之疟疾，为阳明经之热病洒洒者，即阳明白虎证中背微寒、恶寒之义。火欲发而不能迳达也，主以牡蛎者，取其得金之气以解炎暑之苛，白虎汤命名亦同此意也。惊恚怒气，其主在心，其发在肝，牡蛎气平，得金之用以制木，味咸得水之用以济火也。拘者筋急，缓者筋缓，为肝之病。鼠瘘即瘰疬之别名，为三焦、胆经火郁之病，牡蛎之平以制风，寒以胜火，咸以软坚，所以咸主之。止带下赤白与强骨二句，其义互见于龟板注中不赘。杀鬼邪者，补肺而申其清肃之威。能延年者，补肾而得其益精之效也。

《本经疏证》 牡蛎盐水结成，块然不动，无情者也。然潮涨则开，潮落则合，极似有情者何以故。宣伯聚《潮候图说》云：圆则之运，大气举之，方仪之静，大水承之，气有升降，地有浮沉，故月有盈虚，潮有起伏，是以盈于朔望，虚于两弦，息于朓朒，消于朏魄。月为阴精，水之所生，日为阳宗，水之所从，故昼潮之期，月常加子，夜潮之候，月必在午，卯酉之月，阴阳之交，故潮大于余月。朔望之后，天地之变，故潮大于余日。一晦一明，再潮再汐，月经于天，水纬于下，进退消息，相为生成，斯天地之至信也。牡蛎之结，缘水沫为潮所荡而依于石，因是渐渐生长，假无成有，幻泡作坚，因潮而生，斯情系于潮，其与潮为吐纳也固宜。夫水阴中之阳，潮则阳之动也，迎其涨则开以纳之，是召乎阳以归阴也。追其退则合以茹之，是化其阴以清阳也。惟其召阳归阴，故阴得阳以化。惟其化阴以宅阳，故阳由阴而清。愚谓人之生本于水，水之所以灌溉一身周流无滞者，又端赖夫火。假使水不纳火，则汪洋而无统摄，火不入水，则燔炽而能炳物，水火之相离合，阴阳之相激荡，必休作有时，消长有度。如伤寒之寒热，温疟之洒洒者矣。惊者气之散而不收，恚者气之愤而难达，怒气者气之欲达而不得畅，伤寒寒热温疟洒洒，象潮来之候，惊恚怒气，象潮涨之形，以牡蛎迎而纳之，消而息之，是知牡蛎非治伤寒寒热、温疟洒洒也，治伤寒寒热、温疟洒洒中之惊恚怒气耳。潮涨似缓，潮落似拘，牡蛎者偏能于缓时纳物果腹，以济拘时之饥，则其除拘缓之义可识矣。聚沫而成块礌，即钟生气于块礌中，比之聚痰而生瘘，遂致瘘中血脉不行动者，正相反也。使其中吐纳生气，鼠瘘自消，亦实理之所在耳。妇人带下，有胎产乳字等故，不比女子，一皆由经水不调，但使天癸应时，如潮之起落不爽，又何赤白带下足虑耶？主伤寒寒热、温疟洒洒、惊恚怒气，所谓化阴以清阳也。除拘缓鼠瘘，则所谓召阳以归阴也。《伤寒》《金匮》两书，用龙骨者七方，用牡蛎者十二方，龙骨、牡蛎同用者五方，用龙骨不用牡蛎者二方，用牡蛎不用龙骨者七方。夫不参其同用，不足知其相联之奥妙；不参其独用，不足显其主治之功能。欲参其独用之最亲切有味者，在外感莫如蜀漆散、牡蛎汤之并治牡疟，在内伤莫如天雄散之治虚劳，白术散之养胎气。夫疟之发必由痰固于中，痰则水为火搏而成者也。邪火搏痰，身中之火与俱，斯外达无从，虽表间但患寒多，而不知正患热盛也，故仗蜀漆吐去痰涎，以产其根，以云母、龙骨使阳返于土，邪达于外，当留者留，当去者去。倘若外更束寒，毛窍痹阻，则必用麻黄、甘草大开其外以散其寒，然蜀漆之吐，仅使阳从土达，云母、龙骨引阳使还土而已，麻黄则使阳从水达，故当易以牡蛎，使当返本之阳归水中，而不用龙骨矣。以是知龙骨之用，在火不归土而搏水；牡蛎之用，在阳不归阴而化气也。人之精气，禀于有生之先，既已损削，必赖后天方能生长，以故天雄于至阴中壮阳，白术于淖湿中助气，苟徒倚以入肾，适足以耗阴，乃欲其生气生精，无是理也。用龙骨是敛二物之气入脾，使脾充而气旺，气旺而精生矣。妊娠者，钟阴于下，吸阳于上，故每经信乍阻，胎元尚稚，吸取不多，则阴阳交阻于土，为胸痛呕渴，夯者见此，未免用清，殊不知削其阳，正以伤其胎耳。岂若芎䓖于血中出其不合盛之阳，白术于中宫扶其不合衰之土，蜀椒以降阳气下归，牡蛎以召入阴中之为愈乎。于是又知龙骨之引火归土，可借以化气生精；牡蛎之召阳归阴，可借以平阳秘阴矣。龙骨、牡蛎联用之证，曰惊狂、曰烦惊、曰烦躁，似二物多为惊与烦设矣。而所因不必尽同，何也？盖惊怖火邪，皆从惊发得之，故太阳伤寒加温针必惊，少阳吐下则悸而惊，是知惊者不必泰山崩于前，见闻骇于骤也，随证可致，随处异源，善哉。《素问·举痛论》曰：心无所依，神无所归，虑无所定。数言括尽惊之状，是则心无所依，神无所归，虑无所定，即可谓之惊，岂必别有他故也。然曰伤寒脉浮，医以迫劫之，谓之亡阳，治以救逆，岂救逆汤遂可与四逆比耶。夫心也、神也、虑也，皆阳之作用也。无所依，无所归，无所定，是阳不守舍矣，非阳亡而何。虽然，阳之亡有别，以发汗而致者，先动其阴，后动其阳，故阳动而阴逆，仅止阴之逆，阳气乃得奠安。以惊而致者，先动其阳，仅曳动其阴，故阳虽动而阴不逆，则安其阳召使归阴，自弭帖矣。是故脉浮更遭火迫以致亡阳，迥非发汗多或重发汗可比。桂枝去芍药加蜀漆牡蛎龙骨救逆汤，又岂可与四逆同日语哉！然此可为太阳温针少阳吐下者言耳。若虚劳之桂枝加龙骨牡蛎汤、中风之风引汤，其可以是为说耶。夫桂枝加龙骨牡蛎之证，曰脉芤动微紧，男子失精，女子梦交。芤动者阳之越，微紧者阴之结，惟其阳不归阴，是以阴气为结，惟其阴愈结，斯阳愈不归，土者生阴之源，水者元阳之配，土不藏阳，水不摄阳，则阳之无所依、无所归、无所定，与因惊者不异矣。和其外之阳，使受摄于内，奠其阳之窟，使吸引于外，一转移间，安内攘外、强干弱枝之义备焉，绝不因惊与因惊之证，无有不合矣。若夫风引汤之除热瘫痫，仍缘邪郁生惊，因惊而甚，其与柴胡加龙骨牡蛎汤，黍铢不爽者也。大率龙骨、牡蛎，推挽空灵之阴阳，与他发敛著物之阴阳者异，故桂枝柴胡承气汤无不可会合成剂，而摄阳以归土，据阴以召阳，实有联络相应之妙，此所以治内伤治外感，均可随地奏功，无顾此失彼之隔阂也。小柴胡汤、柴胡桂枝干姜汤，以胸胁满结而用牡蛎。所谓主伤寒寒热、温症洒洒中惊恚怒气者。然惊恚怒气，所以为胸胁满结何故？夫当潮盛涨之时，其气正如怒而不泄，惟其怒而不泄，斯喷沫聚泡，涌于水上，乃遂不与水化，而随水激荡，倘适与崖石相著，日久遂成有生之物，以与水相吞吐。人之阴盛涨而寒，阳盛涨而热，其飙举风发之时，岂无怒气当先，如喷沫如聚泡者。其混处寒热中者，仍随寒热为聚散，其适著于窔奥之区，则遂凝结不散，而满且硬矣，治之以牡蛎。是欲致生气于其间，使仍与寒热相化而俱消也。然则腰以下水气，百合病渴不已，亦岂喷沫聚泡所可拟耶！是则不然，是皆病在下，而其源在上。牡蛎泽泻散证，水蓄于下，上焦之气不能为之化，故类萃商陆、葶苈以从上下降，泽泻、水藻以启水中清气上行，栝楼、牡蛎，则一以上济其清，一以下召其浊，而使之化耳。况栝楼牡蛎散证，原系百合病，既历久变渴，又弥久不差，则为上已化而下不化，用栝楼生上之阴，以和其渴，用牡蛎为下之橐籥，吸已化之阳，使下归而化阴，济上之亢，通下之道，俾溺时得快。然百合病遂净尽无余，又何不可。惟侯氏黑散之治四肢烦重，心中恶寒不足，是阳气困于内，而浮越于四末，既以桂术、细辛、干姜振作其中阳矣，召四末之阳使归于内者谁耶？则牡蛎之用可知矣。因是识召阳归阴非止一端，凡上为阳则下为阴，外为阳则内为阴，均可以是推之者也。

《本草害利》 左顾牡蛎，［害］凡病虚而多热宜之，虚而有寒者忌之。肾虚无火，精寒自出者非宜。恶吴萸、细辛、麻黄。［利］咸以软坚化痰，涩以收脱，微寒以清热，补水、利湿、止渴，海水化咸，潜伏不动，故体用皆阴，为肝肾血分之药，用左者以平肝也。贝母为使，得蛇床、远志、牛膝、甘草良。［修治］盐水煮一伏时，煅粉或生用。

《医家四要》 牡蛎，牡蛎治虚劳，止带涩精，且化热痰结核。（盐水煮一伏时，煅粉，亦有用生者。入肝肾。同黄芪、麻黄根，治盗汗。）

《本草撮要》 牡蛎，味咸，入足少阴经。功专软坚降逆止汗。得柴胡去胁下硬。得松萝、茶消项上结核。得大黄消股间肿。得地黄涩精。得元参、甘草、腊茶治瘰疬奇效。亦有加贝母者。有寒者忌用。煅用生用俱可。贝母为使，恶吴茱萸、细辛、麻黄。得蛇床、远志、牛膝、甘草良。肉名蛎黄，甚美。

《本草便读》 牡蛎，味属咸寒，退热潜阳生可贵。性多涩固，疗崩敛汗煅相宜。兼之燥湿软坚，瘰疬结痰皆易散。且又益阴补水，骨蒸遗滑尽能瘳。（牡蛎，出海中，形如大蛯。其壳止有一片，而无对偶，故为之牡。咸寒入肾，能益阴潜阳，退虚热，软坚痰。煅之则燥而兼涩，又能固下焦，除湿浊，敛虚汗，具咸寒介类之功。有重镇摄下之意，外用内用，均可推想耳。）

《本草思辨录》 牡蛎，鳖甲牡蛎之用，其显然有异者，自不致混于所施，惟其清热软坚，人每视为一例，漫无区分，不知此正当明辨而不容忽者。介属金，金主攻利，气味咸寒则入阴，此二物之所同，清热软坚之所以并擅，而其理各具，其用亦因而分。鳖有雌无雄，其甲四围有肉裙，以肉裹甲，是为柔中有刚，阴中有阳。蛎有雄无雌，魄礧相连如房，房内有肉，是为刚中有柔，阳中之阴。鳖介属而卵生色青，则入肝而气沉向里。蛎介属而化生色白，且南生东向，得春木之气，则入肝而气浮向外。向里则下连肾，向外则上连胆。《本经》于鳖甲主心腹癥瘕坚积；于牡蛎主惊恚怒气拘缓。仲圣用鳖甲于鳖甲煎丸，所以破癥瘕；加牡蛎于小柴胡汤，所以除胁满。所谓向里连肾向外连胆者，正即此可推。其软坚不能无铦纯之差，清热亦大有深浅之别也。由斯以观，凡鳖甲之主阴蚀痔核骨蒸者，岂能代以牡蛎。牡蛎之主盗汗消渴瘰疬颈核者，岂能代以鳖甲。鳖甲去恶肉而敛溃痈者，以阴既益而阳遂和也。牡蛎治惊恚而又止遗泄者，以阳既戢而阴即固也。

尚志钧按 牡蛎为瓣腮类牡蛎科的动物，药用贝壳和全体。为扁圆形不规则正叶状之贝壳，由鳞状薄片而成，上下二壳。其边缘为波状。下壳稍凹陷，上壳为扁平盖状，长约6～10厘米。外面因反射光而呈灰褐、绿青诸色。内作乳白色而有光泽。肉可食，味美可口。我国沿海各省均有所产，并有养殖。其同属动物各种牡蛎均可入药。壳含80%～95%的碳酸钙、磷酸钙、硫酸钙、镁、铅、硅、氧化镁等。

肉含丰富蛋白质、脂肪和维生素类。

牡蛎，味涩、咸，性微凉。能敛阴潜阳，止汗涩精，化痰软坚。适用于头目眩晕，自汗盗汗，崩漏带下，瘰疬痰核，胃痛吞酸，癥瘕积块。牡蛎能软散结，适用于瘰疬结核。《医学心悟》内消瘰疬丸。煅牡蛎、玄参、土贝母等分为末，夏枯草熬膏调为丸，如龙眼大，重3克，每日二次，每次2丸。《医宗金鉴》消核散，治瘰疬结核，其方为：牡蛎、玄参各二两，海藻一两五钱，甘草五钱，糯米四两，红娘子十四个；先将糯米同红娘子炒焦黄，去红娘子，用米，入其他药研细末，每服一钱。按，方中甘草、海藻相反，古来列为禁忌，服时如有反应，当及时停药。牡蛎微凉，外用消痈疥肿痛。煅牡蛎一两，雄黄五钱，寒水石一两，共研细末，蜜水调浓，涂红肿处。

煅牡蛎性涩，能止汗，止带下，治烫火、烂疮。《三因方》治自汗：用煅牡蛎、麻黄根、黄芪等分为散，每日二次，每次服二钱。《证治准绳》治自汗：用煅牡蛎、麻黄根、糯米粉，冰片，共研末，外扑出汗处。《傅青主女科》治产后出汗不止，煅牡蛎、麻黄根、浮小麦、当归各三钱、人参、白术、甘草各一钱，煎汤服。《本事方》治自汗煅牡蛎一两，浮小麦五钱，麻黄根，五味子、柏子仁、人参、白术各一两，共研细末，枣肉为丸，早晚各服二钱；如夜卧盗汗，上方中加白芍、生地各一两。治腋汗，手足汗太过，取煅牡蛎、黄丹、白矾、枯矾等分为细末，搓出汗处。治带下，以牡蛎配龙骨、赤石脂、椿根皮、芡实等分，研为细末，每日早晚各服二钱。治烫火烂疮，煅牡蛎、寒水石、朴硝、青黛、大黄炭等分为末，和匀，麻油调涂患处。《医宗三昧》治阴囊湿痒，煅牡蛎、煅龙骨各五钱，蛇床子一钱，共研细末，粉扑患处。治湿疮溃烂，煅牡蛎、煅龙骨、乌贼骨、滑石粉、黄柏、苍术等分研细末，外掺患处。牡蛎内服，能增加机体内钙质，配煅龙骨、龟板、黄芪、白芍等分为末，每日二次，每次服五分，治小儿佝偻病（软骨症）、多汗、夜啼、夜惊、发育迟缓。

291　真珠（珍珠）（《炮炙论》）

《雷公炮炙论》　真珠，须取新净者，以绢袋盛之。然后用地榆、五花皮、五方草三味各四两，细剉了，又以牡蛎约重四五斤已来，先置于平底铛中，以物四向搘令稳，然后著真珠于上了，方下剉了三件药笼之，以浆水煮三日夜，勿令火歇，日满出之，用甘草汤淘之令净后，于臼中捣令细，以绢罗重重筛过，却更研二万下了用。凡使要不伤破及钻透者，方可用过。

《药性论》 真珠，君。治眼中翳障白膜，七宝散用磨翳障，亦能坠痰。

《海药本草》 谨按《正经》云：生南海，石决明产出也。主明目，除面䵟，止泄。合知母，疗烦热，消渴。以左缠根，治小儿麸豆疮入眼，蜀中西路女瓜亦出真珠，是蚌蛤产，光白甚好，不及舶上彩耀。欲穿须得金刚钻也。为药须久研如粉面，方堪服饵。研之不细，伤人脏腑。

《日华子本草》 真珠子，安心，明目，驻颜色也。

《开宝本草》 真珠，寒，无毒。主手足皮肤逆胪，镇心。绵裹塞耳，主聋。傅面，令人润泽好颜色。粉点目中，主肤翳障膜。

《本草图经》 真珠，《本经》不载所出州土，今出廉州，北海亦有之。生于珠牡（俗谓之珠母）。珠牡，蚌类也。按，《岭表录异》：廉州边海中有洲岛，岛上有大池，谓之珠池。每岁刺史亲监珠户入池采老蚌，割取珠以充贡。池虽在海上，而人疑其底与海通，池水乃淡，此不可测也。土人采小蚌肉作脯食之，往往得细珠如米者。乃知此池之蚌，随大小皆有珠矣。而今取珠牡，云得之海旁，不必是珠池中也。其此海珠蚌，种类小别。人取其肉，或有珠者，但不常有，其珠亦不甚光莹，药中不堪用。又蚌属中有一种似江珧者，其腹亦有珠，皆不及南海者奇而且多。入药须用新完未经钻缀者为佳。

《本草衍义》 真珠，小儿惊热药中多用。河北塘、泺中亦有。围及寸者，色多微红。珠母与廉州珠母不相类，但清水急流处，其色光白，水浊及不流处，其色暗。余如《经》。

《绍兴本草》 廉州真珠子，性与主治出产已载经注，但破毒定志、利经络，用之颇验。当云微寒，无毒者是矣。

《宝庆本草折衷》 真珠，续说云：诸方以真珠为镇心要剂，而许叔微又取为入肝之第一也。夫心主火，肝主木，火炎则暴扰，木病则枯槁。珠生于水，禀水之性，以水降火，则成既济之功；以木得水，则有相生之益。荀卿言渊生珠而崖不枯者，以喻珠之润泽，非常物比也，惟娠妇忌服耳。凡珠以未钻、气魄不散者为有力。出珠之壳名真珠母，后条石决明之类是。

《本草蒙筌》 真珠，气寒，无毒。老蚌生者（蚌即珠母，惟老者生多，小者少有）。出廉州海岛大池，（属广东，海中有州岛，岛上有池谓之珠池。人疑其底与海通，池水乃淡，此不可测也。）刺史掌之，督珠户岁采充贡。圆大寸围为上，光莹不暗极优。得此售人，价值难估。欲穿孔眼，非金刚钻不能；求入医方，惟新完者可用。瓷钵极研，薄绢重筛。为丸镇心神，敷面润颜色，作散点目去膜，绵裹宜耳除聋。小儿惊热风痫，和药作锭摩服。尤堪止渴，亦能坠痰。

《本草纲目》 真珠，［集解］［时珍曰］按，《廉州志》云：合浦县海中有梅、青、婴三池。蜑人每以长绳系腰，携篮入水，拾蚌入篮即振绳，令舟人急取之。若有一线之血浮水，则葬鱼腹矣。又熊太古《冀越集》云：禹贡言淮夷玭珠，后世乃出岭南，今南珠色红，西洋珠色白，北海珠色微青，各随方色也。予尝见蜑人入海，取得珠子树数担。其树状如柳枝，蚌生于树，不可上下。树生于石，蜑人凿石得树以求蚌，甚可异也。又《南越志》云：珠有九品，以五分至一寸八九分者为大品，有光彩；一边小平似覆釜者，名珰珠；次则走珠、滑珠等品也。《格古论》云：南番珠色白圆耀者为上，广西者次之；北海珠色微青者为上，粉白、油黄者下也；西番马价珠为上，色青如翠，其老色、夹石粉青、有油烟者下也。凡蚌闻雷则瘷瘦。其孕珠如怀孕，故谓之珠胎。中秋无月，则蚌无胎，左思赋云：蚌蛤珠胎，与月亏全，是矣。陆佃云：蚌蛤无阴阳牝牡，须雀蛤化成，故能生珠，专一于阴精也。龙珠在颔，蛇珠在口，鱼珠在眼，鲛珠在皮，鳖珠在足，蛛珠在腹。皆不及蚌珠也。［修治］［时珍曰］凡入药，不用首饰及见尸气者。以人乳浸三日，煮过如上捣研。一法：以绢袋盛，入豆腐腹中，煮一炷香，云不伤珠也。［主治］［时珍曰］安魂魄，止遗精白浊，解痘疔毒，主难产，下死胎胞衣。［发明］［时珍曰］真珠入厥阴肝经，故能安魂定魄，明目治聋。

《药性歌括四百味》 珍珠气寒，镇惊除痫，开聋磨翳，止渴坠痰。（未钻者研如粉。）

《本草原始》 真珠，［批］小者名米珠，药珠入药用。大而圆明，实为价珠。俗呼走盘珠，灰尘入眼拭翳，即珍珠。出南海，又出廉州海岛大池，谓之珠池。每年刺史亲监珠户入池采老蚌，剖取珠，以充赏。圆大光莹者优，欲穿孔眼非金刚钻不能也。珍珠重也，珠圆明也。（味咸、甘，寒，无毒。主镇心，点目去肤翳障，傅涂面令人润泽好颜色，涂手足去皮肤逆胪，绵裹塞耳主聋，除面䵟，止泄，坠痰。合知母治烦热消渴；合左缠根治小儿痘疮入眼。除小儿惊热，安魂，止遗精白浊，解痘疔毒，主难产，下死胎胞衣。凡用以新完未经钻缀者，盛绢袋入豆腐内煮过，研粉用之。）

《炮炙大法》 真珠，于臼中捣令细，以绢罗重重筛过，却便研二万下了用，不细则伤人脏腑。凡使要不伤破及钻透者，可用也。一法：入豆腐内蒸。易碎，入目生用，不用蒸，依上法为是。

《珍珠囊补遗药性赋》 珍珠，安心志，磨翳障，大喜珍珠。珍珠，寒，无毒。出廉州。主润泽皮肤，悦人颜色；绵包塞耳可治聋。

《雷公炮制药性解》 珍珠，珍珠为水精所孕，专能制火，且其性镇重，心经之所由入也。研之不细，伤人脏腑，功未获奏，害已随之。

《本草经疏》 珍珠，［疏］珠禀太阴之精气而结，故中秋无月则蚌无胎。其体光明，其性坚硬，大小无定，要以新完未经钻缀者为上。味甘、微咸，气寒，无毒。入手少阴、足厥阴经。心虚有热则神气浮越，肝虚有热则目生肤翳障膜，除二经之热，故能镇心，去目中障翳也。耳聋本属肾虚有热，所以之主。逆胪者，胪胀也。胸腹胀满气逆，以及于手足皮肤皆肿也。经云：诸湿肿满属脾土。又云：诸腹胀皆属于热。此因脾虚有热，兼有积滞所致。真珠，味甘，亦能益脾，气寒能除热，体坚能磨积消滞，故主手足皮肤逆胪也。古人未发斯义，所以方书叙论不详，亦为阙略也。珠藏于泽，则川自媚，况涂面宁不令人润泽，好颜色乎！凡小儿惊热风痫必须之药。［主治参互］同丹砂、牛黄、犀角、天竺黄、茯神、远志、钓藤钩、琥珀、金箔，治小儿惊痫风热，大人失志癫狂等证。同炉甘石、龙脑香、白硼砂、空青、人爪，点目能去翳障。同钟乳石、象牙末、牛黄、冰片、白僵蚕、红铅、天灵盖、蛀竹屑、桦皮灰、没药、明矾，治广疮结毒及阴蚀疮有奇效。同人中白、黄檗、青黛、硼砂和冰片少许，治口疳。加入鸡内金、腻粉，治下疳。《格古论》灰尘迷目用大珠拖之则消。《千金方》妇人难产或胞衣不下，真珠末一两，酒服立出。《太平圣惠方》肝虚目暗，真珠末一两，白蜜二合，鲤鱼胆二枚，和合铜器煎至减半，新绵滤过，瓶盛，频点取，瘥。痘疮发疔毒，见谷部豌豆下。［简误］真珠，体最坚硬，研如飞面，方堪服食，不细能伤人脏腑。病不由火热者勿用。

《本草正》 真珠，味微甘、微咸，性微寒，阴也。能镇心明目，去翳磨障，涂面可除皯斑，令人润泽好颜色，亦除小儿惊热，安魂魄。为末可傅痘疔、痘毒。

《本草乘雅半偈》 真珠，真者，仙化通乎天；珠者，木一在中，胞胎之象，指生成功行为名耳。故中秋月满，海蚌食其光而孕珠。益月各有望，唯中秋主维四气之枢键，处三秋之正中，交两弦之嘘噏，烹金水之华藏时也。食其光而柔丽乎中者，此以坎填离，神丹金液耳。是故神宝根身，因形而易，点饵涂塞，咸归化成。所谓神用无方，不与觉时同也。

《本草通元》 珍珠，镇安心神，点眼固翳，绢包入腐中煮研。

《医宗说约》 珍珠气寒，镇惊阴痫，开聋磨翳，止渴坠痰。(研极细用。)

《本草述》 真珠，按，蚌之产珠，陆佃言其专一于阴者，似是矣。第蛤蚌珠胎与月盈亏，而讵知月之盈亏又系于日。是先哲所谓月本无光，日耀之乃光也。然则，《淮南》月死而螺蚌膲之说，岂非指阴不得阳之故欤？其食月之光而后孕珠者，又岂非阴必借于阳之义欤？是珠诚为阴中之阳，有如《管子》所云矣。本至阴之精，乃分至阳之光；丽至阳之光，乃凝至阴之质。然则如方书主治诸证，岂徒取其纯阴，如草木中苦寒之味哉？即疗中风之活命金丹，又疗中风之至圣保命金丹，及热痹之石楠散，投此于诸队中，固有转阳入阴而神其清化者也。即治惊者，率以为镇怯，不观方书真珠母丸，其主治者乃因肝虚而内受风邪，卧则宽散不收，有似惊悸。然此味固逐队以益肝者也。又如目眚诸方，率以为其质凝，能去翳障，是固然矣。然在目昏之真珠煎，云治肝虚寒目茫茫不见物者。又目风泪出有真珠散，云因于肝虚者，细推诸治之益肝虚，不有由阴育阳，即由阳畅阴，有合于厥阴之肝，属阴中之少阳乎！至谓其镇怯，谓其磨翳，实借此品为之先，为之枢，似不以镇怯磨翳为其能事也。且诸治多有并及风者，濒湖谓入厥阴肝经，良不谬矣。如之颐所云中秋月满，海蚌食其光而孕珠，谓中秋为烹金水之华藏时也，此义与入肝之诸治相合。盖唯金能合水火之气，俾阴阳交媾如明珠之胎，因于烹金水之华，以媾阴阳之精，非所谓有木始之，更得金终之，乃为金木之交媾，而大益肝脏乎！是犹得谓之纯阴乎！试思疗肝虚寒而目昏者，岂得用纯阴之味以相对待乎！或曰：然则于清热无当耶。曰：固谓其得阴阳呼吸之元。随证而因其主辅以济之。有妙于其先者也。

《本草备要》 真珠，甘、咸，性寒。感月而胎，（语云：上巳有风梨有蠹，中秋无月蚌无胎。）水精所孕，水能制火，入心肝二经。镇心安魂，（肝藏魂。昂按，虽云泻热，亦借其宝气也。大抵宝物多能镇心安魂，如金箔、琥珀、真珠之类，龙齿安魂，亦假其神气也。）坠痰拔毒，收口生肌，治惊热毒疔，下死胎胞衣（珠末二两，苦酒服）。涂面好颜色，点目去翳膜，绵裹塞耳治聋。取新洁未经钻缀者，乳浸三日，研粉极细用。（不细伤人脏腑，陆佃曰：蛤蚌无阴阳牝牡，须雀化成，故能生珠，专一于阴精也。）

《本经逢原》 真珠［发明］珍珠入手足厥阴二经，故能安魂定神，明目退翳，解痘疔疮及痘疮入眼。治耳暴聋出水，研细末吹之，待其干脱自愈。煅灰，入长肉药，及汤火伤，敷之最妙，然不可著水，著水则反烂肉。

《本草诗笺》 真珠，手足同行两厥阴，甘咸寒有毒无侵；目明翳退诚堪重，神定魂安尤足钦；水出耳聋恒见取（治耳中出水，研细末吹之），疔生眼痘每相寻；煅灰汤火伤能疗，肉长肌生功用深。

《玉楸药解》 珍珠，味甘、咸，微凉。入手太阴肺、足厥阴肝经。明目去翳，安魂定魄。珍珠，凉肺清肝，磨翳障，去惊悸，除遗精白浊，下死胎胞衣，涂面益色，敷疔拔毒，止渴除烦，滑胎催生。

《得配本草》 真珠，咸，寒。入足厥阴经。安魂定魄，聪耳明目，疗遗精，解痘毒。取新珠未经钻缀者，以人乳浸三日，煮捣研用。

《本草求真》 珍珠，[批] 除心肝热邪，及脾肾湿热。珍珠（专入心、肝，兼入脾胃。）即蚌所生之珠也。珠禀太阴精气而成，故中秋无月，则蚌即无珠也。此药冯楚瞻辨论最详，谓其功用多入阴经，其色光明，其体坚硬，大小无定，要以新完未经钻缀者为尚。味甘微咸，气寒无毒，入手少阴心经、足厥阴肝经。盖心虚有热，则神气浮游；肝虚有热，则目生翳障（目为肝窍），除二经之热，故能镇心明目也。耳聋本属肾虚有热（耳为肾窍），甘寒所以主之。逆胪者胪胀也。胸腹气逆胀满，以及手足皮肤皆肿也。经曰：诸湿肿满，皆属脾土，诸满胀大，皆属于热，此脾虚有热，兼有积滞所致。珍珠味甘，既能益脾，寒能除热，体坚复能磨积消滞，故亦主之，珠藏于泽，则川自媚，况涂于面，宁不令人润泽颜色乎。至于疔毒痈肿，长肉生肌，尤臻奇效。但体最坚硬，研如飞面，方堪服食，否则伤人脏腑，外掺肌肉作疼。蚌蛤无阴阳牝牡，须雀化成，故珠专一于阴精也。

《罗氏会约医镜》 [批] 泻热镇惊。真珠，（味咸寒，入肝经，乳浸三日，或用绢包入豆腐中，煮用。）感月而胎（若中秋无月，则蚌无胎），水精所孕。安魂定悸，（宝物多能镇心，如琥珀、金银之类。）堕痰镇惊，止渴除蒸，拔毒生肌（感寒之效），点目退翳。按，珠体最坚，研如飞面方用，否则伤人。病不由热者忌之。

《本草撮要》 真珠，味甘咸。入手太阴、足厥阴经。功专镇心安魂，坠痰拔毒，收口生肌。治惊热痘疔，下死胎胞衣，点目去翳膜。绵裹塞耳，治耳聋。病不由火热者忌。乳浸三日，研极细如飞面，方不伤脏腑。

《本草便读》 珍珠，得太阴精气以生，清热益阴专解毒。具甘淡咸寒之性，镇心定悸可疗狂。治惊痫之痰迷，入肝明目。生肌肉而翳退，泽面涂容。（珍珠出大蚌中，感太阴月魄精华而生，故有“中秋无月蚌无胎”之说。甘、咸，寒，无毒，益阴解毒，是其本功。虽阴精之气结成，而质禀坚刚，性含灵宝，故能镇心坠痰，安魂定魄。至于退翳膜，治痘疮，生肌泽面，皆取其灵宝咸寒润泽之力耳。）

《伪药条辨》 珍珠，伪名药珠。每用上海假珠，或广东料珠伪充，若研为粉，更难辨识。按，珠类不一，入药当以蚌珠为贵，不用首饰，及见尸气者，宜拣新完未经钻缀之珠，以人乳浸三日煮过，方可捣研。一法以绢袋盛入豆腐内，煮一炷香，不伤珠质，研细如粉，方堪服食，不细则伤人脏腑。古方外症多用，汤药罕用，近人汤剂喜用苏珞珠。又岂料为假珠所欺诳乎？用者慎之。[炳章按] 范成大虫鱼志云：珍珠出合浦，海中有珠池，蜑户投水采蚌取之。相传海底有处所如城郭，大蚌居其中，有怪物守之不可近，蚌之细碎蔓延于外者，始得而采之。《岭表录异》云：珠池在廉州边，海中有州岛，岛上有大池，谓之珠池。每年刺史亲监珠户入池采珠，以充贡赋，皆采老蚌取而剖珠。池在海上，其底与海通，其水乃淡，深不可测也。土人采小蚌肉作脯食，亦往往得细珠如粱粟（即今之廉珠也）。乃知珠池之蚌种类小。土人取其肉，或有得珠者，色黄白不甚光莹（或即今之药珠也）。蚌中又有一种江瑶者，腹亦有珠，皆不及南海者奇而且多。宗奭曰：河北溏滦中亦有珠，圆及寸者，色多微红。珠母与廉州者亦不相类，但清水急流处，其色光白，浊水及不流处，其色暗也。熊太古《冀越集》云：禹贡言淮夷玭珠，后世乃出岭南，今南珠色红，西洋珠色白，北海珠色微青，各随方色也。予尝见蜑人入海，取得珠子树数株，状如柳枝。蚌生于树，不可上下，树生于石蜑，人凿石得树以求蚌，甚可异也。《南越志》云：珠有九品，以五分至一寸八九分者为大品，有光彩，一边似镀金者名珰珠，次则走珠宾、滑珠等品也。《格古论》云：南番珠色白圆耀者为上，广西者次之；北海珠（即药珠）色微青者为上，粉白、油黄者下也；西番马价珠为上，色青如翠，其老色夹石粉青、油烟者下也。凡蚌闻雷则瘷瘦，其孕珠如怀孕，故谓之珠胎。中秋无月，则蚌无胎。左思赋云：蚌蛤珠胎，与月盈亏是矣。陆佃云：蚌蛤无阴阳牝牡，须雀蛤化成，故能生珠，专一于阴精也。龙珠在颔，蛇珠在口，鱼珠在眼，鲛珠在皮，鳖珠在足，蛛珠在腹，皆不及蚌珠也。据近时市上所通用，最上者为濂珠，即廉州合浦县珠池所产，粒细如粱如粟，色白光滑有宝光。其次曰药珠，种类甚多，即北海所产，色白黄有神光者亦佳。惟色黑质松者，为最次，不入药用。

尚志钧按 真珠（珍珠）是贝类受异物刺激体内分泌物凝结而成，其形圆或类圆，色泽甚美，因其珍贵故称珍珠。除天然产者外，人工养殖者，称为“养珠”。均可入药。其质坚，极难磨，略加热，如入豆腐中煮片刻，或同黄豆炒至豆爆，然后研磨方成细粉。其价格昂贵，常以蚌之内壳呈真珠色者（即真珠母）代用。珍珠，味咸、甘，寒，无毒。能清热解毒，生肌肉，长皮肤。适用于皮肤与黏膜溃疡。《温病条辨》安宫牛黄丸，治高热惊风。其方为朱砂、雄黄、黄连、黄芩、栀子、郁金、犀角、牛黄各10克，珍珠粉5克，麝香、冰片各2.5克，共研细末，炼蜜为丸，每丸含药3克，每服一丸，日三次。《外科全生集》梅花点舌丹，治痈肿疔毒，口舌生疮有实火者。其方为朱砂、雄黄、硼砂、牛黄、乳香、没药、血竭、葶苈子各6克，冰片3克，珍珠粉、麝香、熊胆各1.8克，沉香3克，白梅花15.6克，制丸，每丸0.15克，每服1~2丸；对痈肿疔毒初起，亦可醋磨外涂。《张氏医通》珍珠散，治疮疡溃烂久不长肉，其方为珍珠3克，龙骨、赤石脂各0.4克，朱砂、象皮各0.5克，血竭0.2克，钟乳石0.6克，琥珀0.7克，炉甘石80克，共研细粉，每3克粉入冰片0.1克，散布溃烂面。《疡科心得集》珠宝散，治火烫灼伤、腐烂不堪者。珍珠1克，西黄0.3克，铅粉1.5克，密陀僧3克，熟石膏3克，冰片3克，大黄9克，寒水石9克，甘草、人中黄1克，各为极细末，和匀，用鸡子清调敷，如湿烂无皮者干掺。《疡医大全》珍珠十宝膏，用珍珠、轻粉、杭粉、潮脑、乳香、没药、琥珀、冰片研匀，以白蜡、猪板油熬成膏调入上药粉，治金创、杖疮、咬伤等症可以生肌定痛。《疡科心得集》白玉膏，用珍珠、鲫鱼、铅粉、象皮、轻粉、香油等，熬成铅丹膏，外贴臁疮溃烂、久不收口。《外科正宗》月白珍珠散，用珍珠粉3克，轻粉0.3克，共研细末，治烫火伤处有新肉，但不长皮肤，以此散外掺。单用珍珠粉3克，牛黄1克，研为散，外掺亦有效。《温热经纬》锡类散，用珍珠粉、象牙屑各9克，牛黄、人指甲各1.5克，青黛18克，冰片0.9克，壁钱窠200个，研至无声。治口腔、咽喉糜烂肿痛，外吹患处；对直肠慢性溃疡及阴道溃疡，外吹，亦可治。

292　珍珠母（《沈氏尊生书》）

珍珠母，性味功用同珍珠，药力小，价格便宜。

《沈氏尊生书》　香珠散。轻粉、血竭各2.5克，珍珠母、冰片、麝香各0.1克，研为细末，香油调，敷痈肿初起，能消肿止痛。

一方，珍珠母粉、赤小豆粉、黄檗各20克，大黄、白蔹、天南星各10克。共研细末，芭蕉根汁调，敷痈肿四周，能消肿止痛。方中白蔹粘性大，珠母粉能减低粘性。适用于阳症，初起能消，已成脓促溃，溃后红肿不退，敷此方于疮口周围，能拔毒排脓。

《疡医大全》　八宝丹，治疮疡溃烂久不收口。其方为：珍珠母、象皮、煅龙骨、琥珀、轻粉各15克，煅炉甘石30克，冰片3克，牛黄5克，共研极细末，撒布疮口，膏药盖之。此方对疮毒尽方可用。

《医宗金鉴》　黄蜡膏，外贴久不收口臁疮，其方为：珍珠母、赤石脂、血竭各6克，研极细末。另取香油30克，黄蜡30克共烊化，入乱发一团，熬枯，去发，入白胶香9克熔化后，入上3味药末，调匀，摊布上，贴臁疮上，包扎。

珍珠散，治烫火疮，久不生皮肤。珍珠母30克，青黛10克，轻粉0.3克，研极细末，掺患处。此方亦适用疮疡溃烂、久不收口。

一方：用珍珠母10克，炉甘石80克，钟乳石6克，煅龙骨、赤石脂各4克，象皮5克，琥珀7克，朱砂3克，血竭、冰片各2克，共研细末，撒布疮口，促进疮面生肌收口。

珍珠母性涩，能收敛水湿。用珍珠母40克，大黄10克，黄檗10克，青黛1.3克。共研细末，香油调，涂湿疮。如湿疮已烂，用干粉撒布疮面。

293　紫贝（《唐本草》）

《唐本草》　紫贝，明目，去热毒。形似贝，圆，大二三寸，出东海及南海，上有紫斑而骨白。

《本草图经》　紫贝《本经》不载所出州土。苏恭注云：出东海及南海上。今南海多有之，即砑螺也。形似贝而圆，大二三寸，儋振夷黎采以为货币，北人惟画家用砑物。谨按，郭璞注《尔雅》云：余贴，黄白文。谓以黄为质，白为文点。余泉，白黄文。谓以白为质，黄为文点。今紫贝则以紫为质，黑为文点也。贝之类极多，古人以为宝货，而此紫贝尤为世所贵重。汉文帝时，南越王献紫贝五百是也。后世以多见贱，而药中亦稀使之。又车螯之紫者，海人亦谓之紫贝。车螯，近世治痈疽方中多用。其壳烧煅为灰傅疮。南海、北海皆有之，采无时。人亦食其肉，云，味咸，平，无毒。似蛤蜊而肉坚硬不及，亦可解酒毒。北中者壳粗，不堪用也。

《本草衍义》　紫贝，大二三寸，背上深紫有点，但黑。《本经》以此烧存性，入点眼药。

《绍兴本草》　紫贝，乃世之呼蚜螺是矣。《本经》虽云明目，去热毒，但未闻方用验据。产海中。当从《本经》味平，无毒是矣，或云车螯为紫贝者，非也。

《本草纲目》　［释名］紫贝，一名文贝、砑螺。［时珍曰］《南州异物志》云：文贝甚大，质白文紫，天姿自然，不假外饰而光彩焕烂，故名。［集解］［时珍曰］按，陆玑《诗疏》云：紫贝，质白如玉，紫点为文，皆行列相当。大者径一尺七八寸。交趾、九真以为杯盘。［主治］［时珍曰］小儿斑疹目翳。

《食物本草》 紫贝，味咸，平，无毒。主明目，去热毒。治小儿斑疹入目目翳。

《本经逢原》 紫贝，治小儿斑疹目翳。今人用以砑纸，谓之砑嬴。大者曰珂，亦名马轲螺。治目，消翳，去筋膜胬肉，与贝子相类，分紫白。煅灰用之。

《本草求真》 紫贝［批］利水通道，逐蛊下血。紫贝，（专入脾、肝。）即贝子之色赤者也。味咸，气平，其物出于云南。白入气，紫入血（紫斑而骨白）。功专利水通道，逐蛊下血。凡人证患脚气，小儿斑疹目翳，五癃水肿，蛊毒鬼疰，用此的能解除。盖因咸有软坚之力，脚证湿热，用此得以透骨逐邪，（贝骨坚硬，故能透骨。）和以诸药，使其蒸蒸作汗次第而解也。目翳用此粉点，亦以能除湿热而使血得上营。但与贝子相类甚多，如砑嬴之类皆能相混，分别用之。（颂曰：贝类极多，古人以为宝货，而紫贝尤贵。后世不用贝钱，而药中亦希使之。）背上深紫有黑点者良，生研细末用。

尚志钧按 紫贝齿，味咸，性平。清热平肝，明目安神。适用于肝阳上亢头痛眩晕，目赤肿痛，惊惕不寐。治肝阳头痛眩晕，配龟板、牡蛎、白芍、刺蒺藜、菊花合用。对目赤肿痛，配决明子、野菊花、黄连、黄芩合用。对惊惕不寐，配酸枣仁、朱茯神、龙骨、牡蛎、紫石英、夜交藤合用。

294 石决明（《别录》）

《名医别录》 石决明，味咸，平，无毒。主治目障翳痛，青盲。久服益精，轻身。生南海。

《本草经集注》 石决明，俗云是紫贝，定小异，亦难得。又云是鳆鱼甲，附石生，大者如手，明耀五色，内亦含珠。人今皆水渍紫贝，以熨眼，颇能明。此一种，本亦附见在“决明”条，甲既是异类，今为副品也。

《雷公炮炙论》 石决明，凡使，即是真珠母也，先去上粗皮，用盐并东流水，于大瓷器中煮一伏时了，漉出，拭干，捣为末，研如粉，却入锅子中，再用五花皮、地榆、阿胶三件，更用东流水于瓷器中，如此淘之三度，待干，再研一万匝，方入药中用。凡修事五两，以盐半分，取则第二度煮，用地榆、五花皮、阿胶各十两。服之十两，永不得食山桃，令人丧目也。

《唐本草》 石决明，此物是鳆鱼甲也，附石生，状如蛤，惟一片无对、七孔者良。今俗用紫贝者全别，非此类也。

《蜀本草》 石决明，寒。又注云：鳆鱼，主咳嗽，啖之明目。又《图经》

云：今出莱州即墨县南海内。三四月采之。

《海药本草》 石决明，主青盲内障，肝肺风热，骨蒸劳极，并良。凡用先以面裹热煨，然后磨去其黑处，并粗皮了，烘捣之，细罗，于乳钵中再研如面，方堪用也。

《日华子本草》 石决明，凉，明目。壳磨障翳。亦名九孔螺也。

《开宝本草》 石决明，生广州海畔。壳大者如手，小者如三两指，其肉，南人皆啖之，亦取其壳，以水渍洗眼。七孔、九孔者良，十孔以上者不佳，谓是紫贝及鳆鱼甲，并误矣。

《本草图经》 石决明，生南海，今岭南州郡及莱州皆有之。旧说，或以为紫贝，或以为鳆鱼甲。按，紫贝即今人砑螺，古人用以为货币者，殊非此类。鳆鱼，王莽所食者，一边著石，光明可爱，自是一种，与决明相近耳。决明壳大如手，小者三两指，海人亦啖其肉，亦取其壳，渍水洗眼，七孔、九孔者良，十孔者不佳。采无时。

《本草衍义》 石决明，《经》云：味咸，即是肉也。人采肉以供馔，及干至都下，北人遂为珍味。肉与壳两可用，方家宜审用之，然皆治目，壳研，水飞，点磨外障翳，登、莱州甚多。

《绍兴本草》 石决明，采壳为用。形质、出产、性味、主治备载经注，然治目疾诸方多用之。《本经》云：味咸，平，无毒是矣。其肉世作食品，但多食亦动风气，而未闻疗疾。

《宝庆本草折衷》 石决明，续说云：天地间物有母，斯有子。真珠生于石决明之中，则石决明为母而真珠为子显矣！故雷公及艾氏皆言石决明是真珠母焉。然方书母或称未钻之真珠为真珠供母者，不亦缪乎？

《本草蒙筌》 石决明，出南海内。单片不生对合，光耀无忝珍珠。由此得名，眼科专用。或疑珠母，此大差违。气味寒咸，择七孔、九孔方取；（又名九孔螺。十孔以上者不佳。）面裹煨热，将皮外粗黑尽摩。捣细末务如粉霜，开青盲兼除翳障。（渍水洗眼亦妙。）

《本草纲目》 ［释名］石决明，一名九孔螺（《日华》），壳名千里光。［时珍曰］决明、千里光，以功名也。九孔螺，以形名也。［集解］［时珍曰］石决明形长如小蚌而扁，外皮甚粗，细孔杂杂，内则光耀，背侧一行有孔如穿成者。生于石崖之上，海人泅水，乘其不意，即易得之。否则紧黏难脱也。陶氏以为紫贝，雷氏以为真珠母，杨倞注《荀子》以为龟脚，皆非矣。惟鳆鱼是一种二类，故功用相同。吴越人以糟决明、酒蛤蜊为美品者，即此。[修治]［时珍曰］今方家只以盐同东流水煮一伏时，研末水飞用。[主治]［时珍曰］通五淋。

《本草原始》 石决明，[批]九孔、七孔。石决明，岭南州郡及莱州海边皆有之，采无时。形长如小蚌而扁，外皮甚粗，内则光耀，背侧一行有孔，如穿成者，七孔、九孔者良。生于石岩上。功能明目，故称石决明。（味咸、平，无毒。主目翳痛、青盲。久吃益精轻身，明目磨障，肝肺风热内障，骨蒸虚劳极。水飞点外障翳，通五淋。炙面裹煨熟，去粗皮，研粉。）

《炮炙大法》 石决明，即真珠母也。七、九孔者良。先去上粗皮，用盐并东流水于大瓷器中煮一伏时了，漉出试干，捣为末，研如粉，更用东流水于瓷器中，如此淘之三度，待干再研一万匝，方入药中用。凡修事五两，以盐半分，则取。服之十两，永不得食山桃，令人丧目也。

《珍珠囊补遗药性赋》 石决明泻肝，黑障青盲终可决；桑螵蛸补肾，泄精遗溺竟无虞。(石决明，味咸，平、凉，无毒。除肝经风热。)

《雷公炮制药性解》 石决明本水族也，宜足以生木而制阳光，故独入肝家，为眼科要药。命曰决明者，丹溪所谓以能而名也。

《本草经疏》 石决明，[疏]石决明得水中之阴气以生，故其味咸，气应寒，无毒。足厥阴经药也。足厥阴开窍于目，目得血而能视。血虚有热则青盲赤痛，障翳生焉。咸寒入血除热，所以能主诸目疾也。咸寒又能入肾补阴，故久服益精轻身也。研细，水飞，主点外障翳。[主治参互]得甘菊花、生地黄、木贼草、谷精草、羚羊角、人爪、蝉蜕、空青、密蒙花、决明子、夜明砂，治青盲障翳。《明目集验方》羞明怕日，用千里光、甘菊花、甘草各二钱，水煎冷服。《鸿飞集》痘后目翳，用石决明火煅，研，谷精草各等分。为细末，以猪肝蘸食。目疾外他用甚稀，故无简误。

《食物本草》 石决明，肉：味咸，平，无毒。治目障翳痛，青盲。久服，益精轻身。除肝肺风热、骨蒸劳极。能五淋。壳：功用与肉相同。

《本草通元》 石决明，咸寒，入足厥阴、少阴经。内服而翳障消除，外点而赤膜尽散，消肝肺之风热，解百酒之味酸。火煅，研末，以酒荡热入末，调匀，盖一时，饮之不酸。又名千古光，以其功效名之。可以浸水洗眼目病之外，无他用也。久服令人寒中。咸水煮，或涎里煨，磨去粗皮，研万遍，水飞用。七孔、九孔者良。

《医宗说约》 石决明，咸，青盲内障，风热骨蒸，益精可仗。（九孔、七孔者良。以面裹煨，研细用。）

《本草备要》 石决明，咸平。除肺肝风热、青盲内障，水飞点目外障。亦治骨蒸劳热，通五淋，（能清肺肝故也。古方多用治疡疽。）解酒酸。（为末，投热酒中即解。）如蚌而扁，惟一片无对，七孔九孔者良。盐水煮一伏时，或面裹煨熟，研粉极细水飞用。恶旋覆花。

《本经逢原》 石决明［发明］石决明味咸软坚，入肝，肾二经，为磨翳消障之专药。又治风热入肝、烦扰不寐、游魂无定。《本事方》珍珠母丸，与龙齿同用，取散肝经之积热，须与养血药同用。不宜久服，令人寒中，非其性寒，乃消乏过当耳。

《本草诗笺》 石决明（一名珍珠母,）无毒咸平石决明，软坚功用自非轻；从容每向肝中去，渐次还来肾内行；治热祛风魂赖定，磨翳解障目资清（明目去翳之专药）；但嫌消乏殊为过，施用须同养药擎。（须与养血药同用。）

《玉楸药解》 石决明，味咸，气寒。入手太阴肺、足太阳膀胱经。清金利水，磨翳止淋。石决明，清肺开郁，磨翳消障，治雀目夜盲昼暗，泄膀胱湿热，小便淋漓，服点并用，但须精解病源，新制良方用之得效，若庸工妄作眼科诸方，则终身不灵，久成大害，万不可服。面煨，去粗皮，研细，水飞。

《得配本草》 石决明，咸，平。入足厥阴经血分。能生至阴之水，以制阳光。清肝肺之风热，以疗内障，除骨蒸，通五淋。得龙骨，止泄精。得谷精草，治痘后目翳。得杞子、甘菊，治头痛目暗。地榆汁同煮研，水飞用；煅童便淬研，水飞用；面裹煨熟，水飞用。

《本草求真》 石决明，［批］入肝，除热磨翳。石决明（专入肝），一名千里光，得水中阴气以生，其形如蚌而扁，味咸气寒无毒，入足厥阴肝经除热，为磨翳消障之品，缘热炽则风必生，风生则血被风阻而障以起，久而固结不解，非不用此咸寒软坚逐瘀、清热祛风，则热何能祛乎？故《本事》真珠母丸与龙齿同用，皆取清散肝经积热也。但此须与养血药同入，方能取效。且比气味咸平，久服消伐过当，不无寒中之弊耳。亦治骨蒸劳热、五淋。（汪昂曰：能清肝肺故也。）研细，水飞，点目，能消外障，痘后眼翳，可同谷精草等分细研，猪肝蘸食即退。七孔、九孔者良。盐水煮，面裹煨熟，为末水飞。恶旋覆。

《罗氏会约医镜》 石决明，［批］泻热明目。石决明（味咸平，入肝、肾二经。盐水煮，细研。）咸寒入血，除肝经风热。内服治目青盲、内障；细研，水飞，点目，消外障，（目者，肝之窍，肝火清则目病悉平。）痘后目翳。（同谷精草等分研细，猪肝蘸食即退。）亦疗劳热，并泄清，（同龙骨服。）解酒酸。（为末投热酒中即解。）得水中之阴气以生，如蚌而扁，惟一片无对，七孔、九孔者佳。

《本经续疏》 石决明，障目病总称也。翳多属痰，痛多属火，痰火阻于精明之道，上引之气遂不能达精明而反达痰火于目，所以为翳痛也，此为外障。青盲则精明亏乏，无以上荣，故黑白分明，瞳子无异，直不能鉴物耳，此为内障，然是二者，致病有先后之殊，或由痰火久溷，精明遂不上朝，或由精明衰减，痰火乘机上扰。今日目障、翳痛、青盲，乃因痰火而致青盲，非因青盲而痰火窃出。石决明之粗皮外蒙，正如痰火之隔蔽，去粗皮而光耀焕发，正如精明之遂得上朝。目者肝窍，目中精明，则肾家阴中之阳，故其光藏于黑珠之内，肝特襄以发生升举之气而奉之于目耳。是则石决明之用，不过拨芜累而发精光，乃目之曰镇肝清肺，其意何谓。

《本草害利》 石决明，［害］多服令人寒中。永不得食山龟，令人丧目。［利］咸凉，坠肺，肝风热而明目，内服疗青盲内障，外点散赤膜外障，除目疾及肝火外，他用甚稀。亦治骨蒸劳热，通淋。［修治］采无时，七孔、九孔者佳。或煅研，或生捣，或盐水煮用。

《医家四要》 石决明，平肝清肺疗青盲，决明可服。（面裹煨热，研细，水飞，同夜明砂、猪肝煎服，治青盲眼。同地骨皮、石斛，治骨蒸劳热。）

《本草撮要》 石决明，味咸。入足厥阴经。功专清热补肝。得枸杞、菊花治头痛目昏，多服令人寒中。恶旋覆。

《本草便读》 石决明，平肝除热，明目潜阳。味咸，性寒，通淋益肾。（石决明，出海中石崖上，形如长小蚌而扁。外皮甚粗，内则光曜，背则一行有细孔，或七孔，或九孔，惟一片而无对偶。凡海物皆味咸性寒，此物能入肝，咸能软坚，寒能清热。又介类之属，皆可潜阳入肾，故能建功于肝，肝窍于目，内服外点，皆决能明目也。通淋者，清肝家湿火，以肝主疏泄，邪热去而淋自愈也。

尚志钧按 石决明，味咸，性微寒，能平肝潜阳，镇惊明目。适用于肝阳上扰的头痛、眩晕，内障、外障翳膜。治青盲雀目，配苍术、猪肝合用。治目赤痛，热泪频频，配车前子、蝉蜕、菊花、白蒺藜、大黄合用。治目昏暗，石决明、刺蒺藜、当归、白芍各4克，杞菊地黄丸16克。每日早晚各服6克。《外科正宗》珍珠散，治疮口久不愈，煅石决明25克，煅石膏2克，煅龙骨5克，白石脂3克，珍珠粉2克，研极细面，撒疮口上，以膏药盖之。

295 瓦楞子（蚶）（《拾遗》）

《本草拾遗》 蚶，壳如瓦屋。又云无毒，益血色。壳烧以米醋三度淬石，埋令坏。醋膏丸，治一切血气，冷气，癥癖。

［朱丹溪曰］魁蛤壳，消血块，化痰积。

《本草蒙筌》 瓦垄子，味咸，气温，无毒。生海水中，即蚶子壳。状类瓦屋，故名瓦垄。大如人拳者力优，小若栗子者力少。火煅，淬酽醋三度，研细，筛密绢两遭。务赛粉霜，才入药剂，消妇人血块立效，虽癥瘕并消；逐男子痰癖殊功，凡积聚悉逐。

《本草纲目》 魁蛤，［校正］［时珍曰］宋嘉祐别出“蚶”条，今据郭璞说合并为一。［释名］一名瓦垄子。［时珍曰］魁者羹斗之名，蛤形肖之故也。蚶味甘，故从甘。按，《岭表录异》云：南人名空慈子。尚书卢钧以其壳似瓦屋之垄，改为瓦屋、瓦垄也。广人重其肉，炙以荐酒，呼为天脔。广人谓之蜜丁。《名医别录》云：一名活东，误矣。活东，蝌斗也。见《尔雅》。［集解］［时珍曰］按，郭璞《尔雅注》云：魁陆即今之蚶也。状如小蛤而圆厚。《临海异物志》云：蚶之大者径四寸。背上沟文似瓦屋之垄，肉味极佳。今浙东以近海田种之，谓之蚶田。壳，［主治］［时珍曰］连肉烧存性研，傅小儿走马牙疳有效。［发明］［时珍曰］咸走血而软坚，故瓦垄子能消血块，散痰积。

《药性歌括四百味》 瓦楞子，咸，妇人血块、男子痰癖、癥瘕可瘥。（即蚶子壳，火煅醋淬。）

《本草原始》 瓦垄子，［批］形大者佳，白色。瓦垄子，一名蚶。生东海。状如小蛤而圆厚，肉味甘，故名蚶。其壳有纵横文理，似瓦屋之垄，故名瓦垄子。（味咸，平，无毒。主烧过醋，碎研粉，研服。治一切血气、冷气、癥癖血块，化痰积。连肉烧存性，研粉，小儿走马疳有效。）

《食物本草》 魁蛤壳，味甘、咸，无毒。烧过，醋淬，醋丸服，治一切血气、冷气、癥癖。消血块，化痰积。连肉烧存性，研，傅小儿走马牙疳。

《本草述》 魁蛤（一名魁陆、蚶，瓦垄子。），愚按，时珍言，其咸走血而软坚，故能消血块，散痰积。但蚶之肉甚甘，甘能和血。壳甘而兼以咸平，其效当更甚于诸咸味乎。

《本草备要》 瓦楞子，（即蚶壳）甘咸。消血块，散痰积。（煅红，醋淬三次，为末，醋膏丸，治一切气血癥瘕。）

《本经逢原》 魁蛤壳，[发明] 蚶肉仅供食品，虽有温中健胃之功，方药曾未之及。其壳煅灰，则有消血块，散痰积，治积年胃脘瘀血疼痛之功。与鳖甲、虻虫，同为消疟母之味。独用醋丸，则消胃脘痰积。观制蚶饼者，以蚶壳灰泡汤，搜糯粉，则发松异常，软坚之力可知。

《本草诗笺》 魁蛤壳，（俗名蚶子，即瓦垄子。）温中健胃肉甘平，壳著咸平药每擎；善散积痰痰使去，专消瘀血血俾行；疟中致治功尤大，饼内相和味极精（溲糯粉则发松）；力在软坚从可识，毫无毒性惹人评。

《得配本草》 魁蛤壳（即瓦垄子），甘、咸。消血块，散痰积，治血气冷痛。连肉烧存性，研，傅小儿走马牙疳。配醋丸，治一切气血癥块。（先煅，醋淬三次，醋丸服。）

《本草求真》 瓦楞子，[批] 泻肝经血分积块。瓦楞子（专入肝）。即令所谓蚶子壳者是也。味咸而甘，性平。故治多主消血、化痰、除积，为妇人血块癥瘕，男子痰癖积聚要药。（积者阴气也。五脏所生，其始发有常处，其痛不离其部，上下有所终始，左右有所穷处，谓之积。聚者，阳气也。六腑所成，其始发无根本，上下无所留止，其痛无常处，谓之聚。积聚之证，非止根于偶尔食积不化之可用，以化气消导之剂。《缘经》有言：卒然饱食多饮，则肠满，起居不节，用力过度，则络脉伤。伤于阳络，则血外溢，血外溢则衄血；伤于阴络，则血内溢，血内溢则后血；伤于肠胃之络，则血溢于肠外，肠外有寒汁沫与血相搏，则并合凝聚不得散，而积成矣。且以胃之大络，名曰虚里，贯膈络肺，出于左乳之下，其动应衣，是即阳明宗气所出之道。凡人饮食不节，渐以留滞，而致痞积成于左胁膈膜之外者，即此候也。）是以昔人有云，此与鳖甲、虻虫同为一类，皆能消疟除积，但虻虫其性最迅，此与鳖甲其性稍缓耳。煅红，醋淬三次用。

《罗氏会约医镜》 瓦楞子，[批] 消血块，散痰积。瓦楞子，（即蚶子，味甘、咸，气温，无毒。）消血块，散痰癖。（咸能软坚，故消血积；温能补中，故散痰积。用壳，煅红，醋淬三次，为末，醋膏糊丸。治一切气血癥瘕。肉，益中气，健脾胃，有益无损。）

《本草撮要》 瓦楞子，味甘、咸，平，入足厥阴经。功专消老痰，破血癖。烧过醋淬，醋丸服，治一切血气冷气癥癖。一名魁蛤。

《本草便读》 瓦楞子，咸可软坚，消老痰至效。寒行瘀结，治胃痛多灵。（瓦楞子，一名魁蛤，出海中，形似蛤，其壳背如瓦屋之楞。味咸，性寒，入肺胃。软坚痰，消瘀血。凡胸胃痛有老痰死血在内者，皆可用之。）

尚志钧按 瓦楞子，味咸，性平。能化痰软坚，散瘀消积，止胃酸。适用于瘰疬，结核，胃痛，吐酸，胃及十二指肠溃疡。治胃痛吐酸水，配乌贼骨、广陈皮合用。治胃及十二指肠溃疡，配乌贼骨、甘草研细粉服。治瘰疬结核，配海浮石、僵蚕、夏枯草合用。治妇人癥瘕痞块，单用本品煅，醋淬，制醋膏丸服。治妇人临经血不行，按之硬作痛，配当归、川芎、大黄、桃仁、红花、丹皮、香附合用。治咳痰黏稠难咯，配贝母、海浮石合用。

296 车渠（《海药》）

《海药本草》 车渠，《韵集》云：生西国。是玉石之类，形似蚌蛤，有文理。大寒，无毒。主安神镇宅，解诸毒药及虫螫。以玳瑁一片，车渠等同，以人乳磨服，极验也。又《西域记》云：重堂殿梁檐皆以七宝饰之，此其一也。

《本草纲目》 ［释名］车渠，一名海扇。［时珍］《韵会》云：车渠，海中大贝也。背上垄文如车轮之渠，故然。车沟曰渠。刘绩《霏雪录》云：海扇，海中甲物也。其形如扇，背文如瓦屋。三月三日潮尽乃出。“梵书”谓之牟婆洛揭拉婆。［集解］［时珍曰］车渠，大蛤也。大者长二三尺，阔尺许，厚二三寸。壳外沟垄如蚶壳而深大，皆纵文如瓦沟，无横文也；壳内白晰如玉。亦不甚贵，番人以饰器物，谬言为玉石之类。或云玉中亦有车渠，而此蛤似之故也。沈存中笔谈云：车渠大者如箕，背有渠垄如蚶壳，以作器。致如白玉。杨慎《丹铅录》云：车渠作杯，注酒满过一分不溢。试之果然。［发明］［时珍曰］车渠，盖瓦垄之大者，故其功用亦相仿佛。

297 石蟹（《开宝》）

《开宝本草》 石蟹，味咸，寒，无毒。主青盲目、淫肤翳及丁翳、漆疮。生南海。又云，是寻常蟹尔，年月深久，水沫相著，因化成石，每遇海潮即飘出。又一般入洞穴，年深者亦然。皆细研水飞过，入诸药相佐用之，点目良。

《日华子本草》 石蟹，凉。解一切药毒并蛊毒，催生，落胎，疗血晕，消痈，治天行热疾等。并熟水磨服也。又云，浮石，平，无毒。止渴，治淋，杀野兽毒。

《本草图经》 石蟹，出南海，今岭南近海州郡皆有之。体质石也，而都与蟹相似。或云是海蟹多年水沫相著，化而为石，每海潮风飘出，为人所得。又一种入洞穴，年深者亦然。醋磨傅痈肿，亦解金石毒。采无时。

《本草衍义》 石蟹，直是今之生蟹，更无异处，但有泥与粗石相着。凡用，须去其泥并粗石，止用蟹，磨合他药，点目中，须水飞。又云浮石水飞，治目中翳。今皮作家用之，磨皮上垢，无出此石。“石蟹”条中云：浮石，平，无毒。止渴，治淋，杀野兽毒，合于此条收入。

《绍兴本草》 主治已载本经，此乃石类也。其状全如蟹，而大小不等。治目方中多用之，当从味咸、寒，无毒。又注说浮石一种，乃治淋涩一良药也。亦海中水沫之所结，久而性硬，其毒则一矣。

《本草纲目》 ［集解］［时珍曰］按，顾玠《海槎录》云：崖州榆林港内半里许，土极细腻，最寒，但蟹入则不能运动，片时成石矣。人获之名石蟹，置之几案，云能明目也。复有石虾似虾，出海边；石鱼似鱼，出湘山县。石鱼、虾并不入药用。《一统志》言：凤翔汧阳县西有山鱼陇，握地破石得之，云可辟蠹也。

298 石蛇（《图经》）

《本草图经》 石蛇，出南海水傍山石间，其形盘屈如蛇也，无首尾，内空，红紫色，又似车螺，不知何物所化？大抵与石蟹同类，功用亦相近。尤能解金石毒，以左盘者良。采无时。味咸，性平，无毒。

《本草衍义》 石蛇，《本经》不收，始自《开宝本草》添附。其色如古墙上土，盘结如楂梨大，中空，两头巨细一等，无盖，不与石蟹同类。蟹则真蟹也，蛇非真蛇也，今人用之绝少。

《本草纲目》 ［集解］［时珍曰］按，姚宽西溪丛话云：南恩州海边有石山觜，每蟹过之则化为石，蛇过亦然。此说不知果否？若然，则石蛇亦真蛇所化矣。

299 石蚕（《开宝》）

《开宝本草》 石蚕，无毒。主金疮止血，生肌，破石淋，血结。摩服之，当下碎石。生海岸石傍，状如蚕，其实石也。

《药诀》 石蚕，味苦，热，有毒。

《绍兴本草》 石蚕本石类，其形颇类蚕也。主治虽具本经，亦是稀用之药。本经云无毒。又《药诀》云苦、热，有毒。据止血、生肌，又破石淋，即非性热，有毒。今当以味苦、辛，无毒为定。谨详“虫鱼部”复有“石蚕”一种，与此

“石蚕”名同实异也。

《本草纲目》 石蚕，一名石僵蚕。

300 石燕（《唐本》）

《唐本草》 石燕，以水煮汁饮之，主淋有效。妇人难产，两手各把一枚，立验。出零陵。

《四声本草》 别有乳洞中食乳有命者，亦名石燕，似蝙蝠，口方，生气物也。

《唐本草》注 俗云因雷雨则从石穴中出，随雨飞堕者，妄也。永州祁阳县西北百一十五里土岗上，掘深丈余取之。形似蚶而小，坚重如石也。

《食疗本草》 在乳穴石洞中者，冬月采之堪食。馀月采者，只堪治病，不堪食也。又，治法，取石燕二七枚，和五味炒令熟，以酒一斗，浸三日，即每夜卧时饮一、两盏，随性也。甚能补益，能吃食，令人健力也。

《本草拾遗》 石燕，主消渴，取水牛鼻和煮饮之。自死者鼻，不如落崖死者良。

《蜀本草》注 《尔雅》云：蠃，小者蛹。

《日华子本草》 石燕，凉，无毒。出南土穴中，凝强似石者佳。

《本草图经》 石燕，出零陵郡，今永州祁阳县江傍沙滩上有之。形似蚶而小，其实石也。或云生山洞中，因雷雨则飞出，堕于沙上而化为石，未审的否？今人以催出，令产妇两手各握一枚，须臾子则下。采无时。

《太平圣惠方》 治伤寒，小腹胀满，小便不通。用石燕捣罗为末，不计时候，葱白汤调半钱，得通为度。《简要济众》云：治淋疾。石燕子七个，捣如黍米粒大，新桑根白皮三两，剉如豆粒，同拌令匀，分作七贴。用水一盏煎一贴，取七分去滓，每服空心、午前各一服。《灵苑方》云：治久患肠风痔瘘一、二十年不差，面色虚黄，饮食无味，及患脏腑伤损，多患泄泻，暑月常泻不止，及诸般淋沥，久患消渴，妇人月候湛浊，赤白带下，多年不差，应是脏腑诸疾皆主之。用石燕净洗，刷去泥土收之。右每日空心取一枚，于坚硬无油瓷器内，以温水磨服之，如弹丸大者一个分三服，大小以此为准，晚食前更一服。若欲作散，须先杵罗为末，以磁石熁去杵头铁屑后，更入坚瓷钵内，以硬乳捶研细，水飞过，取白汁如泔乳者，澄去水暴干。每服半钱至一钱，清饭饮调下，温水亦得。此方偏治久年肠风痔，须常服勿令歇，服至及一月，诸疾皆愈。

《本草衍义》 石燕，今人用者如蚬蛤之状，色如土，坚重则石也。既无羽翼，焉能自石穴中飞出，何故只堕沙滩上？此说近妄，《唐本》注：永州土岗上，掘深丈余取之。形似蚶而小，重如石，则此自是一物，余说不可取。溃虚积药中多用。

《绍兴本草》 石燕，经注所说出产不一，大抵止是石类。主疗已具经注中，而本经不载性味、有无毒。然可治淋，当从《日华子》性凉、无毒为定。若称活物所化，即无考据。

《本草纲目》 ［集解］［时珍曰］石燕有二：一种是此，乃石类也，状类燕而有文，圆大者为雄，长小者为雌；一种是钟乳穴中石燕，似蝙蝠者，食乳汁能飞，乃禽类也，见禽部。禽石燕食乳，食之补助，与钟乳同功，故方书助阳药多用之。俗人不知，往往用此石为助阳药，刊于方册，误矣。［集解］［时珍曰］石燕性凉，乃利窍行湿热之物。宋人修《本草》，以食钟乳禽石燕，混收入此石燕下。故世俗误传此石能助阳，不知其正相反也。［主治］［时珍曰］疗眼目障翳，诸般淋沥，久患消渴，脏腑频泻，肠风痔瘘，年久不瘥，面色虚黄，饮食无味，妇人月水湛浊，赤白带下多年者，每日磨汁饮之。一枚用三日，以此为准。亦可为末，水飞过，每日服半钱至一钱，米饮服。至一月，诸疾悉平。

301 珊瑚（《唐本》）

《唐本草》 珊瑚，味甘，平，无毒。主宿血，去目中翳，鼻衄。末吹鼻中。生南海。

《唐本草》注 似玉红润，中多有孔，亦有无孔者。又从波斯国及师子国来。

《本草拾遗》 珊瑚，生石岩下，刺刻之汁流如血。以金投之为丸，名金浆；以玉投之，为玉髓。久服长生。

《海药本草》 按，《晋列传》云：石崇金谷园，珊瑚树皮如花生蕊，味甘，平，无毒。主消宿血、风痫等疾。按，其主治与金相似也。

《日华子本草》 镇心止惊，明目。

《本草图经》 珊瑚，生南海。注云又从波斯国及师子国来。今广州亦有，云生海底，作枝柯状，明润如红玉，中多有孔，亦有无孔者，枝柯多者更难得。采无时。谨按，《海中经》曰：取珊瑚，先作铁网沉水底，珊瑚贯中而生，岁高三、二尺，有枝无叶，因绞网出之，皆摧折在网中，故难得完好者。不知今之取者果尔否？汉积翠池中有珊瑚，高一丈二尺，一本三柯，上有四百六十三条，云是南越王赵佗所献，夜有光景。晋石崇家有珊瑚，高六七尺，今并不闻有此高大者。

《钱相公箧中方》 治七、八岁小儿眼有肤翳，未坚，不可妄敷药。宜点珊瑚散，细研如粉，每日少少点之，三日立愈。《异物志》云出波斯国，为人间至贵之宝也。

《本草衍义》 珊瑚，治翳目，今人用为点眼篓。有一等红油色，有细纵纹可爱；又一种如铅丹色，无纵纹为下。入药用红油色者，尝见一本高尺许，两枝直上，分十余歧，将至其颠，则交合连理，仍红润有纵纹，亦一异也。波斯国海中，有珊瑚洲。海人乘大舶，堕铁网水底，珊瑚初生盘石上，白如菌，一岁而黄，三岁赤，枝干交错，高三四尺。铁发其根，系网舶上，绞而出之，失时不取即腐。

《绍兴本草》 珊瑚，性味、主治已载本经，生南海。明润如红玉者佳。既可作点洗目药，其云无毒是矣。

《本草纲目》 ［集解］［时珍曰］珊瑚生海底，五七株成林，谓之珊瑚林。居水中直而软，见风日则曲而硬，变红色者为上，汉赵佗谓之火树是也。亦有黑色者不佳，碧色者亦良。昔人谓碧者为青琅玕，俱可作珠。许慎《说文》云：珊瑚色赤，或生于海，或生于山。据此说，则生于海者为珊瑚，生于山者为琅玕，尤可征矣。互见琅玕下。［集解］［时珍曰］（珊瑚细末）点眼去飞丝。

302 越王馀筭（《拾遗》）

《本草拾遗》 越王馀筭，味咸，平，无毒。主下水，破结气。生南海水中，如竹筭子，长尺许。《异苑》曰：晋安有越王馀筭，叶白者似骨，黑者似角。云，是越王行海作筹有余，弃水中而生。

《海药本草》 谨按，《异苑记》云：昔晋安越王，因渡南海，将黑角白骨筭筹所余弃水中，故生此，遂名筭。味咸，温。主水肿浮气结聚，宿滞不消，腹中虚鸣，并宜煮服之。

尚志钧按 越王馀筭又名“越王竹”“海柳”“白珊瑚”。本品为海箸科动物沙箸水螅体内分泌的石灰质骨骼。

303 砂箸（《纲目》）

《本草纲目》 ［时珍曰］按，刘恂《岭表录异》有砂箸，似是馀筭之类，生于海岸沙中。春吐苗，其心若骨。白而且劲，可为酒筹。凡欲采者，须轻步向前拔之。不然，闻行声遽缩入沙中，不可得也。

304　石帆（《拾遗》）

［弘景曰］石帆状如柏，水松状如松。主治石淋。

《本草拾遗》　石帆生海底，高尺余。根如漆色，至梢上渐软，作交罗纹。味甜、咸，平，无毒。煮汁服，主妇人血结月闭。

《日华子本草》　石帆紫色，梗大者如筋，见风渐硬，色如漆，人以饰作珊瑚妆。

《本草图经》　左思《吴都赋》：草则石帆、水松。刘渊林注云：石帆生海屿石上，草类也。无叶，高尺许，其花离楼相贯连。若死则浮水中，人于海边得之，稀有见其生者。

尚志钧按　石帆，一名海团扇，为柳珊瑚科动物柳珊瑚的骨骼。生于暖海岩碓间。产于南部沿海，全体分枝向周围扩展呈平面状，高约 10 至 12 公分，枝间有很多小水螅体。每个水螅体有触手，骨骼为石灰质，色黑，质脆，研粉服能治血淋。

305　青琅玕（《本经》）

《神农本草经》　青琅玕，味辛，平，主身痒，火疮，痈伤，疥瘙，死肌。一名石珠。

《名医别录》　青琅玕，无毒，治白秃，浸淫在皮肤中。煮炼服之，起阴气，可化为丹。一名青珠。生蜀郡平泽。采无时。杀锡毒，得水银良，畏鸡骨。

《本草经集注》　此《蜀都赋》所称青珠黄环也。黄环乃是草，苟取名类而种族为乖。琅玕亦是昆仑山上一树名，又《九真经》中大丹名也。此石今亦无用，惟以疗手足逆胪（音闾）。化丹之事，未的见其术。

《唐本草》注　琅玕乃有数种色，是琉璃之类，火齐宝也，且琅玕五色，其以青者，入药为胜。今出嶲（音髓）州，以西乌白蛮中及于阗国也。

《唐本余》　味甘。

《本草拾遗》　青琅玕，是琉璃之类。琉璃，主身热目赤，以水浸令冷熨之。《韵集》曰：火齐珠也。《南州异物志》云：琉璃本是石，以自然灰理之可为器，车渠、马瑙并玉石类，是西国重宝。《佛经》云：七宝者，谓金、银、琉璃、车渠、马瑙、玻璃、真珠是也。或云珊瑚、琥珀。今马瑙碗上刻镂为奇工者，皆以自然灰又昆吾刀治之，自然灰，今时以牛皮胶作假者，非也。

《日华子本草》 玻璃，冷，无毒。安心，止惊悸，明目，摩翳障。

《本草图经》 青琅玕，生蜀郡平泽。苏恭注云：琅玕乃有数种，是琉璃之类，火齐宝也。琅玕五色，其以青者入药，为胜，出嶲（音随）州以西乌白蛮中及于阗国也。今秘书中有《异鱼图》载，琅玕青色，生海中，云海人于海底以网挂得之，初出水红色，久而青黑，枝柯似珊瑚而上有孔窍如虫蛀，击之有金石之声，乃与珊瑚相类。其说不同，人莫能的识。谨按，《尚书·禹贡》：雍州厥贡璆琳琅玕。《尔雅》云：西北之美者，有昆仑墟之璆琳琅玕焉。孔安国、郭璞皆以为石之似珠者。而《山海经》云：昆仑山有琅玕，若然是石之美者，明莹若珠之色，而其状森植耳。大抵古人谓石之美者多谓之珠。《广雅》谓琉璃、珊瑚，皆为珠是也。故《本经》一名青珠。而左太冲《蜀都赋》云：青珠黄环。黄环是木，然引以相并者，亦谓其美如珠，而其类实木也。又如上所说，皆出西北山中，而今图乃云海底得之。盖珍瑰之物，山海谷俱产焉。今医方家亦以难得而稀用也。

《本草衍义》 青琅玕，《书》曰：三危既宅。三危，西裔之山也，厥贡惟球琳琅玕。孔颖达以谓琅玕石似玉。《新书》亦谓三苗、西戎。《西域记》云：天竺国正出此物。陶隐居谓为木，名大丹名。既是大丹名，则《本经》岂可更言煮炼服之。又曰：可化为丹。陶不合远引，非此琅玕也。《唐本》注云：是琉璃之类。且琉璃火成之物，琅玕又非火成。《经》曰：生蜀郡平泽，安得同类言之，其说愈远。且《佛经》所谓琉璃者，正如鬼谷珠之类，乃火成之物也，今人绝不见用。

《绍兴本草》 青琅玕，虽经注所著出产不一，大抵石之类状如珊瑚，色青者佳。诸注称以作玻璃、琉璃者误矣。主疗已载本经，其味辛、平、无毒者是也。虽古方间而有用，但近世稀用之。

《本草纲目》 ［释名］［时珍曰］琅玕，象其声也。可碾为珠，故得珠名。［集解］［时珍曰］按，许慎《说文》云：琅玕，石之似玉者。孔安国云：石之似珠者。总龟云：生南海石崖间，状如笋，质似玉。玉册云：生南海崖石内，自然感阴阳之气而成，似珠而赤，《列子》云：蓬莱之山，珠玕之树丛生。据诸说，则琅玕生于西北山中及海山崖间。其云生于海底网取者，非琅玕也。在山为琅玕，在水为珊瑚，珊瑚亦有碧色者。今回回地方出一种青珠，与碧靛相似，恐是琅玕所作者也。《山海经》云：开明山北有珠树。《淮南子》云：曾城九重，有珠树在其西。珠树即琅玕也。

306　天婴（《山海经》）

《山海经》　中山经，金星之山，多天婴，其状如龙骨，可以已痤（痈痤）。

307　炉甘石（《绍兴本草》）

《绍兴本草》　炉甘石，味辛，微寒，有毒。主眼睑眦赤烂、痒痛、多泪，消瘀肉，退翳晕，能制铜为鍮石，采无时。用之烧赤，以黄连水淬七遍，净地上去火毒一宿，次细研如粉，点目眦良。本草并不载此一种，今宜添入。生河东山谷，然江淮亦产，唯太原者佳。绍兴新添。

《本草纲目》　［释名］［时珍曰］炉甘石，炉火所重，其味甘，故然。［集解］［时珍曰］炉甘石所在坑冶处皆有，川蜀、湘东最多，而太原、泽州、阳城、高平、灵丘、融县及云南者为胜，金银之苗也。其块大小不一，状似羊脑，松如石脂，亦粘舌。产于金坑者，其色微黄，为上。产于银坑者，其色白，或带青，或带绿，或粉红。赤铜得之，即变为黄，今之黄铜，皆此物点化也。《造化指南》云：炉甘石受黄金、白银之气熏陶，三十年方能结成。以大秽浸及砒煮过，皆可点化，不减三黄。崔昉《外丹本草》云：用铜一斤，炉甘石一斤，炼之即成鍮石一斤半。非石中物取出乎？真鍮石生波斯，如黄金，烧之赤而不黑。［修治］［时珍曰］凡用炉甘石，以炭火煅红，童子小便淬七次，水洗净，研粉，水飞过，晒用。［主治］［时珍曰］止血，消肿毒，生肌，明目去翳退赤，收湿除烂。同龙脑点，治目中一切诸病。［发明］［时珍曰］炉甘石，阳明经药也。受金银之气，故治目病为要药。时珍常用炉甘石煅淬、海螵蛸、硼砂各一两，为细末，以点诸目病，甚妙。入朱砂五钱，则性不粘也。

《本草原始》　（片丁炉甘石，形如羊脑呼羊脑炉甘。）炉甘石，川蜀、湘东最多，太原泽州、阳城、高平、灵丘、融县及云南者为胜，金银之苗也。其块大小不一，状类滑石，松如石脂，亦粘舌。产于金坑者，其色微黄者为上；产于银坑者，其色白，或代青，或代绿，或粉红。赤铜得之即变为黄，今之黄铜，皆此物点化也。九天三清供尊之曰炉先生，非小药也。时珍曰：炉火所重，其味甘，故名炉甘石。（味甘，温，无毒。主止血，消肿毒，生肌，明目，去翳退赤，收湿阳气，同龙脑点，治目中一切诸病。制：炭火煅，童便淬七次，水淘研粉，水飞，晒干。）

《炮炙大法》　炉甘石，以炭火煅红，童便淬七次，水洗净，研粉，水飞过，晒用。

《本草正》 炉甘石，味甘、涩，温。能止血，消肿毒，生肌，敛疮口，云目中翳膜赤肿，收湿烂。同龙脑点，治目中一切诸病，宜用片子炉甘。其色莹白，经火煅而松腻，味涩者为止，制宜炭火煅红，童便淬七次，研粉，水飞，过晒用。若煅后坚硬不松不腻者不堪也。

《本草通元》 炉甘石，受金银之气所生，故能平肝。治目睛肿腿，赤烂除翳。火煅红，童便淬七次，研粉水飞，入朱砂则不粗腻。

《本草择要纲目》 炉甘石（此物点化为神药绝妙。九天三清俱尊之曰炉先生，非小药也。凡用以炭火煅红，童子小便淬七次。水洗净，研粉，水飞，过晒用。）[气味] 甘，温，无毒。[主治] 止血消肿毒，生肌明目，去翳退赤，收湿除烂。同龙脑点，治目中一切诸病。炉甘石，阳明经药也，受金银之气，故治目病为要药。

《本草备要》 炉甘石，甘温，胃经药，受金银之气，金胜水，燥胜湿，故止血消肿，收湿除烂，退赤去翳，为目疾要药。产金银坑中，金银之苗也。状如羊脑，松似石脂，能点赤铜为黄。（今之黄铜，皆其所点也。）煅红，童便淬七次，研粉，水飞用。

《本经逢原》 炉甘石，得金银之气而成。专入阳明经而燥湿热，目病为要药。时珍常用炉甘石煅飞，海螵蛸、硼砂等分为细末，点诸目病皆妙。又煅过水飞，丸如弹圆，多攒簪孔烧赤，煎黄连汁淬数次，点眼皮湿烂，及阴囊肿湿，其功最捷。

《本草诗笺》 炉甘石，性受金银气所耽；专治湿蒸宁独女，并除肿烂更兼男，毒无不患施来燥；味有何妨尝去甘，要药最宜加目疾。时珍常用岂为憨。（李时珍常用炉甘石煅飞，海螵蛸、硼砂等分为细末，点诸目病皆妙。）

《玉楸药解》 炉甘石，味甘、辛，平。入手太阴肺经，明目退翳，收敛疮肉。炉甘石清金燥湿。治眼病红肿，翳障弦烂，流泪，兼医痔瘘下疳，止血，清毒，并疗阴囊湿痒。炉甘石生金银矿，秉寒肃燥敛之气，最能收湿合疮，退翳除烂，但病根深重，不能点洗收效，必须服药饵，用拔本塞源之法，若眼科诸言，一派胡说，不可服也。煅红，童便浸数次，水洗研细，水飞。

《得配本草》 炉甘石，甘，温，阳明经药也。受金银之气，故治目疾为要药。时珍常用炉甘石煅淬，海螵蛸、硼砂各一两，为细末，以点诸目病甚妙。入朱砂五钱，则性不粘。得枯矾、胭脂、麝香，吹聤耳出汁。得真蚌粉，扑阴汗湿痒。

配孩儿茶，搽下疳阴疮。配青黛、冰片，搽下疳。凡用炉甘石，以炭火煅红，童便淬，或黄连煎水淬七次，洗净研粉，水飞过，晒干用。

《本草求真》 炉甘石，［批］活血脉，散风热。炉甘石（专入胃。）系金银之苗，产于金银坑中，（《造化指南》云：炉甘石受黄金白银之气，薰陶三十年方能结成。）状若羊脑，松似石脂，能点赤铜为黄。甘辛而涩，气温无毒，其性专入阳明胃。盖五味惟甘为补，惟温为畅，是能通和血脉，故肿毒得此则消，而血自能克止，肌亦自克能生也。辛温能散风热，性涩能粘翳膜，故凡目翳得此，即能拨云也。（《宣明方》：炉甘石、青矾、朴硝等分为末，每用一字，沸汤化，温洗，日三次。）有用此治下疳阴湿，并齿疏陷物者，亦此义耳。（炉甘石火煅醋淬五次，一两，孩儿茶三钱，为末，麻油调敷立愈。又《集玄方》，因齿疏陷，用炉甘石煅，寒水石等分为末，每用少许擦牙，忌用铜刷，久久自密。）时珍常用甘石煅飞、海螵蛸、硼砂，等分为细末，朱砂依分减半，同入点诸目病皆妙。煅用童便良。

《罗氏会约医镜》 炉甘石，［批］治目疾。炉甘石，（味甘辛温，入胃经。）辛温能散风热。消肿，止血，生肌，除目翳翳障、赤肿烂弦，一切目疾要药。产金银坑中，金银之苗也，轻松者良。（能点赤铜为黄，今之黄铜皆是。）煅红，童便淬七次用。

《本草撮要》 炉甘石，味甘温。入足阳明经。功专止血消肿，收湿祛痰，治烂腿，去赤翳。得海螵蛸、硼砂各一两，朱砂五钱，研极细末，点目神效。以之煅醋淬七次，与儿茶为末，麻油调敷下疳阴疮。今之黄铜皆炉甘石所点。

《本草便读》 炉甘石，得金银矿气以结成，能入阳明专燥湿。用三黄煎水而煅炼，善疗目疾可平肝。止血生肌，甘温无毒。（炉甘石出金银矿中，金银之苗也。舐之亦粘舌。以其得金银之气，故能平肝，治一切目疾。用三黄煎水煅用，长于外治，无内服方法耳。）

尚志钧按 炉甘石之名，李时珍注出处为《纲目》。实际上，炉甘石，最早见录于《绍兴本草》，并非始于《纲目》。炉甘石，一名干石，又名炉眼石，由锌矿石风化，受空气中 CO_2、水变化而化，为六面形呈灰白色或红褐色块状物，有玻璃样光泽，质松脆，易碎。硬度 5，比重 4.3～4.45。火煅后成白色或淡黄色粉（ZnO），久置空气中又吸收 CO_2 成碳酸锌（$ZnCO_3$）。味甘，性温，无毒。无刺激性，有收敛性及防腐作用。适用于慢性溃疡、湿疹、下疳、阴慝、眼睑红烂、结膜发赤、目翳等。《验方新编》八宝丹，生肌长肉，治一切疮疖，湿烂不已，久不收口，兼治杨梅结毒。其方配制如下：炉甘石、赤石脂、煅龙骨各三钱，乳香、没药、血竭各二钱，冰片一钱五分，轻粉一钱，研至无声为度，每用少许撒布疮口。又方煅炉甘石八两，珠母、冰片各一钱，琥珀末七分，滴钟乳粉六分，朱砂末、象皮粉各五分，煅龙骨末、赤石脂末各四分，血竭二分，共研细末，撒布患处，能生肌收口。又方：煅炉甘石一两，赤石脂五钱，煅龙骨五钱，轻粉二钱，京红粉五分，梅片一钱。各研极细，和匀，每用少许掺于创面。治臁疮久不收口，取猪油四两，白蜡四两，共溶化，入煅炉甘石三两末，煨寒水石末七钱五分，搅匀，候冷，入樟脑粉二钱，搅匀，厚敷患处，每七天换药一次。治聤耳出脓及黄汁，配枯矾、胭脂、麝香合用。治乳癣，以煅炉甘石、乌贼骨、白芷等分为末，用鸡子黄熬油调涂。《直指方》治阴汗湿痒，以炉甘石二份，蚌粉一份，研极细末，扑患处。炉甘石治湿疮及溃疡流黄水，以本品配黄连、黄柏各一两，枯矾二钱，共研细末，以凡士林调成15%油膏，搽患处。如黄水多，以细末撒布之。《证治准绳》炉甘石散，治一切外障，白睛伤破，烂弦风眼。其方配制为：炉甘石二两，以黄柏一两，黄连五钱，煎浓汁滤净，投入炉甘石内，晒干，以汁投晒尽为度。研为细末，另入片脑二钱，黄连粉七钱，共研成极细粉，乳汁和调匀，鸭毛刷烂处。中成药“光明眼膏”，治红眼病，目赤肿痛，眼珠磨痛，畏光流泪。用炉甘石、含水硫酸铜、硫酸黄连素、冰片、硼砂、白芷浸膏等调制而成，涂布眼皮内，每日3～4次。本品解毒力弱，对目赤肿痛，热毒盛时，仍须配清热解毒药。如上述两方，均加黄连，以增强清热解毒作用。本品与硼砂刺激性小，均适合用于眼科，但本品防腐力不及硼砂。

308　白垩（《本经》）

《神农本草经》　白垩，味苦、温，主女子寒热，癥瘕，月闭，积聚。

《名医别录》　白垩，味辛，无毒。主阴肿痛，漏下，无子，泄痢。不可久服，伤五脏，令人羸瘦。一名白善。生邯郸山谷。采无时。

《本草经集注》　白垩，即今画用者，甚多而贱，俗方亦稀用。《仙经》不须。

《雷公炮炙论》　凡使，勿用色青并底白者，先单捣令细，三度筛过了，又入钵中研之。然后将盐汤飞过，浪干。每修事白垩二两，用白盐一分，投于斗水中，用铜器物内，沸十余沸了，然后用此沸了水飞过白垩，免结涩人肠也。

《药性论》　白垩，使，味甘，平。主女子血结，月候不通，能涩肠止痢，温暖。

《四声本草》　白垩，不入汤。

《唐本草》 胡居士言，始兴小桂县晋阳乡有白善。

《唐本余》注 此即今画工用者，甚易得，方中稀用之，近代以白瓷为之。

《日华子本草》 白善，味甘。治泄痢，痔瘘，泄精，女子子宫冷，男子水脏冷，鼻洪，吐血。本名白垩，入药烧用。

《本草图经》 文具“代赭”条下。

《本草衍义》 文具“代赭”条下。

《绍兴本草》 白垩，世呼为白土子是也。然本经一名白善，即非江南烧金白善土，其入药治疾者，当取北地白土子为真。人多用以洗衣油腻者即是。其疗妇人冲任不调方多用之。当从本经味苦、辛，温，无毒是矣。若“唐本余”云：近代以白瓷为之者，诚为误也矣。

《本草纲目》 ［释名］［时珍曰］土以黄为正色，则白者为恶色，故名垩。后人讳之，呼为白善。［集解］［时珍曰］白土处处有之，用烧白瓷器坯者。［发明］［时珍曰］诸土皆能胜湿补脾，而白垩土则兼入气分也。

尚志钧按 白垩又名白善土、白土粉、画粉。是前世纪大量有孔虫壳堆积，构成石灰岩，为白色无晶形结块，质松易碎，有的形成细致粉末。主要成分为碳酸，杂有磷酸钙及硅酸镁、硅酸铝、氧化铁。白垩外观形态与白陶土极相似，皆呈白色柔软土状岩块。二者均有收敛固涩止泻功用。但白垩是有孔虫遗体，主要成分是碳酸钙，而白陶土为硅酸盐类矿，主要成分为水化硅酸铝。白垩用时，宜细研，盐水飞过，晒干用。否则会结涩肠内。白垩，味苦，性温，无毒。能燥湿，收敛，涩肠，止泄痢，止血，外用能敛疮，适用于泄泻、下痢、痔疮出血、妇女崩漏等症。《小儿药证直诀》治小儿热丹，用白善土一两，寒水石半两，研细末，新汲水调涂。《普济方》治痱子瘙痒，白垩研末敷之。《集玄方》治臁疮流黄水久不干，白善土煅，研为细末，麻油调搽。《圣济总录》治水泻，日夜不止，白垩煅，干姜炮，各二两，生楮叶二两，研为末，糯米糊为丸如绿豆大，每服20丸。《瑞竹堂经验方》治衄血不止，用白垩五钱，研细末，冷开水调服。

六、硅酸盐类

硅（砂），地球上硅的含量仅次于氧，形成多种化合物存岩石中，如花岗岩、砂岩、片麻岩、泥板岩及粘土中，化合物中最多为砂（SiO_2）。海底、海边、沙漠、大陆草木下面均有砂，如把草木砍掉即出现砂化。石英是结晶 SiO_2，如粉碎即成砂，由砂藻类遗骸堆积，成为极细小尖锐砂（砂藻土）、礞石由砂与矾土组成。

$SiO_2 + Na(OH)_2 \longrightarrow Na_2SiO_3 + H_2O$，加 HCl，得硅酸 H_2SiO_3

$SiO_2 + C + Cl_2 \longrightarrow SiCl_4 + CO_2$，$SiCl_4 + H_2O$ 得原硅酸 H_4SiO_4

原硅酸脱水亦得硅酸 H_2SiO_3。硅酸无游离体，多成盐存在，硅酸盐是构成地壳大部分。

云母为原硅酸盐（SiO_4^{4-}）。

阳起石、滑石、浮石　、不灰木为硅酸盐（SiO_3^{2-}）。

309　玻璃（《拾遗》）

《本草拾遗》　玻璃，味辛，寒，无毒。主惊悸心热，能安心明目，去赤眼，熨热肿。此西国之宝也。是水玉，或云千岁冰化为之，应玉石之类，生土石中。未必是冰。今水精珠精者极光明，置水中不见珠也。熨目除热泪，或云火燧珠，向日取得火。

《本草纲目》　［释名］玻璃，一名颇黎（《纲目》）、水玉（《拾遗》）。［时珍曰］本作颇黎。颇黎，国名也。其莹如水，其坚如玉，故名水玉，与水精同名。［集解］［时珍曰］出南番。有酒色、紫色、白色，莹澈与水精相似，碾开有雨点花者为真。外丹家亦用之。药烧者有气眼而轻。《玄中记》云：大秦国有五色颇黎，以红色为贵，《梁四公子记》云：扶南人来卖碧颇黎镜，广一尺半，重四十斤，内外皎洁，向明视之，不见其质。蔡绦云：御库有玻璃母，乃大食所贡，状如铁滓，煅之但作珂子状，青、红、黄、白数色。

310　琉璃（《集韵》）

《集韵》　硫璃，火齐珠。

《本草纲目》　［释名］琉璃，一名火齐。［时珍曰］汉书作流离，言其流光陆离也。火齐，与火珠同名。［集解］［时珍曰］按，《魏略》云：大秦国出金银琉璃，有赤、白、黄、黑、青、绿、缥、绀、红、紫十种。此乃自然之物，泽润光彩，逾于众玉。今俗所用，皆销冶石汁，以众药灌而为之，虚脆不真。《格古论》云：石琉璃出高丽，刀刮不动，色白，厚半寸许，可点灯，明于牛角者。《异物志》云：南天竺诸国出火齐，状如云母，色如紫金，重沓可开，折之则薄如蝉翼，积之乃如纱縠，亦琉璃、云母之类也。按，此石今人以作灯球，明莹而坚耐久。苏颂言亦可入药，未见用者。

311　云母（《本经》）

《神农本草经》　云母，味甘。主身皮死肌、中风寒热，如在车、船上，除邪气，安五脏，益子精，明目，久服轻身延年。

《名医别录》　云母，无毒。下气，坚肌，续绝，补中，疗五劳七伤，虚损少气，止痢。悦泽不老，耐寒暑，志高神仙。一名云珠，色多赤；一名云华，五色具；一名云英，色多青；一名云液，色多白；一名云砂，色青黄；一名磷石，色正白。生太山山谷、齐、庐山及琅琊北定山石间，二月采。（泽泻为之使，畏鮀甲及流水。）

《本草经集注》　按，《仙经》云母乃有八种：向日视之，色青白多黑者，名云母；色黄白多青，名云英；色青黄多赤，名云珠；如冰露，乍黄、乍白，名云砂；黄白皛皛名云液；皎然纯白明澈，名磷石。此六种并好服，而各有时月。其黯黯纯黑、有文斑斑如铁者，名云胆；色杂黑而强肥者，名地涿。此二种并不可服。炼之有法，惟宜精细；不尔，入腹大害人。今虚劳家丸散用之，并只捣筛，殊为未允。琅琊在彭城东北，青州亦有。今江东惟用庐山者为胜，以砂土养之，岁月生长。今炼之用矾石则柔烂，亦便是相畏之效。百草上露，乃胜东流水，亦用五月茅屋溜水。

《雷公炮炙论》　凡使，色黄黑者，厚而顽，赤色者，经妇人手把者，并不中用。须要光莹如冰色者为上。凡修事一斤，先用小地胆草、紫背天葵、生甘草、地黄汁各一镒，干者细剉，湿者取汁了，于瓷锅中安云母并诸药了，下天池水三镒，著火煮七日夜，水火勿令失度，其云母自然成碧玉浆在锅底，却以天池水猛投其中，将物搅之，浮如蜗涎者即去之。如此三度淘净了，取沉香一两，捣作末，以天池水煎沉香汤三升已来，分为三度，再淘云母浆了，日中晒任用之。

《药性论》　云母粉，君，恶徐长卿，忌羊血。粉有六等，白色者上，有小毒，主下痢肠澼，补肾冷。

《删繁本草》　青、赤、白、黄、紫者，并堪服饵，惟黑者不任用，害人。

《日华子本草》　凡有数种，通透轻薄者，为上也。

《本草图经》　云母，生泰山山谷、齐庐山及琅琊北定山石间，今兖州云梦山及江州、濠州、杭越间亦有之。生土石间，作片成层可折，明滑光白者为上。江南生者多青黑色，不堪入药。二月采其片，绝有大而莹洁者，今人或以饰灯笼，亦古屏扇之遗事也。谨按，方书用云母，皆以白泽者为贵；惟中山卫叔卿单服法，云母五色具者。盖《本经》所谓一名云华者是。一物中而种类有别耳，葛洪《抱朴子·内篇》云：云母有五种，而人不能别也，当举以向日看其色，详占视之，乃可知正尔，于阴地视之，不见其杂色也。五色并具而多青者，名云英，宜以春服之；五色并具而多赤者，名云珠，宜以夏服之；五色并具而多白者，名云液，宜以秋服之；五色并具而多黑者，名云母，宜以冬服之；但有青黄二色者，名云砂，宜以季夏服之；皛皛纯白者，名磷石，四时可服也。然则，医方所用正白者，乃磷石一种耳。古之服五云之法甚多，陶隐居所撰《太清诸石药变化方》言之备矣。今道书中有之。然修炼节度，恐非文字可详，诚不可轻饵也。又西南天竺等国出一种石，谓之火齐，亦云母之类也，色如紫金，离析之。如蝉翼，积之乃如纱縠重沓。又云琉璃类也，亦堪入药。

《太平圣惠方》 治火疮败坏。用云母粉同生羊髓，和如泥涂之。《千金方》治风疹遍身，百计治不差者，煅云母粉以清水调服之，看人大小，以意酌量，与之多少服。《千金翼》治热风汗出，心闷。水和云母服之，不过再服，立差。又方治带下。温水和服三方寸匕，立见神效，差。又方治赤白痢积年不差。饮调服方寸匕，两服立见神效。又方，治金疮，并一切恶疮。用云母粉傅之。绝妙。又方治淋疾，温水和服三钱匕。《经效方》青城山丈人观主康丰传，治百病，煅制云母粉法：云母一斤，折开揉碎，入一大瓶内，筑实，上浇水银一两，封固，以十斤顶火煅通赤，取出，却拌香葱、紫引翘草二件，合捣如泥，后以夹绢袋盛，于大水盆内摇取粉，余滓未尽，再添草药重捣如前法取粉。沉水干以小木盘一面，于灰上印一浅坑，铺纸倾粉在内，直候干，移入火焙焙之，取出细研，以面糊丸如梧桐子大。遇有病者，服之无不效。知成都府辛谏议，曾患大风，众医不效，遇此道士进得此方，服之有神验。《食医心镜》治小儿赤白痢及水痢。云母粉半大两，研作粉，煮白粥调，空腹食之。《抱朴子》服五云之法：或以桂、葱、水玉化之以为水，或以露于铁器中，以元水熬之为水，或以消石合于筒中埋之为水，或以蜜搜为酪，或以秋露渍之百日，韦囊挺以为粉，或以无巅草樗血合饵之。服之一年，百病除。三年久服反老成童，五年不阙服，可役使鬼神。入火不烧，入水不儒，践棘而不伤肤，与仙人相见，他物埋地物朽，著火即焦，而五云内猛火中，经时终不焦，埋之永不腐，故能令人长生也。服经十年，云气常覆其上，夫服其母，以致其子，其理之自然。《明皇杂录》开元中，有名医纪朋者，观人颜色，谈笑，知病深浅，不待诊脉。帝闻之，召于掖庭中看一宫人每日昃则笑歌啼号若狂疾，而足不能履地，朋视之，曰：此必因食饱而大促力，顿仆于地而然，乃饮以云母汤，令熟寐，觉而失所苦，问之，乃言因太华公主载诞，宫中大陈歌吹，某乃主讴，惧其声不能清且长，吃豚蹄羹饱而当筵歌大曲，曲罢，觉胸中甚热，戏于砌台上，高而坠下，久而方苏，病狂，足不能及地。《丹房镜源》云母粉制汞伏丹砂，亦可食之。《神仙传》宫嵩服云母，数百岁有童子颜色。青霞子云母久服，寒暑难侵。

《本草衍义》 云母，古虽有服炼法，今人服者至少，谨之至也。市廛多折作花朵以售之，今惟合云母膏，治一切痈毒疮等，惠民局别有法。

《绍兴本草》 云母主治已载本经，因其五色，遂有五名。但取纯白轻薄者为上，杂黑重浊者不堪入药。凡用必须炼之成粉乃可服饵。当从本经味甘、平，无毒是矣。未经制炼者，当从《药性论》有小毒为定。然近世亦稀用之。

《本草纲目》 ［释名］［时珍曰］云母以五色立名，详见下文。按，《荆南志》云：华容方台山出云母，土人候云所出之处，于下掘取，无不大获，有长五、六尺可为屏风者，但掘时忌作声也。据此，则此石乃云之根，故得云母之名，而云母之根，则阳起石也。《抱朴子》有云：服云母十年，云气常覆其上。服其母以致其子，理自然也。［修治］［时珍曰］《道书》言盐汤煮云母可为粉。又云：云母一斤，盐一斗渍之，铜器中蒸一日，臼中捣成粉。又云：云母一斤，白盐一升，同捣细，入重布袋挼之，沃令盐味尽，悬高处风吹，自然成粉。［发明］［时珍曰］昔人言云母壅尸，亡人不朽。盗发冯贵人冢，形貌如生，因共奸之；发晋幽公冢，百尸纵横及衣服皆如生人，中并有云母壅之故也。

312 云核（赵学敏）

《本草纲目拾遗》 《罗浮志》：云核出罗浮，亦云母之类。黄者出黄云峰，白者出白云峰。屑之，调为浆，服之久，能吞吐五色云。性平，服食用之，延年却病，功同云母。

尚志钧按 云母种类很多，有白云母、黑云母、金云母、紫云母、绿云母、鳞云母、钾云母、钠云母，通称之为云母群。属单斜晶系，是花岗岩石中主要成分。常与石英、正长石、磷石灰共存。本草中所讲的云母，指白云母而言。白云母呈斜方柱状或板状透明晶体，常有锐角，易于劈开成片，各片由层层薄片叠合而成，每层薄片能剥离之，剥下的薄片柔软有弹性，加外力则弯曲，外力去，仍弹回。白云母表面有金属光泽，硬度 2～2.5，密度（比重）2.76～3。能耐火烧，加碳酸钾（K_2CO_3）火煅则熔化。白云母主要成分为原硅酸铝钾［$H_2KAl(SiO_4)_3$］，金云母主要成分为原硅酸铝钾镁［$H_2K_2Mg_3Al(SiO_4)_3$］。入药以白云母为主，古代视云母为强壮剂，能治虚劳。《事林广记》治金疮出血，以云母粉傅之。《圣济总录》治粉滓面䵟，云母粉、杏仁等分为末，黄牛乳拌，略蒸，夜涂，旦洗。《积德堂方》治妇人难产，经日不生，云母粉半两，温酒调服。

313　阳起石（《本经》）

《神农本草经》　阳起石，味咸，微温。治崩中、漏下，破子脏中血，癥瘕、结气、寒热、腹痛、无子、阴阳痿不合，补不足。一名白石。生山谷。

《吴普本草》　阳起石，神农、扁鹊：酸，无毒。桐君、雷公、岐伯：咸，无毒。李氏：小寒。或生太山，或阳起山。采无时。

《名医别录》　阳起石，无毒。主男子茎头寒，阴下湿痒，去臭汗，消水肿。久服不饥，令人有子。一名石生，一名羊起石，云母根也。生齐山及琅琊，或云山、阳起山，采无时。

《雷公药对》　阳起石，雷公：无毒。桑螵蛸为之使，恶泽泻、菌桂、雷丸、石葵、蛇蜕皮，畏菟丝子，忌羊血，不入汤。立冬之日，菊、卷柏先生时，为阳起石、桑螵蛸凡十物使，主二百草为之长。

《本草经集注》　阳起石，此所出即与云母同，而甚似云母，但厚实耳。今用乃出益州，与矾石同处，色小黄黑即矾石。云母根未知何者是？俗用乃希。《仙经》亦服之。

《药性论》　阳起石，恶石葵，忌羊血，味甘，平。主补肾气精乏，腰痛膝冷湿痹。能暖女子子宫久冷。冷癥寒瘕，止月水不定。

《唐本草》　阳起石，以白色、肌理似阴孽、仍夹带云母绿润者为良，故《本经》一名白石；今乃用纯黑如炭者，误矣。“云母”条中，既云黑者为云胆，又名地涿，服之损人，黑阳起石必为恶矣。《经》言生齐山，齐山在齐州历城西北五六里，采访无阳起石，阳起石乃在齐山西北六七里卢山出之。《本经》云：或云山，“云”“卢”字讹矣。今太山、沂州唯有黑者，其白者独出齐州也。

《日华子本草》　阳起石，治带下，温疫，冷气，补五劳七伤。合药时烧后淬用，凝白者为上。

《本草衍义》　阳起石，如狼牙者佳。其外色不白，如姜石。其大块者，亦内白。治男子、妇人下部虚冷，肾气乏绝，子脏久寒，须水飞研用。凡石药冷热皆有毒，正宜斟酌。

《绍兴本草》 阳起石，出产土地不一，形块大小不等，但以齐州色莹白有撮纹者佳。又一种出青州，无撮纹者不堪入药。当须火煅用之。主治已载本经。李氏云小寒即误也，当云味咸，性热，无毒是矣。

［王好古］曰：阳起石，补命门不足。

《本草纲目》 ［释名］［集解］阳起石，以能命名。［集解］［时珍曰］今以云头雨脚轻松如狼牙者为佳，其铺茸茁角者不佳。王建平《典术》乃云，黄白而赤重厚者佳，云母之根也。《庚辛玉册》云：阳起，阳石也。齐州拣金山出者胜，其尖似箭镞者力强，如狗牙者力微，置大雪中倏然没者为真。［修治］［时珍曰］凡用火中煅赤，酒淬七次，研细水飞过，日干。亦有用烧酒浸过，同樟脑入罐升炼，取粉用者。［主治］［时珍曰］散诸热肿。［发明］［时珍曰］阳起石，右肾命门气分药也，下焦虚寒者宜用之，然亦非久服之物。张子和《儒门事亲》云：喉痹，相火急速之病也。相火，龙火也，宜以火逐之。一男子病缠喉风肿，表里皆作，药不能下。以凉药灌入鼻中，下十余行。外以阳起石烧赤、伏龙肝等分细末，日以新汲水调扫百遍。三日热始退，肿始消。此亦从治之道也。

《药性歌括四百味》 阳起石甘，肾气乏绝，阴痿不起，其效甚捷。（火煅，酒淬七次，再酒煮半日，研细。）

《本草原始》 阳起石，色白有云头雨脚鹭鹚毛者真。阳起石，生齐州惟一土山，石出其中，彼人谓之阳起山。其山常有温暖气，虽盛冬大雪遍境，独此山无积雪，盖石气薰蒸使然也。山惟一穴，官中常禁闭，至初冬则州发丁夫监取，岁月积久，其穴益深，才凿他石，得之甚难。以白色明莹若狼牙者为上。阳痿不起，吃之即起，故以能命名为阳起石。（味咸，微温，无毒。主崩中漏下，破子脏中血，癥结气，寒热肚痛，无子，阳痿不起，补不足，治男子茎头寒，阴下湿痒，去臭汗，消水肿。久吃不饥，令人有子，补肾气精乏，腰疼膝冷。治带下，湿疫，冷气，补五劳七伤，命门不足，散诸热肿。制火煅醋淬七次，细研，水飞过入药。）

《炮炙大法》 阳起石，用火煅透红，研极细如面。桑螵蛸为之使，恶泽泻、雷丸、菌桂、石葵、蛇蜕皮，畏菟丝子，忌羊血。

《雷公炮制药性解》 阳起石，味咸，性温，无毒。入肾经。主肾绝阴痿，崩中漏下，癥瘕结气。有云头雨脚及鹭鹚毛者真。桑螵蛸为使，畏菟丝，恶泽泻、官桂、蛇蜕、雷丸，忌羊血。

《本草经疏》 阳起石禀纯阳之气以生。《本经》味咸，气微温，无毒。观《图经》所载，齐州阳起山，其山常有暖气，虽盛冬大雪遍境，独此山无少积，盖石气熏蒸也，其为气之温暖，当不甚微矣。味咸而气温，入右肾命门，补助阳气，并除积寒，宿血留滞下焦之圣药。故能主崩中漏下及破子脏中血，癥瘕结气，寒热，腹痛及男子茎头寒，阴痿不起，阴下湿痒，令人有子也。真阳足则五脏之气充溢，邪湿之气外散，故久服不饥，并去臭汗也。《别录》又主消水肿者，盖指真火归元，则能暖下焦，熏蒸糟粕，化精微，助脾土，以制水也。［主治参互］同破故纸、鹿茸、腽肭脐、菟丝子、狗阴茎、肉苁蓉、巴戟天，治命门虚寒，阴痿不起。精寒无嗣服之能令阳道丰隆，使人有子。总治男子九丑之疾。［简误］阴虚火旺者忌之。阳痿属于失志，以致火气闭密，不得发越。而然及崩中漏下，由于火盛而非虚寒者，并不得服。

《本草乘雅半偈》 阳起石，［参］曰：起阳以为量，因名阳起石耳。益阴气流行则为阳，阳气凝聚则为阴，故主凝聚以为眚，流行以为用也。阳起，云母根，高山，阳起母，云母阳起，互相参勘，则知内守外使之为用矣。（阳在外，阴之使也；阴在内，阳之守也。阴者，藏精而起亟；阳者，卫外而为固。阳起，两得之矣。）

《本草通元》 阳起石，咸，温。主下部虚寒，助阳种子。火煅，水飞。

《本草述》 按，阴阳之赋气，阴降而阳升，则凡物之禀阳气盛者，无不上行也。唯是石类乃为殊异，要亦此山气之有独钟而凝为斯石，所谓形归气，则其所异者在此山之气，如温泉之类不多有也。惟取其气，故取其轻松若狼牙。又置雪中自化，写纸上，纸即飞举者，为佳也。夫阳火出于地中，宜其补命门不足，而起男子阴痿，暖妇人子宫冷矣。至男子之腰脊冷痛，女子之子脏痼冷，癥瘕气寒，崩漏等证，皆取其上升之阳，动而不诎之气化，以对待之，岂仅取其顽然一石之质哉。第苏颂已谓其难得，迄今又可知矣。用其赝者，不如勿用之为愈也。

《本草崇原》 阳起石，气味咸，微温，无毒。主治崩中漏下，破子脏中血，癥瘕结气，寒热腹痛无子，阴痿不起，补不足。（阳起石乃云母根也。出齐州之齐山、庐山及太山、云山、沂州、琅琊诸山谷。今唯齐州采取，他处不复识之矣。齐州仅一土山，石出其中，彼人谓之阳起山。其山常有暖气，虽盛冬大雪遍境，独此山无积白。盖石气薰蒸使然也。山唯一穴，官司常禁闭，每发冬初，州发丁夫，遣人监取上供，岁月积久，其穴益深，才凿他石得之甚难。以白色明莹，云头雨脚轻松，如狼牙者为上。黄色者亦重，其上犹带云母者，绝品也。拣择供上，剩余者，州人方货之，不尔，无由得也。置雪中倏然没迹者为真。画纸上于日下扬之飞举者，乃真佳也。）阳起石者，此山之石，乃阳气之所起也，故大雪遍境，而山无积白。有形之石，阳气所钟，故置之雪中，倏然没迹，扬之日下，自能飞举。主治崩中漏下者，崩漏为阴，今随阳气而上升也。破子脏中血，及癥瘕结气者，阳长阴消，阳气透发，则癥结破散矣。妇人月事不以时下，则寒热腹痛而无子。阳起石，贞下启元，阴中有阳，阴阳和而寒热除，月事调而生息繁矣。男子精虚，则阴痿不起，阳起石助阴中之阳，故治阴痿不起，而补肾精之不足。

《本草择要纲目》 阳起石，凡入药烧后，水煅用之，凝白者佳。亦有用烧酒浸过，同樟脑入罐升炼取粉用者。［气味］咸，微温，无毒。［主治］男子、妇人下部虚冷，肾气乏绝，子脏久寒，右肾命门气分药也。下焦虚寒者宜用之。须水飞用之。凡石药冷热皆有毒，务宜斟酌，即用亦非久服之药。

《本草备要》 阳起石，咸温。补右肾命门，治阴痿精乏，子宫虚冷，腰膝冷痹，水肿癥瘕。（寇宗奭曰：凡石药冷热皆有毒，宜酌用。按，经曰：石药发癫，芳草发狂。芳草之气美，石药之气悍，二者相遇，恐内伤脾。）出齐州阳起山，云母根也。虽大雪遍境，此山独无。以云头、雨脚、鹭鹚毛，色白滋润者良。（真者难得。）火煅醋淬七次，研粉，水飞用。亦有用烧酒、樟脑升炼取粉者。桑螵蛸为使；恶泽泻、菌桂；畏菟丝子；忌羊血。

《本经逢原》 阳起石，乃云母之根。右肾命门药。下焦虚寒者宜之。黑锡丹用此，正以补命门阳气不足也。本经治崩中漏下，阳衰不能统摄阴血也。又言破子脏中血，癥瘕结气，是指阴邪蓄积而言。用阳起石之咸温，散其所结，则子脏安和，孕自成矣。阴虚火旺者忌用，以其性专助阳也。

《神农本草经百种录》 阳起石，味咸，微温。主崩中漏下（寒滑之病）。破子脏中血，癥瘕结寒，寒热腹痛无子。（凡寒凝血滞之病，皆能除之。）阴痿不起，补不足（强肾补阳益气。阳起石得火不然，得日而飞，硫黄得日无焰，得火而发，皆为火之精而各不同。盖阳起石禀日之阳气以成，天上阳火之精也。硫黄禀石之阳气以成，地上阴火之精也。所以硫黄能益人身阴火之阳，阳起石能益人身阳火之阳也。五行各有阴阳，亦可类推。）

《本草诗笺》 阳起石（经名“白石”）阳起原为母石根（云母根），命门右肾药含温；味咸肯使癥瘕结，性善难容寒热屯；扶振男痿添血气，安和子脏启云昆（是指阴邪蓄积，用白石咸温散其所结，则子脏安和，孕自成矣）；虽于不足能相助，火旺阴虚勿与吞。

《玉楸药解》 阳起石，味咸，微温。入足少阴肾，足厥阴肝经。起痿壮阳，止带调经。阳起石暖温肝肾，强健宗筋。治寒疝凉瘕，崩漏带下，阴下湿痒，腰膝酸疼，腹痛无子，经期不定。

《得配本草》 阳起石，桑螵蛸为之使，畏菟丝子，恶泽泻、雷丸、菌桂、石葵、蛇蜕皮，忌羊血。咸温，入命门。治下焦虚冷，阴痿，腰痹，崩漏，癥结。（肾气不摄则漏，肾气不运则结。）配伏龙肝，水调扫缠喉风。更以凉药灌入鼻中。配钟乳粉、附子，治元气虚寒。云头雨脚及鹭鸶毛者真，色白滋润者良。煅赤，酒淬七次，研细水飞过，日干用，不入汤。气悍有毒，不宜轻用。

《本草求真》 ［批］补火逐寒，宣瘀起阳。阳起石（专入命门。）即云母根也。虽大雪遍境，此山独无。禀纯阳之气以生，味咸气温，无毒，能补命门相火。凡因火衰寒气内停，宿血留滞，而见阴痿精滑，子宫虚冷，腰膝冷痹，水肿癥瘕，服此即能有效，以其性禀纯阳者故耳。是以育龟丸用此，以为嗣续宗祧之基（阳起石合石龙子、蛤蚧、生犀角、生附子、草乌头、乳香、没药、血竭、细辛、黑芝麻、五倍子为末，生鳝鱼血为丸，朱砂为衣，每日空心酒下百丸。）不可以房术论也。功虽类于硫黄，但硫黄大热，号为火精，此则其力稍逊，而于阳之不能起者克起，阳起之号，于是而名。出齐州。云头雨脚，鹭鹚毛色白滋润者良。火煅醋淬七次，研粉水飞用。（宗奭曰：石药冷热皆有毒，亦宜斟酌。）桑螵蛸为使。恶泽泻、菌桂、雷丸、石葵、蛇皮。畏菟丝。忌羊血，不入汤剂。

《罗氏会约医镜》 阳起石，［批］补命门。阳起石，（味咸，气温，入右肾命门。）以咸温之性，补相火而壮元阳。治阴痿精乏、子宫虚冷、腰膝无力、血积癥瘕、崩中漏下。（多属火亏。出齐州阳起山，冬不积雪，其气之温暖可知。以云头雨脚、鹭鹚毛、色白滋润者良，真者难得。火煅、醋淬七次。研末，水飞用。桑螵蛸为使，恶泽泻、桂、雷丸，畏菟丝子，忌羊血。命火旺者忌用。）

《本经续疏》 阳起石，主崩中漏下，是欲血之止；破子脏中血癥瘕结气，是欲血之行。以阳起石一物而两操血之行与止，其故何欤？阳起石，云母根也。天之气交于地，而地气不应，则从乎地而生云母；天之气交于地，而地气应之，则从乎天而成阳起石。夫当细缊相感之际，原冥漠无朕，惟其凡感斯应，故质阴而常从。夫阳遇阳则起，惟其有茹必吐，故性阳而不离乎阴，逢阴辄消。主崩中漏下者，起其迫血之阳，而血自止，即书之于纸见日则飞之义也。破子脏中血癥瘕结气者，释其凝血之阴，而血自行，即纵使大雪其处不积之义也。虽然，吐衄便利金疮，独不可起其阳迫而止之乎！水与血搏，内有干血，独不可释其阴凝而行之乎！奚为惟崩中漏下之止子脏中血癥瘕结气之行也。夫以天地细缊万物化醇之气之结，化男女媾精万物化生之处之病，既精且专，不假他求，则亦不能他及。故寒热腹痛无子，是子脏中阴凝而阳与争也。阴痿不起补不足，是阴茎中阴凝而阳不起也。两者皆在交感之所，惟其不预他处病，是以能不遗本处病，可贵者惟此，期必效者亦惟此。

尚志钧按 阳起石为单斜晶系角闪石的一种，常与滑石共存在各种岩石中，如绿泥岩、蛇纹岩、石灰岩等。采得为柱状及粒状块，呈绿色或灰绿色。有玻璃样光泽，不透明，有的也透明。质松，易剥离撕开，撕开多呈纤维束针状，条纹淡绿，纵向剖开，呈丝状，柔软而光滑。比重2.9～3.1。能耐高温。主要成分为硅酸钙、硅酸镁，杂少量铁、锰、铝、铬。阳起石，味咸，性温。补命门，暖子宫，壮元阳。适用于阳痿，妇女宫寒不孕。治阳痿，宫冷不孕，配鹿茸、韭子、菟丝子、肉苁蓉、巴戟天合用。市售兴春丸，由阳起石、淫羊藿、肉苁蓉、海马、白僵蚕、茴香、木香等配制而成。《济生方》阳起石丸，治妇人下元虚寒，崩中不止。用煅阳起石二两，鹿茸一两，共研细末，醋煎艾汁，打糯米糊为丸，如梧桐子大，每服十丸。此方亦治男子阳痿，女子宫寒不孕。阳起石是壮阳峻剂，不宜多服久服，以免伤精损身折寿。阴虚火旺者忌服。

314 礞石（《嘉祐》）

《嘉祐本草》 礞石，治食积不消，留滞在脏腑，宿食癥块久不差及小儿食积羸瘦，妇人积年食癥攻刺心腹。得硇砂、巴豆、大黄、京三棱等良。可作丸服用之，细研为粉。一名青礞石。

《绍兴本草》 礞石，本经治食积不消等疾，而近世诸方疗下痢挟滞作痛，诚累验之药。虽不载性味、有无毒。据除积理痛，当作性温、微毒为定。唯色青而腻者佳。

《本草蒙筌》 青礞石，颜色微绿，出自山东。欲辨假真，须依法制。敲碎小颗粒，贮倾银罐中。搀半焰硝（石二两，硝二两），盐泥固济。武火煅一炷香，取出色若雌黄。软脆易擂，方为不假。成末以水飞细，入药作散为丸。力能坠痰，滚痰丸必用；功亦消食，积食方常加。匪医小儿，亦治男妇。

《本草纲目》 ［释名］礞石，一名青礞石。［时珍曰］其色濛濛然，故名。［集解］［时珍曰］礞石，江北诸山往往有之，以盱山出者为佳。有青、白二种，以青者为佳。坚细而青黑，打开中有白星点，煅后则星黄麸金。其无星点者，不入药用。通城县一山产之，工人以为器物。［修治］［时珍曰］用大坩锅一个，以礞石四两打碎，入消石四两拌匀。炭火十五斤簇定，煅至消尽，其石色如金为度。取出研末，水飞去消毒，晒干用。［主治］［时珍曰］治积痰惊痫，咳嗽喘急。［发明］［时珍曰］青礞石气平，味咸，其性下行，阴也沉也，乃厥阴之药。肝经风木太过，来制脾土，气不运化，积滞生痰，壅塞上中二焦，变生风热诸病，故宜此药重坠。制以消石，其性疏快，使木平气下，而痰积通利，诸证自除。汤衡《婴孩宝书》，言礞石乃治惊利痰之圣药。吐痰在水上，以石末糁之。痰即随水而下，则其沉坠之性可知。然止可用之救急，气弱脾虚者，不宜久服。杨士瀛谓其功能利痰，而性非胃家所好。如慢惊之类，皆宜佐以木香。而王隐君则谓痰为百病，不论虚实寒热，概用滚痰丸通治百病，岂理也哉？朱丹溪言：一老人忽病目盲，乃大虚证，一医与礞石药服之，至夜而死。吁！此乃盲医虚虚之过，礞石岂杀人者乎？况目盲之病，与礞石并不相干。

《药性歌括四百味》 青礞石寒，硝煅金色，坠痰消食，神妙莫测。（用焰硝同入锅内，火煅如金色者佳。）

《本草原始》 青礞石，打破色青绿如翠可爱。青礞石以盱山出者为上，有青、白二种，以青者为良。打破中有白点，因色濛濛然，故名。（味甘，咸，平，无毒。主食积不消，留滞脏腑，宿食癥块久不愈。小儿食积羸瘦，女人积年食癥攻刺心腹。得巴豆、硇砂、大黄三件，作丸吃良。治积痰惊痫，咳嗽喘急。服礞石法：大锅一口，以礞石打碎，入硝四两，礞石四两，和炭火十五斤，定煅至硝尽，其石色如金为度，取出，研末，水飞去硝毒，晒干用之。）

《炮炙大法》 礞石，与火硝相半入阳成罐封固，煅存性，研如飞尘入药。得焰硝良。

《雷公炮制药性解》 青礞石，辛、甘，平，有毒。入肺，大肠、胃三经。主荡涤宿痰，消磨食积。研细末用。按，礞石辛宜于肺，甘宜于胃、大肠者，肺家传送之官也，故都入之。大损元气，不可漫用。

《本草经疏》 礞石禀石中刚猛之性，体重而降，能治一切积聚痰结。其味辛、咸，气平，无毒。辛主散结，咸主软坚，重主坠下，故本经所主诸证，皆出一贯也。今世又以之治小儿惊痰喘急。入滚痰丸治诸痰怪证。［主治参互］王隐君养生主论滚痰丸通治，痰为百病，惟水泻、娠妇不宜服。礞石、焰硝各二两，煅过研飞，晒干一两，大黄酒蒸八两，前胡八两，沉香五钱，为末，水丸梧子大。常服一二十丸，欲利大便则服一二百丸，温水下。［简误］礞石，消积滞，坠痰涎，诚为要药，然而攻击太过，性复沉坠。凡积滞癥结，脾胃壮实者可用，虚弱者忌之。小儿惊痰食积，实热初发者可用，虚寒久病者忌之。如王隐君所制滚痰丸，谓百病皆生于痰，不论虚实寒热概用，殊为未妥。不知痰有二因，因于脾胃不能运化，积滞生痰，或多食酒面湿热之物，以致胶固稠黏，咯唾难出者，用之豁痰利窍，除热泄结，应如桴鼓。因于阴虚火炎煎熬津液凝结为痰，或发热声哑，痰血杂出者，如误投之，则阴气愈虚，阳火反炽，痰热未退，而脾胃先为之败矣。可见前人立方不能无弊，是在后人善于简择耳。

《本草正》 微甘，微咸。其性下行，降也，阴也，乃肝脾之药。此药重坠，制以硝石，其性更利，故能消宿食癥积，顽痰，治惊痫、咳嗽喘急。《宝鉴》言礞石为治痰利惊之圣药。若吐痰在水上，以石末掺之，痰即随水而下，则其沉坠之性可知。杨士瀛谓其功能利痰，然性非胃家所好，而王隐君谓痰为百病母，不论虚实寒热概用滚痰丸通治百病，岂理也哉？是以实痰坚积乃其所宜，然久病痰多者，必因脾虚人。但知滚痰丸可以治痰，而不知虚痰服此则百无一生矣。

《本草乘雅半偈》 石以量言。《尔雅》云：日入为大蒙。《庄周》云：鸿蒙元气。相如云：蔑蒙踊跃也。盖水谷入胃，受盛转输者量也。设仅受不输，致阴凝至坚，及营卫阴阳，血气津沫，咸泣不流矣。所谓馨饪之邪，从口入者宿食也，即惊、痫、咳喘，亦从口受，经云：咳嗽喘急、惊。又云：白脉之至也喘而浮。厥、痫，有积气在胸中也。礞石功力，发蒙腑脏之元气，使之踊跃而出。

《本草通元》 青礞石，咸平。破老痰坚积，止咳嗽喘急。色青乃厥阴之药，肝木乘脾，土气不运，痰滞胸膈，宜其重坠，合木平气，下则痰症自愈。脾虚家，不宜多服。入罐打碎礞石四两，拌匀，消石四两，同煅至消尽，礞石色如金为度，研细水飞用。

《医宗说约》 青礞石，辛，荡涤宿痰，消磨食积。其功不凡。（研细，同火硝煅红，水淘净晒干用。）

《本草述》 按，礞石以青者为佳，故时珍谓为厥阴之药也。而石中更取白星点者，犹以金平木之义，故汤衡谓为治惊利痰之圣药也。夫王隐君所制滚痰丸，大端宜于热痰。用礞石者，非徒取其重坠，亦犹是时珍木平气下之义也。观其治中风痰塞则可见矣。虽然痰之因不一，必审其所因而治，乃可取效，况有虚实之分乎。扬仁斋谓礞石性非胃家所好者，其亦有所鉴也。

《本草择要纲目》 礞石，［气味］甘、咸，平，无毒。其性下行，阴也沉也。乃足厥阴之药。［主治］肝经病，故宜以礞石之重坠，疏快其滞，使木平气下，而痰积通利也，然止可用之救急。若气弱脾虚者不宜僭服。

《本草备要》 甘咸有毒。质重沉坠。色青入肝，制以硝石，能平肝下气，为治惊利痰之圣药。（吐痰水上，以石末掺之，痰即随下。王隐君有礞石滚痰丸，能治百病。礞石、焰硝各二两，煅研水飞净一两，大黄酒蒸八两，黄芩酒洗八两，沉香五钱。为末，水丸，量虚实服。李时珍曰：风木太过，来制脾土，气不运化，积滞生痰，壅塞上中二焦，变生诸病。礞石重堕，硝性速快，使痰积通利，诸症自除。）气弱脾虚者禁用。坚细青黑，中有白星点。硝石、礞石等分，打碎拌匀，入瓦锅煅至硝尽，石色如金为度。如无金星者不入药，研末水飞，去硝毒。

《本经逢原》 礞石，辛咸平无毒。色青者入肝力胜，色黄者兼脾次之。硝石煅过，杵细水飞用。[发明] 青礞石，厥阴之药，其性下行。治风木太过，挟制脾土，气不运化，积滞生痰，壅塞膈上，变生风热诸病，故宜此药，重坠以下泄之，使木平气下，而痰积通利，诸证自除矣。今人以王隐君滚痰丸，通治诸痰怪证，不论虚实寒热概用，殊为未妥。不知痰因脾胃不能运化，积滞而生，胶固稠黏者，诚为合剂。设因阴虚火炎，煎熬津液，凝结成痰，如误投之，则阴气愈虚，阳火弥炽，痰热未除，而脾胃先为之败矣。况乎脾胃虚寒，食少便溏者得之，泄利不止，祸不旋踵。若小儿多变慢脾风证，每致不救，可不慎欤。

《本草诗笺》 （礞石，青色入肝力胜，黄色兼入脾次之，煅研水飞用。）礞石青黄色有殊，青稍力胜向肝驱；木风太过从教克（治风木太过，来制脾土），土气偏凝却藉舒；坠积固知无咎召（脾胃不能运化，积滞随生），滚痰亦见有功居；辛咸不毒平为性，忌在炎蒸阴分虚。（脾弱小儿慢惊忌用。）

《玉楸药解》 青礞石，味咸，气平。入手太阴肺、足太阴脾经。化痰消谷，破积破坚。青礞石重坠下行，化停痰宿谷，破硬块老瘀。其性迅利，不宜虚家。庸工有滚痰丸方，用礞石、大黄泄人中气，最可恨也。

《得配本草》 礞石得焰硝良。甘、咸，平。入足厥阴经气分。平肝下气。除结热，治惊痫、积痰。得薄荷自然汁、生蜜调下，治急惊痰热（慢惊脾虚者，木香汤熟蜜调下。）配大黄末，除横结之痰。配赤石脂，疗积痰久痢。青者佳。如无星点，不入药。入硝石等分，煅至硝尽，色如金为度，研末，水飞日干用。脾虚气弱，发热声哑，痰血夹杂者，禁用。礞石燥可除湿，老痰却非所宜。但诸药下过滑润痰滞，而隐伏之处未必能到。惟此性横而悍，其于肠胃曲折倚伏之处，无不迅扫其根，使秽浊腻滞之痰，不得稍留胃底，故此品有滚痰之名。然痰之滞，有血虚不能润、气虚不能送，因之黏滞胃腑，讬宿肠中。关门之内，竟作贮痰之器。如用礞石降之，则痰因燥而愈涩，气因降而益衰，终将凝结于中而莫解，乌可不审。

《本草求真》 ［批］除肝膈上热痰。礞石（专入肝。）禀石中刚猛之性，沉坠下降，味辛而咸，色青气平。功专入肝平木下气，为治惊利痰要药。（喻嘉言曰：

惊风二字，乃古人妄凿空谈，不知小儿初生，以及童幼，肌肉筋骨，脏腑血脉，俱未克长，阳则有余，阴则不足，故易于生热，热甚则生风生惊，亦所恒有，后人不解，遂以为奇特之病。且谓此病有八候，以其摇头手动也，而立抽掣之名；以其卒口噤脚挛急也，而立目斜乱搐搦之名；以其脊强背反也，而立角弓反张之名。相传既久，不知妄造，遇此等证，无不以为奇特，而不知小儿腠理不密，易于感冒风寒，病则筋脉牵强，因筋脉牵强生出抽掣搐搦，角弓反张，种种不通名色，而用金石等镇坠外邪，深入脏腑，千中千死，间有体坚证轻得愈者，又诧为再造奇功。遂致各守专门，虽日杀数儿，而不知其罪矣。）盖风木太过，脾土受制，气不运化，积气生痰，壅塞膈上，变生风热，治宜用此重坠下泄，则风木气平，而痰积自除。今人以王隐君滚痰丸内用礞石，通治诸般痰怪证，殊为未是。（滚痰丸：礞石、焰硝各二两，煅研水飞净一两，大黄酒蒸八两，黄芩酒洗八两，沉香五钱，为末水丸。）不知痰因热盛，风木挟热而脾不运，故而痰积如胶如漆，用此诚为合剂。如其脾胃虚弱，食少便溏，服此泄利不止。小儿服之，多成慢证，以致束手待毙，可不慎欤。硝煅水飞研用。

《罗氏会约医镜》　（泻实痰）青礞石，（味辛咸，入肝经。火煅细研。）色青入肝，体重降下，为平肝镇惊、消散热痰之神药。治食癥腹痛、痰壅喘急。（痰见礞石即化为水。然实痰坚积，用礞石滚痰丸，乃其所宜，若久病痰多，必因脾虚，而亦服此，百无一生矣！坚黑中有白星点，用硝石与礞石等分打碎拌匀，入砂锅，煅至硝尽，石色如金为度。如无金星者，不入药。研末水飞用。）

《本草害利》　其功消积滞，坠痰涎，诚为要药。然攻击太过，性复沉坠，凡积滞癥结，脾胃壮实者可用。如虚弱者忌用。小儿惊痰，食积实热，初发者可用，虚寒久病者忌之。王隐君制滚痰丸法，谓百病皆生于痰，虚实寒热概用，殊为未妥。不知痰有二因，因于脾胃不能运化，积滞生痰，或多食酒面湿热之物，以致胶固稠粘，咯吐难出者用之，害痰利窍，除热泄结，应如桴鼓。因于阴虚火炎，煎熬津液，凝结为痰，或发热声哑，痰血杂出者，如误服之，则阴愈虚，阳火反炽，痰热未退，而脾胃先为败矣。前人立方，不能无弊，在后人善于简择耳。［利］甘咸平，入肺胃大肠，能平肝下气，化顽疾痞结，行食积停留。［修治］出江北诸山，有青白二种，以坚细青黑，中有白星点者为佳。用坩埚一个，以礞石打碎，入硝石等分拌匀，炭火簇定，煅至消尽，其石色如金为度，取出如无金星者，不入药。研末水飞，去火毒，晒干用。

《医家四要》　平肝下气化顽痰，急服青礞石。（［石部］研末水飞，同沉香、大黄、黄芩合丸。名滚痰丸。治实热老痰，怪症百病。）

《本草撮要》 青礞石味甘咸，入足厥阴经。功专利痰止惊。得硝石、赤石脂，治一切痰积痼疾。得焰硝治惊风危证。得焰硝、大黄、黄芩、沉香名滚痰丸，气弱血虚者忌。

《本草便读》 青礞石，色青碧入肝，味咸寒润下，同焰硝而煅炼，化痰积之胶粘。（青礞石，此石善化老痰癖积，沉降下行。吐痰在水上，以末掺之痰即随水而下。同火硝煅炼者，取其疏利之性，则礞石之功，更为慓悍耳。独入肝家，治惊痫痰涎胶粘不化。不外咸能软坚，重以镇邪之意。）

尚志钧按 礞石有青礞石（绿泥石片岩）、金礞石（云母片岩）。为硅酸盐类。含 Al_4（SiO_4）$_3$及矾土，并杂镁、锰、铁、铅等离子。青礞石呈青褐色，金礞石呈黄褐色，都是大小不等石块，表面凹凸不平，质重而脆，打碎，表面现层纹，有光泽，并有白色星点。火煅裂成碎片，星点变成金黄色。青礞石味咸性寒，能坠痰泻下。适用于痰痫、癫狂、胸膈痞塞。[王隐君] 礞石滚痰丸，治痰痫癫狂。煅青礞石一两，沉香、百药煎各五钱，大黄、黄芩各半斤，研细末，水泛为丸如梧桐子大，每服 1～2 钱。《杨氏婴孩宝鉴》奇命散，治小儿惊风。青礞石、火硝各一两，同煅为末，每服五分。[《浙江中医》1990（6）：45.] 治食道癌。鼠妇虫 1 两，青礞石 1 两，为细末，每 3 小时，取 1 克置舌根，徐徐下咽，不要用开水服。[《南京医学》1985，（1）：34.] 灵仙代赭汤治食管癌，代赭石 30 克，急性子、全栝楼、太子参、当归、猪苓、茯苓各 15 克，威灵仙、法半夏、枳实、生黄芪各 10 克，生甘草 5 克，青礞石 6 克。水煎分 2 次服，每日一剂。以吞咽无碍为效。

315 滑石（《本经》）

《神农本草经》 滑石，味甘，寒。治身热、泄澼、女子乳难、癃闭，利小便，荡胃中积聚、寒热，益精气。久服轻身，耐饥长年。生山谷。

《名医别录》 滑石，大寒，无毒。通九窍、六腑、津液，去留结，止渴，令人利中。一名液石，一名共石，一名脆石，一名番石。生赭阳及太山之阴，或掖北白山，或卷山。采无时。

《雷公药对》 滑石，寒，主澼下，君。石韦为之使，恶曾青，制雄黄。

《本草经集注》 滑石，色正白，《仙经》用之以为泥。又有冷石，小青黄，性并冷利，亦能熨油污衣物。今出湘州、始安郡诸处。初取软如泥，久渐坚强，人多以作冢中明器物，并散热人用之，不正入方药。赭阳县先属南阳，汉哀帝置，明

《本经》所注郡县，必是后汉时也。掖县属青州东莱，卷县属司州荥阳。

《雷公炮炙论》 滑石，有多般，勿误使之。有白滑石、绿滑石、乌滑石、冷滑石、黄滑石。其白滑石如方解石，色白。于石上画有白腻文，方使得。滑石，绿者，性寒，有毒，不入药中用。乌滑石似黳色，画石上有青白腻文，入用妙也。黄滑石，色似金，颗颗圆，画石上有青黑色者，勿用，杀人。冷滑石，青苍色，画石上作白腻文者，亦勿用。若滑石色似冰白青色，画石上有白腻文者，真也。凡使先以刀刮，研如粉，以牡丹皮同者一伏时出，去牡丹皮，取滑石，却用东流水淘过，于日中晒干，方用。

《药性论》 滑石，臣，一名夕冷。能疗五淋，主难产，服其末。又末与丹参、蜜、猪脂为膏，入其月，即空心酒下弹丸大，临产倍服，令滑胎易生。除烦热心躁，偏主石淋。

《唐本草》注 滑石，此石所在皆有。岭南始安出者，白如凝脂，极软滑。其出掖县者，理粗质青白黑点，惟可为器，不堪入药。齐州南山神通寺南谷亦大有，色青白不佳，至于滑腻，犹胜掖县者。

《本草拾遗》 滑石，按，始安及掖县所出二石，形质既异，所用又殊，陶云：不知今北方有之否？当陶之时，北方阻绝，不知之者，曷足怪焉。苏敬引为一物，深可嗟讶。其始安者，软滑而白，是滑石。东莱者硬涩而青，乃作器石也。

《药谱》 滑石，一名石仲宁。

《日华子本草》 滑石，治乳痈，利津液。

《本草图经》 滑石，生赭阳山谷及泰山之阴，或掖北白山，或卷山，今道、永、莱、濠州皆有之。此有二种，道、永州出者，白滑如凝脂。《南越志》云：膋城县出膋石，膋石即滑石也。土人以为烧器，用以烹鱼是也。莱濠州出者，理粗质青，有白黑点，亦谓之斑石，二种皆可作器用，甚精好。初出软烂如泥，久渐坚强，彼人皆就穴中乘其软时制作，用力殊少，不然坚强费功。《本经》所载土地，皆是北方，而今医家所用，多是色白者，乃自南方来。又按，雷敩《炮炙方》滑石有五色，当用白色如方解石者。其绿色者，性寒有毒，不入药。又云：凡滑石似冰，白青色，画石上有白腻文者，为真。如此说，则与今南中来者，又皆相类，用之无疑矣。然雷敩虽名隋人，观其书乃有言唐以后药名者，或是后人增损之欤。或云沂州出一种白滑石，甚佳，与《本经》所云泰山之阴相合。然彼土不取为药，故医人亦鲜知用之。今濠州医人所供青滑石，云性微寒无毒，主心气涩滞。与《本经》大同小异。又吴录《地理志》及《太康地记》云：郁林州布山县，多虺，其毒杀人，有冷石可以解之，石色赤黑，味苦，屑之着疮中，并以切齿立苏，一名切齿石。今人多用冷石作粉，治痱疮，或云即滑石也，但味之甘苦不同耳。谨按，古方利小便，治淋涩，多单使滑石。又与石韦同捣末，饮服刀圭更快。又主石淋，发烦闷，取滑石十二分，研粉，分两服，以水和搅令散，频服之。烦热定，即停后服，未已尽，服之必差。

《本草衍义》 滑石，今谓之画石，以其软滑可写画。淋家多用。若暴得吐逆不下食，以生细末二钱匕，温水服，仍急以热面半盏，押定。

《绍兴本草》 滑石，除热利闭塞。方家所用者多。然本经云益精一说，未闻其验。所产桂府，白腻者佳，青绿者不堪。当作味甘寒，无毒是矣。

［张元素曰］滑石，甘温。治前阴窍涩不利，性沉重，能泄上气令下行，故曰滑则利窍，不与诸淡渗药同。

《药类法象》 滑石，甘寒，性沉重，能泄气且令下行，故曰滑则利窍。治前阴窍涩不利，利窍不比与渗淡诸药同。白者佳，捣，水飞用。

《汤液本草》 滑石气寒，味甘。大寒，无毒。入足太阳经。《象》云：治前阴不利，性沉重，能泄上气令下行。故曰滑则利窍。不可与淡渗同用。白者佳，杵细、水飞用。《本草》云：主身热泄澼，女子乳难，癃闭，利小便，荡肠胃积聚寒热，益精气。通九窍六腑津液，去留结，止渴，令人利中。入足太阳，滑能利窍，以能水道，为至燥之剂。猪苓汤，用滑石与阿胶同为滑利，以利水道。葱、豉、生姜同煎去滓，澄清以解利。淡味渗泄为阳，解表利小便也。若小便自利，不宜以此解之。《衍义》云：暴吐逆，不下食，以生细末二钱匕，温水调服，后以热面压之。

《本草衍义补遗》 白滑石，属金，而有土与水，无甘草以和之勿用。燥湿分水道，实六腑，化食毒，行积滞，逐凝血，解燥渴，补脾胃，降妄火之要药也。凡使，有多般勿误使。有黄滑石、绿滑石、乌滑石，皆不入药。又青黑色者，勿用，杀人。惟白滑石似方解石，色白，于石上画有白腻文者佳。

［朱丹溪曰］滑石，燥湿，分水道，实大肠，化食毒，行积滞，逐凝血，解燥渴，补脾胃，降心火，偏主石淋为要药。

《本草蒙筌》 滑石，味甘，气大寒。性沉重，降也，阴也。无毒。所在多有，收采无时。细腻洁白者为佳，粗顽青黑者勿用。研细以水飞净，服下方得滑通。恶曾青，宜甘草。石韦为使，入足太阳。利九窍津液频生，行六腑积滞不阻。逐凝血而解烦渴，分水道以实大肠。消食毒补脾，泄上气降火。因此滑利，故加滑名。堕胎如神，妊娠忌服。谟按，滑石治渴，非实能止渴也。资其利窍，渗去湿热，则脾气中和，而渴自止尔。假如天令湿淫太过，人患小便不利而渴，正宜用此以渗泄之，渴自不生。若或无湿，小便自利而渴者，则知内燥热，燥宜滋润，苟误用服，是愈亡其津液，而渴反盛矣。宁不为犯禁乎！

《本草纲目》 ［释名］［时珍曰］滑石，性滑利窍，其质又滑腻，故以名之。表画家用刷纸代粉，最白腻，胥乃脂膏也，因以名县，脱乃肉无骨也。此物最滑腻，无硬者为良，故有诸名。［集解］［时珍曰］滑石，广之桂林各邑及瑶峒中皆出之，即古之始安也。白黑二种，功皆相似。山东蓬莱县桂府村所出者亦佳，故医方有桂府滑石，与桂林者同称也。今人亦以刻图书，不甚坚牢。滑石之根为不木灰，滑石中有光明黄子为石脑芝。［主治］［时珍曰］疗黄疸水肿脚气，吐血衄血，金疮血出，诸疮肿毒。［发明］［时珍曰］滑石利窍，不独小便也。上能利毛腠之窍，下能利精溺之窍。盖甘淡之味，先入于胃，渗走经络，游溢津气，上输于肺，下通膀胱。肺主皮毛，为水之上源。膀胱司津液，气化则能出。故滑石上能发表，下利水道，为荡热燥湿之剂。发表是荡上中之热，利水道是荡中下之热；发表是燥上中之湿，利水道是燥中下之湿。热散则三焦宁而表里和，湿去则阑门通而阴阳利。刘河间之用益元散，通治表里上下诸病，盖是此意，但未发出尔。

《药性歌括四百味》 滑石沉寒，滑能利窍，解渴除烦，湿热可疗。（细腻洁白者佳，粗纹清黑者勿用。研末，以水飞过。）

《药鉴》 滑石，气寒，味甘，无毒，降也。属金而有土与水。君甘草，则为益元散，取其甘能助阳也。佐麦冬，则为润燥汤，取其寒能驱热也。分水道，行积滞，化食毒，逐瘀血，降妄火之要药也。与木通同用，则利小便。与大黄同用，则利大便。

《本草原始》 滑石（色白光润者良，黄色者劣。）滑石生赭阳山谷及太山之阴。初取软如泥，久渐坚强，白如凝脂。其性滑利窍，其质又滑腻，故名滑石。（味甘，寒，无毒。主身热，邪辟，女子乳难，癃闭，利小便，荡胃中积聚，寒热，益精气。久吃轻身耐饥，长年，通九窍六腑津液，去留结，止渴，令人利中燥湿，分水道，实大肠，化食毒，行积滞，逐凝血，解消渴，补脾胃，降心火。主石淋，治黄疸，水肿，脚气，吐血、衄血，金疮血出，诸疮肿毒。）

《炮炙大法》 滑石，以刀刮去面黄者，研如粉，以牡丹皮同煮一伏时，出去牡丹皮，取滑石用东流水淘飞去下脚七次，于日中晒干方用。白如凝脂软滑者良。石韦为之使，恶曾青，制雄黄。

《珍珠囊补遗药性赋》 滑石，除烦止渴，快利小肠。（滑石，味甘，寒；无毒。用白色软嫩者佳。能益精除热，疗女人产难。）

《雷公炮制药性解》 滑石，按，滑石甘宜于中州，淡宜于利水，胃与膀胱之所由入也，利益虽多，终是走泄之剂，无甘草以和之，弗宜独用也。

《本草经疏》 滑石，石中之得冲气者也。故甘淡，气寒而无毒。入足太阳膀胱经，亦兼入足阳明，手少阴、太阳、阳明经。用质之药也。滑以利诸窍，通壅滞下，垢腻；甘以和胃气；寒以散积热。甘寒滑利，以合其用，是为祛暑散热，利水除湿，消积滞，利下窍之要药。《本经》用以主身热泄澼，女子乳难，荡胃中积聚寒热者，解足阳明胃家之热也。利小便癃闭者，通膀胱利阴窍也。其曰益精气，久服轻身耐饥长年，此则必无是理矣。《别录》通九窍津液，去留结，止渴，令人利中者，湿热解，则胃气和，而津液自生，下窍通，则诸壅自泄也。丹溪用以燥湿分水道，实大肠，化食毒，行积滞，逐瘀血，解燥渴，补脾胃，降心火，偏主石淋，皆此意耳。[主治参互] 和甘草为散元散。又名天水散、六一散、太白散。解中暑伤寒疫疠，并汗后遗热劳复诸疾。兼解两感伤寒，百药酒，食邪热毒，烦满短气，腹胀闷痛，淋闷涩痛，疗身热呕吐，泄泻肠澼，下痢赤白，除烦热，胸中积聚寒热，止消渴蓄水，妇人催生下乳，治吹乳，乳痈牙疮齿疳。此药大养脾胃之气，通九窍六腑，去留结，通经脉，消水谷，安魂定魄，乃神验之仙药也。刘河间《伤寒直格》本方，白滑石水飞过六两，粉甘草一两为末，每服三钱，蜜少许，温水调下。实热则用新汲水下；解利则葱豉汤下；通乳用猪肉面汤调下；催生用香油浆水调下。凡难产或死胎不下，皆由风热燥涩结滞紧敛不能舒缓故也，此药力至则结滞顿开而瘥矣。如用以治疗，照雷公炮制，用牡丹皮同煮过，加丹砂水飞细末，每两一钱，名辰砂六一散。治心经伏暑，下痢纯血，烦躁口渴，神昏不爽。《太平圣惠方》治膈上烦热多渴，利九窍。滑石二两，捣水三大盏，煎二盏去滓，入粳米煮粥食。《千金方》治女劳黄疸，日晡发热，恶寒，少腹急，大便黑，额黑。滑石、石膏等分研末，大麦汁服方寸匕，日三。小便大利愈，腹满者难治。《太平圣惠方》治乳石发动，烦热，烦渴。滑石粉半两，水一盏，绞白汁顿服。《广利方》气壅关格不通，小便淋结，脐下烦闷兼痛。滑石粉，水调服一两。《杨氏产乳》小便不通。滑石末一升，车前汁和涂脐之四畔，方四寸，干即易之，冬月水和。《太平圣惠方》治妇人转胞，因过忍小便而致。滑石末，葱汤服二钱。《普济方》伏暑水泄。白龙丸，滑石火煅过一两，硫黄四钱为末，面糊丸绿豆大，每用淡姜汤，随大小服。又方治伏暑，或吐或泻，或疟，小便赤，烦渴。玉液散，用桂府滑石烧四两，藿香一钱，丁香一钱，为末，米汤服二钱。亦治霍乱。《王氏痘疹方》治痘疮狂乱，循衣摸床，大渴引饮。用益元散一两，加朱砂飞过二钱，冰片三分，麝香一分，用灯芯汤调二三钱服。《普济方》治风毒热疮，遍身出黄水。桂府滑石末傅之，次日愈。先以虎杖、豌豆、甘草等分，煎汤，洗后乃搽。《集简方》治脚趾缝烂。滑石一两，石膏煅半两，枯矾少许，研掺之。夏子益《奇疾方》载“白矾石”条内。[简误] 滑石本利窍去湿，消暑除热，逐积下水之药。若病人因阴精不足，内热，以致小水短小，赤涩，或不利，烦渴身热。由于阴虚火炽水涸者，皆禁用。脾肾虚者，虽作泄，勿服。

《本草正》 滑石，微甘，寒，性沉滑，降中有升。入膀胱、大肠经。能清三焦表里之火，利六腑之涩结，分水道，逐凝血，通九窍，行津液，止烦渴，除积滞，实大肠，治泄痢、淋秘白浊，疗黄疸，水肿，脚气，吐血、衄血，金疮出血，诸湿烂疮肿痛。通乳亦佳，堕胎亦捷。

《本草乘雅半偈》 滑石，[参] 曰：洁白如水体之澄湛，性滑禀水用之动流，气寒具水化之捍格，奇方之滑剂重剂也。主身热泄澼，乳难癃闭，荡胃中积聚寒热者，滑可去着也。益精气，轻身耐饥长年者，重可去怯也。先人评药云：助精运用，益彼空大，水流而不盈，行险而不失其正者也。[批] 坎不盈秖既平。

《本草通元》 滑石，甘寒，利窍，降热，清三焦。凉六腑，化暑气，通水肿，退黄疸，止诸血，解烦渴，厚肠胃。时珍曰：滑石利窍，不独小便也。上利毛腠之窍，下利精溺之窍，通上下，彻表里，故主治甚多。小便利及精滑者，禁用。

《医宗说约》 滑石甘寒，利水解渴，开胃降火，伤暑能活。（白色者佳，研细，水飞用。）

《本草述》 滑石之用，在前概以为能滑窍，利水道而已。自朱丹溪先生乃谓属金而有土与水，种种利益。夫色白者金也，味甘者土也，气寒者水也。夫金水固相生，必藉土以致其用。经曰：味归形，形归气，是味之甘者，归于质之白，质之白者，归于气之寒也。由土而金，由金而水，此岂徒以滑窍利水，尽其用乎。本经谓其荡胃中积聚寒热，益精气。别录曰，令人利中，其气可参也。盖其坚贞之性本属坤贞，而柔腻之质，又得坤柔，合之以为滑利所以奏功若此。盖寒热者气，积聚者形，本由气以有形，滑石即由质以化气，脾胃患湿，又即积聚之气所化也。荡积聚则湿去而利中土司运化，上至于肺以生金，还下降入胃以行水化，则九窍六腑，津液通而经脉舒，在脾气益畅，此所谓益精气。又丹溪所谓补脾胃也。然又谓其降心火也何居？曰肺阴下降，则心火降矣。又后贤谓大养脾肾之气，是又益肾也何居？曰：水土合德以立地者也，然水土合以为体，分以为用，湿为土病，水在土中也，即以为水病，土又在水中也。湿行而水道分，不唯脾脏即其运化，即肾脏亦得以运化，是所谓大养脾肾之气，而《本经》所谓益精气者，固已包举此义矣。若然，是不唯不可以淡渗例论，即滑窍下泄等语，岂为能精察物理，然则去留滞之说非乎。曰：滑石之能，在去留滞，然留滞之去，即以益脾气，降心火，养肾气，此中煞有妙理，知此则可以善其用，不可徒以去结行滞主之也，是其义可得而明欤。曰：人身百病，疗之者勿论寒热虚实之剂，俱宜兼于清中道。清中道，有用其义者，有用其味者，有用其质者。如滑石则质以化气而效更捷，试合各举其同用诸方，寒凉：玉屑无忧散（咽喉）。茶调散、神芎散（俱头痛）。瞿麦汤、栝楼根散（俱消痹）。至小便不通并淋证，同寒凉而用者多也。辛温：星半安中汤、白螺壳丸（俱胃脘痛）、木通散（胁痛）、沉香丸（膏淋）。辛热：三因白散子（中风）、大黄龙丸（中暑）、生附散（劳淋）。宣泄：猪苓汤（消痹）、人参木香散（水肿）、大橘皮汤（胀满）、小蓟饮子（溲红）。至小便不通，并淋证同于宣泄者多也，补养半夏利膈丸（痰饮）、桂苓白术散、桂苓甘露饮（俱霍乱）、甘露饮（胀满）、地黄丸、黄芪汤（俱劳淋）。夫同寒凉宣泄，用此为多。以此味气固寒，用固通也。然在温热而亦同用之者，非借其以寒剂热也，即其在补养而亦同用之，岂借其补哉。盖人之血气为病，以留结于中道者，宁独热者实者为然，即为虚为寒，而患于中道之留滞者，正未必少，即虚寒亦借以为用，则其用不可神而明之，以为中道利乎。试观滞下病谓益元散为圣药，一入红曲以和血行滞，名清六丸，一入干姜以正气辟湿，名温六丸，一清一温，因名思义，似寒热皆可借可用也。其他证不可尽变乎哉。

《本草崇原》 滑石，甘，寒，无毒。主治身热泄澼，女子乳难，癃闭，利小便，荡胃中积聚寒热，益精气。久服轻身耐饥，长年。（滑石一名液石，又名背石，始出赭阳山谷及太山之阴，或掖北白山，或卷山，今湘州、永州、始安、岭南近道诸处皆有。初取柔软，久渐坚硬，白如凝脂，滑而且腻者佳。）滑石味甘属土，气寒属水，色白属金。主治身热泄澼者，禀水气而清外内之热也。热在外则身热，热在内则泄澼也。女子乳难者，禀金气而生中焦之汁，乳生中焦，亦水类也。治癃闭，禀土气而化水道之出也。利小便，所以治癃闭也。荡胃中积聚寒热，所以治身热泄澼也。益精气，所以治乳难也。久服则土生金而金生水，故轻身耐饥，长年。

《本草择要纲目》 滑石，［气味］甘，寒，无毒。入足太阳经。［主治］利小便，荡胃中积聚寒热，通九窍六腑津液，去留结止渴。盖滑石甘淡之味，先入于胃，渗走经络，游益津气，上输于肺，下通膀胱。肺主皮毛，为水之上源，膀胱司津液，气化则能出。滑石上能发表，下利水道，为荡热燥湿之剂，发表是荡上中之热，利水道是利中下之热，发表是燥上中之湿，利水道是燥中下之湿，热散则三焦宁而表里和，湿去则阑门通而阴阳利。刘河间之用益元散，通治表里上下诸病，盖深明于此理也。

《本草备要》 滑石，滑利窍，淡渗湿，甘益气，补脾胃，寒泻热，降心火。色白入肺，上开腠理而发表（肺主皮毛），下走膀胱而行水，通六腑九窍津液，为足太阳经（膀胱）本药。治中暑积热，呕吐烦渴，黄疸水肿，脚气淋闭（偏主石淋），水泻热痢（六一散加红曲治赤痢，加干姜治白痢）。吐血衄血，诸疮肿毒，为荡热除湿之要剂，消暑散结，通乳滑胎。（李时珍曰：滑石利窍，不独小便也。上开腠理而发表，是除上中之湿热；下利便溺而行水，是除中下之湿热。热去则三焦宁而表里和，湿去则阑门通而阴阳利矣。阑门分别清浊，乃小肠之下口。河间益元散，通治上下表里诸病，盖是此意，益元散一名天元散，一名六一散，取“天一生水、地六成之”之义。滑石六钱，甘草一钱，或加辰砂。滑石治渴，非实之渴，资其利窍，渗去湿热，则脾胃中和而渴自止耳，若无湿小便利而渴者，内有燥热，宜滋润，或误服此，则愈亡其津液而渴转甚矣。故王好古以为至燥之剂。）白而润者良。石韦为使，宜甘草。（走泄之剂，宜甘草以和之。）

《本经逢原》 滑石［发明］滑石利窍，不独利小便也。上能散表，下利水道，为荡热散湿，通利六腑九窍之专剂。取甘淡之味，以清肺胃之气，下达膀胱也。详《本经》诸治，皆清热利窍之义。河间益元散，通治表里上下诸热。解时气则以葱豉汤下。催生则以香油浆水调服。暑伤心包，则以本方加辰砂末一分。使热从手足太阳而泄也。惟元气下陷，小便清利及精滑者勿服。久病阴精不足，内热，以致小水短少赤涩，虽有泄泻，皆为切禁。而《本经》又言益精气者，言邪热去而精气自复也。

《本草经解》 滑石，寒。（入足太阳寒水膀胱经，手太阳寒水小肠经。味甘无毒，得地中正之土味，入足太阴脾经。气味降多于升，阴也。其主身热肠澼者，盖太阳行身之表，为诸经主气者也。暑伤太阳，则气化失职，水谷不分，身热泄利肠澼矣。滑石，甘以益气，寒以清暑，所以主之也。其主女子乳难者，乳汁不通也，甘寒有益脾土，脾湿行则脾血化乳也。膀胱热则癃闭，甘寒滑渗，故主癃闭而利小便也。脾者为胃行津液者也，脾湿则困，不行胃中津液，渣秽则积聚于胃而寒热生焉。滑石入膀胱利小便，则湿去脾健，而胃中积聚皆行矣。益精气者，滑石入小肠，则必火有去路，火不刑金，肺金旺生水也。久服湿行脾健，所以轻身耐饥。脾为后天，脾旺谷充，自然长年也。）

《神农本草经百种录》 滑石，味甘，寒。主身热（寒能除热），泄澼（滑石能滑利大小肠，分清水谷，水谷分则泄澼愈矣），女子乳难（乳亦水类，滑石利水，且能润窍，故有通乳之功），癃闭。利小便（滑利小肠），荡胃中积聚寒热（滑利大肠，凡积聚寒热由蓄饮垢腻成者，皆能除之），益精气（邪去则津液自生）。久服轻身耐饥长年。（通利之药，皆益胃气，胃气利则其效如此。此以质为治。凡石性多燥，而滑石体最滑润，得石中阴和之性以成，故通利肠胃，去积除水，解热降气，石药中之最和平者也。）

《本草诗笺》 滑石甘寒色贵青，利通腑窍走诸经；上清肺胃能舒散，下达膀胱无滞停；葱豉并施消疫疠，水油共佐促宁馨（催生以香油浆水调服）；阴精不足人宜忌，说与医师可要听。（本经只言能去邪热而精气自益，切不可误认为阴精虚者宜服。）

《长沙药解》 滑石，味苦，微寒。入膀胱经。清膀胱之湿热，通水道之淋涩。金匮滑石白鱼散（滑石一斤，白鱼一斤，乱发一斤，为散，饮服方寸匕，日三服。）治小便不利。以膀胱湿热，水道不通，滑石渗湿而泄热，白鱼、发灰利水而开癃也。滑石代赭汤，滑石三两，代赭石如鸡子大，百合七枚。治百合病下后者，下伤中气，湿动胃逆，肺郁生热，滑石利水而泄湿，百合、代赭清金而降逆也。伤寒猪苓汤（方在“猪苓”），用之治脉浮发热，渴欲饮水，小便不利者，以其渗膀胱而泄热也。金匮蒲灰散（方在“蒲灰”），用之治皮水为病，四肢肿满者。以其泄经络之水也。治小便不利者，以泄膀胱之湿也。百合滑石散（方在“百合”），用之治百合病变发热，以其利水而泄湿也。滑石甘寒，渗泄水湿，滑窍隧而开凝郁，清膀胱而通淋涩，善治黄疸水肿，前阴闭癃之证。

《得配本草》 滑石，石韦为之使，恶曾青，制雄黄。甘淡，寒滑，入足太阳、阳明经。利毛腠之窍，清水湿之源，除三焦湿热。治积热吐衄，中暑烦渴，呕吐泄痢，淋闭乳难，水肿脚气，诸疮肿毒。得葱汤送下，治妇人转脬。（因过忍小便而致者。）得藿香、丁香，治伏暑吐泻。配枯白矾，煅石膏，掺阴汗，并治脚趾缝烂。和车前汁涂脐，治小便不通，先以刀刮净，研粉，用丹皮同煮，去丹皮，以东流水淘过，日干用。燥热，精滑，孕妇病当发表者，禁用。怪症眼赤，鼻胀，大喘，浑身发斑，毛发如铁，乃热毒凝结于下焦，用滑石、白矾各一两，水三盏煎服，不住饮。

《本草求真》 ［批］降上中下湿热。滑石（专入膀胱）何以滑名，因其性滑而名之也。滑石味甘气寒，色白，服则能以清热降火，通窍利便，生津止渴，为足太阳膀胱经药。故凡中暑积热，呕吐烦渴，黄疸水肿，脚气淋闭，水热泻利，吐血衄血诸证，肿毒乳汁不通，胎产难下，服此皆能荡热除湿，通汁滑胎。（同甘草，为六一散。）然其开窍利湿，不独尽由小便而下。盖能上开腠理而发表（腠理为肺所主），是除上中之湿热；下利便溺而行，是除中下之湿热，热去则三焦宁而表里安，湿去则阑门通而阴阳利矣。河间益元散（六一散加辰砂）。用此通治上下表里诸病，其意在此。滑石既属渗利，如何又言止渴，因其湿热既渗，则脾胃中和，而渴自止耳。故书又载能理脾胃，义亦由此，白而润者良。石韦为使，宜甘草。（汪昂云：凡走泄之剂，宜用甘草以佐。）

《罗氏会约医镜》 滑石，利水渗湿，止渴热，解肌。（味甘淡，气寒，入肺、胃、大肠、膀胱四经。）利六腑之积滞，宣九窍之秘结，为荡热除湿之要剂。上开腠理而发表，（肺主皮毛，能除上中湿热。）下走膀胱而利水，（能除中下湿热，热去则三焦宁而表里和，湿去则小肠之下口名阑门者，自清浊分而流通矣。）治烦渴（渗去湿热，则脾胃和而津液生）、中暑、呕吐、泄泻、水肿、黄疸、脚气（皆湿热也）、淋闭（善通石淋）、热痢（六一散，加红曲，治赤痢；加干姜治白痢）。通乳、坠胎（性滑）。一切湿烂疮痛。无故多服，滑精败脾，戒之。

《本草经读》 滑石气寒，得寒水之气，入手足太阳，味甘，入足太阴。且其色白兼入手太阴。所主诸病皆清热利水之功也。益精延年，言其性之循，不比他种石药偏之为害也。读者勿泥。

《本经疏证》 滑石白如雪，腻滑如脂，其初出时，柔软似泥，久渐坚强成石者，以在地中气热故也。一切布帛，凡著油污，即屑滑石其上，炽炭熨斗中烙之，油污遂尽，布帛竟能无迹，此与天门冬之挪水浣缣素同。第天门冬仅能令缣素柔白，此则无论何色，均堪复故，且一用水，一用火，故天门冬裕肺肾精气，此则通六腑九窍津液也。六腑者胃为之长，非胃中积污。无有内既为泄为澼。外仍身热者，借其外之身热，为熨斗中炽炭，使滑石者浥去其污，从下窍而出，则利小便，荡胃中积聚寒热，均在此矣。女人乳为冲脉之所届，冲脉者隶于阳明，乳难癃闭，阳明冲脉之病，与胃有污，而小便不利者，同一理也。由是推之，滑石之运化上下开通津液，除垢存新，端借病势之身热，为药力之助。若身不热者，恐未必能奏绩矣。《本经》于药之去病，不肯轻用荡字，惟大黄、巴豆、滑石则有之。荡，盪也。排荡去垢秽也（释名释言语），动也（文选西京赋薛注），摇也（左僖三年贾

注），放也（汉书丙吉传注），散也（后汉冯衍传注）。若于辞气间分轻重，则荡练（巴豆），荡涤（大黄）自应作排荡观。若徒云荡，则动摇放散之谓矣。况荡练者能遍五脏六腑，荡涤者犹及肠胃，徒荡则仅去胃中积聚寒热耳。且开通闭塞（巴豆），推陈致新（大黄），皆实有物堵于其间。今若但曰积聚，则尚似有其物者，乃积聚之下，即紧承曰寒热，是决以有气无形视之矣。去有气无形者而命之曰荡，谓非动摇放散之义可乎。故复足其词曰，益精气，明系滓秽去而清光来，断断不容与巴豆、大黄一往无前者，同日而语。虽然胃中积聚寒热，何由知其不从大便去，而从小便泄也。夫曰积聚，则非一朝一夕之故矣。寒热已久留，若能从大便去，则亦因泄澼而病可愈。既泄澼而仍身热，尚非当从小便去耶！所以用滑石者，为滑石初如泥而旋坚结，为以土化金主肃降者，於土中行肃降，此所谓利小便，一也。金性凝重，其得下流，必从火化。滑石初出如泥，正以地中气暖，今即借积聚寒热所化之身热，为滑石之暖气。又焉得不气变柔而下流，迨其下流，气已变柔，则必不从大便去，此所谓主身热泄澼，二也。色白为金，味甘为土，气寒则降，土随金降，非味归形，形归气，气归精而何，此所谓益精气，三也。乳者色白味甘，化于血而性寒，恰有合于滑石，非气归精精归化而何，此所谓主女子乳难癃闭，四也。然《别录》曰，通六腑九窍津液何也？夫通者，有无相济之词也。观上文《本经》之所泄澼者，有余于大肠，不足于膀胱。难乳者，皆津液之变而不循其常也，使之输其有余，以济不足，不谓之通而何？曰令人利中何也？夫壅于大肠，涸于膀胱，艰于乳滞，于胃非中之不利耶！通膀胱而小便利，乳道利而胃中和，则虽不谓之利中不可。曰通九窍六腑津液，滑石之能也；曰令人利中，滑石之功也。惟其有能，乃得建功。仲景于阳明病，脉浮发热。渴欲饮水，猪苓汤中用滑石，则诚所谓胃中积聚寒热，身热口渴，小便不利矣。其治他病，不能若是之备也，亦有说以通之欤。夫亦惟细意较量其证，而可得之矣。猪苓汤证，在少阴即不云有身热，然曰心烦不得眠，则虽不热于表，其里之热，不可不谓不剧，况兼下利而渴，尚非身热泄澼耶。风引汤治热瘫痫纵，无身热，亦不能谓非热证。滑石化赭汤与百合同用，夫百合固主邪气腹胀心痛者，亦焉能因病体之如寒无寒，如热无热，而谓既遭攻下，必不得有热哉。矧皮水，脉浮胕肿，按之没指，不恶风，其中岂得无热，中有热而四肢复厥，其为热能不更甚耶。其治小便不利，观其或合蒲灰，或合乱发、白鱼，均非温热之品，则必谓无热所不能矣。大抵仲景之书，词简意深。故有反复推明病候，不出方者，则令人循证以识方；有但出方，不推究病源者，则令人由方以求病。如枳实薤白桂枝汤之与人参汤，并主胸痹，心中痞留气结在胸，胸满胁下逆抢

心，则必一虚而一实。茯苓杏仁甘草汤与橘枳生姜汤，并主胸痹胸中气塞短气，则必一热而一寒。今均为小便不利，而上文用栝楼瞿麦丸中有附子，则此之蒲灰散，滑石白鱼散，必为栝楼瞿麦丸之对照，无疑矣。况防已茯苓汤所治之皮水，但四肢聂聂动，而蒲灰散所主者则厥，核之以厥深热深之义。其为热又何逃焉？百合病变发热者，百合滑石散主之。既已明明标发热矣，因其下后仅多代赭一味，则遂不热，有是理欤。要之滑石非治身热也，以身热而神其用耳，故为烦为渴，皆可以当热。滑石非止泄澼也，水气因小溲利，自不入大肠耳。故咳嗽者、呕者，亦得以水气下趋而遂止。明乎此而推广之，盖其用有不止于是数端者矣。

《本草害利》 滑石，沉降，能泄上气令下行，本利窍清暑之药。若病人脾虚下陷，及阴精不足内热，以致小水短少赤涩或不利，烦渴身热，由于阴虚火炽水涸者，皆禁用。脾肾俱虚者，虽作泄易服。伤寒病当发表者，尤忌。表有邪，得此渗泄重降之品，必愈陷入里，而成败症矣。［利］甘淡寒，入肺、脾、肾、膀胱四经。利小便，得积滞，宣九窍之闭，通六腑之结。滑石利窍，非独小便也。上能利毛窍，下能利精窍，为荡热燥湿之剂，故清暑需之。［修治］采无时。凡用滑石，白而润者良。先以刀刮净研粉，以丹皮同煮一伏时，去牡丹皮，取滑石，以东流水淘过，晒干用。惟青黑绿色有毒，不入药用，能杀人。

《医家四要》 滑石，通淋医痢，又能却暑除烦。（入肺，膀胱。同甘草，清暑利湿。河间名曰天水散，又名六一散。）

《本草撮要》 滑石，甘，寒。入膀胱经。功专发汗利小便。得甘草解暑止泻。加红曲治赤痢，加干姜治白痢。凡脾虚下陷，及精滑有孕，病当发表者均忌。石韦为使，宜甘草。

《本草便读》 滑石，甘淡，寒。清热有功于肺胃。分消质滑，导邪直降于州都。除湿热之稽留，宣表里而无滞。（滑石，其性寒，其体滑，其质重，沉降下行，祛湿热，从小肠膀胱而出。有谓其燥者，亦湿去则燥之故，非滑石之性燥也。或谓其能解肌者，亦里通而表解之意欤。）

尚志钧按 滑石为单斜晶系矿石，多由蛇纹石、辉石分解而成。常存于蛇纹岩、绿片岩中。主要成分为含水硅酸镁（$H_2SiO_3 \cdot 3MgSiO_3$）。呈白色或类白色片状或粒状结块。具贝壳样光泽。解理面显珍珠样光泽，质柔软，硬度1，比重2.7，捏之有脂肪样滑腻感。对油类有吸附性。滑石味甘，寒，无毒。撒布于黏膜疮面，能形成被膜，减低外来的刺激，表现保护作用。能吸湿吸汗，是痱子粉主要成分。内服有利湿祛暑功效。《宣明论》六一散，治暑热烦渴，小便赤涩，飞滑石六钱，甘草一钱，为散，开水冲服，每服三钱。《千金方》滑石散，治产后小便涩痛，滑石一两二钱五分，车前子、冬葵子、通草各一两，研细末，每服方寸匕，浆水调下。《金匮要略》滑石白鱼散，治消渴，小便不利，少腹胀，痫，有瘀血。滑石、白鱼（炙）、乱发（烧存性）各二分，杵为散，每服方寸匕。米饮调下，一日三次。

316 不灰木（《拾遗》）

《本草拾遗》 烧要成灰，即斫破，以牛乳煮了便烧，黄牛粪烧之成灰。中和二年，于李宗处见传。

《开宝本草》 不灰木，大寒。主热痱疮，和枣叶、石灰为粉，傅身。出上党。如烂木，烧之不燃，石类也。

《本草图经》 不灰木，出上党，今泽、潞山中皆有之，盖石类也。其色青白如烂木，烧之不燃，以此得名。或云滑石之根也，出滑石处皆有，亦名无灰木。采无时。今处州山中出一种松石，如松干而实石也，或云松久化为石。人家多取以饰山亭，及琢为枕。虽不入药，然与不灰木相类，故附之。

《丹房镜源》 不灰木煮汞。

《本草纲目》 ［集解］［时珍曰］不灰木有木、石二种：石类者其体坚重，或以纸裹蘸石脑油燃灯，彻夜不成灰，人多用作小刀靶。《开山图》云：徐无山出不灰之木，生火之石。山在今顺天府玉田县东北。《赓辛玉册》云：不灰木，阴石也。生西南蛮夷中，黎州、茂州者好也，形如针，文全若木，烧火之无烟。此皆言石者也。伏深齐地记云，东武城有胜火木，其木经野火烧之不灭，谓之不灰木。杨慎《丹铅录》云：《太平寰宇记》云，不木灰俗多为铤子，烧之成炭而不灰，出胶州。其叶如蒲草，今人束以为燎，谓之万年火把。此皆言木者也。时珍常得此火把，乃草叶束成，而中夹松脂之类，一夜仅烧一二寸尔。［发明］［时珍曰］不灭木性寒，而同诸热药治阴毒。刘河间《宣明方》，治阳绝心腹痞痛，金针丸中亦用服之。盖寒热并用，所以调停阴阳，除烦热阳厥。

尚志钧按 不灰木为角闪石类的石棉矿，由阳起石分解而成，多存在岩石的间隙。色白或灰白，有丝样光泽，且易分离成纤维状，质柔韧如棉，易于弯曲，富有弹性。耐高温、酸、碱，能制防火衣、手套、建筑房屋薄板，医药很少用。本品成分似滑石，含硅酸镁［$H_2Mg_3(SiO_3)_4$］。味甘，大寒，无毒，能清热除烦，利尿止咳，适用于肺热咳嗽，咽喉肿痛，小便不利。《圣济总录》治咽喉肿痛，不灰木烧赤四两，太阴玄精石煅赤四两，珍珠一钱为末，糯米糊丸芡实大。每服一丸，生地黄汁、粟米泔研化服，日二次。《证治准绳》治小儿久咳，煅不灰木、贝母、甘草粉各五钱，研为散，每用一钱，水煎服，每日四次。

317 水花（《拾遗》）

《本草拾遗》 水花，平，无毒。主渴，远行山无水处，和苦栝楼为丸，朝预服二十丸，永无渴。亦入杀野兽药，和狼毒、皂荚、矾石为散，揩安兽食余肉中，当令不渴，渴恐饮水药解，名水沫。江海中间，久沫成乳石，故如石水沫，犹软者是也。

318 浮石（《日华子》）

《日华子本草》 浮石，平，无毒。止渴，治淋，杀野兽毒。

《本草衍义》 浮石，水飞，治目中翳。今皮作家用之，磨皮上垢，无出此石。“石蟹”条中云：浮石，平，无毒；止渴，治淋，杀野兽毒，合于此条收入。

［朱丹溪曰］浮石，清金降火，消积块，化老痰。海石治老痰积块，咸能软坚也。

《本草纲目》 ［释名］［时珍曰］浮石，一名海石。［集解］［时珍曰］浮石，乃江海间细沙、水沫凝聚，日久结成者。状如水沫及钟乳石，有细孔如蛀窠，白色，体虚而轻，今皮作家用磨皮垢甚妙。海中者味咸，入药更良。［气味］［时珍曰］小寒。［主治］［时珍曰］消瘤瘿结核疝气，下气，消疮肿。［发明］［时珍曰］浮石，乃水沫结成，色白而体轻，其质玲珑，肺之象也。气味咸寒，润下之用也。故入肺除上焦痰热，止咳嗽而软坚。清其上源，故又治诸淋。按，余琰《席上腐谈》云：肺属木，当浮而反沉，肺属金，当沉而反浮，何也？肝实而肺虚也。故石入水则沉，而南海有浮水之石；木入水则浮，而南海有沉水之香。虚实之反如此。

《本草原始》 海石，体轻色褐而光，俗呼浮石。（皮匠家用磨皮垢，裱背家用磨书册甚好。入药亦宜。）一名浮石。乃海间细沙水沫凝聚日久结成者，状如石，故名海石。色白体虚而轻，故名浮石。（味咸平，无毒。主煮汁吃止渴，治淋，杀野兽毒，止咳，去目翳，清金降火，消积块，化老痰，消瘤瘿、结核、疝气，下气，消疮肿。）

《本草正》 海石，咸，微寒，阳中之阴也。善降火下气，消食，消热痰，化老痰，除瘿瘤、结核，解热渴、热淋，止痰嗽、喘急，消积块，软坚癥，利水湿，疝气，亦消疮肿。

《本草乘雅半偈》 浮石，[参] 曰：抱朴子云：烧泥为瓦，燔木为炭，水沫为浮石，皆去其柔脆，变其坚刚。“释典”云：火劣水势，湿为巨海，干为州潭，是故彼大海中，火光常起，彼州潭中，江河常注，虽幻化异形，而水火之性，终不陨灭。顾浮石之浮水上，即火性浮炕之上炎。《诗·大雅》云：蒸之浮之是也。若止渴治淋即湿者干之，干者湿之。若积块老痰，瘿疬疝瘕，砂石淋露，即去其坚刚，变其柔脆。随根身之缺陷，现四大之遍周，若以结治结，犹幻归幻耳。

《本草通元》 海石，乃水沫结成，色白体轻，肺之象也。气味咸寒，润下之用也。故入肺除痰嗽而软坚，上源既清，故又治淋。肝属木，当浮而反沉，肺属金，当沉而反浮，何也？肝实而肺虚也。故石入水则沉，而南海有浮水之石。木入水则浮，而南海有沉水之香木。

《本草述》 浮石成于水沫，其气偶尔结聚，其实最为轻虚，故名之曰浮石，又曰水花，阅方书所治之证，于疝用之如敌金丸者（“敌金丸”见《准绳》疝证），其义固是之取也。盖疝原属水脏偶结之邪，亦似有中痼而不得即散者，故疝从疾从山，然却非本来沉痼之疾也。即此种水气之偶结而似石，虽似石而甚轻虚，还不离于浮聚之气者，以对待之。本气味咸寒以入水藏，因取其结之出于偶然，而散之还即以其偶然，固藉气以为推移耳。至于治老痰积块，消瘿瘤结核，似亦不越前义矣。《日华子本草》云治淋，想亦治沙石之淋。第方书之治淋者不少概见，何哉。

《本草备要》 浮石，咸润下，寒降火。色白体轻，入肺清其上源。（肺为水之上源。）止渴止嗽，通淋软坚，除上焦痰热，消瘿瘤结核。（顽痰所结，咸能软坚。俞琰《席上腐谈》云：肝属木，当浮而反沉；肺属金，当沉而反浮何也？以肝实而肺虚也。故石入水则沉，而南海有浮水之石；木入水则浮，而南海有沉水之香。虚实之反如此。）水沫日久结成，海中者味咸更良。

《本经逢原》 浮石（一名海石，）咸平无毒，煅过水飞用。[发明] 海石乃水沫结成，色白体轻。故治上焦痰热，止嗽，点目翳，傅痘痈，功效最捷。又治诸淋，散结块，皆取咸能软坚之意。消瘿瘤结核疝气。然唯实证宜之，虚者误投，患亦最速，以其性专，克削肺胃之气也。南海有浮水之石，沉水之香，专取物类之相反，以治病气之阻逆也。

《本草诗笺》 浮石，水沫凝成石号浮，体轻色白最为优；去痰止嗽功恒著

（治上焦痰嗽热），散积除淋效自收；兼退障翳开目睫，还消结疝解瘿瘤；咸平无毒天然性，克削终贻肺胃愁（肺胃虚者勿服）。

《玉楸药解》 浮石，咸平。入手太阴肺、足厥阴肝经。化痰止渴，破滞软坚。海浮石，咸寒通利，能化老痰，消积块，止渴通淋，去翳障，下瘿瘤，清金止嗽，泄湿消疝，亦兼治疗毒恶疮。

《得配本草》 浮石（一名海石），咸寒，入手太阴经。除上焦之痰热，清膀胱之上源，消结核，止干渴。得牙皂，治老痰横结。得通草，治疝气茎肿。得鲫鱼胆，治膈消（善饮水者）。得金银花，治疳疮。得轻粉少许，麻油调，涂头核脑痹。（枕后生痰核，正者为脑，侧者为痹。）煅研，水飞过用。

《本草害利》 浮石，大寒润下。咳逆由于虚气上冲者勿用。痰饮由于脾胃元虚者忌之。多服损人血气。［利］咸寒，入肺。清金降火，能润下，止浊淋，化积块止痰，消瘿溜结核。［治］浮石，乃水沫结成，色白体轻，海中者味咸，入药为良。

《医家四要》 海石软坚，入肺化痰能止嗽。（［石部］为末，蜜丸。治久嗽。）

《本草撮要》 海浮石，咸寒，入肺经及足厥阴经。功专软坚润下，止嗽止渴，通淋，化上焦老痰，消瘿瘤结核，多服损人血气。头核脑痹，头枕后生核，正者为脑，侧者为痹，白浮石烧存性为末，入轻粉少许，麻油调涂，或加干牛粪尤炒。亦治头痹。得香附、姜汁，治疝气茎缩囊肿。咳嗽不止，末服良。

《本草便读》 浮石，质轻，化痰火瘿瘤，清金利咳。咸寒润下，治浊淋积块。摩翳开光。（海浮石，海边水沫结成。其质轻，其体空，其色白，其味咸。化痰清肺，是其所长。治淋者以其咸寒润下。又金为水之上源，源清而流洁耳。）

尚志钧按 浮石，一名海浮石，由海底喷出花岗岩浆时，散出气体裹在岩浆内，凝固后，石内含多数气孔泡，经海水冲刷，分成很多小圆石块，漂浮到海边，似海绵状卵形石块，色灰白。浮石轻，含70%硅酸（H_2SiO_3）及矾土、石灰、钾、钠、铝、钙、镁、铁等化合物，并杂氯化物及铵盐痕迹。味酸，性平，无毒，能清肺化痰，软坚散结，与海藻、昆布、海蛤、牡蛎功效相似。《肘后方》治咳嗽不止，浮石末汤服，或蜜丸服。《本草方》治消渴，浮石、青黛等分为末，温汤服一钱。《普济方》治耳底有脓，海浮石一两，没药一钱，为末，缴脓尽，吹之。（不宜多吹，防止药粉堆积，阻塞耳道）。《儒门事亲》治疳疮不愈。浮石烧红醋淬二两，金银花一两为末，每取二钱半，水煎服。

319　五色石脂（《本经》）

《神农本草经》　青石、赤石、黄石、白石、黑石脂等，味甘，平。治黄疸、泄澼、肠澼、脓血、阴蚀、下血、赤白、邪气、痈肿、疽痔、恶疮、头疡、疥瘙。久服补髓，益气，肥健不饥，轻身延年。五石脂各随五色补五脏，生山谷。

《吴普本草》　五石脂，一名青、赤、黄、白、黑符。青符，神农：甘。雷公：酸，无毒。桐君：辛，无毒。李氏：小寒。生南山或海涯。采无时。

320　赤石脂（《别录》）

《名医别录》　赤石脂味甘、酸、辛，大温，无毒。主养心气，明目，益精，治腹痛，泄澼，下痢赤白，小便利，及痈疽疮痔，女子崩中漏下，产难，胞衣不出。久服补髓，好颜色，益智，不饥，轻身，延年。生济南、射阳及太山之阴，采无时。

《雷公药对》　赤符，一名赤石脂。雷公：甘，大温。主五痔，养心气，君。恶大黄、松脂，畏芫花。

《药性论》　赤石脂，君，恶松脂。补五脏虚乏。

《唐本草》　赤石脂，此石济南太山不闻出者，今虢州卢氏县、泽州陵川县及慈州吕乡县并有，色理鲜腻，宜州诸山亦有。此中五石脂中，似骨，如玉坚润，服之力胜钟乳。

《药谱》　赤石脂，一名红心石。

《蜀本草》　五色石脂，今义阳山有之，一本南阳山谷中也。

《本草图经》　赤石脂，生济南、射阳，及泰山之阴。苏恭云：济南、泰山不闻出者，惟虢州卢氏县、泽州陵川县、慈州吕乡县并有，及宜州诸山亦出，今出潞州。以色理鲜腻者为胜，采无时。古人亦有单服食者。《乳石论》载服赤石脂，发则心痛。饮热酒不解，治之用葱豉绵裹，水煮饮之。《千金翼》论曰，治痰饮吐水无时节者，其源以冷饮过度，遂令脾胃气羸，不能消于饮食，饮食入胃，则皆变成冷水，反吐不停，皆赤石脂散主之。赤石脂一斤，捣筛，服方寸匕，酒饮自任，稍稍加至三匕。服尽一斤，则终身不吐淡水。又不下痢，补五脏，令人肥健。有人痰饮，服诸药不效，用此方遂愈。其杂诸药用者，则张仲景治伤寒下痢不止，便脓血者，桃花汤主之。其方用赤石脂一斤，一半全用，一半末用，干姜一两，粳米半升，以水七升煮之，米熟为准，去滓，每饮七合，内赤石脂末方寸匕服，日三愈。止后服，不尔尽之。又有乌头赤石脂丸，主心痛彻背者。乌头一分，附子二分，并炮，赤石脂、干姜、蜀椒各四分，五物同杵末，以蜜和丸，大如梧子，先食服一丸，不知，稍增之。

《本草衍义》 赤石脂，今四方皆有。以舌试之，粘着者为佳。有人病大肠寒滑，小便精出，诸热药服及一斗二升，未甚效。后有人教服赤石脂、干姜各一两，胡椒半两，同为末，醋糊丸如梧桐子大，空心及饭前米饮下五七十丸。终四剂，遂愈。

《绍兴本草》 赤石脂，方家所用多矣。治痢及女子崩漏，固敛之功甚验。今以河东潞州者佳。本经云，味甘、酸、辛，大温，无毒是也。鲜腻缀唇者为胜。

［张元素曰］赤石脂，赤、白石脂俱甘、酸，阳中之阴，固脱。

［李杲曰］赤石脂，降也。阳中之阴也。其用有二：固肠胃有收敛之能，下胎衣无推荡之峻。

《汤液本草》 赤石脂，温，味甘酸辛，无毒。《本草》：主养心气，明目益精，疗腹痛泄澼，下利赤白，小便利，及痈疽疮痔，女子崩中漏下，产难，胞衣不出，久服补髓，好颜色，益老不饥，轻身延年，五色石脂，各入五脏补益。东垣云：赤石脂、白石脂并温无毒，畏黄芩、芫花，恶大黄。《本经》云：涩可去脱，石脂为收敛之剂，胞衣不出，涩剂可以下之，赤入丙、白入庚。珍云：赤、白石脂俱甘酸，阳中之阴，固脱。心云：甘温，筛末用，去脱，涩以固肠胃。《局方》本草云：青石脂，养肝胆气，明目。黑石脂，养肾气，强阴，主阴蚀疮。黄石脂，养脾气，除黄疸。余与赤、白同功。

《本草衍义补遗》 赤石脂，味甘、酸，温。《本草》主养心气，明目，益精。治腹痛泄澼，下利赤白，小便利，及痈疽疮痔，女子崩漏，产难，胞衣不出。其五色石脂，各入五脏补益。涩可以去脱，石脂为收敛之剂。胞衣不出，涩剂可以下之。赤入丙，白入庚也。

《本草蒙筌》 赤石脂，味甘、酸、温。无毒。多产泰山，无时收采。种有五色，实共一名。虽各补脏不同，总系收敛之剂。可以隅反，不必概言，形赤粘舌为良，火煅醋淬才研。畏芫花莫见，恶大黄、松脂。凡百溃疡收口长肉，但诸来血止塞归经。养心气涩精，住泄痢除痛。（白者入大肠经，止泻尤妙。）

《本草纲目》 赤石脂，补心血，生肌肉，厚肠胃，除水湿，收脱肛。［发明］

五石脂，皆手足阳明药也，其味甘，其气温，其体重，其性涩，涩而重，故能收湿止血而固下；甘而温，故能益气生肌而调中。中者，肠胃肌肉惊悸黄疸是也；下者，肠澼泄痢崩带失精是也。五种主疗大抵相同。故《本经》不分条目，但云各随五色补五脏。《别录》虽分五种，而性味主治亦不甚相远，但以五味配五色为异，亦是强分尔。赤白二种，一入气分，一入血分，故时用尚之。张仲景用桃花汤治下痢便脓血。取赤石脂之重涩，入下焦血分而固脱；干姜之辛温，暖下焦气分而补虚；粳米之甘温，佐石脂、干姜而润肠胃也。

《药性歌括四百味》 赤石脂，温。保固肠胃，溃疡生肌，涩精泄痢。（形赤，粘舌为良，火煅醋淬，研碎。）

《本草原始》 赤石脂，生济南、射阳及太山之阴。形如滑石，色赤，以细腻粘舌缀唇者为上。膏之凝者曰脂，此物性粘固，滑卢鼎甚良。盖兼体用而名也。（味甘酸辛，大温，无毒。主养心气，明目，益精。治肚痛，肠澼，下痢赤白，小便利及痈疽疮痔，女子崩中带下，产难，胞衣不出。久吃补髓，好颜色，益智不饥，补五脏虚乏，补心血，生肌肉，厚肠胃，除水湿，收肛脱。制研如粉，新汲水飞过，晒干，亦有火煨水飞者。）

《炮炙大法》 赤石脂，研如粉，新汲水飞过三度，晒干用，亦有火煅水飞者。恶大黄、松脂，畏芫花、豉汁，畏黄芩、大黄、官桂。

《雷公炮制药性解》 赤石脂，味甘，性平，无毒。入心经。主养心气，明目益精，疗腹痛下痢，痈疽疮痔，女子崩漏产难，下胞衣。恶大黄及松脂，畏芫花。按，石脂色赤，宜入心经。腹痛诸证，皆火为之殃，崩漏诸证，皆血为之祸，心主血属火，得石脂以疗之，而更何庸虞哉。

《本草经疏》 赤石脂，［疏］赤石脂禀土金之气而色赤，则象火，故其味甘酸辛，气大温，无毒。气薄味厚，降而能收，阳中阴也。入手阳明大肠，兼入手足少阴经。经曰涩可去脱。大小肠下后虚脱，非涩剂无以固之，故主腹痛肠澼及小便利，女子崩中漏下也。赤者，南方之色，离火之象。而甘温则又有入血益血之功，故主养心气及益精补髓，好颜色也。血足则目自明，心气收摄则得所养而下交于肾，故有如上功能也。痈疽因荣气不从，所生疮痔因肠胃湿热所致。甘温能通畅血脉，下降能涤除湿热，故主之也。其主难产，胞衣不出者，以其体重下降，而酸辛能化恶血，恶血化则胞胎无阻滞之患矣。东垣所谓胞衣不出，涩剂可以下之，此之谓也。不饥，轻身延年，乃方士炼饵之法耳。凡泄利肠澼，久则下焦虚脱，无以闭藏。其他固涩之药，性多轻浮，不能达下，唯石脂体重而涩，其入下焦阴分，故为久利泄澼之要药。[主治参互]《和剂局方》，冷痢腹痛，下白冻如鱼脑者，桃花丸主之。赤石脂，煅研，干姜，炮，等分为末，蒸饼为丸，量大小服，日三服。仲景方，伤寒下利，便脓血不止，桃花汤主之。赤石脂一斤，一半全用，一半末用，干姜一两，粳米半斤，水七升，煮米熟，去滓，每服七合，纳末方寸匕，日三服，愈乃止。《千金翼方》，痰饮吐水无时节者，其原因冷饮过度，遂令脾胃气弱，不能消化饮食，饮食入胃，皆变成冷水，反吐不停，赤石脂散主之。赤石脂一斤，捣筛，服方寸匕，酒饮自任，稍加之三匕，服尽一斤，则终身不吐痰水。又不下利，补五脏，令人肥健。有人患痰饮，服诸药不效，用此遂愈。病人虚者宜之。[简误]火热暴注者不宜用。滞下全是湿热，于法当忌，自非的受寒邪，下利白积者不宜用。崩中，法当补阴清热，不可全仗收涩。滞下本属湿热积滞，法当祛暑除积，止涩之药定非所宜，慎之！慎之！

《本草通元》　赤石脂，甘、酸、辛，温。补心血，生肌肉，厚肠胃，除水湿，收肛脱。好古曰：涩可去脱。石脂为收敛之剂，赤者入丙丁，白者入庚辛。泄痢初起者，勿用。火煅。

《医宗说约·药性歌》　赤石脂，涩，保固肠胃，溃疡生肌，泻利功最。火煅用。

《本草述》　五色石脂，愚按，石脂有五色，在《本经》统言其功，曰随五色补五脏，至《别录》始分条具载，亦即以五色之殊，而别其补五脏，于同中有差异者也。其大端所同者，泄痢肠澼。而五色各养五脏之气，如《本草》益气之说也。若《本经》谓其补髓，而《别录》条分者，止青、白、赤三色，是其同中之异也。若然，则止泄痢肠澼脓血之功，为五色所同，而补髓之用，为青白赤所独也。后人亦只用赤白二色耳。乃用之者惟以断下痢，及遗补髓之功，何哉？抑其义谓何？曰：之颐有云，石中之脂，如骨中之髓，故揭雨石中取之，而用必缀唇舌者为上也，此说近之矣。《内经》曰：人始生，先成精，精成而脑髓生，然则髓者精气之所化，气化之所凝，从阴中蓄阳，故上归于脑。卢复谓石脂，凝中大有不凝义，斯语可谓探微矣。《本经》取其补髓，非取其精气所化，气化所凝，如阴中蓄阳，以化而能归于凝，凝而未离于化者乎！是焉得以涩能固脱尽之，而独泥于一证哉。抑何以明之？曰：今所用石脂唯赤者居多，以其甘温合而得阳之化，又酸辛合而能散能收也。如泄泻滞下之用此味，小便数与不禁、遗精、脱肛、自汗之用此味。又如咳嗽之大府遗矢，霍乱之下利脓血，亦用此味。皆逐队于群药中者，不可谓其收涩非功，第如恶寒之桂附丸、心痛彻背之乌头赤石脂丸、行痹之乳香应痛丸、痢证之犀角丸、金匮风引汤、消中之天门冬丸，如此类者胥收之，然则亦取其收涩之用乎，是当以化为用也。岂同一味，而乃顿然有化而无收乎。即此以推之，则如前诸证之取其收涩者，亦未尝不有化之用存于中矣。就以泄痢一证而论，如寒者温药散之，乃借此味以化血分之凝，而即为收涩即热者用寒药祛热，而亦不舍此味，盖恐寒剂与热顿忤，更借此气化者引寒导热，是亦因化为收也。明于一证之寒热皆宜，可推类以尽他证矣。或曰：时珍谓赤者入血分，然否？曰：海藏所说，赤入丙，白入庚者，是也。故《本经》言其补髓，即继以“益气”二字，不可谓其专入血分，但属血分之病，由阳中之阴，能行其化耳。盖阳中之阴，能行其化，是即可以益精而化髓，髓盈而气益盛矣。抑所谓补髓之功，方书有可据者乎。曰：如上所疗诸证，虽不可谓其补髓，然取其精气所化以疗之，固非判然二也。专取补髓益气者，如养气丹、震灵丹，非其的然可据者欤。若《医垒元戎》之万安丸，诸药皆益肾平剂，却亦不弃兹味，则功可思矣。（兹味类以为收涩之剂，殊为不察，盖非取其能收，取其精气之所化，而得化之精气，有若凝为脂者，以对待涣散之气，不能翕聚以为病者，是则犹非取其脂也。取其化脂之气，能为涣散之气用耳。唯取其化脂之气，故能疗腹痛肠澼下利。但即此一证，则可以思其能化能收之功，不然腹痛肠澼下利，仅仅以收为功也，可乎哉！即此证以推之，治女子崩漏，真是妙剂。盖女子崩漏虽多属虚，然有瘀者或有热者，此味可以投之咸宜矣。虽然，本草别录言其补髓者，亦本其精气之所凝为脂，就是明其有补髓之功耳。修真者云：气盛则精盈，精盈则气盛，兹品之由气化而脂凝，非犹气盛而精盈之义乎！《经》云：精成而脑髓生，是以别录首言益精，而后乃云久服补髓也。又按，《本草别录》，首云养心气，而次即言益精。益心属阳中之太阳，虽离中有坎，而阳实其主也，故曰养心气。肾属阴中至阴，虽坎中有离，而阴实其主也，故曰益精。第坎离交媾之乡，阴阳非涣然二也，故首云养吣气，次即言益精也。虽然，五脏六腑皆有精，肾受五脏六腑之精而藏之，所以经曰肾者精之处也。然而修真者有曰：气盛则精盈，精盈则气盛。是精与气合一之义，心肾第为主耳，不得以气专属心，精专属肾也。《经》曰：两神相搏，合而成形，常先身生，是谓精。夫两神阴阳也，相搏交也，然则成形以后，犹是阴阳相搏，乃得全五脏六腑之精以永年也，如赤石脂能于阳中行阴之化以下归，则即于阴中致阳之化以上济，如是阴阳之不忒而精乃益也。此甄权所谓补五脏虚乏也。

《本草崇原》 赤石脂，甘，平，无毒，主治黄疸，泄痢，肠澼浓血，阴蚀，下血赤白，邪气痈肿，疽痔，恶疮，头疮疥瘙。久服补髓益气，肥健不饥，轻身延年。五色石脂，各随五色，补五脏。（《本经》概言五色石脂，今时只用赤白二脂，赤中有白，白中有赤，总名赤石脂。不必如《别录》分为二也。始出南山之阳，及延州、潞州、吴郡山谷中，今四方皆有。此石中之脂，如骨之髓，故揭石取之以理腻粘舌缀唇者为上。）石脂乃石中之脂，为少阴肾脏之药。又，色赤象心，甘平属土。主治黄疸、泄痢、肠澼浓血者，脾土留湿，则外疸黄而内泄痢，甚则肠澼浓血。石脂得太阴之土气，故可治也。阴蚀下血赤白，邪气痈肿、疽痔者，少阴脏寒，不得君火之阳热以相济，致阴蚀而为下血赤白，邪气痈肿而为疽痔。石脂色青，得少阴之火气，故可治也。恶疮、头疡、疥瘙者，少阴火热不得肾脏之水气以相滋，致火热上炎，而为恶疮之头疡疥瘙，石脂生于石中，得少阴水精之气，故可治也。久服则脂液内生，气血充盛，故补髓益气。补髓助精也，益气助神也，精神交会于中土，则肥健不饥，而轻身延年。《本经》概言五色石脂，故曰各随五色补五脏。

《本草择要纲目》云；赤石脂，［气味］甘、酸、辛，大温，无毒。降也，阳中阴也。［主治］养心气，明目益精，疗腹痛肠澼下痢赤白，小便利，及痈疽疮痔，女子崩中漏下，产难胞衣不出。久服补髓好颜色，益智不饥，轻身延年。补五脏虚乏，补心血，生肌肉，厚肠胃，除水湿，收脱肛。

《本要备要》　赤石脂，甘而温，故益气生肌而调中；酸而涩，故收湿（《独行方》煅末，敷小儿脐中汁出赤肿），止血而固下。（《经疏》曰：大小肠下后虚脱，非涩剂无以固之。其他涩药轻浮，不能达下，惟赤石脂体重而涩，直入下焦阴分，故为久痢泄澼要药。仲景桃花汤用之，加干姜、粳米。）疗肠澼泄痢，崩带遗精，痈痔溃疡，收口长肉，催生下胞。（《经疏》云：能去恶血，恶血去则胞胎无阻。东垣云：胞胎不出，涩剂可以下之。又曰：固肠胃有收敛之能，下胎衣无推荡之峻。）细腻粘舌者良。赤入血分，白入气分。（五色石脂，各入五脏。）研粉，水飞用。恶芫花，畏大黄。

《本经逢原》　赤石脂功专止血固下。仲景桃花汤，治下利便脓血者，取石脂之重涩，入下焦血分而固脱。干姜之辛温，暖下焦气分而补虚。粳米之甘温，佐石脂而固肠胃也。火热暴注，初痢有积热者勿用。《本经》养心气，明目益精，是指精血脱泄之病而言，用以固敛其脱，则目明精益矣。疗腹痛肠澼等疾，以其开泄无度，日久不止，故取涩以固之也。治产难胞衣不出，乃指日久去血过多，无力迸下，故取重以镇之也。东垣所谓胞衣不出，泻剂可以下之。设血气壅滞，而胞衣不出，又非石脂所宜也。

《本草经解》 赤石脂，气大温，禀天春夏木火之气，入足厥阴肝经、手厥阴心包络经。味甘酸辛，无毒，得地中东西土木金之味，入足阳明燥金胃土、手阳明燥金大肠。气味升多于降，阳也。心包络者臣使之官，喜乐出焉，代心君行事之府也。石脂气味酸温，则条畅心包络，而心君之气得所养矣。肝开窍于目，辛温疏达，则肝和而目明。精者五脏阴气之华也，甘酸之味可以益阴，所以益精而补髓也。腹者太阴经行之地，太阴为湿土，土湿而寒则痛，石脂气温，能行寒去湿，所以主之也。胃与大肠为阳明燥金，阳虚不燥，则肠澼下痢，石脂温辛收涩，故主下利及小便利，盖涩可以固脱也。诸痛痒疮疡，皆属心火，火有虚实，实火可泻，虚火可补，心包络代君行事，其气味酸温，可补心包络之火也，肝藏血。肝血不藏，则崩中漏下产难胞衣不出矣，味甘酸可以藏肝血，气温可以达肝气，所以主之也。久服补益阳明，阳明经行于面，所以好颜色。肾为悭脏而藏智，酸收益明，所以益智。阳明胃气充益，所以不饥而延年也。

《神农本草经百种录》 青、赤、黄、白、黑石脂等，味甘，平。主黄疸，泄痢肠澼，脓血阴蚀，（皆湿气在太阴，阳明之病也。）下血赤白（收涩之功），邪气（正气敛则邪气除）痈肿，疽痔恶疮，头疡疥瘙。（此皆湿郁所生之毒，能除湿则诸病亦退。）久服补髓益气，肥健不饥，轻身延年。（敛精气而燥脾土，故有此效。）五石脂各随五色补五脏。（性治略同，而所补之脏各异。石脂得金土杂气以成，故湿土之质，而有燥金之用，脾恶湿燥能补之。然其质属土不至过燥，又得秋金敛藏之性，乃治湿之圣药也。）

《本草诗笺》 赤石脂，无毒辛温赤石脂，甘酸更足以相资；养心止血功堪数，明目添精效可思；产难每教扶女子（治产难胞衣不出，），便艰恒欲利男儿（取涩以固精）；若逢火热来为暴，痢出初行总不宜。（初痢有积热者勿用。）

《长沙药解》 赤石脂，甘、酸、涩，辛，入手少阴心、足太阴脾、手阳明大肠经。敛肠胃而断泄利，护心主而止痛楚。伤寒桃花汤，（干姜三两，粳米一升，赤石脂一斤，用一半研末，水七升煮，米熟去滓，温服七合，入赤石脂末方寸匕。）治少阴病腹痛下利，小便不利，便脓血者。以水土湿寒，脾陷肝郁，二气逼迫而腹为之痛，木愈郁而愈泄，水道不通则谷道不敛，膏血脱陷凝瘀腐败，风木摧剥而下脓血。粳米补土而泄湿，干姜温中而驱寒，石脂敛肠而固脱也。赤石脂禹馀粮汤，（赤石脂一斤，禹馀粮一斤。）治伤寒下利不止，利在下焦，服理中汤利益甚者。己土湿陷，庚金不敛，则为泄利，而己土湿陷之利，其病在中，理中可愈，庚金不敛之利，其病在下，理中不能愈，石脂、馀粮涩滑而断泄利也。乌头赤石丸，（方在“乌头”,）用之治心痛彻背，以保宫城而护心君也。赤石脂酸收涩固，敛肠住泄，护心止痛，补血生肌，除崩收带，是其所长，最收湿气，燥脾土，治停痰吐水之病，更行瘀涩破凝滞，有催生下衣之能。兼医痈疽，痔瘘，反胃，脱肛之证。

《得配本草》 赤石脂，畏芫花、豉汁，恶大黄、松脂。甘、酸、温、涩。入手少阴、足阳明经。厚肠胃，除水湿，收肛脱，止崩带，下胞胎，补心血，生肌肉。（能助火以生土故长肌肉。）得干姜、胡椒，醋糊丸，治大肠寒滑，小便精出。配干姜、粳米，治久痢脓血。（以其直入下焦故为久痢之要药。）配破故纸，治经水过多。配伏龙肝为末，傅脱肛。配牡蛎，盐，糊丸，治小便不禁。佐川椒、附子，治心痛彻背。研末，敷脐止汗。赤入血分，白入气分，粘舌者良。煅，醋淬研，水飞用。非寒痢白积，不宜用。初病湿热者，禁用。

《本草求真》 赤石脂，入大肠血分固脱。赤石脂（专入大肠。）与禹余、粟壳，皆属收涩固脱之剂。但粟壳体轻微寒，其功止入气分敛肺，此则甘温质重色赤，能入下焦血分固脱，及兼溃疡收口，长肉生肌也，（时珍曰：张仲景用桃花汤治下痢便脓血，取赤石脂之重涩，入下焦血分而固脱，干姜之辛温，暖下焦气分而补虚；粳米之甘温，佐石脂、干姜而润肠胃也。）禹余甘平性涩，其重过于石脂，此则功专主涩，其曰镇坠，终逊禹余之力耳。是以石脂之温，则能益气生肌；石脂之酸，则能止血固下。至云能以明目益精，亦是精血既脱，得此固敛，始见目明而精益矣。催生下胞，亦是味兼辛温，化其恶血，恶血去则胞与胎自无阻耳。故曰固汤，有收敛之能，下胎，不无推荡之峻。细腻粘舌者良。（时珍曰：石脂虽五种，而性味主治不甚相远。）赤入血分，白（［批］白石脂。）入气分，研粉水飞用。恶芫花，畏大黄。

《罗氏会约医镜》 赤石脂，（［批］涩收虚脱。）赤石脂（味酸、辛、甘，温，入心、肾、大肠三经。煅，醋淬。）味涩能去脱，色赤能入血，甘温能补中。治崩漏、脱肛、泄痢、遗精，收疮长肉，（无故虚脱者可服。）收湿，（收小儿脐中汁出赤肿。）止血，（吐衄者血不归经。）固下，（凡下后虚脱，赤石脂体重，直入下焦阴分，故为泄痢虚滑要药。）催生下胞。（取体质之重，兼辛温而使恶血化也，下胎衣而不伤母。）石脂固涩，初痢者忌用。（白入气分，畏大黄。）

《本草经读》 赤石脂，气平禀金气，味甘得土味，手足太阴药也。太阴湿胜，在皮肤则为黄疸；在肠胃则为泄痢，甚则为肠澼浓血下；注于前阴则为阴蚀，并见赤白浊带下；注于后阴则为下血。皆湿邪之气为害也，石脂具湿土之质而有燥金之用，所以主之痈肿，疽痔，恶疮，头疡，疥瘙等症，皆湿气郁而为热，热盛生毒之患，石脂能燥湿化热所以主之。久服补髓益气，肥健，不饥延年者，湿去则津生自能补髓益气。补髓助精也，益气助神也，精神交会于中土，故有肥健不饥，轻身延年之效也。

《本经疏证》 赤、白石脂，刘潜江述卢子繇之言，谓石中之脂，如骨中之髓，故揭两石中取之。又必用粘缀唇舌者，以证《本经》之补髓益气，以谓髓者精气所化，气化所凝，从阴中蓄阳为化而归于凝，凝而未离于化，是以取石中精气有若凝为脂者，以对待涣散之气不能翕聚而为病，是不特取意于脂，且取其化脂之气，能为涣散之气用耳。予谓似此体贴物情，固已最为精密，然尚有考索未尽者，则所谓揭两石中取之也。夫石为药物，或即石取用，或生于石中，或生于石上，或自石而下垂，或倚石而旁赘，从未有谓揭两石中取之者。既已有之，安得不求其故。夫云两石，则必同根歧出而相并。云揭其中取之，则必分开两石，脂即在其中。若然，则是脂者，即粘合两石之胶矣。故其用宜帖切于气之同本异趋，相违而不相浃以为病者，就补髓益气而言，则髓是气之凝，气是髓之释，假使气不日凝为髓，髓不日释为气，则将髓自髓，气自气，不相联而为病也。补髓益气者，补髓所以益气，益气即所以补髓也。就其他主治而言，曰黄疸泄利。夫黄疸者湿热内蕴也，湿热内蕴而能泄利，宜乎郁蒸不甚，不得成疸矣。乃竟成疸，则非所蕴之湿热，欲自表出而不达，欲由里下而不遂耶。用石脂使之表里相联，端可从一路而去也。曰肠澼脓血。夫肠澼是病在气，下脓血是病在血，病既兼害其气血，而不能相并，则治气必遗其血，治血必遗其气，纵气血兼治，而无物以联络之，其间终有所格而不相谋，何如使之相并亦从一路去之为愈也。其余若阴蚀而下血，既有赤者，复有白者，邪气在身而痈肿，既有疽，复有痔，头有疕疡，复有疥瘙，无非同本歧趋，不能归一之疾，借此得汇于一处，乃能专力以化之矣。就仲景用石脂四方而言，在赤石脂禹馀粮汤，心下痞硬与下利不止为歧，用泻心用下用理中，皆置若罔闻，则以二物成汤而使并之。设尚不愈，其病已合于一，但利其小便，自能获效也。在桃花汤，少阴病与小便不利为歧，下利不止与便脓血亦为歧，是以非特用赤石脂，且半整而半末焉，以并其歧中复有歧，而使干姜、粳米化之也，在风引汤瘫痫以引与纵为歧，热以起与落为歧，是以非特用赤石脂，且复以白石脂焉，亦以并其歧中之歧而仍用干姜、桂枝辈，去其寒。石膏、寒水石辈，去其热。且以诸石铧其浮越也。在乌头赤石脂丸，心痛与背痛为歧，则亦并之而复以乌头与附子气本相属者，温其内，即使应于外，通其外随使应于中，领椒、姜以除其沉痼坚牢也，然则病之同源而并出为害者，何止数端也，夫亦更究其气味情性矣。石脂悍而燥，惟水与痰与湿则能治之。凡火也燥也风也皆非所宜矣，况其质粘能缀唇舌，则凡不任连缀者得之反足以句留病邪矣。

《医家四要》 赤石脂，肠澼可医，崩遗可止。（［石部］研粉水飞，入血分。白石脂入气分，治同。）

《本草撮要》 赤石脂，味甘温酸涩，入手、足阳明经。功专厚肠止利。得干姜、粳米治下利脓血；得蜀椒、附子治心痛彻背；得故纸等分为末，米饮下，治经水过多。研粉或煅研，水飞用。畏芫花、恶大黄、松脂。

《本草便读》 赤石脂，固大肠，治久痢肠红疗崩带淋漓。甘酸温肾，养心气，可和营敛血。涂癞风蚀烂，敷贴生肌。赤石脂，此石其性最粘而有脂，用以固济炉鼎甚良。其味甘酸，其质重镇。凡用药治病，皆宜察形观色，度其性味，审其寒温，自有得心应手之妙。不必拘拘乎本草诸说，总之其治能入心、肾、大肠血分，其功不外乎固涩重镇，足以尽之。

《增订伪药条辨》 赤石脂，赤石脂始出南山之阳，及延州、潞州、吴郡山谷中，今四方皆有。乃石中之脂，故揭石取之，以色如桃花，理腻粘舌缀唇者为上。为少阴肾脏之药。又色赤象心，甘平属土，近有伪品，即黄土混充，色粗不能粘舌，勿用为要。［炳章按］时珍曰：膏之凝者曰脂。此石性粘，能固济炉鼎，盖兼体用而名也。石脂有五色之分，赤石脂原出济南，今苏州、余杭亦出，性不甚佳。《石雅》云：石脂即垩土。垩，白土也。方书名其石脂者具五色，今以赤白二种验之，亦高岭之类，其赤者殆即所谓红高岭也。吴地余杭山有白垩，色如玉，甚光润，号曰石脂。则白石脂即白垩，愈无疑矣。赤石脂色淡红如桃花色，细腻滑润者佳。近有新式石脂，色赤质粗，不细滑，不知何种土质，其次无疑，不可入药。

《本草思辨录》 赤石脂，揭两石中取之。邹氏云：两石必同根歧出而相并，脂者粘合两石之胶，故所治皆同本异趋而不相浃之病，得此乃汇于一处，专力以化之。仲圣所用石脂四方，固与邹说符合。刘潜江不以东垣、海藏、濒湖、仲醇专主收涩为然，就《本经》补髓益气徵发其义，虽不如邹氏之亲切证明而所见自超，抑愚窃有以伸之。《别录》于“赤石脂”曰：补髓好颜色。则其补髓确是脑髓，与白石脂之补骨髓有别。《本经》且主头疡，何东垣但以为性降乎？夫髓生于精，精生于谷，谷入气满淖泽注于骨，骨属屈伸泄泽，补益脑髓，是中土者生精化髓之源也。而石脂味甘大温，补益脾胃，质粘能和胃阴，性燥复扶脾阳。其所以上际，则辛入肺为之；所以至脑，则酸入肝为之。（《外台》述《删繁论》，凡髓虚实之，应主于肝胆。）石脂确有补脑髓之理。《千金》赤石脂散，治冷饮过度，致令脾胃气弱，痰饮吐水无时，《本事方》云，试之甚验。盖即邹氏所谓联合其涣散者，谓石脂为胃药非脾药可乎。夫下之精秘，则上之髓盈。石脂补髓，亦半由于秘精，秘精易而补髓难，故《本经》《别录》，皆于“补髓”上冠以“久服”字。《千金》羌活补髓丸不收石脂，而无比山药丸，曰：此药通中入脑鼻必酸痛勿怪。入脑自指石脂，而石脂未尝专任，可知虚损之难疗而无近效也。

尚志钧按 赤石脂为矿土类，颜色由红到紫赤，或赭。有红白相间花纹，质软细腻如脂，舐之粘舌，嚼之无砂粉感，成分为水化硅酸铝及氧化铁。遇水崩解如泥。其味甘、咸而涩，性温。涩能收敛，固肠止泻，止带下。适用于各种痢疾、赤白带下、崩漏、脱肛。《太平惠民和剂局方》治冷痢腹痛下白，冻如鱼脑。桃花丸：赤石脂煅，干姜炮，等分为末，蒸饼和丸。量大小服，日三服。张仲景方治伤寒下痢便脓血不止，桃花汤主之。赤石脂一斤，一半全用，一半末用，干姜一两，粳米半升，水七升，煮米熟去滓。每服七合，纳末方寸匕，日三服，愈乃止。《养老方》治人气痢虚冷，赤石脂五两水飞，白面六两，水煮熟，入葱、酱作臛，空心食三四次即愈。赤白下痢，赤石脂末，饮服一钱。《本草衍义》大肠寒滑小便精出。赤石脂、干姜各一两，胡椒半两，为末，醋糊丸梧子大。每空心米饮下五七十丸。有人病此，热药服至一斗二升，不效；或教服此，终四剂而息。《钱氏小儿方》痢后脱肛，赤石脂、伏龙肝为末，傅之。一加白矾。《证治准绳》固经丸，治产后血崩，赤石脂煅，补骨脂炒，艾叶、木贼各五钱，附子一枚炮，研末，米糊为丸如梧子大，每服二十丸。因赤石脂含有少许氧化铁，故能止血补血。《证治准绳》治痱子成疮，赤石脂细末，黄柏末、茶叶末各五钱，细研，入面粉二两，龙脑细末，和匀，用棉球粘粉扑之。赤石脂、白石脂主要成分均为氧化硅、氧化铝。但赤石脂比白石脂多含一点铁、锰、镁、钙等氧化物。

321　白石脂（《本经》）

《神农本草经》　白石脂，味甘，平。主黄疸，泄痢，肠澼，脓血，阴蚀，下血，赤白，邪气，痈肿，疽痔，恶疮，头疡，疥瘙。久服补髓，益气，肥健，不饥，轻身，延年。五石脂各随五色补五脏。

《吴普本草》　白石脂，一名白符，一名随。岐伯、雷公：酸，无毒。桐君：甘，无毒。扁鹊：辛。李当之：小寒。

《名医别录》　白石脂，味甘、酸，平，无毒。主养肺气，厚肠，补骨髓，疗五脏惊悸不足，心下烦，止腹痛下水，小肠澼热溏，便脓血，女子崩中，漏下，赤白沃，排痈疽疮痔。久服安心，不饥，轻身，长年。生泰山之阴。采无时。（得厚朴，并米汁饮，止便脓。燕屎为之使，恶松脂，畏黄芩。）

《药性论》 白石脂，一名白符。恶马目毒公。味甘、辛。涩大肠。

《四声本草》 畏黄连、甘草、飞廉。

《唐本草》注 白石脂，今出慈州诸山，胜于余处者。太山左侧不闻有之。

《本草图经》 白石脂，生太山之阴。苏恭云：出慈州诸山，泰山左侧，不闻有之。今惟潞州有焉，潞与慈相近，此亦应可用，古断下方多用。而今医家亦有稀使，采无时。五色石脂旧经同一条，并生南山之阳山谷中，主治并同，后人各分之，所出既殊，功用亦别，用之当依后条。然今惟用赤、白二种，余不复识者。唐韦宙《独行方》治小儿脐中汁出不止兼赤肿，以白石脂细末，熬温，扑脐中，日三良。又《斗门方》治泄痢。用白石脂、干姜二物停捣，以百沸汤和面为稀糊，捣匀，并手丸如梧子，暴干，饮下三十丸。久痢不定，更加三十丸。霍乱煎浆水为使。

《本草别说》 谨按，唐注云：出苏州、余杭山。今不采。而苏州今乃见贡赤、白二种，然入药不甚佳。唯延州山中所出最良，揭两石中取之。延州每以蕃寇围城苦无水，乃撅地深广三五丈，以石脂密固贮水，得经时久不渗漏，宜以此为良。

《本草衍义》 白石脂，有初生未满月小儿，多啼叫，致脐中血出，以白石脂细末贴之，即愈。未愈，微微炒过，放冷再贴，仍不得剥揭。

《用药法象》 白石脂固肠胃，有收敛之能；而下胎衣，无推荡之峻。

［李杲曰］白石脂，温。

《本草纲目》 白石脂，［气味］甘、酸，平，无毒。性涩。涩而重，故能收湿止血而固下；今赤、白二脂断下痢。

尚志钧按 白石脂即高岭土（白陶土），属矿土类，由含铝矿物分解而成，常与铁矿共存，多产于煤层中。为白色细腻易研的块。舌舐之粘舌，遇水易崩溃如泥。主要成分含氧化硅 46.5%，氧化铝 39.5%，水分 14%。味甘、酸，平，性收敛，能涩肠止泻，止带下，止血。《全幼心鉴》治小儿滑泄之白龙丸，白石脂、白龙骨等分为末，水丸黍米大，每量大小，木瓜、紫苏汤下。《斗门方》治久泄久痢，白石脂、干姜等分研，百沸汤和面为稀糊搜之，并手丸梧子大，每米饮下三十丸。《子母秘录》治小儿水痢形羸不胜汤药，白石脂半两研粉，和白粥空肚食之。韦宙《独行方》治儿脐汁出赤肿，白石脂末熬温，扑之，日三度，勿揭动。《圣济总录》治粉滓面皯，白石脂六两，白蔹十二两，为末，鸡子白和，夜涂旦洗。

322　青石脂（《本经》）

《名医别录》　青石脂，味酸，平，无毒。主养肝胆气，明目，疗黄疸，泄痢肠澼，女子带下百病，及疽痔，恶疮。久服补髓，益气，不饥，延年。生齐区山及海崖。采无时。

《吴普本草》　青符，神农：甘。雷公：酸，无毒。桐君：辛，无毒。李当之：小寒。

《本草别说》　谨按，唐注云：出苏州、余杭山。今不采。而苏州今乃见贡赤、白二种，然入药不甚佳。唯延州山中所出最良，揭两石中取之。延州每以蕃寇围城苦无水，乃撅地深广三五丈，以石脂密固贮水，得经时久不渗漏，宜以此为良。

［李时珍曰］青石脂，气味酸，平，无毒。

323　黄石脂（《本经》）

《名医别录》　黄石脂，味苦，平，无毒。主养脾气，安五脏，调中，大人、小儿泄痢肠澼，下脓血，去白虫，除黄疸，痈疽虫。久服轻身延年。生嵩高山。色如莺雏。采无时。（曾青为之使，恶细辛，畏蜚蠊。）

《雷公炮炙论》　黄石脂，凡使须研如粉，用新汲水投于器中，搅不住手，倾作一盆。如此飞过三度。澄者去之，取飞过者，任人药中使用，服之不问多少，不得食卵味。

《唐本余》　黄石脂，畏黄连、甘草、蜚蠊。

《本草纲目》　黄石脂，味苦，平，无毒。

324　黑石脂（《本经》）

《名医别录》　黑石脂，味咸，平，无毒。主养肾气，强阴，主阴蚀疮，止肠澼泄痢，疗口疮咽痛。久服益气，不饥，延年。一名石涅，一名石墨。出颍川阳城。采无时。

《吴普本草》　五色石脂，一名青、赤、黄、白、黑符。青符，神农：甘。雷公：酸，无毒。桐君：辛，无毒。李氏：小寒。生南山或海崖。采无时。赤符，神农、雷公：甘。黄帝、扁鹊：无毒。李氏：小寒。或生少室，或生太山。色绛，滑如脂。黄符，李氏：小寒。雷公：苦。或生嵩山。色如豚脑、雁雏，采无时。白符，一名随。岐伯、雷公：酸，无毒。李氏：小寒。桐君：甘，无毒。扁鹊：辛。或生少室、天娄山，或太山。黑符，一名石泥。桐君：甘，无毒。生洛西山空地。

《本草经集注》 此五石脂如《本经》，疗、体亦相似，《别录》各条，所以具载，今俗用赤石、白石二脂尔，《仙经》亦用白石脂，以涂丹釜。好者出吴郡，犹与赤石脂同源，赤石脂多赤而色好，惟可断下，不入五石散用。好者亦出于武陵、建平、义阳。今五石散皆用义阳者，出鄳县界东八十里，状如豚脑，色鲜红可爱，随采复而生，不能断痢而不用之。余三色脂有，而无正用，黑石脂乃可画尔。

《唐本草》注 义阳即申州也，所出者，名桃花石，非五色脂，色如桃花，久服肥人。土人亦以疗下痢，旧出苏州、余杭山大有，今不收采尔。

《日华子本草》 五色石脂，并温，无毒。畏黄芩、大黄。治泄痢，血崩带下，吐血、衄血，并涩精、淋沥，安心，镇五脏，除烦，疗惊悸，排脓，治疮疖痔瘘，养脾气，壮筋骨，补虚损。久服悦色，文理腻，缀唇者为上也。

《本草纲目》 ［时珍曰］此乃石脂之黑者，亦可为墨，其性粘舌，与石炭不同，南人谓之画眉石。许氏《说文》云：黛，画眉石也。［气味］咸，平，无毒。

第十三章　土类矿物药

325　灶心土（伏龙肝）（《别录》）

《名医别录》　伏龙肝，味辛，微温。主妇人崩中，吐血，止咳逆，止血，消痈肿毒气。

《五十二病方》　灶黄土。115 行云：白处方，取灌青，其一名灌曾，取如□□盐廿分斗一，灶黄土十分升一，皆冶，而□□指，而先食饮之。422 行：久疕不已，乾夸（刳）灶，渍以傅之，已。

《释名》　灶，造也，创食物也。

《墨子》　灶必为屏，心突高出屋四尺，慎无失火，失火者斩。

《鲁连子》　灶五突，分煙者众也。

《肘后方》　治诸痈疽发背及乳房，釜下土捣取末，鸡子中黄和，涂之，佳。

《千金方》　灸疮痈肿急痛，灶中黄土，水煮令热，淋之即良。

尚志钧按　灶黄土即灶心土，《名医别录》名伏龙肝。与灶末灰不是同一种东西。《名医别录》以灶黄土能消痈肿毒气，《肘后方》谓灶黄土治诸痈疽发背及乳房。此与《五十二病方》以灶黄土外用治白处，久疕不已，其义甚近。

疕，《周礼·医师》云：凡邦之有疾病者，疕疡者造焉。郑玄注云：疕，头疡，亦谓秃。疏云：疕，头疡，谓头上有疮含脓血者，秃为不含脓血者。《说文解字》云：疕，头疡也。

《雷公炮炙论》 凡使，勿用灶下土。其伏龙肝是十年以来灶额内火气积自结，如赤色石，中黄，其形貌八棱，取得后细研，以滑石水飞过两遍，令干，用熟绢裹，却取子时安于旧额内一伏时，重研了用。

《本草经集注》 此灶中对釜月下黄土也，取捣筛合葫涂痈甚效。以灶有神，故号为伏龙肝，并亦迂隐其名耳。今人又用广州盐碱屑，以疗漏血瘀血，亦是近月之土，兼得火烧义也。

《药性论》 伏龙肝，单用亦可，味咸，无毒。末与醋调涂痈肿。

《本草拾遗》 灶中土及四交道土，合末以饮儿，辟夜啼。

《日华子本草》 伏龙肝，热，微毒。治鼻洪、肠风，带下，血崩，泄精，尿血，催生下胞及小儿夜啼。

《本草衍义》 伏龙肝，妇人血露，蚕沙一两，伏龙肝半两，阿胶一两，同为末，温酒调，空肚服二三钱，以知为度。本条中有东壁土；陈藏器云：取其东壁土，久干也。今详之：南壁土，亦向阳久干也，何不取？盖东壁常先得晓日烘炙。日者太阳真火，故治瘟疟。或曰：何不取午盛之时南壁土，而取日初出东壁土者，何也？火生之时，其气壮。故《素问》云：少火之气壮。及其当午之时，则壮火之气衰，故不取，实用此义。或曰：何以知日者太阳真火？以水精珠，或心凹铜鉴，向日射之，以艾承接其光聚处，火出，故知之。

《绍兴本草》 伏龙肝，灶中黄土是也，岁久者为上。盖取其火煅久而力燥尔。《本经》味辛，微温，不云有无毒。《日华子》云微毒。窃详伏龙肝，诸方主疗甚多，然用之断下殊验，当从《药性论》云无毒是矣。

《汤液本草》 伏龙肝，气温，味辛。《时习》云：主妇人崩中吐血，止咳逆，止血，消痈肿。《衍义》云：妇人恶露不止，蚕沙一两，炒，伏龙肝半两、阿胶一两，同为末，温酒调，空心服三二钱。以止为度。《药性论》云：单用亦可。咸，无毒。《日华子》云：热，微毒。治鼻洪，肠风，带下，血崩，泄精尿血，催生下胞及小儿夜啼。一云：治心痛及中风心烦。陶隐居云：此灶中对釜月下黄土也。

《本草蒙筌》 伏龙肝，辛，温，无毒。即灶中对釜底心黄土，取年深色变褐者为良。醋调或蒜捣泥，涂消痈肿毒气。和水敷脐勤换，辟除时疫安胎。疗中风不语心烦，止崩中吐血咳逆。并用捣细，调水服之。

《本草纲目》 ［释名］［时珍曰］伏龙肝，按《广济历》作灶忌日云：伏龙在，不可移作。则伏龙者，乃灶神也。《后汉书》言：阴子方腊日晨炊则灶神见形。注云：宜市买猪肝泥灶，令妇孝。则伏龙肝之名义，又取此也。临安陈舆言：

砌灶时，纳猪肝一具于上，俟其日久，与土为一，乃用之，始与名符。盖本于此。独孤滔《丹书》言：伏龙肝取经十年灶下，掘深一尺有色如紫瓷者是真，可缩贺，伏丹砂。盖亦不知猪肝之义，而用灶下土以为之也。［主治］［时珍曰］治心痛狂颠，风邪蛊毒，妊娠护胎，小儿脐疮重舌，风噤反胃，中恶卒魇，诸疮。

《药性歌括四百味》 伏龙肝，温，治疫安胎，吐血咳逆，心烦妙哉。

《本草原始》 伏龙肝，伏龙肝系灶中对釜月下黄土也，以灶有神，故号伏龙肝。按《广济历》作灶忌日云：伏龙在，不可移作。则伏龙者，乃灶神也。《后汉书》言：阴子方腊日晨炊而灶神见形。注云：宜市买猪肝泥灶，令妇孝。则伏龙肝之名义，又取此也。（味辛，微温，无毒。主女人崩中，吐血，止咳，嗽血。醋调涂痈肿毒气。止鼻洪，肠风，带下成血，泄精，催生下胞衣及小儿夜啼。治心痛，癫狂，风邪，蛊毒，妊娠护胎，小儿脐疮，重舌，风噤，反胃，中恶卒魇，诸疮。）

《珍珠囊补遗药性赋》 伏龙肝治产难而吐血尤良。（伏龙肝即灶中土也，味辛，温；微毒。消痈肿，催生下胎，止血崩。）

《本草经疏》 伏龙肝得火土之气而成。《本经》味辛，气微温，无毒，甄权言咸，其质本土味，应有甘。以灶有神，故古方多以之治癫狂寐魇及卒中邪恶等证。《本经》主妇人崩中，吐血，止咳逆，止血者，盖以失血过多，中气必损，甘能补中，微温能调和血脉，故主之也。消痈肿毒气者，辛散咸软之功也。《日华子》主催生下胞及小儿夜啼者，取其土中有神，而性本冲和，复能镇重下坠也。［主治参互］《千金方》卒中，恶气。伏龙肝末，一鸡子大，水服取吐。《救急方》产后血气攻心痛，恶露不下。灶中心土，研末酒服二钱，泻出恶物立效。《伤寒类要》妊娠热病。伏龙肝末，鸡子许大，水调服之。仍以水和涂脐上方寸，干则再上。《外台秘要》一切痈肿。伏龙肝，以蒜和作泥贴之，干再易，或鸡子黄和亦可。［简误］阴虚吐血者，不宜用，以其中有火气故也。痈肿毒盛难消者，不得独用。

《本草乘雅半偈》 灶心黄土［参］曰：鳞虫木属曰龙。肝者，木藏也。盖肝藏血，故主血失所藏，为吐血，为逆血，为崩血，为便血，饵卧血归于肝，而诸血藏，心复得主，脾复归统，伏龙功力普矣。第木必侮土，木袭火传，火袭土驻，始而残贼，终而递生，由是观之，并可主木乘土下者脾衰，火烁肺叶者咳逆，而皆治之。释典云：带彼相起，彼带相起，生生之谓乎。醋调涂痈肿解毒者，醋醯也，穰秔谷而作酸，金行木德两备矣。全借火土授受之伏龙，顺浮沉于生长之门，而春而夏，而长夏，而秋而冬，成言乎艮矣。何患肉理不通之痈肿，死阴毒厉之不攘乎。

且也万物莫不生土而归土，物有所归，杀厉之气，暖然齐春仁之洁矣。

《本草述》 龙肝，乃脾与肝之剂，何以故？盖即其取火土相生者，以为各证之主治，则在人身，唯脾胃应之，更为中土之主，以司其用者，不在风化之肝乎！第火土相生之义，取其燥去湿者，犹为得其肤，而未能悉其微也。何以故？盖脾胃固司湿土之化，而实同干健之运，所以然者，有水中之真火，为火之母也。如土不得水中之火，则湿土无以行其化，水即不得土为之主，则寒水亦无以行其化，是水土合德以立地者，由是而两困也。致令为独使之一阴，下失水之母气，中失土之用气，不病于风之虚以为风眚，而以侮所胜之土乎（此本钱君黄土汤治风之义，而大畅之）？故本火土相生之义。俾水土各奠其位，因水土合德之义，俾土木互相为用，乃全其中土生育之化，是则用兹味者，非漫然去湿之谓也。正欲用阳以化阴，而俾湿化得行也，湿化行而血乃化。此所以能治血证者，非以止涩为功。盖补其生化之原，乃为固脱也。推之女子崩带，男子泄精，可以胥治矣。且用兹味者，亦非用其燥也。更欲化阴以和阳，而俾风化得平也，风化平而气乃和。此所以能疗风证者，非以疏散为功。盖益其合化之原，乃为静风也。推之狂颠蛊毒，中恶卒魇，可以类推矣。或曰：补中土多用燥湿之剂，第如白术等味，与兹种何别，而用之除湿者，其迥殊者是乎？曰：如血证之治，多不用术者，恐其燥阴而反剧耳。此味固用阳以化阴，非燥阴之剂也。先哲审处，夫岂苟然而已。附方：吐血久不止，以伏龙肝二钱，米饮调下即止。下血，伏龙肝、熟地、白术、附子、阿胶、黄芩各三两，灶中黄土半斤，水煎服。（二方俱《证治准绳》。）女子血漏，伏龙肝半两，阿胶、蚕沙（炒）各一两为末，每空服二三钱，以知为度。赤白带下，日久黄瘁，六脉微涩，伏龙肝炒令烟尽，棕榈灰、屋上尘，炒烟尽等分为末，入龙脑、麝香各少许，每服三钱，温酒或淡醋汤下，一年者半月可安。妊娠热病，伏龙肝末一鸡子许，水调服之，仍以水和涂脐方寸干又上。中风口噤不语，心烦恍惚，手足不随，或腹中痛满，或时绝而复苏，伏龙肝末五升，水八升，搅澄清服。反胃吐食，灶中土，年久者为末，米饮服三钱经验。（此方亦治胃虚者。）小儿丹毒多年，灶下黄土末，和屋漏水傅之。新汲水亦可，鸡子白或油亦可，干即易。臁疮久烂，灶内黄土年久者研细末，黄檗、黄丹、赤石脂、轻粉末等分，清油调入油绢中贴之，勿动，数日愈。纵痒忍之良。

《本草备要》 伏龙肝，辛，温。调中止血，去湿消肿，治咳逆反胃，吐衄崩带，尿血遗精，肠风痈肿，醋调涂，脐疮（研敷）丹毒（腊月猪脂或鸡子白调敷）。催生下胎（《博救方》子死腹中，水调三钱服，其土当儿头上戴出）。釜心多年黄土，一云灶额内火气，积久结成如石，外赤中黄。研细水飞用。

《本草诗笺》 伏龙肝，辛，微温。（日用炊饭者良，煮羹者味咸，不堪入药。）性带微温是伏龙，能消肿痛治疮痈；真人妙法曾传下，医药无劳问国工。

《长沙药解》 灶中黄土，味辛，入脾及足厥阴肝经。燥湿达木，补中摄血。金匮黄土汤（灶中黄土半升，甘草二两，白术三两，黄芩三两，阿胶三两，地黄三两，附子三两）。治先便后血。以水寒土湿，乙木郁陷而生风，疏泄不藏以致便血，其下在大便之后者，是缘中脘之失统，其来远也。黄土、术、甘，补中燥湿而止血；胶、地、黄芩，滋木，清风而泄热；附子暖水驱寒而生肝木也。下血之证，固缘风木之陷泄，而木陷之根，全因脾胃之湿寒。后世医书以为肠风，风则有之而过不在肠，至于脾胃湿寒之故，则绝无知者，愈用清风润燥之剂，而寒湿愈增，则注泄愈甚，以至水泛火熄，土败人亡，而终不悟焉，此其所以为庸工也。灶中黄土以湿土而得火化，最能燥湿而敛血，合术、甘燥土，附子以暖木，胶、地以清风，黄芩以泄热，下血之法备矣。盖水寒则土湿，土湿则木郁，木郁则风生，风生则血泄水暖而土燥，土燥而木达，木达而风静，风静而血藏，此必然之理也。足太阴以湿土主令，辛金从化气而为湿；手阳明以燥金主令，戊土从化气而为燥。失血之证，阳明之燥衰，太阴之湿旺也。柏叶燥手太阴、足阳明之湿，故止吐血，燥则气降而血敛。黄土燥手阳明、足太阴之湿，故止下血，燥则气升而血收也。其诸主治止吐衄，崩带，便尿诸血，傅发背痈疽，棍杖诸疮。

《得配本草》 伏龙肝（即灶心土）苦、辛，温。调中燥湿，消肿止血，疗赤白带下，止尿血遗精。得黄芩、阿胶，治大便后血。得阿胶、蚕沙，治妇人血漏。得醋调，敷阴肿。得鸡子清，调涂丹毒，研水飞。

《本草求真》 伏龙肝，调中，止血，燥湿。伏龙肝（专入肝、脾），系灶心赤土，因其色赤如肝，故以肝名。味辛，气温，无毒。按：土为万物之母，在人脏腑，则以脾胃应之，故万物非土不生，人身五脏六腑非脾胃不养，是以土能补人脾胃。伏龙肝经火久熬，则土味之甘已转为辛，土气之和已转为温矣。凡人中气不运，则是气是血靡不积聚为殃；是痰是水，靡不蔓延作祟。书言咳逆反胃，肿胀脐疮可治者，以其得此补土燥湿之谓也。书言吐衄崩带，尿血遗精肠风可治者，以其失血过多，中气必损，得此微温调和血脉也。痈肿可消者，以其辛散软坚之意也。《日华子》取其能催生下胞者，以其温中而镇重下坠也。（《博救方》子死腹中，水调三钱服，其土当儿头上戴出。）要之皆谓调中止血燥湿之剂耳。研细水飞用。

《罗氏会约医镜》 止血消肿。伏龙肝（味甘辛兼咸，气温。）调中止血，去湿消肿。治咳逆（辛以散肺），反胃（甘以补土），止吐衄崩带，遗精肠风，（以亏损既多，中气必虚，甘能补中，温能和气血也。）散痈肿毒气（辛散咸软，醋调或捣蒜和涂），脐疮（研敷），丹毒（鸡子白调），催生下胎（子死腹中，水调三钱服之……），辟邪时疫……止儿夜啼（能镇重也）。系灶中对釜底心之土，取年久褐色者良，研细，水飞用。

《本经疏证》 伏龙肝，灶之体为土，其用则烹饪，烹饪之主在水火，然水火与釜金薪木，同受土范，则灶者悉具五行，而土为之纲者也。凡烹饪者，欲令水与物和，然必盛之以金，炼之以火，物始与水相浃焉。是成物之和在水，成水之用在火，蔽火之烁以金，资火之燃以木，而均禀节制于土，则是土者岂仅伍生物之功，且攒簇五行，交媾水火，以全其用而奉生人为最要矣。人身之水，其受化于火，范于金土而萌于木，以奉人身为最切者，舍血其奚似？是以妇人崩中吐血，止咳逆，止血，胥赖之矣。虽然，灶中黄土治何等崩中吐血，此所当急知者也。夫血主于心，统于脾，藏于肝，主犹领也（《史记・天官书》太白主中国正义），统犹本也（《礼・祭统》释文），制治也（《荀子・强国篇》然其所以统之注），藏怀抱之也（《礼・学记》藏焉修焉记）。是故不能领摄者病在心，如本经心腹内崩，崩中脉绝等治是也（阿胶、桑白皮根）。不能制治者病在脾，如本经崩中下血，崩中下血五色等治是也（石胆、鮀鱼甲）。不能怀抱者病在肝，如本经崩中漏下，及凡言漏下赤白等治是也（丹雄鸡）。则灶中黄土，所主乃脾病而崩中者也。夫以土为血本者，如兴云致雨，必由于地，以土而制治血者，如江河之行，必循于地，苟地蔽其气，则生长无源，若失其防，则溃决四出，下则为崩为泄，上则为咳为吐。则灶中黄土之用，乃脾不能制治夫血也。土之所以不能防水者，或以土之不填，或以水力过猛，或以久湿泞淖。观仲景黄土汤治血在便后，与甘草、地黄、白术、附子、阿胶、黄芩并用，则灶中黄土之功，能于脾家调运水火者也。夫土得湿则泞，复暴以热则愤起，比之于痈肿，恰无以异，以常燔而不伤之土气浥之，则向之愤者消矣。此亦可并证血病者也。

《医家四要》 灶心之黄土，调中止血治遗精。[土部]（水调服三钱，治子死腹中。以醋调涂痈肿，亦效。）

《本草撮要》 伏龙肝，辛，温。调中止血。去湿消肿。治咳逆反胃，吐衄崩带，尿血遗精。醋调涂肠风痈肿，研末敷脐疮，腊月猪脂或鸡子白调敷丹毒。水调服催生下胎。即灶心黄土也，年久对釜脐下者良。无湿者勿服。（得生地、黄芩、白术、阿胶、炙草、炮姜，名黄土汤。治妇人血崩及血衄诸血病。得阿胶、蚕沙治妇人血漏。得附子、黄芩、阿胶治便后下血。)

《本草便读》 伏龙肝，味辛散逆以和中，治带疗崩。呕家圣药，质燥温脾而暖胃。敷痈解魇，远血良方。(伏龙肝即灶心土，须对釜脐下经火久炼而成形者。具土之质，得火之性，化柔为刚。味兼辛苦，其功专入脾胃，有扶阳退阴散结除邪之意。凡诸血病，由脾胃阳虚而不能统摄者，皆可用之。金匮黄土汤即此意。)

尚志钧按 伏龙肝为土灶底中心黄土，经长期草木燃烧呈黑褐色坚硬结块，击破，中间黄赤色，主要成分为硅酸(H_2SiO_3)、氧化铝(Al_2O_3)、氧化铁(Fe_2O_3)、碳酸盐($CaCO_3$、K_2CO_3)。采时要削去表面焦黑土。烧煤的灶土不能用。味辛，微温，无毒。能温中止呕，止血，止泻。《百一选方》治反胃吐食，灶中土年久者，为末，米饮服三钱。《广利方》治吐血衄血，伏龙肝末半升，新汲水一升，淘汁和蜜服。《普济方》治血泻血心腹痛，伏龙肝、地垆土、多年烟壁土，等分，每服五钱，水二碗，煎一碗，澄清，空心服，白粥补之。寇氏《衍义》治妇人血漏，伏龙肝半两，阿胶、蚕沙(炒)各一两，为末。每空肚酒服二三钱，以知为度。《大全方》治赤白带下，日久黄瘁，六脉微涩，伏龙肝炒令烟尽，棕榈灰、屋梁上尘炒烟尽，等分。为末，入龙脑、麝香各少许，每服三钱，温酒或淡醋汤下。一年者，半月可安。《千金方》治狂癫谬乱不识人，伏龙肝末，水服方寸匕，日三服。《普济方》治小儿夜啼，伏龙肝末二钱，朱砂一钱，麝香少许，为末蜜丸绿豆大，每服五丸，桃符汤下。《千金方》治魇寐暴绝，灶心对锅底土，研末，水服二钱，更吹入鼻。治妊娠恶阻，配陈皮、生姜合用。治慢性便血，配熟地、白术合用。治臁疮久烂，配黄柏、黄丹、赤石脂、轻粉。清油调，外贴。治脾虚久泻，配肉豆蔻、白术、制附子、炮姜合用。

326 甕䪿处土(《五十二病方》)

《五十二病方》 61行云：犬筮(噬)人伤者，取丘(蚯)引(蚓)矢二升，以井上甕䪿处土与等，并熬之，而以美(醯)□□□□之，稍垸，以熨其伤。

《集韵》 甕，即罋。

《说文解字》 罋，汲瓶也。段玉裁注云：瓴甕之本义为汲器。罋俗作甕。

《庄子·至乐》 得水则为䪿。按：䪿同继。

尚志钧按 井上甕，是指井上提水用的陶器。甕䪿即甕底。

甕䪿处土，即井上提水用陶甕底部沉积的泥土。

甕䪿处土，本草不载。

327　圈土（《五十二病方》）

《五十二病方》　315 行云：烝（蒸）圈土，裹以熨之。

尚志钧按　圈土，《五十二病方》315 行注释圈，应即“圈”字。

圈，音迷，《玉篇》释为地名。圈和囦字形相近。囦是古“渊”字。《元包经》：“物萌於囦。”圈，疑为囦之讹。圈土，或是水渊深处土。《五十二病方》315 行烝圈土，裹以熨之，是治热者（烫大伤）方。取水深处土性寒凉，对抗热者之意。

328　正月十五日灯盏（《拾遗》）

《本草拾遗》　正月十五日灯盏，令人有子，夫妇共于富家局会所盗之，勿令人知之，安卧床下，当月有娠。

329　洗手土（赵学敏）

《本草纲目拾遗》　《坤舆典》鸡足山有迦叶洗手土，彼方人若头痛者，以些少涂之即瘥。

330　门臼土（《纲目》）

《本草纲目》　［主治］［时珍曰］门臼土，止金疮出血。又诸般毒疮，切蒜蘸擦，至出汗即消。

331　社坛四角土（《拾遗》）

《本草拾遗》　社坛四角土，牧宰临官，自取以涂门户，主盗不入境，今郡县皆有社坛也。

332　富家中庭土（《拾遗》）

《本草拾遗》　富家中庭土，七月丑日，取之泥灶，令人富，勿令人知。

《本草纲目》　［时珍曰］除日取富田中土泥灶，招吉。

333　亭部中土（《纲目》）

《本草纲目》　［时珍曰］亭部中土，取作泥涂灶，水火盗贼不经；涂屋四角，鼠不食蚕；涂仓囷，鼠不食稻；塞穴百日，鼠皆绝去。出阴阳杂书云。

334 户垠下土（《拾遗》）

《本草拾遗》 户垠下土，无毒。主产后腹痛，末一钱匕，酒中热服之。户者，门之别名也。新注云：和雄雀粪，暖酒服方寸匕，治吹奶效。

《本草纲目》 ［释名］［时珍曰］户垠下土，垠，即门阈也。

335 柱下土（《拾遗》）

《本草拾遗》 柱下土，无毒。主腹痛暴卒者，末服方寸匕。［孙思邈曰］胞衣不下，取宅中柱下土，研末，鸡子清和服之。

336 床四脚下土（《拾遗》）

《本草拾遗》 床四脚下土，主猘犬咬人，和成泥傅疮上，灸之一七壮。疮中得大毛者愈。猘犬，狂犬也。

337 寡妇床头尘土（《拾遗》）

《本草拾遗》 寡妇床头尘土，主人耳上月割疮，和油涂之效也。

338 大甑中蒸土（《拾遗》）

《本草拾遗》 大甑中蒸土，一两硕热，坐卧其上，取病处热彻汗遍身，仍随疾服药。和鼠壤用亦得。

339 弹丸土（《拾遗》）

《本草拾遗》 弹丸土，无毒。主难产。末一钱匕，热酒调服之，大有功效也。

340 甘土（《拾遗》）

《本草拾遗》 甘土，无毒。主去油垢。水和涂之，洗腻服，如灰。及主草叶诸菌毒，热汤末和之。出安西及东京龙门，土底澄取之。

341　赤土（《纲目》）

《本草纲目》　［性味］［时珍曰］赤土，味甘，温，无毒。［主治］［时珍曰］主汤火伤，研末涂之。

342　黄土（《拾遗》）

《本草拾遗》　张司空言：三尺以上曰粪，三尺以下曰土。凡用当去上恶物，勿令入客水。［气味］甘，平，无毒。［藏器曰］土气久触，令人面黄。掘土犯地脉，令人上气身肿。掘土犯神杀，令人生肿毒。［主治］［藏器曰］泄痢冷热赤白，腹内热毒绞结痛，下血，取干土，水煮三五沸，绞去滓，暖服一二升。又解诸药毒，中肉毒，合口椒毒，野菌毒。

《本草纲目》　［发明］［时珍曰］按：刘跂《钱乙传》云：元丰中，皇子仪国公病瘈疭，国医未能治，长公主举乙人，进黄土汤而愈。神宗召见，问黄土愈疾之状。乙对曰：以土胜水，水得其平，则风自退尔。上悦，擢太医丞。又，《夷坚志》云：吴少师得疾，数月消瘦，每日饮食入咽，如万虫攒攻，且痒且病，皆以为劳瘵，迎明医张锐诊之。锐令明旦勿食，遣卒诣十里外，取行路黄土至，以温酒二升搅之，投药百粒饮之，觉痛几不堪，及登溷，下马蝗千余，宛转，其半已困死，吴亦惫甚，调理三日乃安。因言夏月出师，燥渴，饮涧水一杯，似有物入咽，遂得此病。锐曰：虫入人脏，势必孳生，饥则聚咂精血，饱则散处脏腑。苟知杀之而不能扫取，终无益也。是以请公枵腹以诱之，虫久不得土味，又喜酒，故乘饥毕集，一洗而空之。公大喜，厚赂谢之，以礼送归。

343　铸钟黄土（《拾遗）》

《本草拾遗》　铸钟黄土，无毒。主卒心痛，疰忤恶气。置酒中温服之，弥佳之。

344　铸铧锄孔中黄土（《拾遗》）

《本草拾遗》　铸铧锄孔中黄土，主丈夫阴囊湿痒，细末摸之，亦去阴汗最佳。

345　鞋底土（赵学敏作鞋底泥）

《本草纲目拾遗》　治聤耳头疮。《良朋汇集》：人生耳底即聤耳，用鞋底陈土吹入耳内，即干。此土又治头上疮不干，擦上即好。一切无名肿毒，用独郎蒜一枚，津唾磨鞋底泥箍之，三五次即消。

346　故鞋底下土（《拾遗》）

《本草拾遗》　故鞋底下土，主人适佗方，不伏水土，刮取末和水服之。不伏水土与诸病有异，即其状也。

347　千步峰（《纲目》）

《本草纲目》　［集解］［时珍曰］此人家行步地上高起土也，乃人往来鞋履沾积而成者。技家言人宅有此，主兴旺。［主治］［时珍曰］便毒初发，用生姜蘸醋磨泥涂之。

348　市门土（《拾遗》）

《本草拾遗》　市门土，无毒。主妇人易产，取土临月带之。又临月产时，取一钱匕末，酒服之。又捻为丸，小儿于苦瓠中作白龙乞儿。此法，崔知悌方，文多不录。

《本草纲目》　［释名］［时珍曰］日中为市之处门栅也。

349　故茅屋上尘（《拾遗》）

《本草拾遗》　故茅屋上尘，无毒。主老嗽。取多年烟火者，拂取上尘，和石黄、款冬花、妇人月经衣带为末，以水和涂于茅上，待干，内竹筒子中，烧一头，以口吸之入咽喉，数数咽之，无不差也。

350　东壁土（《别录》）

《名医别录》　东壁土，主下部疮，脱肛。

《本草经集注》　此屋之东壁上土尔，当取东壁之东边，谓常先见日光，刮取用之。亦疗小儿风脐，又可除油污衣，胜石灰石、滑石。

《药性论》 东壁土，亦可单用。性平。刮末细筛，点目中去翳。又东壁土一蚬壳细末，傅豌豆疮及主温疟。

《唐本草》注 此土摩干、湿二癣，极有效也。

《本草拾遗》 好土，味甘，平，无毒。主泄痢，冷热赤白，腹内热毒绞结痛，下血。取入地干土，以水煮三、五沸，绞去滓，适稀稠，及暖服二升。又解诸药毒，中肉毒、合口椒毒、野菌毒并解之。取东壁土用之，功亦小同。止泄痢、霍乱烦闷为要。取其向阳壁久干也。张司空云：土三尺以上曰粪，三尺以下曰土。服之当去上恶物，勿令入客水。又食牛马肉及肝中毒者，先剉头发，令寸长，拌好土，作溏泥二升，合和饮之，须臾发皆贯所食肝出。牛马独肝者有大毒，不可食。汉武云：文成食马肝死。又人卒患心痛，画地作五字，以撮取中央土，水和一升绞，服之良也。又云土消，大寒，无毒。主伤寒时气，黄疸病，烦热，汤淋取汁顿服之。《庄子》云：蛣蜣转丸是也。藏在土中，掘地得之，正圆如人捻作，弥久者佳。又云土槟榔，主恶疮，诸虫咬及瘰疬，疥瘘等，细研油涂之，状如槟榔，于土穴中及阶除间得之。新者犹软，云蟾蜍屎也。蟾食百虫，故特主恶疮。

《日华子本草》 东壁土，温，无毒。

《本草图经》 文具“石灰”条下。

《外台秘要》 治肛门凸出，故东壁土一升研，皂荚三挺长一尺二寸，壁土挹粉肛门，其头出处，取皂荚炙暖更递熨之，差。《肘后方》服药过剂及中毒，烦闷欲死，刮东壁土以水一二升，调饮之。《经验方》治背痈疖，以多年烟熏壁土并黄檗二件等捣罗末，用生姜汁拌成膏，摊贴之，更以茅香汤调下一钱匕，服，妙也。《子母秘录》治小儿脐风疮历年不差方：东壁土傅之。

《本草衍义》 东壁土文具“伏龙肝”条下。

《绍兴本草》 东壁土，谓常先见日之土也，取其意尔。本经与诸注虽有主治之文，然但取效者，未闻也。当从土，性平、无毒是矣。

《本草纲目》 ［发明］［时珍曰］昔一女，忽嗜河中污泥，日食数碗。玉田隐者以壁间败土调水饮之，遂愈。又，凡脾胃湿多，吐泻霍乱者，以东壁土，新汲水搅化，澄清服之，即止。盖脾主土，喜燥而恶湿，故取太阳真火所照之土，引真火生发之气，补土而胜湿，则吐泻自止也。《岭南方》治瘴疟，香椿散内用南壁土，近方治反胃呕吐用西壁土者，或取太阳离火所照之气，或取西方收敛之气，然皆不过借气补脾胃也。

351　天子籍田三推犁下土（《拾遗》）

《本草拾遗》　天子藉田三推犁下土，无毒。主惊悸癫邪，安神定魄，强志。入官不惧，利见大官，宜婚市。王者所封五色土亦其次焉。以前主病正尔，水服，余皆藏宝。

《本草纲目》　［释名］［时珍曰］月令：天子以元日祈谷于上帝，亲载耒耜，率三公、九卿、诸侯、大夫躬耕。天子三推，三公五推，卿、诸侯九推。反执爵于太寝，命曰劳酒。

352　二月上壬日取土（《拾遗》）

《本草拾遗》　二月上壬日取土，泥屋四角，大宜蚕也。

353　清明日戌上土（《纲目》）

《本草纲目》　［时珍曰］清明日戌上土，同狗毛作泥，涂房户内孔穴，蛇鼠诸虫永不入。

354　神后土（《纲目》）

《本草纲目》　［时珍曰］神后土，逐月旦日取泥屋之四角，及塞鼠穴，一年鼠皆绝迹，此李处士禁鼠法也。神后，正月起申顺行十二辰。

355　执日取天星上土（《拾遗》）

《本草拾遗》　执日取天星上土，和柏叶、薰草，以涂门户，方一尺，盗贼不来。《抱朴子》亦云有之。

《本草纲目》　［时珍曰］抱朴子云：常以执日取六癸上土、南市门土、岁破土、月建土，合作人，着朱鸟地上，辟盗。

356　太阳土（《纲目》）

《本草纲目》　［主治］［时珍曰］人家动土犯禁，主小儿病气喘，但按九宫，看太阳在何宫，取其土煎汤饮之，喘即定。

357 道中热尘土（《拾遗》）

《本草拾遗》 道中热尘土，主夏中热暍死，取土积死人心。其死非为遇热，亦可以蓼汁灌之。

《本草纲目》 ［主治］［时珍曰］亦可以热土围脐旁，令人尿脐中；仍用热土、大蒜等分，捣水去滓灌之，即活。

358 十字道上土（《纲目》）

《本草纲目》 ［主治］［时珍曰］十字道上土，主头面黄烂疮，同灶下土等分傅之。

359 春牛角上土（《拾遗》）

《本草拾遗》 春牛角上土，收置户上，令人宜田。

《本草纲目》 ［附录］［时珍曰］宋时立春日进春牛，御药院取牛睛以充眼药。今人鞭春时，庶民争取牛土，云宜蚕；取土撒檐下，云辟蚰蜒。

360 载盐车牛角上土（《拾遗》）

《本草拾遗》 载盐车牛角上土主恶疮，黄汁出不差，渐胤者。取土封之即止。牛角，谓是车边脂角也，好用。

361 车辇土（《纲目》）

《本草纲目》 ［主治］［时珍曰］车辇土，行人暍死，取车轮土五钱，水调澄清服，一碗即苏。又，小儿初生，无肤色赤，因受胎未得土气也。取车辇土碾傅之，三日后生肤。

362 猪槽上垢及土（《拾遗》）

《本草拾遗》 猪槽上垢及土，主难产，取一合和面半升，乌豆二十颗，煮取汁服之。

《本草纲目》 ［主治］［时珍曰］治火焰丹毒，赤黑色，取槽下泥傅之，干又上。

363　朝北燕窠土（回燕膏）（《经疏》）

《本草经疏》　朝北燕窠土，名回燕膏。治瘰疬。《经疏》：合胡燕窝内土，研敷有效。

364　胡燕窠内土（《拾遗》）

《本草拾遗》　胡燕窠内土，无毒。主风瘙瘾疹，末，以水和傅之。又巢中草，主卒溺血，烧为灰，饮服。又主恶刺疮，及浸淫疮绕身至心者死，亦用之。

《本草纲目》　[主治][时珍曰]治口吻白秃诸疮。

365　百舌鸟窠中土（《拾遗》）

《本草拾遗》　百舌鸟窠中土，末和酽醋，傅蚯蚓及诸恶虫咬疮。

366　鼠壤土（《拾遗》）

《本草拾遗》　鼠壤土，主中风筋骨不随，冷痹骨节疼，手足拘急，风掣痛，偏枯死肌。多收取暴干用之。

《本草纲目》　[释名][时珍曰]柔而无块曰壤。[主治][思邈曰]小儿尿和，涂疔肿。

367　鼢鼠壤堆上土（《拾遗》）

《本草拾遗》　鼢鼠壤堆上土，苦酒和为泥，傅肿极效。又云：鬼疰气痛，取土以秫米泔汁搜作饼，烧令热，以物裹熨痛处。凡鼢鼠，是野田中尖嘴鼠也。

《本草纲目》　[主治][时珍曰]孕妇腹内钟鸣，研末二钱，麝香汤下，立愈。

368　屋内壖下虫尘土（《拾遗》）

《本草拾遗》　屋内壖下虫尘土，治恶疮久不差，干傅之，亦油调涂之。

《本草纲目》　[释名][时珍曰]壖音软平声。河边地及垣下地，皆谓之壖。

369　土蜂窠上细土（《拾遗》）

《本草拾遗》　土蜂窠上细土，主肿毒，醋和为泥傅之。亦主蜘蛛咬。土蜂者，在地土中作窠者是。

《本草纲目》　［释名］土蜂窠一名蠮螉窠。［时珍曰］即细腰蜂也。［主治］［时珍曰］治疔肿乳蛾，妇人难产。

370　蚁穴中出土（《拾遗》）（《纲目》作“蚁垤土”，又名蚁封）

《本草拾遗》　蚁穴中出土，取七枚如粒，和醋搽狐刺疮。

《本草纲目》　［释名］蚁垤土，一名蚁封。［时珍曰］垤音迭，高起也。封，聚土也。

371　蛇黄（《唐本》）

《唐本草》　蛇黄，主心痛，疰忤，石淋，产难，小儿惊痫，以水煮研服汁。出岭南，蛇腹中得之，圆重如锡，黄黑青杂色。

《日华子本草》　冷，无毒。镇心。如入药，烧赤三四次醋淬，飞研用之。

《开宝本草》　今注蛇黄多赤色，有吐出者，野人或得之。

《本草图经》　蛇黄，出岭南，今越州、信州亦有之。《本经》云：是蛇腹中得之，圆重如锡，黄黑青杂色。注云多赤色，有吐出者，野人或得之。今医家用者，大如弹丸，坚如石，外黄内黑色，二月采。云是蛇冬蛰时所含土，到春发蛰，吐之而去。与旧说不同，未知孰是。

《绍兴本草》　蛇黄，主治已载本经，又称蛇腹中得之。《图经》以谓蛇冬蛰时所含之土，到春发蛰即吐之。其说不同。若以牛黄比论之，甚无可据，但恐山石间蛇穴之傍，自有一种，止是石类也。诸方须以火煅淬用之，即当从《日华子》云冷、无毒是矣。若生用即有蛇气之毒也。

《本草纲目》　［集解］［时珍曰］蛇黄生腹中，正如牛黄之意。世人因其难得，遂以蛇含石代之，以其同出于蛇故尔。广西平南县有蛇黄冈，土人九月掘下七八尺，始得蛇黄，大者如鸡子，小者如弹丸，其色紫。《庚辛玉册》云：蛇含自是一种石，云蛇入蛰时，含土一块，起蛰时化作黄石，不稽之言也。有人掘蛇窟寻之，并无此说。［主治］［时珍曰］磨汁，涂肿毒。

372 封殖土（《五十二病方》）

《五十二病方》 45～46行云：婴儿索痉，取封殖土冶之，□□二，盐一，合烧而烝（蒸），以扁（遍）熨直胻（肎）挛筋所。

《方言》 楚郢以南，蚁土谓之封。（郢音颖，古代楚国故都，今湖北江陵北十里）

《说文解字》 埴，黏土也。

《释名·释地》 土黄而细密者曰埴。埴，膱也，粘泥如脂之膱也。

《庄子·马蹄》 陶者曰：我善为埴。注云：埴土，可以为陶器。

《本草拾遗》 蚁穴中出土，取七枚如粒，和醋，搽狐刺疮。《本草纲目》卷七转载陈藏器《拾遗》蚁蛭土，一名蚁封。（按：蚁蛭土，《证类本草》引陈藏器作蚁穴中出土。）

尚志钧按 封有堆积隆起状的意思。《后汉书·顺帝纪》："疏勒国献师子、封牛。"注云："封牛，其领上肉隆起，若封然。"蚁穴中出土，堆积呈隆起状名蚁封。

殖、埴，古字通用，《释名》谓土黄细密为埴，故被《庄子》注谓埴土细密可以制陶器。蚁穴中出的土细埴，故被称为封殖土。

陈藏器谓蚁穴中出土，和醋搽狐刺。李时珍转引陈藏器蚁穴中出土云："又死胎在腹，及胞衣不下，炒三升，囊盛，搨心下，自出也。"此与《医方》以封殖土作热熨法义合。

373 冻土（《五十二病方》）

《五十二病方》 431行云：瘃（冻疮），蒸（蒸）冻土，以熨之。

尚志钧按 冻土，后世方书、本草皆未见录。

374 烧尸场上土（《纲目》）

《本草纲目》 ［主治］［时珍曰］治邪疟，取带黑土同葱捣作丸，塞耳，或系膊上，即止。男左女右。

375 桑根下土（《拾遗》）

《本草拾遗》 桑根下土，搜成泥饼，傅风肿上，仍灸三、二十壮，取热通疮中。又人中恶风水，肉肿一个差，以土碗灸二百壮，当下黄水，即差也。

376 土地（《拾遗》）

《本草拾遗》 土地，主敛万物毒。人患发背者，掘地为孔，一头傍通取风，以穴大小可肿处，仰卧穴上，令痈入穴孔中吸之，作三、五个，觉热即易，仍以物藉他处。又人卒患急黄，热盛欲死者，于沙土中掘坎，斜埋患人，令头出土上，灌之，久乃出，曾试有效，当是土能收摄热也。又人患丹石发肿，以肿处于湿地上卧熨之，地热易之。

377 土墼（《纲目》）

《本草纲目》 ［释名］土墼，一名煤赭。［时珍曰］此是烧石灰窑中流结土渣也，轻虚而色赭。［主治］［时珍曰］治女人鳖瘕及头上诸疮。凡人生痰核如指大红肿者，为末，以菜子油调搽，其肿即消；或出脓，以膏药贴之。

378 诸土有毒（《拾遗》）

《本草拾遗》 怪曰羵羊，掘土见之，不可触，已出上土部。土有气，触之令人面黄色，上气身肿。掘土处慎之，多断地脉，古人所忌。地有仰穴，令人移也。

尚志钧按 诸土有毒，本条，《本草纲目》并在“黄土”条［气味］下，并加以化裁。其文曰：［藏器曰］土气久触，令人面黄。掘土犯地脉，令人上气身肿。掘土犯神杀，令人生肿毒。

379 井中泥（《五十二病方》）

《五十二病方》 101行云：蚖，取井中泥，以还（环）封其伤，已。

《肘后方》 治妊娠得时疫病，令胎不伤，取井底泥傅心下。

《千金方》 蝎螫人，以井底泥涂傅之，温则易之。

380 田中泥（《纲目》）

《本草纲目》 ［主治］［时珍曰］治马蝗入人耳，取一盆枕耳边，闻气自出。人误吞马蝗入腹者，酒和一二升服，当利出。

381　螺蛳泥（《纲目》）

《本草纲目》　［性味］［时珍曰］性凉。［主治］［时珍曰］治反胃吐食，取螺蛳一斗，水浸，取泥晒干，每服一钱，火酒调下。

382　白鳝泥（《纲目》）

《本草纲目》　［主治］［时珍曰］白鳝泥，治火带疮，水洗取泥炒研，香油调傅。

383　白蚁泥（《纲目》）

《本草纲目》　［主治］［时珍曰］治恶疮肿痛，用松木上者，同黄丹各炒黑，研和香油涂之，取愈乃止。

384　蚯蚓泥（《纲目》）

《本草纲目》　［释名］蚯蚓泥，一名蚓蝼（音娄）六一泥。

385　乌爹泥（《纲目》）

《本草纲目》　［释名］乌爹泥，又名乌叠泥（纲目）、孩儿茶。［时珍曰］乌爹或作乌丁，皆番语，无正字。［集解］［时珍曰］乌爹泥，出南番爪哇、暹罗诸国，今云南、老挝暮云场地方造之。云是细茶末入竹筒中，紧塞两头，埋污泥沟中，日久取出，捣汁熬制而成。其块小而润泽者为上，块大而焦枯者次之。［气味］苦、涩，平，无毒。［主治］［时珍曰］清上膈热，化痰生津，涂金疮、一切诸疮，生肌定痛，止血收湿。

386　檐溜下泥（《纲目》）

《本草纲目》　［主治］［时珍曰］治猪咬、蜂螫、蚁叮、蛇伤毒，并取涂之。又和羊脂，涂肿毒、丹毒。

387　久溺中泥（《五十二病方》）

《五十二病方》　330 行云：胻伤，取久溺中泥，善择去其蔡、沙石，置泥器中，且以苦酒□□，以泥［傅］伤。

《名医别录》 溺坑中青泥，疗喉痹，消痈肿，若已有脓即溃。

《本草纲目》 尿坑泥，主蜂蝎诸虫咬，取涂之。

尚志钧按 久溺中泥，《五十二病方》330行注②释为《新修本草》的溺白垽。按：溺白垽即尿桶底沉积的尿垢，不会杂有蔡（杂草）、沙石的。《五十二病方》讲，取久溺中泥，善择去其蔡、沙石。说明久溺中泥，应是尿坑中的泥。即《别录》的溺坑中有青泥，不是溺白垽。而且溺白垽出于《名医别录》。《本草纲目》误注出处为《唐本草》。《五十二病方》以久溺中泥治肵伤，与《名医别录》溺坑中青泥疗喉痹、消痈肿，其义相近。

388　驴溺泥土（《拾遗》）

《本草拾遗》 驴溺泥土，主蜘蛛咬。先用醋泔汁洗疮，然后泥傅之。黑驴弥佳，浮汁洗之更好。

389　犬尿泥（《纲目》）

《本草纲目》 犬尿泥，治妊娠伤寒，令子不落，涂腹上，干即易。

390　尿坑泥（《纲目》）

《本草纲目》 ［主治］［时珍曰］尿坑泥，主蜂蝎诸虫咬，取涂之。

391　粪坑底泥（《纲目》）

《本草纲目》 ［主治］［时珍曰］发背诸恶疮，阴干为末，新水调傅，其痛立止。

392　仰天皮（《拾遗》）

《本草拾遗》 仰天皮，无毒。主卒心痛、中恶，取人膏和作丸，服之一七丸。人膏者，人垢汗也，揩取。仰天皮者，是中庭内停污水后，干地皮也，取卷起者。一名掬天皮，亦主人马反花疮，和油涂之佳。

393　鬼屎（《拾遗》）

《本草拾遗》　鬼屎，主人马反花疮，刮取和油涂之。生阴湿地，如屎，亦如地钱，黄白色。

394　椅足泥（赵学敏）

《本草纲目拾遗》　《物理小识》：此泥炕干，可以生肌。

395　檀香泥（赵学敏）

《本草纲目拾遗》　乃檀香心中所含脂垢，不易得，色如尘土故以泥名。爇之亦作檀香气。治胃气滞痛，肝郁不舒。

396　丹泥灶（赵学敏）

《本草纲目拾遗》　《岭南杂记》：出罗浮山，以粉红色者佳。

《粤志》　罗浮冲虚观后，有稚川丹灶，取灶中土，以药槽之水洗之，丸小粒，投水中，辄有白气数缕，冲射四旁，生泡不已，哈哈有声，顷之，一分为二，二分为四，四分为八，然后融化，服之可疗腹疾。道士号为丹滓，尝以饷客。

治晕船不服水土等症，丸如豆大，饮水调服。

397　铸铜泥罐（赵学敏）

《本草纲目拾遗》　《云溪方》：浙江湖州人每担炉具赴他州，代人铸铜勺锅铲，其泥罐不轻弃，可入药。

治小儿头生软疖，出脓水不干，仍复溃肿，用罐石上捶细末，醋调敷之，脓自溢干，迨泥落而疾自愈。

398　蛆钻泥（赵学敏）

《本草纲目拾遗》　乃粪坑中蛆钻之泥，其质松，凡蛆在泥中过冬，必钻此土作窠。蛆过冬则短缩，头生二角，白如蛹，清明后化黑虫而去。蛆必退壳，每退每大，其退时，辄扒越墙石从高坠下，退一节，再扒再坠，如是屡次，则全退矣。此泥有蛹，故入退管药用。须冬时取。

治痔漏多年起管：用蛆钻泥一斗，晒干，以五升炒热，袋盛，令患者去裤坐其上，则稠水脓血淋下。久之泥冷，再用五升炒热接盛坐之。如此一袋坐，一袋复炒，泥炒热又易，换数次，则稠脓自尽，三度后管自退出。又不伤人，屡用屡效之方也。

399　鼠穴泥（赵学敏）

《本草纲目拾遗》　治偏正头风。《救生苦海》：用老鼠洞内泥炒热，乘热绢帕包头上，即愈。

400　乌古瓦（《药性论》）

《药性论》　乌古瓦，亦可单用。煎汤服，解人中大热。

《唐本草》　乌古瓦，寒，无毒。以水煮及渍汁饮，止消渴。取屋上年深者良。

《本草拾遗》　主汤火伤，当取土底深者，既古且润三角瓦子。灸牙痛法：令三姓童子，候星初出时，指第一星，下火三角瓦上灸之。

《日华子本草》　冷，并止小便，煎汁服之。

《绍兴本草》　乌古瓦，乃屋上年深之瓦也。本经水煮或渍汁饮之，能止消渴，盖取其湿润之意。其性寒，无毒是矣。

《本草纲目》　［集解］［时珍曰］夏桀始以泥坯烧作瓦。［主治］［时珍曰］治折伤，接骨。

401　白瓷瓦屑（《唐本》）

《唐本草》　白瓷瓦屑，平，无毒，主妇人带下、白崩，止呕吐逆、破血，止血。水摩，涂疮灭瘢。定州者良，余皆不如。

《经验后方》　治鼻衄久不止。定州白瓷，细捣研为末，每抄一剜耳许，入鼻立止。《梅师方》治人面目卒得赤黑丹如疥状，不急治，遍身即死。若白丹者方：取白瓷瓦末，猪脂和涂之。

《绍兴本草》　白瓷瓦屑，取瓷器为屑末也，以定州者堪用。在方及是收固、止血之药，明非有毒。当从本经性平、无毒是矣。

《本草纲目》 ［集解］［时珍曰］此以白土为坯，坯烧成者，古人以代白垩用，今饶州者亦良。［主治］［时珍曰］白瓷瓦屑，研末，傅痈肿，可代针，又点目，去翳。

402 瓦甑（《拾遗》）

《本草拾遗》 瓦甑，主魇寐不寤，覆人面疾打破之，觉。好魇及无梦，取火烧死者，灰著枕中、履中即止。

403 乌金砖（赵学敏）

《本草纲目拾遗》 乃粪窑中多年砖也。取起一块，洗净，以清水煎熬，撇去浮沫，候浮沫净，其汁亦浓，每一二盏，治痘不贯浆虚弱无力者，大效。

404 古砖（《拾遗》）

《本草拾遗》 古砖，热烧之，主下部久患白痢脓泄下，以物裹上坐之。入秋小腹多冷者，亦用此古砖煮汁服之，主哕气。又令患处熨之三五度，差。又主妇人带下五色，俱治之。取黄砖石烧令微赤热，以面、五味和作煎饼七个，安砖上，以黄栝楼傅面上，又以布两重，患冷病人坐上，令药气入腹，如熏之有虫出如蚕子，不过三、五度差。

405 温石及烧砖（《拾遗》）

《本草拾遗》 温石及烧砖，主之得热气彻腰腹，久患下部冷，久痢肠腹下白脓，烧砖并温石熨及坐之并差。但取坚石烧暖用之，非别有温石也。

406 冢上土及砖石（《拾遗》）

《本草拾遗》 冢上土及砖石，主温疫。五月一日取之，瓦器中盛，埋之著门外阶下，合家不患时气。又，正月朝早将物去冢头，取古砖一口，将咒要断，一年无时疫，悬安大门也。

407 观音粉（赵学敏）

《本草纲目拾遗》 《处州府志》：云和山中有白滏泥，以水搅淀而取之，和糯米粉一半蒸食之，可以疗饥。名观音粉。

生山土内，白如粉，绝细腻，岁荒，乡人辄掘取之，和麦面作饼饵以食，但不可多食，多食能令便闭腹重，以其土性滞涩肠胃耳，生洞内者不可服，恐其有蛇虬涎毒。

郑中夔《冷赏》载 丙子岁荒，弋阳石窝村庵僧，梦大士告以山下土中有石粉，可取充饥。如言往掘，果得之。俨若蕨粉，研细作饼蒸熟，甘美异常。乡人闻而竞采之，或有以荤油裹者，即若甚不堪入口，名大士粉，即此。

《纲目》石部载石面，即此。以为不常生，不知今山中皆有。濒湖主治只言益气调中，食之止饥，而不知其去湿之功，十倍于苍术。盖亦土能制水之意耳。

味微甘苦，性平。解虫毒，逐水肿，明目，疗湿黄。

408 铁线粉（剔癣粉）（赵学敏）

《本草纲目拾遗》 色黑，产广中，以香炷点之，有烟起如蚊子飞者真。陈延庆云：色白者真，此乃镕铁锅中浮起白沫如枯矾者，若色黄黑者假。

治癣神效，多年顽癣久不能愈者，先以姜擦患处，后以粉敷之。

《百草镜》 用醋调搽，忌姜椒一切发物。

《杨春涯验方》 广东剔癣粉治癣神效。其色如沉香末，则是铁线者，乃剔癣之讹也。

两腿阴面湿癣，《毛世洪经验集》以荸荠蘸铁线粉擦之立瘥。（铁线粉，即火炮中括下锈粉也。）粤中洋行有舶上铁丝，带来出售中土，日久起锈，用刀刮其锈，明亮如新，所刮下之锈末，名铁线粉。其色黄如香灰，带白色者，乃镕铁浮起锅中白沫捣细而成。亦名铁线粉。广中有此二种。

409 杨妃粉（赵学敏）

《本草纲目拾遗》 产马嵬坡上，取之者必先祭然后掘之，去浮土三尺，有土如粉，腻滑光洁，于女子最宜。泽肌有效。《职方典》：出陕西西安府，女面有黑黝，以水和粉洗之即除。

拭面，去黝默雀斑，美颜色。

410 乌龙粉（赵学敏）

《本草纲目拾遗》 丹术家名黑龙丹。系烧马粪釜脐煤，生肌收口药用之，掺疮口即验。

411 灶末灰（《五十二病方》）

《五十二病方》 57行云：狂［犬］齧人者，取灶末灰三指撮（摄）□□水中，以饮病者。

《本草拾遗》 灶中热灰，和醋，熨心腹冷气痛及血气绞痛，冷即易。

《肘后方》 凡犬咬人，取灶中热灰，以粉疮，傅之。

尚志钧按 灶末灰，即《肘后方》《本草拾遗》的灶中热灰。《本草拾遗》不言灶末灰治狂犬咬伤，但《肘后方》记有治犬咬伤。

灶末灰是灶中燃烧的灰烬，不是灶心土（伏龙肝）。《五十二病方》58行注释④灶末灰，即伏龙肝，可疑。按：《五十二病方》115行白处方有灶黄土即伏龙肝。

412 锻铁灰（《五十二病方》）

《五十二病方》 446～448行云：去人马疣方：取段（锻）铁者灰三……再三傅其处而已。

《名医别录》 锻灶灰，主癥瘕坚积，去邪恶气。陶弘景注云：即今锻铁灶中灰尔，兼得铁力，以疗暴癥，大有效。

《本草图经》 铁落者，锻家烧铁赤沸，砧上打落细皮屑，俗呼为铁花是也。又云：锻灶中飞出如尘，紫色而轻虚，可以莹磨铜器者为铁精。

尚志钧按 《五十二病方》所言锻铁者灰，究竟是锻灶灰、铁落、铁精三者中哪一种呢？从《五十二病方》使用方法看，只有锻铁者灰可以调傅。若是铁皮屑（铁落），则不好调傅。铁精也呈灰状，名称不符。笔者认为锻铁者灰，应是《名医别录》的锻铁灶中灰，即锻灶灰。

人马疣，是古代皮肤病名。《黄帝蝦蟆经·蝦兔图随月生毁日月飵（蚀）避灸判（刺）法第一》“月毁十八日”条：“使人病胀、痔、溏、瘕，泄痢不止，其即生马疣、疽、瘘。”

“马疣”像什么呢？《五十二病方》449行云：“去人马疣，疣，其末大本，（根）小□□者，取夹□白柎□，绳之以坚……疣去矣。”按《五十二病方》所记，马疣是带蒂的疣。

413 煅灶灰（《别录》）

《名医别录》 煅灶灰，主癥瘕坚积，去邪恶气。

《本草经集注》 煅灶灰，即今煅铁灶中灰尔，兼得铁力，以疗暴癥，大有效。

《唐本草》 锻灶灰，二车丸用之。

《本草拾遗》 灶突后黑土，无毒。主产后胞衣不下。末服三指撮，暖水及酒服之。天未明时取，至验也。又云灶中热灰和醋，熨心腹冷气痛及血气绞痛，冷即易。

《本草图经》 文具“石灰”条下。

《经验方》 治妇人崩中，用百草霜二钱，狗胆汁一处拌匀，分作两服，以当归酒调下。《续十全方》治暴泄痢，百草霜末，米饮调下二钱。《杜壬方》治逆生，横生，瘦胎，妊娠产前、产后虚损，月候不调，崩中，百草霜、白芷等分末，每服二钱，童子小便、醋各少许调匀，更以热汤化开服，不过二服即差。治疮，头疮及诸热疮，先用醋少许和水，洗净去痂，再用温水洗，裛干，百草霜细研，入腻粉少许，生油调涂，立愈。

《绍兴本草》 锻灶灰，乃锻铁灶下灰也。本经虽有主疗，而不载性味、有无毒。然诸灰皆有毒，今锻灶灰当以味苦，有毒为定。方家亦稀用之。

414 冬灰（《本经》）

《神农本草经》 冬灰，味辛，主黑子，去疣息肉，疽蚀疥瘙。一名藜灰。

《名医别录》 冬灰，微温。生方谷川泽。

《本草经集注》 即今浣衣黄灰尔，烧诸蒿、藜，积聚炼作之，性亦烈，又，荻灰尤烈。欲销黑痣、疣赘，取此三种灰和水蒸以点之即去，不可广用，烂人皮肉。

《唐本草》注 桑薪灰，最入药用，疗黑子、疣赘，功胜冬灰。用煮小豆，大下水肿。然冬灰本是藜灰，余草不真。又有青蒿灰，烧蒿作之。柃灰，烧木叶作，并入染用，亦堪蚀恶肉。柃灰一作苓字。

《本草拾遗》 桑灰，本功外，去风血癥瘕块。又主水阴淋，取酽汁作食，服三五升。又取鳖一头，治如食法，以桑灰汁煎如泥，和诸癥瘕药重煎，堪丸，众手捻成。日服十五丸，癥瘕痃癖无不差者。其方文多，不具载。

《本草图经》 文具“石灰”条下。

《本草衍义》 冬灰，诸家止解灰而不解冬，亦其阙也。诸灰一烘而成，惟冬灰，则经三、四月方彻炉。灰既晓夕烧灼，其力得不全燥烈乎？而又体益重。今一爇而成者体轻，盖火力劣，故不及冬灰耳。若古紧面少容方中，用九烧益母灰，盖取此义。如或诸方中用桑灰，自合依本法。既用冬灰，则须尔。《唐本》注云：冬灰本是藜灰，未知别有何说。又汤火灼，以饼炉中灰细罗，脂麻油调，羽扫，不得着水，仍避风。

《绍兴本草》 冬灰，即浣衣黄灰，乃蒿藜灰是也。又有荻灰、桑灰等，皆淋汁作煎，以点黑痣疣赘，虽验，但损人皮肉多矣。本经止载外用之法，若在注文入服饵之药者，今未闻用之。当作味辛、微温、有毒是矣。

《本草纲目》 ［时珍曰］古方治人溺水死，用灶中灰一石埋之，从头至足，惟露七孔，良久即苏。凡蝇溺水死，试以灰埋之，少顷即便活，甚验，盖灰性暖而能拔水也。

415 梁上尘（《唐本》）

《唐本草》 梁上尘，主腹痛噎，中恶鼻衄，小儿软疮。

《雷公药对》 梁上尘，微寒。

《雷公炮炙论》 梁上尘，凡使，须去烟火远，高堂殿上者，拂下，筛用之。

《日华子本草》 梁上尘，平，无毒。

《外台秘要》 治小便不通及胞转。取梁上尘三指撮，以水服之。又方治自缢死，用梁上尘如大豆，各内一个耳、鼻中，四处各一粒，极力齐吹之，即活。《千金方》妒乳，梁上尘醋和涂之，亦治阴肿。又方治妇人日月未足而欲产，取梁上尘，灶突煤二味，合方寸匕，酒服。《千金翼》凡痈，以梁上尘、灰葵茎等分，用醋和傅之。《子母秘录》治横生不可出，梁上尘，酒服三寸匕，亦治倒生。又方治小儿头疮，梁上尘和油，取瓶下滓，以皂荚汤洗后涂上。

《绍兴本草》 梁上尘，取梁栋上久积尘也。高堂殿宇远烟火者为上，即无烟煤相杂尔。本经虽有主疗，而不载性味。今当从日华子平、无毒者是也。

《本草纲目》 ［修治］［时珍曰］凡用倒挂尘，烧令烟尽，筛取末入药。雷氏所说，似上梁上灰尘，今人不见用。［主治］［时珍曰］食积，止金疮血出，齿断出血。

416　席下尘（赵学敏）

《本草纲目拾遗》　治水肿，《太平圣惠方》：治遍身水肿，用鹿葱根叶晒干为末，每服二钱，入席下尘半钱，食前饮服。

417　白蜡尘（赵学敏）

《本草纲目拾遗》　此乃白蜡面上年久积尘，扫下贮用。治瘵虫。（《万邦孚家抄》）

418　自然灰（《拾遗》）

《本草拾遗》　自然灰，主白癜风、疬疡，重淋取汁，和醋。先以布揩白癜风破傅之，当为创，勿怪。能软琉璃玉石如泥，至易雕刻，及浣衣令白。洗恶疮疥癣验于诸灰。生海中，如黄土。《南海异物志》云：自然灰生南海畔，可浣衣，石得此灰即烂，可为器。今玛瑙等形质异者，先以此灰埋之令软，然后雕刻之也。

419　瓷瓯中里白灰（《拾遗》）

《本草拾遗》　瓷瓯中里白灰，主游肿，醋磨傅之。瓷器物初烧时，相隔皆以灰为泥，然后烧之。瓯，瓷也，但看里有，即收之。

420　香炉灰（《纲目》）

《本草纲目》　香炉灰，治跌仆金刃伤损，罨之，止血生肌。

421　香炉岸（《纲目》）

《本草纲目》　香炉岸，主疥疮。

422　神丹（《拾遗》）

《本草拾遗》　神丹，味辛，温，有小毒。主万病。有寒温飞金石及诸药随寒温共成之，长生神仙。

423　特蓬杀（《拾遗》）

《本草拾遗》　特蓬杀，味辛、苦，温，小毒。主飞金石用之，炼丹亦须用，生西国。似石脂、蛎粉之类，能透金石铁无碍下通出。

尚志钧按　特蓬杀，《纲目》误作“石药”。即《纲目》在“特蓬杀”药名下，所录的条文，实乃是“石药”的条文。

424　井底砂（《证类》）

《证类本草》　井底砂，至冷，主治汤火烧疮用。《千金方》蝎螫人，以井底泥涂傅之，温则易之。《肘后方》卧忽不寤，勿以火照，火照之杀人，但痛啮其踵及足拇指甲际，而多唾其面即活，井底泥涂目毕，令人垂头于井中，呼其姓名便起。又方治妊娠得时疫病令胎不伤，取井底泥傅心下。

《绍兴本草》　井底砂，淘取泥沙而用之。经方所载，只傅热毒虫伤，而不入服饵之用，当作性寒、无毒是矣。

《本草纲目》　井底砂［主治］［时珍曰］疗妊娠热病，取傅心下及丹田，可护胎气。

425　六月河中诸热砂（《拾遗》）

《本草拾遗》　六月河中诸热砂，主风湿顽痹不仁，筋骨挛缩，脚疼冷风掣，瘫缓，血脉断绝。取干砂日暴令极热，伏坐其中，冷则更易之，取热彻通汗，然后随病进药及食。忌风冷劳役。

426　杓上砂（《纲目》）

《本草纲目》　［集解］［时珍曰］此淘米杓也。有木杓、瓢杓，皆可用。［主治］［时珍曰］面上风粟，或青或黄赤，隐暗涩痛，及人唇上生疮者，本家杓上刮去唇砂一二粒，即安。又妇人吹乳，取砂七枚，温酒送下，更以炊帚枝通乳孔。此皆莫解其理。

427　瑶池沙（赵学敏）

《本草纲目拾遗》　朱排山《柑园杂识》：喇嘛尝进瑶池水，水香如莲，色白而重，以玻璃器贮之，数百年不涸不变，人饮之能疗百病，康熙五十三年遣理藩院员外盛柱取之，自京出西宁口，望西北行，凡七千里，至星宿海，即世所称火敦脑儿也。更西北行三千里，达昆仑山，山形如桃，皆积雪，人不能上，测影高三百余丈，山前名孔雀门，后名马门，左名狮门，右名象门，山四隅各一山，皆低于昆仑，孔雀门内有池，名麻蓬达嘛，华言天河也，四山之水，合流于天河，河水伏流至星宿海，复流出入中国。去昆仑西北四五里即瑶池。池匝百八十里，岸旁皆雪，水中有五色细砂，滑腻可食，取水一瓶，并图山川风土而归，往返凡二年零六月。

稀痘，取沙，与小儿常食之，即永不出痘。

428　瀚海石窍沙（赵学敏）

《本草纲目拾遗》　朱排山《柑园小识》：瀚海石，出瀚海。地近泽旺，为方三百里，无水草，其石大者如瓜如拳，小者如芋栗，亦有如珠如豆者，皆具五色。如玛瑙，有窍而中空，其窍中有沙，可入药。石质坚，其外可碾，其中不可碾，故每因形成器。

主明目。

429　玉田沙（赵学敏）

《本草纲目拾遗》　《本经逢原》云：夏月发麻疹用之良。亦河沙中之一种也。《纲目》失载。

430　白朱砂（赵学敏）

《本草纲目拾遗》　一名翠白，古方有用之，乃旧定窑器末也。近窑火气未脱，有毒，能腐肉，不宜服。

青瓷末曰翠青。《本经逢原》：白瓷器研细水飞用，敷痈肿，可代针砭。又点目去翳。

《百草镜》　白朱砂系古瓷白色者，研粉入药。以其年久无火毒之害，必示得已，用破碎定窑入土过者，火煅醋淬，研细水飞用。今人以近日窑器白色者代用，误矣。

尚志钧按　外科有九种十三根法，凡种痈留根，有白瓷种，能令患毒不收口，时以取利。今《本经逢原》用以敷痈肿。恐种毒留根，不宜误用。或加入膏中代针可也。然亦以少为贵。

按，断骨神效方，《黄氏医抄》：研极细末，同黄蜡丸，酒吞三钱，取汗出，骨接有声，片时即复。

去翳障，《得效方》有点眼翠白丹，用之。《录验方》有推云散，翠青、瓷白同用。《医学指南》目疾门有拨云能光散，中用白朱砂，以童便合醋煅制二十一次方用。

远近星障，《眼科要览》：白朱砂、牛黄、熊胆、白丁香、珍珠、冰片各一分，石燕、石蟹、琥珀、珊瑚各三分，炉甘石煅三钱，麝香半分，共为细末，蜜一两，调点。

鼻血不止，《慈惠编》：定窑瓷器乳极细末，吹少许入鼻孔内，立止。

治膈，《羲复方》用白瓷片烧红，酒淬七次，研极细末，烧酒服三厘。

臁疮起沿，白朱砂煅红，淬入干烧酒内四两，七八次，以酥为度，研细水飞，每上药一钱，加冰片三厘，研细掺之，黑膏药盖贴。孕妇勿服，能堕胎，慎之。

鳝扛头，《叶氏方》用细瓷器为末，香油调涂，立效。

治跌打闪衄伤方，白朱砂，即回青瓷器，用火罐烧红，童便淬七次，研成粉，净用三钱，乳香、没药俱去油各一钱，三味研为细末，用好黄酒送下，三日一服，三服痊愈。

难产催生，《便易良方》：白细碗研碎末一钱，酒吞下，立刻即产。

《纲目》卷4主治内云：白瓷器水磨，可灭瘢痕。

431　神火砂（赵学敏）

《本草纲目拾遗》　《救生苦海》有取神火法：用劈砂一斤，带水研细，以滚水冲之，面上有浮起细沫一层，用荆川纸拖水面，其沫即粘着纸上，将纸晒干扫下，即神火也。其砂澄清去水，再研再冲，见有浮起沫，依前法拖晒，如此六七次，直至无浮沫方止，每砂一斤，约可取神火八九分，用乌金纸包收贮。

性能拔毒收口，凡痈疽毒疮难收口者，以神火少许，鹅翎蘸扫膏药上贴，毒水易干，疮口易敛，为外科圣药。

432　砂锅（《纲目》）

《本草纲目》　［集解］［时珍曰］砂锅，沙土埏埴烧成者。［主治］［时珍曰］治消积块黄肿，用年久者，研末，水飞过，作丸，每酒服五钱。

433 坩埚（《纲目》）

《本草纲目》 ［释名］［时珍曰］又名销金银锅。吴人收瓷器屑，碓舂为末，筛澄取粉，呼为滓粉，用胶水和剂作锅，以销金银者。［主治］［时珍曰］主治偏坠疝气，研末，热酒调服二钱。又主炼眉疮、汤火疮，研末，入轻粉少许傅之。锅上黝，烂肉。

第十四章　水类矿物药

水类矿物药，包括天水（雨水）、地面水（江河）、地下水（井水、各种矿泉水）。

434　正月雨水（《拾遗》）

《本草拾遗》　正月雨水，夫妻各饮一杯，还房，当获时有子，神效也。

《本草纲目》　一名立春雨水。［释名］［时珍曰］地气升为云，天气降为雨，故人之汗，以天地之雨名之。［气味］［时珍曰］味咸，平，无毒。［主治］［时珍曰］宜煎发汗及补中益气药，取其春始生发之气也。［发明］［时珍曰］虞抟《医学正传》云：立春节雨水，其性始是春升生发之气，故可以煮中气不足、清气不升之药。古方妇人无子，是日夫妇各饮一杯，还房有孕，亦取其资始发育万物之义也。

435　潦水（《纲目》）

《本草纲目》　潦水［释名］［时珍曰］降注雨水谓之潦，又淫雨为潦。韩退之诗云，潢潦无根源，朝灌夕已除，是矣。［气味］［时珍曰］味甘，平，无毒。［主治］［时珍曰］煎调脾胃、去湿热之药。［发明］［成无己曰］仲景治伤寒瘀热在里，身发黄，麻黄连翘赤小豆汤，煎用潦水者，取其味薄则不助湿气。

436 节气水（《纲目》）

《本草纲目》 节气水［集解］［时珍曰］一年二十四节气，一节主半月，水之气味，随之变迁，此乃天地之气候相感，又非疆域之限也。月令通纂云：正月初一至十二日止，一日主一月。每旦以瓦瓶秤水，视其轻重，重则雨多，轻则雨小。观此，虽一日之内，尚且不同，况一月乎。

立春、清明二节贮水，谓之神水。［主治］宜浸造诸风脾胃虚损诸丹丸散及药酒，久留不坏。

寒露、冬至、小寒、大寒四节，及腊日水，［主治］宜浸造滋补五脏及痰火积聚虫毒诸丹丸，并煎酿药酒，与雪水同功。

立秋日五更井华水，［主治］长幼各饮一杯，能却疟痢百病。

重午日午时水，［主治］宜造疟痢疮疡金疮百虫蛊毒诸丹丸。

小满、芒种、白露三节内水［主治］并有毒。造药，酿酒醋一应食物，皆易败坏。人饮之，亦生脾胃疾。

437 液雨水（《纲目》）

《本草纲目》 ［发明］［时珍曰］液雨水，立冬后十日为入液，至小雪为出液，得雨谓之液雨，亦曰药雨。百虫饮此皆伏蛰，至来春雷鸣起蛰乃出也。［主治］［时珍曰］杀百虫，宜煎杀虫消积之药。

438 梅雨水（《拾遗》）

《本草拾遗》 梅雨水，洗疮疥，灭瘢痕。入酱令易熟，沾衣便腐，浣垢如灰汁，有异佗水。江淮以南，地气卑温，五月上旬连下旬尤甚。月令土润溽暑，是五月中气，过此节以后，皆须曝书。汉·崔实《七夕暴书》，阮咸焉能免俗，盖此谓也。梅沾衣，皆以梅叶汤洗之脱也，余并不脱。

《本草纲目》 ［发明］［时珍曰］梅雨或作霉雨，言其沾衣及物，皆生黑霉也。芒种后逢壬为入梅，小暑后逢壬为出梅。又以三月为迎梅雨，五月为送梅雨。此皆湿热之气，郁遏熏蒸，酿为霏雨。人受其气则生病，物受其气则生霉，故此水不可以造酒醋。其土润溽暑，乃六月中气，陈氏之说误矣。

《食物本草》 惟以之煎药，则涤荡肠胃宿垢，味美而神清也。

439　夏冰（《拾遗》）

《本草拾遗》　夏冰，味甘，大寒，无毒。主去热，烦热，熨人乳石发热肿。暑夏盛热，食此应与气候相反，便非宜人，或恐入腹冷热相激，却致诸疾也。《食谱》云：凡夏用冰，正可隐映饮食，令气冷，不可打碎食之，虽复当时暂快，久皆成疾。今冰井，西陆朝觌出之，颁赐官宰，应悉此。《淮南子》亦有作法。又以凝水石为之，皆非正冰也。

《本草纲目》　［发明］［时珍曰］宋徽宗食冰太过，病脾疾，国医不效，召杨介诊之。介用大理中丸。上曰：服之屡矣。介曰：疾因食冰，臣因以冰煎此药，是治受病之原也。服之果愈。若此，可谓活机之士矣。

440　雹（《拾遗》）

《本草拾遗》　雹，主酱味不正，当时取一二升酱瓮中，即如本味也。

《本草纲目》　［释名］［时珍曰］程子云：雹者，阴阳相搏之气，盖沴气也。或云：雹者，炮也，中物如炮也。曾子云：阳之专气为雹，阴之专气为霰。陆农师云：阴包阳为雹，阳包阴为霰。雪六出而成花，雹三出而成实。阴阳之辨也。《五雷经》云：雹乃阴阳不顺之气结成。亦有懒龙鳞甲之内，寒冻生冰，为雷所发，飞走堕落，大者如斗升，小者如弹丸。又蜥蜴含水，亦能作雹，未审果否？［气味］咸，冷，有毒。［时珍曰］按：《五雷经》云，人食雹，患疫疾大风颠邪之证。［藏器曰］酱味不正，当时取一二升，内入瓮中，即还本味也。

441　冬霜（《拾遗》）

《本草拾遗》　冬霜，寒，无毒。团食者，主解酒热，伤寒鼻塞，酒后诸热面赤者。

《本草纲目》　［释名］［时珍曰］阴盛则露凝为霜，霜能杀物而露能滋物，性随时异也。乾象占云：天气下降而为露，清风薄之而成霜。霜所以杀万物，消浸沴。当降而不降，当杀物而不杀物，皆政弛而慢也。不当降而降，不当杀而杀物，皆政急而残也。许慎《说文》云：早霜曰霚，白霜曰皑。又有玄霜。［承曰］凡取霜，以鸡羽扫之，瓶中密封阴处，久亦不坏。［主治］和蚌粉，傅暑月痱疮，及腋下赤肿，立瘥。

442 冬冰水（《食物》）

《食物本草》 冬冰水，冬气严凝，水结成冰。以柔变刚，此阴极似阳之理。冬冰水，味甘，寒，用煎肠风、赤带、清热消烦之剂。

443 腊雪（《嘉祐》）

《嘉祐本草》 腊雪，味甘，冷，无毒。解一切毒，治天行时气温疫，小儿热痫狂啼，大人丹石发动，酒后暴热，黄疸，仍小温服之。藏淹一切果实良。春雪有虫，水亦便败，所以不收之。新补 见陈藏器及日华子。

《本草别说》 谨按：霜治暑月汗渍、腋下赤肿及痱疮。以和蚌粉，傅之立差。瓦、木上以鸡毛羽扫取，收瓷瓶中，时久不坏。今宜附腊雪后。

《本草衍义》 腊雪，文具“半天河”条下。

《绍兴本草》 腊雪凝至阴之气也，故可以涤热。其春雪不堪。然主疗已载。本经，味甘、性冷、无毒是矣。

《本草纲目》 ［释名］［时珍曰］按刘熙《释名》云：雪，洗也。洗除瘴疠虫蝗也。凡花五出，雪花六出，阴之成数也。冬至后第三戊为腊。腊前三雪，大宜菜麦，又杀虫蝗。腊雪密封阴处，数十年亦不坏；用水浸五谷种，则耐旱不生虫；洒几席间，则蝇自去；淹藏一切果食，不蛀蠹，岂非除虫蝗之验乎。［主治］［张从正曰］洗目，退赤。［吴瑞曰］煎茶煮粥，解热止渴。［时珍曰］宜煎伤寒火暍之药，抹痱亦良。

444 甘露水（《拾遗》）

《本草拾遗》 甘露水，味甘美，无毒。食之润五脏，长年不饥神仙，缘是感应天降祐兆人也。

《本草纲目》 ［释名］甘露又名膏露、瑞露、天酒、神浆。［时珍曰］按《瑞应图》云：甘露，美露也。神灵之精，仁瑞之泽，其凝如脂，其甘如饴，故有甘、膏、酒、浆之名。《晋中兴书》云：王者敬养耆老，则降于松柏；尊贤容众，则降于竹苇。《列星图》云：天乳一星明润，则甘露降。以上诸说，皆瑞气所感者也。《吕氏春秋》云：水之美者，三危之露。和之美者，揭雩之露，其色紫。《拾遗记》云：昆仑之山有甘露，望之如丹，着草木则皎莹如雪。《山海经》云：诸沃之野，摇山之民，甘露是饮，不寿者八百岁。《一统志》云：雅州蒙山常有甘露。以上诸说，皆方域常产者也。杜镐言，甘露非瑞也，乃草木将枯，精华顿发于外，谓之雀饧，于理甚通。

445 甘露蜜（《拾遗》）

《本草拾遗》 甘露蜜，味甘，平，无毒。主胸膈诸热，明目止渴。生巴西绝域中，如饧也。

汉武帝立金茎，作仙人掌承露盘，取云表之露，服食以求仙。

《本草纲目》 [集解] [时珍曰] 按《方国志》云，大食国秋时收露，朝阳曝之，即成糖霜，盖此物也。又，《一统志》云，撒马儿罕地在西番，有小草丛生，叶细如蓝，秋露凝其上，味如蜜，可熬为饧，夷人呼为达即古宾，盖甘露也。此与刺蜜相近，又见果部。

446 秋露水（《拾遗》）

《本草拾遗》 秋露水，味甘，平，无毒。在百草头者，愈百疾，止消渴，令人身轻不饥，肌肉悦泽。亦有化云母成粉，朝露未晞时拂取之。柏叶上露，主明目。百花上露，令人好颜色。露即一般所在有异，主疗不同。

《本草纲目》 [发明] [时珍曰] 秋露造酒最清洌。姑射神人吸风饮露。汉武帝作金盘承露，和玉屑服食。杨贵妃每晨吸花上露，以止渴解酲。番国有蔷薇露，甚芬香，云是花上露水，未知是否？[主治] [时珍曰] 八月朔日收取磨墨，点太阳穴，止头痛；点膏肓穴，治劳瘵，谓之天灸。

[百花上露] 令人好颜色。

[柏叶上露] [菖蒲上露] 并能明目，旦旦洗之。

[韭叶上露] 去白癜风。旦旦涂之。

[凌霄花上露] 入目损目。

凡秋露、春雨着草，人素有疮及破伤者触犯之，疮顿不痒痛。乃中风及毒水，身必反张似角弓之状。急以盐豉和面作碗子，于疮上灸一百壮，出恶水数升，乃知痛痒而瘥也。

447 繁露水（《拾遗》）

《本草拾遗》 繁露水是秋露繁浓时也，作盘以收之，煎令稠可食之。延年不饥。五月五日取露草一百种，阴干，烧为灰，和井花水，重炼令白，硷醋为饼，腋下挟之，干即易，主腋气臭，当抽一身间疮出，即以小便洗之。《续齐谐记》云：司农邓沼，八月朝入华山，见一童子以五彩囊承取柏叶下露，露皆如珠，云赤松先生取以明目。今人八月朝朝作露华明，像此也。汉武帝时，有吉云国有吉云草，食之不死，日照草木有露，著皆五色，东方朔得玄露、青黄二露，各盛五合，帝赐群臣，老者皆少，病者皆除。东方朔曰：日初出处，露皆如糖可食。汉武帝《洞冥记》所载：今时人煎露亦如糖，久服不饥。《吕氏春秋》云：水之美者，有三危之露。为水即味重于水也。

《本草纲目》　［发明］［时珍曰］郭宪《洞冥记》云：汉武帝时，有吉云国，出吉云草，食之不死。日照之，露皆五色。东方朔得玄露、青、黄三露，各盛五合，以献于帝。赐群臣服之，病皆愈。朔曰：日初出处，露皆如饴，久服不饥。《吕氏春秋》云：水之美者，有三危之露，为水即重于水也。

448　六天气（《拾遗》）

《本草拾遗》　六天气，服之令人不饥长年，美颜色，人有急难阻绝之处用之，如龟、蛇服气不死，阳陵子《明经》言：春食朝露，日欲出时向东气也；秋食飞泉，日没时向西气也；冬食沆瀣，北方夜半气也；夏食正阳，南方日中气也。并天玄地黄之气，是为六气。亦言平明为朝露，日中为正阳，日入为飞泉，夜半为沆瀣，及天地玄黄为六气。皆令人不饥，延年无疾者。人有堕穴中，穴中有蛇，蛇每日作此气服之。其人既见蛇如此，依蛇时节，饥时便服。又即仿蛇，日日如之，经久渐渐有验，即体轻健，似能轻举，启蛰之后，人与蛇一时跃出焉。

449　流水（《纲目》）

《本草纲目》　［时珍曰］流水者，大而江河，小而溪涧，皆流水也。其外动而性静，其质柔而气刚，与湖泽陂塘之止水不同。然江河之水浊，而溪涧之水清，复有不同焉。观浊水流水之鱼，与清水止水之鱼，性色迥别；淬剑染帛，各色不同；煮粥烹茶，味亦有异。则其入药，岂可无辨乎。

450　东流水（《拾遗》）

《食物本草》　东流水，从西来者，谓之东流水。大抵与千里水略同。东流水、千里水，二水皆堪荡涤邪秽，禁呪鬼神。潢污行潦，尚堪荐之王公，况其灵长者哉！

451 逆流水（《纲目》）

《本草纲目》 ［时珍曰］逆流水，治中风、卒厥、头风、疟疾、咽喉诸病，宣吐痰饮。［发明］洄澜之水，其性逆而倒上，故发吐痰饮之药用之也。取其回旋流止，上而不下也。无根水，吊桶下滴曰无根。解痈肿毒，调傅药极佳。倒流水，反酌而倾曰倒流。顺流水，性顺而下流，故治下焦腰膝之证，及通利大小便之药用之。急流水，湍上峻急之水，其性急速而下达，故通二便、风痹之药用之。昔有患小便闷者，众工不能治，张从正令取长川急流之水，煎前药，一饮立溲，则水可不择乎？

452 千里水（《拾遗》）

《本草拾遗》 千里水（即远来流水也），味平，无毒。主病后虚弱，扬之万过，煮药，禁神验。二水皆堪荡涤邪秽，煎煮汤药，禁咒鬼神，潢污行潦，尚可荐羞王公，况其灵长者哉！盖取其洁诚也。《本经》云：东流水为云母所畏，炼云母用之，与诸水不同，即其效也。

《本草纲目》 ［主治］［时珍曰］千里水，主五劳七伤，肾虚脾弱，阳盛阴虚，目不能瞑，及霍乱吐利，伤寒后欲作奔豚。

453 甘烂水（《纲目》）

《本草纲目》 ［主治］［时珍曰］甘烂水，一名劳水。味甘，无毒。治霍乱，及入膀胱奔豚气用之；并阳盛阴虚，目不能瞑。［发明］［时珍曰］劳水即扬泛水，张仲景谓之甘烂水。用流水二斗，置大盆中，以杓高扬之千万遍，有沸珠相逐，乃取煎药。盖水性本咸而体重，劳之则甘而轻，取其不助肾气而益脾胃也。虞抟《医学正传》云：甘烂水甘温而性柔，故烹伤寒阴证等药用之。［时珍曰］治病后虚弱，扬之万遍煮药禁神最验。

454 菊花水（《嘉祐》）

《嘉祐本草》 菊花水，味甘，温，无毒。除风补衰，久服不老，令人好颜色，肥健，益阳道，温中，去痼疾。出南阳郦县北潭水，其源悉芳。菊生被崖，水为菊味。盛洪之《荆州记》云：郦县菊水，太尉胡广，久患风羸，常汲饮此水，后疾遂瘳。此菊甘美，广后收此菊实播之京师，处处传植。《抱朴子》云：南阳郦县山中，有甘谷水，所以甘者，谷上左右皆生甘菊，菊花堕其中，历世弥久，故水味为变。其临此谷中居民，皆不穿井，悉食甘谷水，食无不寿考。故司空王畅、太尉刘宽、太傅袁隗皆为南阳太守，每到官，常使郦县月送甘谷水四十斛，以为饮食。此诸公，多患风痹及眩冒，皆得愈。新补。

《本草衍义》 菊花水，本条言南阳郦县北潭水，其源悉芳，菊生被崖，水为菊味，此说甚怪。且菊生于浮土上，根深者不过尺，百花之中，此特浅露，水泉莫非深远而来。况菊根亦无香，其花当九月、十月间，止三、两旬中，焉得香入水也？若因花而香，其无花之月合如何也？殊不详。水自有甘、淡、咸、苦，焉知无有菊味者？尝官于永、耀间，沿干至洪门北山下古石渠中，泉水清澈。众官酌而饮，其味与惠山泉水等，亦微香，世皆未知之。烹茶尤相宜。由是知泉脉如此，非缘浮土上所生菊能变泉味。博识之士，宜细详之。

《绍兴本草》 菊花水，性味主治已载本经。乃南阳郦县菊潭之水也。盖以彼处偶得之而疗疾，味甘、温、无毒者是矣。然在诸方稀见用之。

455　齑水（《纲目》）

《本草纲目》 ［集解］［时珍曰］此乃作黄齑菜水也。［气味］酸，咸，无毒。［主治］［时珍曰］吐诸痰饮宿食，酸苦涌泄为阴也。

456　浸蓝水（《纲目》）

《本草纲目》 浸蓝水［气味］辛、苦，寒，无毒。［主治］［时珍曰］除热，解毒，杀虫。治误吞水蛭成积，胀痛黄瘦，饮之取下则愈。［时珍曰］染布水，疗咽喉病及噎疾，温服一钟良。［发明］［时珍曰］蓝水、染布水，皆取蓝及石灰能杀虫解毒之义。昔人有因醉饮田中水，误吞水蛭，胸腹胀痛，面黄，遍医不效。因宿店中渴甚，误饮此水，大泻数行，平明视之，水蛭无数，其病顿愈也。

457　磨刀水（《纲目》）

《本草纲目》 磨刀水［气味］咸，寒，无毒。［时珍曰］洗手则生癣。［主治］［时珍曰］利小便，消热肿。

磨刀水，服，利小便。涂脱肛痔核，产肠不上，耳中卒痛。

458　卤水（即盐卤水）（《食物》）

《食物本草》　味苦、咸，无毒。主大热，消渴，狂烦；除邪及下蛊毒，柔肌肤，去湿热，消痰，磨积块，洗涤垢腻，过服损人。

459　盐胆水（一名滴卤）（《拾遗》）

《本草拾遗》　盐胆水，味咸、苦，有大毒。主䘌蚀疥癣，瘘虫咬，马牛为虫蚀，毒虫入肉生子毒。六畜饮一合，当时死，人亦如之。并盐初熟，槽中沥黑汁也。主疮，有血不可傅也。

《本草纲目》　［释名］［时珍曰］盐下沥水，则味苦不堪食。今人用此水，收豆腐。独孤滔云：盐胆煮四黄，焊物。［主治］［时珍曰］痰厥不省，灌之取吐，良。

460　神水（《纲目》）

《本草纲目》　［集解］［时珍曰］金门记云：五月五日午时有雨，急伐竹竿，中必有神水，沥取为药。［气味］甘，寒，无毒。［主治］［时珍曰］心腹积聚及虫病，和獭肝为丸。又饮之，清热化痰，定惊安神。

461　方诸水（《拾遗》）

《本草拾遗》　方诸水，味甘，寒，无毒。主明目，定心，去小儿热烦，止渴。方诸，大蚌也，向月取之，得三、二合水，亦如朝露。阳燧向日，方诸向月，皆能致水火也。《周礼》明诸承水于月，谓之方诸。陈馔明水以为玄酒，酒水也。

《食物本草》　方诸，大蚌也。掌摩令热，向月取之。得水二三合，亦如朝露。阳燧向日，方诸向月，皆能致水火也。

462　蟹膏投漆中化为水（《拾遗》）

《本草拾遗》　蟹膏投漆中化为水，仙人用和药，《博物志》亦载。又，蚯蚓破之去泥，以盐涂之化成水，大主天行诸热，小儿热病，痫癫等疾。新注云：涂丹毒并傅漆疮，效。

463　水花（《拾遗》）

《本草拾遗》　水花，平，无毒。主渴。远行山无水处，和苦栝楼为丸，朝预服二十丸，永无渴。亦入杀野兽药，和狼毒、皂荚、矾石为散，揩安兽食余肉中，当令不渴，渴恐饮水药解，名水沫。江海中间，久沫成乳石，故如石水沫，犹软者是也。

464　水气（《拾遗》）

《本草拾遗》　水气，有毒。能为风温，疼痹，水肿，面黄，腹大。初在皮肤脚手，入渐至六腑，令人大小便涩，至五脏渐渐加至，忽攻心便死，急不旋踵，无宽延岁月。既是阴病，复宜以阴物生类，诸猪、鱼、螺、鳖之属，春夏秋宜泻，冬宜补药，尤宜浸酒中服之，随阴阳所行者。昔马援南征，多载薏苡仁。冈叔留寓，常食猪肝，盖以为湿疾也。江湖间露气成瘴，两山夹水中气疟，一冷一热，相激成病症。此三疾俱是湿为，能与人作寒热，消铄骨肉，南土尤甚。若欲医疗，须细分析，其大略皆瘴类也。人多一概医之，则不差。

465　甑气水（《拾遗》）

《本草拾遗》　甑气水，主长毛发，以物于炊饮饭时承取，沐头，令发长密黑润。不能多得，朝朝梳小儿头，渐渐觉有益。

《食物本草》　治小儿诸疳遍身，或面上生疮，烂成孔臼，如大人广疮。用蒸米时甑篷四边滴下气水，以盘承取，扫疮上，大效。

466　铜器盖食器上汗（《拾遗》）

《本草拾遗》　铜器盖食器上汗，滴食中，令人发恶疮，内疽，食性忌之也。

467　铜器滴漏水（《纲目》）

《本草纲目》　［主治］［时珍曰］性滑，上可至巅，下可至泉，宜煎四末之药。虞抟。

468　屋漏水（《拾遗》）

《本草拾遗》　屋漏水，主洗犬咬疮，以水浇屋檐承取用之，以水滴檐下令土湿，取土以傅犬咬处疮上。中大有毒，误食必生恶疾。

《本草纲目》　屋漏水［气味］辛、苦，有毒。［李廷飞曰］水滴脯肉，食之，成癥瘕，生恶疮。又檐下雨滴菜，亦有毒，不可食之。［主治］［时珍曰］涂疣目，傅丹毒。

469　乳穴中水（《拾遗》）

《本草拾遗》　乳穴中水，味甘，温，无毒。久服肥健人，能食，体润不老，与乳同功。近乳穴处人，取水作食酿酒，则大有益也。其水浓者，秤重他水。煎上有盐花，此真乳液也，所为穴中有鱼，出鱼部中。

470　市门众人溺坑中水（《拾遗》）

《本草拾遗》　市门众人溺坑中水，无毒。主消渴重者，取一小盏服之，勿令病人知之，三度差。

471　三家洗碗水（《拾遗》）

《本草拾遗》　三家洗碗水，主恶疮久不差者，煎令沸，以盐投中，洗之，不过三五度，立效。

472　猪槽中水（《拾遗》）

《本草拾遗》　猪槽中水，无毒。主诸蛊毒，服一杯，主蛇咬，可浸疮，皆有效验者矣。

473　碧海水（《拾遗》）

《本草拾遗》　碧海水，味咸，不温，有小毒。煮浴去风瘙疥癣。饮一合，吐下宿食、胪胀。夜行海中，拨之有火星者，咸水色既碧，故云碧海。东方朔《十洲记》云。

《本草纲目》　［集解］［时珍曰］海乃百川之会。天地四方，皆海水相通，而地在其中。其味咸，其色黑，水行之正也。久饮令人苍黑，且用煎茶及作腐。

474　半天河（《别录》）

《名医别录》　半天河，微寒。主鬼疰，狂，邪气，恶毒。

《本草经集注》　此竹篱头水也，及空树中水，皆可饮，并洗诸疮用之。

《药性论》　半天河，单用。此竹篱头水及高树穴中盛天雨，能杀鬼精，恍惚妄语，勿令人知之与饮，差。

《本草拾遗》　半天河，在槐树间者主诸风及恶疮，风瘙疥痒，亦温取洗疮。

《日华子本草》　平，无毒。主蛊毒。

《开宝本草》　今注《唐本》原在草部，今移。

《外台秘要》　治身体白驳。取树木孔中水洗之，捣桂屑，唾和傅驳上，日再。白驳者，浸淫渐长似癣，但无疮也。

《本草衍义》　半天河水，一水也。然用水之义有数种，种各有理。如半天河水，在上天泽水也，故治心病、鬼疰、狂、邪气、恶毒。腊雪水，大寒水也，故解一切毒，治天行时气、温疫、热痫、丹石发、酒后暴热、黄疸。井华水，清冷澄澈水也，故通九窍，洗目肤翳及酒后热痢。后世又用东流水者，取其快顺疾速，通关下膈者也。倒流水者，取其回旋留止，上而不下者也。

《绍兴本草》　半天河水，主疗备见经注。乃竹篱头上，或高木穴中所盛雨露水也。其槐木间者，独称主治诸风。盖取其因槐气为用。本经止云微寒，而不载有无毒。《日华子》云：平，无毒。窃详半天河本雨露之水，即非有毒之物，今当以味甘、平、无毒是也。

《本草纲目》　半天河［释名］［时珍曰］《战国策》云：长桑君饮扁鹊以上池之水，能洞见脏腑。注云：上池水，半天河水也。然别有法。

《食物本草》　半天河又称天河水，一名上池水。即上天雨泽，灌注竹篱头及空树穴中水也。又云，其水降自银潢，故名天河水也。

475　车辙中水（《纲目》）

《本草纲目》　［释名］［时珍曰］辙，乃车行迹也。［主治］［时珍曰］车辙中水，治疬疡风，五月五日取洗之，甚良。牛蹄中水亦可。

476　赤龙浴水（《拾遗》）

《本草拾遗》　赤龙浴水，小毒。主瘕结气，诸瘕，恶虫入腹，及咬人生疮者。此泽间小泉，赤蛇在中者，人或遇之，经雨取水服及入浴。蛇有大毒，故以为用也。

477　诸水有毒（《拾遗》）

《本草拾遗》　诸水有毒，水府龙宫，不可触犯；水中亦有赤脉，不可断之；井水沸，不可食之。以上并害人。东晋·温峤，以物照水，为神所怒。《楚词》云：鳞物贝阙，言河伯所居。《国语》云：季桓子穿井获土缶。仲尼曰：水之怪魍魉，土之怪羵羊，水有脉及沸，并见白泽图。

《本草纲目》　井水沸溢，不可饮。[时珍曰] 但于三十步内取青石一块投之，即止。古井眢井不可入，有毒杀人。[时珍曰] 夏月阴气在下，尤忌之。但以鸡毛投之，盘旋而舞不下者，必有毒也。以热醋数斗投之，则可入矣，古冢亦然。汗后入冷水，成骨痹。[时珍曰] 顾闵远行，汗后渡水，遂成骨痹痿蹶，数年而死也。产后洗浴，成痉风，多死。酒中饮冷水，成手颤。酒后饮茶水，成酒癖。饮水便睡，成水癖。小儿就瓢及瓶饮水，令语讷。夏月远行，勿以冷水濯足。冬月远行，勿以热汤濯足。

478　毒泉水（《食物》）

《食物本草》　毒泉，在云南边方、者乐甸长官司东二百里蒙乐山，一名无量山之顶。山极高，穷日之力，方陟其巅。泉水有毒，人畜饮之并死。

毒泉水，有大毒。误饮之，不分人畜并死。

479　檐头水（《食物》）（从屋檐处流下的水）

《食物本草》　檐头水，有毒，不可用。或大雨冲斥，俟尘垢荡涤无余，庶可以器承受。不然，饮之多生疮疖，以猫鸟粪污沙土不净耳。

480　隽水（《食物》）

《食物本草》　隽水，在湖广江夏县东南二百里金城山下。水味甘美。《汉书》：隽，永也；又，肥肉曰隽。以此名水者，取其味甘美而长也。

隽水，味甘美。主生精神，壮元气，利水道，止口渴。除烦躁而清凉气血，抑火热而洗刷涎潮。治劳瘵之疾，养不足之气。固大便，止吐衄，调脾胃，补命门。

481　长江水（《食物》）

《食物本草》　长江天堑，界限南北；源发河潢，东流到海。水之浩淼无垠，莫逾于此。

长江水，味甘美，性流利，饮之能入肺脾，令人滑泽肌肤，神清气爽。

482　三峡水（《食物》）

《食物本草》　三峡，在四川夔州府白帝城西。两山相夹，水激其中，谓之峡。有广溪峡，为上峡；明月峡，为中峡；仙山峡，为下峡。其水湍激奔流，狂澜莫遏。每一舟入峡数里，后舟方续发。水势怒急，恐猝相遇，不可解拆也。帅司遣卒执旗，次递立山之上下。一舟平安，则簸旗以拓后船。峡中两岸，高崖峭壁，斧凿之痕皴皴然。天下危险之地，莫过于此。白居易诗：瞿塘天下险，夜上信难哉。岸似双屏合，天如匹练开。逆风惊浪起，拔签暗船来。欲识愁多少，高于滟滪堆。三峡水，味美宜烹，而上峡者为第一，中峡、下峡俱次之。昔人以为上峡水茗浮盎面，下峡水茗沉盎底，中峡水不浮不沉，界乎其中，试之果然。

三峡水：［上峡水］味甘美，平和。主益元气，助精神，止烦渴，养脾胃，滋脉络，通肾脏。小水闷而能行，多而能止，尤宜烹茗。其味佳美殊胜。［中峡水］味甘，平。主解渴和中，益肌润肺。治时疾狂热烦闷。［下峡水］味甘，平。主调和脏腑，止渴生津，清肌肉中热，开胃进食。中、下二水烹茶，味稍减于上峡。

483　湘水（《食物》）

《食物本草》　湘水在湖广长沙府城西，环城而下。其水至清，深五六丈，下见底丁了。石子如樗蒲，白沙如霜雪，赤岸若朝霞。有潇水来合，故又曰潇湘。

湘水，味甘。主清金润肺，抑火宁心，止渴生津液退热，利二便，涤烦虑，养元神。

484　汨罗江水（《食物》）

《食物本草》　汨罗江在湖广湘阴县北七十里。汨水、罗水，相合而入洞庭。

汨罗江水，味甘。主清心利肺，止渴除烦，明目聪耳，涤荡尘襟，消磨俗累。

485　味江水（《食物》）

《食物本草》　味江在四川灌县青城长乐山下，味甘美。太初蜀王征西番。野人以壶浆为献，王使投之江中，三军饮之皆醉。

味江水，味甘。主解忧恼，祛烦闷，止泄痢，治劳伤。微似酒，令人酣。

486　平河泉水（《食物》）

《食物本草》　平河在东阿县南。泉涌地中，汇而为潭，深不可测，相传有龙蛰焉。嘉靖初，郎中杨旦饮其地，欲涸而观之。水决未半，风霜大作乃止。

平河泉水，味甘。主通利脏腑，消除烦渴，去胃火齿痛，口唇生疮。

487　阳河水（《食物》）

《食物本草》　阳河在北直蓟州城西五里。河水性暖，甚寒不冰。相去二十里，有曰瀑水。夏日往往有冰浮出。其阴阳寒热不同如此。

阳河水，浴之，已疮疥，饮之，治寒疾。瀑水，热病发狂者，少少饮之，瘥。

488　凤河水（《食物》）

《食物本草》　凤河在北直隶东安县西北六十里。水性极热，虽隆冬冱寒亦不冰。

凤河水，浴之，治风寒湿痹；饮之，疗寒泄。

489　无患溪水（《食物》）

《食物本草》　无患溪在福建福清县，源出石竹山。相传林玄光修炼时，邑遭大疫，真人以药投水源，令病者沿流饮之，无不立愈。今有患者，亦往往祈祷，取此水煎药作汤饮之。多获效验。

无患溪水，味甘。治天行疫疠之气，头痛壮热如火，烦闷恶心，痢下腹痛，疟疾寒热，呕吐酸水痰涎，脚气攻冲，痞满不食，大小便不利。又治蛇虫咬螫，用此水煎药及饮之，并效。

490 兰溪水（《食物》）

《食物本草》 兰溪在湖广蕲水县西四十里。味极佳，陆羽《茶经》品为第三。宋郡守章《三泉记》曰：米芾书凤仙之阴，兰溪之阳，有泉出石罅。其在庭除者，为陆羽烹茶之水。其在凤山阴者，为逸少泽笔之井。兰溪品于《茶经》第三。藏诸水底，出则随溪。流无停积，故尝新洁。今之兰溪驿东数里、南岳庙后有一潭，乳泉津津漫出是也。王元之陆羽泉诗云：甃石封苔几尺深，试尝茶味少知音。惟余夜半泉中月，留照先生一片心。逸少池诗云：兰清时雨和甘棠，石壁洄澜映塔光。陆羽茶泉金鼎冷，右军墨沼兔毫香。龙潭彻底明秋月，凤鼎当空背夕阳。乘醉绿杨春晓兴，五壶并畔泛霞觞。

兰溪水，味甘冽。主清神益气，添文思，助豪兴，涵养情怀，伸舒郁滞。利耳目而破情开聪，启元阳而和心悦志。

491 洄溪水（《食物》）

《食物本草》 洄溪在湖广江华县四山之间，乳窦松膏之所。汲饮者多寿。

洄溪水，味甘。主添精髓，坚筋骨。治痈疡，补阴血。久饮之，悦颜耐老，寿至期颐。

492 蕉溪水（《食物》）

《食物本草》 蕉溪在江西大庾县西三十年里。水味甘冽而佳。苏公有蕉溪间试雨前茶之句。

蕉溪水，味甘冽。主清心润肺，解热邪，开郁气，凉大肠，止吐衄，降三焦之火，养阴退阳。瀹茗饮之，令人逸兴遄飞，风生肘腋。

493 箬溪水（《食物》）

《食物本草》 箬溪在浙江湖州府城西里许五峰山下。土人取下箬水酿酒，味极美。白乐天诗：劳将下箬忘忧物，寄与江南爱酒翁。

箬溪水（有上箬、下箬，惟下箬者佳），味甘冽。主养血脉，和脾胃，悦颜色，止烦渴，生津液，益智慧。酿酒味醇，多饮而不伤，少饮亦自酡然。

494　铁溪水（《食物》）

《食物本草》　铁溪在贵州镇远府城东北铁山下，其水清冷可茗。

铁溪水，味甘冷。主润肺生津，安和脏腑，清声音，退火热。

495　乌脚溪水（《食物》）

《食物本草》　乌脚溪在福建诏安石塍溪是也。涉其流者，两足皆黑，谓之乌脚瘴。沈存中《笔谈》载：漳州界有乌脚溪，涉者足皆如墨，饮之则病瘴。行人皆载水自随。梅龙图素多病，预忧瘴疠。至乌脚溪，使数人负荷，以物蒙身，恐为瘴水所沾。兢惕过甚，忽坠水中，自谓必死，然自此宿病尽除，无复昔之羸瘵，人皆以为异云。

乌脚溪水，有毒，不可饮，发瘴疠。涉其流者，足皆如墨，终身不瘥。

496　横涧泉水（《食物》）

《食物本草》　横涧泉，在定远县西北七里横涧山。垒石为城，泉出石中，甘冽可饮。

横涧泉水，味甘。主消酒积热，润肠胃燥涸，生津止渴，消痰利肺。

497　流玉涧水（《食物》）

《食物本草》　流玉涧在宝鸡县城南二里许。清流如玉，味甚甘冽。

流玉涧水，味甘。治脏腑积热，口干舌燥，咽喉肿痛，含水漱咽，大效。

498　蒲涧水（《食物》）

《食物本草》　蒲涧在广东番禺县东北二十里，涧傍多生九节菖蒲，水极清冷，异于常流。味甘而香，又名甘溪涧。

蒲涧水，味甘。主开心益志，明耳目，安神魂，养老扶衰，壮筋骨，善记诵。

499　梵音水（《食物》）

《食物本草》　梵音水在四川边境黎州治内。昔唐三藏至此，持梵音而水涌出，故名。水色如米泔而味甘。

梵音水，色玉，味饴。主益元气，补劳伤。缓脾助胃，止渴生津，宁心定志，镇惊辟邪。

500　菊潭水（《食物》）

《食物本草》　菊潭在河南内乡县东，漳水源出石涧山，水傍生甘菊，极馨香，水味甚甘洌，昔潭傍有数十家，惟饮此水，寿至百岁之上。

菊潭水，味甘洌。饮之主诸风眩晕，聪耳明目，清痰抑火。治头项急痛，及肝经不足受邪，久饮之轻身不饥，寿至百岁之上。

501　菖蒲潭水（《食物》）

《食物本草》　菖蒲潭在句容县茅山之阳。潭上多生九节菖蒲，服之可以长生。唐王建诗：江城柳色海门烟，欲到茅山始下船。知道君家当瀑布，菖蒲潭在草堂前。

菖蒲潭水，味甘。主补心神，益精血，益智慧不忘，强健耐老，延年不饥。

502　玉女潭水（《食物》）

《食物本草》　玉女潭在宜兴县阳羡山，深广十余丈。旧传玉女修炼于此。唐权德舆称阳羡佳山水，以此为首。文待诏征明有记，其略云：潭在山半深谷中，渟膏湛碧，莹洁如玉。三面石壁，下插深渊。石梁亘其上，如楣而偃。石上微窍。遇日正中，流影穿漏，下射潭心，光景澄霁。信非人间所有。唐张祜诗云：古树千秋色，苍崖百尺阴。发寒泉气静，神骇玉光沉。上穴青冥小，中连碧海深。何当烟月下，一听夜龙吟。独孤及诗云：碧玉徒强名，冰壶难比德。惟当夕照心，可并渊沦色。

玉女潭水，味甘。主补精神，壮筋骨，滋养脉络，荣华腠理。止烦渴，泽肌肤，驻景延年，轻身明目。

503　金牛潭水（《食物》）

《食物本草》　金牛潭在宜兴县张公洞后。其水澄泓不竭，味亦清冷。李郢诗云：石上苔芜水上烟，潺湲声在观门前。千岩万壑分流去，更引飞花出洞天。

金牛潭水，味甘。主和脾胃，调荣卫，除大热，宁心益智，利窍通淋。

504　过龛潭水（《食物》）

《食物本草》　过龛潭在福建仙游县飞凤漈。去五里许，有飞凤山，其高百仞。十里之外有泉萦回，注而为漈。漈下里许，有石虚中如龛，龛下有潭，潭水深碧，中多虬螭，水流从龛顶而下。潭下之水不可吸，吸则害人，惟过龛者，其味顿殊。饮之鬒，久可冲举。

过龛潭水，味甘。主补真元，益肾经，生血添精，乌须黑发，久饮之身轻，可以升举。潭下水有毒，不可吸。吸则害人，中多虬螭故也。

505　玉洞水（《食物》）

《食物本草》　玉洞在永福县东方广岩下，两石相倚，上合下开，状若郭门，水从门内涌出，色莹白如玉，味甘洁如饴。古诗有百尺寒泉漱玉鸣之句。

玉洞水，味甘。主补精神，益荣卫，清心肺二经之火邪，添肾与命门之真液。

506　丁东洞水（《食物》）

《食物本草》　丁东洞在于潜县西五十里鹫峰山。洞中泉水涓涓，味甘宜饮。古诗云：渴乌滴尽三更雨，铁骑敲残六月风。汤饼困来茶未熟，为师摇梦作丁东。

丁东洞水，味甘。主凉心肺大热，烦渴引饮，三焦火盛，小便滴沥，溺血淋闷。

507　滴水洞水（《食物》）

《食物本草》　滴水洞在福宁州东百里太姥山。山高五千余丈，洞在石天门上，泉流不竭，甘冽无比。

滴水洞水，味甘。主清心肺，长毛发，消暑气，止口渴，通小便癃闭。

508　灵泉洞水（《食物》）

《食物本草》　灵泉洞在遂昌县东数里飞鹤山。洞可伛偻而入，中有鸣泉淙淙。徐贯有“止水半潭清似靛”之句。

灵泉洞水，味甘。主清心经火热，滋肺脏燥涸，润肠胃，解暑氛，治消渴，下气消积块，久饮延年不饥，滑泽肌肤。

509 寒穴水（《食物》）

《食物本草》 寒穴，一名通灵泉。在松江府东南九十里金山之北。宋景祐中，相国舒王诗云：神震列霜冰，高穴与云平。空山淳千秋，不出鸣咽声。山风吹更寒，山月相与清。北客不到此，如何洗烦尘。毛滂铭云：泉之显晦，岂亦有数。生此寒穴，与世不通。美不见录，为汲者惜。泉独知冽，不计不食。

寒穴水，味甘。主清三焦积热，治肺火咳嗽，滋润肺肾二经，止渴生津液。

510 石穴水（《食物》）

《食物本草》 石穴在邵武县东百五十里七台山之狮子台上百花洞边。水出清冷，旱年洒田中则雨，病者饮数瓢即愈。

石穴水，味甘。治伤寒温热病，壮热如火，头痛如破，烦渴引饮。

511 天池水（《食物》）

《食物本草》 天池在桐城县大通峰之顶，其水渊洄，不盈不涸。

天池水，味甘。主补精神，益元气，和中养胃，解暑除烦，止口渴，生津液。

512 天池水（《食物》）

《食物本草》 天池在九江府西南五十里山谷中，四时湛碧，澄泓不竭。

天池水，味甘。主润肺经火燥，滋肠胃焦枯，治老人痰咳虚嗽。

513 天池水（《食物》）

《食物本草》 天池在奉节县巫山之间，浸可千顷。杜甫诗云：天池马不到，岚壁鸟才通。百顷青云杪，层波白石中。郁纡腾秀气，萧瑟浸寒空。直对巫山出，兼疑夏禹功。鱼龙开辟有，菱芡古今同。飘零神女雨，续断楚王风。闻道奔雷黑，初看浴日红。九秋惊雁序，万里狎渔翁。更是无人处，诛茅任薄躬。

天池水，味甘。主补五脏六腑，养肝明目，上焦虚热，眩冒时作。治山岚邪疟，鬼疰蛊气。久饮之，延年不饥，轻身羽化。

514 天池水（《食物》）

《食物本草》 天池在内乡县东南五十里天池山顶。其水比于帝台浆更寒冽。饮之者可以已心痛。

天池水，味甘。主消渴，清肺胃火热，已心痛及四肢麻痹不仁。

515 天池水（《食物》）

《食物本草》 天池在都匀府平浪长官司西南六十里凯阳山顶。其山险峻，周围十里，高四十丈，四壁斗绝，独一径尺许，仅可侧身而陟。池水清泠可茗。

天池水，味甘。主补五脏，益精神，止渴生津液，和中助元气。

516 天池水（《食物》）

《食物本草》 天池在苏州府西北四十里华山之腰。山石峭拔，岩壑深秀，池水横浸，逾数十丈。晋大康中生千叶莲，服之羽化。大国朝高启诗云：骑马寻幽度岭迟，老僧不识使君谁。门开红叶林间寺，泉浸青山石上池。残果已收猿食少，枯松欲折鹤巢危。壁间不用题名字，无限苍苔没旧碑。

天池水，味甘。主补五脏，益精神，助气力，利三焦，添骨髓，久饮不饥，驻色，耐老延年，羽化登仙。

517 灵池水（《食物》）

《食物本草》 灵池在长葛县西四十里少径山之麓。世传抱朴子习仙于此，亦名葛仙池。水味甘冽可饮，旱年祷之辄应。

灵池水，味甘。主补益三焦，调和脏腑，生津止渴，润肺清心。端午日正中时饮一杯，驱百邪，治百病。

518 石池水（《食物》）

《食物本草》 石池在宁阳县西青石山。其山惟一大石，高四十余丈，周回三里。石池二所，东西行列，类于人功。冬夏澄清，初无耗溢。

石池水，味甘。主清冷脏腑燔焦，滋益天真精髓。虚劳尸疰者，饮之辄治。入肺调诸经，滋肾溉五脏，除烦躁，止热渴。

519　龙池水（《食物》）

《食物本草》　龙池在六安州东五十里龙穴山之东南隅，池在一穴中，方五丈。张又新《烹茶水记》品此水为天下第十。

龙池水，味甘。主清诸经火热，补五脏六腑，荣养精神，滋充脉络，止渴生津，肥悦人面，久饮延年却疾，辟谷不饥。

520　温池水（《食物》）

《食物本草》　温池在福建莆田县锦江口，汉时胡道人采药炼丹于此。丹成，神仙下降，教以度世之方。若所炼者，仅可延年耳，非太上之药也。于是道人尽弃丹药于池，移居哥州修真，而池水遂温。浴之者多登上寿。宋·林大鼐《莆阳风物赋》云：浴桃源之汤者多年岁。

温池水，浴之登上寿，饮之亦可以治百病，轻身耐老。悦人面，不饥。

521　甘露池水（《食物》）

《食物本草》　甘露池在宁德县北七十里霍童山。山去平地七里，池在其巅。池水甘冽，饮之可以延年。

甘露池水，味甘。主补元气，益脏腑，养精神，悦颜色。久饮延年不饥。

522　江郎池水（《食物》）

《食物本草》　江郎池在江山县南五十里江郎山顶，人迹罕至。池中每生碧莲、金鲫。水味甘冽而寒。

江郎池水，味甘。主清心益脾胃，止吐血、衄血，治口渴。煮茗不宜，恐中产鱼味腥也。

523　宣圣墨池水（《食物》）

《食物本草》　宣圣墨池在济宁州南六十里鲁桥闸下。其水色玄。

宣圣墨池水，味甘。主抑心火，清肺金，益精补髓，以其色黑而入肾也。

524　上下华池水（《食物》）

《食物本草》　上下华池在青阳县九华山。味甚甘美，陈岩有“听钟吃饭东西寺，就水烹茶上下池”之句。

上下华池水，味甘。主补益元气，荣养精神，使津液涌自廉泉，制亢阳潜于至极。

525　净凝寺池水（《食物》）

《食物本草》　净凝寺池在余姚县西五十里姜女泉之傍。广不及丈，旱不涸，雨不盈。寺之烹饮，皆取给焉。池中草常芜没，僧稍芟治，泉即竭，祈祷久之，乃如故。

净凝寺池水，味甘。主清心润肺，抑火除热，生津液，止燥渴。

526　瞿塘水（《食物》）

《食物本草》　瞿塘在四川夔州府白帝城西。昔有人垂绳坠石探之，深八十四丈，为水程极险之处。中有滟滪堆，堆乃碎石积成，出水数十丈。又曰犹豫，言水势凶恶，舟子进退不决之义也。滟滪水平如席，舟楫始可行。若稍有泛涨，终莫能济。谚曰：滟滪如象，行人莫上，滟滪如马，行人莫下。滟滪大如鳖，瞿塘行舟绝；滟滪大如龟，瞿塘不可窥。或堆顶盘涡，水势瀺灂而下，谓之滟滪撒发。

瞿塘水，味甘，性速。主传达下焦，及荡涤膈中邪气。清利头目，快决小便，通肾经，解烦渴，排痈肿，散结气。凡胸脘厄塞不爽者，宜饮之。

527　大明寺水（《食物》）

《食物本草》　大明寺水在扬州府蜀冈之侧。古有拆字谜即此。谜云：一人堂堂，二曜同光。泉深尺一，点去冰傍。二人相连，不欠一边。三梁四柱，烈火烘然。除去双勾，两日不全。解者以为一人堂堂是大字，二曜同光是明字，泉深尺一是寺字，点去冰傍是水字，二人相连是天字，不欠一边是下字，三梁四柱，烈火烘然是無（无）字，除去双勾，两日不全是比字。乃大明寺水天下无比。按此并在蜀冈之傍，冈有茶园，产茶甘如蒙顶。蒙顶在蜀，故以名冈，且井水之脉来自西川。相传有僧于蜀江洗钵，为浪所漂，从此井浮出，后游扬州获之。苏东坡有“蜀井由冰雪及剩觅蜀冈新井茶”之句。苏颖滨亦有诗云：信脚东游三十年，甘泉香稻忆归田。行逢蜀井恍如梦，试煮由茶意自便。

大明寺水，味甘，天下无比。主补益真元，清凉肺腑，润燥涸，除烦闷，生津液，止口渴，滑泽肌肤，和颜悦色。久饮之，轻身耐老，延年不饥。

528　石盆水（《食物》）

《食物本草》　在东阳县大盆山，有石如盆。径二尺，深尺许，其水清甘常满。

石盆水，味甘。主利五脏，润肺下气，止呕止渴，治咳消痰。

529　池沼水（《食物》）

《食物本草》　苑囿之中，方塘半亩，谓之池沼。

池沼水，味甘，平，无毒。止而不流利，用煎泄泻药。止者，塞之义也，故反验。

530　云梦泽水（《食物》）

《食物本草》　云梦泽在湖广云梦县南六十步，方九百里。

云梦泽水，味甘，平。主消渴，养所，明目聪耳，除三焦热，荡脏腑中邪气壅塞不通。治燥气干涸，皮肤瘙痒。

531　洞庭湖水（《食物》）

《食物本草》　洞庭湖一名三江。《禹贡》谓之九江，在湖广岳州府城下。沅、渐、元、辰、叙、酉、澧、资、湘九江，皆会于此。孟浩然诗云：八月湖水平，涵虚混太清。气蒸云梦泽，波撼岳阳城。欲济无舟楫，端居耻圣明。坐观垂钓者，徒有羡鱼情。杜子美诗云：昔闻洞庭水，今上岳阳楼。吴楚东南坼，乾坤日夜浮。亲朋无一字，老病有孤舟。戎马关山北，凭轩涕泗流。张说诗云：枫岸纷纷落叶多，洞庭秋水晚来波。盛兴轻舟无远近，白云明月吊湘娥。李太白诗：洞庭西望楚江分，水尽南天不见云。日落长沙秋色远，不知何处吊湘君。荆江五六月间，其水暴涨，则逆泛洞庭。潇湘清流，为之改色。南至青草，旬日乃复。亦谓之西水。其水极冷，皆云岷峨雪消所致，岳人谓之翻流。又云水神朝元君。

洞庭湖水，味甘，平。主消积滞，推陈致新，止渴除烦，去胸中热满，利大小便，滋养脏腑，调和气血。五六月间湖水暴涨，水性极冷，盖因岷峨万山深处，积雪已消，流出所致。饮之能解热毒，消烦暑。不可多饮，伤脾胃。

532 鄱阳湖水（《食物》）

《食物本草》 鄱阳湖一名彭蠡，王勃《滕王阁赋》响穷彭蠡之滨是也。在江西南昌府东北百五十里。其水总纳十川，同凑一渎。隋·范云有“滉瀁疑无际，飘飖似度空”之句。

鄱阳湖水，味甘，平。主荡涤胸中邪气，消除心上忧愁，滋肺金以助真元，伐心火而遏炽焰。止渴生津，资养脉络。

533 太湖水（《食物》）

《食物本草》 太湖一名震泽，一名具区，一名笠泽。在直隶苏州府西三十余里，浙江湖州府北十八里，其广三万六千顷，中有七十二峰，襟带苏、湖、常三府。北曰百渎，纳建康、常、润数郡之水。南曰诸溇，纳宣、歙、临安、苕、霅诸水。唐·薛据泊震泽诗：日落草木阴，舟徒泊江汜。苍茫万象开，合沓闻风水。洄沿值渔翁，窅窱逢樵子。云开天宇净，月明照万里。

太湖水，味甘，平。主消烦益气，除热，利胸膈，止渴解表，和血脉，通二便，定惊痫，祛邪疟，宽胸中厄塞之气，泻肺家稠浊之痰。多得三吴灵秀，人久饮之，开心益智。

534 天湖水（《食物》）

《食物本草》 天湖在尤溪县北莲华峰顶。水色绀碧，不知泉脉所自，亢旱不绝。宋时每见五色云，间有并蒂莲，则岁大稔。

天湖水，味甘。主强志不饥，轻身明目。治小儿丹瘤热毒。

535 雁荡湖水（《食物》）

《食物本草》 雁荡湖一名龙湫。在乐清县雁荡山。山跨乐清、平阳二县，上有飞泉，如顷万斛，水从天而下。顶上有湖，方十余里，水常不涸。雁之春归者，留宿于此。宋沈括《笔谈》云：雁荡山，天下奇秀。自下望之，高若峭壁；从上观之，适与地平。其山高一万八千丈，湖当绝巘，水之清莹甘冽，自与尘浊之地者迥别。古诗有天台雁荡天下奇，有生不往将安之？唐僧贯休诗云：雁荡径行云漠漠，龙湫宴坐雨蒙蒙。

雁荡湖水，味甘，主益精神，补元气，扶衰振弱，滋肾宁心，解暑消酒，生津止渴。

536 玉壶湖水（《食物》）

《食物本草》 玉壶湖在金华县长山之巅。山高一千余丈，上有双峦，曰玉壶、曰金盆。壶中有湖，名徐公湖，周回四百八十步。有徐公者至此，逢二人共博，自称赤松子、安期生，酌湖水为乐以饮之。徐公醉卧，及醒，不见二人，而宿蟒攒聚身上，因名徐公湖。湖水清莹无滓，甘冽胜于他水。

玉壶湖水，味甘。主补精神，益荣卫，润肺宁心，保神定志，开智慧，好颜色，延年耐老，轻身不饥。

537 珠湖水（《食物》）

《食物本草》 珠湖在长乐县溪湄山顶，周回四五亩，水味清冷，冬夏不为盈缩。相传水中有巨蚌，剖之有珠。

珠湖水，味甘。主女人虚劳下血，压丹石毒，除烦热。

538 蜜湖水（《食物》）

《食物本草》 蜜湖在江西安福县东南十五里。水味甘如蜜，中产莼丝鲫。

蜜湖水，味甘，平。主助脾胃，养肌肉，缓中益气，止呕逆。

539 练湖水（《食物》）

《食物本草》 练湖一名后湖。在直隶丹阳县北百二十步。其水味甘色白。彼地有曰曲阿，出名酒，皆以后湖水所酿，故醇冽也。唐·李华有颂，其序略云：大江其区，惟润州薮曰练湖，幅员四十里，菰蒲菱芡，龟鱼螺鳖，厌饫江淮，膏润数州，其利甚溥。刘直指《观吴录》曰：练湖坐落丹阳，上受高丽、长山诸汉之水，泛滥为灾。始自先秦时，居民疏告官司，议将开姓田地，筑埂潴水，得免旱潦，故又名开家湖。周四百十余里，计亩一万三千有奇。晋·陈敏据有江东，改名曲阿湖。南宋文帝游幸其上，饮此水而甘之，更名胜景湖。至宋建炎间值乱，练兵于此，逐易今名，载在《水经》志册，居五湖之一也。

练湖水，味甘冽。主生津止渴，润肺治咳，滋肾水，退虚热，明耳目，开心益智。久饮之，令人悦颜色、耐老。

540　温水（《食物》）

《食物本草》　温水在湖广蕲州东北六十里，当蕲春县介山下。凝冬之月，蒸气上腾，人皆沐浴于此，可以疗百病，愈诸疮。

温水，浴之，可以已诸疾，瘥疮疡。

541　汤水（《食物》）

《食物本草》　汤水在北直隶沙河县。《山海经》云：汤山之下，汤水出焉。此汤愈疾，为天下最。今人有病，浴之辄效。

汤水，浴之治百病，饮之暖脾胃。治泄利，四肢寒痹拘急，或纵缓不收，麻木疼痛。

542　平疴汤（《食物》）

《食物本草》　平疴汤在和州北四十里。能愈一切众疾。凡抱疴者，近远皆来浴之。梁昭明亦尝赴澡。又名太子汤。

平疴汤，但可浴之。治劳瘵羸疾，中风瘫痪，厉风恶疮，一切诸疾。

543　炊汤（《拾遗》）

《本草拾遗》　炊汤，经宿洗面，令人无颜色；洗体，令人成癣；未经宿者，洗面，令人亦然。

544　温汤（《拾遗》）

《本草拾遗》　温汤，主诸风，筋骨挛缩及皮顽痹，手足不遂，无眉发，疥癣诸疾，在皮肤骨节者入浴。浴干，当大虚惫，可随病与药及饭食补养。自非有佗病人，则无宜轻入。又云：下有硫黄，即令水热。硫黄主诸疮病，水亦宜然。水有硫黄臭，故应愈诸风冷为上，当其热处，大可焊猪羊。

［汪颖曰］庐山有温泉，方士往往教患疥癣风癞杨梅疮者，饱食入池，久浴得汗出乃止，旬日自愈也。

《本草纲目》 温汤一名温泉、沸泉。［释名］［时珍曰］温泉有处甚多。按胡仔渔隐丛话云：汤泉多作硫黄气，浴之则袭人肌肤。惟新安黄山是朱砂泉，春时水即微红色，可煮茗。长安骊山是礜石泉，不甚作气也。朱砂泉虽红而不热，当是雄黄尔。有砒石处亦有汤泉，浴之有毒。

545 热汤（《嘉祐》）

《本草拾遗》 凡初觉伤寒三日内，但取热汤饮之，候吐则止，可饮一、二升，随吐，汗出差。重者亦减半。又，冻疮不差者，热汤洗之效。

《嘉祐本草》 热汤，主忤死。先以衣三重，藉忤死人腹上，乃取铜器若瓦器盛汤著衣上，汤冷者去衣，大冷者换汤，即愈。又，霍乱，手足转筋，以铜器若瓦器盛汤熨之，亦可令蹋器使脚底热彻，亦可以汤捋之，冷则易，用醋煮汤更良，煮蓼子及吴茱萸汁亦好。以棉絮及破毡角脚，以汤淋之，贵在热彻。又缫丝汤，无毒，主蛔虫。热取一盏服之，此煮茧汁，为其杀虫故也。又焞猪汤，无毒，主产后血刺心痛欲死，取一盏温服之。新补见《抱朴子》、陈藏器。

《野人闲话》 《朱真人灵验篇》有病者，患风疾数年不差。掘坑令患者解衣坐于坑内，逐以热汤上淋之。良久，复以簟盖之，差。

《本草衍义》 热汤，助阳气，行经络。患风冷气痹人，多以汤渫脚至膝上，厚覆使汗出周身。然别有药，亦终假汤气而行也。四时暴泄利，四肢冷，脐腹疼，深汤中坐，浸至腹上，频频作，生阳佐药，无速于此。虚寒人始坐汤中必战，仍常令人伺守。

《绍兴本草》 热汤之用，取其热气通畅。本经虽有主疗之文，然未尝有专恃此而起疾者。复有醋汤，蓼子、吴茱萸等汁，然主治颇同，但性味殊异。其缫丝汤、焞猪汤，并云服饵、疗疾，皆未闻验据。但热汤固知性平，无毒是也。

《本草纲目》 ［释名］［时珍曰］热汤一名百沸汤。［气味］甘，平，无毒。［时珍曰］按汪颖云：热汤须百沸者佳。若半沸者，饮之反伤元气，作胀。或云：热汤漱口损齿。病目人勿以热汤洗浴。冻僵人勿以热汤灌之，能脱指甲。铜瓶煎汤服，损人之声。［发明］［张从正曰］凡伤寒伤风伤食伤酒，初起无药，便饮太和汤碗许，或酸齑汁亦可，以手揉肚，觉恍惚，再饮再揉，至无所容，探吐，汗出则已。［时珍曰］张仲景治心下痞，按之濡，关上脉浮，大黄黄连泻心汤，用麻沸汤煎之，取其气薄而泄虚热也。朱真人灵验篇云：有人患风疾数年，掘坑令坐坑内，解衣，以热汤淋之，良久以簟盖之，汗出而愈，此亦通经络之法也。时珍常推此意，治寒湿加艾煎汤，治风虚加五枝或五加煎汤淋洗，觉效更速也。

546　生熟汤（《拾遗》）

《本草拾遗》　生熟汤，味咸，无毒。热盐投中饮之，吐宿食毒恶物之气，胪胀欲为霍乱者，觉腹内不稳，即进一、二升，令吐得尽，便愈。亦主痰疟，皆须吐出痰及宿食，调中消食。又人大醉及食瓜果过度，以生熟汤浸身，汤皆为酒及苽味。《博物志》云：浸至腰，食瓜可五十枚，至胫颈则无限。

《本草纲目》　［释名］生熟汤一名阴阳水。［时珍曰］以新汲水、百沸汤合一盏和匀，故曰生熟，今人谓之阴阳水。［主治］［时珍曰］凡霍乱及呕吐，不能纳食及药，危甚者，先饮数口即定。［发明］［时珍曰］上焦主纳，中焦腐化，下焦主出。三焦通利，阴阳调和，升降周流，则脏腑畅达。一失其道，二气淆乱，浊阴不降，清阳不升，故发为霍乱呕吐之病。饮此汤辄定者，分其阴阳，使得其平也。［藏器曰］凡人大醉，及食瓜果过度者，以生熟汤浸身，则汤皆为酒及瓜味。博物志云：浸至腰，食瓜可五十枚，至颈则无限也。未试。

547　洗儿汤（《纲目》）

《本草纲目》　［主治］［时珍曰］胎衣不下，服一盏，勿令知之。延年秘录。

548　洗手足水（《纲目》）

《本草纲目》　［主治］［时珍曰］病后劳复，或因梳头，或食物复发，取一合饮之，效。圣惠

549　浆水（《嘉祐》）

《嘉祐本草》　浆水，味甘、酸，微温，无毒。主调中，引气宣和，强力通关，开胃止渴，霍乱泄痢，消宿食。宜作粥，薄暮啜之，解烦去睡，调理腑脏。粟米新熟白花者。煎令醋止呕哕，白人肤体如缯帛。为其常用，故人不齿其功。冰浆至冷，妇人怀妊，不可食之，食谱所忌也。新补

《外台秘要》　大妙去黑子方：夜以暖浆水洗面，以布揩黑子令赤痛，水研白

檀香取浓汁以涂之，且又复以浆水洗面，仍以鹰粪粉黑子。《孙真人食忌》手指肿方：煎浆水和少盐，热渍之，冷即易。又方食生脯腊过多，筋痛闷绝。煮细浆水粥，以少鹰粪末搅和，顿服三五合。鸥子粪亦得。《兵部手集》救人霍乱，颇有神效。浆水稍醋味者，煎干姜屑，呷之。夏月腹肚不调，煎呷之差。《产宝》云：孕妇令易产。酸浆水和水少许，顿服立产。《杨氏产乳》云：妊娠不得食浆水粥，令儿骨瘦不成人。

《本草衍义》 浆水，不可同李实饮，令人霍乱吐利。

《绍兴本草》 浆水即蒸米渍水，腐而所成。本经虽有主疗，然在起疾，即未闻恃此取效者，其味甘、酸，微温，无毒是也。

《本草蒙筌》 浆水，味甘、酸，气微温。无毒。所造之法，臞仙（江西宁王）备云：节择清明，熟炊粟饭，乘热投瓷缸内，冷水浸五六朝。味渐酸而生白花，色类浆故名浆水。或酷热当茶饮下，或薄暮作粥啜之。醒睡除烦，消食止渴。调和脏腑，滑白肌肤。霍乱立建神功，泄痢即臻速效。

《本草纲目》 ［释名］浆水，一名酸浆。［嘉谟曰］浆，酢也。炊粟米热，投冷水中，浸五六日，味酢，生白花，色类浆，故名。若浸至败者，害人。［主治］［时珍曰］利小便。［发明］［震亨曰］浆水性凉善走，故解烦渴而化滞物。滑胎易产，酸浆水和水少许服之。面上黑子，每夜以暖浆水洗面，以布揩赤，用白檀香磨汁涂之。

550 地浆（《别录》）

《名医别录》 地浆，寒，主解中毒烦闷。

《本草经集注》 此掘地作坎，以水沃其中，搅令浊，俄顷取之，以解中诸毒。山中有毒菌，人不识，煮熟之，无不死。又枫树菌食之，令有笑不止，惟饮土浆皆差，余药不能救矣。

《日华子本草》 地浆，无毒。

《开宝本草》 今注《唐本》原在草部下品之下，今移。

《太平圣惠方》 治热渴心闷，服地浆一盏并妙。《梅师方》食生肉中毒。掘地深三尺，取土三升，以水五升，煎五沸，清之一升，即愈。

《绍兴本草》 地浆，解毒诸方有用之者。其法掘地为坎，水沃于中，澄取饮之。是假土气为用尔，当以性平、无毒是也。

《本草纲目》 ［主治］［时珍曰］解一切鱼肉果菜药物诸菌毒，疗霍乱及中暍卒死者，饮一升妙。[发明][时珍曰]按罗天益《卫生宝鉴》云：中暑霍乱，乃暑热内伤，七神迷乱所致。阴气静则神藏，躁则消亡，非至阴之气不愈。坤为地，地属阴，土平曰静顺。地浆作于墙阴坎中，为阴中之阴，能泻阳中之阳也。

551　帝台之浆（《山海经》）

《山海经》　帝台之浆，中次十一经，高前之山，其上有水焉，其寒而清，帝台之浆也，饮之者不心痛。郭璞注云：今河东解县南坛道山有水潜出，淳而不流，即此处矣。

帝台浆，味甘。主补五脏，生津液，止肺渴，治羸瘵，久服延年不饥。

以下诸水录自赵学敏《本草纲目拾遗》。

552　春水（赵学敏）

《本草纲目拾遗》　《南诏志》：春水有三，俱在鹤庆府。一在城东南二十里石碑坪；一在城南三十里龙珠山麓；一在城东北三十里五老山下。春水盈时有硫黄气。郡人于二三月间和盐梅椒末饮之，能祛疾。《职方考》：云南鹤庆府出春水，在观音山莲花寨之北，立夏前三日出，后七日止，水无定所，每出时地中漉漉有声，土人循其声掘之其水始出，能除百病，远近村民竞饮之，走彝方者饮之不染瘴，病疠者饮之立除。外境人尤效，数日内有鹦鹉、绿鸠数百群飞来，饮水涸乃去。

味甘性平，除痼疾，厚肠胃，已虚劳，去瘴疠。

敏按：土为万物之母，凡物得土之精者，均入脾胃而能扶正气。正气足，则百病自除。此水在地能鸣，出无定所，乃川脉得先天之气，借地力宣泄，故有厚胃除疾之功。出七日即涸，并具来复之机。鹤庆为云南边境，山川蒙密，民多瘴疠。府志载城东南尚有温泉，每岁三月，郡人浴之，有痞疾者辄愈，则又不特春水之出其地也。天心爱人，生一害必生一物以救之，如出鸩之地多犀，观于此水，可以悟物理矣。

553　天孙水（赵学敏）

《本草纲目拾遗》　《广志》云：即七夕水。广人每以七夕鸡初鸣，汲江水或井水贮之，是夕水重于他夕数斤，经年味不变，益甘甚。以疗热病，谓之圣水。若鸡二唱则水不然矣。

色清，性微寒，味甘，治一切热症，神效。

喉蛾喉痈，陆氏《济世良方》：用肥婆草捶烂，将些圣水开服，如牙痍牙痈，将此草捶烂，和圣水含在口内，吐换数次即愈。

治食百尿，《济世良方》：用苦瓜捶烂，取汁，和圣水服之即愈。若无苦瓜，取其核捶烂，和圣水服之。

554 荷叶上露（赵学敏）

《本草纲目拾遗》 夏日黎明日降出时，将长勺坐碗于首，向荷池叶上倾泻之，以伏露为佳。秋露太寒，花上者性散，有小毒，勿用。

味甘，明目，下水臌气张，利胸膈，宽中解暑。大力丸用之。（莲叶象震卦，荷上露或亦入肝而滋益肝脏欤?）

按：露本阴液，夜则地气上升，降而为露。其性随物而变，《居易录》有碧玉露浆方，于中秋前后，用无五倍子新青布一二匹扯作十余段，每一段四五尺，五更时于百草头上，或荷叶稻苗上者尤佳。先用细竹一根，掠去草上蛛网，乃用青布系长竹上，如旗样，展取草露水，绞在桶中，展湿即绞，视青布色淡，则另换新布，阳光一见则不展，所取露水，用瓶罐洗净盛贮，澄数日自清，晚间用男乳一酒杯，约一两半，白蜂蜜一酒杯，人参汤一酒杯，多少同乳，人参须上等，四五分不拘，总入一宫碗内，将露水一饭碗搀入宫碗，共得七八分，和匀，以棉纸封口，用碟盖好。次日五更，烧开水二大碗，将宫碗内露隔汤顿热，睡醒时缓缓温服之。蓝所以杀虫，露去诸经之火，参补气，乳补血，蜜润肺。治一切虚损劳症有奇效。可知露本养阴扶阳，又得荷叶之清气，故能奏功如此。

555 糯稻露（赵学敏）

《本草纲目拾遗》 俞佳士《妙应方》：治痞块。八月白露后收糯稻头上露水，晚作二服，饮下立消。

556 白云（赵学敏）

《本草纲目拾遗》 云本山泽之气，蒸而为云，水属也。故入水部。云有五色，惟白云可治病，唐守时言：凡高山大川，悉有云气，五岳名山，多出云，山僧取之饷客。其取云法：用金漆盒，盖上凿一孔，以木塞之。俟天气晴朗黎明，往山岩石畔觅之，见地上有白云如线者，如笋者，茁土而出，即云苗也。急以盒盖孔对其气，使尽入其中，以木塞口。收必须白云，如雪色，有香气如梅兰，方合用。其他杂色云，多带草土气，黑云尤腥，多带怪物，不宜盒取。放云之法：择净室，须四面有窗者，通上下用纸裱糊，勿令泄气，然后将云盒置中去塞，则云自出，悠扬涣散，芬芳四绕，可以醒脾胃，舒肝郁，而和经络，令人有倏然出尘之想。

治哑瘴，余澹庵云：滇广山瘴有一种，人受之终身不能语，名曰哑瘴。唯闻白云之气，久久自引毒外出，可以痊愈。

血臌水肿，闻云气渐消。

557　卤水（赵学敏）

《本草纲目拾遗》　苦、咸，无毒，治大热，消渴去烦，除邪下蛊毒，柔肌肤，去湿热，消痰，磨积块垢腻，多服损人。《食纂》

《本草纲目》　有盐胆水，乃已烧成盐复沥下之苦卤，一名卤水。此乃取于卤地，沥以烧盐之用，与盐胆水不同。

558　竹精（赵学敏）

《本草纲目拾遗》　王东藩《医奥》云：毛竹内剖之，新竹多有水，乃竹精也。以不臭色清者入药佳。

治汗斑，以鸡毛蘸水刷上，立退。

五月五日雨，剖竹得水，名神水。

559　古刺水（赵学敏）

《本草纲目拾遗》　《带经堂诗话》：左公萝石手书一贴云：乙酉年五月，客燕之太医院，从人有自市中买得古刺水者，上镌永乐十八年熬造古刺水一罐，净重八两，罐重三斤，内府物也。按：左诗中有再拜尝此水，含之下忍咽句，则此水未尝不可服食也。又云：瓶中古刺水，制自文皇年。制之扃天府，元石流清泉。列皇次祖泽，旨之如羹然。绎诗意，又似常服所制，亦不只十八瓶也。王阮亭《居易录》：有客自燕至，出其橐，有阿房宫砖瓦一，陆探微画一，古刺水十余罐。古刺水用锡罐贮之。上朱刻永乐二年熬造，罐重二斤，水八两，香气酷烈。据此，则古刺水又如是之多，罐面以锡，刻字涂朱，其曰二年，则又在前，或明时内府有此制耳。

何氏《辟寒录》云：古辣（通古刺）本宾横间墟名，以墟中之泉酿酒，埋之地中，日足取出，名古辣泉。色浅红，味甘，不易败，此或另一种也。按《舆地志》，宾横，今广西宾州横州。

陈墨樵《苕水札记》云：姚履中坦为予言，余杭一旧家，祖遗一锡瓶，制极精致，面刻三楷字云古刺水。口封固极密，摇之有水声，相传数世，亦不知何用。

薛淀山洪云：严嵩抄家籍上有此，其凉沁骨，盖暑月以凉体者。

《李觐王日记》云：予馆河东裴氏，其家有古刺水一罐。系钢制，高四寸，围一拱，身圆面平，状如花鼓，铜质青黄，四围牢铸：永乐二十一年十月铸。古刺水一罐，罐重三斤，水重八两，共二十二字，字皆阴文。据云：世宦郑氏旧物也。钻铜取水，可疗瞽疾。

朱退谷曾于陕西陈渭野处，见古刺水一瓶，云是海坛镇张杰家物，其制上大而下小，圆如瓶式，四围无痕迹，摇之有水声，面微有小钻孔，言曾有富瞽持十金欲售之以治目，方取钻钻孔，天大霹雳，因惧而止，然此物亦神矣。孙雍建云：古刺，地名。古刺水乃三宝太监所求得之物，天下止有十八瓶。其瓶以五金重重包裹，其近水一层，乃真金也。水色如酱油而清，光可鉴，以火燃之如烧酒有焰者真。其性大热，乃房中药也。妇人饮之，香沁骨肉。

560　鼻冲水（赵学敏）

《本草纲目拾遗》　出西洋，舶上带来，不知其制。或云树脂，或云草汁合地溲露晒而成者。番舶贮以玻璃瓶，紧塞其口，勿使泄气，则药力不减，气甚辛烈，触入脑，非有病不可嗅。岛夷遇头风伤寒等症，不服药，惟以此水瓶口对鼻吸其气，即遍身麻颤，出汗而愈。虚弱者忌之，宜外用，勿服。治外感风寒等症，嗅之大能发汗。

561　丹砂水（赵学敏）

《本草纲目拾遗》　《臞仙神隐》有造丹砂水法：丹砂一斤，石胆二两，硝石四两，以小口瓷罐，漆固其口。埋地中四十九日，出视成水，则药成矣。若未化再埋。又法：用竹筒盛亦可。

味苦，服之延年。杀精魅，却恶鬼，养精神，安魂魄。

562 曾青水（赵学敏）

《本草纲目拾遗》 《神隐》云：制同丹砂，不用石胆，易以汞二两，药用洗眼。亦可服。

止目痛，收风泪，久服轻身不老。

563 白凤浆（赵学敏）

《本草纲目拾遗》 《痘学真传》有造白凤浆法：用单叶白凤仙花，采闭坛中令满，以箬封口。再将泥搪之，埋土内二三十年方取用。坛中花悉化成水，割去滓脚，其清水即凤将也。另贮瓷瓶听用。

性大寒，治痘疹焦陷不救者，药内加一茶匙服之，立能回焦更生。不可多用，疏痰，解一切火毒，大有奇功。

564 天萝水（赵学敏）

《本草纲目拾遗》 《救生苦海》：霜降后，择粗大丝瓜藤掘起根三四寸，剪断，插瓶中一夜，其根中汁滴入瓶内，名曰天萝水，封固埋土中，年久愈佳。

治双单娥，饮一杯即愈。又可消痰火，化痰成水，解毒如神，兼清内热，治肺痈、肺痿更效。

萧山有一老妪家，市肺痈药水，三服立愈。门如市，已数世矣。王圣俞曾得其方述之，即此水也。于立秋日取存瓮用。愈陈愈佳。

565 梅子水（赵学敏）

《本草纲目拾遗》 《秋泉秘录》有造梅子水法：用大梅子三五十个，捣碎，入有嘴瓶内，加盐三两，入河水浸过二指，日取蜒蚰投入，多多益善，经年更佳。凡毒，将水搽之则消。

治诸毒恶疮。

566　樱桃水（赵学敏）

《本草纲目拾遗》　梁侯瀛《集验方》：春日鲜樱桃收数斤，盛在瓷瓶内，封口，放在凉处，发过成水，滤去渣，听用。

治冻瘃疮神验：将水搽在疮上即愈。若预搽面，则不生冻瘃。

疹发不出，名曰闷疹：用樱桃水一杯，略温灌下，垂死者皆生。《不药良方》

567　各种药露（赵学敏）

《本草纲目拾遗》　凡物之有质者，皆可取露。露乃物质之精华。其法始于大西洋，传入中国。大则用甑，小则用壶，皆可蒸取。其露即所蒸之气水，物虽有五色不齐，其所取之露无不白，只以气别，不能以色别也。时医多用药露者，取其清冽之气，可以疏瀹灵府，不似汤剂之腻滞肠膈也。名品甚多，今列其常为日用、知其主治者数则于左，余俟续考以补其全。

568　金银露（赵学敏）

《本草纲目拾遗》　乃忍冬藤花蒸取，鲜花蒸者香，干花者少逊，气芬郁而味甘，能开胃宽中，解毒消火。暑月以之代茶，饲小儿无疮毒，尤能散暑。金灿然《药帖》：金银露专治胎毒，及诸疮痘毒热毒。《广和帖》：清火解毒，又能稀痘。

569　薄荷露（赵学敏）

《本草纲目拾遗》　鲜薄荷蒸承，气烈而味辛，能凉膈发汗，虚人不宜多服。金氏《药帖》云：清凉解热，发散风寒。

570　玫瑰露（赵学敏）

《本草纲目拾遗》　玫瑰花蒸取，气香而味淡，能和血，平肝养胃，宽胸散郁。点酒服。金氏《药帖》云：专治肝气胃气，立效。

571　佛手露（赵学敏）

《本草纲目拾遗》　佛手柑蒸取，气香味淡，能疏膈气。金氏《药帖》云：专治气膈，解郁，大能宽胸。

572　香橼露（赵学敏）

《本草纲目拾遗》　香橼蒸取，气香味淡，消痰逐滞，与金橘橙露同功。

573　桂花露（赵学敏）

《本草纲目拾遗》　桂花蒸取，气香，味微苦，明目疏肝，止口臭。金氏《药帖》云：专治龈胀牙痛，口燥咽干。《广和帖》云：止牙痛而清气。

574　茉莉露（赵学敏）

《本草纲目拾遗》　茉莉花蒸取，气香味淡，其气上能透顶，下至小腹，解胸中一切陈腐之气。然止可点茶，不宜久服，令人脑漏。

575　蔷薇露（赵学敏）

《本草纲目拾遗》　出大食、占城、爪哇、回回等国。番名阿剌吉。洒衣经岁其香不歇，能疗心疾。以琉璃瓶盛之，翻摇数回，泡周上下者真。功同酴醾露。皆可以泽肌润体，去发脏腻，散胸膈郁气。

又一种内地蔷薇露，系中土蔷薇花所蒸，专治温中达表，解散风邪。

576　兰花露（赵学敏）

《本草纲目拾遗》　此乃建兰花所蒸取者，气薄味淡，食之明目舒郁。

577　鸡露（赵学敏）

《本草纲目拾遗》　《道听集》云：鸡露能大补元气，与人参同功。男用雌鸡，女用雄鸡，一年内者，名童子鸡，可用。若两年者，肉老质枯，不可蒸露，入药须选童子鸡。以绳缢死，竹刀破腹，醇酒洗去毛及腹中秽物，勿见水，蒸取露饮之，气清色白，望之如有油。气味甘，消痰益血，助脾长力，生津明目，为五损虚劳神药。

578　米露（赵学敏）

《本草纲目拾遗》　以新鲜白米，勿用陈久者，蒸取，色白气清，如莲花者。大补脾胃亏损，生肺金如神。一云：米露用稻花蒸者更佳。《广和帖》云：鲜稻露和中纳食，清肺开胃。

579　姜露（赵学敏）

《本草纲目拾遗》　辟寒，解中霜雾毒，驱瘴，消食化痰。

580　椒露（赵学敏）

《本草纲目拾遗》　鲜椒蒸取，能明目开胃，运食健脾。

581　丁香露（赵学敏）

《本草纲目拾遗》　气烈，味微辛，治寒澼胃痛。

582　梅露（赵学敏）

《本草纲目拾遗》　鲜绿萼初放花采取蒸露，能解先天胎毒。六月未出痘小儿，和金银露食之，极佳。周栎园《闽小记》：海澄人蒸梅及蔷薇露，取如烧酒法，酒一壶，滴少许便芳香。

583　骨皮露（赵学敏）

《本草纲目拾遗》　地骨皮所蒸，解肌热骨蒸。《金帖》一切虚火。《许帖》

584　藿香露（赵学敏）

《本草纲目拾遗》　清暑正气。

585　白荷花露（赵学敏）

《本草纲目拾遗》　治喘嗽不已，痰中有血。《金帖》止血消瘀，消暑安肺。《广和帖》

586　桑叶露（赵学敏）

《本草纲目拾遗》　治目疾红筋，去风清热。《金帖》

587　夏枯草露（赵学敏）

《本草纲目拾遗》　治瘰疬鼠瘘，目痛羞明。《金帖》

588　枇杷叶露（赵学敏）

《本草纲目拾遗》　清肺宁嗽，润燥解渴。《金贴》和胃。《许贴》

589　甘菊花露（赵学敏）

《本草纲目拾遗》　清心明目，去头风眩晕。《广和贴》

590　黄茄水（赵学敏）

《本草纲目拾遗》　梁侯瀛《集验方》：秋天黄老茄子不计多少，以新瓶盛，埋土中，一年化为水，取出听用。治大风热痰，能消痰成水，用茄水和苦参末为丸，桐子大，食后及卧时黄酒送下三十丸。甚效。

591　御沟金水（赵学敏）

《本草纲目拾遗》　《集效方》有治御沟金水法：用篾箩八只，高二尺，取山上净土，装八箩内，用瓷钵八个盛之，取童便八桶，倾入七箩土内淋下，上以井花水推之，共倾在一箩土内，如淋少，再用清推前七箩淋下，又加上一箩内，待他一夜净淋下水三五碗，以瓷罐收贮，外用井水养之，但遇此症，待口中要茶吃，将此水半杯温服即安，至重不过三七次立愈。

性平，味微咸带甘，治男女骨蒸，干血劳，童子劳，昼夜发热至紧，不肯服药，此水不比寻常，大有功效。

592　起蛟水（赵学敏）

《本草纲目拾遗》　徽州张宇南言：其地多山，每春夏之交久雨，有起蛟之患。村人习见勿异也。蛟初起一二日间，地中先有声，隐隐如雷鸣，或如牛吼，至期，土中辄陷出一小穴如豆大，水从穴出，直上一二尺如箭，已而渐升渐长，长至檐隙与溜合，则水势乃大，下穴亦渐大如碗孔，蛟入鳅鳝形，从穴出，乘水而上，过檐则形变大，乃飞越奔腾而去，屋宇亦无害。惟相隔一二里许田禾间有伤损者，为山水冲刷卡而然，此水初起三尺时，山人以瓶盎之属接取食之，力大无穷。盖出蛟口中含吮，精力贯注，直逼而上，其全身之力，尽在此水，故人亦不能多食，壮健者三盏，即腹胀不能再饮。土人以酿酒，更壮精力，可已虚劳。

单杜可云：蛟初起时，水如箭，清如泉脉，渐涌而高，必合天雨水，则势大而能飞腾。蛟出，穴口始泛出水，名曰发洪。若初起时，用河水一勺灌入其穴，则蛟水自回，便不能出穴，或取妇人月经秽布塞之亦止。若人服蛟水作胀，用千里长流河水煎服之，亦可解也。

壮筋骨，健腰膝，已虚劳，除惊悸，杀虫蛊、尸疰鬼疰、遁尸邪气，浴疮济。虚弱者以代水煎滋补药良。性升，能直透巅顶。

593　混堂水（赵学敏）

《本草纲目拾遗》　混堂：今浴池烧水浴者，人多则秽浊积垢使然。人气熏渍，体虚者触之昏晕，名曰晕堂。

毛达可曰：凡少年思欲不遂，或赤白浊者，待欲溺时，入混堂，坐水中，令出溺即愈。盖得人气通洽也。

洗疥癣，通淋浊。

蛇鳞缠身，《刘羽仪验方》：饮浴汤水，便可解毒。

发痘，杭士元方：痘出八九日黑陷，用混堂水煎药立起。

594　鸡神水（赵学敏）

《本草纲目拾遗》　《太元玉格新书》有造鸡神水法，《眼科要览》选其方，制法：择大萝卜一个，开一大孔，须近茎边一头开，勿伤其根，方可活。孔内入鸡蛋一枚，仍种地上，俟其发叶长成，取鸡蛋内水点眼，其明如童。

明目去障。

595　井华水（《嘉祐》）（平旦首汲为井华）

《嘉祐本草》　井华水，味甘，平，无毒。主人九窍大惊出血，以水噀面。亦主口臭，正朝含之，吐弃厕下，数弃即差。又令好颜色，和朱砂服之。又堪炼诸药石，投酒醋令不腐，洗目肤翳，及酒后热痢，与诸水有异，其功极广。此水井中平旦第一汲者，《本经》注“井苔”条中略言之，今此重细解也。

《千金方》 治心闷汗出，不识人。新汲水和蜜饮之，甚妙。又方欲产时，取井花水半升，顿一服。又方治马汗及毛入人疮，肿毒热痛，入腹害人，以冷水浸疮，顿易，饮好酒立愈。又云井华水，服药、炼药并用之。《梅师方》治眼睛无故突一二寸者。以新汲水灌渍睛中，数易水，睛自入。又方治卒惊悸，九窍血皆溢出。以井华水噀面当止，勿使知之。

《本草衍义》 井华水，文具“半天河”条下。

《绍兴本草》 井华水，平旦第一汲水也。取澄澈为用。经方所载疗疾之功不一。但取味甘者佳，然未闻但服此而起疾也。性平，无毒是矣。

《本草纲目》 井华水并入“井泉水”条。［释名］［时珍曰］井字象井形，泉字象水流穴中之形。［集解］［时珍曰］凡井以黑铅为底，能清水散结，人饮之无疾；入丹砂镇之，令人多寿。按麻知几水解云：九畴昔访灵台太史，见铜壶之漏水焉。太史召司水者曰：此水已三周环，水滑则漏迅，漏迅则刻差，当易新水。予因悟曰：天下之水，用之灭火则同，濡槁则同；至于性从地变，质与物迁，未尝同也。故蜀江濯锦则鲜，济源烹楮则皛。南阳之潭渐于菊，其人多寿；辽东之涧通于参，其人多发。晋之山产矾石，泉可愈疽；戎之麓伏硫黄，汤可浴疠。扬子宜荈，淮菜宜醪；沧卤能盐，阿井能胶。澡垢以污，茂田以苦。瘿消于藻带之波，痰破于半夏之洳。冰水咽而霍乱息，流水饮而癃闷通。雪水洗目而赤退，咸水濯肌而疮干。菜之为齑，铁之为浆，曲之为酒，蘖之为醋，千派万种，言不可尽。至于井之水一也，尚数名焉，况其他者乎。反酌而倾曰倒流，出甃未放曰无根，无时初出曰新汲，将旦首汲曰井华。夫一井之水，而功用不同，岂可烹煮之间，将行药势，独不择夫水哉？昔有患小溲闷者，众不能瘥，张子和易之以长川之急流，煎前药，一饮立溲。此正与《灵枢经》治不瞑半夏汤，用千里流水同意吁。后之用水者，当以子和之法为制。予于是作水解。［主治］［虞抟曰］宜煎补阴之药。［时珍曰］宜煎一切痰火气血药。

596 冢井中水（《拾遗》）

《本草拾遗》 冢井中水有毒。人中之者立死。欲入冢井者，当先试之。法以鸡毛投井中，毛直而下者无毒；毛回旋而舞，似不下者有毒。以热醋数斗投井穴中，则可入矣。凡冢井及灶中，从夏至秋，毒气害人，从冬至春，则无毒气。凡秋露、春水著草，水亦能害人，冬夏则无。人素为物所伤，并有诸疮，触犯毒露及毒水，觉疮顽不痒痛，当中风水所为，身必反张似角弓。主之法：以盐豉和面作碗子，盖疮上，作大艾炷，灸一百壮，令抽恶水数升，举身觉痒，疮处知痛，差也。

597　好井水及土石间新出泉水（《拾遗》）

《本草拾遗》　好井水及土石间新出泉水，味甘，平，无毒。主霍乱烦闷，呕吐，腹空，转筋。恐入腹及多服之，名曰洗肠。人皆惧此，尝试有效。不令腹空，空则更服，如遇力弱身冷，则恐脏胃悉寒，寒则不能支持，当以意消息。兼及当时横量灸脊骨三五十壮，令暖气彻内补胃气间，不然则危。又主消渴，反胃，热痢，淋，小便赤涩，兼洗漆疮射痈肿令散。久服调中，下热气，伤胃，利大小便，并多饮之，令至喉少即消下。

598　新汲水（《纲目》）（无时初汲曰新汲）

《本草纲目》　［主治］［时珍曰］新汲水解砒石、乌喙、烧酒、煤炭毒，治热闷昏瞀烦渴。［发明］［虞抟曰］新汲井华水，取天一真气，浮于水面，用以煎补阴之剂，及炼丹煮茗，性味同于雪水也。［时珍曰］井泉地脉也，人之经血象之，须取其土厚水深，源远而质洁者，食用可也。《易》曰井泥不食，井冽寒泉食，是矣。人乃地产，资禀与山川之气相为流通，而美恶寿夭，亦相关涉。金石草木，尚随水土之性，而况万物之灵者乎。贪淫有泉，仙寿有井，载在往牒，必不我欺。《淮南子》云：土地各以类生人。是故山气多男，泽气多女，水气多瘖，风气多聋，林气多癃，木气多伛，岸下气多尰，石气多力，险阻气多瘿，暑气多夭，寒气多寿，谷气多痹，丘气多狂，广气多仁，陵气多贪。坚土人刚，弱土人脆，垆土人大，沙土人细，息土人美，耗土人丑，轻土多利，重土多迟。清水音小，浊水音大，湍水人轻，迟水人重。皆应其类也。又《河图》括地象云：九州殊题，水泉刚柔各异。青州角徵会，其气慓轻，人声急，其泉酸以苦。梁州商徵接，其气刚勇，人声塞，其泉苦以辛。兖豫宫徵会，其气平静，人声端，其泉甘以苦。雍冀商羽合，其气快烈，人声捷，其泉咸以辛。观此二说，则人赖水土以养生，可不慎所择乎。［时珍曰］按《后汉书》云：有妇人病经年，世谓寒热注病。十一月，华佗令坐石槽中，平旦用冷水灌，云当至百。始灌七十，冷颤欲死，灌者惧欲止，佗不许。灌至八十，热气乃蒸出，嚣嚣然高二三尺。满百灌，乃使燃火温床，厚覆而卧，良久冷汗出，以粉扑之而愈。又《南史》云：将军房伯玉，服五石散十许剂，更患冷疾，夏月常复衣。余嗣伯诊之，曰：乃伏热也，须以水发之，非冬月不可。十一月冰雪大盛时，令伯玉解衣坐石上，取新汲冷水，从头浇之，尽二十斛，口噤气绝。家人啼哭请止，嗣伯执挝谏者。又尽水百斛，伯玉始能动，背上彭彭有气。俄而起坐，云热不可忍，乞冷饮。嗣伯以水一升饮之，疾遂愈。自尔常发热，冬月犹单衫，体更肥壮。时珍窃谓二人所病，皆伏火之证，《素问》所谓“禁鼓慄”，皆属于火也。治法火郁则发之，而二子乃于冬月平旦浇以冷水者，冬至后阳气在内也，平旦亦阳气方盛时也，折之以寒，使热气郁遏至极，激发而汗解，乃物不极不反，是亦发之之意。《素问》所谓正者正治，反者反治，逆而从之，从而逆之，疏通道路，令气调和者也。春月则阳气已泄，夏秋则阴气在内，故必于十一月至后，乃可行之。二子之医，可谓神矣。

《食物本草》 新汲水，主消渴，反胃，热痢，热淋，小便赤涩。洗漆疮。治坠损肠出，冷喷其身面，则肠自入也。又解闭口椒毒，下鱼鲠，解马刀毒。又解砒石、乌喙、烧酒、煤炭毒。治热闷昏瞀，烦渴。凡井水，有远从地脉来者为上，有从近处江河中渗来者欠佳。又，城市人家稠密，沟渠污水，杂入井中成硷，用须煎滚，停顿一时，候检下坠，取上面清水用之，否则气味恶，而煎茶、酿酒、作豆腐三事，尤不堪也。又，雨后其水浑浊，须擂桃、杏仁，连汁投入水中搅匀，少时则浑浊坠底矣。《易》曰：井泥不食。谨之。如井中生虫，用甘草四五两，切片投入，则杀虫而味甘美。

附方：衄血不止，用新汲水，随左右洗足即止，或用冷水噀面，或冷水浸纸贴囟上，以熨斗熨之，立止。

599 湮汲水、湮汲（《五十二病方》）

《五十二病方》 114 行云：庳（癞）疾者，取犬尾及禾在圈垣上［者］，煅冶，湮汲以饮之。154 行：治人病马不痫者，湮汲水三斗，以龙须一束并煮。57 行：狂犬齧人者，孰澡（操）湮汲，注音（杯）中。……51～52 行：婴儿瘛者……为湮汲三浑，盛以栝（杯）。

尚志钧按 《五十二病方》52 行注④云：“湮汲，疑即《名医别录》所载地浆。据陶弘景注：‘此掘黄土地作坎，深三尺，以新汲水注入搅浊，少顷取清用之，故曰地浆。’三浑，疑指澄清三次。”湮汲，本草无此名。从字义上看，“湮”是湮没水中。汲，《说文》云："引水于井也。"湮汲似从井内湮没处引取水，不用井水面的水。又，《五十二病方》51～52行方中有"为湮汲三浑"。浑，墜也，《尔雅·释诂》注：浑，水落貌。为湮汲三浑，即引取井深处水，再倾注三次。这种做法盖为当时祝由所需。方中"为湮汲三浑，盛以桮（杯），因唾匕，祝之曰……"是说明当时祝由的做法。

600 粮罂中水（《拾遗》）

《本草拾遗》 粮罂中水，味辛，平，小毒。主鬼气，中恶，疰忤，心腹痛，恶梦鬼神，进一合。多饮令人心闷。又云：洗眼见鬼，未试。害蚘蛊，其清澄久远者佳。《古冢文》云：蔗留余节，瓜毒溃尸，言此二物不烂，余皆成水，北人呼粮罂为食罂也。

《食物本草》 粮罂中水乃古冢中食罂中水也。取澄清久远者佳。治噎疾。用古冢内食罂中水，饮之即愈。

601 阿井水（《纲目》）

《本草纲目》 阿井水［气味］甘，咸，平，无毒。［主治］［时珍曰］下膈，疏痰，止吐。［发明］［时珍曰］阿井在今兖州阳谷县，即古东阿县也。沈括《笔谈》云：古说济水伏流地中，今历下凡发地下皆是流水。东阿亦济水所经，取井水煮胶谓之阿胶。其性趋下，清而且重，用搅浊水则清，故以治瘀浊及逆上之痰也。又青州范公泉，亦济水所注，其水用造白丸子，利膈化痰。管子云：齐之水，其泉清白，其人坚韧，寡有疥瘙，终无痟酲。水性之不同如此。陆羽烹茶，辨天下之水性美恶，烹药者反不知辨此，岂不戾哉！

602 玉井水（《拾遗》）

《本草拾遗》 玉井水，味甘，平，无毒。久服神仙，令人体润，毛发不白。出诸有玉处，山谷水泉皆有。犹润于草木，何况于人乎。夫人有发毛，如山之草木，故山有玉而草木润，身有玉而毛发黑。《异类》云：昆仑山有一石柱，柱上露盘，盘上有玉水溜下，土人得一合服之，与天地同年。又太华山有玉水，人得服之长生，玉既重宝，水又灵长，故能延生之望。今人近山多寿者，岂非玉石之津乎？故引水为玉证。

附:《食物本草》收载的井水、泉水[1]

井水：以下各种井水，摘自《食物本草》，按井的名称相同或相近编排。因同出一书，仅列井水名，具体内容可查考《食物本草》原书。

1. 雪岩井水
2. 玉井水
3. 玉井水
4. 玉井水
5. 玉字井水
6. 玉洁井水
7. 金井泉水
8. 淘金井水
9. 铜井泉
10. 石井水
11. 石井水
12. 石井水
13. 虎丘石井泉水
14. 破石井水
15. 九仙石井水
16. 白沙井水
17. 丹砂井水
18. 丹井水
19. 丹井水
20. 绿珠井水
21. 玄珠井水
22. 云母井水
23. 琉璃井水

---

① “井水”下“83. 泉水”“84. 醴泉水”“85. 山岩泉水”“86. 玉泉”并非出自《食物本草》，且为泉水，未知作者此举有何深意，故遵原书，不予改动。

24. 琉璃井水
25. 盐井水
26. 吴山井水
27. 洪崖井水
28. 西峰井水
29. 梅峰井水
30. 冰井水
31. 冰井水
32. 雪井水
33. 浪井水
34. 黯井水
35. 尾酒井水
36. 回苏井水
37. 甘露井水
38. 乳泉井水
39. 天井水
40. 天井水
41. 天然井水
42. 天庆观井水
43. 双井水
44. 八角井水
45. 八角井水
46. 九井泉
47. 上方井
48. 吴王井水
49. 桓温井水
50. 张公井水
51. 毛公井水
52. 毛公井水
53. 崔婆井
54. 东坡井水

55. 晏婴井水

56. 吕井水

57. 永庆井水

58. 旌阳井水

59. 大士井水

60. 葛仙井水

61. 云姑井水

62. 仙姑井水

63. 仙井水

64. 仙井水

65. 真君井

66. 子真井

67. 安期井水

68. 楼儿井水

69. 越台井水

70. 法明寺井水

71. 灵惠井水

72. 贤令井水

73. 圣井水

74. 圣井水

75. 圣井水

76. 乌龙井水

77. 九龙井水

78. 马蹄井水

79. 枸杞井水

80. 甘井水

81. 甘井水

82. 甘露井水

83. 泉水（《嘉祐》）

《嘉祐本草》 泉水，味甘，平，无毒。主消渴，反胃，热痢热淋，小便赤涩。兼洗漆疮，射痈肿，令散。久服却温，调中，下热气，利小便，并多饮之。又新汲水，《百一方》云：患心腹冷病者，若男子病，令女人以一杯与饮；女子病，令男子以一杯与饮。又解合口椒毒。又主食鱼肉，为骨所鲠。取一杯水，合口向水，张口取水气，鲠当自下。又主人忽被坠损肠出，以冷水喷之，令身噤，肠自入也。又腊日夜，令人持椒井傍，无与人语，内椒井中，服此水去温气。《博物志》亦云：凡诸饮水，疗疾皆取新汲清泉，不用停污浊暖，非直无效，固亦损人。

《沈存中笔谈》　东阿是济水所经，取其井水煮胶，谓之阿胶。用搅浊水则清，人服之，下膈疏痰止吐，皆取济水性趋下，清而重，故以治瘀浊及逆上之疾。

《绍兴本草》　泉水乃源泉通流之水，并新汲水及陈藏器余药内千里水、东流水、好井水土石间泉水，虽各主治，但宜以煎煮诸药，则胜于浊污水。水俱味甘、平，无毒是矣。

此条《纲目》未见。

84. 醴泉水（《拾遗》）

《本草拾遗》　醴泉，味甘，平，无毒。主心腹痛，疰忤鬼气邪秽之属，并就泉空腹饮之。时代升平，则醴泉涌出，读古史大有此水，亦以新汲者佳。止热消渴及反胃，腹痛，霍乱为上。

《本草纲目》　［时珍曰］醴泉一名甘泉。醴，薄酒也，泉味知之，故名。出无常处，王者德至渊泉，时代升平，则醴泉出，可以养老。《瑞应图》云：醴泉，水之精也，味甘如醴，流之所及，草木皆茂，饮之令人多寿。《东观记》云：光武中元元年，醴泉出京师，人饮之者，痼疾皆除。

85. 山岩泉水（《纲目》）（即山涧水）

《本草纲目》　［释名］［时珍曰］此山岩土石间所出泉，流为溪涧者也。《尔雅》云：水正出曰滥泉，悬出曰沃泉，仄出曰氿泉。其泉源远清冷，或山有玉石美草木者为良；其山有黑土毒石恶草者不可用。陆羽云：凡瀑涌漱湍之水，饮之令人有颈疾。［汪颖曰］昔在浔阳，忽一日城中马死数百。询之，云：数日前雨，洗出山谷中蛇虫之毒，马饮其水然也。

《食物本草》　山岩泉水，味甘，平，无毒。主霍乱烦闷呕吐，腹空转筋，恐入腹，宜多服之，名曰洗肠。勿令腹空，空则更服。人皆惧此，然尝试有效。但身冷力弱者，防致脏寒，当以意消息之。但山涧溪河之水，其善恶不可不知。

86. 玉泉（《本经》）

《神农本草经》　玉泉，味甘，平。主五脏百病，柔筋强骨，安魂魄，长肌肉，益气。久服耐寒暑，不饥渴，不老神仙。人临死服五斤，死三年色不变，一名玉札。（畏款冬花。）

《名医别录》 玉泉，无毒，利血脉，疗妇人带下十二病，除气癃，明耳目，轻身长年。生蓝田山谷，采无时。

《本草经集注》 蓝田在长安东南，旧出美玉，此当是玉之精华，白者质色明澈，可消之为水，故名玉泉。今人无复的识者，惟通呼为玉尔。张华又云：服玉用蓝田瑴（音角）玉白色者；此物平常服之，则应神仙。有人临死服五斤，死经三年，其色不变。古来发冢见尸如生者，其身腹内外，无不大有金玉。汉制，王公葬，皆用珠糯玉匣，是使不朽故也。炼服之法，亦应依《山经》服玉法，水屑随宜。虽曰性平，而服玉者亦多乃发热，如寒食散状。金玉既天地重宝，不比余石，若未深解节度，勿轻用之。

《日华子本草》 玉泉治血块。

《开宝本草》 今按别本注云：玉泉者，玉之泉液也。以仙室、玉池中者为上。今《仙经》三十六水法中，化玉为玉浆，称为玉泉。服之长年不老，然功劣于自然泉液也。一名玉液，一名琼浆。

《本草图经》 文具“玉屑”条下。

《本草别说》 谨按：《图经》说仪州栗玉，乃黄石之光莹者，凡玉之所以异于石者，以其坚而有理，火刃不可伤为别尔。今仪州黄石，虽彼人强名栗玉，乃轻小，刀刃便可雕刻，与阶州白石同体而异色，恐不足继诸玉类。

《本草衍义》 玉泉，《经》云：生蓝田山谷，采无时。今蓝田山谷无玉泉。泉水，古今不言采。又曰：服五斤。古今方，水不言斤。又曰：一名玉札。如此则不知定是何物。诸家所解，更不言泉，但为玉立文。陶隐居虽曰可消之为水，故名玉泉。诚如是则当言玉水，亦不当言玉泉也。盖泉具流布之义，别之则无所不通。《易》又曰：山下出泉蒙。如此则诚非止水，终未臻厥理。今详泉字，乃是浆字，于义方允。浆中既有玉，故曰服五斤。去古既远，亦文字脱误也。采玉为浆，断无疑焉。且如书篇尚多亡逸，况《本草》又在唐尧之上，理亦无怪。谓如蛇含，《本草》误为蛇全。《唐本》注云：全字乃是合字，陶见误本改为含，尚如此不定。后有铁浆，其义同此。又，《道藏经》有“金饭玉浆”之文，唐·李商隐有“琼浆未饮结成冰”之诗，是知玉诚可以为浆。又，荆门军界有玉泉寺，中有泉，与寻常泉水无异，亦不能治病，寺有日用此水。又，西洛有万安山，山腹间有寺曰玉泉，尝两登是山，质玉泉之疑，寺僧皆懵不能答。寺前有泉一派，供寺中用。泉窦皆青石，与诸井水无异。若按别本注玉泉，玉之泉液也，以仙室玉池中者为上。如此则举世不能得，亦漫立此名，故知本别本所注为不可取。又有燕玉出燕北，体柔脆，如油和粉色，不入药，当附于此。

《绍兴本草》 玉泉，乃玉之自然泉液也。主治已载本经，味甘、平、无毒是矣。虽生蓝田山谷，但世之罕得，故方家稀用。注云以仙室池中者为善，仙室之论，亦无可据。或说杂以他药、他玉为液，以代玉泉，诚非真玉泉也。诸方亦罕用之。

《本草纲目》 ［释名］［时珍曰］玉泉作玉浆甚是。别本所注乃玉髓也。别录自有条，诸家未深考尔。［发明］［时珍曰］汉武帝取金茎露和玉屑服，云可长生，即此物也。但玉亦未必能使生者不死，惟使死者不朽尔。养尸招盗，反成暴弃，曷若速朽归虚之为见理哉。

罗振玉《古镜图录》 尚方作镜真大好，上有仙人不知老，渴饮玉泉饥食枣，寿如金石佳且好。

泉水：以下各地泉水，摘自《食物本草》，按泉的名称相同或相似排列。因同出一书，仅列泉水名，具体内容可查考《食物本草》原书。

1. 玉泉水
2. 玉泉水
3. 玉泉水
4. 玉液泉
5. 玉坎泉水
6. 玉壶泉水
7. 玉窦泉水
8. 玉华泉水
9. 玉虹泉水
10. 玉版泉水
11. 玉斧泉水
12. 玉钩泉水
13. 玉珠泉水
14. 玉绳泉水
15. 玉髓泉水
16. 玉润泉水

17. 玉涓泉水
18. 玉溪泉水
19. 白玉泉水
20. 玄玉泉水
21. 碧玉泉水
22. 莹玉泉水
23. 屑玉泉水
24. 洒玉泉水
25. 注玉泉水
26. 滴玉泉水
27. 漱玉泉水
28. 又漱玉泉水
29. 又漱玉泉水
30. 又漱玉泉水
31. 碎玉泉水
32. 流玉泉水
33. 珠玉泉水
34. 戛玉泉水
35. 宋玉泉水
36. 鸣玉泉水
37. 石泉水
38. 石涧泉水
39. 石壶泉水
40. 石洞泉水
41. 石窦泉水
42. 石眼泉水
43. 石盆泉水
44. 石柱泉水
45. 石屋泉水
46. 点石泉水
47. 乌石泉水

48. 小石泉水
49. 沙沟泉水
50. 金沙泉水
51. 又金沙泉水
52. 又金沙泉水
53. 又金沙泉水
54. 金线泉水
55. 又金线泉水
56. 金钗泉水
57. 金积泉水
58. 金泉水
59. 经山泉水
60. 香山泉水
61. 桂山泉水
62. 奔山泉水
63. 盖山泉水
64. 逢山泉水
65. 偏山泉水
66. 冠山泉水
67. 龙山泉水
68. 凤山泉水
69. 慧山泉水
70. 岩山泉水
71. 西岩泉水
72. 赤崖泉水
73. 哓峰泉水
74. 仁峰泉水
75. 应潮泉水
76. 白水泉水
77. 颍川泉水
78. 丰水泉水

79. 天泽泉水

80. 洼泉水

81. 洼樽泉水

82. 云洞泉水

83. 白云泉水

84. 又白云泉水

85. 雾谷泉水

86. 喷雾泉水

87. 甘露泉水

88. 又甘露泉水

89. 法雨泉水

90. 逗雪泉水

91. 雪峰泉水

92. 喷雪泉水

93. 又喷雪泉水

94. 沁雪泉水

95. 汤雪泉水

96. 雩泉水

97. 半月泉水

98. 月窦泉水

99. 明月泉水

100. 海眼泉水

101. 龙泉水

102. 又龙泉水

103. 又龙泉水

104. 又龙泉水

105. 又龙泉水

106. 又龙泉水

107. 白龙泉水

108. 又白龙泉水

109. 苍龙泉水

110. 玉龙泉水

111. 又玉龙泉水

112. 石龙涡水

113. 石龙泉水

114. 五龙泉水

115. 九龙泉水

116. 龙鼻水

117. 龙须泉水

118. 龙纹泉水

119. 龙门泉水

120. 龙盘泉水

121. 盘龙泉水

122. 潜龙泉水

123. 蛰龙泉水

124. 飞龙泉水

125. 又飞龙泉水

126. 龙湫水

127. 龙洞泉水

128. 又龙洞泉水

129. 龙跃泉水

130. 虎跑泉水

131. 又虎跑泉水

132. 虎跃泉水

133. 虎吼泉水

134. 虎劈泉水

135. 趵突泉水

136. 又豹突泉水

137. 白鹿泉水

138. 鹿乳泉水

139. 鹿跑泉水

140. 又鹿跑泉水

141. 牛跑泉水
142. 白马泉水
143. 马祖泉水
144. 跃马泉水
145. 马蹄泉水
146. 又马蹄泉水
147. 马迹泉水
148. 石马泉水
149. 驴泉水
150. 凤凰泉水
151. 凤泉水
152. 凤跃泉水
153. 飞凤泉水
154. 饮凤泉水
155. 鸳鸯泉水
156. 白鹤泉水
157. 又白鹤泉水
158. 白鹤甘泉水
159. 饮鹤泉水
160. 金鸡泉水
161. 黄鸡滩水
162. 鸡距泉水
163. 羽泉水
164. 龟泉水
165. 石龟泉水
166. 鳖灵泉水
167. 珍珠泉水
168. 又珍珠泉水
169. 又珍珠泉水
170. 真珠泉水
171. 珠帘泉水

172. 蛤蟆碚水
173. 涌鱼泉水
174. 蛰泉水
175. 黄蜂泉水
176. 老松泉水
177. 偃松泉水
178. 柳泉水
179. 柳谷泉水
180. 竹泉水
181. 梅花泉水
182. 又梅花泉水
183. 又梅花泉水
184. 梅芬泉水
185. 桃花泉水
186. 又桃花泉水
187. 杏花泉水
188. 莲花泉水
189. 水仙泉水
190. 紫微泉水
191. 茶泉水
192. 试茗泉水
193. 芹泉水
194. 苔泉水
195. 焦泉水
196. 藜杖泉水
197. 林泉水
198. 黄精泉水
199. 茯苓泉水
200. 参寥泉水
201. 醴泉水
202. 又醴泉水

203. 又醴泉水

204. 又醴泉水

205. 玉醴泉水

206. 醴甘泉水

207. 酒泉水

208. 酿泉水

209. 卓水泉

210. 曾青冈水

211. 云母泉水

212. 珍珠泉水

213. 玻璃泉水

214. 又玻璃泉水

215. 琉璃泉水

216. 水晶泉水

217. 又水晶泉水

218. 青衣泉水

219. 铜冠泉水

220. 磬泉水

221. 磬石泉水

222. 石斗泉水

223. 斗宿泉水

224. 斗泉水

225. 石瓮泉水

226. 石瓮水

227. 沐箫泉水

228. 筲箕泉水

229. 鳌头泉水

230. 剑泉水

231. 剑锋泉水

232. 锡杖泉水

233. 锡杖泉水

234. 又锡杖泉水

235. 又锡杖泉水

236. 迸玑泉水

237. 鉴泉水

238. 饧盆水

239. 洣泉水

240. 咽瓠泉水

241. 大罗泉水

242. 浮槎泉水

243. 孔子泉水

244. 杜康泉水

245. 醉翁泉水

246. 老翁泉水

247. 回翁泉水

248. 苏公泉水

249. 陆公泉水

250. 田公泉水

251. 梁公泉水

252. 范公泉水

253. 莱公泉水

254. 莱泉水

255. 许由泉水

256. 摩围泉水

257. 石泓泉水

258. 仆夫泉水

259. 承裕泉水

260. 和靖泉水

261. 真隐泉水

262. 扶苏泉水

263. 惠通泉水

264. 卓锡泉水

265. 又卓锡泉水
266. 又卓锡泉水
267. 又卓锡泉水
268. 大沩泉水
269. 小沩泉水
270. 玉女泉水
271. 玉女盆水
272. 姜女泉水
273. 又姜女泉水
274. 聪明泉水
275. 聪颖泉水
276. 智泉水
277. 多智泉水
278. 定心泉水
279. 无碍泉水
280. 如意泉水
281. 闲泉水
282. 安乐泉水
283. 感泉水
284. 大悲泉水
285. 憨憨泉水
286. 圣泉水
287. 又圣泉水
288. 又圣泉水
289. 圣水泉水
290. 圣水
291. 圣岭泉水
292. 孝感泉水
293. 曾氏忠孝泉水
294. 润德泉水
295. 安德泉水

296. 蒙惠泉水
297. 君子泉水
298. 廉泉水
299. 廉水
300. 贪泉水
301. 又贪泉水
302. 妒女泉水
303. 舜泉水
304. 楚泉水
305. 胜汉泉水
306. 太守泉水
307. 府治泉水
308. 新罗泉水
309. 芗泉水
310. 程乡水
311. 宜春泉水
312. 於潜泉水
313. 崇仁泉水
314. 御池泉水
315. 滏口泉水
316. 泽多泉水
317. 塔寺泉水
318. 澹庵泉水
319. 佛眼泉水
320. 佛面泉水
321. 七佛泉水
322. 铁佛泉水
323. 菩萨泉水
324. 罗汉泉水
325. 天神泉水
326. 神泉水

327. 又神泉水

328. 又神泉水

329. 又神泉水

330. 神移泉水

331. 灵泉水

332. 又灵泉水

333. 又灵泉水

334. 又灵泉水

335. 又灵泉水

336. 又灵泉水

337. 又灵泉水

338. 又灵泉水

339. 灵液水

340. 灵宝泉水

341. 灵济泉水

342. 通灵泉水

343. 报国灵泉水

344. 仙泉水

345. 葛仙泉水

346. 童仙泉水

347. 天泉水

348. 天池泉水

349. 天柱泉水

350. 蔚巅泉水

351. 吕峰泉水

352. 飞来泉水

353. 凌虚泉水

354. 平泉水

355. 不溢泉水

356. 东泉水

357. 西泉水

358. 托基泉水
359. 定泉水
360. 幽澜泉水
361. 一线泉水
362. 双泉水
363. 又双泉水
364. 又双泉水
365. 三泉水
366. 三泉水
367. 三珠泉水
368. 三昧泉水
369. 四明泉水
370. 第四泉水
371. 五泉水
372. 六一泉水
373. 七胜泉水
374. 七女泉水
375. 七泉水
376. 八泉水
377. 九真泉水
378. 九珠泉水
379. 九眼泉水
380. 又九眼泉水
381. 九峰泉水
382. 百泉水
383. 百刻泉水
384. 百聚泉水
385. 百谷泉水
386. 百药泉水
387. 百脉泉水
388. 百丈泉水

389. 一滴泉水
390. 又一滴泉水
391. 一勺泉水
392. 一碗泉水
393. 又一碗泉水
394. 一斗泉水
395. 一人泉水
396. 五色泉水
397. 又五色泉水
398. 又五色泉水
399. 红泉水
400. 丹泉水
401. 又丹泉水
402. 又丹泉水
403. 丹霞泉水
404. 紫泉水
405. 紫微泉水
406. 蓝泉水
407. 碧泉水
408. 碧云泉水
409. 宝华泉水
410. 又宝华泉水
411. 太华泉水
412. 又太华泉水
413. 华清泉水
414. 清泉水
415. 光明泉水
416. 净明泉水
417. 定光泉水
418. 彩水
419. 圆照泉水

420. 瑞泉水
421. 又瑞泉水
422. 端午泉水
423. 癸亥泉水
424. 千秋水
425. 永泉水
426. 新泉水
427. 生生泉水
428. 扣石泉水
429. 悬泉水
430. 仰天泉水
431. 万飞泉水
432. 观山泉水
433. 飞泉水
434. 飞锡泉水
435. 舞泉水
436. 嘉客泉水
437. 既济泉水
438. 卫风泉水
439. 清水泉水
440. 黑泉水
441. 伯清泉水
442. 重泉水
443. 浆山泉水
444. 玉浆泉水
445. 黄浆泉水
446. 乳泉水
447. 又乳泉水
448. 又乳泉水
449. 又乳泉水
450. 滴乳泉水

451. 又滴乳泉水
452. 窦乳泉水
453. 乳窦泉水
454. 玉乳泉水
455. 又玉乳泉水
456. 又玉乳泉水
457. 甘乳泉水
458. 醴乳泉水
459. 白乳泉水
460. 圆泉水
461. 香泉水
462. 又香泉水
463. 味泉水
464. 甘泉水
465. 又甘泉水
466. 又甘泉水
467. 又甘泉水
468. 又甘泉水
469. 又甘泉水
470. 又甘泉水
471. 又甘泉水
472. 甘和泉水
473. 甘梗泉水
474. 丽甘泉水
475. 御甘泉水
476. 甘酸泉水
477. 酸水
478. 苦泉水
479. 又苦泉水
480. 苦水
481. 古辣泉水

482. 淡泉水
483. 冰壶泉水
484. 冷泉水
485. 又冷泉水
486. 清冷泉水
487. 又清冷泉水
488. 冷然泉水
489. 南泠水
490. 金山中冷泉水
491. 寒泉水
492. 又寒泉水
493. 温泉水
494. 又温泉水
495. 又温泉水
496. 又温泉水
497. 又温泉水
498. 又温泉水
499. 又温泉水
500. 又温泉水
501. 又温泉水
502. 又温泉水
503. 温玉泉水
504. 温春泉水
505. 石门温泉水
506. 热泉水
507. 沸泉水
508. 汤泉水
509. 又汤泉水
510. 又汤泉水
511. 洗肠泉水
512. 涤砚泉水
513. 浣笔泉水
514. 濯缨泉水

515. 止渴泉水
516. 饮军泉水
517. 度军泉水
518. 炼丹泉水
519. 坚功泉水
520. 神功泉水
521. 愈泉水
522. 滴滴泉水
523. 滴珠泉水
524. 古漏泉水
525. 涌泉水
526. 又涌泉水
527. 又涌泉水
528. 涌金泉水
529. 涌珠泉水
530. 上徙泉水
531. 漓水泉水
532. 分水泉水
533. 瀑泉水
534. 流素泉水
535. 瀑布泉水
536. 又瀑布泉水
537. 又瀑布泉水
538. 又瀑布泉水
539. 水帘泉水
540. 珠帘泉水
541. 谷帘泉水
542. 满泉水
543. 咄泉水
544. 挝鼓泉水
545. 响石泉水
546. 雷擘泉水
547. 呜咽泉水

附篇　矿物药研究资料

一、古方用矿石治痈疽例

苏颂《本草图经》“姜石”条注云：大凡石类多主痈疽。哪些石类能治痈疽呢？从文献上看，下列石是治痈疽的。

1. 粗理黄色磨石

《肘后方》卷5云：小品痈结肿坚如石，或大如核，色不变，或作石痈不消方。鹿角八两，烧作灰。白蔹二两。粗理黄色磨石一斤，烧令赤。三物捣作末，以苦酒和如泥。厚涂疽上，燥更涂，取消止。

粗理黄色磨石，另一些书作粗理黄石，如《千金方》《外台秘要》转录此方时，均作粗理黄石（见孙思邈《千金方》卷22痈疽第二治石痈方；《外台秘要》卷24石痈方）。还有一些书作粗黄石，如《北齐书》介绍马嗣明治背疮例时，即用粗黄石。书云：杨遵彦患背肿，马嗣明以炼石涂之，便差。其方取黄石如鹅卵大，猛火烧令赤，内酽醋中，固有屑落中，频烧石尽，取屑暴捣，和醋涂于肿上。其后，苏颂《本草图经》、《古今图书集成·医部全录·医术名流列传》（1962年人民卫生出版社出版，第13册，121页）转录此方时亦作粗黄石。

综上文献记载，粗理黄色磨石，粗理黄石，粗黄石，是同物异名。

2. 砺石

《证类本草》卷2序例下，“诸病主治药痈疽”条，载有《药对》云：砺石，火烧，苦酒中焠，杵破，醋和贴之即消。查《证类本草》卷1序例上补注所引书传《药对》云："北齐尚书令西阳王徐之才撰……凡二卷，旧本草多引以为据，其言治病用药最详。"按：《药对》为北齐徐之才所著，说明在北齐时，亦用砺石治痈疽。

3. 麦饭石

《苏沈良方》卷10，转录唐代《国史补》，谓洛阳人吕西华，因患背疮，脓血被身，自知不治，由友人张元伯扶至水傍，露卧以待毙。忽有一胡僧至，视其疮曰：膜尚完，可治。乃出盒中药，涂于软帛上，贴四五日生肌，八九日肉乃平，饮食如故。僧云：吾将他适，虑再发无药治，因示其方，令秘之。吕乃秘而不传，裴辉卿员外啗之以名第，河南尹陷之以重刑，吕宁绝荣望，守死不传其方。后来吕至商邱姨弟李潜处，背疮复发，欲用前方，惧人知之，忧疑不决。李潜明其意，乃喻之曰：奈何惧潜见方，宁死而不治，岂保生乎？吕不得已，口授之，潜亲为炼制而医之。寻疾平，吕乃游荆蛮，不知所之，李潜手抄五十本遍遗亲戚。贞元十年（794）冬十月秋浦周南志之。其方曰：白麦饭石，颜色黄白类麦饭者尤佳，炭火烧出，醋中浸十遍止。白蔹末与石等分。鹿角二三寸截之，不用自脱者，原带脑骨者，即非自脱。炭火烧烟尽为度，杵为末，依前二味。

石并捣细末，取多年米醋，于铫中煎，令鱼眼沸，即下前件为末，调如稀饧，以篦子涂，傅肿上，又当疮头留一指面地，勿令合，以出热气。如未脓，当内消；若已作头，当撮小；若日久疮甚，肌肉损烂，筋骨出露，即布上涂药贴之疮上，干即再换。

其后唐·刘禹锡《传信方》、北宋《苏沈良方》、南宋·李迅《集验痈疽方》、元·齐德之《外科精义》、明·王肯堂《外科准绳》、明·陈实功《外科正宗》、清·祁坤《外科大成》、清·吴谦《医宗金鉴·外科心法》、清·顾世澄《疡医大全》等书，均转录此方。矿石中的麦饭石成为历代外科医家常用药。

以上三种石（粗理黄色磨石、砺石、麦饭石）都是用来治背疮的，炼制方法和使用方法以及主治病症都相同。那么三种石是否是同一种矿石呢？

《本草纲目》卷10载有《别录》越砥石，注云：越砥即砺石。砥以细密为名，砺以粗砺为称。按李时珍所云，细密的为砥石，粗糙的为砺石。

在北齐时，粗理黄色磨石、砺石皆用于治痈疽，而且炼制方法及用法亦相同，《北齐书》讲马嗣明用粗理黄色磨石治杨遵彦背疮，北齐·徐之才《药对》讲用砺石亦治背疮。马、徐所处时代、地区相同，所用矿石的炼制及主治病亦相同，据此可知，粗理黄色磨石应是砺石。

以上是从矿石的炼制方法、使用方法、主治背疮及使用人所处时代、地区相同等特点，推断粗理黄色磨石同砺石是同一种石。

北齐·徐之才《药对》久佚，“砺石”的名字很少见用，方书多以“粗黄石”为名字。

宋·苏颂作《本草图经》时，在“姜石”条下绘制二图，一图名齐州姜石，一图名粗黄石。苏颂引《北齐书》马嗣明用粗黄石治杨遵彦背疮，说明粗黄石即是姜石中的一种。接着苏颂又说：世人又传麦饭石亦治发背疮。则麦饭石与粗黄石不是同一种实物。

《本草纲目》卷10将砺石（越砥别名）、麦饭石分别立为两条，视为两种东西，亦说明麦饭石和砺石，并非同一种矿石。

矿石治痈疽，用的都不是原矿石，而是经过煅烧醋淬形成的粉末。

矿石醋淬裂成碎屑的难易程度，与矿石的密度和坚硬度有关。矿石密度大，坚硬度强，即不易煅烧醋淬裂成碎屑。反之，即易成碎屑。在唐以前方书中，治背疮所用的矿石，都是粗理黄色磨石，粗理黄色磨石质坚不易煅。麦饭石类如麦饭成团，质地不太坚，易于煅。所以自中唐以后，均将麦饭石煅烧，炼制成麦饭石粉应用。

近年研究发现了麦饭石的新用途。据临床观察，麦饭石对皮肤病、神经衰弱、脚气、胃肠病等疾患有一定疗效，且有抗腐保洁、除臭解毒、净化水质等作用。

二、从《五十二病方》应用水银看我国古代制药化学的成就

1979年11月文物出版社出版了《五十二病方》单行本，这个单行本包括五种古佚医书，其中有我国现存最古的医方《五十二病方》。

《五十二病方》记载了52个病，每个病记有若干个方子，总计283方。在这283方中，所用药物有247种，其中有丹砂、水银等药。

书中应用水银的方子有四起。

102页，治般（瘢）者方：以水银二，男子恶四，丹一，并和，置突（上）二三月，盛（成），即□□□囊而傅之。

108页，治痂方：善洒，靡（磨）之血，以水银傅，［又］以金鋊冶（研）末

皆等，以彘膏［膳而］傅［之］。

111 页，治干痂方：以水银，谷汁和而傅之。

114 页，治身有痈方：……即取水银靡（磨）掌中，以和药傅。

上述四个方子皆用有水银。

水银在自然界中单独产出的很少，一般多从硫化汞（丹砂）的矿石中提炼取得。我认为，《五十二病方》所用的水银，很可能是从丹砂中制取的，理由如下。

自古以来，方士等所用的水银，都是从丹砂中制取的。古代湖南辰州（今沅陵）出丹砂，《五十二病方》亦是湖南长沙出土的，而且《五十二病方》第 61 页治白瘧方中即用丹砂，提示《五十二病方》中的水银很可能是从丹砂提炼取得的。

水银虽是金属，但不能用炼铜、铁的方法来提炼。因水银极易挥发，加热到 350℃时，会全部挥发掉，所以用炼铜或炼铁的方法来炼丹砂，肯定是不行的。故提炼水银必须用特殊的方法，使用蒸馏一类的装置才行，没有这样的装置，是得不到水银的。

《五十二病方》中虽无提制水银的记载，但从书中应用水银的事实，当时必有类似蒸馏工艺装置存在，否则，如何能够提炼取得水银呢？

这一点，似可说明我们祖先在当时已能从丹砂中制取水银，这对制药化学是一大的贡献。

用丹砂制水银，是在什么时候开始的呢？

过去都认为我国后汉时代（2 世纪）的药学著作《神农本草经》，是最早记载药用水银的书。《神农本草经》载：水银，味辛，寒。主疥瘘、痂疡、白秃，杀皮肤中虱，堕胎，除热。杀金银铜锡毒，熔化还复为丹。但从《五十二病方》已用水银入药来看，《神农本草经》不能算是记载水银药用最早的书，《五十二病方》才是最早记载水银的。《五十二病方》是什么时候的书呢？按马继兴、李学勤两位同志的考证，《五十二病方》抄成的时间不晚于秦汉之际，即应为公元前 3 世纪末的写本。两位同志同时又指出，《五十二病方》成书年代是早于《黄帝内经》的。如果从《黄帝内经》成于战国时期来推定，那么《五十二病方》成书年代至少可以上溯到春秋战国之际，甚至更早。那么水银制备成功的年代也应在春秋战国之际以前了。

三、有关汞及炼丹的历史

汞是水银的别名，《广雅》称水银为澒，《药性》称水银为姹女，《本草纲目》

称水银为灵液，《名医别录》称水银为汞。

汞的化合物在中国医书中名字极多。化合物主要有两种，即二氯化亚汞（甘汞）和硫化汞。虽然古医药书中无甘汞和硫化汞的名称，但是从古医药书记载的制作汞化物所用的原料来看，水银粉、汞粉、轻粉、扫粉、峭粉、腻粉、粉霜、水银霜、白雪、白灵沙等都是甘汞；银朱、猩红、紫粉霜、灵砂、二气砂、丹砂、辰砂、朱砂等都是硫化汞。例如《本草纲目》卷9“银朱”条下水银出于丹砂，熔化还复为朱者，即此也。

下面对汞及汞化物和炼丹的情况进行分析说明。

1. 汞及汞化物最早的应用时间分析

《周礼·天官篇》曰：“疡医掌肿疡、溃疡、金疡、折疡之祝药劀杀之剂，凡疗疡，以五毒攻之，以五气养之，以五药疗之，以五味节之。”东汉·郑玄对“凡疗疡，以五毒攻之”句作如下的解释：“攻治也。五毒：五药之有毒者，今医人有五毒之药，合黄堥置石胆、丹砂、雄黄、矾石、磁石其中，烧之三日三夜，其烟上著，以鸡羽扫取之，以注疮。”在此注解中，“黄堥”是一种瓦器，可知“五毒之药”就是把五种毒药放在瓦罐内加热制成升华物作外用之药。这种升华物就是汞剂，只有甘汞类才能升华，由此可以看出我国用汞剂治疗外科病很早就开始了。《周礼》是周朝周公所作，周朝是在前公元前1100年，距离现在已有3000多年了。但据近代古史学家考证，《周礼》是战国时人伪托周公名字的作品，战国是在公元前770—前221年，假使考证是对的，那么我国用汞剂治外科病，即使没有3000年，也至少有2000年以上的历史了。

2. 汞和炼丹的关系

战国时，燕国和齐国近海，人们将海市蜃楼的现象误认为是仙境。秦始皇、汉武帝等帝王十分迷信神仙之说，《史记·封禅书》记载：“……少君（李）上言曰：‘祠灶则致物，致物则丹砂可化为黄金，黄金成为饮食器则益寿，益寿而海中蓬莱仙者乃可见，见之以封禅则不死，黄帝是也，臣常游海上，见安期生，安期生食巨枣大如瓜，安期生仙通蓬莱，合则见人，不合隐。’于是天子始亲祠灶，遣方士入海求蓬莱安期生之属，而事化丹砂诸药齐（齐即剂也）为黄金矣，居久之，李少君病死，天子以为化去不死……”由此可见，皇帝听了李少君的话，亲自祈祷，找方士们来炼丹并寻求仙药。这一时期，不仅皇帝爱好神仙，相信炼丹，就是比较大的官儿们也都如此，所谓“上有好者，下必有甚焉者矣”。如《汉书·淮南王安传》记载："招致宾客方术之士数千人，作为内书二十篇，外书甚众，又有中篇八卷，言神仙黄白之术，亦二十余万言。"淮南王刘安把中篇八卷藏在枕下，名《枕中鸿宝苑秘书》，所以汉书楚元王交传记有："上复兴神仙方求之事，淮南王安有枕中鸿宝苑秘书，言神仙，使鬼物为之术。"又如汉武帝时（公元前73年）的谏大夫也十分相信炼丹，这位谏大夫名叫刘向，他著有《刘仙传》，该书上卷记有"任光者，上蔡人也，善饵丹"；下卷记有"主柱者不知何许人也，饵丹沙；赤斧者巴戒人也，为鸡祠主簿，能作水澒，炼丹沙与硝石服之"。从上面这些记载，不难看出，我国在公元前73年，已经有将硫化汞（丹砂）制造水银（澒）的技术了。也可以看出，汞及汞化物不仅供外用，而且是当时炼金和制作"化药"的重要原料。(《说文》释:澒，丹砂所化，为水银也。)

东汉桓帝时，有位炼金家名魏伯阳，他对汞的性质的认识进一步加深，他所著的《周易参同契》一书中记有"丹砂木精，得金乃并，金水合处，木火为侣。河上姹火，灵而最神，得火则飞，不见埃尘……将欲制之，黄芽为根。采之类白，造之则朱"。姹女是汞的别名，黄芽是硫黄的别名。可见魏伯阳已认识到汞易挥发，也容易和硫黄相化合，并且不纯的硫化汞（类白）可以炼成纯的硫化汞（造之则朱）。

汉朝以后，炼丹的人极多，著作亦多，到了西晋末东晋初间出了一位知识分子——炼丹家葛洪（稚川、抱朴子），他广阅古书，也著了很多的书。其著作《抱朴子》中对汞及汞化物的记载极为丰富。葛洪对硫化汞和甘汞均有进一步认识。他在《抱朴子》内篇中记载道："丹砂烧之成水银，积变又还成丹砂。白雪、粉霜也。以海卤为匮，盖以土鼎，勿泄精华，七日乃成。"可以说，葛洪是集古代炼丹之大成者。

后世对汞及汞化物的炮制，均袭取前人的方法，自秦汉到晋，炼丹所用的原料主要成分均是汞和汞化物，所炼出来的丹，也还是汞的化合物，无数的人们吃了含汞化物的"仙丹"，都发生了汞中毒。

3. 汞化物作泻剂和利尿剂

最早记载汞化物作泻药的是《中藏经》。该书下卷记载有"取积聚方"，其组成为轻粉、粉霜、朱砂各半两，巴豆霜二钱半，所谓"取积聚"，就是泻下的意思。《中藏经》相传是华佗所作，据近人研究认为其可能为华佗弟子等所辑。不论如何，他们均是三国时人，如此，汞化物作泻药，早在1700年前已有了。后世方书，记载汞化物作泻药的更多，如《普济方》云："腻粉（即甘汞）半钱和沙糖为丸，梧子大，治大便壅结。”《秘宝方》云：“腻粉五钱，定粉三钱，同研，水浸蒸饼心少许，和丸绿豆大。治血痢腹痛。”

最早记载汞化物作利尿剂的是《太平圣惠方》。《太平圣惠方》云：“大小便闭，胀闷欲死，二三日则杀人，腻粉一钱，生麻油一合相和，空心服。”《太平圣惠方》是宋淳化三年（992）王怀隐所编，所以汞化物作利尿剂应用，早在1000年以前就有了。

4. 汞化物治疗梅毒

《本草纲目》卷9“水银粉”的附方中，有治杨梅疮癣方，该方出自《岭南卫生方》，方内有胡麻、蔓荆子、枸杞子、荆芥、牛蒡子、山栀子、防风、黄连、大黄各二钱，黄柏、苦参、山豆根、轻粉、白蒺藜各一钱。这个方内就有汞化物轻粉的应用。又同氏《外科发挥》记载有用汞剂蒸治梅毒之法，又有用水银调油擦梅毒的记载。其所记捷治法用胆矾、白矾末及水银各三钱半，入香油津唾各少许和匀，坐无风处，取药少许和匀，取药少许涂两脚心，以两手心对两脚心擦磨良久，再涂药少许，仍前再擦。

汪机著《外科理例》，记有杨梅疮病例5例，并提到用汞治疗梅毒疮会引起患者水银中毒。

俞弁著《续医说》云：“弘治末年，民间患疮自广东人始，吴人不识，呼为广疮，又以其形似，谓致之杨梅疮，若病人血虚者，服轻粉重剂，致生结毒，鼻烂足穿，痼疾，终身不愈。”由此推知，明朝弘治年间，梅毒已流行了，并且常用汞化物治疗。

5. 古人对汞及汞化物毒性的认识

古人对汞及汞化物毒性的认识，主要源于以下两种情况。一是服食丹砂而中毒，二是因治疗梅毒而中毒。兹简略介绍如下。

汞及汞化物中毒的一种情况是由服食丹砂引起。秦汉至五代，汞及汞化物一直被认为是仙药，《神农本草经》“丹砂”项下记载其“久服通神明”，“水银”项下记载其“杀金银铜锡毒，熔化还复为丹，久服神仙不死”。《抱朴子·内篇》之小神丹方，用真丹三斤，白蜜六斤搅和，日暴煎之，令可丸，旦服如麻子许十丸，未一年，发白者黑，齿落者生，身体润泽，长服之，老翁成少年，长生不死矣。像这样含汞化物的方子极多。这一时期，因服含汞化物的方子中毒者不计其数，轻度中毒后会呈现神经错乱，时人就以为是“通神明”，倘若中毒死了，就以为是成仙化道去了。

到了隋唐，人们渐渐知道汞和汞化物是有毒物质，不能随便吃。如《本草纲目》卷9“丹砂”条，就引用唐·甄权《本草药性》曰“丹砂有大毒”。又“水银”条引唐·陈藏器《本草拾遗》曰：“水银入耳能食人脑至尽，入肉令百节挛缩，倒阴绝阳。人患疮疥，多以水银涂之，性滑重，直入肉，宜谨之。头疮切不可用，恐入经络，必缓筋骨，百药不治也。”宋·寇宗奭著《本草衍义》卷4“丹砂”条记载，李善胜尝炼丹砂为丹，经岁余，沐浴再入鼎，误遗下一块，其徒丸服之，遂发懵冒，一夕而毙。同书卷5“水银”条，引唐·韩愈云：太学博士李千遇，信安人，方士柳贲，能烧水银为不死药。以铅满一鼎，按中为空，实以水银，盖封四际，烧为丹砂。服之下血，比四年病益急，乃死。余不知服食说自何世起，杀人不可计，而世慕尚之益至，此其惑也。

金代名医刘完素已认识到银粉能伤牙齿，明·李时珍在《本草纲目》卷9“水银”条言道：“……大明言其无毒，《本经》言其久服神仙，甄权言其还丹元母，抱朴子以为长生之药，六朝以下贪生者服食，致成废笃而丧厥躯，不知若干人矣，方士固不足道，本草其可妄言哉。”

汞及汞化物中毒的另一种情况，是由治梅毒引起。16世纪时治杨梅的方剂均含有轻粉，常用必然发生中毒，因而引起了许多医生的注意。窦汉卿著《疮疡经验全书》，提醒人们治疗梅毒时要注意汞的毒性，他说：“宜用汗药，宜用服药，宜用搽药，不可服丸剂，恐内藏轻粉易愈故也。但轻粉乃水银升也，腐肠烂骨，害不旋踵。”窦氏对汞剂很注意，不主张内服，只主张外用，如配成广疮膏作擦药。广疮膏由松香、杏仁、乳香、没药、铜绿、轻粉、黄蜡等制成。《本草纲目》卷18“土茯苓”条云：“昔人不知用此，近时弘治、正德间，杨梅疮盛行，采用轻粉取效，毒留筋骨，溃烂终身。”

明·陈司成著《霉疮秘录》，详细记载了梅毒，并认识到汞及汞化物的毒性，反对内服轻粉，以防中毒，提倡用生生乳治疗梅毒。生生乳是由矾石、云母、硝石、朱砂液、晋矾、绿矾、枯矾、食盐、青盐等炼成的。

6. 小结

至少2000年前，汞及汞化物已用于外科肿疡的治疗，并可制成升华的汞化物。到了秦汉，由于炼丹术的盛行，人们对汞和硫化汞的理化性状已有所认识；并且由于长期服食含汞化物的丹药，人们知道了汞及汞化物有泻下、利尿、杀菌等作用，并知其有毒性。到了16世纪，人们认识到汞及汞化物虽然能治疗梅毒，但使用汞及汞化物时只能外擦，不可内服，以防中毒。

四、红升丹、三仙丹、白降丹的勘比

1. 成分及性状

红升丹（大升丹）、三仙丹（小升丹）、白降丹，下文简称丹药。

丹药皆含汞化物，前二者主要为氧化汞，后者主要为氯化汞。

丹药都经火烧炼制而成。前二者以炼制所产升华物为主，称为升丹；后者以炼制所产沉降物为主，称为降丹。在炼制所用原料上，前二者所用原料无食盐；后者所用原料有食盐。

丹药初制成品，红升丹呈鲜红色，三仙丹呈橙红色，白降丹呈白色。

丹药均畏光和空气及潮湿。所以丹药须用瓷瓶贮藏，避光密封。否则久放，因潮湿及空气，见光，皆变色，最后变成黑色，毒性、刺激性加大。

2. 性味

丹药皆味辛，热，有大毒。

3. 功效

丹药均有提脓、拔毒、去腐、杀虫、燥湿等功效。

4. 临床外用

由于丹药毒性、腐蚀性、刺激性大，外用时，大都研作细末，用石膏细粉稀释，作掺药用，亦可配入油蜡膏用。

丹药皆有腐蚀性，可用以腐蚀瘘管。其腐蚀强度以红升丹最强，三仙丹次之，白降丹最弱。

用红升丹或三仙丹治疗慢性窦道时，久用会引起肛口（或称起埂），故对管壁厚韧者，宜将红升丹或三仙丹与白降丹所制之药捻交替使用。

白降丹能蚀肉以去腐，大小升丹则有化阴回阳之力，可以去腐生新，如创面紫黯污秽，用之便可红活。脓水清稀时，将丹药配收敛药用，便可得稠脓。

红升丹、三仙丹用于溃疡创面时，能伤好肉，并强烈致痛。除去腐肉、化瘘管时用量可稍重外，用于紫黯污秽之创面及脓水清稀之疮，药量应酌减。

丹药多配成复方用，兹举例如下。

滚脓丹（段氏方），化腐、提毒、敛脓。红升丹 30 克，老广丹 10 克，麝香

1.5克，梅片4.5克，共研极细，掺疮上，如以面糊和药，搓为药捻，更可用于提取较深的溃疡内的坏死组织，并用于化除慢性窦道管壁。可使脓水从清稀变为稠脓，疮内异物（如腐骨、线头等）亦能随脓提出。

京红散（闫氏方），治溃疡，去腐生肌。红升丹30克，冰片10克，共研极细。溃疡有腐肉者，以此药掺于腐肉上，药量以肉眼可见如桌面浮尘为宜。创面紫黯污秽者，更宜薄撒药粉，且须均匀，以微见药粉为度。

大、小升丹，用极小量即可促使溃疡创面之肉芽生长。若配合生肌药同用，其效尤佳。但须在溃疡之脓毒已净，创面无腐肉时方可使用。宜制为散剂作掺药，用量则以占全方剂量百分之五左右或更少为宜。撒于创面上亦须薄匀。

拔毒生肌散（《疡医大全》）。红升丹9克，轻粉9克，蓖麻仁（去油）9克，乳香（去油）6克、黄丹6克，煅石膏30克，琥珀面3克，共研极细，掺疮上盖膏。

敛疮口药（《疡医大全》），治诸疮毒四边紫黑不消，疮口不敛。红升丹、轻粉、黄丹、龙骨各15克，白蔹、海螵蛸、密陀僧各30克，麝香0.3克，共研细末，掺和备用。

红升丹、三仙丹有燥湿杀虫之功。可用于治疗黄水疮等湿烂疮面，但须配伍清热解毒之剂。此外，二丹亦可配入治癣药中。

龟板散治黄水疮（古验方）。龟板600克，黄连30克，红粉15克，冰片3克，各研极细，和匀。花椒油调敷。

治湿疹顽癣（古验方）。三仙丹1克，硫黄15克，蛇床子9克，白芷6克，樟脑1.5克，各研极细，和匀。花椒油调敷。

红升丹、三仙丹、白降丹均剧毒，使用时须审慎。《外科真诠》载有丹药用药禁忌，谓：湿热毒不宜用丹。脚上初起忌用轻粉并升丹。火毒不宜用丹。对口忌用丹，下疳初起忌用丹。鹳口疽忌用丹，龟蛇初七口不宜用丹。《医门补要》亦载：手背乃三阳经脉之部，生疮忌用升药助火蚀肌。宜清火渗湿药掺之。膝盖以下至足背生疮，皆湿热下注者居多，尤忌丹药，以免闭湿生火，须以利水清火药外掺。此外，在口、眼附近、乳头、脐中以及阴囊、下疳与关节部位均不宜用升药。创面过大时，最好避免使用大、小升丹，以免汞中毒。

五、丹砂矿物药的综述

丹砂，因其色朱红，俗称朱砂。昔以湖南辰州（今沅陵）所产质量较好，又名辰砂。其实，辰州是丹砂的集散地，丹砂主产于贵族铜仁及湖南新晃、凤凰等县。

丹砂在文献上记载很早，《管子·地数篇》载："上有丹砂，下有黄金。"司马迁《史记·封禅书》云："祠灶则致物，致物而丹砂可化为黄金，黄金成，以为饮食器则益寿，益寿而海中蓬莱仙者可见，见之以封禅则不死，黄帝是也。"可见在汉代就曾利用丹砂矿物炼制黄金，以求长生不老之药。《抱朴子·金丹篇》云："夫金丹之为物，烧之愈久，变化愈妙，黄金入火百炼不消，埋之毕天不朽，服此二物，炼人身体，故能令人不老不死。"就像司马迁说丹砂可化为黄金，抱朴子说黄金、金丹能令人不老不死，丹砂在中国文献里，大部分是讲用丹砂炼丹的事。又因丹砂加热会产生水银，水银又能溶解金银，这在当时人们看来，极为神奇，因此丹砂和水银成为方士们炼丹重要原料。

1. 丹砂的名称

过去从矿中初采出的丹砂，因产地、品质、纯度、形态、性状等不同，其名称各异。陶弘景记载的丹砂有很多种，出武陵则名巴砂；状如云母片谓之云母砂；如樗蒲子形、紫石形谓之马齿砂；如大小豆及大块圆滑者谓之豆砂；如细末碎者谓之末砂。《雷公炮炙论》将丹砂分为数十种，如妙硫砂、梅柏砂、白庭砂、神座砂、玉座砂、白金砂、澄水砂、阴成砂、辰锦砂、芙蓉砂、平面砂、神末砂等。《唐本草》将丹砂分为土砂和石砂。土砂又分块砂、末砂，其体重色黄；石砂又分十数种，如光明砂、马牙砂、越砂等。

中药书里有时称丹砂为片砂、劈砂、朱宝砂、镜面砂。处方时常用名称有朱砂、飞朱砂、丹砂、辰砂，方书中以朱砂为最常用的名称。

2. 丹砂矿的分布

丹砂为六方晶系辰砂的矿石，它的分布，文献上记载很多。陶弘景《本草经集注》记载武都（今甘肃武都）、仇池（今甘肃成县仇池山）、符陵（今四川彭水）、广州临漳均产丹砂。《开宝本草》说辰州（今湖南沅陵）、锦州（今湖南麻阳西），宜州（今广西宜山）亦产丹砂。现湖南、贵州、四川、广西、云南等地区产天然丹砂。湖北、重庆、贵阳、哈尔滨等地用人工制造丹砂，在商品亦作丹砂用。

3. 丹砂矿的开采

李时珍说："丹乃石名，其字从井中一点，象丹在井中之形，义出许慎《说文》。后人以丹为朱色之名，故呼为朱砂。"按李时珍所云，丹砂是从井中而来。

则丹砂矿，是埋藏在地下的，通过凿井而得。盖丹砂是硫化类矿物辰砂，其矿常分布于各时代的水成岩中。因此开采时，要凿井才能采得。采掘后选取纯净者，用磁铁吸净含铁的杂质，再用水淘去杂石和泥砂。陶弘景说："丹砂即今朱砂，采砂皆凿坎入地数丈许。地有水井、火井。仙方炼饵，最为长生之宝。"

4. 丹砂的制备

将丹砂矿石先碾碎，除去石块及杂质，然后将细粒置于淘洗容器内，加水左右摆动旋转。因丹砂细粒比砂石粒重，故会沉于器底，倾去细砂石和水，将沉积器底的丹砂取出，研成细末，再水飞至极细末；其中较大的粉末下沉，小的粉末悬浮水中。将悬液倾出，任其沉淀，将其上面的水倾出，其沉淀物即为细末丹砂粉。对原先较大的粉末下沉物，再如前法水飞，再取上层悬浮液，任其沉淀，收取沉淀物晒干，封装瓶内备用。过去制备丹砂，先用紫背天葵、粉甘草同煮，研末，水飞用；或用荞麦梗灰淋汁煮，研末水飞亦可。但切忌火炼，若火炼则有毒杀人。

5. 丹砂的性质

天然丹砂化学成分为硫化汞（HgS），因产地和品种纯度不同，所含汞（Hg）与硫（S）的比例也不同，一般含汞75%～85%，含硫13.7%。不纯的品种夹有雄黄、氧化铁及其他杂质，因而其性状各有差异。极纯的丹砂为绯色透明结晶体，有光明莹澈的光泽。一般纯度的丹砂为粒状块集合体，呈颗粒状或块片状。颜色由鲜红至暗红不等，或带铅灰色。其条痕为红色至褐红色，具有金刚石样光泽。体重，质脆。硬度为2～2.5。比重为8.09～8.2。其片状者易破碎，粉末状者有闪烁的光泽。无臭，无味。其中呈细小颗粒，色红明亮，触之不染手者，名朱宝砂；呈不规则板片，斜方形或长条形，大小厚薄不一，边缘不整齐，色红而鲜艳，光亮如镜面而微透明，质地松脆者，名镜面砂；块状较大，方圆形或多角形颜色发暗或呈灰褐色，质重而坚，不易碎者名豆瓣砂。这些丹砂的HgS含量在96%以上，极难溶于水。易溶于王水（浓盐酸与浓硝酸比例为3:1的混合液）。在闭口试管中加热，可逐渐产生黑色升华物。

6. 丹砂的性味

关于丹砂的性味，部分本草有如下记载。《本经》云："味甘，微寒。"《别录》云："无毒。"《吴普本草》引岐伯曰："味苦，有毒。"《药性论》云："有大毒。"

7. 丹砂的作用

历代本草对丹砂作用的记载很多。《本经》云："养精神，安魂魄，益气明目。

杀精魅邪恶鬼，久服通神明不老。”《别录》云：“通血脉，益精神，悦泽人面，轻身，除毒气疥瘘诸疮。”《药性论》云：“镇心，主尸疰抽风。”《日华子本草》云：“润心肺，治疮疥，并涂之。”《本草纲目》云：“治惊痫，解胎毒，痘毒，能发汗。”《珍珠囊》云：“心热非此不能除。”《得配本草》谓能：“纳浮溜之火，降心肺之热，安神明，除烦满，是其降火之功。辟邪秽，下死胎，乃其重镇之力。去目翳，疗疮毒。”

8. 丹砂的应用

丹砂最早被用作红色颜料。殷墟出土的甲骨，其上涂文字的颜料即是丹砂。古代《周礼》曾记载丹砂外用治疮疡。《周礼·疡医》云：“凡疗疡，以五毒攻之。”郑康成注云：“今医方有五毒之药，作之合黄堥，置丹砂、石胆、雄黄、礜石、磁石其中，烧之三日三夜，其烟上著（升华），以鸡羽扫取之，以注创，恶肉破骨则尽出。”翰林学士杨亿常《笔记》云：“直史馆杨，年少时，有疡生于颊，连齿辅车外，肿若复瓯，内溃出脓血，不辍吐之，痛楚难忍，疗之百方，弥年不瘥。人语之，依郑法合烧药成，注之创中，少顷，朽骨连两牙溃出，遂愈，后便安宁。”1973年长沙马王堆出土的《五十二病方》，已有用丹砂治病的记载。《五十二病方》130行记载：“白毋奏（腠），取丹沙与鳝鱼血，若以鸡血，皆可。”《五十二病方》328行记载：“般（瘢）者，以水银二，男子恶四，丹（丹沙）一，并和，置突上二三月，或，即囊而傅之。”武威出土的汉代医简第86甲简，载有用丹砂、雄黄、礜石等治大风的方子。《肘后方》记载有用丹砂配制药物，治疗面多皯黯，或似雀卵者。

在临床上，丹砂多被称之为朱砂，常用以治心悸，怔忡，心神不宁，多梦，易惊，视物昏花，小儿惊风，癫痫，狂乱，痉挛，抽搐，疮疡肿毒，胎毒，痘毒，口疮，喉痹，皮肤癣痒，反胃吐逆，霍乱转筋等。但对上述病证，丹砂单独应用，疗效不明显，故都是配方使用。李时珍说丹砂“其气不热而寒，其味不苦而甘。是以同远志、龙骨之类，则养心气；同当归、丹参之类，则养心血；同枸杞、地黄之类，则养肾；同厚朴、川椒之类，则养脾；同川乌、南星之类，则祛风。随佐使而见功”。

9. 丹砂的畏恶

丹砂畏卤水、车前、石韦、皂荚、决明、瞿麦、南星、乌头、地榆、桑葚、紫河车、紫花地丁、马鞭草、地骨皮、阴地蕨、白附子。恶磁石。忌诸血。

10. 丹砂的毒性

丹砂有毒，不宜大量久服。入丸散用0.3～1克。不宜入煎剂，入汤剂当研细末冲服。外用适量。入药只宜生用，忌用火煅。丹砂与雄黄相似，都不能烧，见火则生剧毒。雄黄见火即变成砒霜，丹砂见火可析出水银或生成氧化汞。丹砂极难溶于水，在胃酸中亦难溶解，但见火后即变成氧化汞，氧化汞极易溶于胃酸中，被吸收会导致汞中毒。不纯的丹砂常混杂有雄黄，见火毒性更大。沈括说“丹砂因火力所变遂能杀人”。他所著《梦溪笔谈》载：“表兄李善胜，炼朱砂为丹，岁余，沐浴再入鼎，误遗一块。其徒丸服之，遂发懵冒，一夕而毙。”此即因丹砂见火产生可溶性汞化物，人误服吸收而中毒。寇宗奭《本草衍义》云：“朱砂镇养心神，但宜生用，若炼服，少有不作疾者。一医疾，服火者数粒，一旦大热，数夕而毙。”《石林避暑痛录》载“林彦振、谢任伯，皆服伏火丹砂，俱病脑疽死”。张杲《医说》云：“张服食丹砂，病中消磨数年，发鬓疽而死。”周密《齐东野语》云：“临川周推官生平孱弱，多服丹、乌附药，晚年发背疽。”以上事例，即说明天然丹砂见火以后，其毒性大增，不可随便服用。

方士们炼丹所用的丹砂，大都经过火炼，所以几乎所有丹药都有毒。东汉《古诗十九首》中云：“服食求神仙，多为药所误。”《二十二史劄记》卷19亦记载唐太宗、宪宗、穆宗、敬宗、武宗、宣宗等人，都因服饵丹药而身亡。

六、《山海经》中的矿物药

铁石　东山经，高氏之山多铁石。郭璞注：可以为砭针。

育沛　南山经，丽麐之水，其中多育沛（琥珀），佩之无瘕疾。

流赭　西山经，禺水，其中有流赭，以涂牛马无病。

礜　西山经，皋涂之山，有白石焉，其名曰礜，可以毒鼠。

瑾瑜玉　西山经，钟山之阳，瑾瑜之玉为良，坚粟精密，浊泽而有光，君子服之，以御不详。

器酸　北次三经，条菅之水，其中多器酸（具体何物未详），三岁一成，食之已疠。

天婴　中山经，金星之山，多天婴（具体何物未详），其状如龙骨，可以已痤（痈痤）。

帝台之棋　中次七经，休与之山，其上有石焉，名曰帝台之棋，五色而文，其状如鹑卵，服之不蛊。

帝台之浆 中次十一经，高前之山，其上有水焉，其寒而清，帝台之浆也，饮之者不心痛。

七、《本草经》玉泉释

《本草经》曰：玉泉味甘，平，无毒。主五脏百病，疗妇人带下十二病，除气癃。久服不老神仙。

这段经文，说明玉泉既是治病的药物，又是不老神仙服食品。

罗振玉《古镜图录》云：尚方作镜真大好，上有仙人不知老，渴饮玉泉饥食枣，寿如金石佳且好。

以上两文，都提到玉泉能久服不老神仙。说明玉泉出现时代很早。

神仙之说，始出于战国末方士，到秦国统一天下，秦始皇亦信奉神仙。到汉初，方士进入宫廷，大讲炼丹，欲求制造黄金和不死之药。

而汉代本草官作《本草经》时，将方士不老神仙之说，亦收入书中，玉泉就是其中一例。

玉泉是何物，各家所说不一。兹举例如下。

陶弘景说：当是玉之精华，白者质色明澈，可消为水，故名玉泉。

《开宝本草》说：今《仙经·三十六水法》中化玉为玉浆，称为玉泉。

苏颂《本草图经》引苏恭云：玉泉者，玉之泉液也，以仙室池中者为上。

以上几家都说玉泉是人工制造的。

但《名医别录》认为玉泉是天然的产物。

《名医别录》云：玉泉，生蓝田山谷。这就提示，玉泉似是产玉处山谷的泉水。

八、《本草经》空青等矿物药释义

1. 空青

［别名］苏颂《本草图经》：状如杨梅，故名杨梅青。《石药尔雅》名青神羽、青油羽。

［基原］本品是铜矿中的一种，主要由碱式碳酸铜构成。因纯度、形状不同，

其名称各异。《日华子》云：空青，其青厚如荔枝壳，内有浆。

［产地］《范子计然》云：空青出巴郡（今四川重庆）。《别录》云：生益州（今四川）山谷及越西山（今四川西昌）有铜处。陶隐居云：凉州西平郡（今甘肃西宁）有空青山，亦甚多。《本草图经》云：今信州（今江西上饶）亦时有之。

［性味］《本经》云：味甘，寒。《别录》：味酸，大寒，无毒。

［功用］《本经》云：主青盲明目。《日华子》云：其浆点多年青盲内障翳膜，其壳又可磨翳。《本草图经》云：今治眼翳障为最要之物。《本草衍义》云：空青功长于治眼。诸家所言，皆以空青治眼疾为主，此与本经所云同。

按 陶弘景云：诸石药中，惟此最贵，医方乃稀用，而多充画色。苏颂云：空青绝难得。李时珍云：方家以药涂铜物生青，刮下伪作空青者，终是铜青。由此可见，空青自古即稀少。今未见有用者。

2. 曾青

［别名］高诱注《淮南子》名：青曾。《造化指南》名层青。李时珍曰：其青层层而生，故名。

［基原］陶弘景云：曾青与空青同山，疗体亦相似，形累累如黄连相缀，色理小类空青。《本草图经》云：曾青所出，与空青同山，疗体颇相似，色理亦无异。《化学发展简史》记载曾青成分为蓝铜矿 $Cu_3(CO_3)_2(OH)_2$。《本草纲目》引葛洪云：曾青涂铁，色赤如铜。此因曾青是铜盐，其中铜离子为铁所置换，还原成金属铜。又空青、白青、扁青、石胆等涂铁，亦有此反应。

［产地］《管子·揆度篇》云：秦明山之曾青。《范子计然》云：曾青出弘农（山西与河南西北部交界处）、豫章（今江西南昌）。《荀子》云：南海则有曾青。《别录》云：生蜀中（今四川）山谷及越西（今四川西昌）。陶弘景云：今出始兴（今广东始兴）。《唐本草》：出蔚州（今河北蔚县）、鄂州（今湖北武汉）。

［功用］《本经》云：主目痛，止泪出，破癥坚积聚。《别录》云：杀百虫。曾青是含铜的矿物药，它们在《本草经》中多用以治目疾，亦可杀各种虫。

3. 白青

［别名］《唐本草》云：研之色白如碧，亦谓碧青。一名鱼目青，以形似鱼目故也。李时珍云：此即石青之属，色深者为石青，淡者为碧青，今绘彩家亦用。

［基原］白青是蓝铜矿，主要成分为碱式碳酸铜。《淮南万毕术》云：白青得铁，即化为铜。此因铁能置换白青中铜离子，使铜离子还原成金属铜。

[产地]《范子计然》云：白青、曾青出新淦（今江西樟树）。《别录》云：生豫章（今江西南昌）山谷。《唐本草》云：今出简州（今四川简阳）、梓州（今四川三台）。

[性味]《本经》云：味甘，平。《别录》云：酸、咸，无毒。

[功用] 本经：主明目，令人吐，杀诸毒三虫。白青是铜盐，铜均能治目疾，并能催吐、杀虫。

4. *扁青*

[别名]《本草纲目》名石青、大青。《唐本草》谓扁青即绿青。

[基原] 章鸿钊《石雅》谓扁青即蓝铜矿，因其形扁，故名。扁青亦是蓝铜矿的矿石，其成分为 $Cu_3(CO_3)_2(OH)_2$，理化性状亦似空青。《本草纲目》引《庚辛玉册》云：杨梅青（空青）、石青（扁青）皆为一体，而气有精粗。

[产地]《别录》云：生朱崖（今海南琼山）、武都（今甘肃武都）、朱提（今四川宜宾）。

[性味]《本经》云：味甘，平。《别录》：无毒。

[功用]《本经》云：主目痛，明目，痈肿，破积聚，解毒。

按 扁青、白青、曾青、空青主要成分均为碱式碳酸铜。它们均能治各种目疾，能催吐、杀虫，可作疮药。扁青是由硫化铜矿床氧化带中的次生矿物，和孔雀石是同类物。安徽铜陵、贵池等地铜矿床的氧化带中有零星扁青。未见有人采售者。现在所用都是人工制造的。其法：将废铜置于湿地自生铜绿，经加工，成铜绿，或名铜青。用于疗疮去腐，治烂眼、臁疮、顽癣。亦治蛇咬虫螫诸毒伤。内用作催吐剂，用以吐风痰。

5. *石胆*

[别名]《本经》名毕石。《别录》名黑石、基石、铜勒。《仙经》名立制石。《本草纲目》名胆矾。生于铜矿中的名蓝矾。

[基原] 本品含五水硫酸铜矿石，系由硫化铜矿床氧化而成，常存于气候干燥地区硫化铜矿床的氧化带中，可与蓝铜矿、孔雀石共生。安徽铜陵、贵池等地铜矿床的氧化带中有零星存在。

《本经》云：石胆能化铁为铜。《梦溪笔谈》云：熬胆矾铁釜，久之亦化为铜。此即胆矾中铜离子，被金属铁置换后，铜离子还原成金属铜。化学上称之为置换反应。

［产地］《别录》云：生羌道（今甘肃岷县一带）。陶弘景云：出梁州（今陕西及四川北部）、信都（今河北冀县）。《唐本草》云：真者出蒲州（今山西永济）、虞乡（今山西虞乡）。《本草图经》云：出信州（今江西上饶）。《梦溪笔谈》云：信州铅山有苦泉，挹其水熬之，则成胆矾。

［性味］《本经》云：味酸，寒。《别录》：味辛，有毒。

［功用］《本经》云：主明目目痛，金疮诸痫痉，女子阴蚀痛，石淋寒热，崩中下血，诸邪毒气。《别录》云：散癥积、鼠瘘恶疮。《周礼·疡医》云：凡疗疡以五毒攻之。郑康成注云：今医方有五毒之药，作之合黄堥，置石胆、丹砂、雄黄、礜石、磁石其中，烧之三日三夜，其烟上著，以鸡羽扫取之，以注疮，恶肉、破骨则尽出。

石胆能燥湿收敛，外用治风眼赤烂、口疮、牙疳、鼻息肉、痔疮肿痛。以火煅胆矾一分，胡黄连、儿茶各二分为末外敷。旧时有记载以其千分之一溶液洗眼。内服能催吐，过去用于咽喉肿痛，痰涎壅盛。以醋调少许（0.5克），灌之，吐喉痹痰涎。

九、《石药尔雅》简介

《石药尔雅》，一名《百药尔雅》，梅彪撰。梅彪为唐代炼丹家。西蜀江源（今四川松潘）人。少好丹术，穷究经方，注释唐以前道家炼丹书中所用药物以及丹方的各种隐名，撰成《石药尔雅》。自序云：余西蜀江源人也，少好道艺，性攻丹术，自弱至于知命，穷究经方，用药皆是隐名。

本书成于唐宪宗元和元年，即公元806年。《石药尔雅》序末，有梅彪题署时唐元和丙戌梅序。

全书分上、下两卷。上卷标题为《飞炼要诀》，其下子目为释诸药隐名。下卷有五个标题分别为：载诸有法可营造丹名、释诸丹中有别名异号、叙诸经传歌诀名目、释诸经记中所造药物名目、论诸大仙丹有名无法者。

全书所释药名，都在上卷释诸药隐名篇内。该篇所释药名共168种，计有玄黄花、铅黄花、锡精、铅精、水银、水银霜、丹砂、雄黄、雌黄、赤雌、石硫黄、硇砂、曾青、空青、磁石、阳起石、理石、胡桐律、金牙、石钟乳、胡粉、白玉、白青、绿青、石绿、石胆、云母、消石、朴消、白矾石、鸡屎矾、滑石、紫石英、白石脂、白石英、青石脂、太一禹馀粮、鸡屎礜石、握雪礜石、太阴玄精、太阳玄精、凝水石、礜石、长石、青琅玕、方解石、石黛、牡蛎、金、银、瑜石、熟铜、铅白、白蜡、水精、紫石英、戎盐、代赭、卤咸、大盐、石盐、黑盐、赤盐、白盐、青盐、乌头、附子、郁金、五牙（谷粟、豆、黍、大麦等牙）、桑汁、葱涕、覆盆子、西龙膏、桑树上露、白云汁、蚯引屎、白茅、桑木、苏膏、白颈蚯蚓汁、白僵蚕、白狗胆、狗屎、白狗耳上血、黑狗粪汁、黑狗血、牛乳汁、牛胆、黄牛粪汁、水牛脂、羊脂、猪项上脂、猪脂、大虫睛、母猪足、猴狲、头、鸛鹊血、雨水汁、野鹊脑、鲤鱼眼睛、马粪、猬脂、萤火虫、蜂子、蜂蜜、韦麻火、鳔胶、虾蟆皮、蛇蜕皮、墙上草、楸木耳、章陆根、桃胶、竹根、松根、柏根、石苔衣、松脂、牡丹、青牛苔者、西兽衣者、石灰、甘土、黄土、赤土、黄鹦头、苋根、鼎、铁釜、土釜、阴华羽盖、阳曹莩、越灶、酢、铜青、五茄皮、地榆、蜂、砌黄、井华水、铅丹、烛烬、桑寄生、地黄、黄精、茯苓、天门冬、蜂子蜜、泽泻、未嫁女子月水、小儿尿、水泡沫、五茄地榆匹、肉苁蓉、死人血、杏仁、白昌、持子屎、乌头没、人粪汁、紫矿、千寻子、牡荆子、蝙蝠、青蚨、子东灰、紫亭脂。

以上共释药名 168 味，其中石类 81 味，动物类 40 味，植物类 42 味，不明类别者 5 味。开头 65 味是石类，以后石类、动物类、植物类，混杂排列。

每味药名下，列举若干隐名，少则一个隐名，多则数十个隐名，例如方解石列只有 1 个隐名，“一名黄石”，而“水银”条下列举了 21 个隐名。

《石药尔雅》序云：今附有六家之口诀，众石之异名，象《尔雅》词句，凡六篇，勒为一卷。

书名虽是《石药尔雅》，而石类仅占半数。由于梅彪是炼丹道家，重视矿物药，故将矿物药列在诸药的开头，并以石药命书名。

本书最早见录于《崇文总目辑释》道书类七，《石药尔雅》1 卷，梅彪撰。

《抱经楼藏书志》卷 36 医家载《石药尔雅》2 卷，题唐梅彪集。

朱彝尊《曝书亭集》卷 42《石药尔雅》跋云：唐元和中（806～820）西蜀人梅彪撰《石药尔雅》，医方以药石并称，《尔雅》只释草木，石不及焉，梅彪取其隐名而显著之也。

十、矿物药来源及其成分说明

1. 金石类

本类矿物药含有单质元素及其化合物。

（1）含金及其化合物的矿物药

金屑（《别录》）金箔，将金锤成纸样薄，Au

金浆（《拾遗》）

金石（《拾遗》）石中金屑，赤褐色

金（《拾遗》）生金有毒

金铅（《五十二病方》）

金顶（赵学敏）（铜镀金）

金箔（《圣济总录》）Au

（2）含银及其化合物的矿物药

银屑（《别录》）银薄，将银锤成纸样薄片，Ag

生银（《开宝》）犹如生铁（从银矿初次炼出），Ag

黄银（《拾遗》）

乌银（《拾遗》）AgS，以硫熏成

朱砂银（《日华子》）由诸药银铅朱砂炼成，AgHgS

银锈（赵学敏）银熔化倾出，剩的银脚，Ag

银箔（《圣济总录》）Ag

银膏（《唐本余》）银汞剂，HgAg

锡蔺脂（《绍兴本草》）AgClAgBr

（3）含铜及其化合物的矿物药

赤铜屑（《唐本》）

紫铜矿（赵学敏）

金花矿（赵学敏）紫铜矿一类

白铜（赵学敏）

白铜矿（赵学敏）

菜花铜（赵学敏）赤铜合炉甘石炼成的黄铜

风磨铜（赵学敏）铜置风露中磨成，色灿如金

诸铜器（《纲目》）

铜盆（《拾遗》）

古铜器（《纲目》）

铜匙柄（《纲目》）

钱花（赵学敏）铸钱炉中飞起黄珠

开元钱（赵学敏）

万历龙凤钱（赵学敏）

古文钱（《嘉祐》）含 Cu、Pb、Sn、Sb、Zn、As

古镜（《拾遗》）

铜弩牙（《别录》）

空青（《本经》）球形腹中空。为碱式碳酸铜 $Cu_2(OH)_2CO_3$、碳酸盐类矿物蓝铜矿

青（《五十二病方》）

曾青（《本经》）碱式碳酸铜 $Cu_2(OH)_2CO_3$、碳酸蓝铜矿

肤青（《本经》）

扁青（《本经》）

白青蓝铜矿矿石（《本经》）杂碱式碳酸铜扁青石（原硅酸盐）$Cu(OH)_2$、$CuCO_3$杂 $NaAlSiO_4$、$Na_2NaAl(SiO_3)_2Na_2S$、同扁青石、碱式碳酸铜

铜青（《嘉祐》）CuO、$CuAc_2$（蓝色）、CuO_2CuAc_2（绿色）铜锈衣

绿青（《别录》）碱式碳酸铜，为孔雀石的矿石

绿盐（《唐本》）入胃则吐，吸收后毒害肝及红血球，量大则死亡

自然铜（《开宝》）CuS、FeS 火煅醋淬成 CuO、FeO、$CuAc_2$杂 Ni、As、Sb

铜矿石（《唐本》）黄铜矿 CuS、FeS，赤铜矿 Cu_2O，斑铜矿 Cu、CuS、FeS

石胆（《本经》）胆矾（$CuSO_4 \cdot 7H_2O$）加热200℃，失去 H_2O 成白色粉末

(4) 含铁及其化合物的矿物药

铁（《本经》）由赤铁矿、褐铁矿、磁铁矿冶炼而成，初炼出为生铁，含碳1.7%以上，比重7.86，熔点1535℃，经过反复冶炼，成熟铁，含碳0.2%以下，钢含碳0.2%～1.5%，含碳越多材质越硬而脆。

钢铁（《别录》）

马口铁（赵学敏）

马衔（《开宝》）

车辖（《开宝》）

布针（《拾遗》）

枷上铁及钉（《拾遗》）

铁锈（《拾遗》）

劳铁（《拾遗》）

钉棺下斧声（《拾遗》）

诸铁器（《纲目》）

铁锁（《纲目》）

铁钉（《纲目》）

铁铧（锸）（《纲目》）

大铁刀及环（《纲目》）

剪刀股（《纲目》）

铁镞（《纲目》）

铁甲（《纲目》）

铁铳（《纲目》）

铁斧（《纲目》）

马镫（《纲目》）

蜜栗子（《纲目》）铁矿床渣子，状如蛇黄有刺，上有金线缠之。色紫褐，亦无名异之类

铁杵（《拾遗》）

铁石（《山海经》）

针砂（《纲目》）即铁粉（炼铁飞出火花落下成粉）

秤锤（《开宝》）

铁粉（《开宝》）钢、铁飞炼而成粉末，今日用铁丝捆紧，锉成细末

铁华粉（《开宝》）铁入醋生锈产生的赤褐色粉末

铁落（《本经》）煅铁时落的铁屑、细薄片，FeO、Fe_2O_3、Fe

铁精（《本经》）煅铁炉中的灰烬

铁浆（《嘉祐》）生铁浸在水中生锈后所成水溶液

磁石（《本经》）

磁石毛（《拾遗》）

玄石（《别录》）

玄石紫粉丹（《太平圣惠方》）

皂矾（青矾、绿矾）（《日华子》）在潮湿处氧化生棕黄色锈衣，火煅变赤色名绛矾（矾红）

代赭（《本经》）三方晶系，赤铁矿硬度5.5～6.5。止吐止呃，生用镇降，煅用收涩止血止泄

流赭（《山海经》）

赤石（《拾遗》）

玄黄石（《纲目》）

蛇黄（蛇含，时珍曰，应是蛇腹中黄，因难得，故以蛇含石代之，褐铁矿）（《唐本》）$FeS \cdot S$

金牙（《别录》）$FeS \cdot S$

紫精丹，铁粉1两硫半两，炼制成FeS，（《太平圣惠方》）卷95丹剂（《太平圣惠方》）

无名异（《开宝》）软锰矿石。MnO_2杂Fe、Ni、Co、Fe_2O_3、SiO_3

婆娑石（《开宝》）

禹馀粮，太一馀粮（《本经》）含水氧化铁$2Fe_2O_3 \cdot 3H_2O$、多量SiO_3、PO_4、Al、Mn，黏土、泥、砂子含量因产地不同而各异

石中黄子（《唐本草》）

（5）含锡及其化合物的矿物药

锡（《纲目》）

锡铜镜鼻（《本经》）

锡矿（赵学敏）

（6）含铅及化合物的矿物药

黑锡丹（《局方》）

铅（《嘉祐》）Pb、由方铅矿冶炼杂微量Au、Ag

粉锡（铅粉）（《本经》）官粉$PbCO_3Pb(OH)_2$、胡粉

铅丹（《本经》）PbO、PbO_2、Pb_3O_4

密陀僧（《唐本》）PbO粗品杂Pb、PbO_2细砂SiO_2。置空气中，吸CO_2成$PbCO_3Pb(OH)_2$（铅粉）

铅霜（《嘉祐》）$PbAc_2 \cdot 3H_2O$

子母悬（赵学敏）

（7）含汞及其化合物的矿物药

水银（《本经》）

丹砂（《本经》）HgS，杂雄黄、磷灰石、沥青

灵砂（《证类》（精纯）HgS

银朱（《纲目》）HgS，由石硫赤（石亭脂）与Hg结而成（粗）

红粉（红升丹）（《医宗金鉴》）HgO 杂有 As_2S_2

三仙丹（小升丹）（《疡科心得集》）HgO

白降丹（《医宗金鉴》）（$HgCl_2$ 及 Hg_2Cl_2）（不纯品杂有 HgO、As_2O_3）

水银粉（轻粉）（《嘉祐》）Hg_2Cl_2，长时间煮则分解成 $HgCl_2 + Hg$ 剧毒，见日光则分解成 $HgCl_2 \cdot Hg$，色变深黄剧毒

甘汞（粉霜）（《纲目》）Hg_2Cl_2，不稳定，水煮、日光暴晒则分解成 $HgCl_2 \cdot Hg$，色变深，有剧毒

(8) 含砷及其化合物的矿物药

砒石（《开宝》）As_2O_3（不纯），砷矿石，与锑矿、锌矿、红银矿共存

砒霜（《开宝》）纯 As_2O_3

太乙神精丹（《千金方》）皎洁雪状粉，主含 AS_2O_3，微量 HgO、$CuSO_4 \cdot 3H_2O$、$FeSO_4 \cdot 7H_2O$，$Cu(OH)_2 \cdot 2CuCO_3$。用丹砂、曾青、硝石、雄黄、雌黄烧炼升华而成，其性味主治功用与砒霜同

礜石（《本经》）FeAsS、毒砂、硫砷铁矿，硬度 5.5 ~6，比重 5.9 ~6.2

握雪礜石（《唐本》）

特生礜石（《别录》）FeAsS 为硫砷铁矿

苍石（《别录》）

雄黄（鸡冠石）（《本经》）为硫化矿物的雄黄矿石，主要含 As_2S_2

雄胆（赵学敏）

雌黄（《本经》）为硫化矿类雌黄矿石，主要成分 As_2S_3

土黄（《纲目》）由砒石、硇砂、木鳖子、巴豆仁制成

(9) 含硫的矿物药

硫黄（《本经》）S 矿石

倭流黄（赵学敏）S，产日本

天生磺（赵学敏）S，产矿泉区

石硫赤（《别录》）S，（亭脂，S 硫）

石流青（《别录》）S，（带青色 S）

(10) 含碳的矿物药

石炭（《纲目》）C，（煤）

金刚石（《纲目》）C

釜脐墨（铛墨）（《蜀本》）C，草木燃烧，附于锅脐，或锅底烟灰

墨（《纲目》）C

雷墨（《纲目》）含 C，杂 Fe、Ni。［时珍曰］或由丹砂、雄黄、青黛合成

百草霜（《纲目》）（草木灰）

莲房炭（《太平圣惠方》）

荷叶炭（《集简方》）

印纸（《拾遗》）

陈棕炭（《衍义》）

血馀炭（《千金方》）

烟药（《拾遗》）由空青、石黄、干姜、桂心炼成

石药（《拾遗》）

阿婆赵荣二药（《拾遗》）

火药（《纲目》）C、KNO_3、S 合成

车脂（《开宝》）

釭中膏（《开宝》）

地溲（《纲目》）

石漆（《拾遗》）

石脑油（《嘉祐》）天然的石油的原油，含链烷烃、环烷烃、芳烃。含有致癌物质

锰火油（赵学敏）

烟胶（《纲目》）旧法，烤硝牛皮时，其烟及牛皮蒸出物凝于灶壁成黑褐色胶状物

鸡脚胶（赵学敏）

琥珀（《别录》）

育沛（《山海经》）

2. 玉石类

本类包括各种玉、水晶及各种石，其中水晶（白石英）为纯二氧化硅结晶体。玉的成分也含二氧化硅。但混入其他各种化合物。

玉屑（《别录》）含原硅酸钙、原硅酸镁

青玉（《别录》）

瑾瑜玉（《山海经》）

白玉髓（《别录》）

合玉石（《别录》）

璧玉（《别录》）

玉英（《别录》）

玉膏（《拾遗》）

水精（《纲目》）

火珠（《纲目》）

阳燧（《纲目》）

硬石（《纲目》）

白石英（《本经》）

紫石英（《本经》）为卤化物矿中萤石的矿石，主含 CaF_2（Ca51.2%、F48.8%）及微量 Fe_2O_3

马脑（《拾遗》）

淡秋石（《证类》）由石膏加小便制成含 $CaSO_4$ 的物质。由人中白加秋露水漂污，再火煅而成（尿酸钙、磷酸钙）

溺白垽（人中白）（《别录》）尿酸钙、磷酸钙

砭石（《纲目》）《山海经·东山经》云：高氏之山、凫丽之山多铁。郭璞注，可以为砭针也

宝石（《纲目》）

淋石（《拾遗》）

陵石（《别录》）

遂石（《别录》）

终石（《别录》）

封石（《别录》）

紫加石（《别录》）

紫石华（《别录》）

黑石华（《别录》）

白石华（《别录》）

黄石华（《别录》）

厉石华（《别录》）

碧石青（《别录》）

白肌石（《别录》）

晕石（《拾遗》）

烧石（《拾遗》）

石栏干（《拾遗》）

金星石（《嘉祐》）含 $KMg_3(SiO_3)_2AlO_2(SiO_3)_3$（同名异物很多）

菩萨石（《嘉祐》）砂金石，成分为 SiO_2

婆娑石（文见无名异）（《开宝》）

砺石（《嘉祐》）砥石，$Al_2(SiO_3)_3$

黑羊石（《图经》）

白羊石（《图经》）

然石（《纲目》）

朵梯牙（《纲目》）

马肝石（《纲目》）

铅光石（《纲目》）

太阳石（《纲目》）

龙涎石（《纲目》）

猪牙石（《纲目》）

碧霞石（《纲目》）

水中石子（《拾遗》）SiO_2（河中砂砾）、$Al_2(SiO_3)_2$

白师子（《拾遗》）

玄黄石（《拾遗》）

保心石（赵学敏）

木心石（赵学敏）

辟惊石（赵学敏）

奇功石（赵学敏）

金精石（赵学敏）金云母 $(H \cdot K)_2Mg_3Al(SiO_4)_3$

银精石（赵学敏）即白云母

猫睛石（赵学敏）

龙窝石（赵学敏）

瘤卵石（赵学敏）

禹穴石（赵学敏）

吸毒石（赵学敏）

松化石（赵学敏）

樟岩（赵学敏）

红毛石皮（赵学敏）

研朱石槌（《拾遗》）

石髓（《拾遗》）为石灰质泥状堆积物，《列仙传》云：钟乳也

石黄（《拾遗》）

石面（《纲目》）

石芝（《纲目》）

石肝（《别录》）

石脾（《别录》）

石肺（《别录》）

石肾（《别录》）

石蓍（《别录》）

石鳖（《纲目》）为石鳖科动物石鳖化石。但时珍曰，形状大小如䗪虫，生海边䗪虫亦名土鳖虫

石脑（《别录》）$CaCO_3$杂 Mg、Fe、P、F、Sr、Ba、Mn。陶云：亦钟乳之类

石螺蛳（赵学敏）

大石镇宅（《拾遗》）

霹雳针（《拾遗》）针，《纲目》作碪（砧）。作垫子，置物于上，供锤击用

器酸（《山海经》）

帝台之棋（《山海经》）

3. 盐类

盐类由酸根阴离子同金属阳离子相结合而成。

（1）盐酸的盐类 NaCl、海水、咸水湖、盐池、盐井。$MgCO_3$盐碱池。Na_2SO_4芒硝、朴消、玄精石。$NaNO_3$、KNO_3与盐共生于卤地、形成巨大固体矿床，如智利硝石。

食盐（《别录》）、盐湖、盐池、卤地下有结玄精石 $CaNa(SO_4)_2$及盐精石 $MgK_2(SO_4)_2$晶见“寒水石”条、“凝水石”条古代为水晶状盐精石，唐为软石膏（北）、方解石（南）

咸秋石（《纲目》）

大盐（《本经》）

卤咸（《本经》）熬盐剩下的卤水，其结晶体名卤咸 $MgCl_2$杂 NaCl

戎盐（《本经》）古代盐湖蒸干各种氯物积压湖底土中 NaCl、MgCl、Ca、KCl、$FeCl_2$、$MgSO_4$、$CaSO_4$。青、陕、甘、内蒙古均产

光明盐（《唐本》）

硇砂（《唐本》）白硇砂含 NH_4^+ 33.06%，Cl^- 66.02%，杂微量 Ca^{2+}、Mg^{2+}、Fe^{3+}。紫硇砂含 N、NaCl，杂 Fe^{3+}、Mg^{2+}、Cl^-、S^{2-}、SO_4^{2-}（北庭砂）

（2）硼酸盐

蓬砂（《嘉祐》）产于青海、西藏，（$Na_2B_4O_7 \cdot 10H_2O$）由矿物硼砂炼成

（3）硝酸盐

消石（《本经》）又名焰消、火消 KNO_3，及少量 $NaNO_3$、NaCl

狗溺消（赵学敏）

（4）硫酸盐

朴消（《本经》）硬度 1.5～2，比重 1.48。$Na_2SO_4 \cdot 10H_2O$ 杂有 K_2SO_4、$CaSO_4 \cdot H_2O$、$FeSO_4$、NaCl，生于卤地，初炼出为朴

仙人骨（赵学敏）

芒硝（《别录》）$Na_2SO_4 \cdot 10H_2O$ 含杂物同朴消，但杂物含量比朴消少。在干燥空气中易风化，失去水，表面成白色粉

生消（《开宝》）Na_2SO_4

玄明粉（《嘉祐》）芒硝经火煅，失去 H_2O 成白色粉，其纯度随芒硝品质不同而异

风化消（《纲目》）芒硝露空气中，失去水名风化消（功同芒硝）

马牙消（《嘉祐》）含硫酸钠 Na_2SO_4，功同芒硝

石膏（《本经》）$CaSO_4 2H_2O$，含水质软名软石膏，硬度 1.5～2，比重 2.2～2.4；不含水为硬石膏，质硬

龙石膏（《别录》）

理石（《本经》）$CaSO_4$，与软石膏一类；纤维石膏（长石与硬石膏一类）

长石（《本经》）$CaSO_4$无水硬石膏杂 Al_2O_3，FeS 正长石 KAl_3，$(SiO_3)_4$斜长石 NaCaAl（SiO_3）

凝水石（《本经》）$MgSO_4$、K_2SO_4、KCl，又名寒水石（软石膏亦称寒水石）。唐宋时，北方以红石膏为寒水石，但是南方以方解石为寒水石。

太阴玄精（《开宝》）钙芒硝 $CaNa_2(SO_4)_2XH_2O$

盐精石（《开宝》）似凝水 $K_2Mg(SiO_4)_2$

矾石（《本经》）$Al_2(SO_4)_3K_2SO_4 \cdot 24H_2O$，枯矾（无水）易溶热水中，溶于30倍水中

波斯白矾（《海药》）

柳絮矾（《嘉祐》）

绿矾（《嘉祐》）（皂矾），煅名绛矾，$FeSO_4 \cdot 7H_2O$

金线矾（《海药》）$FeSO_4$ （K_2SO_4）$12H_2O$

（5）碳酸盐

汤瓶内硷（《纲目》）$CaCO_3$

恒石（《五十二病方》）

石钟乳（《本经》）鹅管石，$CaCO_3$杂镁及其他杂物，腔肠动物树珊瑚科栎珊骨骼

岩香（赵学敏）

石床（《唐本》）

孔公孽（《本经》）

殷孽（《本经》）石钟乳类，一名姜石

土殷孽（《别录》）$CaCO_3$及土、砂混合物

姜石（殷孽）（《唐本》）$CaCO_3$，苏敬云有5种

井泉石（《嘉祐》）

花蕊石（《嘉祐》）含 $CaCO_3MgCO_3$，杂少量（SiO_3）$_3$，由方解石组成，含蛇纹石

桃花石（《唐本》）含 Fe、$CaCO_3$

石花（《唐本》）胞孔科动物脊突苔虫、瘤苔虫骨骼，能浮于水，基部略平坦，中部交织如网，上部分枝，表面断多细孔，体轻，色有灰白、灰黄、灰黑不等，主含 $CaCO_3$，杂有 Mg、Fe

方解石（《别录》）硬度3、比重2.7，$CaCO_3$杂 Mg、Al、Mn、Zn、Fe 纯者白色，不纯者杂灰红、绿色（属大理石）

石灰（《本经》）由石灰岩烧炼分解而成生 CaO，熟 Ca（OH）$_2$久放吸 CO_2成 $CaCO_3$（陈石灰）

天龙骨（赵学敏）$CaCO_3Ca$（PO_4）$_2$

石硷（《纲目》）从蒿蓼灰烬中，提取碱汁，和以面粉成固体物，含 $K_2CO_3 \cdot$

Na_2CO_3及面中淀粉、蛋白质

青黛（《开宝》）由大青叶汁和熟石灰制成

龙骨（《本经》）$CaCO_3$、$Ca_3(PO_4)_2$，含 Cl^-、SO_4^{2-}

龙齿（《本经》）$CaCO_3$、$Ca_3(PO_4)_2$

牡蛎（《本经》）$CaCO_3$

珍珠（《炮炙论》）$CaCO_3$

珍珠母（《医宗金鉴》）

紫贝（《唐本》）

石决明（《别录》）

瓦楞子（《拾遗》）

车渠（《海药》）

石蟹（《开宝》）$CaCO_3$，蟹化石（古生代节肢动物）

石蛇（《图经》）$CaCO_3$

石蚕（《开宝》）$CaCO_3$，石蚕科昆虫的幼虫化石

石燕（《开宝》）$CaCO_3$、$Ca_3(PO_4)_2SiO_3$。石燕化石合生代腕足类石燕子科动物，中华子石燕

珊瑚（《唐本》）$CaCO_3$，矾花科动物桃色珊瑚骨骼

越王馀筭（《拾遗》）

沙箸（《纲目》）

石帆（陶弘景）

青琅玕（《本经》）$CaCO_3$、H_2SiO_3

天婴（《山海经》）

炉甘石（《绍兴》）

白垩（《本经》）古代有孔虫的壳堆积物，构成广厚地层，含 $CaCO_3$、$Ca_3(PO_4)_2$杂有少量 $MgSiO_3$、$Al_2(SiO_3)_3$及 Fe^{2+}，用时宜水飞，否则会结涩肠内，白垩外观似白陶土（高岭土）、白石脂，白陶土由正长石云石再分解而成

（6）硅酸盐

玻璃（《拾遗》）$NaCaAl(SiO_3)_3$

琉璃（《集韵》）$NaCaAl(SiO_3)_3 \cdot Na_25$

金云母（金精石）$(HK)_2Mg_3Al(SiO_4)_3$

云母（《本经》）原硅酸盐、$H_2KAl_3(SiO_4)_3$、白云母（银精石）、Fe^{2+}，杂有

Na^{+}、Ca^{2+}、Mg^{2+}

云核（赵学敏）

阳起石（《本经》）硅酸钙镁 $CaSiO_3 \cdot MgSiO_3$，杂少量 Al、铬、Fe、阳起石石棉矿。

礞石（《嘉祐》）Al_2O_3、SiO_2，矾土云母石的一种

青礞石为绿泥片岩或云母片岩。$H_2Al_2Mg(SiO_3)_4$，杂低价铁，故呈绿色（含水硅酸镁铝）

金礞石为白云母、黑云母混合体

滑石（《本经》）$H_2Mg(SiO_3)_4$硅酸镁，杂有黏土、石灰石、铁化物，质软，硬度1～1.5，比重2.6～2.8，手捏有滑腻感。为白色或类白色片状或粒状块，由蛇纹石、辉石分解而成

不灰木（《拾遗》）即角闪石石棉矿，含硅酸镁 $H_2Mg_3(SiO_3)_4$，由阳起石分解而成，其矿存于岩石间隙。杂有 K、Na、Ca、Fe 等元素

水花（《拾遗》）

海浮石（《日华子》）含多气泡的小石块（比重2.1～2.5）、在海水中能浮起。海浮石是海底火山喷出的岩浆（花岗岩），在凝固过程中，散发的气体被包在浆内，形成多孔气泡，被海水冲刷成圆球状，飘浮到海边，含70%硅酸 H_2SiO_3及矾土、石灰、K、Na、Ca、Mg、Fe、Mn 及氯化物铵盐

麦饭石（《图经》）

五色石脂（《本经》）

白石脂（《别录》）

赤白脂（《别录》）

青石脂（《别录》）

黄石脂（《别录》）

黑石脂（《别录》）

五色石脂　基本成分为含水高岭土（白陶土）。$Al_2(SiO_3)_3XH_2OAl_2(SiO_3)_3$占86%，水占14%

白石脂　为较纯的含水高岭土，杂微量 Ca、Mg、Fe

赤石脂　为含水高岭土红色块，此红色由 FeO 所致，此外杂 Ca、Mg、Mn

青石脂

黄石脂

黑石脂 以上三种，因含水高岭土所含 Fe_2O_3、Ca^{2+}、Mg^{2+}、Mn^{4+}等种类不同及含量不同，其颜色由灰、青、黄、褐、黑等变化不同

4. 土类

土类包换各种土。土的成分很复杂，主要含氧化铝、二氧化硅及少量 Ca、Mg、Fe 等化合物。

土类按粉粒粗细分：粒粗为砂土，粒细为壤土，粒子极细如面为黏土。

土类按混入异物所形成颜色分：混入其他物极少为白土，混入氢氧化铁为黄土，混入氧化铁为红土，混入有机物及碳为黑土。主要成分 Al_2O_3、SiO_2、H_2SiO_3、H_4SiO_4与 Ca、Mg、Fe 形成各种盐。不杂为白陶土、高岭土。杂 Fe 为赤色如肝，杂 Ca、Mg 为黄色。

灶心土（伏龙肝）（《别录》）$Al_2(SiO_3)_3$，杂 Fe_2O_3(赤色)

灶心土（伏龙肝）（《别录》）

蘳塍处土（《五十二病方》）

圂土（《五十二病方》）

正月十五日灯盏（《拾遗》）

洗手土（赵学敏）

门臼土（《纲目》）

社坛四角土（《拾遗》）

富家中庭土（《拾遗》）

亭部中土（《纲目》）

户垠下土（《拾遗》）

柱下土（《拾遗》）

床四脚下土（《拾遗》）

寡妇床头尘土（《拾遗》）

大甑中蒸土（《拾遗》）

弹丸土（《拾遗》）

甘土（《拾遗》）为水化硅酸盐 $MgAl_2(SiO_3)_4$，杂 Ca^{2+}、Fe^{2+}（蒙脱土白陶土）

赤土（《纲目》）似代赭石。Fe_2O_3、$Al_2(SiO_3)_3$

黄土（《拾遗》）含钙盐、$CaSiO_3$钙质结核

铸钟黄土（《拾遗》）

铸铧锄孔中黄土（《拾遗》）

鞋底土（赵学敏作鞋底泥）

故鞋底下土（《拾遗》）

千步峰（《纲目》）

市门土（《拾遗》）

故茅屋上土（《拾遗》）

东壁土（《别录》）含 $Al_2(SiO_3)_3$或 $Al_2O_3SiO_2$

天子藉田三推犁下土（《拾遗》）

二月上壬日取土（《拾遗》）

清明日戌上土（《纲目》）

执日取天星上土（《拾遗》）

太阳土（《纲目》）

道中热尘土（《纲目》）

春牛角上土（《拾遗》）

载盐车牛角上土（《拾遗》）

车辇土（《纲目》）

猪槽上垢及土（《拾遗》）

朝北燕窠土（《经疏》）

胡燕窠内土（《拾遗》）

百舌鸟窠中土（《拾遗》）

鼠壤土（《拾遗》）

鼢鼠壤堆上土（《拾遗》）

屋内壖下虫尘土（《拾遗》）

土蜂窠上细土（《拾遗》）

蚁穴中出土（《拾遗》）

蛇黄（《唐本》）

封殖土（《五十二病方》）

冻土（《五十二病方》）

烧尸场上土（《纲目》）

桑根下土（《拾遗》）

土地（《拾遗》）

土墼（《纲目》）

诸土有毒（《拾遗》）

井中泥（《五十二病方》）

田中泥（《纲目》）

螺蛳泥（《纲目》）

白鳝泥（《纲目》）

白蚁泥（《纲目》）

蚯蚓泥（《纲目》）

乌爹泥（《纲目》）

檐溜下泥（《纲目》）

久溺中泥（《五十二病方》）

驴溺泥（《拾遗》）

犬尿泥（《纲目》）

尿坑泥（《纲目》）

粪坑底泥（《纲目》）

仰天皮（《拾遗》）

鬼屎（《拾遗》）

椅足泥（赵学敏）

檀香泥（赵学敏）

丹灶泥（赵学敏）

铸铜泥罐（赵学敏）

蛆钻泥（赵学敏）

鼠穴泥（赵学敏）

乌古瓦（《唐本》）

白瓷瓦屑（《唐本》）

瓦甑（《拾遗》）

乌金砖（赵学敏）

古砖（《拾遗》）

温石及烧砖（《拾遗》）

冢上土及砖石（《拾遗》）

观音粉（赵学敏）

铁线粉（剔癣粉）（赵学敏）

杨妃粉（赵学敏）

乌龙粉（赵学敏）

灶末灰（《五十二病方》）

锻铁灰（《五十二病方》）

煅灶灰（《别录》）

冬灰（《本经》）K、Ca、Mgx（CO_3^{2-}、PO_4^{3-}、SiO_3^{2-}）

梁上尘（《唐本》）

席下尘（赵学敏）

白腊尘（赵学敏）

自然灰（《拾遗》）$H_2Mg(SiO_3)_2$含水硅酸、苦土矿、海泡石

瓷瓯中黑白灰（《拾遗》）

香炉灰（《纲目》）

香炉岸（《纲目》）

石硷（《纲目》）

神丹（《拾遗》）

特蓬杀（《拾遗》）

井底砂（《证类》）$Al_2O_3SiO_2$，井底灰黑色泥土

六月河中诸热砂（《拾遗》）$Al_2O_3SiO_2$

杓上砂（《纲目》）$Al_2O_3SiO_2$

瑶池砂（赵学敏）$Al_2O_3SiO_2$

瀚海石窍沙（赵学敏）

玉田沙（赵学敏）

白朱砂（赵学敏）

神火砂（赵学敏）

砂锅（《纲目》）

坩埚（《纲目》）

药名索引

一画

二画

三画

四画

五画

六画

七画

八画

九画

十画

十一画

十二画

十三画

十四画

十五画

十六画

十七画

十八画

十九画

二十画

二十一画

跋

尚志钧先生《中国矿物药集纂》的出版，实为中医学术界的一大盛事，是尚公继辑复、校注、编写出版《新修本草》《药性趋向分类论》等33部专著后第一部大规模全面整理矿物药的资料总集，厥功至伟。地质矿物，济国却病。凡能供医疗用的矿物都是矿物药。历代文献对矿物药均有散在的记述。我将《中国矿物药集纂》书稿放置在案头，翻检多日，深感尚公这一工作之厚重。

《中国矿物药集纂》的出版，首先昭示的是尚志钧先生精彩而寂寞的本草人生。自1977年以来，尚公闭户不交人事，甘坐冷板凳，独得东坡“万人如海一身藏”的状态，有孤往精神。不孤冷到极度，不堪与世谐和（熊十力语）。堂堂巍巍做人，独立不苟为学。尚志钧先生一生著述近三千万言，集毕生精力和情感于本草文献，先生冷性文字的背后，蕴含着激越的情怀。先生在古本草史料的世界寻寻觅觅，搜剔爬梳，终成本草文献的拓荒者和耕耘者。作为著名的本草文献学者，尚志钧先生特别注重本草文献的功能作用，其认为本草文献无论哪一个药物条文，或哪一部本草专著，或哪一位本草人物，均可检索互查，探其源流，为我所用。更重要的是他长年沉浸其间，对资料的甄别与衡鉴，都有独特的发现和创获，研读其书，令局外人也会有所体悟。

尤其要说明的是，《中国矿物药集纂》的编纂和出版将会带来矿物药研究领域的发展和成熟。客观地讲，除分散在各综合本草著作的矿物药外，唐以降，矿物药专著寥若晨星。唐·梅彪撰写的《石药尔雅》系疏注唐以前道家炼丹书所用的药物。王嘉荫编著的《本草纲目的矿物史料》，仅收录了《本草纲目》中正文及集解中所列有关矿物、岩石等137种；李焕编写的《矿物药浅谈》、谢崇源等主编的《药用矿物》分别介绍了70味和50味矿物药的性味功用等；郭兰忠主编的《矿物本草》收载108味矿物药；近代学者余嘉锡“寒食散考”一文，近3万言，但只是方剂单文考据。而尚志钧先生的《中国矿物药集纂》书分上、下两篇，上篇总论，曰历代主要本草矿物药发展概况，曰矿物药的分类，曰矿物药化学成分概述，曰矿物药化学成分与药效关系，曰矿物药的物理性状，曰矿物药有关中药的药性，曰有毒矿物药毒性，曰矿物药配伍宜忌，曰矿物药炮制加工和煎煮。下篇收载单味矿物药1235种，可谓将矿物药搜罗殆尽。书末附珍贵的矿物药研究资料10篇。从尚志钧先生对历代本草专著矿物药文献的排检和整理，可见其编纂工作的广博与精细。其对矿物药资料的学术别择，提高了本草文献的可用度与学术含量。《中国矿物药集纂》一书的价值绝不仅仅在于对文献的整理。其在集纂方面的体大思精的特点，能反映尚公学术的创新，更能为中医药学术发展指路。

我们景仰尚志钧先生，其实是因为我们做不到。

任何

于合肥梦园倚云居

戊子春日

后　记

我父亲——皖南医学院弋矶山医院尚志钧教授的《中国矿物药集纂》一书，是继2007年11月出版《本草人生——尚志钧本草文献研究文集》后的又一部心血之作。

父亲在1944年大学毕业后，就立志于本草文献整理，为此，他阅读了大量的清代考据学专著。1949年，他在济南白求恩医学院药科专业任教有机化学时，对清以前的矿物药的收集、摘录和考证有了浓厚兴趣。1958年，他有幸赴北京参加卫生部举办的中药研究班进修。在那两年期间，他只要一有空，就钻进北京各大图书馆埋头苦读，查阅资料，写下大量的读书笔记，建立了本草书藉、本草人物和单味药物三个系统的卡片档案。

父亲在整理矿物药的读书笔记中曾写道："在历代文献中，记载的矿物药名字很多，其中有些矿物药至今还在应用，有些矿物药古代虽用过，由于毒性大、疗效低，被逐渐淘汰，还有些矿物药离我们的时代很远，仅知其名，具体是何物，难以清楚。随着时代迁移，这些矿物药很有可能失传了……"

确实，矿物药是中国医药宝库中不可缺少的一部分。父亲从文献研究角度出发，把清以前的矿物药，上自先秦，下至清末，均予以收录，并对有关方书、本草以及文史书中所载矿物药的功效和治疗也进行了收录。另外，对每味药注明来源，将该药在文献中最早的记载，及其后出的记载均分别转录。

这部长达80万字的手稿完成后，初始名为《清以前矿物药集纂》，后综合各方意见，改为《中国矿物药集纂》。本书的出版，给父亲的精彩人生又增添了一抹亮色。在此特别感谢王键教授、郑金生研究员、胡世杰编审、陈仁寿教授作序，任何主任医师作跋；特别感谢出版社相关领导和编辑。书稿曾承蒙山西省中医药研究院中医基础理论研究所赵怀舟及山西省图书馆信息咨询部赵玉秋、李莉、蔡艳青等同志电脑录入，在此一并表示衷心感谢！

尚元藕

2008年3月1日

补记

2008年10月9日，父亲尚志钧，因年迈多病，救治无效，在皖南医学院弋矶山医院逝世，未能亲睹本书的问世。

在整理父亲的遗稿时，有一札资料是待研究的思考题，封面上有一句他自勉的话语，令人印象深刻："把工作放在日后做是空的，一日不死，工作不止。"父亲的本草人生，数十年如一日，直到生命尽头。其执着于本草文献的潜心研究态度和持之以恒的人格魅力无时无刻不感动着儿女。唯愿以此书作为对父亲的永久怀念！

尚元藕

2009年5月1日